De onzichtbare brug

Uitgeverij Prometheus stelt alles in het werk om op milieuvriendelijke en duurzame wijze met natuurlijke bronnen om te gaan. Bij de productie van dit boek is gebruikgemaakt van papier dat het keurmerk van de Forest Stewardship Council (FSC) mag dragen. Bij dit papier is het zeker dat de productie niet tot bosvernietiging heeft geleid.

Julie Orringer

DE ONZICHTBARE BRUG

Vertaald door Onno Voorhoeve,
Tjadine Stheeman en Gerda Baardman

2010 Prometheus Amsterdam

Voor de gebroeders Zahav

Mixed Sources
Productgroep uit goed beheerde bossen
en andere gecontroleerde bronnen.
www.fsc.org Cert no. CU-COC-803902
© 1996 Forest Stewardship Council

De vertalers ontvingen voor deze vertaling een werkbeurs van het
Nederlands Letterenfonds.

Oorspronkelijke titel *The Invisible Bridge*
© 2010 Julie Orringer
© 2010 Nederlandse vertaling Uitgeverij Prometheus, Onno Voorhoeve,
Tjadine Stheeman en Gerda Baardman
Omslagontwerp Tessa van der Waals
Foto omslag Spaarnestad Photo/Parijs, maart 1934
Foto auteur Ryan Harty
www.uitgeverijprometheus.nl
ISBN 978 90 446 0431 3

O tempora! O mores! O mekkora nagy córesz.
O wat een tijden! O wat een manieren! O wat een sores!

– uit *De Moerasgladiool*, een krant van de Hongaarse
werkkampen, werkkamp Bánhida, 1939

Uit Bulgarije dreunt het woest kanongedonder,
het raakt de bergrug, aarzelt dan en gaat ten onder.
Een verstopping van gedachten, en van karren, mensen, vee;
hinnikend steigert de weg; de hemel trekt zijn manen mee.
In die chaos van beweging raak ik jou in mij nooit kwijt,
stralend, diep in mijn bewustzijn, als bevroren in de tijd:
een engel, stomgeslagen, die dit slachttoneel aanschouwt,
of een insect, al haast begraven in een graf van rottend hout.

– uit 'Prentbriefkaarten' van Miklós Radnóti, geschreven
aan zijn vrouw tijdens zijn dodenmars uit Heldenau, 1944

Het was
alsof ik lag
onder een laaghangende
hemel en ademde
door het oog van een naald.

– uit *Unrecounted* van W.G. Sebald

I

De straat van de scholen

I

Een brief

Later zou hij haar vertellen dat hun verhaal bij de Hongaarse Koninklijke Opera was begonnen, de avond voor hij met de West-Europa Express naar Parijs was vertrokken. Het was het jaar 1937, in de maand september, en het was erg koud voor de tijd van het jaar. Zijn broer stond erop om hem te trakteren op de opera, bij wijze van afscheidscadeau. Het was een uitvoering van *Tosca* en ze zaten helemaal bovenin. De drie marmeren rondboogdeuren van de entree en de gevel met Korinthische zuilen en heroïsche entablementen waren voor hen niet weggelegd. Zij moesten naar binnen door een bescheiden zijingang met een portier met een rood drankgezicht, uitgesleten parket op de vloer en halfvergane aanplakbiljetten van opera's aan de muur. Meisjes in knielange jurken liepen gearmd met jongemannen in afgedragen pakken de trap op; gepensioneerden schuifelden redetwistend met hun witharige echtgenotes over de vijf smalle trappen naar boven. Daar, in een foyer met spiegels en houten banken langs de muren, heerste een gezellige drukte. De lucht was er dik van de rook van sigaretten. Aan het einde van de foyer was een deur die toegang verschafte tot de concertzaal zelf, die grote, elektrisch verlichte grot met zijn plafondschildering van Griekse goden en zijn balkons met gouden krulwerk. Andras had nooit gedacht dat hij hier nog eens een opera zou zien, en dat zou ook niet gebeurd zijn als Tibor geen kaartjes had gekocht. Maar Tibor was van mening dat als je in Boedapest woonde, je in elk geval één keer Puccini in het Operaház moest hebben gezien. Tibor leunde over de balustrade om de loge van admiraal Horthy aan te wijzen, waar deze keer alleen maar een oude generaal in huzarenuniform zat. Ver beneden escorteerden in smoking geklede suppoosten mannen en vrouwen naar hun plaats. De mannen in rok, de vrouwen met kapsels die glinsterden van de sieraden.

'Kon Mátyás dit maar zien,' zei Andras.

'Hij zal het zien, Andráska. Na zijn eindexamen komt hij naar Boedapest en binnen een jaar zal hij er al op uitgekeken zijn.'

Andras moest glimlachen. Tibor en hij waren direct naar Boedapest gegaan toen ze in Debrecen het *gimnázium* hadden afgemaakt. Ze waren opgegroeid in Konyár, een dorpje in de oostelijke laagvlakte, en ook zij hadden de hoofdstad ooit gezien als het middelpunt van de wereld. Nu was Tibor van plan om in Italië medicijnen te gaan studeren en ging Andras, die hier nog maar één jaar woonde, studeren in Parijs. Tot het nieuws kwam van de École Spéciale d'Architecture hadden ze allemaal gedacht dat Tibor als eerste vertrokken zou zijn. Hij had de laatste drie jaar gewerkt als schoenverkoper in een winkel aan de Váci utca om geld te sparen voor zijn studie, en 's avonds had hij in zijn medische studieboeken zitten studeren alsof zijn leven ervan afhing. Toen Andras een jaar geleden bij hem was ingetrokken, had het ernaar uitgezien dat Tibors vertrek aanstaande was. Hij had zijn examens gehaald en zich ingeschreven bij de medische faculteit van Modena. Hij dacht dat het een halfjaar zou duren voordat zijn toelating geregeld zou zijn en hij een studentenvisum had. Maar de medische faculteit had hem op een wachtlijst voor buitenlandse studenten gezet en hij had te horen gekregen dat het nog wel één of twee jaar kon duren voor hij in aanmerking kwam.

Sinds Andras een beurs had gekregen, had Tibor met geen woord meer over zijn eigen situatie gerept en geen spoor van jaloezie getoond. In plaats daarvan had hij operakaartjes gekocht en Andras geholpen met plannen maken. Nu het licht werd gedimd en het orkest begon te stemmen, voelde Andras zich opeens beschaamd: hij zou vast blij voor Tibor zijn geweest als de rollen waren omgedraaid, maar zijn jaloezie had hij vermoedelijk slecht kunnen verbergen.

Uit een deur aan de zijkant van de orkestbak stapte een lange, spichtige man met haar als witte vlammen het licht van een schijnwerper in. Op zijn weg naar de bok werd hij toegejuicht door het publiek. Pas na drie buigingen en een bezwerend handgebaar kwam het publiek tot bedaren. Hij draaide zich om naar het orkest en hief zijn dirigeerstok. Na een moment van sidderende stilte barstten de koperblazers en de strijkers uit in een storm van muziek die Andras vanbinnen zo vulde dat hij amper nog kon ademhalen. Het fluwelen doek ging op en onthulde het interieur van een Italiaanse kathedraal dat tot in de kleinste details was nagebouwd. Hemelsblauw en amberkleurig licht kwam door de glas-in-loodramen en scheen spookachtig op een half voltooide muur-schildering van Maria Magdalena. Een man in gestreepte gevan-geniskleren sloop de kerk binnen en verstopte zich in een van de donkere kapellen. Een schilder kwam binnen om aan de muur-schildering te werken. Hij werd gevolgd door een koster die goed in de gaten hield of de schilder zijn kwasten en afdekzeiltjes wel opruimde voordat de volgende mis begon. Toen verscheen de ope-radiva Tosca, die model moest staan voor Maria Magdalena. Haar karmozijnrode rokken wervelden om haar enkels. Gezang vloog op en hing fladderend in de beschilderde koepel van het Operaház: de klarinetachtige tenor van de schilder Cavaradossi, de ronde bas van de voortvluchtige Angelotti en de warme, fruitige sopraan van de fictieve diva Tosca, gespeeld door de echte Hongaarse diva Zsuzsa Toronyi. De klank was zo vol, zo tastbaar, dat Andras het gevoel kreeg dat hij alleen maar zijn arm over de rand van het bal-kon hoefde uit te strekken om er handenvol van te pakken. Het ge-bouw leek zelf wel een instrument te zijn geworden: de architec-tuur vergrootte en completeerde het geluid, versterkte en omvatte het.

'Ik zal dit nooit vergeten,' fluisterde hij tegen zijn broer.

'Dat is je geraden,' fluisterde Tibor terug. 'Jij mag me meenemen naar de opera als ik je in Parijs kom opzoeken.'

In de pauze dronken ze kleine kopjes zwarte koffie in de foyer en bespraken ze wat ze hadden gezien. Was de weigering van de schilder om zijn vriend te verraden ingegeven door onzelfzuchtige loyaliteit of borstklopperige bravoure? Moest het verduren van de kwelling die volgde gezien worden als een sublimatie van zijn sek-suele gevoelens voor Tosca? Zou Tosca Scarpia niet hebben neer-gestoken als ze door haar beroep niet zo getraind was in de wet-ten van het melodrama? Andras ervoer het gesprek als een bitterzoet genoegen; als kind had Andras uren geluisterd naar hoe Tibor met zijn vrienden over filosofie, sport of literatuur sprak, en hij had gehunkerd naar de dag dat hij iets te berde kon brengen wat Tibor geestig of schrander zou vinden. En nu hij en Tibor ein-delijk op voet van gelijkheid met elkaar omgingen, stapte Andras op een trein die ze honderden kilometers van elkaar zou scheiden.

'Wat is er?' vroeg Tibor met zijn hand op de mouw van Andras.

'Te rokerig,' zei Andras kuchend en hij wendde zijn hoofd af. Hij was blij dat de lampen gingen knipperen ten teken dat de pauze voorbij was. Na het derde bedrijf en een eindeloze hoeveelheid open doekjes waarbij Tosca en Cavaradossi op wonderbaarlijke wijze uit de dood herrezen waren en de boosaardige Scarpia charmant glimlachend een grote bos rode rozen in ontvangst nam, spoedden Andras en Tibor zich naar de uitgang en mengden ze zich in het gedrang op de trappen naar beneden. Buiten waren boven de gloed van de stad hier en daar wat sterren zichtbaar. Tibor pakte zijn arm en liep met hem naar de Andrássy-kant van het gebouw, waar de toeschouwers die parket en parterre hadden gezeten door de drie marmeren bogen van de monumentale entree naar buiten kwamen.

'Als je de grote foyer wilt zien,' zei Tibor, 'zeg ik wel tegen de portier dat we binnen nog iets vergeten zijn.'

Andras volgde hem door de middelste deur naar de door kroonluchters verlichte ruimte waar een marmeren trap zijn vleugels spreidde naar een galerij. In avondkledij gestoken mannen en vrouwen kwamen de trap af, maar Andras zag alleen maar architectuur: het ei-en-pijlmotief langs de trapleuning, het kruisgewelf daarboven, de Korinthische zuilen van roze marmer waar de galerij op rustte. Miklós Ybl, een Hongaar uit Székesfehérvár had de internationale prijsvraag gewonnen om het gebouw te mogen ontwerpen. Van zijn vader had Andras voor zijn achtste verjaardag een boek met de ontwerpen van Ybl gekregen, en hij had hele middagen deze ruimte bestudeerd. Terwijl om hem heen het publiek naar de uitgang liep, staarde hij naar het gewelf boven zijn hoofd. Hij was zo bezig dit driedimensionale beeld te verzoenen met de pentekeningen in zijn geheugen, dat hij amper doorhad dat iemand voor hem bleef stilstaan en hem aansprak. Knipperend met zijn ogen dwong hij zichzelf zich te concentreren op de persoon in kwestie, een grote, op een duif lijkende vrouw in een jas van sabelbont die er kennelijk langs wilde. Hij boog en stapte opzij om haar te laten passeren.

'Nee, nee,' zei ze. 'U staat daar precies goed. Wat een geluk dat ik u hier tref! Ik had u anders nooit gevonden.'

Hij deed zijn uiterste best om te bedenken waar en wanneer hij deze vrouw ontmoet zou kunnen hebben. Een diamanten collier glinsterde om haar hals en over een lange jurk van roze zijde droeg ze een pellies; de krulletjes van haar donkere haar zaten als een helm om haar hoofd. Ze pakte zijn arm en liep met hem naar de traptreden aan de voorkant van het gebouw.

'U was het toch die ik bij de bank zag?' zei ze. 'U had die envelop met francs.'

Nu wist hij weer wie ze was: Elza Hász, de vrouw van de bankdirecteur. Andras had haar wel eens in de grote synagoge aan de Dohány utca gezien waar hij en Tibor soms de vrijdagavonddienst bijwoonden. Bij de bank was hij in de lobby tegen haar aan gebotst. Daarbij had zij haar gestreepte hoedendoos laten vallen en hij zijn envelop met francs. De envelop was opengevallen waardoor de roze-groene biljetten zich als confetti over de grond hadden verspreid. Hij had de hoedendoos afgestoft en aan haar teruggegeven, waarna ze was verdwenen door een deur met daarop een bordje PRIVÉ.

'U lijkt me net zo jong als mijn zoon,' zei ze nu. 'En aan uw bankbiljetten te zien, reist u binnenkort af naar Parijs om daar te gaan studeren.'

'Morgenmiddag,' zei hij.

'U zou me een groot plezier kunnen doen. Mijn zoon studeert aan de Beaux-Arts en ik wil u een pakket voor hem meegeven. Zou dat heel lastig voor u zijn?'

Het duurde even voor hij kon antwoorden. Erin toestemmen voor iemand een pakket mee te nemen naar Parijs zou betekenen dat hij echt ging, dat hij zijn broers, zijn ouders en zijn land zou achterlaten en zich zou wagen op het immense onbekende terrein van West-Europa.

'Waar woont uw zoon?' vroeg hij.

'In het Quartier Latin, uiteraard,' zei ze met een lach. 'Op een zolderkamertje, niet in een fraaie villa, zoals onze Cavaradossi. Al heeft hij naar eigen zeggen wel warm water en uitzicht op het Panthéon. Ah, daar is de auto!' Een grijze sedan kwam voorrijden en mevrouw Hász stak haar arm op en wenkte de chauffeur. 'Kom morgen aan het eind van de ochtend. Benczúr utca 26. Ik zorg dat alles klaarstaat.' Ze drukte de kraag van haar jas tegen zich aan en rende naar de auto zonder nog naar Andras om te kijken.

'Nou!' zei Tibor, die op de trap naast hem kwam staan. 'Wat had dat allemaal te betekenen?'

'Ik word een internationale koerier. Mevrouw Hász wil dat ik een pakket meeneem voor haar zoon in Parijs. Ik heb haar ontmoet bij de bank toen ik pengö omwisselde voor francs.'

'En je hebt ermee ingestemd?'

'Ja.'

Tibor zuchtte en keek even naar de passerende gele trams op de boulevard. 'Het zal hier enorm saai worden zonder jou, Andráska.'

'Onzin. Ik wed dat je binnen een week een vriendin hebt.'

'Vast. Meisjes zijn dol op schoenverkopers zonder geld!'

Andras glimlachte. 'Eindelijk een beetje zelfmedelijden! Ik werd beroerd van al die kalmte en generositeit.'

'Geen sprake van. Ik kan je wel wat aandoen dat je weggaat. Maar wat schiet ik ermee op? Dan gaan we geen van tweeën naar het buitenland.' Hij grijnsde, maar achter zijn stalen brilletje stonden zijn ogen ernstig. Hij haakte zijn arm in die van Andras en trok hem mee de treden af terwijl hij enkele maten van de ouverture neuriede. Hun kamer in de Hársfa utca was maar drie straten verder; daar aangekomen gingen ze niet direct naar boven, maar bleven ze nog even buiten staan om de avondlucht op te snuiven. De hemel boven het Operaház was lichtoranje gekleurd door het gereflecteerde licht en in de verte klonk het gebel van de trams op de boulevard. In de ogen van Andras zag Tibor er in het halfduister uit als een filmster, met zijn hoed iets scheef en zijn witzijden sjaaltje over één schouder. Duidelijk een man die klaar was voor een spannend en onconventioneel leven, een man die veel beter toegerust was om in een vreemd land uit de trein te stappen en zich daar te laten gelden dan Andras. Hij haalde met een knipoog de sleutel uit zijn zak en even later renden zij als schooljongens de traptreden op.

Mevrouw Hász woonde vlak bij het Városliget, het stadspark met zijn sprookjeskasteel en enorme rococobuitenbaden. Het huis aan de Benczúr utca was een roomgeel gepleisterde villa in Italiaanse stijl die aan drie kanten werd omringd door verborgen tuinen; achter een witte muur waren de toppen van leibomen te zien. Andras onderscheidde het zachte geklater van een fontein en het schrapen van de hark van een tuinman. Het leek hem geen joods huis, maar de deur was wel voorzien van een mezoeza – een door gouden klimopblaadjes omringde zilveren cilinder. Toen hij op de bel drukte, hoorde hij binnen een vijftonige deurbel klinken. Daarna het naderende getik van hakken op marmer en het wegschuiven van zware grendels. Een dienstbode met zilvergrijs haar opende de deur en liet hem binnen. Hij kwam in een overkoepelde hal met een vloer van roze marmer, een tafel met inlegwerk en een Chinese vaas met witte aronskelken.

'Mevrouw Hász is in de zitkamer,' zei de dienstbode.

Hij volgde haar door de hal en een gang met een gewelfd plafond, tot ze halt hielden voor een deur waarachter hij het crescendo en decrescendo van vrouwenstemmen hoorde. Hij verstond niet wat er gezegd werd, maar er was duidelijk sprake van een woorden-wisseling: één stem ging omhoog, piekte en viel weg; een andere, minder luid dan de eerste, verhief zich, bleef aanhouden en viel toen stil.

'Wacht u hier maar even,' zei de dienstbode en ging naar binnen om de komst van Andras aan te kondigen. Na de aankondiging volgde er nog een kort salvo van woorden, alsof het conflict iets met Andras te maken had. Toen kwam de dienstbode terug en liet Andras binnen in een grote, lichte kamer die rook naar beboterde toast en bloemen. Op de vloer lagen roze- en goudkleurige Perzi-sche tapijten; met wit damast beklede stoelen stonden rond twee zalmkleurige sofa's, en op een salontafeltje stond een vaas met gele rozen. Mevrouw Hász was opgestaan uit haar stoel in de hoek. Aan een schrijftafel bij het raam zat een in het zwart geklede oudere dame, haar hoofd bedekt met een kanten sjaal. Ze had een met was verzegelde envelop in haar handen die ze op een stapeltje boeken legde en verzwaarde met een glazen presse-papier. Me-vrouw Hász liep naar Andras toe en gaf hem een grote, koude hand.

'Bedankt voor uw komst,' zei ze. 'Dit is mijn schoonmoeder, me-vrouw Hász senior.' Ze knikte naar de vrouw in het zwart. Die was teer gebouwd en had een getekend gezicht dat Andras toch heel mooi vond, ondanks het verdriet dat eruit sprak; in haar grote, grijze ogen school een stille pijn. Hij boog en sprak de formele be-groeting uit: *Kezét csókolom*, ik kus uw hand.

De oude mevrouw Hász antwoordde met een knik. 'Dus u neemt een pakket mee voor József,' zei ze. 'Dat is heel aardig van u. U heeft vast al genoeg aan uw hoofd.'

'Ik doe het met alle plezier.'

'We zullen u niet te lang ophouden,' zei de jonge mevrouw Hász. 'Simon pakt de laatste spullen in. Ondertussen laat ik iets te eten komen. U ziet er uitgehongerd uit.'

'O nee, doet u geen moeite,' zei Andras. De geur van toast had hem er wel aan herinnerd dat hij de hele dag nog niets gegeten had, maar hij was bang dat in dit huis zelfs de kleinste maaltijd een lange ceremonie met zich mee zou brengen, een ceremonie waar hij de regels niet van kende. En hij had haast: zijn trein vertrok over drie uur.

'Jongemannen hebben altijd trek,' zei de jonge mevrouw Hász terwijl ze de dienstbode bij zich riep. Ze gaf een paar instructies en stuurde de vrouw weg.

De oude mevrouw Hász stond op van haar stoel bij de schrijftafel en wenkte Andras om bij haar op een van de zalmkleurige sofa's te komen zitten. Hij ging zitten, bezorgd dat zijn broek zou afgeven op de zijden stof; om in dat huis een uur lang geen brokken te maken had hij totaal anders gekleed moeten zijn, bedacht hij. De oude mevrouw Hász vouwde haar slanke handen op haar schoot en vroeg Andras wat hij in Parijs ging studeren.

'Architectuur,' zei Andras.

'Juist. Dus u wordt een klasgenoot van József op de Beaux-Arts?'

'Ik ga naar de École Spéciale,' zei Andras. 'Niet de Beaux-Arts.'

De jonge mevrouw Hász ging op de andere sofa zitten. 'De École Spéciale?' zei ze. 'Daar heb ik József niet over gehoord.'

'Het is een wat ambachtelijker opleiding dan de Beaux-Arts,' zei Andras. 'Dat is wat ik ervan begrepen heb, tenminste. Ik ga studeren op een beurs van de Izraelita Hitközség. Door een gelukkig toeval, eigenlijk.'

'Toeval?'

En Andras vertelde het verhaal: de redacteur van *Verleden en Toekomst*, het blad waar hij voor werkte, had een van de omslagontwerpen van Andras ingezonden voor een tentoonstelling in Parijs met werk van jonge Midden-Europese kunstenaars. Zijn omslag was gekozen en tentoongesteld; een docent aan de École Spéciale had de tentoonstelling gezien en geïnformeerd naar Andras. De redacteur had verteld dat Andras architect wilde worden, maar dat het voor joodse studenten moeilijk was om in Hongarije een architectuurstudie te volgen: een achterhaalde numerus clausus die in de jaren twintig het aandeel joodse studenten op zes procent had gehouden liet nog steeds zijn sporen na bij de toelatingsprocedures van Hongaarse universiteiten. De docent van de École Spéciale had brieven geschreven en er bij de toelatingscommissie op aangedrongen Andras tot de opleiding toe te laten. De Izraelita Hitközség, de organisatie van de joodse gemeenschap in Boedapest, betaalde het collegegeld en de verblijfskosten. Het was allemaal binnen een paar weken geregeld en de kans leek groot dat het op het laatste moment zou afspringen. Maar dat gebeurde niet, dus ging hij op reis. De colleges zouden over zes dagen beginnen. 'Ah,' riep de jonge mevrouw Hász uit. 'Wat een geluk! En ook nog eens een beurs!' Maar bij deze laatste woorden sloeg ze haar ogen neer, en Andras kreeg weer dat gevoel dat hij ook als scholier in Debrecen had gekend: een plotselinge schaamte, alsof hij in zijn ondergoed stond. Een paar keer had hij een zondagmiddag doorgebracht bij medeleerlingen die in de stad woonden. Hun vaders waren advocaat of bankier, en ze hoefden niet op kamers bij armlastige gezinnen. Het waren jongens die 's nachts alleen op hun kamer sliepen, met gestreken overhemden op school kwamen en elke middag thuis gingen lunchen. De moeders van die jongens bejegenden hem met een bezorgd medelijden of beleefde afkeer. In hun aanwezigheid had hij zich ook zo naakt gevoeld. Hij dwong zichzelf naar Józsefs moeder te kijken toen hij antwoordde: 'Ja, ik heb veel geluk gehad.'

'En waar gaat u wonen in Parijs?'

Hij wreef met zijn vochtige handpalmen over zijn knieën. 'In het Quartier Latin, denk ik.'

'Maar waar gaat u heen als u aankomt?'

'Ik denk dat ik iemand vraag waar je als student aan een kamer kunt komen.'

'Geen sprake van,' zei de oude mevrouw Hász terwijl ze haar hand op de zijne legde. 'U gaat gewoon naar József, punt uit.'

De jonge mevrouw Hász kuchte even en streek haar haar glad. 'We mogen József niet met verplichtingen opzadelen,' zei ze. 'Misschien heeft hij geen plaats voor een gast.'

'Och Elza, wat ben je toch een snob,' zei de oude mevrouw Hász. 'Meneer Lévi slooft zich uit voor József. Hij kan echt wel een paar dagen bij József op de bank slapen. We zullen hem deze middag nog een telegram sturen.'

'Daar zijn de sandwiches,' zei de jongere vrouw, zichtbaar blij met de afleiding.

De dienstbode reed een serveerwagen de kamer in. Daarop stonden niet alleen de theepot en de kopjes, maar ook een glazen taartplateau met een stapel sandwiches die zo wit waren dat ze wel van sneeuw gemaakt leken te zijn. Naast het plateau lag een op een schaar lijkende zilveren tang, om aan te geven dat dit soort sandwiches niet door mensenhanden beroerd dienden te worden. De oude mevrouw Hász pakte de tang en stapelde sandwiches op het bord van Andras, meer dan hij zelf had durven nemen. Toen de jonge mevrouw Hász voor zichzelf een sandwich pakte zonder hulp van tang of bestek, waagde Andras het zijn tanden te zetten in een van zijn eigen sandwiches. Hij proefde roomkaas met dille op zacht witbrood waarvan de korstjes waren verwijderd. Het enige Hongaarse aan de sandwich waren de vliesdunne plakjes gele paprika.

Terwijl de jonge mevrouw Hász Andras een kop thee inschonk, liep de oudere vrouw naar de schrijftafel, pakte een blanco kaart en vroeg Andras daarop zijn naam en zijn reisgegevens te noteren. Dan kon ze die aan József telegraferen, en die zou Andras dan opwachten bij het station. Ze bood hem een glazen pen aan met een gouden kroontje dat zo dun was dat hij er haast niet mee durfde te schrijven. Hij leunde over de salontafel en schreef de gevraagde informatie in zijn blokkerige handschrift, doodsbang dat hij het kroontje zou breken of inkt zou morsen op het Perzische tapijt. In plaats daarvan kreeg hij inkt aan zijn vingers, wat hij pas doorkreeg toen hij zag dat zijn laatste sandwich paarse vlekken had. Hij vroeg zich af hoe lang het nog duurde voordat Simon, wie dat ook mocht zijn, met dat pakket voor József zou komen. Ergens in huis klonk gehamer; hij hoopte dat dat het pakket was dat werd dichtgespijkerd.

Zo te zien was de oude mevrouw Hász blij dat Andras zijn bord had leeggegeten. Ze schonk hem haar door verdriet getekende glimlach. 'Dus het wordt voor u de eerste keer dat u Parijs ziet?'

'Ja,' zei Andras. 'Mijn eerste reis naar het buitenland.'

'Trekt u zich niets aan van mijn kleinzoon,' zei ze. 'Het is een beste jongen als je hem wat beter leert kennen.'

'Er is niets mis met József,' zei de jonge mevrouw Hász, die een kleur kreeg tot aan de wortels van haar dichte krulletjes.

'Het is heel vriendelijk van u dat u hem inlicht,' zei Andras.

'Het stelt niets voor,' zei de oude mevrouw Hász. Ze schreef het adres van József op een andere kaart en overhandigde die aan Andras. Even later kwam een man in livrei de kamer binnen met in zijn armen een enorm houten krat.

'Dank je, Simon,' zei de jonge mevrouw Hász. 'Zet daar maar neer.'

De man zette het krat neer op het tapijt en verliet de kamer. Andras wierp een blik op de gouden klok die op de schouw stond. 'Dank u voor de sandwiches,' zei hij. 'Het is hoog tijd dat ik ga.'

'Wacht u nog even,' zei de oude mevrouw Hász. 'Ik wil u verzoeken nog één ding mee te nemen.' Ze liep naar de schrijftafel en trok de verzegelde brief onder de presse-papier vandaan.

'Excuseert u mij, meneer Lévi,' zei de jongere vrouw. Ze stond op, liep door de kamer naar haar schoonmoeder en legde een hand op haar arm. 'Dit hebben we al besproken.'

'Dan zal ik mezelf niet meer herhalen,' zei de oude mevrouw Hász op ingehouden toon. 'Ik verzoek je vriendelijk je hand weg te halen, Elza.'

De jonge mevrouw Hász schudde haar hoofd. 'Györgi zou het met me eens zijn. Het is onverstandig.'

'Mijn zoon is een beste man, maar hij weet niet altijd even goed wat verstandig is en wat niet,' zei de oude mevrouw Hász. Ze maakte zich beheerst los uit de greep van de jongere vrouw, liep terug naar de zalmkleurige sofa en overhandigde Andras de envelop. Daarop stond de naam C. MORGENSTERN en een adres in Parijs.

'Het is een bericht voor een vriend van de familie,' zei de oudere mevrouw Hász terwijl ze Andras strak bleef aankijken. 'Misschien vindt u me wat al te voorzichtig, maar sommige zaken vertrouw ik de Hongaarse posterijen niet toe. Er kunnen dingen kwijtraken of in verkeerde handen vallen.' Terwijl ze sprak, lieten haar ogen hem niet los, alsof ze hem dringend verzocht geen vragen te stellen over haar bedoeling of de reden van haar verregaande voorzichtigheid. 'Ik zou er prijs op stellen als u er met niemand over praat, en zeker niet met mijn kleinzoon. Als u in Parijs bent, koopt u een postzegel en stopt u de brief in een brievenbus. U zou me er een grote dienst mee bewijzen.'

Andras stak de brief in zijn borstzak. 'Geen probleem,' zei hij.

De jonge mevrouw Hász stond onbeweeglijk naast de schrijftafel. Onder de laag poeder gloeide haar gezicht. Eén hand lag nog op de stapel boeken, alsof ze de brief van de andere kant van de kamer naar zijn plaats kon terugroepen. Maar Andras zag dat ze er niets meer aan kon doen; de oude mevrouw Hász had gewonnen en de jonge moest doen alsof er niets gebeurd was. Ze herstelde zich, streek haar grijze rok glad en liep terug naar de sofa waar Andras op zat.

'Goed,' zei ze, en vouwde haar handen. 'Ik denk dat we wel klaar zijn. Ik hoop dat mijn zoon u in Parijs tot steun zal zijn.'

'Ja, dank u voor alles,' zei Andras. 'Is dat het pakket dat u wilt meegeven?'

'Inderdaad,' zei de jonge mevrouw Hász, en ze gebaarde hem dat hij het kon oppakken.

Het houten krat was zo groot dat er wel twee picknickmanden in pasten. Toen Andras hem optilde voelde hij het diep in zijn ingewanden. Hij wankelde een paar stappen naar de deur.

'Gunst,' zei de jonge mevrouw Hász. 'Lukt het wel?'

Andras knikte zonder iets te zeggen.

'O nee, dat is veel te zwaar.' Ze drukte op een knopje aan de wand en even later verscheen Simon weer. Hij nam de kist over van Andras en liep ermee de voordeur uit. Andras liep achter hem aan en de oude mevrouw Hász vergezelde hem tot aan de straat, waar de lange, grijze auto al klaarstond. Kennelijk zou hij daarin naar huis gebracht worden. Het was een Engelse auto, een Bentley. Hij wou dat Tibor dit kon zien.

De oude mevrouw Hász legde een hand op zijn mouw. 'Bedankt voor alles,' zei ze.

'Het is me een genoegen,' zei Andras en boog ten afscheid.

Ze kneep even in zijn arm en ging naar binnen; de deur sloot zich geluidloos achter haar. Toen de auto wegreed, keek Andras nog een laatste keer achterom naar het huis. Hij zocht de ramen af zonder te weten wat hij daar zou kunnen zien. Hij zag niets bewegen, geen gordijn, geen glimp van een gezicht. Hij stelde zich voor hoe de jonge mevrouw Hász in stille woede terugkeerde naar de zitkamer en de oude zich nog verder terugtrok achter die boterkleurige façade en een kamer binnenging die vol stond met meubels die haar leken te verstikken, een kamer met een troosteloos uitzicht. Hij draaide zich weer om, liet één arm op het pakket voor József rusten en gaf voor de laatste keer zijn adres in de Hársfa utca op.

2

De West-Europa Express

Uiteraard vertelde hij Tibor over de brief; zoiets kon hij niet geheim-houden voor zijn broer. In hun gezamenlijke slaapkamer nam Tibor de envelop aan en hield hem tegen het licht. Hij was verze-geld met een klodder rode lak waarin de oude mevrouw Hász haar monogram had gedrukt.

'Wat denk jij ervan?' vroeg Andras.

'Opera-achtige intriges,' zei Tibor en glimlachte. 'De gril van een oude dame die ook nog eens een ziekelijke achterdocht jegens de posterijen koestert. Die Morgenstern in de Rue de Sévigné is vast een oude liefde van haar.' Hij gaf de brief terug aan Andras. 'Nu ben jij betrokken bij hun romance.'

Andras stopte de brief in een zijvak van zijn koffer en nam zich voor hem niet te vergeten. Toen liep hij zijn lijstje voor de vijftigste keer na en kwam tot de conclusie dat hij niets anders meer kon doen dan naar Parijs vertrekken. Om een taxi uit te sparen, leen-den hij en Tibor een kruiwagen van de kruidenier op de hoek en duwden Andras' koffer en het enorme pakket voor József helemaal naar station Nyugati. Aan het loket was er nog onenigheid over het paspoort van Andras, dat er kennelijk te nieuw uitzag om echt te kunnen zijn; er moest iemand van de vreemdelingendienst bij komen, daarna een nog hogere beambte en uiteindelijk een heel hoge piet in een met gouden knopen bestrooide jas die een vinkje op de rand van het paspoort zette en de andere beambten een re-primande gaf dat ze hem in zijn bezigheden hadden gestoord. En-kele minuten nadat de zaak was afgehandeld liet Andras, die wor-stelde met zijn leren tas, zijn paspoort in de nauwe spleet tussen perron en trein vallen. Een sympathieke heer bood zijn paraplu aan; Tibor stak de paraplu in de spleet en wist met de punt het paspoort naar een plek te duwen waar het gepakt kon worden.

'Nu ziet het er wel authentiek uit,' zei Tibor toen hij het terug-gaf. Het paspoort zat onder het vuil en het was gescheurd in het hoekje waar Tibor er met de paraplu in had geprikt. Andras stopte het terug in zijn zak, waarna ze over het perron naar de deur van zijn derdeklasrijtuig liepen, waar een conducteur met een rood-met-gouden pet de passagiers hielp instappen.

'Nou,' zei Tibor. 'Ga je plaats maar opzoeken.' Zijn ogen waren vochtig achter zijn brillenglazen, en hij legde zijn hand op de arm van Andras. 'Wees voortaan zuinig op dat paspoort.'

'Zal ik doen,' zei Andras, maar hij maakte geen aanstalten om de trein in te stappen. De grote stad Parijs wachtte op hem; opeens werd hij licht in zijn hoofd van angst.

'Iedereen instappen,' zei de conducteur en keek nadrukkelijk naar Andras.

Tibor kuste Andras op beide wangen en drukte hem een lang moment aan zijn borst. Toen ze nog naar school gingen had hun vader altijd de hand op hun hoofd gelegd en het reisgebed opgezegd voor hij ze op de trein zette; nu fluisterde Tibor zachtjes die woorden. *Moge G'd je leiden naar rust en je beschermen tegen iedere vijand. Moge Hij je behoeden voor alles wat mis kan gaan. Moge G'd eenieder die je ziet gunstig stemmen.* Nogmaals kuste hij Andras. 'Je komt terug als een man van de wereld,' zei hij. 'Een architect. Je gaat een huis voor me bouwen. Ik reken erop. Is dat duidelijk?'

Andras kon niets meer zeggen. Hij slaakte een diepe zucht en keek omlaag naar het gladde beton van het perron waarop zich plakkers uit alle windstreken hadden vastgezet. Duitsland. Italië. Frankrijk. De band met zijn broer was diep en lichamelijk, alsof ze bij hun borst aan elkaar vastzaten; het idee dat hij in een trein ging stappen die hem van zijn broer zou scheiden voelde net zo verkeerd als ophouden met ademhalen. De stoomfluit van de trein klonk.

Tibor zette zijn bril af en bette zijn ogen. 'Zo is het wel genoeg,' zei hij. 'Ik zie je snel weer. Ga nu maar.'

Het was al donker toen Andras door het raam een klein stadje zag waarvan alle straten en winkels Duitse namen hadden. De trein was kennelijk de grens gepasseerd zonder dat hij dat gemerkt had; terwijl hij in slaap was gevallen met een dichtbundel van Petőfi op zijn schoot, hadden ze het eivormige, door land ingesloten Hongarije verlaten en waren ze in de grotere wereld beland. Hij hield zijn handen boven zijn ogen tegen het glas in de hoop Oostenrijkers in de nauwe straatjes te zien, maar hij zag niemand; geleidelijk werden de huizen kleiner en stonden ze verder van elkaar, en al snel was het stadje platteland geworden. Oostenrijkse schuren stonden als schaduwen in het maanlicht. Oostenrijkse koeien. Een Oostenrijkse kar, volgeladen met zilverkleurig hooi. In de verte, tegen een nachtblauwe hemel, het diepere blauw van bergen. Hij schoof het raam een stukje open; de buitenlucht voelde fris aan en rook naar houtvuur.

Hij had het vreemde gevoel dat hij niet wist wie hij was, dat hij buiten de grenzen van zijn eigen bestaan was getreden. Het was het omgekeerde van wat hij altijd voelde als hij van Boedapest naar Konyár reisde om zijn ouders op te zoeken; die reisjes naar zijn eigen geboorteplaats gaven hem het gevoel dat hij dieper in zichzelf keerde, naar zijn kern, een beetje als het kleinste poppetje in de Russische matroesjka die bij zijn moeder in de keuken op de vensterbank stond. Maar hoe moest deze Andras Lévi zichzelf nu zien, nu hij in een trein in westelijke richting door Oostenrijk reed? Voor zijn vertrek had hij eigenlijk nauwelijks beseft hoe slecht hij was voorbereid op een avontuur als dit, een studie van vijf jaar aan een bouwkundige hogeschool in Parijs. Wenen of Praag was nog wel te doen geweest; voor Duits, waar hij al sinds zijn twaalfde les in had gehad, had hij altijd hoge cijfers gehaald. Maar nu ging hij naar de École Spéciale in Parijs en moest hij zich redden met zijn twee jaar Frans waarvan hij de helft alweer vergeten was. Zijn kennis van het Frans beperkte zich tot enkele etenswaren, lichaamsdelen en lovende adjectieven. Net als de andere jongens op zijn school in Debrecen kende hij de Franse woorden voor de standjes die te zien waren op een serie stokoude pornografische foto's die al generaties lang op school rouleerden: *croupade, les ciseaux, à la grecque.* De kaarten waren zo oud en zo grondig bestudeerd dat er alleen nog een zilveren suggestie van de afgebeelde stellen te zien was, en dat nog alleen als de kaarten onder een bepaalde hoek tegen het licht werden gehouden. Wat wist hij verder nog van het Frans – of überhaupt van Frankrijk? Hij wist dat het land aan één kant grensde aan de Middellandse Zee en aan de andere kant aan de Atlantische Oceaan. Hij wist iets over de troepenbewegingen en veldslagen van de Grote Oorlog. En natuurlijk wist hij van de grote kathedralen van Reims en Chartres; hij wist van de Notre-Dame, de Sacré-Coeur en het Louvre. En dat was zo'n beetje alles. In de paar weken waarin hij zich nog had kunnen voorbereiden had hij verwoed zitten blokken in zijn verouderde taalgidsje dat hij voor een habbekrats had gekocht in de tweedehandswinkel aan de Szent István körút. Het dateerde waarschijnlijk van voor de oorlog, want er stonden vertalingen in van zinnetjes als *Waar kan ik een span paarden huren?* En *Ik ben Hongaar, maar mijn vriend komt uit Pruisen.*

Toen hij het afgelopen weekend naar Konyár was gereisd om afscheid te nemen van zijn ouders, had hij na het eten met zijn vader door de boomgaard gelopen en zijn angsten opgebiecht. Eigenlijk had hij zijn mond willen houden; de stilzwijgende afspraak tussen de jongens en hun vader was dat Hongaarse mannen zich nooit zwak tonen, zelfs niet in tijden van crisis. Maar toen ze door het kniehoge wilde gras tussen de rijen appelbomen liepen, kon Andras zich niet meer inhouden. Waarom, zo vroeg hij zich hardop af, was hij verkozen boven al die andere kunstenaars die hadden meegedaan aan die tentoonstelling in Parijs? Hoe was de toelatingscommissie van de École Spéciale ertoe gekomen om uitgerekend hém te begunstigen? Ook als zijn tekeningen inderdaad iets bijzonders hadden gehad, was het maar helemaal de vraag of hij dat werk nog zou kunnen evenaren, of, belangrijker nog, of hij in staat zou zijn een opleiding tot architect af te ronden, een vakgebied dat volkomen nieuw voor hem was. In het beste geval, zo zei hij tegen zijn vader, was hij ten onrechte uitverkoren; in het slechtste geval was hij een ordinaire oplichter.

Zijn vader barstte in lachen uit. 'Een oplichter?' zei hij. 'Jij, die me als achtjarig jongetje voorlas uit Miklós Ybl?'

'Als je ergens van houdt, hoef je er nog niet goed in te zijn.'

'Ooit studeerde men bouwkunde omdat het als iets nobels werd gezien,' zei zijn vader.

'Er zijn nobeler bezigheden. Geneeskunde, bijvoorbeeld.'

'Dat is het talent van je broer. Jij hebt je eigen talent. En nu heb je de tijd en het geld om het te ontwikkelen.'

'En als ik het verpruts?'

'Aha! Dan heb je wat uit te leggen.'

Andras pakte een tak van de grond en ranselde het lange gras ermee. 'Het is zo egoïstisch,' zei hij. 'In Parijs gaan studeren en iemand anders ervoor laten betalen.'

'Geloof me, als ik het kon betalen zou ik dat zeker doen. Ik wil niet dat je het ziet als iets egoïstisch.'

'Stel dat je weer longontsteking krijgt. De houtzagerij kan niet uit zichzelf blijven draaien.'

'Waarom niet? Ik heb een voorman en vijf goede zagers. En ik kan altijd Mátyás nog inschakelen als dat nodig is.' 'Dat opdondertje?' Andras schudde zijn hoofd. 'Als het u al lukt om hem te strikken, dan hebt u er nog niet veel aan.' 'O, ik zet hem wel aan het werk,' zei zijn vader. 'Al hoop ik wel dat dat niet nodig zal zijn. Die losbol zal nog alle zeilen moeten bijzetten om zijn school af te maken, zeker na alles wat hij het afgelopen jaar heeft uitgevreten. Wist je dat hij zich bij een soort dansgezelschap heeft aangesloten? 's Avonds treedt hij op in een dansgelegenheid en komt dan de volgende dag te laat op school.'

'Ik heb het gehoord. Reden te meer om niet zo ver weg te gaan studeren. Als hij naar Boedapest vertrekt, moet iemand op hem passen.'

'Het is niet jouw schuld dat je niet in Boedapest kunt studeren,' zei zijn vader. 'Je bent het slachtoffer van je omstandigheden. Ik weet daar alles van. Je moet er gewoon het beste van zien te maken.'

Andras begreep wat hij bedoelde. Zijn vader was naar het rabbinale seminarium in Praag gegaan en had rabbijn kunnen worden als zijn eigen vader niet veel te vroeg gestorven was; als jongeman had hij heel veel ellende moeten meemaken, genoeg om een zwakker man tot wanhoop te drijven. Maar daarna was het hem zo voor de wind gegaan dat iedereen in het dorp geloofde dat de Almachtige medelijden met hem had gekregen en hem geholpen had. Maar Andras wist dat alles wat hij bereikt had alleen maar aan zijn eigen koppigheid en harde werken te danken was.

'Het is een zegen dat je naar Parijs gaat,' zei zijn vader. 'Wees blij dat je weg kunt uit dit land waar joden behandeld worden als tweederangsburgers. Ik geef je op een briefje dat de situatie er niet beter op zal worden als je vertrokken bent, maar laten we hopen dat het niet erger wordt.'

Andras dacht aan die woorden toen hij in het verduisterde rijtuig westwaarts reed; hij begreep dat er onder de angst die hij had uitgesproken nog een diepere angst verborgen zat. Hij dacht aan een krantenbericht dat hij onlangs gelezen had over iets gruwelijks dat een paar weken daarvoor was gebeurd in de Poolse stad Sandomierz: midden in de nacht waren in de joodse wijk de ramen ingegooid met kleine, in papier gewikkelde projectielen. Toen de winkeleigenaren de projectielen uitpakten, bleken het afgezaagde geitenhoeven te zijn. *Jodenvoeten*, stond er op de papiertjes.

In Konyár was zoiets nog nooit gebeurd; joden en niet-joden hadden eeuwenlang in relatieve rust samengewoond. Maar de kiemen lagen er, wist Andras. Op de lagere school in Konyár hadden zijn klasgenoten hem Zsidócska genoemd, kleine jood; als ze met zijn allen gingen zwemmen had hij zich geschaamd voor zijn ontbrekende voorhuid. Eén keer hadden ze hem op de grond gedrukt en geprobeerd een stuk varkensworst in zijn stijf gesloten mond te duwen. De oudere broertjes van die jongens hadden Tibor getreiterd en de jongere hadden Mátyás het leven zuur gemaakt toen die naar school ging. Hoe zouden die jongens uit Konyár, die nu volwassen mannen waren, het nieuws uit Polen lezen? Wat hij zag als iets afschuwwekkends, zagen zij misschien als een terechte straf, of als een aansporing. Hij drukte zijn hoofd tegen het koele glas van het raam en staarde naar het onbekende landschap. Het verbaasde hem dat het zo leek op het vlakke land van zijn geboortestreek.

In Wenen stopte de trein op een station dat veel groter was dan Andras ooit had gezien. De torenhoge gevel bestond uit glas in een roosterwerk van verguld ijzer; de steunen waren zo rijk voorzien van krullen, bloemen en engeltjes dat het meer weg had van een boudoir dan van een treinstation. Andras stapte uit en volgde de geur van brood naar een karretje waar een vrouw met een wit kapje pretzels met zoutkorrels verkocht. Maar de vrouw wilde zijn pengö of francs niet aannemen. In haar consequent volgehouden Duits probeerde ze Andras uit te leggen wat hij moest doen. Ze wees daarbij naar het geldwisselloket. De rij voor het loket liep helemaal tot om de hoek. Andras keek naar de stationsklok en daarna naar de berg pretzels. Het was al acht uur geleden dat hij de verfijnde sandwiches in het huis aan de Benczúr utca had gegeten.

Iemand tikte Andras op zijn schouder en toen hij zich omdraaide zag hij de man van station Nyugati, de man wiens paraplu Tibor had mogen gebruiken om Andras' paspoort weer op te vissen. Hij was gekleed in een grijs reistenue en een lichte overjas; het matte goud van de ketting van een zakhorloge lichtte op tegen zijn vest. Hij was omvangrijk en lang, en boven zijn hoge voorhoofd waren zijn donkere lokken naar achteren gekamd. Hij droeg een glimmende aktetas en een exemplaar van *La Revue du Cinéma*.

'Ik trakteer wel op een pretzel,' zei hij. 'Ik heb nog wat schillingen.'

'Ik ben u al zo veel dank verschuldigd,' zei Andras.

Maar de man stapte naar voren en kocht twee pretzels, waarna ze naar een bankje liepen om ze op te eten. De man haalde een zakdoek met monogram uit zijn broekzak en spreidde die uit over zijn broek.

'Ik vind een verse pretzel lekkerder dan het eten dat ze in de restauratiewagen serveren,' zei de man. 'Daarbij zijn de eersteklaspassagiers over het algemeen verschrikkelijk saai.'

Andras knikte en at zwijgend door. De pretzel was nog warm en het zout zorgde voor stroomstootjes op zijn tong.

'Ik neem aan dat u nog verder doorreist,' zei de man.

'Parijs,' antwoordde Andras. 'Daar ga ik studeren.'

De man, die wallen onder zijn ogen had, keek Andras onderzoekend aan. 'Een toekomstige man van de wetenschap? Een jurist?'

'Bouwkunde,' zei Andras.

'Heel goed. Een praktische kunstvorm.'

'En u?' vroeg Andras. 'Wat is uw bestemming?'

'Dezelfde als die van u,' zei de man. 'Ik heb een theater in Parijs, het Sarah-Bernhardt. Maar eigenlijk kan ik beter zeggen dat het Sarah-Bernhardt mij heeft. Een veeleisende maîtresse, zo'n theater. Dat is nog eens een onpraktische kunstvorm.'

'Moet kunst dan praktisch zijn?'

De man lachte. 'Nee, dat hoeft ook niet.' En vervolgens: 'Gaat u wel eens naar het theater?'

'Te weinig.'

'Dan moet u naar het Sarah-Bernhardt komen. Laat mijn kaartje zien bij de kassa en zeg dat ik u gestuurd heb. Zeg maar dat u een *compatriote* van mij bent.' Hij haalde een kaartje uit een gouden doosje en gaf het aan Andras. NOVAK Zoltán, *metteur en scène, Théâtre Sarah-Bernhardt.*

Andras had wel van Sarah Bernhardt gehoord, maar wist niet veel van haar. 'Heeft madame Bernhardt er opgetreden?' vroeg hij. 'Of' – met nog meer aarzeling – 'doet ze dat nog steeds?'

De man vouwde het servetje van zijn pretzel op. 'Dat heeft ze gedaan,' zei hij. 'Jarenlang. Toen heette het nog het Théâtre de la Ville. Maar dat was voor mijn tijd. Madame Bernhardt is al geruime tijd dood, helaas.'

'Ik ben een onbenul,' zei Andras.

'Helemaal niet. Ik was ook zo toen ik als jongeman voor het

eerst naar Parijs ging. U redt het wel. U komt uit een goed nest. Ik zag hoe zorgzaam uw broer met u omging. Bewaar in elk geval mijn kaartje. Zoltán Novak.'

'Andras Lévi.' Ze schudden elkaar de hand en keerden terug naar hun rijtuigen – Novak naar de eersteklas wagon-lit, Andras naar het mindere comfort van de derde klas.

Het duurde nog twee dagen voor hij aankwam in Parijs, twee dagen waarin hij door Duitsland moest reizen, door de bron van de groeiende vrees die zich over Europa verspreidde. In Stuttgart was er een vertraging, een mechanisch probleem dat verholpen moest worden voor ze verder konden rijden. Andras was flauw van de honger. Hij moest wel een paar francs in reichsmarken wisselen om iets te eten te kopen. Bij het wisselkantoor liet een in het grijs gestoken matrone met spleetjes tussen haar tanden hem een document tekenen waarmee hij zich verplichtte om al het gewisselde geld in Duitsland te spenderen. Hij ging naar een café in de buurt van het station om een sandwich te kopen, maar op de deur hing een bordje met daarop in gotische letters JODEN NIET GEWENST. Hij keek door de glazen deur naar een meisje dat achter de taartenvitrine een beeldromannetje aan het lezen was. Ze was een jaar of vijftien, zestien, had een wit doekje om haar hoofd en een dun gouden kettinkje om haar hals. Ze keek op en glimlachte naar Andras. Hij deed een stap terug, keek naar de Duitse munten in zijn hand – aan de ene kant een adelaar met een omkranst hakenkruis in zijn klauwen, aan de andere kant het besnorde profiel van Paul von Hindenburg – en keek toen weer naar het meisje in de winkel. De reichsmarken waren niet meer dan een paar druppeltjes bloed in de enorme economische bloedsomloop van het land, maar opeens wilde hij er niets meer mee te maken hebben; ook het eten dat hij ervoor kon kopen wilde hij niet meer, zelfs niet als hij nog een winkel vond waar *Juden* niet *unerwünscht* waren. Hij keek goed of niemand hem kon zien, knielde en gooide de munten snel in de echoënde mond van een afvoerputje. Hij ging zonder iets gegeten te hebben de trein weer in en legde hongerig de laatste honderd kilometer Duitsland af. De trein deed nazivlaggen wapperen op elk stationnetje dat ze passeerden. De rode vlag hing van de bovenste verdieping van gebouwen, sierde de luifels van huizen, en ook de kinderen die over een aan het spoor grenzend schoolplein marcheerden, zwaaiden met diezelfde vlag, maar dan in miniatuurvorm. Toen ze eindelijk Frankrijk binnenreden, had Andras het gevoel dat hij urenlang zijn adem had ingehouden.

Ze reden door het heuvelachtige land, door dorpjes met nog deels uit hout opgetrokken huizen, door de eindeloze voorsteden en eindelijk door de buitenste arrondissementen van Parijs zelf. Om elf uur 's avonds kwamen ze aan op het station. Worstelend met zijn leren tas, zijn overjas en zijn portfolio liep Andras door het gangpad van de trein naar de uitgang. Op een vijftien meter hoge muurschildering tegenover het perron waren ernstig kijkende jonge soldaten afgebeeld met een vastberaden blik in de ogen. Ze gingen vechten in de Grote Oorlog. Aan een andere muur hingen een aantal doeken die een recentere strijd afbeeldden – in Spanje, meende Andras aan de uniformen te zien. Uit de luidsprekers boven zijn hoofd kwamen krakerige Franse mededelingen; op het perron zelf klonk een kakofonie van talen: Frans geroezemoes, zangerig Italiaans, maar ook het wat schrillere Duits, Pools en Tsjechisch. Andras keek uit naar een jongeman in een dure jas die iemand zocht. Hij had niet gevraagd naar een beschrijving of een foto van József. Het was niet in hem opgekomen dat ze elkaar misschien niet konden vinden. Er stapten steeds meer passagiers uit die werden opgewacht door Parijzenaars, maar van József nog geen spoor. Tussen al die mensen ving Andras een glimp op van Zoltán Novak; een vrouw met een mooie hoed en een jas met een bontkraag omhelsde hem. Novak kuste de vrouw en liep met haar weg van de trein. Kruiers volgden met zijn bagage.

Andras haalde zijn eigen koffer op en ook het enorme pakket voor József. Hij stond daar te wachten en zag de drukte eerst toenemen en daarna oplossen. En nog steeds kwam er geen vlotte jongeman naar voren om hem de weg te wijzen in Parijs. Hij ging op de houten kist zitten, opeens wat licht in het hoofd. Hij moest ergens slapen. Hij moest eten. Over een paar dagen moest hij zich melden bij de École Spéciale en begon zijn studie. Hij keek naar de rij deuren bij het bordje SORTIE, naar de koplampen van de auto's die buiten voorbijreden. Een kwartier ging voorbij, en toen nog een kwartier, en nog steeds geen József Hász.

Hij greep naar zijn borstzak en haalde de dikke kaart tevoorschijn waarop de oude mevrouw Hász het adres van haar kleinzoon had genoteerd. Dit was de enige aanwijzing die hij had. Andras betaalde zes franc aan een kruier met het voorkomen van een walrus. Die hielp hem om zijn bagage en het enorme pakket voor

József in een taxi te krijgen. Hij gaf de chauffeur het adres van József en even later spoedden ze zich in de richting van het Quartier Latin. De hele rit lang bleef de chauffeur keuvelen in zijn grappig klinkende Frans waar Andras geen woord van verstond.

Wat ze op weg naar József Hász allemaal passeerden drong niet echt tot Andras door. Hij zag mistflarden in het licht van straatlantaarns en natte bladeren die tegen de ruiten van de taxi werden aangeblazen. De in een gouden gloed badende gebouwen schoten voorbij en overal zag je mannen en vrouwen losjes gearmd over straat lopen, genietend van hun vrije zaterdagavond. De taxi reed over een rivier die wel de Seine moest zijn, en eventjes kwam bij Andras de gedachte op dat het de Donau was en dat hij weer in Boedapest zat en dat hij over een paar minuutjes weer bij het appartement aan de Hársfa utca zou zijn en daar gewoon de trap op kon lopen om bij Tibor in bed te kruipen. Maar toen stopte de taxi voor een grijs gebouw en stapte de chauffeur uit om Andras' bagage uit te laden. Andras graaide in zijn zak naar meer geld. De chauffeur tikte aan zijn pet, pakte de francs die Andras hem aanbood en zei iets wat klonk als het Hongaarse *bocsánat*: het spijt me. Maar later begreep Andras dat het *bonne chance* was geweest. Toen reed de taxi weg en stond Andras moederziel alleen op een stoep in het Quartier Latin.

3

Het Quartier Latin

Het gebouw waar József Hász woonde was van scherpgekant zandsteen en telde vijf verdiepingen met hoge ramen en rijkversierde gietijzeren balkons. Vanuit de bovenste verdieping klonk jazzmuziek; cornet, piano en saxofoon duelleerden tot buiten de felverlichte ramen. Andras wilde aanbellen, maar zag dat de deur al openstond; in het portaal stond een groepje jongedames in nauwsluitende zijden jurkjes champagne te drinken en naar viooltjes geurende sigaretten te roken. Ze keken nauwelijks op toen hij zijn bagage naar binnen sleepte en tegen de muur aan zette. Zijn hart bonkte in zijn keel toen hij naar voren stapte om een van de meisjes aan haar mouw te trekken. Ze keek hem gereserveerd aan en trok een getekende wenkbrauw op.

'József Hász?' vroeg hij.

Het meisje stak één vinger op en wees naar de top van het ovale trappenhuis. 'Là-bas,' zei ze. 'En haut.'

Hij sleepte zijn bagage en de enorme kist de lift in en ging ermee omhoog tot hij niet hoger meer kon. Boven aangekomen kwam hij terecht in een mêlee van mannen en vrouwen, rook en jazzmuziek; het leek wel of het hele Quartier Latin zich bij József Hász had verzameld. Hij liet zijn bagage achter in de hal, liep de geopende deur van het appartement binnen en vroeg een aantal dronken gasten nogmaals naar Hász. Na een dwaaltocht door kamers met hoge plafonds stond hij uiteindelijk op een balkon met Hász zelf, een lange en soepele jongeman in een fluwelen smokingjasje. Licht beneveld door de champagne keek Hász Andras met zijn grote grijze ogen geamuseerd aan, stelde een vraag in het Frans en hief zijn glas.

Andras schudde zijn hoofd. 'Ik vrees dat het nog even in het Hongaars moet,' zei hij.

József kneep zijn ogen half dicht. 'En welke Hongaar ben jij dan, als ik vragen mag?'

'Andras Lévi. De Hongaar uit het telegram van je moeder.'

'Welk telegram?'

'Heeft je moeder geen telegram gestuurd?'

'O god, dat is waar ook! Ingrid zei dat er een telegram was gekomen.' József legde een hand op Andras' schouder, stak zijn hoofd
door de deur van het balkon en riep: 'Ingrid!'

Een blond meisje in een glittertricot kwam het balkon op en
bleef met één hand op haar heup staan. Na een korte uitwisseling
van in rap tempo uitgesproken Franse woorden haalde Ingrid een
opgevouwen envelop uit haar decolleté. József haalde het telegram
eruit, las het, keek naar Andras, las het nog een keer en kreeg
toen de slappe lach.

'Arme kerel!' zei József. 'Ik had je twee uur geleden van het station moeten halen!'

'Ja, dat was de bedoeling.'

'Je kon me wel vermoorden zeker!'

'Misschien nog steeds,' zei Andras. Zijn hoofdpijn klopte op de
maat van de muziek, zijn ogen traanden en zijn ingewanden speelden op van de honger. Het was hem wel duidelijk dat hij niet bij
József Hász kon blijven, maar hij zag zichzelf niet meer de deur uit
gaan om nog ander onderdak te zoeken.

'Nou, je hebt het tot nu toe aardig gered zonder mij,' zei József.
'Je bent nu in mijn huis, en daar is genoeg champagne voor de
hele nacht, en ook genoeg van wat je verder nog zou willen, als je
begrijpt wat ik bedoel.'

'Ik wil alleen een rustig plekje om te slapen. Geef me een deken
en leg me maar ergens neer.'

'Ik ben bang dat er hier geen rustig plekje is,' zei József. 'Je zult
moeten drinken, vrees ik. Ingrid schenkt je wel in. Volg mij maar.'
Hij trok Andras mee naar binnen en droeg hem over aan Ingrid,
die zijn glas, waarschijnlijk het laatste schone champagneglas in
het hele gebouw, volschonk met sprankelende champagne. Ingrid
zelf dronk gewoon uit de fles; ze proostte met Andras, gaf hem een
lange, rokerige kus en trok hem mee naar de voorkamer, waar de
pianist zich door 'Downtown Uproar' blufte en de feestgangers net
begonnen te dansen.

De volgende ochtend werd hij wakker op een bank onder een raam,
met een zijden onderjurk over zijn ogen, een hoofd vol watten, een
losgeknoopt overhemd, een jasje dat opgerold onder zijn hoofd lag

en een tintelende linkerarm. Iemand had een dekbed over hem heen gelegd en de gordijnen geopend; een baan zonlicht viel op zijn borst. Hij staarde naar het plafond, waar de bloemmotieven van het pleisterwerk een krans vormden rond het gecanneleerde koper van de armatuur van de lamp. Van daaruit groeide een knoop gouden takken omlaag die voorzien waren van kleine, vlamvormige gloeilampen. *Parijs*, dacht hij en hij duwde zich op zijn ellebogen omhoog. Overal lag nog rommel van het feest en de kamer stonk naar gemorste champagne en verlepte rozen. Hij herinnerde zich nog vaag een langdurig tête-à-tête met Ingrid en een drinkwedstrijd met József en een breedgeschouderde Amerikaan; daarna herinnerde hij zich niets meer. Zijn bagage en de kist voor József waren naar binnen gesleept en naast de haard gezet. Hász zelf was in geen velden of wegen te bekennen. Andras rolde van de bank en liep door de gang naar een witbetegelde badkamer waar hij zich bij de wastafel schoor en een bad nam in een op leeuwenpoten staande kuip met een kraan waar vanzelf warm water uit kwam. Daarna trok hij zijn enige schone overhemd, broek en jasje aan. Hij was in de zitkamer zijn schoenen aan het zoeken toen hij een sleutel in het slot hoorde steken. Het was Hász, met een taartdoos en een krant. Hij gooide de doos op een salontafeltje en zei: 'Vroeg uit de veren?'

'Wat is dat?' vroeg Andras met een blik op de van een lint voorziene doos.

'Het medicijn voor je kater.'

Andras opende de doos en zag een half dozijn warme broodjes op vetvrij papier liggen. Tot aan dat moment had hij zichzelf niet toegestaan zich te realiseren hoe verschrikkelijk hongerig hij was. Hij had al een chocoladebroodje op en was aan de tweede begonnen toen hij eraan dacht zijn gastheer ook iets aan te bieden, maar die sloeg het aanbod lachend af.

'Ik ben al uren op,' zei József. 'Ik heb al ontbeten en de krant gelezen. Spanje is er beroerd aan toe. Frankrijk wil nog steeds geen troepen sturen. Maar er zijn wel twee nieuwe schoonheidskoninginnen die Miss Europa willen worden: de beeldige, donkerharige mademoiselle De Los Reyes uit Spanje, en de mysterieuze mademoiselle Betoulinski uit Rusland.' Hij wierp Andras de krant toe. Twee perfecte, ijskoude schoonheden in witte baljurken keken de lezer vanaf de voorpagina indringend aan.

'Ik ben voor De Los Reyes,' zei Andras. 'Die lippen.'

'Ze ziet eruit als een nationaliste,' zei József. 'Ik ben voor die ander.' Hij trok zijn oranje zijden sjaal los en leunde achterover op de bank, waarbij hij zijn armen over de ronde rugleuning uitspreidde. 'Wat een beestenbende,' zei hij. 'De werkster komt morgenochtend pas. Ik zal vandaag buiten de deur moeten eten.'

'Je moet dat pakket openmaken. Ik weet zeker dat je moeder je iets lekkers te eten heeft gestuurd.'

'Dat pakket! Ik was het helemaal vergeten.' Hij haalde het op en wrikte de bovenkant open met een botermesje. In het krat zat een blik amandelkoekjes, een blik *rugelach*, een blik met een hele *Linzer Torte* die er precies in paste, een voorraad wollen ondergoed voor de komende winter, een doos met postpapier waar op de enveloppen al het adres van zijn ouders stond, een lijst met neven en nichten die hij moest opzoeken, een lijst met dingen die hij voor zijn moeder moest kopen – waaronder bepaalde intieme kledingstukken voor dames –, een nieuwe operakijker en een paar schoenen die speciaal voor hem waren gemaakt door zijn schoenmaker in de Váci utca, die naar zijn zeggen beter was dan welke Parijse schoenmaker ook.

'Mijn broer werkt in een schoenenwinkel in de Váci utca,' zei Andras, en noemde de naam van de winkel.

'Een andere winkel, vrees ik,' zei József met iets neerbuigends in zijn toon. Hij sneed een stuk van de Linzer Torte, at het op en prees de kwaliteit van het baksel. 'Je bent een beste kerel, Lévi, dat je deze taart heel Europa door hebt gesleept. Hoe kan ik je bedanken?'

'Door me hier een beetje wegwijs te maken,' zei Andras.

'Weet je zeker dat je je door mij wilt laten leiden?' vroeg József. 'Ik ben een nietsnut en een losbol.'

'Ik ben bang dat ik geen keus heb,' zei Andras. 'Jij bent de enige die ik ken in Parijs.'

'Nou, daar ben je dan mooi klaar mee!' zei József. Terwijl ze stukjes Linzer Torte uit het blik aten, gaf hij Andras de adressen van een joods kosthuis, een winkel in tekenspullen en een mensa waar je als student goedkoop kon eten. Hij at er zelf natuurlijk niet – hij liet zijn maaltijden meestal bezorgen door een restaurant op de Boulevard Saint-Germain – maar hij kende mensen die dat wel deden en het te doen vonden. Dat Andras niet aan de Beaux-Arts, maar aan de École Spéciale ging studeren en ze dus geen studiegenoten zouden worden, was natuurlijk jammer, maar misschien

wel beter voor Andras; József had namelijk een heel slechte invloed op zijn omgeving. En nu Andras een beetje wegwijs was gemaakt, wilde hij vast wel op het balkon een sigaret opsteken en genieten van het uitzicht op zijn nieuwe stad.

Andras volgde József door de slaapkamer en door de hoge balkondeuren. Het was een koude dag en de mist van de avond ervoor
was een fijne motregen geworden; de zon was een zilveren munt
achter een wolkengordijn.

'Kijk,' zei József. 'De mooiste stad van de wereld. Die koepel is
het Panthéon en daar ligt de Sorbonne. Links zie je St.-Étienne-
du-Mont en als je je deze kant op buigt, zie je een klein stukje van
de Notre-Dame.'

Andras legde zijn handen op de balustrade en keek uit over een
onafzienbare hoeveelheid onbekende grijze gebouwen onder een
koud mistgordijn. Schoorstenen stonden dicht op elkaar op de
daken als een kolonie vreemde vogels, en voorbij een bataljon met
zink bedekte mansardes hing het groene waas van een park. In
het westen zag je heel in de verte de vage omtrekken van de zich
in de hemel oplossende Eiffeltoren. Tussen hemzelf en dat monument bevonden zich duizenden onbekende straten, winkels en
mensen, en die vulden zo'n grote afstand dat de toren tegen de
achtergrond van de loodgrijze wolken bijna fragiel en sprieterig
aandeed.

'En?' vroeg József.

'Het is wel veel, hè?'

'Genoeg om je bezig te houden. Sterker nog, ik moet over een
paar minuten weer weg. Ik heb een lunchafspraak met een zekere
mademoiselle Betoulinski uit Rusland.' Hij knipoogde en trok zijn
das recht.

'Ah. Je bedoelt dat glittermeisje van vannacht?'

'Nou nee,' zei József met een langzame grijns. 'Dat is weer een
heel andere dame.'

'Heb je er niet eentje over voor mij?'

'Vergeet het maar, kerel,' zei József. 'Ik heb ze allemaal voor mezelf nodig, vrees ik.' Hij glipte door de balkondeuren en liep terug
naar de grote voorkamer waar hij de oranje sjaal weer omdeed en
een gemakkelijk zittend jasje van rookgrijze wol aantrok. Hij pakte
de tas van Andras, en Andras de koffer, en samen brachten ze
alles in de lift naar beneden.

'Ik wou dat ik je naar dat kosthuis kon brengen, maar ik ben al laat voor mijn afspraak,' zei József toen ze alles op de stoep hadden gezet. 'Maar hier is geld voor een taxi. Nee, ik sta erop! En kom een keer langs om wat te drinken. Laat me weten hoe het je vergaat.' Hij sloeg Andras op zijn schouder, gaf hem een hand en liep fluitend weg in de richting van het Panthéon.

Madame V, de hospita van het kosthuis, sprak een paar onbruikbare woordjes Hongaars en heel veel onverstaanbaar Jiddisch, maar ze had geen plek voor Andras; ze wist nog wel duidelijk te maken dat hij de nacht kon doorbrengen op de bank die boven op de overloop stond, maar dat hij maar beter meteen op zoek kon gaan naar ander onderdak. Nog steeds met een wazig hoofd van de nacht bij József waagde hij zich in het Quartier Latin, tussen de bestudeerd nonchalant geklede studenten met hun canvas tassen, hun portfolio's, hun fietsen, hun stapels politieke pamfletten en hun met een touwtje dichtgebonden bakkersdozen, manden van de markt en bossen bloemen. Tussen hen voelde hij zich overdreven netjes gekleed en provinciaals, al had hij dezelfde kleren aan waarin hij zich een week eerder in Boedapest nog elegant en bij de tijd had gevoeld. Op een koud bankje op een troosteloos pleintje zocht hij in zijn taalgidsje naar de woorden voor *prijs*, voor *student*, voor *kamer*, voor *hoeveel*. Maar dat hij wist dat *chambre à louer* hetzelfde betekende als *kamer te huur*, wilde nog niet zeggen dat hij zomaar durfde aan te bellen en in het Frans te vragen naar de *chambre*. Hij liep van de Saint-Michel naar de Saint-Germain, van de Rue du Cardinal-Lemoine naar de Rue Clovis, vervloekte zijn onoplettendheid tijdens de lessen Frans op school en noteerde in een opschrijfboekje waar zich de diverse *chambres à louer* bevonden. Voor hij ook maar één keer had durven aanbellen, was hij al doodmoe; enige tijd nadat het donker was geworden, keerde hij verslagen terug naar het kosthuis.

Terwijl hij die avond probeerde het zich gemakkelijk te maken op de groene bank in de hal, waren jongemannen uit heel Europa tot ver na middernacht bezig met ruziën, vechten, roken, lachen en drinken. Geen van hen sprak Hongaars en geen van hen scheen hem op te merken. Onder andere omstandigheden was Andras waarschijnlijk wel opgestaan om mee te doen, maar hij was zo moe dat hij niet eens de energie had om zich onder zijn deken om te draaien. De bank, een armetierig, hard geval met houten armleuningen, had nog het meeste weg van een martelwerktuig. Toen de mannen zich eindelijk te ruste hadden gelegd, kwamen de ratten van achter de lambrisering tevoorschijn om hun nachtelijke strooptocht te beginnen; ze renden de hele gang door en stalen het brood dat Andras bij het avondeten had meegenomen. De vette baklucht en de lucht van kapotte schoenen en ongewassen mannen achtervolgden hem in zijn dromen. Toen hij beurs en uitgeput wakker werd, besloot hij dat één nacht wel genoeg was geweest. Hij zou diezelfde ochtend nog op zoek gaan in het Quartier en aanbellen bij de eerste de beste die een kamer te huur had.

Aan de Rue des Écoles, vlak bij een klein pleintje onder een grote kastanjeboom, stond een gebouw met dat inmiddels bekende bordje voor het raam: CHAMBRE À LOUER. Hij klopte op de roodgeverfde deur en kruiste zijn armen voor zijn borst in een poging het bange kloppen van zijn hart tot bedaren te brengen. De deur zwaaide open en hij stond oog in oog met een klein, vierkant vrouwtje met zware wenkbrauwen en een scheve, misprijzende mond; op haar neus had ze een zwarte bril met dikke glazen die haar ogen zo klein maakten dat het leek alsof ze toebehoorden aan een ander, nog kleiner persoon. Haar sprieterige grijze haar was aan één kant platgedrukt, alsof ze in een oorfauteuil in slaap was gevallen met haar hoofd tegen een van de oren. Ze zette een vuist op haar heup en keek Andras aan. Hij schraapte al zijn moed bijeen, sprak zijn vraag hopeloos verkeerd uit en wees naar het bordje voor het raam.

De conciërge begreep hem. Ze ging hem voor naar een nauw, betegeld halletje en beklom met hem een wenteltrap met bovenaan een daklicht. Toen ze niet hoger meer konden, nam ze hem mee naar een lange, smalle zolderkamer. Tegen een van de wanden stond een ijzeren bed. Verder stonden er nog een aardewerken kom op een houten drager, een rustieke tafel en een groene, houten stoel. Twee dakramen keken uit op de Rue des Écoles; één stond open, en in het raamkozijn lag een verlaten nest met de restanten van drie blauwe eieren. In de haard lag een roestig haardrooster, een kapotte roostervork en een oude broodkorst. De conciërge haalde haar schouders op en noemde een prijs. Andras moest zoeken naar de woorden voor getallen en bood toen de helft van het bedrag. De conciërge spuugde op de vloer, stampte met haar voeten, ging in het Frans tegen Andras tekeer, maar accepteerde uiteindelijk zijn bod.

Zo begon het: zijn leven in Parijs. Hij had een adres, een koperen sleutel en een uitzicht. Net als József keek hij uit op het Panthéon en op de bleke, kalkstenen klokkentoren van St.-Étienne-du-Mont. Aan de overkant van de straat was het Collège de France, en al snel gebruikte hij het als nadere aanduiding van zijn adres: *34 Rue des Écoles, en face du Collège de France.* Even verderop was de Sorbonne. En wat verder weg, aan de Boulevard Raspail, lag de École Spéciale d'Architecture waar maandag zijn colleges zouden beginnen. Nadat hij de kamer van onder tot boven had schoongemaakt en zijn kleren had uitgepakt en opgeborgen in een appelkrat, telde hij zijn geld en maakte hij een boodschappenlijst. Hij ging naar de winkels en kocht een pot aalbessenjam, een doos goedkope thee, een doos suiker, een zeef, een zak walnoten, een bruin aardewerken potje boter, een lange baguette en, als een bijzondere luxe, een piepklein kaasje.

Wat een genot was het om zijn sleutel in het slot te steken en de deur van zijn eigen kamer te openen. Hij legde zijn etenswaren op de vensterbank en zijn tekenspullen op de tafel. Toen ging hij zitten, sleep met zijn mes een potlood en schetste zijn uitzicht op het Panthéon op een blanco briefkaart. Op de achterkant schreef hij zijn eerste bericht uit Parijs: *Beste Tibor, Ik ben er! Ik heb een armzalig zolderkamertje; ik ben er dolblij mee. Maandag beginnen de colleges. Hoera! Liberté, egalité, fraternité! Je je toegenegen Andras.* Hij had alleen nog een postzegel nodig. Hij dacht dat hij er wel eentje bij de conciërge kon lenen; hij wist dat er om de hoek een brievenbus was. Toen hij zich de exacte locatie van die brievenbus voor de geest probeerde te halen, schoot hem opeens een envelop te binnen, een met lak verzegelde envelop met een monogram. Hij was zijn belofte aan de oude mevrouw Hász vergeten. Haar missive aan C. Morgenstern in de Rue de Sévigné lag nog in zijn koffer. Hij trok de koffer onder zijn bed vandaan, half vrezend dat de brief er niet meer zou zijn, maar hij zat nog in het zijvak waarin hij hem had weggestopt, verzegeld en wel. Hij rende naar beneden naar de conciërgewoning en vroeg met behulp van zijn taalgidsje en niet mis te verstane gebaren om twee postzegels. Na enig zoeken vond hij de *boîte aux lettres* en gooide hij de kaart voor Tibor in de bus. Daarna stelde hij zich voor hoe blij verrast een zilverharige heer de volgende ochtend de post zou oprapen, en liet hij de brief van mevrouw Hász in het anonieme duister van de brievenbus glijden.

4

De École Spéciale

Om naar school te komen moest hij door de Jardin du Luxembourg, langs het uitgestrekte Palais, de fontein en de bloemperken
vol met leeuwenbekjes en goudsbloemen. Kinderen lieten minia-
tuurbootjes varen in de fontein, en Andras dacht met een soort ge-
krenkte trots aan de bootjes van sloophout die hij en zijn broers
hadden laten varen op de molenkolk in Konyár. Er waren groene
bankjes, kortgesnoeide lindebomen en een draaimolen met beschilderde paarden. Aan het andere eind van het park stond een
groep bruine poppenhuisjes, zo leek het wel; toen Andras dichterbij kwam, hoorde hij gezoem van bijen. Een gesluierde imker boog
zich over een van de bijenkasten, zwaaiend met zijn rookvat.

Andras liep over de Rue de Vaugirard, langs de winkels met tekenspullen, de smalle cafés en een lagere school vol met kleine
meisjes. Daarna liep hij over de brede Boulevard Raspail met zijn
statige appartementsgebouwen. Nu al voelde hij zich meer Parijzenaar dan toen hij was aangekomen. Hij had zijn kamersleutel aan
een koord om zijn nek en een exemplaar van *L'Oeuvre* onder zijn
arm. Hij had zijn sjaal net zo geknoopt als József Hász en hij had
de draagriem van zijn leren tas diagonaal over zijn borst, net als
de studenten in het Quartier Latin. Zijn leven in Boedapest – de
baan bij *Verleden en Toekomst*, het appartement aan de Hársfa
utca, het vertrouwde belgeluid van de tram – leek heel ver weg.
Met een onverwachte steek van heimwee zag hij Tibor zitten aan
hun vaste tafeltje op het terras van hun favoriete café, met uitzicht
op het standbeeld van Jókai Mór, de beroemde schrijver die tijdens de revolutie van 1848 aan de Oostenrijkers was ontsnapt
door de kleren van zijn vrouw aan te trekken. Meer naar het oosten, in Debrecen, zat Mátyás nu in zijn schrift te tekenen terwijl
zijn klasgenootjes Latijnse vervoegingen stampten. En zijn ouders,
hoe was het daarmee? Hij moest ze deze avond nog schrijven. Hij
voelde aan het zilveren horloge in zijn zak. Zijn vader had het vlak

voor zijn vertrek nog laten nakijken; het was een mooi oud horloge met in een ragfijn rondschrift geschilderde cijfers en wijzers van zwartblauw iriserend metaal. Het uurwerk deed het nog net zo goed als in de tijd van zijn grootvader. Andras wist nog hoe hij op de knie van zijn vader het horloge voorzichtig mocht opwinden, want de veer mocht niet te strak gespannen worden; Geluksvogel Béla had hetzelfde gedaan toen hij nog een kind was. En nu was datzelfde horloge hier in Parijs, in 1937, een tijd waarin iemand in slechts enkele dagen een afstand van twaalfhonderd kilometer kon afleggen, een tijd waarin een telegram binnen een paar minuten via een netwerk van draden op de plaats van bestemming aankwam en een radiosignaal gewoon door de lucht reisde. Wat een tijd om bouwkunde te studeren! De gebouwen die hij zou ontwerpen waren de schepen waarin men naar de horizon van de twintigste eeuw zou varen, en daarna van de landkaart af, op weg naar het nieuwe millennium.

Hij merkte dat hij het hek van de École Spéciale voorbij was gelopen en dus op zijn schreden moest terugkeren. Jonge mannen stroomden naar binnen door twee hoge blauwe deuren in het midden van een grijs, neoclassicistisch gebouw met de naam van de school in het steen van de kroonlijst gebeiteld. De École Spéciale d'Architecture! Ze hadden hem willen hebben, hadden zijn werk gezien en hem gekozen, en hij was gekomen. Hij rende de treden op en ging de blauwe deuren door. Op de muur tegenover de ingang was een plaquette aangebracht met in bas-reliëf de goudgekleurde bustes van twee mannen: Emile Trélat, de stichter van de school, en Gaston Trélat, die zijn vader als directeur was opgevolgd. Emile en Gaston Trélat. Namen die hij nooit meer zou vergeten. Hij slikte twee keer, streek zijn haar glad en ging het secretariaat binnen.

De jonge vrouw achter de balie leek wel weggestapt uit een droom. Haar huid had de kleur van donker notenhout en haar dikke haar glansde als satijn. Ze had een vriendelijke blik en keek hem met haar in donkere oogleden gevangen ogen onbevangen aan. Het kwam niet in hem op om iets te zeggen. Nooit eerder had hij zo'n mooie vrouw ontmoet en nog nooit had hij iemand van Afrikaanse afkomst in het echt gezien. Deze prachtige, jonge, zwarte Française stelde hem een vraag die hij niet verstond, en hij mompelde een van de weinige Franse woorden die hij kende – *désolé* – en schreef zijn naam op een papiertje dat hij over de balie naar haar toe schoof. De jonge vrouw ging met haar vinger langs een stapel dikke enveloppen in een houten doos en haalde er een uit waarop in keurige blokletters zijn naam, LÉVI, geschreven stond.

Hij bedankte haar in zijn gebrekkige Frans. Zij antwoordde dat ze het graag had gedaan. Hij zou haar zijn blijven aangapen als er op dat moment niet een groep studenten was binnengekomen die haar luidkeels begroetten en haar over de balie op haar wangen zoenden. *Eh, Lucia! Ça va, bellissima?* Andras glipte met de envelop tegen zijn borst gedrukt langs de anderen de hal weer in. Alle studenten hadden zich verzameld onder het glazen dak van een centraal gelegen atrium waar de indeling van de klassen was opgehangen. Hij ging op een bankje zitten en opende de envelop met zijn indeling:

COURS	PROFESSEUR
Histoire d'Architecture	A. Perret
Les Statiques	V. le Bourgeois
Atelier	P. Vago
Dessinage	M. Labelle

Heel zakelijk allemaal, alsof het de normaalste zaak van de wereld was dat Andras in die vakken les van beroemde architecten zou krijgen. In de envelop zat ook een lange lijst met studieboeken en -materialen en een wit kaartje waarop iemand (wie?) in het Hongaars had geschreven dat hij zijn boeken en benodigdheden op rekening van de school kon aanschaffen bij een boekwinkel op de Boulevard Saint-Michel.

Hij las en herlas die boodschap en keek rond wie dat briefje geschreven zou kunnen hebben. Van de studenten om hem heen werd hij niks wijzer. Geen van hen had ook maar iets Hongaars; ze waren allemaal op en top Parijzenaars. Maar in één hoek stond een drietal jongemannen onzeker om zich heen te kijken. Hij zag direct dat het eerstejaars waren en de namen op hun enveloppen deden vermoeden dat ze joods waren: ROSEN, POLANER, BEN YAKOV. Hij stak zijn hand op bij wijze van groet en zij knikten, als teken van herkenning. De langste van de drie wenkte hem.

Rosen was een slungel met opstandig rood haar en een beginnend sikje. Hij legde zijn hand op Andras' schouder en stelde hem voor aan Ben Yakov, die op de knappe Franse filmster Pierre Fresnay leek, en aan Polaner, klein en fragiel met een fris, kortgeschoren hoofd en spitse vingers. Andras begroette hen en stelde zich voor. De conversatie werd in rap Frans voortgezet en Andras deed zijn best er iets van te begrijpen. Rosen was duidelijk de leider van de groep; hij had het woord en de anderen luisterden of gaven antwoord. Polaner maakte een nerveuze indruk; hij bleef de bovenste knoop van zijn versleten fluwelen jasje maar los- en vastmaken. De knappe Ben Yakov loerde naar een groepje jonge vrouwen; een van hen zwaaide en hij zwaaide terug. Toen boog hij zich over naar Polaner en Rosen en maakte een ongetwijfeld suggestieve grap. Ze moesten alle drie lachen. Hoewel Andras het snelle gepraat maar moeilijk kon volgen en niet bij de conversatie betrokken werd, voelde hij de acute behoefte om ze te leren kennen. Toen ze het lesrooster gingen bekijken zag hij tot zijn vreugde dat ze bij elkaar in de klas zaten.

Na een tijdje liepen de studenten naar de ommuurde binnenplaats, waar hoge bomen hun schaduw wierpen op rijen houten banken. Een van de studenten droeg een katheder naar een geplaveid stukje grond helemaal vooraan, de andere gingen op de bankjes zitten. Buiten de muur klonken de geluiden van het verkeer. Maar Andras zat binnen, naast drie mannen die hij bij naam kende; hij was een van deze studenten en hij hoorde aan deze kant van de muur. Hij probeerde het gevoel te verwoorden, stelde zich voor hoe hij het aan Tibor en Mátyás moest beschrijven. Maar voordat hij in zijn hoofd de woorden had gevormd, ging er een zijdeur van het gebouw open en kwam er een man naar buiten. Hij zag eruit als een kapitein in het leger; hij droeg een lange grijze cape met een rode voering en had een kort, driehoekig baardje en een gepommadeerde krulsnor. Zijn ogen waren klein en fel achter zijn montuurloze pince-nez. In de ene hand had hij een wandelstok en in de andere iets wat op een puntig stuk grijze steen leek. Ieder ander zou krom hebben gelopen onder het gewicht van dat ding, maar deze man stak met kaarsrechte rug en martiaal geheven kin de binnenplaats over. Hij stapte op het spreekgestoelte en legde het stuk steen met een holle dreun neer.

'Attentie,' bulderde hij.

De studenten vielen stil en gingen rechtop zitten, alsof ze aan onzichtbare koorden omhooggetrokken werden. Een rijzige jongeman in een gerafeld werkhemd ging stilletjes naast Andras zitten en boog zich naar zijn oor.

'Dat is Auguste Perret,' zei de jongeman in het Hongaars. 'Hij was mijn leraar, en nu wordt hij de jouwe.'

Andras keek verrast en opgelucht opzij naar de jongeman. 'Jij hebt dat briefje geschreven dat in mijn envelop zat,' zei hij.

'Let op,' zei de man, 'ik vertaal het wel.'

Andras luisterde. Op het spreekgestoelte tilde Auguste Perret de puntige steen met beide handen op en stelde een vraag. Volgens Andras' tolk vroeg hij of iemand wist welk bouwmateriaal dit was. U daar vooraan? Beton, inderdaad. Gewapend beton. Als ze over vijf jaar klaar waren met hun opleiding, zouden ze alles van gewapend beton afweten. Waarom? Omdat het de toekomst van de moderne stad was. Je kon er gebouwen mee maken die hoger en sterker waren dan alles wat er daarvoor was gebouwd. Hoger en sterker, inderdaad; en mooier. Maar hier op de École Spéciale werden we niet *verleid* door schoonheid; dat was iets voor de rijkeluiszoontjes van *die andere opleiding*. Dat was een eliteschooltje waar jongens zich bezighielden met de kunst van de *dessinage*; wij van de École Spéciale waren geïnteresseerd in echte architectuur, gebouwen voor mensen. Als onze ontwerpen mooi waren, was dat meegenomen; maar die schoonheid moest dan wel in dienst staan van de gewone man. Wij waren hier omdat we geloofden in architectuur als een democratische kunstvorm; omdat we geloofden dat vorm en functie even belangrijk waren; omdat wij, de avant-garde, de ketenen van de aristocratische traditie hadden afgeworpen en zelf waren gaan nadenken. Iedereen die een Versailles wilde bouwen kon beter meteen opstaan en de poort uit lopen. *Die andere opleiding* was maar drie metrostations verderop.

De professor liet een stilte vallen terwijl hij met zijn arm naar de poort bleef wijzen en de rijen studenten bleef aankijken. '*Non?*' riep hij. '*Personne?*'

Niemand bewoog. De professor bleef doodstil staan. Andras had het gevoel dat hij een figuur in een schilderij was, voor eeuwig bevroren door de uitdaging van Perret. Nog honderden jaren zou het schilderij in musea worden bewonderd. En hij zou nog steeds op dat bankje zitten, zijn lichaam gericht op die man met die cape en dat witte baardje, die generaal onder de architecten.

'Dit doet hij elk jaar,' fluisterde de Hongaarse man naast Andras. 'Nu gaat hij het hebben over de verantwoordelijkheid tegenover de studenten die na jullie komen.'

'*Les étudients qui viendront après vous,*' vervolgde de professor, en de Hongaar vertaalde. Die studenten zouden erop rekenen dat jullie je uiterste best deden. Deden jullie dat niet, dan zouden zij ook falen. Iedereen kreeg les van zijn voorgangers; op de École Spéciale leerde je samenwerken, want als architect moest je dat ook doen. Je kon wel een eigen visie hebben, maar zonder hulp van je collega's had je daar helemaal niets aan. Op deze school had Emile Trélat Robert Mallet-Stevens onderwezen, Mallet-Stevens had Fernand Fenzy lesgegeven, Fernand Fenzy op zijn beurt Pierre Vago, en Pierre Vago zou jullie het vak leren.

Op dat punt gekomen wees de professor in het publiek en stond de jongeman naast Andras op om een beleefde buiging te maken. Hij liep naar voren, ging naast professor Perret staan en begon de studenten in het Frans toe te spreken. Pierre Vago. De man die voor Andras had getolkt – die slordig geklede man in zijn werkhemd met inktvlekken – was de P. VAGO van Andras' klassenindeling. Zijn werkbegeleider. Zijn docent. Een Hongaar. Andras werd opeens licht in het hoofd. Voor het eerst begon hij te geloven dat hij een kans had om het aan de École Spéciale te redden. Hij had grote moeite zich te concentreren op wat Pierre Vago aan het vertellen was in zijn elegante, niet helemaal accentloze Frans. Pierre Vago had inderdaad het Hongaarse briefje geschreven dat in de bruine envelop van Andras had gezeten. Andras bedacht dat Pierre Vago er waarschijnlijk verantwoordelijk voor was dat hij hier zat.

'Hé,' zei Rosen en trok Andras aan zijn mouw. '*Regarde-toi.*'

Door alle spanning was Andras' neus gaan bloeden. Rode puntjes glinsterden op zijn witte overhemd. Polaner keek bezorgd en bood een zakdoek aan; Ben Yakov trok wit weg en keek de andere kant op. Andras pakte de zakdoek aan en drukte hem tegen zijn neus. Rosen zorgde ervoor dat hij zijn hoofd achterover hield. Een paar mensen draaiden zich om om te zien wat er aan de hand was. Andras zat daar te bloeden in de zakdoek en het kon hem niets schelen wie er keek; hij had zich nog nooit zo gelukkig gevoeld.

Later die dag, na de bijeenkomst, nadat het bloeden was gestopt en hij de bebloede zakdoek had vervangen door zijn eigen zakdoek, na de eerste colleges en na het uitwisselen van adressen met Rosen, Polaner en Ben Yakov, zat Andras in de rommelige werkkamer van Vago op een houten kruk naast de tekentafel. Aan de muren hingen geschetste en gedrukte ontwerpen, aquarellen in

zwart-wit van prachtige, onmogelijke gebouwen, en een bovenaan-
zicht van een stad, op schaal getekend. In een hoek lag een hoop
met verf besmeurde kleren; een verroest en verbogen fietsframe
stond tegen de muur. Op Vago's boekenplanken stonden antieke
boeken, tijdschriften, een waterketel, een houten vliegtuigje en
een van schroot gemaakt beeldje van een meisje met spillebenen.
Vago zelf leunde achterover in zijn draaistoel, met zijn handen
achter zijn hoofd.

'Nou,' zei hij tegen Andras. 'Daar ben je dan, helemaal uit Boedapest. Ik ben blij dat je gekomen bent. Ik wist niet of het nog zou
lukken op zo korte termijn. Maar ik moest het proberen. Het is
barbaars, die vooroordelen over wie wat mag studeren, en wanneer en hoe. Het is geen land voor mensen zoals wij.'

'Maar – als ik vragen mag – bent u joods, professor?'

'Nee. Ik ben katholiek. Gevormd in Rome.' Hij liet zijn r flink rollen, op z'n Italiaans.

'Maar wat kan het u dan schelen?'

'Moet ik het dan negeren?'

'Veel mensen doen dat.'

Vago haalde zijn schouders op. 'Niet iedereen.' Hij opende een
map op zijn bureau. Er lagen kleurenreproducties in van de voorplaten die Andras voor *Verleden en Toekomst* had gemaakt: linosnedes van een sofer die een Thorarol beschrijft, van een vader met
zijn zonen in de synagoge, van een vrouw die twee dunne kaarsen
aansteekt. Andras zag het werk opeens alsof hij het voor de eerste
keer zag. De onderwerpen leken hem sentimenteel, de composities
voor de hand liggend en kinderachtig. Hij kon niet geloven dat hij
op grond hiervan was aangenomen. Hij had niet de kans gekregen
de tekeningen in te dienen die hij had gebruikt bij zijn gang langs
de Hongaarse architectuuropleidingen – gedetailleerde tekeningen
van het Parlementsgebouw en het Paleis, op schaal getekende interieurs van kerken en bibliotheken, werk waar hij uren op had zitten zwoegen aan zijn bureau bij *Verleden en Toekomst*. Maar zelfs
die tekeningen zouden nog knullig en amateuristisch zijn geweest
in vergelijking met de glasheldere ontwerpen en beeldschone eleva-
ties van Vago die daar aan de muur hingen.

'Ik ben hier om te leren, meneer,' zei Andras. 'Ik heb die tekeningen lang geleden gemaakt.'

'Dit is uitstekend werk,' zei Vago. 'Die precisie en dat gebruik
van perspectief zie je niet vaak bij een autodidact. Je bent duide-

lijk een natuurtalent. De composities zijn asymmetrisch, maar goed in balans. De thema's zijn ouderwets, maar de lijnen zijn modern. Voor een architect zijn dat belangrijke kwaliteiten.'

Andras pakte een van de voorplaten, die met de man en zijn zonen bij het gebed. Hij had het bij kaarslicht in het linoleum gesneden in het appartement aan de Hársfa utca. Hij had het destijds niet gezien – onbegrijpelijk, want het was nu zo duidelijk als wat – maar de man met het gebedskleed was zijn vader en de jongens waren zijn broers.

'Het is heel goed,' zei Vago. 'En in dat oordeel stond ik niet alleen.'

'Het is geen architectuur,' zei Andras en gaf de tekening terug aan Vago.

'Architectuur ga je leren. En in de tussentijd leer je Frans. Dat is de enige manier om het hier te redden. Ik wil je graag helpen, maar ik kan niet elke les voor je tolken. Daarom verwacht ik je hier elke ochtend een uur voor het begin van de colleges om Frans met mij te oefenen.'

'Hier met u, meneer?'

'Ja. Van nu af aan spreken we alleen nog Frans met elkaar. Ik leer je alles wat ik weet. En hou in godsnaam op me de hele tijd "meneer" te noemen alsof ik een bovenmeester ben.' Zijn blik werd serieus, maar hij trok zijn linkermondhoek iets op, zodat zijn gezicht iets pruilerigs Frans kreeg. '*L'architecture n'est pas un jeu d'enfant*,' zei hij met een diepe, welluidende stem die precies het timbre en de toonhoogte had van de stem van professor Perret. '*L'architecture, c'est l'art le plus sérieux de tous.*'

'*L'art le plus sérieux de tous*,' herhaalde Andras met dezelfde diepe stem.

'*Non, non!*' riep Vago uit. 'Alleen ík mag de stem van Monsieur le Directeur nadoen. Jij moet praten als Andras, de nederige student. *Ik ben Andras, de Nederige Student*,' zei Vago in het Frans. 'Zeg mij na.'

'Ik ben Andras, de Nederige Student.'

'Monsieur Vago gaat mij perfect Frans leren spreken.'

'Monsieur Vago gaat mij perfect Frans leren spreken.'

'Ik zeg alles na wat hij zegt.'

'Ik zeg alles na wat hij zegt.'

'Maar niet met de stem van Monsieur le Directeur.'

'Maar niet met de stem van Monsieur le Directeur.'

'Ik heb een vraag,' zei Vago in het Hongaars, nu weer serieus. 'Heb ik er goed aan gedaan je hierheen te halen? Ben je erg eenzaam? Is het niet een beetje te veel allemaal?' 'Het ís veel,' zei Andras. 'Maar gek genoeg voel ik me heel gelukkig.'

'Ik voelde me hier ellendig in het begin,' zei Vago terwijl hij weer achterover leunde. 'Ik kwam hier drie weken nadat ik mijn school in Rome had afgerond, en ik ging studeren aan de Beaux-Arts. Die school was niks voor iemand met mijn temperament. Die eerste maanden waren vreselijk! Ik had echt de pest aan Parijs.' Hij keek uit het raam naar de kille, grijze middag. 'Dag in dag uit liep ik door de stad en nam alles in me op – de Bastille en de Tuilerieën, de Luxembourg, de Notre-Dame, de Opéra – en ik vervloekte elke voeg en steen. Het is heel anders dan Boedapest, mocht je dat nog niet opgevallen zijn. Op een gegeven moment stapte ik over naar de École Spéciale. En toen begon ik verliefd op Parijs te worden. Nu zou ik nergens anders meer willen wonen. Na een tijd zul jij dat gevoel ook krijgen.'

'Ik heb het nu al een beetje.'

'Wacht maar,' zei Vago met een grijns. 'Het wordt alleen maar erger.'

's Ochtends kocht hij zijn brood bij het bakkertje in de straat en zijn krant bij de kiosk op de hoek; als hij zijn muntjes in de hand van de eigenaar liet vallen, zong de man een hees *merci* als antwoord. Terug op zijn kamer at hij zijn croissant en dronk hij zoete thee uit het lege jampotje. Hij bekeek de foto's in de krant en probeerde het nieuws te volgen over de Spaanse burgeroorlog, waarin het Front Populaire terrein verloor aan de Nationalistes. Hij stond zichzelf niet toe een Hongaarse krant te kopen om de lacunes in zijn Frans aan te vullen; de urgentie van het nieuws maakte het vertalen makkelijker. Elke dag stonden er weer nieuwe gruwelen in de krant: minderjarige jongens die in greppels waren neergeknald, oudere heren die in olijfgaarden aan bajonetten waren geregen, dorpjes die gebombardeerd waren met brandbommen. Italië beschuldigde Frankrijk ervan zijn eigen wapenembargo te schenden; de Sovjet-Unie stuurde scheepsladingen munitie naar het Republikeinse leger en Duitsland versterkte het Condorlegioen tot wel tienduizend man. Andras las het nieuws met een groeiend gevoel van moedeloosheid en was ook wel eens jaloers op de jongemannen die huis en haard verlieten om te gaan vechten in het Republikeinse leger. Hij begreep dat iedereen nu bij het conflict betrokken was; elke andere zienswijze was gewoon ontkenning.

Met zijn hoofd vol gruwelijke beelden van het Spaanse front liep hij over de met bladeren bezaaide trottoirs naar de École Spéciale, waarbij hij ter afleiding de Franse woorden voor bouwkundige termen repeteerde: *toit, fenêtre, porte, mur, corniche, balcon, balustrade, souche de cheminée.* Op school leerde hij het verschil tussen stereobaat en stylobaat, basement en entablement; hij ontdekte wie van de docenten stiekem meer naar het decoratieve dan het praktische neigden, en wie, in navolging van Perret, heilig geloofden in de zegeningen van het gewapend beton. In het kader van de lessen statica bezocht hij de Sainte-Chapelle, waar hij leerde hoe bouwmeesters uit de dertiende eeuw een manier hadden gevonden om het gebouw te versterken met ijzeren stijlen en balken; de stijlen waren weggewerkt in het vensterharnas van de glas-in-loodramen die helemaal tot boven doorliepen. Hij stond daar in het midden van de kapel in de rode en blauwe stralen van het ochtendlicht dat door de glas-in-loodramen naar binnen viel, en ervoer een soort religieuze vervoering. Het deed er niet toe dat dit een katholieke kerk was en dat de ramen Christus en andere heiligen afbeeldden. Wat hij voelde had niet zozeer met religie te maken als wel met een gevoel van harmonie, een perfect samengaan van vorm en functie in dat gebouw. Eén lange, verticale ruimte suggereerde een pad naar God, of naar een dieper begrip van het mysterie. Dat hadden architecten voor elkaar gekregen, honderden jaren geleden.

Pierre Vago hield zich aan zijn woord en gaf Andras elke ochtend een uur les. Het Frans dat Andras op school had geleerd, kwam al snel weer terug, en binnen een maand had hij al meer opgestoken dan in zijn hele gymnasiumtijd. Halverwege oktober waren de lessen al niets anders meer dan lange gesprekken; Vago wist precies die onderwerpen aan te roeren die Andras ertoe aanzetten om te praten. Hij vroeg Andras naar de jaren in Konyár en Debrecen – wat hij geleerd had, wat voor vrienden hij had gehad, waar hij gewoond had, op wie hij verliefd was geweest. Andras vertelde Vago over Éva Kereny, het meisje dat hem gezoend had in de tuin van het Déri-museum in Debrecen en hem daarna keihard had laten vallen; hij vertelde het verhaal van het enige paar zijden kousen van zijn moeder, een cadeau voor Chanoeka dat Andras had gekocht van het geld dat hij had verdiend door de tekenopdrachten van zijn klasgenoten te maken. (Tussen de broers was er strijd over wie hun moeder het mooiste cadeau gaf; ze was zo kinderlijk blij met de kousen geweest dat het voor iedereen duidelijk was geweest dat Andras gewonnen had. Later die avond had Tibor als oudere broer wraak genomen door Andras in de tuin tegen de grond te werken en zijn gezicht tegen de bevroren grond te rammen.) Vago, die zelf geen broers of zussen had, leek er plezier in te hebben om over Mátyás en Tibor te horen; hij liet Andras hun verhalen vertellen en hun brieven vertalen in het Frans. Hij was vooral geïnteresseerd in Tibors plannen om in Italië medicijnen te gaan studeren. Hij kende iemand in Rome wiens vader hoogleraar was aan de medische faculteit van Modena; hij beloofde hem te schrijven en te kijken wat er mogelijk was.

Andras nam het voor kennisgeving aan; hij wist dat Vago het druk had, dat brieven naar het buitenland lang onderweg waren, en dat het heel goed mogelijk was dat de jongeman in Rome minder enthousiast was dan Vago over het opleiden van jonge Hongaren van joodse afkomst. Maar op een ochtend begroette Vago zijn pupil met een brief in de hand: hij had bericht gekregen dat professor Turano er misschien wel voor kon zorgen dat Tibor in januari kon gaan studeren.

'Mijn hemel!' zei Andras. 'Het is een wonder! Hoe hebt u dat voor elkaar gekregen?'

'Ik heb de waarde van mijn contacten goed ingeschat,' zei Vago met een glimlach.

'Ik moet Tibor meteen op de hoogte stellen. Waar kan ik een telegram sturen?'

Vago maakte een bezwerend gebaar met zijn hand. 'Ik zou nog even wachten,' zei hij. 'Het is nog niet zeker. We moeten hem niet blij maken met een dode mus.'

'Hoe schat u zijn kansen in? Wat zegt de professor?'

'Hij zegt dat hij de toelatingscommissie moet overtuigen. Het is een speciaal geval.'

'Zegt u het zodra u bericht van hem krijgt?'

'Natuurlijk,' antwoordde Vago.

Maar hij móest het voorbarige goede nieuws met iemand delen, dus vertelde hij het Polaner en Rosen en Ben Yakov toen hij ze die avond sprak in de mensa in de Rue des Écoles. Dat was de mensa die József had aangeraden toen Andras in Parijs was aangekomen.

Voor 125 franc per week kregen ze elke dag een maaltijd waarvan aardappels, bonen en kool de vaste bestanddelen waren; ze aten in een galmende kelder aan lange tafels waarin duizenden studenten hun namen gekerfd hadden. Andras vertelde het nieuws over Tibor in zijn Hongaars klinkende Frans, waarbij hij zijn best moest doen om boven het geroezemoes uit te komen. De anderen hieven hun glas en wensten Tibor geluk.

'Wat een heerlijke ironie,' zei Rosen nadat ze hun glas geleegd hadden. 'Omdat hij joods is, moet hij weg uit een constitutionele monarchie om in een fascistische dictatuur medicijnen te gaan studeren. Anders dan wij hoeft hij dus geen rekening te houden met het recht op vrije meningsuiting dat in deze fraaie democratie door intelligente jongelieden zo bandeloos wordt uitgeoefend.' Hij wierp een blik op Polaner, die zijn ogen neersloeg en naar zijn keurige witte handen keek.

'Wat is dit nou weer?' vroeg Ben Yakov.

'Niets,' zei Polaner.

'Wat is er aan de hand?' vroeg Ben Yakov, die altijd graag de laatste roddels wilde horen.

'Dat zal ik je vertellen,' zei Rosen. 'Toen we gisteren naar school liepen, brak het handvat van Polaners portfolio. We moesten het repareren met een stukje touw. We kwamen te laat de klas in, zoals je je wel zult herinneren – dat waren wij die om halfelf kwamen aankakken. We moesten achteraan gaan zitten, naast die tweedejaars, die Lemarque – die blonde klootzak, die ellendeling. Polaner, vertel maar wat hij zei toen we aanschoven.'

Polaner legde zijn lepel naast zijn soepkom. 'Wat je dácht dat hij zei.'

'Hij zei *smerige joden*. Dat hoorde ik heel goed.'

Ben Yakov keek naar Polaner. 'Is dat waar?'

'Ik weet het niet,' zei Polaner. 'Hij zei iets, maar ik verstond niet wát.'

'We hoorden het allebei. Iedereen om ons heen hoorde het.'

'Je bent paranoïde,' zei Polaner, en de tere huid rond zijn ogen kleurde rood. 'Mensen draaiden zich om omdat we te laat waren, niet omdat hij ons smerige joden noemde.'

'Misschien kan dat waar jij vandaan komt, maar hier kan dat niet,' zei Rosen.

'Ik wil het er niet over hebben,' zei Polaner.

'Tja, wat doe je eraan?' zei Ben Yakov. 'Idioten hou je altijd.'

'Hem een lesje leren,' zei Rosen. 'Dat doe je eraan.'

'Nee,' zei Polaner. 'Ik ga geen stennis schoppen over iets wat wel of niet gebeurd kan zijn. Ik wil niet opvallen. Ik wil studeren en mijn bul halen. Begrijpen jullie dat?'

Andras begreep het wel. Hij kende het gevoel nog van de lagere school in Konyár: onzichtbaar willen zijn. Maar hij had er niet op gerekend dat hij of zijn joodse klasgenoten er in Parijs mee te maken zouden krijgen. 'Ik begrijp het,' zei hij. 'Maar Lemarque mag niet het gevoel krijgen' – hij worstelde met het Frans – 'dat hij zoiets ongestraft kan zeggen. Áls hij het gezegd heeft, tenminste.'

'Lévi begrijpt wat ik bedoel,' zei Rosen. Maar hij liet zijn kin op zijn hand zakken en staarde in zijn soepkom. 'Aan de andere kant weet ik niet zo goed wat we eraan kunnen doen. Als we het melden, is het ons woord tegenover dat van Lemarque. En hij heeft veel vrienden onder de vierde- en vijfdejaars.'

Polaner duwde zijn soepkom van zich af. 'Ik moet terug naar het atelier. Ik heb nog werk liggen voor de hele avond.'

'Kom op, Eli,' zei Rosen. 'Niet boos worden.'

'Ik ben niet boos. Ik heb alleen geen zin in gedoe.' Polaner zette zijn hoed op en deed zijn sjaal om zijn hals, en even later zagen ze hem zijn weg zoeken tussen de doolhof van tafels, zijn schouders opgetrokken onder het versleten fluweel van zijn jasje.

'Je gelooft me toch wel?' zei Rosen tegen Andras. 'Ik weet wat ik gehoord heb.'

'Ik geloof je. Maar ik denk ook dat er niet veel aan te doen is.'

'We hadden het daarnet toch over je broer?' zei Ben Yakov. 'Dat vond ik een veel leuker gespreksonderwerp.'

'Inderdaad,' zei Rosen. 'Ik begon over iets anders en kijk wat ervan komt.'

Andras haalde zijn schouders op. 'Volgens Vago is het nog te vroeg om te juichen. Misschien gaat het niet door.'

'Maar misschien ook wel,' zei Rosen.

'Ja. En dan komt hij inderdaad in een fascistische dictatuur terecht. Dus of je daar nu op moet hopen... Elk scenario heeft zijn voors en zijn tegens.'

'Palestina,' zei Rosen. 'Een joodse staat. Daar moeten we op hopen. Ik hoop dat het je broer lukt om in het Italië van Mussolini te studeren. Gewoon arts worden onder de neus van Il Duce. Ondertussen worden jij, Polaner, Ben Yakov en ik architect hier in Parijs. En dan emigreren we allemaal. Afgesproken?'

'Ik ben geen zionist,' zei Andras. 'Ik voel me thuis in Hongarije.'
'Maar niet op dit moment, toch?' zei Rosen. En daar had Andras
even niet van terug.

De twee weken daarop wachtte hij op nieuws uit Modena. In de les
statica berekende hij de verdeling van de krachten op de gebogen
onderzijde van de Pont au Double, in de hoop afleiding te vinden in
de symmetrie van vergelijkingen; bij tekenen maakte hij een schaaltekening van de voorzijde van het Gare d'Orsay, waarbij hij zich
helemaal kon uitleven op het uitmeten van de ingewikkelde stations-
klokken en de rij toegangspoorten. Bij de praktijklessen hield hij
Lemarque in de gaten. Die wierp vaak ondoorgrondelijke blikken op
Polaner, maar kon niet op beledigende opmerkingen worden betrapt. Elke ochtend keek hij of er op het bureau van Vago een brief
lag met een Italiaans poststempel, steeds weer tevergeefs.

Maar op een middag, toen Andras bij de praktijkles potlood-
streepjes op zijn tekening van het Gare d'Orsay aan het uitgummen was, kwam de mooie Lucia van het secretariaat de klas in
met een opgevouwen briefje. Ze overhandigde het aan de vijfdejaars die toezicht hield en verliet meteen weer het lokaal, zonder
nog naar de andere studenten te kijken.

'Lévi,' zei de onderwijsassistent, een man met een strenge blik
en een wilde bos stroblond haar. 'Je wordt verwacht op de kamer
van Le Colonel.'

Alle gesprekken verstomden en iedereen onderbrak zijn werk.
Le Colonel was de bijnaam voor Auguste Perret. Alle ogen richtten
zich op Andras; Lemarque lachte hem minnetjes toe. Andras
schoof zijn potloden in zijn tas en vroeg zich af wat Perret van hem
moest. Misschien had het te maken met Tibor en Italië; misschien
had Vago ook Perret ingeschakeld. Misschien had ook hij invloed
uitgeoefend op vrienden in het buitenland en mocht hij Andras het
nieuws brengen.

Andras rende de twee trappen op naar de gang met de kamers
van de docenten en bleef staan voor de gesloten deur van Perret.
Binnen hoorde hij Perret en Vago op gedempte toon met elkaar
praten. Hij klopte. Vago riep hem binnen en hij opende de deur.
Binnen zag hij professor Perret in hemdsmouwen in een baan licht
staan, vlak voor een van de hoge ramen die uitkeken over de Boulevard Raspail. Vago leunde tegen het bureau van Perret met een
telegram in zijn hand.

'Goedemiddag, Andras,' zei Perret en draaide zich om van het raam. Hij gebaarde Andras te gaan zitten op een lage, leren stoel naast het bureau. Andras ging zitten en liet zijn tas op de grond glijden. In de kamer van Perret hing een drukkende atmosfeer. In tegenstelling tot de kamer van Vago, waar overal tekeningen hingen, zelfgemaakte beeldjes rondslingerden en de werktafel vol lag met projecten, was de kamer van Perret een toonbeeld van orde en soberheid. Op het marokijnleer van het bureaublad lagen drie potloden netjes in het gelid; op houten boekenplanken lagen keurig opgerolde ontwerpen; een helderwitte maquette van het Théâtre des Champs-Élysées stond in een glazen vitrine op een wandtafel.

Perret schraapte zijn keel en stak van wal. 'We hebben zorgwekkend nieuws uit Hongarije gekregen. Behoorlijk zorgwekkend. Het is misschien makkelijker als professor Vago het in het Hongaars vertelt. Hoewel ik heb begrepen dat je al een aardig mondje Frans spreekt.' Het militaire was uit zijn stem verdwenen, en hij wierp Andras zo'n meelevende en spijtige blik toe dat Andras zijn handen voelde verkillen.

'Het is nogal ingewikkeld,' zei Vago in het Hongaars. 'Ik zal het proberen uit te leggen. Ik heb bericht gekregen van de vader van mijn vriend, de hoogleraar. De medische faculteit van Modena heeft je broer toegelaten tot de opleiding.'

Vago zweeg even. Andras hield zijn adem in voor het vervolg.

'Professor Turano heeft de joodse organisatie aangeschreven die ook jouw beurs betaalt. Hij probeerde ook voor Tibor een beurs te regelen. Maar zijn verzoek moest tot hun spijt geweigerd worden. Deze week zijn in Hongarije nieuwe beperkingen van kracht geworden: met onmiddellijke ingang is het organisaties verboden om joodse studenten in het buitenland financieel te ondersteunen. Je beurs van Hitközség is door de overheid stopgezet.'

Andras knipperde met zijn ogen. Hij probeerde te begrijpen wat hij bedoelde.

'Het is niet alleen een probleem voor Tibor,' vervolgde Vago terwijl hij Andras aankeek. 'Het is ook een probleem voor jou. Het komt erop neer dat je geen beurs meer krijgt. Om je de waarheid te vertellen, jonge vriend, heb je die nog nooit gehad. Het geld voor de eerste maand is nooit aangekomen, daarom heb ik je studiekosten uit eigen zak betaald. Ik ging ervan uit dat de betaling alleen maar vertraagd was.' Hij onderbrak zijn betoog en keek naar professor Perret, die toekeek hoe Vago Andras in het Hongaars op de hoogte bracht. 'Monsieur Perret weet niet waar het geld vandaan kwam en hoeft dat ook niet te weten, dus laat niet zien dat je verrast bent. Ik heb hem verteld dat alles in orde is. Maar ik ben niet rijk en kan je studiekosten niet nog een maand betalen, hoe graag ik dat ook zou willen.'

Andras voelde hoe een ijzige kou langzaam opsteeg in zijn lichaam. Zijn lesgeld kon niet meer betaald worden. Zijn lesgeld was nooit betaald. Opeens begreep hij het medeleven en de spijt van Perret.

'We vinden je een heel goede student,' zei Perret in het Frans. 'We willen je niet kwijt. Kunnen je ouders niets doen?'

'Mijn ouders?' Andras' stem klonk dun en onduidelijk in de hoge ruimte. Hij zag zijn vader planken eikenhout stapelen in de houtzagerij en zijn moeder *paprikáskrumpli* maken aan het fornuis in de buitenkeuken. Hij dacht aan de kousen van grijze zijde die hij haar tien jaar geleden voor Chanoeka had gegeven – hoe ze die kuis had opgevouwen en weer in het cadeaupapier had opgeborgen om ze alleen te dragen als ze naar de synagoge ging. 'Mijn ouders kunnen dat niet betalen,' zei hij.

'Het is heel beroerd,' zei Perret. 'Ik wou dat we er iets aan konden doen. Vóór de crisis gaven we heel veel studenten een beurs, maar nu...' Hij keek uit het raam naar de bewolkte lucht en streek over zijn martiale sikje. 'Je onkosten zijn tot het eind van de maand betaald. We zullen zien wat we tot die tijd nog kunnen doen, maar ik ben bang dat ik je niet veel hoop kan bieden.'

Andras vertaalde de woorden in zijn hoofd: *niet veel hoop.*

'En voor je broer is het verdomd sneu,' sprak Vago. 'Turano wilde hem heel graag helpen.'

Hij probeerde over zijn schrik heen te komen. Het was belangrijk dat ze begrepen hoe het zat met Tibor, met het geld. 'Dat doet er niet toe,' zei hij en probeerde zijn stem in bedwang te houden. 'Die beurs doet er niet toe – voor Tibor, bedoel ik. Hij is al zes jaar aan het sparen. Hij zal zeker genoeg hebben voor de treinreis en het collegegeld voor het eerste jaar. Ik stuur hem vanavond nog een telegram. Kan de vader van uw vriend zijn plaats vasthouden?'

'Dat denk ik wel,' zei Vago. 'Ik schrijf hem meteen, als je denkt dat dat een mogelijkheid is. Maar misschien kan je broer jou ook helpen, als hij wat geld opzij heeft gezet.'

Andras schudde zijn hoofd. 'Ik kan het hem niet vertellen. Hij heeft niet genoeg voor ons beiden.'

'Het spijt me heel erg,' zei Perret nogmaals, en hij stapte naar voren om Andras de hand te schudden. 'Professor Vago zegt dat je heel vindingrijk bent. Misschien lukt het je om er iets op te vinden. Ondertussen kijk ik wat wij kunnen doen.' Het was de eerste keer dat Perret hem aangeraakt had. Het was alsof Andras te horen had gekregen dat hij ongeneeslijk ziek was, en dat zijn naderende dood Perret ertoe had aangezet om af te zien van formaliteiten. Hij klopte Andras op de schouders toen hij hem uitgeleide deed. 'Sterkte,' zei hij. Hij salueerde en sloot de deur achter hem.

Andras liep naar beneden door het stoffige gele licht van het trappenhuis, langs het klaslokaal waar zijn tekening van het Gare d'Orsay verlaten op de tafel lag, langs de mooie Lucia op het secretariaat en door de blauwe deuren van de school die hij als de zijne was gaan beschouwen. Hij liep over de Boulevard Raspail tot hij bij een postkantoor kwam. Daar vroeg hij om een telegramformulier. Op de smalle blauwe lijntjes schreef hij het bericht dat hij al lopende had bedacht: PLEK VOOR JOU BIJ MEDISCHE FACULTEIT MODENA, DANKZIJ VRIEND VAN VAGO. ZORG DIRECT VOOR PASPOORT EN VISUM. HOERA! In een vlaag van zelfmedelijden overwoog hij nog even het 'hoera' te schrappen. Maar op het laatste moment liet hij het toch maar staan, betaalde de extra tien centime en stond weer op de boulevard. De auto's bleven voorbijrazen, het middaglicht viel zoals het altijd viel, de voetgangers snelden voorbij met hun boodschappen, hun tekeningen en hun boeken. De stad trok zich niets aan van wat er zojuist was gebeurd in een kamer in de École Spéciale. Zonder iets te zien of te denken liep hij door de nauwe bocht van de Rue de Fleurus naar de Jardin du Luxembourg, waar hij in de schaduw van een plataan op een groen bankje ging zitten. Het bankje keek uit op de bijenkasten, en Andras zag hoe de imker de honingramen van een kast inspecteerde. Het hoofd, de armen en de benen van de imker waren bespikkeld met zwarte bijen. Traag bewegend, sloom van de rook, graasden ze als koeien het lichaam van de imker af. Op school had Andras geleerd dat er bijen waren die van rol konden veranderen als de omstandigheden daarom vroegen. Als een bijenkoningin stierf, kon een andere bij haar rol overnemen; die bij liet haar vorige leven dan achter zich, kreeg een ander lichaam en ging een andere rol vervullen. Ze ging eitjes leggen en met de werksters communiceren over de gezondheid van het bijenvolk. Hij, Andras, was als jood geboren en had die identiteit tweeëntwintig jaar met zich meegedragen. Toen hij acht dagen oud was, was hij besneden. Op het schoolplein had hij de hoon van de christelijke kinderen over zich heen gekregen, en in de klas de afkeuring van zijn leraren als hij op de sabbat moest spijbelen. Op Jom Kipoer had hij gevast; op sjabbes was hij naar de synagoge gegaan; op zijn dertiende had hij voorgelezen uit de Thora en was hij volgens de joodse wetten man geworden. In Debrecen was hij naar het joodse gimnázium gegaan en na zijn eindexamen had hij werk gevonden bij een joods tijdschrift. Hij had met Tibor in de joodse wijk van Boedapest gewoond en was met hem naar de synagoge in de Dohány utca gegaan. Hij had het spook van de numerus clausus ontmoet en had huis en haard verlaten om naar Parijs te gaan. En zelfs hier waren er nog mensen als Lemarque en groepen studenten die tegen de joden demonstreerden, en ook meerdere antisemitische kranten. En nu had hij deze nieuwe last te dragen gekregen, deze nieuwe sores. Terwijl hij daar zat, op dat bankje in de Jardin du Luxembourg, vroeg hij zich een moment af hoe het zou zijn als hij zijn joodse identiteit zou kunnen afleggen, als een te dikke jas bij warm weer. Hij herinnerde zich hoe hij in september in de Sainte-Chapelle had gestaan, hoe gewijd en verstild het was geweest, en hij dacht aan de paar zinnen die hij kende van de Latijnse mis: *Kyrie eleison, Christe eleison*. Heer, ontferm U, Christus, ontferm U.

Even leek het simpel, duidelijk: christen worden, en niet zomaar christen, maar rooms-katholiek, het soort christen dat de Notre-Dame, de Sainte-Chapelle, de Mátyás Templom en de basiliek van Szent István in Boedapest had ontworpen. Zijn vorige leven afleggen en een nieuwe geschiedenis aannemen. Ontvangen wat hem onthouden was: genade.

Maar als hij aan genade dacht, was zijn eerste associatie het Jiddische woord *rachmones*, van de stam *rechem*, het Hebreeuwse woord voor moederschoot. *Rachmones*: een medeleven dat net zo diep en onontkoombaar is als de liefde van een moeder voor haar kind. Dat was waar hij elk jaar voor bad in de synagoge van Konyár, op de avond voor Jom Kipoer. Hij vroeg om vergeving, vastte, en voelde zich na Jom Kipoer alsof hij schoongeboend was. Elk jaar had hij de behoefte gevoeld zijn ziel ter verantwoording te roepen, te vergeven en vergeven te worden. Elk jaar had hij in de synagoge zijn broers aan zijn zijde gehad – Mátyás dapper en klein aan zijn linkerkant en de magere Tibor met zijn zware stem rechts

van hem. Naast de jongens stond hun vader in zijn vertrouwde gebedskleed, en achter de afscheiding waar de vrouwen stonden wisten ze de aanwezigheid van hun geduldige, verdraagzame en sterke
moeder, ook al konden ze haar niet zien. Als hij niet meer joods
wilde zijn, kon hij ook geen broer meer zijn voor zijn broers en
geen zoon voor zijn vader en moeder.

Na een laatste blik op de imker en zijn bijen stond hij op en
begon hij door het park naar huis te lopen. Hij dacht nu niet meer
aan wat er was gebeurd, maar aan wat hem te doen stond: een
baan zoeken, genoeg geld verdienen om te kunnen blijven studeren. Hij was natuurlijk geen Fransman, maar dat deed er niet toe;
in Boedapest werden duizenden arbeiders zwart betaald en daar
kraaide geen haan naar. Morgen was het zaterdag. De kantoren
zouden gesloten zijn, maar niet de winkels en de restaurants, en
ook niet de bakkers, kruideniers, boekwinkels, winkels met tekenspullen, brasseries en tailleurs. Als Tibor de hele dag in een schoenenwinkel kon staan om 's avonds nog in de anatomieboeken te
duiken, dan moest ook Andras werk en studie kunnen combine-
ren. Toen hij aankwam bij de Rue des Écoles, was hij zich de
noodzakelijke woorden al aan het inprenten: ik ben op zoek naar
werk. In het Hongaars: *állást keresek*. In het Frans: *je cherche... je
cherche...* werk. Hij wist het woord: *du travail.*

5

Théâtre Sarah-Bernhardt

Die herfst speelde in theater Sarah-Bernhardt *De moeder*, een nieuw stuk van Bertolt Brecht, elke avond om negen uur, behalve op maandagavond. Het theater stond midden in het centrum van de stad, op de Place du Châtelet. Het was een luxueus theater met zeven rangen, en een extra attractie was het besef dat de stem van Sarah Bernhardt *deze ruimte* had gevuld en *die kroonluchter* aan zijn ketting had doen trillen. Ergens in het gebouw was de kleedkamer met crème- en goudkleurige lambrisering en de beroemde vergulde badkuip waarin volgens de overlevering de actrice in champagne gebaad zou hebben. Op de eerste zaterdag van november waren de acteurs bijeengeroepen voor een ongeplande repetitie; Claudine Villareal-Bloch, die de moeder uit de titel speelde, was opeens haar stem kwijtgeraakt, iets wat iedereen toeschreef aan haar recente affaire met een jonge persattaché uit Brazilië. Onder deze enigszins pijnlijke omstandigheden moest de vervangster van madame Villareal-Bloch opeens komen opdraven om de rol over te nemen. Marcelle Gérard beende woedend door haar kleedkamer, furieus over deze lage streek van Claudine Villareal-Bloch; het voelde als een bewuste vernedering. Madame Villareal-Bloch wist heel goed dat madame Gérard er de pee in had dat zij de rol niet had gekregen en zich daarom niet goed had voorbereid op haar rol als vervangster. Die ochtend nog had ze tijdens de repetitie amateuristisch staan stuntelen omdat ze haar tekst kwijt was. In zijn kantoor aan het eind van de gang vroeg Zoltán Novak zich achter een glas whisky af wat de consequenties voor hem zouden zijn als Marcelle Gérard ook tijdens de voorstelling de kluts kwijt zou raken en het stuk afgeblazen moest worden. Niemand minder dan de minister van Cultuur zou morgenavond komen kijken; zo populair was het nieuwe stuk van Brecht al, en zo hachelijk de situatie. Als de voorstelling de mist inging, zou de Hongaar Novak erop aangekeken worden. Falen was niet iets voor Fransen.

Zoltán Novak snakte werkelijk naar een sigaret. Maar hij kon niet roken. Toen hij gisteravond te horen had gekregen dat madame Villareal-Bloch ziek was, had zijn vrouw zijn sigaretten verstopt. Ze wist dat hij te veel zou gaan roken. Hij had moeten beloven dat hij niks zou kopen en ze had hem gewaarschuwd dat ze zijn kleren op de geur van rook zou controleren. Terwijl hij getergd door de nicotineonthouding zijn kantoor op en neer liep, kwam de productieassistent binnen met een lijstje urgente kwesties. De chef rekwisieten meldde dat de arbeiders in het derde bedrijf geen spades hadden; moest er zonder spades gespeeld worden of moesten er een paar worden aangeschaft? De naam van madame Gérard was verkeerd gespeld in het programmaboekje voor morgenavond (Guerard, een onschuldige fout), en moest alles nu opnieuw gedrukt worden? Ten slotte stond er ook nog een jongen voor de deur die op zoek was naar werk. Hij zei dat hij monsieur kende. Dat was wat men ervan begreep, want zijn Frans was gebrekkig. Hoe hij heette? Iets buitenlands. Lévi. Undrash.

Nieuwe spades voor de arbeiders kopen. Niets aan de programmaboekjes doen – opnieuw drukken was te duur. En nee, hij kende geen Lévi Undrash. En ook al zou hij hem kennen, dan was een baan wel het laatste wat hij iemand kon bieden.

Andras had maandag op school willen komen met triomfantelijk nieuws voor professor Vago: hij zou werk hebben gevonden, de betaling van zijn collegegeld geregeld hebben en dus op school kunnen blijven. Maar in plaats daarvan sjokte hij over de Boulevard Raspail en schopte gefrustreerd takjes weg. Het hele weekend had hij het Quartier Latin afgestruind, op zoek naar werk; hij had aan voordeuren en achterdeuren gevraagd, bij bakkers en garages; hij had zelfs aangeklopt bij een grafisch ontwerper waar een jongeman in hemdsmouwen aan een tekentafel had gezeten. De man had Andras aangekeken met een verbaasde, minachtende blik en had hem aangeraden terug te komen als hij zijn diploma had gehaald. Andras was doorgelopen, hongerig, koud en verregend, want hij wilde niet opgeven. Geheel in zichzelf gekeerd was hij de in mist gehulde Seine overgestoken, piekerend wie hij om hulp kon vragen. Toen hij weer opkeek, zag hij dat hij helemaal naar de Place du Châtelet was gelopen. Hij bedacht dat hij bij het Théâtre Sarah-Bernhardt naar Zoltán Novak kon vragen. Per slot van rekening had die hem uitgenodigd om een keer langs te komen. Hij kon het net zo goed meteen doen; het was halfacht en Novak was zo vlak voor de voorstelling misschien wel in het theater. Maar bij de deur had hij nul op het rekest gekregen. Een beleefde jongeman had hem met veel omhaal van vriendelijke, rap uitgesproken Franse woorden meegedeeld dat hij Novak persoonlijk gesproken had en dat de naam van Andras hem niets zei, helaas. Andras had de rest van de avond en de hele volgende dag nog naar werk gezocht, maar zonder resultaat. Hij was op zijn kamer geëindigd, aan de tafel bij het raam, met een telegram van zijn broer.

ONGELOOFLIJK NIEUWS! BEN JOU & VAGO EEUWIG DANKBAAR.
VRAAG MORGEN STUDENTENVISUM AAN. MODENA. HOERA! TIBOR

Kon hij maar bij Tibor zijn, kon hij hem maar vertellen wat er gebeurd was en hem vragen wat hij moest doen. Maar Tibor zat in Boedapest, twaalfhonderd kilometer bij hem vandaan. Dat soort dingen kon je niet per telegram bespreken en een brief zou er veel te lang over doen. Hij had het dat weekend natuurlijk wel in de mensa verteld aan Rosen, Polaner en Ben Yakov; hun plaatsvervangende boosheid had hem goed gedaan en hun medeleven had hem gesteund, maar verder konden ze ook niet veel voor hem doen. Ze waren zijn broer niet; alleen Tibor kon begrijpen hoe belangrijk de beurs voor hem was en wat het verlies ervan voor hem betekende.

Om zeven uur in de ochtend was de École Spéciale verlaten. De lokalen waren stil, de binnenplaats verlaten, de collegezaal een galmende leegte. Hij wist dat er altijd wel een paar studenten aan hun tafel in slaap waren gevallen, studenten die met behulp van koffie en sigaretten de hele nacht hadden doorgewerkt aan tekeningen of maquettes. Slapeloze nachten waren niets bijzonders op de École Spéciale. Er werd gefluisterd over pillen die je geest scherpten en waarmee je dagen of zelfs weken wakker kon blijven. Er waren verhalen over geniale vondsten na tweeënzeventig uur opblijven. En er waren verhalen over rampzalige gevolgen. Eén lokaal werd l'atelier du suicide genoemd. De oudere studenten vertelden over iemand die zichzelf voor zijn kop had geschoten nadat zijn rivaal de jaarlijkse Prix de l'Amphithéâtre had gewonnen. In dat lokaal kon je in de muur naast het bord een kogelgat zien zitten. Toen Andras Vago naar de zelfmoord had gevraagd, had Vago geantwoord dat hem dat verhaal ook was verteld toen hij nog studeerde, maar dat niemand het kon bevestigen. In elk geval was het een nuttige waarschuwing.

In Vago's kamer brandde licht; Andras kon de gele rechthoek vanaf de binnenplaats zien. Hij rende de drie trappen op en klopte aan. Het duurde lang voordat Vago de deur opendeed; hij stond op kousenvoeten voor Andras en wreef met een beïnkte duim en wijsvinger in zijn ogen. Zijn boord stond open en zijn haar zat helemaal in de war. 'Jij,' zei hij in het Hongaars. Een klein woordje met een vleugje genegenheid. *Te.*

'Ja,' zei Andras. 'Voorlopig ben ik er nog.'

Vago liet hem binnen en gebaarde hem te gaan zitten op de kruk waar hij altijd op zat. Hij liet Andras een paar minuten alleen, en toen hij terugkwam zag zijn gezicht eruit alsof het met warm water was gewassen en stevig was afgedroogd met een ruwe handdoek. Hij rook naar de puimsteenzeep waarmee je inkt van je handen kon wassen.

'En?' vroeg Vago terwijl hij achter zijn bureau ging zitten.

'Tibor bedankt u uit de grond van zijn hart. Hij vraagt een visum aan.'

'Ik heb professor Turano al geschreven.'

'Bedankt,' zei Andras. 'Heel erg bedankt.'

'En hoe gaat het met jou?'

'Niet zo goed, zoals u zult begrijpen.'

'Maak je je zorgen over je collegegeld?'

'Zou u dat dan niet doen?'

Vago duwde zijn stoel naar achteren en keek uit het raam. Toen draaide hij zich weer om en streek met zijn handen door zijn haar. 'Luister eens,' zei hij. 'Ik heb vandaag niet zo'n zin om je Frans te leren. Laten we een uitstapje maken. We hebben nog ruim anderhalf uur voordat de les begint.'

'U bent de docent,' zei Andras.

Vago pakte zijn jas van de houten kapstok en trok hem aan. Hij duwde Andras de gang op, volgde hem de trappen af en leidde hem naar buiten door de blauwe deuren van de school. Op de boulevard viste hij een paar muntjes uit zijn zak en leidde Andras de trap af van het metrostation Raspail, waar de metro net aan kwam rijden. Ze gingen naar Motte-Picquet, stapten over op lijn 8 en stapten opnieuw over bij station Michel-Ange Molitor. Uiteindelijk stapten ze uit bij een obscuur stationnetje met de naam Billancourt. Vago ging Andras voor naar boven, waar ze uitkwamen op een in een buitenwijk gelegen boulevard. Hier buiten het centrum was de lucht frisser; winkeliers spoten het trottoir schoon om klaar te zijn voor de eerste klanten en glazenwassers wasten de etalageruiten. Op het trottoir liep een colonne meisjes in korte, zwartwollen jasjes met gezwinde pas voorbij, voorafgegaan door een leidster met een veer op haar hoed.

'Het is nu niet ver meer,' zei Vago. Hij ging Andras voor over de boulevard, sloeg een lange winkelstraat in en daarna een kleinere straat met grijze boven- en benedenwoningen en kloeke huizen met rode daken. Die maakten opeens plaats voor een appartementencomplex dat eruitzag als een groot wit schip, een driehoekig gebouw op het stukje grond tussen twee elkaar met een scherpe hoek kruisende straten. De appartementen hadden ramen als patrijspoorten en diepe balkons met glazen schuifdeuren, alsof het gebouw echt een oceaanstomer was; het boorde zich door het ochtendlicht met een boeg van gebogen ramen en melkwitte bogen van gewapend beton.

'De architect?' vroeg Vago.

'Pingusson.' Enkele weken geleden hadden ze zijn werk bekeken in het architectuurpaviljoen van de Wereldtentoonstelling; de vijfdejaarsstudent die hun gids was geweest, had Pingussons heldere lijnen en onconventionele gevoel voor proporties geroemd.

'Klopt,' zei Vago. 'Eentje van ons, van de École Spéciale. Ik heb hem vijf jaar geleden ontmoet tijdens een architectencongres in Rusland, en sinds die tijd zijn we goede vrienden. Hij heeft een paar scherpe stukken geschreven voor *L'Architecture d'Aujourd' hui*. Stukken die dat blad op de kaart hebben gezet. Hij is ook een geduchte pokeraar. We spelen altijd op zaterdagavond. Soms komt professor Perret ook langs – hij kan er niks van, maar vindt het wel gezellig om een beetje te kletsen.'

'Daar kan ik me iets bij voorstellen,' zei Andras.

'Dan mag jij eens raden waar het gesprek deze zaterdag over ging.'

Andras haalde zijn schouders op.

'Geen enkel idee?'

'De Spaanse burgeroorlog.'

'Nee, jonge vriend. We hadden het over jou. Jouw probleem. De studiebeurs. Jouw gebrek aan geld. Ondertussen bleef Perret maar champagne bijschenken. Een heel mooie Canard-Duchêne uit '26 die hij van een cliënt had gekregen. Goed, je moet weten dat Georges-Henri – zo heet Pingusson – buitengewoon intelligent is. Hij heeft hier in Parijs al heel wat fraaie gebouwen neergezet en zijn huis staat vol met de onderscheidingen die hij daarvoor gekregen heeft. Hij is ook bouwkundig ingenieur, moet je weten, niet alleen architect. Hij speelt poker als iemand die goed kan rckcnen. Maar als hij champagne drinkt, gaat hij stoere taal uitslaan en wordt hij sentimenteel. Rond middernacht gooide hij zijn chequeboek op tafel en zei tegen Perret dat als hij – Perret – het volgende potje won, hij – en dan bedoel ik Pingusson – zou meebetalen aan je studiekosten.'

Andras staarde Vago aan. 'En hoe liep hct af?'

'Perret verloor natuurlijk. Volgens mij heeft hij nog nooit van Pingusson gewonnen. Maar de champagne had zijn werk al gedaan. Hij is slim, onze Perret. Uiteindclijk slimmer dan Pingusson.'

'Hoe bedoelt u?'

'Na afloop staan we allemaal op straat op een taxi te wachten. Perret is broodnuchter en schudt met zijn hoofd. "Verdomd jammer voor die Lévi," zegt hij. "Tragisch." En Georges-Henri, dronken van de champagne, gaat bijna op zijn knieën en smeekt Perret om jou geld te mogen lenen. "Vijftig procent," zegt hij, en geen centime minder. "Als die jongen de andere helft bij elkaar kan krijgen," zegt hij, "laat hem dan blijven."'

'Dat meent u niet,' zei Andras.

'Ik ben bang van wel.'

'Maar de volgende ochtend kwam hij weer bij zinnen.'

'Nee. Perret heeft het hem die avond nog zwart op wit laten zetten. Pingusson staat in het krijt bij Perret. Die heeft hem meer dan eens geholpen.'

'En wat voor onderpand wil hij voor de lening hebben?'

'Niets,' zei Vago. 'Perret vertelde hem dat jij een heer bent. En dat je meer dan genoeg zou verdienen als je afgestudeerd was.'

'Vijftig procent,' zei Andras. 'Goeie god. Van Pingusson.' Hij keek weer op naar de gebogen omtrekken van het gebouw, dic hoog oprijzende witte boeg. 'Is het echt geen grap?'

'Het is geen grap. Het getekende document ligt op mijn bureau.'

'Maar dat zijn duizenden francs.'

'Perret heeft hem ervan overtuigd dat jij zijn steun verdient.'

Hij voelde een brok in zijn keel. Hij wilde niet gaan huilen, niet hier op de hoek van deze straat in Boulogne-Billancourt. Hij schraapte met zijn schoenzool over de stoep. Er moest een manier zijn om aan de andere helft van het geld te komen. Als Perret voor hem een wonder had verricht en iets uit niets had gecreëerd, als hij vond dat hij een heer was, dan was het aangaan van de uitdaging van Pingusson wel het minste wat hij kon doen. Hij zou alles doen wat hij kon. Hoe lang had hij nu naar werk gezocht? Een paar dagen? Veertien uur? Parijs was een enorme stad. Hij zou werk vinden. Dat moest.

Er waren tijden dat er een goede geest leek rond te waren in het Théâtre Sarah-Bernhardt, tijden dat een stuk op een fiasco zou moeten uitlopen, maar dat niet deed. De avond dat Marcelle Gérard haar debuut maakte als de Moeder, leek alles mis te gaan; een uur voor de voorstelling verscheen Marcelle in het kantoor van Novak en dreigde met opstappen. Ze durfde het niet aan, zei ze. Ze zou de risee worden van het publiek, de recensenten en de minister van Cultuur. Novak pakte haar handen vast en smeekte haar bij zinnen te komen. Hij wist dat ze de rol aankon. Bij de auditie had ze het perfect gedaan. De enige reden dat Claudine Villareal-Bloch de rol had gekregen, was dat hij madame Gérard niet had willen voortrekken. Zeker, hun affaire was verleden tijd, maar de mensen bleven roddelen; hij was bang dat het de toch al moeizame relatie met zijn vrouw verstoord zou hebben. Dat begreep Marcelle toch zeker wel? Daar hadden ze het toch over gehad toen ze er een punt achter hadden gezet? Hij zou haar nooit het podium op sturen als hij er niet van overtuigd was dat ze zou schitteren. Het hoorde er gewoon bij dat ze bang was. Sarah Bernhardt had ook een verlammende aanval van plankenkoorts overwonnen toen ze in 1879 Phèdre moest spelen. Hij wist zeker dat ze, zodra ze het podium op stapte, de Moeder zou worden die Brecht voor ogen had. Dat wist zij toch ook wel? Ja toch? Maar toen hij uitgesproken was, had madame Gérard haar handen uit de zijne getrokken, was ze zonder één woord te zeggen naar haar kleedkamer gegaan en had ze Novak alleen achtergelaten.

Misschien was het de kracht van zijn oprechte bezorgdheid die ervoor zorgde dat de geest van madame Bernhardt die avond door het theater waarde; misschien was het de collectieve bezorgdheid van de acteurs, de lichtmensen, de plaatsaanwijzers, de costumières, de portiers en het meisje van de garderobe. Wat het ook was, toen de voorstelling begon was elke onzekerheid bij Marcelle

Gérard als bij toverslag verdwenen. De minister van Cultuur zat in zijn loge en nipte af en toe discreet uit een zilveren heupflacon; hij werd vergezeld door Lady Mendl en de hoogwelgeboren Daisy Fellowes. Lady Mendl droeg pauwenveren in haar haar en Daisy Fellowes een schitterend jadegroen zijden pak van Schiaparelli. Door de oorlog in Spanje was communistisch theater in Frankrijk opeens helemaal in. Het theater was uitverkocht. De lichten werden gedimd. En toen betrad Marcelle Gérard het toneel, en ze leek wel met de gouden stem van Sarah Bernhardt zelf te spreken. Vanuit de coulissen zag Zoltán Novak hoe madame Gérard een Moeder neerzette waar de door liefdesperikelen in beslag genomen Claudine Villareal-Bloch niet aan kon tippen. Hij slaakte een zo weldadige en diepe zucht van verlichting dat hij blij was dat zijn vrouw hem de kortademige troost van zijn sigaretten had onthouden. Misschien was hij nu wel voorgoed van zijn tuberculose af. De terugkeer naar zijn geboorteland, waar hij gekuurd had in de medicinale baden van Boedapest, had hem verlost van het bloed en de pijn in zijn longen. De voorstelling was geen fiasco geworden. Misschien zou zijn theater het dan toch nog redden – wie weet – ondanks de lange rij rode cijfers in de boeken en de schulden die iedere week verder opliepen.

Toen de minister van Cultuur hem had gecomplimenteerd en hij de complimenten had overgebracht aan de blozende, nog nahijgende Marcelle Gérard, voelde hij zich zo opgetogen dat hij daar in de gang bij de kleedkamers wel twee glazen champagne achter elkaar opdronk. Voor hij vertrok, noodde Marcelle Gérard hem nog in haar heiligdom en kuste ze hem op de mond, één keer maar, bijna kuis, alsof alles vergeven was. Om middernacht duwde hij de deur van de artiesteningang open en liep hij een kille, mistige nacht in. Zijn vrouw wachtte thuis in de slaapkamer op hem, met losgekamd haar en geurend naar lavendel. Maar hij had nog geen drie stappen gezet of iemand rende van achteren op hem af en pakte hem bij zijn arm, waardoor hij zijn koffertje liet vallen. Er waren de laatste tijd heel wat mensen in de buurt van het theater beroofd; meestal was hij op zijn hoede, maar nu had de champagne hem onverschillig gemaakt. Hij volgde zijn in de oorlog ontwikkelde instincten en sloeg zijn belager met een snelle draai in zijn maag. Een donkerharige jongeman viel happend naar adem voorover op de stoeprand. Zoltán Novak bukte zich om zijn koffertje op te pakken en hoorde toen pas wat de jongen probeerde te zeggen: *Novak-úr.*

Novak-úr. Zijn eigen naam, met de Hongaarse beleefdheidsvorm. Het gezicht van de jongeman kwam hem vaag bekend voor. Novak hielp hem overeind en veegde een paar natte bladeren van zijn mouw. De jongeman voelde voorzichtig aan zijn onderste ribben.

'Hoe haal je het in je hoofd om iemand zo van achteren te bespringen?' zei Novak in het Hongaars en probeerde het gezicht van de jongen wat beter te bekijken.

'U wilde me niet ontvangen in uw kantoor,' bracht de jongeman uit.

'Had ik dat dan moeten doen?' vroeg Novak. 'Ken ik je dan?'

'Andras Lévi,' hijgde de jongeman.

Undrash Lévi. De jongen uit de trein. Hij herinnerde zich hoe verloren de jongen zich in Wenen had gevoeld en hoe dankbaar hij geweest was toen Novak een pretzel voor hem had gekocht. En nu had hij die arme jongen in zijn maag gestompt. Novak schudde zijn hoofd en lachte schuldbewust. 'Meneer Lévi,' zei hij. 'Mijn welgemeende excuses.'

'U wordt bedankt,' zei de jongeman op bittere toon terwijl hij nog steeds aan zijn ribben voelde.

'Ik heb je zo de goot in geslagen,' zei Novak ontzet.

'Het gaat wel.'

'Loop anders even mee. Ik woon hier niet ver vandaan.'

Zo liepen ze samen op en vertelde Andras hem het hele verhaal, beginnend met het krijgen en weer verliezen van zijn studiebeurs en eindigend met het aanbod van Pingusson. Dat was wat hem weer hierheen gebracht had. Hij moest nog een poging doen om Novak te spreken. Hij was bereid de rotste klusjes op te knappen. Hij wilde alles wel doen. De schoenen van de acteurs poetsen, de vloeren vegen of de asbakken legen. Hij moest beginnen met het verdienen van zijn vijftig procent. Over drie weken moest de eerste betaling gedaan worden.

Ze waren inmiddels aangekomen bij het huis van Novak in de Rue de Sèvres. Novak zag van buiten dat het licht in de slaapkamer nog brandde. De mist had zijn haar vochtig gemaakt en druppeltjes gevormd op de mouwen van zijn jas; naast hem stond Lévi te bibberen in een dun jasje. Novak moest denken aan het kasboek dat hij had dichtgeslagen toen de voorstelling begon. In het keurige handschrift van de boekhouder stonden daar de dieprode cijfers van het Sarah-Bernhardt; nog een paar weken met verlies draaien en de tent moest dicht. Maar met Marcelle Gérard als de Moeder was het misschien een heel ander verhaal. Hij wist wat er in Oost-Europa aan de hand was, dat het intrekken van de studiebeurs van Andras alleen maar een symptoom was van een veel ernstiger ziekte. Als jongen in Hongarije had hij gezien hoe briljante joodse jongens genekt werden door de numerus clausus; het zou een schande zijn als deze jongen ook zou moeten buigen nadat hij helemaal hierheen gekomen was. Het theater was geen liefdadigheidsinstelling, maar de jongen kwam ook niet zijn hand ophouden. Hij zocht werk. Hij wilde alles aanpakken. Het zou ook helemaal in de geest van het stuk van Brecht zijn om iemand die werk zocht aan werk te helpen. En Sarah Bernhardt was toch ook joods? Haar moeder was een Nederlands-joodse courtisane en je was joods als je moeder dat was. Hij wist dat. Hoewel hij gedoopt was in de katholieke kerk en op katholieke scholen had gezeten, was zijn eigen moeder ook joods.

'Goed, jongeman,' zei hij terwijl hij een hand op de schouder van de jongen legde. 'Kom morgenmiddag maar langs bij het theater.'

Andras schonk hem zo'n stralende en dankbare glimlach dat Novak even iets van angst voelde. Zo'n vertrouwen. Zo'n hoop. Wat de wereld een jongen als Andras Lévi kon aandoen... Novak wilde het niet weten.

6

Werk

In *De moeder* speelden zevenentwintig acteurs: negen vrouwen, achttien mannen. Ze werkten zes dagen per week en deden dan zeven voorstellingen. Als ze niet op het toneel stonden, hadden ze heel weinig tijd en moest er ongelooflijk veel gebeuren. Hun kostuums moesten hersteld en gestreken worden, hun schoothondjes uitgelaten, hun brieven bezorgd, hun stemmen gesmeerd met thee en hun maaltijden besteld. Nu en dan moest er ook een tandarts of een arts komen. Ze moesten tekst repeteren en hazenslaapjes doen. Ze moesten hun liefdesleven onderhouden. Twee van de mannen waren verliefd op twee van de vrouwen, en de twee beminde vrouwen waren ieder verliefd op de verkeerde man. Tussen de geliefden was een druk verkeer van briefjes. Bloemen werden gestuurd, ontvangen, weggegooid; bonbons werden verstuurd en opgegeten.

In deze chaos maakte Andras zijn opwachting, en de assistent van de toneelmeester zette hem meteen aan het werk. Als monsieur Hammond zijn schoenveter brak, moest Andras voor een nieuwe zorgen. Als de *bichon frisé* van madame Pillol gevoerd moest worden, moest Andras dat doen. Briefjes moesten worden overgebracht tussen de directeur en de hoofdrolspelers, tussen de toneelmeester en zijn assistent, en tussen de ene en de andere geliefde. Toen de gepasseerde Claudine Villareal-Bloch haar rol weer kwam opeisen, moest ze met mooie woorden gesust worden. (Van de assistent van de toneelmeester had Andras gehoord dat Villareal-Bloch het wel kon vergeten; Marcelle Gérard vierde triomfen met haar rol. Voor het eerst in vijf jaar was het theater elke avond uitverkocht.) Andras begreep niet hoe het Sarah-Bernhardt zonder hem had kunnen functioneren. Toen op zijn eerste werkdag de voorstelling eindelijk begon, was hij te uitgeput om zelfs maar toe te kijken vanuit de coulissen. Hij viel in slaap op een sofa die nodig was in het tweede bedrijf en werd ruw gewekt toen twee toneelknechten het ding optilden om het op het toneel te zetten. Hij kroop er snel af en kreeg meteen talloze verzoeken om assistentie van de acteurs die net het toneel af kwamen na het eerste bedrijf. Die avond bleef hij tot lang na het vallen van het doek. Claudel, de assistent van de toneelmeester, had gezegd dat hij altijd moest blijven tot de laatste acteur was vertrokken; die avond was het Marcelle Gérard die bleef hangen. Aan het eind van de avond stond hij voor haar kleedkamer te wachten tot ze uitgepraat was met Zoltán Novak. Door de deur heen hoorde hij madame Gérard in rap Frans kwinkeleren. Hij vond het een prettig geluid, en hij zou het helemaal niet erg vinden om nog een laatste klusje voor haar te doen. Eindelijk kwam monsieur Novak enigszins zorgelijk kijkend tevoorschijn. Hij leek verbaasd Andras daar aan te treffen.

'Het is middernacht, jongen,' zei hij. 'Tijd om naar huis te gaan.'

'Van monsieur Claudel moest ik blijven tot alle acteurs vertrokken waren.'

'Aha. Heel goed. Hier heb je nog wat om van te eten, een voorschot op je eerste weekloon.' Novak overhandigde Andras een paar opgevouwen bankbiljetten. 'Koop iets gezonders dan een pretzel,' zei hij en liep wrijvend over zijn nek door de gang naar zijn kantoor.

Andras vouwde de biljetten uit. Tweehonderdvijftig franc, genoeg voor twee weken mensa. Hij floot zachtjes van opluchting en stopte de biljetten in de zak van zijn jasje. Madame Gérard kwam uit haar kleedkamer, haar brede gezicht bleek en onopvallend zonder schmink. Ze droeg een Turkse schoudertas van bruine stof en had haar sjaal helemaal dichtgeknoopt, alsof ze nog een flinke wandeling naar huis moest maken. Maar Claudel had gezegd dat madame Gérard een taxi moest nemen, dus verzocht Andras haar nog even bij de artiesteningang te wachten zodat hij een taxi kon aanhouden bij de Quai de Gesvres. De handtekeningenjagers waren inmiddels verdwenen. Madame Gérard had na de voorstelling meer dan honderd handtekeningen gezet bij de artiesteningang. Andras liep met haar aan de arm naar de stoeprand. Hij voelde dat haar tweedjas bij de ellebogen bijna doorgesleten was. Bij het geopende portier van de taxi bleef ze even staan en keek ze hem aan, haar gezicht omlijst door haar sjaal. Ze had een breed voorhoofd met smalle wenkbrauwen; haar geprononceerde jukbeenderen gaven haar een adellijk voorkomen dat gemaakt leek te zijn voor een rol als koningin, maar net zo geschikt was om de proletarische Moeder te spelen.

'Je bent hier nieuw,' zei ze. 'Hoe heet je?'

'Andras Lévi,' zei Andras met een kleine buiging.

Ze herhaalde zijn naam twee keer, alsof ze die in haar geheugen wilde prenten. 'Aangenaam kennis te maken, Andras Lévi. Bedankt voor het aanhouden van de taxi.' Ze stapte in, trok haar jas over haar benen en sloot het portier.

Terwijl hij de taxi over de Quai de Gesvres zag wegrijden in de richting van de Pont d'Arcole, dacht hij terug aan hun korte conversatie. In zijn hoofd hoorde hij haar *très heureuse de faire votre connaissance* zeggen, wat in het Hongaars *örülök, hogy megismerhetem* betekende. Hoe kon het dat hij een echo van *örülök* achter haar *très heureuse* had gehoord? Was iedereen in Parijs dan stiekem Hongaars? Hij lachte hardop bij het idee: alle dames van de *rive droite* in hun bontjassen, het theaterpubliek in hun sleeën van auto's, de op jazzmuziek verzotte kunststudenten in hun rafelige jasjes, allemaal stiekem verlangend naar paprikás en boerenbrood terwijl ze aan de bouillabaisse met stokbrood zaten. Terwijl hij de rivier overstak, voelde hij hoe een gevoel van lichtheid bezit van hem nam. Hij had een baan. Hij kon zijn vijftig procent verdienen. Nieuwe, scherpgeslepen potloden lagen op zijn werktafel en het zou heel goed kunnen dat hij zijn tekeningen van het d'Orsay nog voor de ochtend af zou krijgen.

Hij werkte de hele nacht ononderbroken door en wist 's ochtends ook nog wakker te blijven tijden de colleges. Toen viel hij in slaap in een hoekje van de bibliotheek en bleef daar urenlang liggen. Toen hij wakker werd, merkte hij dat er een briefje in het handschrift van Rosen aan zijn revers was vastgeprikt: *Kom om vijf uur naar De Blauwe Duif, luilak.* Andras ging overeind zitten en wreef met zijn knokkels zijn ogen uit. Hij haalde het horloge van zijn vader tevoorschijn en keek hoe laat het was. Vier uur. Over drie uur moest hij weer werken. Hij wilde maar één ding: naar bed. Hij schuifelde naar de gang en ging naar de wc, waar hij ontdekte dat iemand terwijl hij sliep een Clark Gable-snorretje op zijn bovenlip had getekend. Hij liet het snorretje staan, kamde zijn haar met zijn vingers en trok zijn jasje recht.

Café De Blauwe Duif was een halfuur lopen, eerst over de Boulevard Raspail en dan door het Quartier Latin. Andras was er als eerste; hij koos een tafeltje achter in de zaak, naast de bar, en bestelde het goedkoopste op de kaart, een pot thee. De thee werd geserveerd met twee boterkoekjes met een amandel erop. Dat was ook de reden dat De Blauwe Duif zo populair was bij studenten: ze waren royaal. In het Quartier Latin waren twee koekjes bij de thee uitzonderlijk, zeker koekjes met een amandel. Tegen de tijd dat hij zijn thee en de koekjes op had, waren Rosen, Polaner en Ben Yakov gearriveerd. Ze ontdeden zich van hun sjaals en trokken stoelen bij.

Rosen kuste Andras op beide wangen. 'Meesterlijke snor,' zei hij.

'We dachten dat je dood was,' zei Ben Yakov. 'Of in elk geval in coma.'

'Het scheelde niet veel.'

'We hebben een wedje gelegd,' zei Ben Yakov. 'Rosen zei dat je de hele nacht zou doorslapen. Ik zei dat je hier zou verschijnen. Polaner deed niet mee, want die is blut.'

Polaner kreeg een kleur. Hij had de rijkste familie van de drie, maar zijn vader zat in de textiel in Krakau en had geen idee hoe duur het leven in Parijs was. Elke maand kreeg Polaner een bedrag toegestuurd voor kleren en eten waar hij net niet mee uitkwam. Omdat hij zeer goed besefte dat de schuld bij zijn vader steeds maar groeide, durfde hij niet te vragen om meer. Als rijkeluiskind had hij nooit gewerkt en kwam hij ook niet op het idee om een baantje te nemen om wat bij te verdienen. In plaats daarvan bestelde hij warm water in het café, dichtte hij de gaten in zijn schoenen met restjes dik karton van maquettes en spaarde hij het brood op dat hij in de mensa bij zijn eten kreeg.

Omdat Andras een zak vol bankbiljetten had, wist hij dat het zijn beurt was om te trakteren. Ze namen allemaal een klein glaasje whisky-soda, het drankje van de Amerikaanse filmsterren. Ze vervloekten de Hongaarse regering en hun poging om Andras uit hun midden weg te rukken, en proostten toen op zijn nieuwe rol als liefdesbriefjeskoerier en hondenuitlater van acteurs. Toen de whisky-soda's op waren, bestelden ze nog een grote pot thee.

'Ben Yakov heeft vanavond een afspraak,' verkondigde Rosen.

'Wat voor afspraak dan?' vroeg Andras.

'Een rendez-vous. Een ontmoeting. Mogelijk van romantische aard.'

'Met wie?'

'Met niemand minder dan de schone Lucia,' zei Rosen, en Ben Yakov vouwde zijn handen ineen en rekte ze in een stil gebaar van triomf. Er viel een stilte. Alle drie aanbaden ze Lucia, met haar

diepe, fluwelen stem en haar huid die de kleur van glanzend ma-
honiehout had. 's Nachts, alleen in hun bed, fantaseerden zij erover hoe zij haar jurk en broekje uitdeed en dan naakt voor hen
stond in hun donkere kamer. Overdag moesten ze op school hun
meerdere in haar erkennen. Ze werkte niet alleen op de administratie, ze was ook een vierdejaarsstudente, een van de besten van
haar klas, en er werd gefluisterd dat Mallet-Stevens vol lof was
over haar werk.

'Ik drink op Ben Yakov,' zei Andras en hief zijn kopje.

'Proost,' zeiden de anderen. Ben Yakov hief een hand op in ge-
veinsde bescheidenheid.

'Natuurlijk gaat hij ons geen verslag doen,' zei Rosen. 'Ben Yakov
is discreet.'

'In tegenstelling tot monsieur Rosen,' zei Ben Yakov. 'Monsieur
Rosen is in het geheel niet discreet. Je vriendinnen moesten eens
weten!'

'Het is de stad van de liefde,' zei Rosen. 'Er moet gevreeën worden.' Hij gebruikte het vulgaire woord, *baiser.* 'Is er wat, Polaner?
Neem je er aanstoot aan?'

'Ik luister niet,' zei Polaner.

'Polaner is een heer,' zei Ben Yakov. 'Heren *ne baisent pas.*'

'Integendeel,' zei Andras. 'Heren zijn grote *baiseurs.* Ik heb net
Les Liaisons Dangereuses gelezen. Dat staat vol met heren die
baisent.'

'Ik weet niet of jij je wel in deze conversatie kunt mengen,' zei
Rosen. 'Polaner had thuis in elk geval nog een *petite amie.* Zijn
Krakause aanstaande bruid, is het niet?' Hij gaf Polaner een por
en die kreeg weer een kleur; Polaner had laten vallen dat hij brieven van haar had gehad. Ze was de dochter van een wolfabrikant
en zijn vader ging ervan uit dat hij met haar zou trouwen. 'Hij weet
van de hoed en de rand, al wil hij er niet over praten,' zei Rosen.
'Maar jij, Andras, hebt het nog nooit gedaan.'

'Dat is een leugen,' zei Andras, hoewel het waar was.

'Parijs barst van de meisjes,' zei Rosen. 'We moeten iets voor je
regelen. Met een dame van het vak, bedoel ik.'

'En wie mag dat betalen?' zei Ben Yakov.

'Kunstenaars hebben toch weldoeners?' zei Rosen. 'Waar zijn
onze weldoeners?' Hij stond op en herhaalde de vraag op luide
toon, ten overstaan van iedereen. Enkele gasten hieven hun glas.
Maar een mogelijke weldoener zat er niet bij; het waren allemaal

studenten met hun pot thee met twee koekjes, hun links georiënteerde krant en hun versleten jas.

'Ik heb in elk geval een baan,' zei Andras.

'Ga maar goed sparen!' zei Rosen. 'Je kunt niet eeuwig maagd blijven.'

Op het werk rende hij van hot naar her, als een souschef die een twaalfgangendiner helpt klaarmaken. De ene klus volgde op de andere, en dat onder steeds grotere tijdsdruk. Claudel, de assistent van de toneelmeester, was een Bask met zo veel temperament dat de rekwisieten regelmatig door de lucht vlogen. En die moesten dan weer snel gerepareerd worden voor de voorstelling begon. Het gevolg was dat de rekwisiteur ontslag had genomen en de rekwisieten niet meer gerepareerd werden. Claudel terroriseerde de souffleurs en de toneelknechten, de regieassistente en de costumière; hij maakte zelfs zijn eigen baas, de toneelmeester, het leven zuur. En deze monsieur D'Aubigné was zo beducht voor de woede-uitbarstingen van Claudel dat hij niet bij monsieur Novak durfde te klagen. Maar Claudel had het vooral voorzien op Andras, die ervoor zorgde dat hij altijd in de buurt was. Andras wist dat hij het niet kwaad bedoelde. Claudel was een perfectionist, en voor een perfectionist was de chaos die achter het toneel van het Bernhardt heerste iets om helemaal gek van te worden. Briefjes raakten kwijt, de onbeheerde rekwisieten lagen overal verspreid, kostuums werden niet goed opgeborgen; niemand wist precies hoeveel tijd er nog was voordat het doek zou opgaan of hoe lang de pauze nog duurde. Het was een wonder dat er nog voorstellingen werden gegeven. In zijn eerste week maakte Andras een kast met postvakjes voor het uitwisselen van briefjes tussen de toneelmeester, zijn assistent, de regisseur, de acteurs en het ondersteunend personeel; hij kocht twee goedkope wandklokken en hing die in de coulissen; hij zorgde voor een paar planken, zette daar de rekwisieten op en schreef erbij in welk bedrijf en toneel een rekwisiet gebruikt moest worden. Binnen een paar dagen werd het rustig achter het toneel. Hele bedrijven werden gespeeld zonder woede-uitbarsting van Claudel. De toneelknechten meldden het aan de toneelmeester, die meldde het aan Zoltán Novak en die feliciteerde Andras ermee. Gesterkt door zijn succes vroeg en kreeg Andras vijfenzeventig franc per week om te zorgen voor een tafel met koffie, melk, chocoladekoekjes, jam en brood voor al het personeel. Al snel zat zijn postvakje vol met bedankbriefjes.

Vooral madame Gérard was bijzonder ingenomen met Andras. Ze liet hem niet alleen klusjes voor haar doen, maar vroeg hem ook om haar gezelschap te houden. Als na de voorstelling de andere acteurs al naar huis waren, had ze hem graag in haar kleedkamer om een beetje te praten terwijl zij zich afschminkte. Dat duurde vaak zo lang dat Andras het vermoeden kreeg dat ze ertegen opzag om naar huis te gaan. Hij wist dat ze alleen woonde, al wist hij niet waar; hij stelde zich een appartement voor met roze behang en oude aanplakbiljetten van voorstellingen aan de muren. Ze vertelde niet veel over zichzelf, alleen dat hij goed had geraden waar ze vandaan kwam: ze was in Boedapest geboren en haar moeder had zowel Frans als Hongaars met de kleine Marcelle gesproken. Maar ze stond erop dat Andras uitsluitend Frans met haar sprak; alleen door veel te oefenen kon je een taal leren, zei ze. Ze hoorde hem uit over Boedapest, over zijn baan bij *Verleden en Toekomst*, over zijn familie; hij vertelde haar over Mátyás' liefde voor dansen en over het aanstaande vertrek van Tibor naar Modena.

'En spreekt Tibor Italiaans?' vroeg ze terwijl ze crème op haar voorhoofd smeerde. 'Heeft hij de taal al geleerd?'

'Hij leert het sneller dan ik Frans heb geleerd. Op school was hij drie jaar achter elkaar de beste in Latijn.'

'En heeft hij er zin in?'

'Heel veel zin,' zei Andras. 'Maar hij moet wachten tot januari.'

'En heeft hij naast de geneeskunde ook nog andere interesses?'

'De politiek. De toestand in de wereld.'

'Dat kun je een jonge man niet kwalijk nemen. En verder? Wat doet hij in zijn vrije tijd? Heeft hij een vriendin? Moet hij iemand in Boedapest achterlaten?'

Andras schudde zijn hoofd. 'Hij werkt dag en nacht. Hij heeft geen vrije tijd.'

'Aha,' zei madame Gérard terwijl ze haar wangen bewerkte met een sponsje van roze fluweel. Ze keek Andras met een geamuseerde frons aan, waarbij ze de smalle boogjes van haar wenkbrauwen optrok. 'En jij?' zei ze. 'Jij hebt vast een vriendin.'

Andras werd vuurrood. Hij had het onderwerp nog nooit met een volwassen vrouw besproken, zelfs niet met zijn moeder. 'Daar is nog geen sprake van,' zei hij.

'Juist,' zei madame Gérard. 'Dan zeg je misschien geen nee tegen een uitnodiging van een vriendin van mij om te komen lunchen. Een Hongaarse die ik ken, een heel goede balletlerares met een dochter die een paar jaar jonger is dan jij. Een heel knap meisje dat Elisabet heet. Ze is lang, blond en heel goed op school – ze haalt hoge cijfers voor wiskunde. Ze heeft een soort wiskunde-olympiade gewonnen, dat arme kind. Ik weet zeker dat ze wel een paar woordjes Hongaars spreekt, al is ze verder ontzettend Frans. Misschien stelt ze je wel wat vriendinnen aan je voor.'

Een lange, ontzettend Franse blondine die Hongaars sprak en hem een andere kant van Parijs kon laten zien, daar kon hij geen nee tegen zeggen. Hij dacht aan de woorden van Rosen, dat hij niet eeuwig maagd kon blijven. Hij hoorde zichzelf zeggen dat hij de uitnodiging om te komen lunchen bij de vriendin van Marcelle Gérard met veel plezier aannam. Madame Gérard schreef de naam en het adres op de achterkant van haar eigen visitekaartje.

'Zondag twaalf uur,' zei ze. 'Ik moet zelf helaas verstek laten gaan. Ik heb al iets anders. Maar ik verzeker je dat je van Elisabet of haar moeder niets te vrezen hebt.' Ze overhandigde hem het kaartje. 'Ze wonen niet ver van hier, in de Marais.'

Hij keek naar het adres en vroeg zich af of het huis in het deel van de Marais stond dat hij met zijn klasgenoten voor de les geschiedenis had bezocht; opeens flitste er een herinnering door zijn hoofd en moest hij nog eens kijken. *Morgenstern*, had madame Gérard opgeschreven. *Rue de Sévigné 39.*

'Morgenstern,' zei hij hardop.

'Ja. Het huis staat op de hoek van de Rue d'Ormesson.' Er leek haar iets op te vallen aan de gelaatsuitdrukking van Andras.

'Is er iets?'

Even kwam hij in de verleiding om haar te vertellen over het bezoek dat hij had gebracht aan het huis op de Benczúr utca, over de brief die hij mee naar Parijs had genomen, maar hij herinnerde zich het verzoek om discretie van mevrouw Hász en herstelde zich snel. 'Nee hoor,' zei hij. 'Het is gewoon een tijd geleden dat ik in beschaafd gezelschap heb verkeerd.'

'Je doet het vast heel goed,' zei madame Gérard. 'Je bent heel wat beschaafder dan de meeste heren die ik ken.' Ze stond op en schonk hem haar koninklijke glimlach, een soort privévertoning van haar autoriteit en elegantie. Toen sloeg ze haar Chinese kamerjas om en verdween ze achter de met goudverf geschilderde lindebomen van haar kamerscherm.

Die avond zat hij op zijn bed en keek hij naar het kaartje, naar het adres. Hij wist dat het aantal Hongaren dat in Parijs woonde eindig was en dat madame Gérard veel contacten in die wereld had, maar toch had hij het gevoel dat dit geen toeval kon zijn. Hij wist zeker dat hij het goed onthouden had; hij was de naam Morgenstern niet vergeten, en ook niet de Rue de Sévigné. Hij vond het geweldig dat hij nu zou kunnen ontdekken of Tibor gelijk had met zijn veronderstelling dat de brief gericht was aan een geliefde van de oude mevrouw Hász. Zou hij in het huis van de familie Morgenstern een oudere heer aantreffen – wellicht de schoonvader van madame Morgenstern – die de geheimzinnige C. zou blijken te zijn? Wat was de link tussen de familie Hász in Boedapest en een balletlerares in de Marais? En zou hij hierover zijn mond kunnen houden als hij József Hász weer een keer ontmoette?

Maar de dagen daarna had hij weinig tijd om aan het naderende bezoek aan de Morgensterns te denken. Het was nog maar een maand voor het eind van het trimester, en over drie weken zouden de herfstprojecten van de studenten beoordeeld worden. Zijn project was een maquette van het Gare d'Orsay, gebouwd op basis van de schaaltekeningen die hij van het station had gemaakt; hij had de tekeningen af, maar moest de maquette nog maken. Hij moest de materialen nog kopen, topografische kaarten bestuderen om de grondplaat te kunnen maken, de vormen uittekenen en uitsnijden, de boogramen, de wijzerplaten en de details van het metselwerk intekenen en alles in elkaar zetten. Hij zat de hele week tussen zijn tekeningen in het atelier. 's Nachts, na het werk, studeerde hij voor een tentamen statica, en de middagen besteedde hij aan een serie colleges van Perret over de tot mislukken gedoemde Fonthill Abbey, een negentiende-eeuwse gotische kathedraal waarvan de toren tot driemaal toe was ingestort als gevolg van een ondeugdelijk ontwerp, overhaaste bouw en gebruik van inferieure materialen.

Toen hij 's middags op de dag voor zijn lunchafspraak op zijn werk verscheen, kwam hij opeens tot het besef dat hij zijn enige witte overhemd niet had laten wassen en dat hij geen geld meer had om een cadeautje voor de gastvrouw te kopen. Nadat hij zijn kledingprobleem aan madame Gérard had opgebiecht, had ze hem naar het atelier van madame Courbet gestuurd, de costumière die alle arbeiderskloffies en militaire uniformen voor *De moeder* in elkaar had gezet. Terwijl op het toneel de revolutie in volle gang was,

was madame Courbet bezig met een andere strijd: ze naaide vijftig tutu's voor een balletvoorstelling van kinderen die die winter in het Bernhardt geprogrammeerd stond. Andras trof haar aan in een cycloon van witte tule en zijden bloemetjes. Ze zat achter haar naaimachine, die het mechanisch dreunende middelpunt van die sneeuwstorm vormde. Ze was een vogelachtig vrouwtje van over de vijftig dat altijd perfect passende kleren droeg. Vandaag was haar groenwollen jurk besneeuwd met op ijs lijkende restjes stof. Ze hield een klosje zilverwit garen tussen duim en wijsvinger. Ze zette haar montuurloze bril af toen ze opkeek naar Andras.

'Kijk aan, de jongeheer Lévi,' zei ze. 'Weer een klacht van monsieur Claudel, of is iemand anders uit zijn hemd of zijn vel gebarsten?' Haar mond vertrok zich tot een zure glimlach.

'Nee, het is voor mezelf,' zei hij. 'Ik ben bang dat ik een overhemd nodig heb.'

'Een overhemd? Moet je figureren in het stuk?'

'Nee,' zei hij en hij kreeg een kleur. 'Ik heb het nodig voor een lunchafspraak morgen.'

'Aha.' Ze legde het klosje neer en deed haar armen over elkaar. 'Dat valt buiten mijn normale werkzaamheden.'

'Het spijt me dat ik u stoor terwijl u het zo druk hebt.'

'Madame Gérard heeft je zeker gestuurd.'

Andras biechtte op dat dat inderdaad het geval was.

'Dat mens,' zei madame Courbet. Maar ze stond op van haar stoeltje en ging voor Andras staan, waarbij ze hem van top tot teen opnam. 'Ik doe dit niet voor iedereen,' zei ze. 'Jij bent een beste jongen. Ze beulen je hier af en betalen je bijna niks, maar je hebt me nooit teleurgesteld. En dat kan ik niet van iedereen zeggen.' Ze pakte een meetlint van een tafel en deed een speldenkussen om haar pols. 'Goed dan, een herenoverhemd toch? Dat wordt dan een simpele witte oxford. Geen overdreven gedoe.' Snel en behendig mat ze Andras' nek, schouders en armlengte en liep naar een kast met het opschrift CHEMISES. Ze haalde een mooi, wit overhemd met een hagelwitte boord tevoorschijn. Ze liet Andras het speciale zakje zien waarin een ampul met nepbloed verstopt kon worden; in een bepaald stuk werd een man iedere voorstelling weer neergestoken door de jaloerse minnaar van zijn vrouw. Voor dat stuk had madame Courbet een eindeloze hoeveelheid overhemden moeten maken. Uit een lade met het opschrift CRVT koos ze een blauwzijden, met fazanten versierde das. 'Een aristocratische das,' zei ze, 'een rijkeluisdas gemaakt van een restje stof. Kijk.' Ze draaide de das om en liet hem zien hoe ze het lapje zijde op een stukje katoen had genaaid. Andras trok het overhemd aan en deed de das om, waarna ze het overhemd afspelde voor een snelle aanpassing. Aan het einde van de avond gaf ze hem het vermaakte overhemd met een bruin papiertje eromheen. 'Vertel niemand hoe je eraan gekomen bent,' zei ze. 'Ik wil niet dat het bekend wordt.' Maar ze kneep hem ten afscheid liefdevol in zijn oor.

Net toen hij het pand wilde verlaten, kreeg hij opeens een idee. Hij liep naar de monumentale ingang van het theater, waar Pély, de conciërge, de marmeren vloer aan het vegen was. Zoals gewoonlijk had Pély alle bloemstukken van die week in een rij opgesteld aan de binnenkant van de voordeuren; de volgende ochtend zou de bloemist ze met vaas en al ophalen en vervangen door nieuwe bloemstukken. Andras begroette Pély met een tik aan zijn pet.

'Als niemand die bloemen nog nodig heeft,' zei hij, 'mag ik ze dan?'

'Natuurlijk! Neem maar mee. Zo veel als je wilt.'

Andras verzamelde een enorme bos rozen, lelies en chrysanten, takken met rode besjes, vogeltjes op groene twijgjes en luchtige bosjes varens. Hij zou niet met lege handen aankomen bij de familie Morgenstern in de Rue Sévigné, nee, hij niet.

7

Een lunch

Het was nog maar een paar weken geleden dat Andras de architectuur van de Marais had bestudeerd onder leiding van Perret. Ze
hadden een excursie gemaakt naar het Hôtel de Sens, het vijftien-
de-eeuwse stadspaleis met zijn torentjes en waterspuwers met
leeuwenkoppen, zijn chaotische daklijnen, zijn benauwde, overda-
dige gevel. Andras had verwacht dat Perret het gebouw helemaal
zou afkraken en een pleidooi voor eenvoud zou houden. Maar hij
had juist de degelijkheid van het gebouw geprezen en het vak-
manschap dat ervoor gezorgd had dat het gebouw er nog steeds
stond. Perret streek met zijn hand over het steenwerk van de ingang en liet de studenten zien hoe zorgvuldig de steenhouwers de
gewelfstenen van de gotische bogen hadden uitgehakt. Terwijl hij
sprak, waren twee orthodoxe joden verschenen, met in hun kielzog een groep schooljongens met keppeltjes op. De twee groepen
hadden elkaar bij het passeren aangestaard. De jongens fluister-
den met elkaar terwijl ze naar Perret en zijn militaire jas keken;
enkelen hielden hun pas in, alsof ze wilden horen wat Perret nog
meer te vertellen had. Eén jongen salueerde, wat hem op een re-
primande in het Jiddisch van zijn leraar kwam te staan.

Nu liep Andras achter het Hôtel de Sens, achter de tuinen met
de in figuren gesnoeide hagen en verhoogde bloemperken waarin
paarse sierkool was geplant voor de winter. Zijn bloemenlast tor-
send, baande hij zich een weg door het verkeer op de Rue de
Rivoli. In de Marais hadden de straten iets ingeslotens, alsof het
een filmset was. In *Cinéscope* en *Le Film Complet* had Andras de
miniatuursteden gezien die waren nagebouwd in spelonkachtige
filmstudio's in Los Angeles; hier leek de bleekblauwe winterlucht
wel het koepeldak van zo'n studio. Andras zou niet raar opkijken
als hij in middeleeuws kostuum gestoken mannen en vrouwen zou
tegenkomen, gevolgd door regisseurs met megafoons en camera-
mannen met een hele berg ingewikkelde apparatuur. Er waren

koosjere slagers, winkels met Hebreeuwse boeken en synagogen, en alle uithangborden waren in het Jiddisch, alsof je binnen de stad opeens in een ander land was. Maar hier zag je op de muren niet de antisemitische leuzen die je wel regelmatig in de joodse wijk van Boedapest zag. Hier waren de muren kaal of voorzien van reclameschilderingen voor zeep, chocolade of sigaretten. Toen Andras de hoge corridor van de Rue de Sévigné in liep, werd hij bijna van de sokken gereden door een zwarte taxi. Hij hervond zijn evenwicht, verplaatste het enorme boeket van de ene arm naar de andere en keek naar het adres op het kaartje dat hij van madame Gérard had gekregen.

Aan de overkant van de straat zag hij een etalage met een houten uithangbord in de vorm van een balletmeisje met daaronder de letters ÉCOLE DE BALLET – MME MORGENSTERN, MAÎTRESSE. Hij stak de straat over. Voor de ramen van het hoekpand hingen vitrages tegen de inkijk, en als hij op zijn tenen stond, zag hij een lege ruimte met een vloer van blond hout. Eén wand was van begin tot eind bedekt met spiegels, langs de andere wanden liepen de barres van gepolitoerd hout. In een hoek hurkte een plompe piano, en daarnaast stond een tafel met een ouderwetse grammofoon met een hoorn die als een glanzende zwarte bloem het licht ving. Een diffuus waas van stofdeeltjes hing in de stilte van de middagpauze; in die werveling van stof leek nog een spoor van beweging, van muziek te hangen, alsof er in die ruimte altijd gedanst werd, of er nu lesgegeven werd of niet.

De ingang van het gebouw was een groene deur met een raam van glas in lood. Andras belde aan en wachtte. Door het luikje zag hij een stevige vrouw de trap af komen. Ze opende de deur en met een hand in haar zij onderwierp zij hem aan een keurende blik. Ze had een blozend gezicht, droeg een hoofddoek en rook zwaar naar paprika, net als de vrouwen die groenten en geitenmelk verkochten op de markt in Debrecen.

'Madame Morgenstern?' zei hij aarzelend; ze leek niet erg op een balletlerares.

'Hah! Nee,' zei ze in het Hongaars. 'Kom binnen en doe de deur dicht. Zo laat je de kou binnen.'

Kennelijk was hij goedgekeurd; hij was blij toe, want de geuren die hij opsnoof maakten hem flauw van de honger. Hij stapte de vestibule in en de vrouw nam zijn jas en hoed aan terwijl ze druk bleef praten in het Hongaars. Wat een enorme bos bloemen. Ze zou kijken of ze boven nog een vaas kon vinden die groot genoeg was. Het eten was bijna klaar. Ze had gevulde kool gemaakt en ze hoopte dat hij daarvan hield, want er was niks anders, behalve *spätzle* en compote, wat plakjes koude kip en een walnootstrudel. Hij moest maar met haar meelopen naar boven. Ze heette mevrouw Apfel. Ze liepen naar de eerste verdieping, waar ze hem liet plaatsnemen in een salon met oude Turkse tapijten en donker meubilair; ze zei dat hij daar op madame Morgenstern kon wachten.

Hij ging zitten op een canapé van grijs fluweel en ademde diep in. Behalve de zware lucht van gevulde kool rook hij de droge, citroenachtige geur van boenwas en ook nog een vleugje drop. Op een kunstig bewerkt houten salontafeltje voor hem stond een snoepschaaltje, een nestje van geslepen glas met roze en lila suikereitjes. Hij nam een eitje en stopte het in zijn mond: anijs. Hij deed zijn das recht en zorgde ervoor dat de katoenen achterkant niet te zien was. Even later hoorde hij het tikken van hakken op de gang. Een slanke schaduw bewoog over de muur en er kwam een meisje binnen met in haar handen een vaas van blauw glas. De vaas was gevuld met een enorme hoeveelheid bloemen, takken en nepvogeltjes. De daglelies begonnen al te kleuren aan de randen, de rozen hingen zwaar aan hun stelen. Van achter de massa verwelkte bloemen keek het meisje Andras aan, haar donkere haar als een vleugel over haar voorhoofd gedrapeerd.

'Bedankt voor de bloemen,' zei ze in het Frans.

Toen ze de vaas op het dressoir zette, zag hij dat het helemaal geen meisje was; haar gezicht had de scherpere trekken van een volwassen vrouw en haar rechte rug verried jaren ballettraining. Maar ze was sierlijk en tenger en haar handen om het blauwe glas van de vaas leken wel die van een kind. Andras voelde golven van schaamte over zich heen komen terwijl hij toekeek hoe ze de bloemen schikte. Waarom had hij zo veel halfdode bloemen meegebracht? Waarom die vogeltjes? Waarom al die takken? Waarom had hij niet gewoon iets simpels op de markt om de hoek gekocht? Een stuk of wat margrieten? Een bosje lupines? Wat zou dat nou gekost hebben, een paar franc? De bosnimf glimlachte hem over haar schouder toe en draaide zich toen om om hem de hand te schudden.

'Claire Morgenstern,' zei ze. 'Ik ben blij u eindelijk te ontmoeten, meneer Lévi. Madame Gérard heeft al veel goeds over u verteld.'

Hij gaf haar een hand en probeerde niet te staren; ze zag er tientallen jaren jonger uit dan hij zich had voorgesteld. Hij had gedacht dat ze ongeveer zo oud was als madame Gérard, maar deze vrouw was hooguit dertig. Ze was van een serene, verbluffende schoonheid – hoge jukbeenderen, een mond als een zoete, roze vrucht en intelligente, grijze ogen. Claire Morgenstern: dus dit was de *C.* uit de brief, en niet een grijzende minnaar van mevrouw Hász. Haar grote grijze ogen waren dezelfde als die van mevrouw Hász, het stille verdriet was een spiegel van wat hij in de ogen van de oude vrouw had gelezen. Deze Claire Morgenstern moest wel de dochter van mevrouw Hász zijn. Het duurde lang voor Andras iets kon zeggen.

'Aangenaam uw kennis te maken,' zei hij in hortend en stotend Frans, en hij wist direct dat hij het verkeerd gezegd had. Te laat dacht hij eraan om op te staan, en hoewel hij worstelde om de juiste woorden te vinden, bleef hij stuntelen. 'Bedankt voor mijn uitnodiging,' stamelde hij en ging weer zitten.

Madame Morgenstern nam plaats op een lage stoel naast hem. 'Wilt u liever Hongaars praten?' vroeg ze in het Hongaars. 'Dat kan best, als u dat wilt.'

Hij keek naar haar op als vanuit de bodem van een put. 'Frans is prima,' zei hij in het Hongaars. En toen, nogmaals, in het Frans: 'Frans is prima.'

'Goed dan,' zei ze. 'Vertelt u me dan maar eens hoe het in Hongarije is. Ik kom er al jaren niet meer en Elisabet is er nog nooit geweest.'

Alsof ze was opgeroepen door het noemen van haar naam, kwam een lang, nors kijkend meisje de kamer binnenlopen met een kan ijsthee. Ze had net zulke brede schouders als de zwemsters die hij in het Palatinus-strandbad in Boedapest had bewonderd. Toen ze hem inschonk, wierp ze een blik op hem waarin ongeduld en misprijzen de boventoon voerden.

'Dit is mijn dochter Elisabet,' zei madame Morgenstern. 'Elisabet, dit is Andras.'

Andras kon maar niet geloven dat dit de dochter van madame Morgenstern was. In de handen van Elisabet leek de theekan wel kinderspeelgoed. Hij nam een slok van zijn thee en keek van moeder naar dochter. Madame Morgenstern roerde haar thee met een lange lepel terwijl Elisabet zich, nadat ze de kan op tafel had gezet, in een oorfauteuil wierp en op haar polshorloge keek.

'Als we nu niet gaan eten, kom ik te laat voor de film,' zei ze. 'Ik heb over een uur met Marthe afgesproken.'

'Welke film?' vroeg Andras, op zoek naar een draadje gespreksstof.

'Niet interessant,' zei Elisabet. 'Hij is in het Frans.'

'Maar ik spreek Frans,' zei Andras.

Elisabet glimlachte dunnetjes. 'Meh-juh-pargl-Fronsé,' zei ze.

Madame Morgenstern sloot haar ogen. 'Elisabet,' zei ze.

'Wat?'

'Dat weet je heel goed.'

'Ik wil gewoon naar de film,' zei Elisabet en trapte verveeld met haar hakjes tegen het tapijt. Toen draaide ze haar kin naar Andras en zei: 'Mooie das.'

Andras keek omlaag. Zijn das was omgedraaid toen hij zich voorover had gebogen om zijn glas thee te pakken, en nu hing het lapje katoen voor, terwijl de gouden patrijzen ongezien tegen zijn overhemd aan vlogen. Met een vuurrood hoofd draaide hij de das weer terug en staarde in zijn thee.

'Het eten is opgediend!' zei de blozende mevrouw Apfel vanuit de deuropening terwijl ze haar hoofddoek terugduwde. 'Vooruit maar, anders wordt de kool nog koud.'

Er was een echte eetkamer, met buffetkasten van gepolitoerd hout en een wit tafelkleed. Het deed Andras denken aan het huis aan de Benczúr utca. Maar hier geen lijkbleke sandwiches; de hele tafel stond vol met schalen gevulde kool en kip en spätzle, alsof er niet op drie, maar op acht mensen was gerekend. Madame Morgenstern zat aan het hoofd van de tafel, Andras en Elisabet tegenover elkaar. Mevrouw Apfel schepte de gevulde kool en spätzle op; Andras, die blij was met de afleiding, deed zijn servet voor en begon te eten. Elisabet keek fronsend naar haar bord. Ze duwde de kool opzij en begon aan de spätzle, één bolletje per hapje.

'Ik heb begrepen dat je een wiskundeknobbel hebt,' richtte Andras zich tot de kruin van Elisabets over haar bord gebogen hoofd.

Ze keek op. 'Heeft mijn moeder dat verteld?'

'Nee, madame Gérard. Ze zei dat je een wedstrijd had gewonnen.'

'Middelbareschoolwiskunde, dat kan iedereen.'

'Wil je het gaan studeren?'

Elisabet haalde haar schouders op. 'Áls ik ga studeren.'

'Liefje, alleen op spätzle kun je niet leven,' zei madame Morgenstern rustig met een blik op het bord van Elisabet. 'Je vond gevulde kool altijd lekker.'

'Het is wreed om vlees te eten,' zei Elisabet en keek Andras aan. 'Ik heb gezien hoe ze koeien slachten. Ze steken een mes in de hals en trekken het naar beneden, kijk, zo, en dan gutst het bloed eruit. We zijn met biologie naar een sjocheet geweest. Het is echt barbaars.'

'Niet echt,' zei Andras. 'Mijn broers en ik kenden de koosjere slachter in ons dorp. Hij was een vriend van mijn vader en was heel aardig voor de dieren.'

Elisabet keek hem doordringend aan. 'Vertel mij dan maar eens hoe je koeien aardig slacht,' zei ze. 'Wat deed hij dan? Ze doodaaien?'

'Hij gebruikte de traditionele methode,' zei Andras op scherpere toon dan hij bedoeld had. 'Een snelle snee over de hals. Meer dan een seconde pijn konden ze niet gehad hebben.'

Madame Morgenstern legde haar bestek neer en bracht een servet naar haar mond alsof ze onpasselijk werd, wat een pesterige blik van triomf op het gezicht van Elisabet toverde. Mevrouw Apfel stond in de deuropening met een kan water en wachtte de ontwikkelingen af.

'Ga door,' zei Elisabet. 'Wat deed hij nadat hij de hals had doorgesneden?'

'Ik denk dat we dit onderwerp wel afgehandeld hebben,' zei Andras.

'Nee, alstublieft. Nu wil ik ook de rest horen.'

'Zo is het wel genoeg, Elisabet,' zei madame Morgenstern.

'Maar het begint net interessant te worden.'

'Het is genoeg, zeg ik.'

Elisabet frommelde haar servet ineen en gooide het op tafel. 'Ik ben klaar,' zei ze. 'Eet jij maar vlees met je gast. Ik ga naar de film met Marthe.' Ze duwde haar stoel naar achteren en stond op, waarbij ze bijna mevrouw Apfel met haar waterkan omverliep. Ze ging de gang op en stommelde wat in een kamer verderop. Even later galmden haar zware voetstappen over de trap. De deur van de balletzaal sloeg dicht, wat de ruit in zijn sponningen deed rammelen.

Aan de eettafel liet madame Morgenstern haar voorhoofd op haar handpalm zakken. 'Mijn excuses, monsieur Lévi,' zei ze.

'Nee, alstublieft,' zei hij. 'Het geeft niet.' Hij vond het helemaal niet erg om met madame Morgenstern alleen gelaten te worden. 'Maakt u zich om mij niet druk,' zei hij. 'Het was een vreselijk gespreksonderwerp. Ík moet mijn excuses maken.'

'Dat is echt niet nodig,' zei madame Morgenstern. 'Soms is Elisabet gewoon onmogelijk. Als ze eenmaal besloten heeft dat ze boos op me is, is er geen land meer met haar te bezeilen.'

'Waarom zou ze boos op u zijn?'

Ze glimlachte flauwtjes en haalde haar schouders op. 'Het ligt gecompliceerd, vrees ik. Ze is een meisje van zestien. Ik ben haar moeder. Ze wil niet dat ik me bemoei met haar sociale leven. En ze wil ook niet weten dat we Hongaars zijn. Ze vindt de Hongaren een onontwikkeld volk.'

'Ik heb dat gevoel ook wel eens,' zei Andras. 'Ik doe de laatste tijd erg mijn best om Frans te zijn.'

'Uw Frans is uitstekend, merk ik.'

'Nee, het lijkt nergens op. En ik vrees dat ik uw dochter alleen maar heb bevestigd in haar vooroordeel dat Magyaren barbaren zijn.'

Madame Morgenstern verborg een glimlach achter haar hand. 'U kwam wel snel op de proppen met die slager,' zei ze.

'Het spijt me,' zei Andras, maar hij begon te lachen. 'Ik geloof niet dat ik dat onderwerp ooit eerder tijdens de lunch heb aangesneden.'

'Dus u kende die slager echt,' zei ze.

'Inderdaad. En ik heb hem zien slachten. Maar ik ben bang dat Elisabet gelijk had – het was afschuwelijk!'

'U bent opgegroeid – waar? Ergens op het platteland?'

'Konyár,' zei hij. 'In de buurt van Debrecen.'

'Konyár? Dat ligt nog geen twintig kilometer van Kaba, waar mijn moeder geboren is.' Er gleed een schaduw over haar gezicht die bijna meteen weer verdween.

'Uw moeder,' zei hij. 'Maar woont ze daar niet meer?'

'Nee,' zei madame Morgenstern. 'Ze woont in Boedapest.' Ze viel even stil en bracht het gesprek toen weer op Andras. 'Dus u bent ook een Hajdú, een jongen van de laagvlakte.'

'Inderdaad,' zei hij. 'Mijn vader heeft een houtzagerij in Konyár.'

Dus ze wilde het er niet over hebben, over haar familie. Hij had op het punt gestaan om over de brief te beginnen, om te zeggen: *ik heb uw moeder ontmoet*, maar het moment was voorbij en hij vond het fijn om over Konyár te kunnen praten. Sinds hij in Parijs was aangekomen en genoeg Frans had geleerd om vragen over zijn achtergrond te kunnen beantwoorden, had hij verteld dat hij uit Boedapest kwam. Konyár zou niemand wat zeggen. En voor mensen die het wel wat zei, zoals József Hász of Pierre Vago, was Konyár een achterlijk gehucht, een dorp waar je zo snel mogelijk weg moest zien te komen. Konyár. De naam alleen al klonk belachelijk, als de clou van een schuine mop, als het geluid van een duveltje dat uit een doosje sprong. Maar hij kwam echt uit Konyár, uit dat huisje aan het spoor met zijn vloer van aangestampte aarde.

'Eerlijk gezegd is mijn vader in het dorp een soort beroemdheid,' zei Andras.

'Echt waar? Waar heeft hij dat aan te danken?'

'Aan zijn vreselijke mazzel,' zei Andras. En toen, opeens overmoedig geworden: 'Zal ik zijn verhaal vertellen, zoals het in het dorp verteld wordt?'

'Heel graag,' zei ze terwijl ze verwachtingsvol haar handen vouwde.

Dus vertelde hij haar het verhaal zoals hij het altijd had horen vertellen. Vóór zijn vader de houtzagerij had gekregen, had hij zo veel tegenslag gekend dat hij de bijnaam 'Geluksvogel Béla' had gekregen. Toen Béla nog op het rabbinale seminarium in Praag zat, was zijn vader ziek geworden en direct na Béla's overhaaste terugkeer gestorven. De wijngaard die hij had geërfd viel ten prooi aan meeldauw. Zijn eerste vrouw stierf in het kraambed, samen met de baby, een meisje; niet lang daarna was zijn huis tot de grond toe afgebrand. Zijn drie broers waren allemaal gesneuveld in de oorlog en zijn moeder had zich van verdriet verdronken in de Tisza. Op zijn dertigste was hij geruïneerd en had hij geen cent en geen familielid meer over. Een tijd lang werd hij in leven gehouden door de joodse gemeenschap van Konyár; hij sliep in de orthodoxe synagoge en at wat er voor hem overschoot. Toen, aan het eind van een heel droge zomer, kwam er een beroemde Oekraïense wonderrabbijn naar het dorp die tijdelijk zijn intrek nam in de synagoge. Hij bestudeerde de Thora met de mannen uit het dorp, beslechtte conflicten, sloot huwelijken, sprak scheidingen uit, bad om regen en danste met zijn discipelen op de binnenplaats. Op een morgen trof hij bij het ochtendgloren Andras' vader slapend in de synagoge aan. Hij had gehoord over deze pechvogel, deze man die volgens alle dorpelingen wel vervloekt moest zijn en door hen met een soort dankbaarheid bekeken werd, alsof ze dankzij hem gespaard waren gebleven voor het boze oog. Met een zegening wekte de rabbijn Béla, die met een woordeloze angst naar hem opkeek. De rabbijn was graatmager en had een sneeuwwitte baard; zijn wenkbrauwen stonden als gespreide vleugels boven zijn donkere, glanzende ogen.

'Luister naar mij, Béla Lévi,' fluisterde de rabbijn in het half-duister van de gebedsruimte. 'Er is niets mis met jou. God vraagt het meest van hen die hem het dierbaarst zijn. Je moet twee dagen vasten en een ritueel bad nemen, en daarna accepteer je de eerste baan die je wordt aangeboden.'

Ook als Geluksvogel Béla in wonderen had geloofd, zouden zijn tegenslagen hem nog sceptisch hebben gemaakt. 'Ik heb te veel honger om te vasten,' zei hij.

'Ervaring met honger maakt het vasten alleen maar makkelijker,' zei de rabbijn.

'Hoe weet u dat ik niet vervloekt ben?'

'Ik vraag me nooit af hoe ik iets weet. Sommige dingen weet ik gewoon.' En de rabbijn zegende Béla nogmaals en liet hem alleen in het gebedshuis achter.

Wat had Geluksvogel Béla te verliezen? Hij vastte twee dagen en nam 's nachts een bad in de rivier. De volgende ochtend liep hij flauw van de honger in de richting van het spoor en plukte een appel van een vergroeide boom die naast een huisje van witge-kalkte baksteen stond. De eigenaar van de houtzagerij, een ortho-doxe jood, kwam naar buiten en vroeg wat Béla daar in vredes-naam aan het doen was.

'Ik had ooit een wijngaard,' zei Béla. 'Als ik die nog had gehad, had u daar mijn druiven mogen plukken. Als ik een huis had gehad, had ik u welkom geheten. Mijn vrouw zou u iets te eten hebben gegeven. Nu heb ik druiven noch een huis. Ik heb geen vrouw. Ik heb geen eten. Maar ik kan werken.'

'Ik heb geen werk voor je,' zei de man op vriendelijke toon, 'maar kom binnen en eet wat.'

De man heette Zindel Kohn. Zijn vrouw, Gitta, zette brood en kaas neer voor Geluksvogel Béla. Te midden van Zindel, Gitta en hun vijf kleine kinderen at Geluksvogel Béla; terwijl hij at, liet hij voor het eerst de gedachte toe dat de rest van zijn leven niet be-paald hoefde te worden door alle ellende die hij had meegemaakt. Hij had nooit kunnen denken dat dit huis zijn huis zou worden en dat zijn eigen kinderen aan deze tafel brood en kaas zouden eten. Maar aan het eind van de middag had hij werk: de jongen die de mechanische zaag bediende in de houtzagerij van Zindel Kohn, had besloten volgeling van de Oekraïense rabbijn te worden. Hij was die morgen per direct vertrokken.

Toen zes jaar later Zindel Kohn en zijn gezin naar Debrecen verhuisden, kreeg Geluksvogel Béla de leiding over de houtzagerij. Hij trouwde met een donkerharig meisje dat Flóra heette en kreeg drie zonen met haar. Toen de oudste tien jaar werd, had Béla genoeg geld verdiend om de houtzagerij over te nemen. Het legde hem geen windeieren; de bewoners van Konyár hadden het hele jaar door wel bouwmaterialen en brandhout nodig. Al snel was iedereen in Konyár vergeten dat de bijnaam Geluksvogel Béla ooit ironisch bedoeld was geweest. De hele geschiedenis zou misschien allang vergeten zijn als de Oekraïense rabbijn niet was teruggekeerd; dat gebeurde op het dieptepunt van de wereldwijde depressie, vlak voor de Hoge Feestdagen. De rabbijn kwam op een avond bij Geluksvogel Béla op bezoek en vroeg of hij zijn verhaal in de synagoge mocht vertellen. Het zou de joden van Konyár misschien kunnen helpen, zei hij, als hij ze eraan kon herinneren wat God voor zijn kinderen kon doen als ze niet aan hun wanhoop toegaven. Geluksvogel Béla stemde toe. De rabbijn vertelde het verhaal en de joden van Konyár luisterden. Hoewel Béla volhield dat zijn geluk alleen maar aan de generositeit van anderen te danken was, begonnen de mensen hem als een soort heilige te zien. Ze raakten zijn huis aan als ze langsliepen en vroegen hem peetvader te worden van hun kinderen. Iedereen geloofde dat hij in contact stond met het goddelijke.

'Als kind moet u dat ook gedacht hebben,' zei madame Morgenstern.

'Dat deed ik ook! Ik dacht dat hij onoverwinnelijk was – nog meer dan andere kinderen dat van hun ouders denken,' zei Andras. 'Soms zou ik dat nog steeds wel willen geloven.'

'Ach ja,' zei ze. 'Ik begrijp dat wel.'

'Mijn ouders worden een dagje ouder,' zei Andras. 'Ik zie ze niet graag alleen in Konyár achterblijven. Vorig jaar kreeg mijn vader longontsteking en kon hij een maand niet werken.' In Parijs had hij hier nog nooit met iemand over gesproken. 'Mijn broertje zit een paar uur reizen bij hen vandaan op school, maar hij heeft zijn eigen leven. En nu gaat mijn oudere broer ook weg. Hij gaat medicijnen studeren in Italië.'

Er gleed weer een schaduw over het gelaat van madame Morgenstern, alsof ze een steek van pijn voelde. 'Mijn moeder wordt ook oud,' zei ze. 'Ik heb haar al lang niet meer gezien, al heel lang niet.' Ze viel stil en keek weg van de tafel naar de hoge, op het westen uitkijkende ramen. Het late herfstlicht viel in een diagonale baan over haar gezicht en benadrukte de scherp getekende welving van haar mond. 'Het spijt me,' zei ze en probeerde te glimlachen; hij bood zijn zakdoek aan en zij drukte die tegen haar ogen.

Hij moest zich inhouden om haar niet aan te raken, om zijn hand niet van haar nck ovcr haar rug omlaag te laten glijden. 'Misschien ben ik wat te lang gebleven,' zei hij.

'Nee, alstublieft,' zei ze. 'U hebt nog helemaal geen dessert gehad.'

Alsof ze aan de deur had staan luisteren, kwam mevrouw Apfel binnen met de walnootstrudel. Andras merkte dat hij weer trek had gekregen. Enorme trek zelfs. Hij at drie stukken strudel en dronk koffie met room. Ondertussen vertelde hij madame Morgenstern over zijn studie, over professor Vago en over het uitstapje naar Boulogne-Billancourt. Hij kon makkelijker met haar praten dan met madame Gérard. Ze dacht altijd even na voordat ze antwoord gaf; dan zoog ze peinzend haar lippen even naar binnen en als ze dan sprak, was haar stem zacht en aanmoedigend. Na het eten liepen ze weer terug naar de salon en bekeken ze haar album met prentbriefkaarten. Haar balletvrienden waren in steden als Chicago en Caïro geweest. Er was zelfs een met de hand ingekleurde kaart uit Afrika bij: drie dieren die eruitzagen als herten, maar dan ranker en gracieuzer, met licht gebogen hoorns die recht omhoog stonden en amandelvormige ogen. Het Franse woord voor deze dieren was *gazelle*.

'Gazelle,' zei Andras. 'Dat moet ik onthouden.'

'Ja, doe dat,' zei ze. 'De volgende keer overhoor ik u.'

Toen het begon te schemeren, stond ze op en ging ze Andras voor naar de gang waar zijn jas en hoed aan een gepolitoerde kapstok hingen. Ze reikte hem de kledingstukken aan en gaf hem zijn zakdoek terug. Op de trap naar beneden wees ze hem op de foto's aan de muur, allemaal van vroegere pupillen: meisjes in etherische wolken van tule of in sierlijke draperieën van zijde, jonge danseressen, kortstondig betoverd door kostuums, grime en toneellichten. De uitdrukking op hun gezichtjes was ernstig en hun armen waren zo blcck cn naakt als boomtakken in de winter. Hij kon er geen genoeg van krijgen. Hij vroeg zich af of er ook een foto van madame Morgenstern als jong meisje tussen hing.

'Bedankt voor alles,' zei hij toen ze beneden waren.

'Alstublieft.' Ze legde een slanke hand op zijn arm. 'Ik moet ú bedanken. Het was erg aardig van u dat u wilde blijven.'

Onder de aanraking van haar hand bloosde Andras zo diep dat hij het bloed in zijn slapen voelde kloppen. Ze opende de deur en hij stapte de kou van de namiddag in. Het lukte hem niet om haar aan te kijken bij het afscheid. *De volgende keer overhoor ik u.* Maar ze had hem wel zijn zakdoek teruggegeven alsof een tweede ontmoeting zeer onwaarschijnlijk was. Hij richtte zich bij zijn afscheid tot de drempel, tot haar voeten in hun reebruine schoenen. Toen draaide hij zich om en sloot zij de deur achter hem. Werktuigelijk liep hij terug naar de rivier tot hij bij de Pont Marie kwam. Daar stopte hij bij de rand van de brug en haalde de zakdoek tevoorschijn. Hij was nog vochtig op de plek waar ze haar ogen had gebet. Als in een droom stopte hij een hoekje in zijn mond en proefde het zout dat ze daar had achtergelaten.

8

Gare d'Orsay

Die nacht deed hij geen oog dicht. Steeds maar weer kwamen hem alle details van zijn middag bij de familie Morgenstern voor de geest. Het gênante boeket dat nog gênanter werd toen zij het in een vaas van blauw glas naar binnen bracht. Het moment dat hij had begrepen dat zij de dochter van de oude mevrouw Hász was en hij zich daardoor opgelaten had gevoeld – hoe hij toen *aangenaam uw kennis te maken* en *bedankt voor mijn uitnodiging* had gestameld. Hoe ze haar rug kaarsrecht had gehouden alsof ze nooit ophield met dansen, tot aan het moment dat Elisabet van tafel was opgestaan – hoe haar rug zich toen had gekromd en hoe hij de met elkaar verbonden parels van haar ruggengraat had willen strelen. De manier waarop ze had geluisterd toen hij het verhaal van zijn vader vertelde. De warmte van haar schouder toen ze vlak naast elkaar op de bank het album met prentbriefkaarten hadden bekeken. Het moment bij de deur toen ze haar hand op zijn arm had gelegd. Hij probeerde zich haar gezicht weer voor de geest te halen – het donkere haar dat over haar voorhoofd viel, de grijze ogen die bijna te groot voor haar gezicht leken, haar evenwichtige kaaklijn, haar lippen die ze even naar binnen zoog als ze zijn woorden in zich opnam – maar hij kon al die losse elementen niet samenvoegen tot een geheel. Hij zag weer voor zich hoe ze over haar schouder naar hem geglimlacht had, meisjesachtig, maar ook wijs. Maar wat dacht hij wel niet, wat was hij in godsnaam aan het doen? Hoe haalde hij het in zijn hoofd om zo te denken over een vrouw als Claire Morgenstern – hij, Andras, een tweeëntwintigjarige student die op een onverwarmde kamer woonde en thee dronk uit een jampotje omdat hij zich geen koffie of een koffiekopje kon veroorloven. Maar toch, ze had hem niet de deur gewezen, ze had het gesprek voortgezet, hij had haar aan het lachen gemaakt, ze had zijn zakdoek aangenomen en ze had zijn arm aangeraakt op een vertrouwelijke, intieme manier.

Urenlang lag hij te draaien in zijn bed en probeerde hij haar uit zijn gedachten te bannen. Toen hij uit zijn raam keek en de lucht diep blauwgrijs zag kleuren, kon hij wel janken. Hij had *de hele nacht* wakker gelegen en al snel moest hij opstaan om naar college te gaan en daarna moest hij naar zijn werk, waar madame Gérard zou willen horen hoe het bezoek was verlopen. Het was maandagochtend, het begin van een nieuwe week. De nacht was voorbij. Het enige wat hij nog kon doen was opstaan en het verplichte briefje schrijven, het briefje dat hij nog voor college op de bus moest doen. Hij pakte een oud stukje schetspapier en maakte een opzetje:

Beste Mme Morgenstern,
Dank u voor de

Voor de wat? Voor de bijzonder plezierige middag? Dat klonk zo plichtmatig. Dat zou de middag zo gewoon maken. En een gewone middag was het zeker niet geweest. Wat moest hij nou schrijven? Hij wilde zijn dankbaarheid tonen voor de gastvrijheid van madame Morgenstern, dat in elk geval. Maar hij wilde ook overbrengen wat hij gevoeld had en wat hij nu voelde; de onderliggende, gecodeerde boodschap moest zijn dat er tussen hen een vonk was overgeslagen; dat hij haar opmerking dat ze elkaar misschien nog wel eens vaker zouden zien heel serieus genomen had. Hij streepte door wat hij had geschreven en begon opnieuw.

Beste madame Morgenstern,
Het klinkt misschien idioot, maar ik kan sinds ons afscheid alleen nog maar aan u denken. Ik wil u in mijn armen nemen, u een miljoen dingen vertellen en een miljoen vragen stellen. Ik wil uw hals aanraken en het parelknoopje daaronder losmaken.

En wat dan? Wat zou hij doen als het zover zou komen? Een kort, extatisch moment lang dacht hij aan die oude foto's waarop ingewikkelde varianten van de geslachtsdaad werden afgebeeld, de zilverglanzende beelden van in elkaar verstrengelde stellen die alleen nog zichtbaar waren als de kaarten onder een bepaalde hoek in het licht werden gehouden. Hij herinnerde zich hoe hij met vier andere jongens in de kleedkamer van de gymnastiekzaal had gestaan, allen voorovergebogen met een kaart in de hand en de gymbroek rond de enkels, ieder van hen worstelend om de zilverglanzende stellen in beeld te houden. Op zijn kaart had een vrouw op een divan gelegen met haar benen omhoog in een scherpe v. Haar victoriaanse gewaad liet haar armen en schouders onbedekt en was bij haar benen helemaal opengevallen zodat die geheel ontbloot naar het plafond wezen. Een man stond over haar heen gebogen en deed wat zelfs de victorianen deden.

Met een kleur van schaamte en verlangen streepte hij alles weer door en begon opnieuw. Hij doopte zijn pen in de pot en veegde de overtollige inkt af.

Beste madame Morgenstern,
Bedankt voor uw gastvrijheid en uw prettige gezelschap. Mijn
eigen onderkomen is te armzalig om u uit te nodigen voor een
tegenbezoek, maar als ik op een andere manier iets voor u kan
betekenen, hoop ik dat u niet zult aarzelen een beroep op mij te
doen. Ondertussen blijf ik de hoop koesteren dat we elkaar nog
eens zullen treffen.

Met vriendelijke groet,
ANDRAS LÉVI

Hij las en herlas het geschrevene, waarbij hij zich afvroeg of hij niet in het Frans moest proberen te schrijven in plaats van in het Hongaars; uiteindelijk besloot hij dat de kans dat hij in het Frans een idiote fout zou maken te groot was. Hij schreef het over in het net, op een dun velletje wit papier. Dat stopte hij dubbelgevouwen in een envelop die hij meteen dichtplakte, vóór hij in de verleiding zou komen om iedere zin nogmaals te heroverwegen. Toen bracht hij de brief naar dezelfde blauwe brievenbus waar hij ook de brief van haar moeder had gepost.

Die week was hij dankbaar dat hij alleen nog maar tijd voor zijn maquette had. In het atelier sneed hij een rechthoek van dik karton uit als grondplaat voor de maquette. Daarop tekende hij met een dun potlood de omtrek van het gebouw. Op een ander stuk karton tekende hij nauwgezet de vier gevels, gebruikmakend van zijn schaaltekening. Zijn favoriete gereedschap was een liniaal van vrijwel doorzichtig celluloid waardoorheen hij de lijnen kon zien die hij kruiste met de lijn die hij aan het trekken was; die strak in millimeters opgedeelde liniaal was een eiland van exactheid in de oceaan van taken die hij nog moest afwerken, een streep zekerheid in al zijn onzekerheid. Elk onderdeel van de maquette moest gemaakt worden van solide materiaal dat niet op een koopje gekocht kon worden en ook niet vervangen door iets van mindere kwaliteit; iedereen wist nog wat er de eerste week was gebeurd toen Polaner, door financiële nood gedreven, een maquette van bristolkarton had gemaakt. Toen professor Vago tijdens de beoordeling met zijn vulpotlood op het dak van Polaners maquette had getikt, had een van de muren het begeven en was het hele papieren kasteel in elkaar gezakt. Goed karton was duur; Andras kon zich geen fouten veroorloven, noch bij het intekenen met inkt, noch bij het uitsnijden. Het was wel prettig om gezamenlijk te werken met Rosen, Ben Yakov en Polaner, die maquettes maakten van respectievelijk de École Militaire, de Rotonde de la Villette en het Théâtre de l'Odéon. Zelfs de zelfingenomen Lemarque vormde nog een welkome afleiding; hij had besloten een maquette te maken van het twintigzijdige Cirque d'Hiver en zat iedere keer weer te vloeken als hij de zoveelste muur moest uittekenen op het karton.

Bij het college statica heerste de overzichtelijke orde van de wiskunde: de vergelijking met drie onbekenden om te berekenen hoeveel staal van welke dikte er nodig was voor een kubieke meter beton, de berekening van het aantal kilo's dat een draagbalk kon hebben, de exacte drukverdeling rond de top van een booggewelf. De man die zich met een krijtje in de hand een weg baande door het woud van berekeningen op het schoolbord was de extreem onverzorgd ogende Victor le Bourgeois, de docent statica, een praktiserend architect en bouwmeester die net als Vago een goede vriend van Pingusson scheen te zijn. Zijn slordigheid uitte zich in het gat in zijn broek bij zijn knie, in zijn jasje dat grijs van het krijt was geworden, in zijn slordige halo van rossig haar en in zijn gewoonte om de bordenwisser niet op zijn plaats terug te leggen. Maar als hij de wiskundige abstracties begon te vertalen in tastbare bouwmaterialen, was al het chaotische opeens verdwenen. Gewillig liet Andras zich meevoeren in de krochten van de rekenkunde waar het probleem van madame Morgenstern niet bestond omdat het niet in een vergelijking gevangen kon worden.

In het theater was er de opluchting dat hij haar naam hardop kon uitspreken bij madame Gérard. Tijdens de pauze van de dinsdagavondvoorstelling bracht Andras madame een kop sterke koffie en bleef hij in de deuropening van haar kleedkamer staan terwijl

zij dronk. Ze keek op vanonder de gracieuze boog van haar wenkbrauwen; zelfs in de met roet besmeurde schort en hoofddoek die
ze als de Moeder droeg, oogde ze nog majesteitelijk. 'Ik heb madame
Morgenstern nog niet gesproken,' zei ze. 'Hoe was de lunch?'

'Zeer voornaam,' zei Andras en moest blozen. 'Aangenaam, bedoel ik.'

'Zeer aangenaam, zegt hij.'

'Ja,' zei Andras. 'Zeer.' Hij leek geen woord Frans meer te kennen.

'Aha,' zei madame Gérard, alsof ze het volkomen begreep. Andras werd nog roder: hij wist dat ze vast zou denken dat er iets
was gebeurd tussen hem en Elisabet. Dat was natuurlijk ook zo,
maar wel iets heel anders dan zij dacht.

'Madame Morgenstern is heel aardig,' zei hij.

'En mademoiselle?'

'Mademoiselle is erg...' Andras slikte en keek naar de rij lampen
boven de spiegel van madame Gérard. 'Mademoiselle is erg lang.'

Madame Gérard wierp haar hoofd in de nek en lachte. 'Erg
lang!' zei ze. 'Zeker. En haar wil is wet. Ik weet nog hoe ze als klein
meisje met haar poppen speelde; ze sprak ze zo streng toe dat ik
bang was dat ze in huilen zouden uitbarsten. Maar voor Elisabet
hoef je niet bang te zijn. Echt, er zit geen kwaad bij.'

Vóór Andras kon tegenwerpen dat hij absoluut niet bang voor
Elisabet was, ging de dubbele bel die aangaf dat de pauze ten einde
liep. Madame moest nog andere kleren aan en Andras moest nog
van alles doen voordat het derde bedrijf begon. Toen de acteurs
weer op het toneel stonden, kroop de tijd voorbij. Hij kon alleen nog
maar denken aan het briefje dat hij had geschreven en wanneer hij
een antwoord kon verwachten. Misschien was zijn briefje dezelfde
dag nog bezorgd en had ze haar antwoord vandaag verstuurd. Dan
kon haar brief er morgen al zijn. Het zou heel goed kunnen dat zij
hem het volgende weekeinde weer uitnodigde voor de lunch.

De volgende avond rende Andras, toen de voorstelling eindelijk
afgelopen was en zijn taken erop zaten, de hele weg terug naar de
Rue des Écoles. In gedachten zag hij de brief al oplichten in het
duister van het halletje, het crèmekleurige briefpapier, het mooie,
evenwichtige handschrift van madame Morgenstern, hetzelfde handschrift als dat van de onderschriften bij de prentbriefkaarten in
haar album. *Van Marie uit Marokko. Van Marcel uit Rome.* Wie was
Marcel, vroeg Andras zich af, en wat had hij vanuit Rome geschreven?

Toen hij met zijn loper de hoge rode deur opende, zag hij al een envelop op het wandtafeltje liggen. Hij liep eropaf zonder de deur achter zich te sluiten. Maar het was niet de crèmekleurige, naar seringen geurende envelop waar hij op gehoopt had; het was een kreukelige, bruine envelop die geadresseerd was in het handschrift van zijn broer Mátyás. In tegenstelling tot Tibor schreef Mátyás bijna nooit; als hij een keer schreef waren het dunne, zakelijke brieven. Deze was dik en er zat twee keer zoveel porto op als normaal. Zijn eerste gedachte was dat er iets met zijn ouders gebeurd moest zijn – zijn vader gewond of zijn moeder ziek – en zijn tweede gedachte was dat het belachelijk was geweest dat hij een brief van madame Morgenstern had verwacht.

Boven stak hij een van zijn kostbare kaarsen aan en zette hij zich aan tafel. Hij sneed de bruine envelop zorgvuldig open met zijn briefopener. Daarbinnen zat een bundeltje van wel vijf gevouwen velletjes, de langste brief die hij ooit van Mátyás had ontvangen. Het handschrift was groot en slordig en er was flink met inkt geknoeid. Andras liet zijn ogen snel over de eerste regels gaan, op zoek naar slecht nieuws over zijn ouders, maar dat was er niet. Was het er wel geweest, dan had Tibor hem wel een telegram gestuurd, bedacht hij. De brief ging over Mátyás zelf. Mátyás had gehoord dat Andras ervoor gezorgd had dat Tibor in januari medicijnen kon gaan studeren. Hij feliciteerde ze allebei, Andras met het succesvolle gebruik van zijn invloedrijke contacten en Tibor met het feit dat hij eindelijk weg kon uit Hongarije. Nu moest hij, Mátyás, wel achterblijven en de houtzagerij overnemen. Dacht Andras dat het leuk was om van zijn ouders te moeten aanhoren hoe geweldig de studie van Andras wel niet was en hoe goed hij het deed, en hoe fijn het was dat Tibor nu arts kon worden, en dat het zulke geweldige kinderen waren? Had Andras er niet aan gedacht dat ook Mátyás graag in het buitenland wilde studeren? Had Andras alles vergeten wat Mátyás daarover gezegd had? Dacht Andras soms dat Mátyás zijn eigen plannen zomaar zou opgeven? Dat had hij dan verkeerd gedacht. Mátyás was aan het sparen. Als hij al vóór zijn eindexamen genoeg geld had, zou hij geen moeite meer doen zijn school af te maken. Hij zou naar Amerika gaan, naar New York, en gaan optreden. Hij zou zich wel redden. In Amerika hoefde je alleen maar vastberaden te zijn en te willen werken. En als hij weg was uit Hongarije, moesten Andras en Tibor zich maar druk maken over de houtzagerij en hun ouders, want hij, Mátyás, kwam nooit meer terug.

Onder aan het laatste velletje stond in een rustiger handschrift een schuldbewust *Hoop dat het goed met je gaat*, alsof Mátyás de brief even had laten rusten en hem had afgemaakt toen zijn woede een beetje bekoeld was. Andras kon een kort, vermoeid lachje niet onderdrukken. Hoop dat het goed met je gaat! Hij had net zo goed 'Val dood' kunnen schrijven.

Andras pakte een velletje papier. *Beste Mátyás*, schreef hij. *Misschien doet het je wel genoegen om te horen dat ik me hier al talloze keren heel ellendig heb gevoeld. Ook nu voel ik me niet best. Geloof me, het is echt niet makkelijk voor me geweest hier. Wat jou betreft, ik twijfel er niet aan dat je je school afmaakt en naar Amerika gaat, als je dat zo graag wilt (al had ik veel liever dat je hier naar Parijs kwam). Ik verwacht niet dat je in de voetsporen van Apa treedt, en Apa zelf trouwens ook niet. Hij wil dat je je school afmaakt.* Maar het was wel terecht dat Mátyás de kwestie aankaartte, dat hij boos was dat er geen eenvoudige oplossing was. Hij dacht aan wat Claire Morgenstern over haar eigen moeder had gezegd: *Het is lang geleden dat ik haar voor het laatst gezien heb, heel lang geleden.* Wat had ze toen somber gekeken, hoe groot was het verdriet in haar ogen geweest, een verdriet dat hij ook in de ogen van haar moeder had gezien. Wat had hen gescheiden, en wat had madame Morgenstern weggehouden? Met enige moeite richtte hij zijn aandacht weer op zijn brief. *Ik hoop dat je niet lang boos op me zult blijven, Mátyáska, maar je boosheid siert je wel: het bewijst dat je een goede zoon bent. Als ik mijn studie heb afgerond ga ik terug naar Hongarije, en laten we hopen dat Anya en Apa zo lang gezond blijven dat ik ze nog tot steun kan zijn.* Ondertussen zou hij zich zorgen over ze maken, net als zijn broers. *Ondertussen verwacht ik van jou dat je in alles de beste en de dapperste bent, zoals altijd! Je je toegenegen ANDRAS.*

Hij postte het antwoord de volgende ochtend en hoopte dat hij deze dag antwoord van madame Morgenstern zou krijgen. Maar toen hij die avond thuiskwam van zijn werk, lag er geen brief op het tafeltje in de gang. Waarom had hij ook gedacht dat ze terug zou schrijven? Hun ontmoeting was helemaal afgerond. Hij was ingegaan op de uitnodiging van madame Morgenstern en had haar bedankt. Als hij had gedacht dat er iets tussen hen was ontstaan, dan had hij zich duidelijk vergist. Daarbij was het de bedoeling geweest dat er iets tussen hem en haar dochter was ontstaan, en niet tussen hem en madame Morgenstern zelf. Die nacht sliep hij niet en lag hij maar te rillen en aan haar te denken en vervloekte hij zijn idiote hoop. De volgende ochtend lag er een dun laagje ijs op de waskom; hij brak het met zijn washandje en trakteerde zijn gezicht op een brandende plens ijskoud water. Buiten blies een harde wind losse dakspanen van het dak en verspreidde ze over straat. Bij de bakker gaf de mevrouw hem warme boerenbroden die net uit de oven kwamen tegen de prijs van brood van een dag oud. Het zou een van de koudste winters ooit worden, zei ze. Andras besefte dat hij een warmere jas en een wollen sjaal nodig had, en dat zijn schoenen verzoold moesten worden. Voor geen van deze dingen had hij geld.

De rest van de week werd het steeds kouder. Op school gaven de radiatoren een zwakke, droge warmte af; de vijfdejaarsstudenten zaten bij de verwarming en de eerstejaars vernikkelden bij de ramen. Andras spendeerde hopeloze uren aan zijn maquette van het Gare d'Orsay, een station dat zijn beste tijd al gehad had. Hoewel het nog steeds diende als eindstation voor de treinen uit het zuidwesten van Frankrijk, waren de perrons te kort voor de modernere treinen. De laatste keer dat hij er metingen had verricht, had het station er vervallen en verwaarloosd uitgezien; een paar van de hoge ramen waren kapot en de bogen waren aangetast door schimmel. Hij werd er niet vrolijk van dat hij de herinnering aan het station vastlegde in karton; zijn maquette was een flinterdun eerbetoon aan een verloederde relikwie. Die vrijdag liep hij alleen naar huis, te somber om met de anderen naar De Blauwe Duif te gaan – en daar, op het tafeltje, lag een witte envelop met zijn naam erop, het antwoord waar hij de hele week op gewacht had. Hij scheurde hem open in het halletje. *Andras, het genoegen was wederzijds. Kom vooral nog eens een keer langs. Groeten,* C. MORGENSTERN. Niets meer. Geen enkele zekerheid. *Kom vooral nog eens een keer langs*: wat betekende dat? Hij ging zitten op de trap en liet zijn voorhoofd op zijn knieën zakken. Hier had hij de hele week op gewacht! *Groeten.* Zijn hart bleef kloppen in zijn keel, alsof er nog steeds iets geweldigs stond te gebeuren. Hij proefde de schaamte op zijn tong als een gloeiend stuk metaal.

Toen hij die avond klaar was met werken, kon hij de gedachte niet verdragen dat hij terug moest naar zijn kleine kamertje, naar zijn bed waarin hij al vijf doorwaakte nachten aan Claire Morgenstern had liggen denken. In plaats daarvan wandelde hij in de richting van de Marais en trok hij zijn dunne jas dichter om zich heen. Hij vond het leuk om een beetje door de straten van de rechteroever te dwalen; hij vond het leuk om de weg eerst kwijt te raken en dan weer terug te vinden, en zo stegen en straatjes met vreemde namen te ontdekken – Rue des Mauvais Garçons, Rue des Guillemites, Rue des Blancs-Manteaux. Deze nacht hing de geur van winter in de lucht, maar niet die van bruinkool en naderende sneeuw, zoals in Boedapest; de geur van Parijs was natter, rokeriger en zoeter: rottende kastanjebladeren, de zoetbruine lucht van geroosterde noten, de benzinegeur die van de boulevards kwam. Overal hingen aanplakbiljetten van de twee schaatsbanen, een in het Bois de Boulogne en een in het Bois de Vincennes. Hij had niet gedacht dat het in Parijs koud genoeg zou worden om te schaatsen, maar volgens de aanplakbiljetten waren beide vijvers dik bevroren. Op het ene biljet zag je een pirouette van een trio ijsberen, en op het andere een klein meisje in een kort rood rokje met haar handen in een mof en één slank been uitgestrekt naar achteren.

In de Rue des Rosiers stonden een man en een vrouw naast zo'n aanplakbiljet ongegeneerd te zoenen en hun handen in elkaars jas te begraven. Andras moest terugdenken aan een spelletje dat de kinderen in Konyár wel speelden. Achter de bakkerswinkel was een witstenen muur die altijd warm was omdat aan de andere kant de bakkersoven stond. In de winter kwamen de jongens daar na schooltijd zoenen met de dochter van de bakker. Haar neus was bespikkeld met lichtbruine sproeten, als sesamzaadjes. Voor tien filler duwde ze je tegen de muur en zoende ze je tot je geen adem meer had. Voor vijf filler kon je toekijken hoe ze een ander zoende. Ze was aan het sparen voor schaatsen. Haar naam was Orsolya, maar zo werd ze nooit genoemd; iedereen noemde haar Korcsolya, het woord voor schaatsen. Andras had één keer met haar gezoend, had haar tong rond de zijne gevoeld terwijl ze hem tegen de warme muur gedrukt hield. Hij was hooguit acht jaar, Orsolya tien. Drie vriendjes van school keken toe en moedigden hem aan. Halverwege de zoen opende hij zijn ogen. Ook Orsolya had haar ogen open, maar was er duidelijk niet bij. Ze dacht aan andere dingen, misschien wel aan de schaatsen. Nooit zou hij de dag vergeten dat hij naar buiten ging en haar op de vijver zag schaatsen, de zilveren bliksem onder haar voeten als een pesterige knipoog, een metalig, definitief afscheid van betaald zoenen. 'Die meid zakt nog door het ijs,' had Andras' moeder voorspeld toen ze haar begin maart in de regen rondjes zag draaien. Maar ze was niet door het ijs gezakt. Ze had haar winter op de vijver overleefd, en de volgende winter was ze er weer, en de winter daarna was ze vertrokken naar de middelbare school. Hij zag haar voor zich, een figuurtje in een rode rok, in een grijs waas, onbereikbaar en alleen.

En nu liep hij door het labyrint van middeleeuwse straatjes naar de Rue de Sévigné, naar het huis van madame Morgenstern. Hij was het niet van plan geweest, maar nu was hij er; hij stond te kleumen op de stoep tegenover het huis. Het was bijna middernacht en alle lichten op de bovenverdieping waren gedoofd. Toch stak hij de straat nog over om over de vitrages heen een blik te werpen in de donkere balletstudio. Daar was de bloemkelk van de grammofoonhoorn, die zwart en brutaal stond te glimmen in een hoek; daar was de piano met zijn brede mond vol tanden. Hij rilde in zijn jas en stelde zich voor hoe de meisjes in het roze zich over het gele vlak van de balletvloer bewogen. Het was bitter, bitter koud. Wat moest hij hier om middernacht op straat? Er was maar één verklaring voor zijn gedrag: hij was gek geworden. De druk van het leven hier, van de noodzaak zijn enige kans te grijpen om man en kunstenaar te worden, was hem te veel geworden. Hij steunde met zijn hoofd tegen de muur van de portiek in een poging zijn ademhaling onder controle te krijgen; hij had gewoon even tijd nodig om weer normaal te worden en dan kon hij weer naar huis. Maar toen sloeg hij zijn ogen op en zag hij wat hij zonder het te weten gezocht had. Daar, in de portiek, hing een ondiep glazen kastje van het soort dat restaurants ook gebruikten om hun menu's aan voorbijgangers te tonen; maar hierin hing geen menu, maar een witte kaart waarop *Horaire des Classes* stond geschreven.

Het schema, het rooster van haar leven. Daar stond het, in haar eigen, nette handschrift. 's Ochtends gaf ze privélessen, 's middags had ze de beginners en in de namiddag de meer gevorderde pupillen. Op woensdag en vrijdag had ze de ochtend vrij. Op zondag de middag. In elk geval wist hij nu wanneer hij haar door het raam kon bekijken. Wachten tot morgen leek ondraaglijk lang, maar het kon niet anders.

De volgende dag probeerde hij niet aan haar te denken. Hij ging naar school, waar iedereen op zaterdag bijeenkwam om te werken; hij bouwde aan zijn maquette, lachte met Rosen, hoorde over

Ben Yakovs blijvende fascinatie voor de schone Lucia en deelde zijn boerenbrood met Polaner. Tegen de middag hield hij het niet meer uit. Hij nam de metro bij Raspail en stapte uit bij Châtelet. Van daaruit rende hij de hele weg naar de Rue de Sévigné; hij kwam er helemaal verhit en hijgend aan, ondanks de winterkou. Hij keek over de vitrages van de balletstudio heen. Hij zag een groep kleine meisjes in balletkleren hun balletschoentjes in hun canvas schoudertasjes doen. Ze hielden hun straatschoenen in de hand terwijl ze in de rij voor de deur gingen staan. De portiek van de studio stond vol moeders en gouvernantes, de moeders in het bont, de gouvernantes in wollen jassen. Een paar meisjes braken door de groep vrouwen heen en renden naar een snoepwinkel. Hij wachtte tot de vrouwen begonnen te vertrekken en zag haar toen in de portiek staan: madame Morgenstern, in een zwart dansjurkje en een strak grijs wikkelvestje, met haar haar losjes in een knot. Toen op één na alle kinderen waren opgehaald, kwam madame Morgenstern met het laatste meisje aan haar hand uit de portiek tevoorschijn. Ze stapte voorzichtig de stoep op met haar balletschoentjes, alsof ze de zolen niet wilde beschadigen op het plaveisel van de stoep. Andras kreeg de aandrang om te vluchten.

Maar het meisje had hem gezien. Ze liet madame Morgensterns hand los en begon op hem af te rennen, knipperend met haar ogen, alsof ze hem niet goed zag. Toen ze hem bijna bij zijn mouw kon pakken, hield ze opeens halt en keerde terug. Onder de blauwe wol van haar jas haalde ze haar schouders op.

'Ik dacht dat het papa was,' zei ze.

Madame Morgenstern keek verontschuldigend op naar de man die papa niet was. Toen ze Andras herkende, glimlachte ze en trok ze de rand van haar wikkelvestje recht, een zo meisjesachtig en verlegen gebaar dat Andras er helemaal warm van werd. Hij overbrugde de paar stoeptegels die hen scheidden. Hij durfde haar geen hand te geven of zelfs maar aan te kijken. In plaats daarvan staarde hij naar de grond en begroef hij zijn handen in zijn zakken. Daar vond hij een muntje van tien centime dat hij nog overhad van zijn bezoek aan de bakker die ochtend. 'Kijk eens wat ik hier heb,' zei hij en knielde om het aan het meisje te geven.

Ze nam het aan en bekeek het nog eens goed. 'Hebt u dit gevonden?' zei ze. 'Misschien heeft iemand het laten vallen.'

'Ik vond het in mijn zak,' zei hij. 'Het is voor jou. Als je gaat winkelen met je moeder kun je er snoep voor kopen, of een nieuw haarlint.'

Het meisje zuchtte en stopte het muntje weg in een zijvakje van haar tas. 'Een haarlint,' zei ze. 'Ik mag geen snoep. Dat is slecht voor je tanden.'

Madame Morgenstern legde een hand op de schouder van het meisje en trok haar mee naar de deur. 'We wachten wel binnen bij de kachel,' zei ze. 'Daar is het warmer.' Ze keek daarbij om naar Andras, om duidelijk te maken dat ook hij uitgenodigd was. Hij volgde haar naar binnen, naar de kleine ijzeren kachel die in een hoek van de studio stond. Achter het ruitje van mica sisten de vlammen en het meisje knielde om ernaar te kijken.

'Wat een verrassing,' zei madame Morgenstern en ze sloeg haar grijze ogen op naar de zijne.

'Ik was aan het wandelen,' zei Andras te snel. 'Ik bestudeerde de wijk.'

'Monsieur Lévi studeert bouwkunde,' zei madame Morgenstern tegen het meisje. 'Ooit gaat hij grootse gebouwen ontwerpen.'

'Mijn vader is dokter,' zei het meisje afwezig tegen niemand in het bijzonder.

Andras stond naast madame Morgenstern en warmde zijn handen aan de kachel. Zijn vingers waren maar een paar centimeter van de hare verwijderd. Hij keek naar haar nagels, haar spitse vingers, de dunne botjes die zich aftekenden onder haar huid. Ze onderschepte zijn blik en hij keek weg. Ze warmden zwijgend hun handen terwijl ze op de vader van het meisje wachtten. Die verscheen een paar minuten later: een kleine, besnorde man met een monocle en een dokterstas.

'Sophie, waar is je bril?' vroeg hij met een boze trek om zijn mond.

Het meisje viste een goudomrand brilletje uit haar tas.

'Alstublieft, madame,' zei hij. 'Wilt u erop letten dat ze hem draagt?'

'Ik zal mijn best doen,' zei madame Morgenstern met een glimlach.

'Hij valt af als ik dans,' protesteerde het meisje.

'Zeg maar dag, Sophie,' zei de dokter. 'We komen nog te laat voor het eten.'

In de deuropening draaide Sophie zich om en zwaaide. Toen waren zij en haar vader verdwenen en bleef Andras met madame Morgenstern achter in de studio. Ze liep weg van de kachel om nog wat dingen op te rapen die de kinderen hadden laten liggen: een verdwaalde handschoen, een haarspeld, een rode sjaal. Ze deed alles in een mand die ze naast de piano zette. *Objets trouvés.*

'Ik wilde u nogmaals bedanken,' zei Andras toen de stilte ondraaglijk was geworden. Het kwam er ruwer uit dan de bedoeling was en ook nog eens in het Hongaars, een zachte, boerse grom. Hij schraapte zijn keel en herhaalde het in het Frans.

'Alsjeblieft, Andras,' zei ze in het Hongaars en lachte. 'Je hebt zo'n aardig briefje geschreven. En je had me helemaal niet hoeven bedanken. Zo plezierig was het voor jou nou ook weer niet.'

Hij kon haar niet zeggen hoe hij de middag had ervaren, of wat voor week hij achter de rug had. Hij zag weer voor zich hoe ze had geglimlacht en aan haar vest had geplukt toen ze hem herkende, dat onwillekeurige, verlegen gebaar. Hij kneep zijn pet fijn in zijn handen en keek naar de geboende vloer van de studio. Boven zich hoorde hij zware voetstappen, van Elisabet, of mevrouw Apfel.

'Hebben we het helemaal bij je verbruid?' vroeg madame Morgenstern. 'Of heb je zin om morgen weer te komen? Een vriendin van Elisabet eet ook mee, en misschien kunnen we daarna gaan schaatsen in het Bois de Vincennes.'

'Ik heb geen schaatsen,' zei hij bijna onhoorbaar.

'Wij ook niet,' zei ze. 'We huren ze altijd. Het is heerlijk. Je vindt het vast leuk.'

Het is heerlijk, je vindt het vast leuk, alsof het echt zou kunnen gebeuren. En toen zei hij ja en was het echt.

9

Bois de Vincennes

Dit keer droeg hij geen nepdas en nam hij geen bos verwelkte bloemen mee toen hij ging lunchen in de Rue de Sévigné; hij droeg een oud en lekker zittend overhemd en had een fles wijn en een perentaart van de bakker op de hoek meegebracht. Net als de keer daarvoor pakte mevrouw Apfel weer flink uit: een *rakott krumpli* met laagjes ei en aardappelen, een terrine wortelsoep, rodekool met appeltjes en karwijzaad, een donker boerenbrood en drie soorten kaas. Madame Morgenstern was niet al te spraakzaam; ze leek blij te zijn met de aanwezigheid van Elisabets vriendin, een stevige meid met zware wenkbrauwen in een wollen jurk. Dit was dus de Marthe met wie Elisabet de vorige week naar de film was geweest. Ze liet Elisabet praten over school: wie zichzelf bij aardrijkskunde belachelijk had gemaakt, wie solo mocht zingen in het koor en wie in de kerstvakantie naar Zwitserland ging om te skiën. Af en toe wierp Elisabet een blik op Andras, alsof ze hem erop attent wilde maken dat hij geen deel uitmaakte van de conversatie. Buiten was het licht beginnen te sneeuwen. Andras wilde dolgraag naar buiten. Toen de perentaart was aangesneden en opgegeten en ze hun jassen konden aantrekken, kwam dat als een verlossing.

Om halfdrie namen ze de metro naar het Bois. Toen ze uitstapten, gingen Elisabet en Marthe snel voor ze uit lopen, arm in arm. Daarachter liepen madame Morgenstern en Andras met elkaar op. Ze had het over haar pupillen, over de naderende uitvoering en over de extreme koude van de laatste tijd. Ze droeg een pothoed van rode wol die strak om haar hoofd zat; onder de rand kwamen haar krullen tevoorschijn en bovenop verzamelden zich sneeuwvlokken.

In het besneeuwde Bois, tussen de kale elzen en eiken en de berijpte dennenbomen, liepen overal op de wandelpaden mannen en vrouwen met schaatsen in hun handen. Uit de richting van het meer klonken de kreten en uitroepen van de schaatsers en het schrapen van de ijzers op het ijs. Bij een open plek zagen ze het bevroren meer liggen, met zijn eilandjes in het midden en zijn door hekken omgeven oevers waarop het wemelde van de Parijzenaars. Op het ijs reden ernstig kijkende en in winterjassen gestoken mannen en vrouwen hun trage rondjes rond de eilandjes. Op een heuveltje stond een gebouwtje met een ingang van geschulpt glas. Op een bordje met rode letters was te lezen dat je daar voor vijftig centime schaatsen kon huren. Elisabet en Marthe gingen de anderen voor en sloten aan bij de rij voor de verhuurbalie. Andras stond erop voor iedereen schaatsen te huren; hij probeerde er niet aan te denken wat die tien franc voor de komende week zou betekenen. Op een vochtige groene bank verwisselden ze hun schoenen voor schaatsen, en al snel hobbelden ze op een rubberen mat het heuveltje af naar het meer.

Andras stapte op het ijs en zwierde met een paar slagen naar het grootste van de twee eilandjes, waarbij hij de scherpte en de balans van de ijzers testte. Tibor had hem leren schaatsen toen hij vijf was; ze hadden elke dag geschaatst op de molenkolk van Konyár, op schaatsen die hun vader had gemaakt van stukjes hout en dik ijzerdraad. Op school in Debrecen hadden ze geschaatst op een ijsbaan aan de Piac utca, een perfect ovaal met spiegelglad kunstijs dat gekoeld werd door ondergrondse buizen. Op schaatsen was Andras vlug en behendig, sneller dan zijn broers en zijn vrienden. Zelfs op deze botte huurschaatsen voelde hij zich licht en beweeglijk. Hij schoot met wapperende jaspanden en een bijna afvliegende pet tussen de schaatsers in hun donkere wollen jassen door. Als hij had omgekeken, had hij kunnen zien hoe jonge mannen hem jaloers nakeken; dan had hij ook de meisjes belangstellend en de oudere schaatsers afkeurend zien kijken. Maar hij werd opgeslokt door de sensatie van het over het ijs vliegen, van de kortstondige uitwisseling van warmte tussen zijn ijzers en het bevroren meer. Hij reed een rondje om het grootste eiland en reed de vrouwen op volle snelheid achterop, waarbij hij zo precies tussen madame Morgenstern en Elisabet door reed dat ze verbluft halt hielden.

'Kun je niet uitkijken?' zei Elisabet in haar bitse Frans. 'Zo maak je je nog ongelukken.' Ze nam Marthes arm en samen reden ze hem voorbij. Andras bleef achter met madame Morgenstern. Samen schaatsten ze op in een warreling van sneeuw.

'Je bent heel lichtvoetig,' zei ze met een vluchtige glimlach van-onder haar hoed.

'Op het ijs misschien,' zei Andras, die een kleur kreeg. 'Ik ben nooit zo goed in sport geweest.'

'Je zou bijna denken dat je ook iets van dansen weet.'

'Alleen dat ik daar ook niet zo goed in ben.'

Ze lachte en ging voor hem rijden. In het grijze namiddaglicht deed het meer hem denken aan de Japanse prenten die Andras op de Wereldtentoonstelling had gezien; de donkere veren van de den-nen tekenden zich af tegen de hemel, en de heuvels leken wel dui-ven die warmte bij elkaar zochten. Madame Morgenstern bewoog zich makkelijk over het ijs, met een rechte rug en gebogen armen, alsof ook dit een vorm van ballet was. Bij hun rondjes rond het meer viel of leunde ze nooit tegen Andras aan; zelfs als ze over een dennentakje schaatste en uit balans raakte, herstelde ze zich zon-der ook maar een blik naar hem te werpen. Maar toen ze voor de tweede keer om het kleinere eilandje hadden geschaatst, kwam ze naast hem rijden.

'In Boedapest ging ik altijd schaatsen met mijn broer,' zei ze. 'Dan gingen we naar het Városliget, niet ver van ons huis. Ken je dat mooie meer daar, bij de Vajdahunyad-burcht?'

'O ja.' Hij had zich nooit het entreegeld kunnen veroorloven, maar hij was met Tibor vaak 's avonds gaan kijken naar de schaatsers. De burcht, een mengelmoes van duizend jaar archi-tectuur, was veertig jaar geleden gebouwd voor een millennium-viering. Over de hele lengte van het gebouw waren romaanse, go-tische, renaissance- en barokelementen met elkaar versmolten; een wandeling langs die vreemde gevel leek wel een wandeling door de tijd. De burcht werd van onderen af verlicht en er was al-tijd muziek. Hij zag twee kinderen voor zich, madame Morgenstern en haar broer – de vader van József Hász? – die hun donkere scha-duwen wierpen op de lichtere schaduw van de burcht.

'Kon uw broer goed schaatsen?' vroeg hij.

Madame Morgenstern lachte en schudde haar hoofd. 'We kon-den er allebei niet veel van, maar we hadden wel plezier. Soms no-digde ik mijn vriendinnen uit. Dan hielden we elkaars hand vast en trok mijn broer ons voort als een rij speelgoedeendjes. Hij was tien jaar ouder en veel geduldiger dan ik geweest zou zijn.' Terwijl ze weer doorschaatste, perste ze haar lippen op elkaar en stopte ze haar handen weg in haar mouwen. Andras bleef dicht naast haar rijden en ving af en toe een glimp op van haar profiel onder de lage rand van haar hoed.

'Ik kan u wel een wals leren, als u dat wilt,' zei hij.

'O nee. Ik kan geen ingewikkelde dingen.'

'Het is niet ingewikkeld,' zei hij en reed voor haar uit om haar de passen voor te doen. Het was een simpele wals die hij in Debrecen had geleerd toen hij tien was: drie slagen vooruit, een lange boog en een draai; drie slagen achteruit, weer een boog en opnieuw een draai. Zij deed de passen na die hij op het ijs tekende. Toen draaide hij zich naar haar toe. Hij ademde diep in en legde zijn hand in haar zij. Zij sloeg haar arm om hem heen en haar gehandschoende hand vond de zijne. Hij neuriede een paar maten van 'Brin de Muguet' en leidde haar. Eerst ging het nog wat aarzelend, vooral bij de draaien, maar al snel bewoog ze zich zo licht als hij had kunnen verwachten, met haar hand stevig in de zijne. Hij wist dat Rosen, Polaner en Ben Yakov zich rot zouden lachen als ze hem zo in het openbaar zouden zien dansen, maar dat kon hem niks schelen. Enkele ogenblikken lang, de lengte van het lied in zijn hoofd, hield hij deze lichtvoetige vrouw met haar pothoed dicht tegen zich aangedrukt en omvatte zijn hand de hare. Zijn mond raakte de rand van haar hoed en hij proefde de koude, vochtige sluier van sneeuwvlokken. Hij voelde haar adem in zijn hals. Ze keek naar hem op en even ontmoetten hun ogen elkaar, waarna hij snel wegkeek. Hij herinnerde zichzelf eraan dat hij zich geen enkele illusie hoefde te maken; zij was een volwassen vrouw met een gecompliceerd leven; ze oefende een beroep uit en had een dochter op de middelbare school. De wals eindigde en viel stil in zijn hoofd. Hij liet haar los en zij ging naast hem schaatsen. Ze schaatsten twee rondjes om het eiland voor ze weer iets zei.

'Je doet me terugverlangen naar Hongarije,' zei ze. 'Ik ben er al meer dan zestien jaar niet meer geweest. Net zo lang als Elisabet oud is.' Ze liet haar ogen over het ijs gaan en Andras volgde haar blik. In de verte zagen ze het groen en het bruin van de jassen van Elisabet en Marthe. Elisabet wees naar iets op de oever, een zwarte hond die achter iets kleiners en snellers aan rende.

'Soms zie ik mezelf terugkeren,' zei madame Morgenstern bijna fluisterend. 'Maar vaker denk ik dat dat nooit zal gebeuren.'

'Vast wel,' zei Andras en hij verbaasde zich erover hoe resoluut hij klonk. Hij nam haar arm en zij trok die niet weg. Ze haalde zelfs een hand uit haar mouw en liet die op zijn arm rusten. Hij rilde, hoewel hij de kou niet meer voelde. Zo schaatsten ze in stilte nog een rondje om het eiland. Maar toen hoorden ze een welluidende en bekende stem over het ijs schallen: het was madame Gérard die hun beider namen riep. *Andráska. Klárika.* De Hongaarse diminutieven, alsof ze allemaal nog in Boedapest waren. Madame Gérard kwam op hen af glijden in een nieuwe jas met bontkraag en met een hoed op. Ze werd gevolgd door drie acteurs uit het theater. Zij en madame Morgenstern omhelsden elkaar, lachten en merkten op hoe mooi de sneeuw was en hoeveel mensen er op het bevroren meer schaatsten.

'Klárika, schat, wat ben ik blij je te zien. En Andráska is er ook bij. En dat moet Elisabet zijn, daar vooraan.' Ze glimlachte plagerig, gaf Andras een knipoog en riep toen Elisabet en Marthe terug naar de groep. Toen ze zich beklaagden over de kou, nodigde ze iedereen uit voor een kop warme chocola in het café. Ze zaten met zijn allen aan een lange houten tafel hun mok warme chocola te drinken, en Andras vond het prettig dat anderen het woord deden. Hun gesprek mengde zich met de gesprekken van de andere schaatsers in de overvolle ruimte. De groeiende opwinding die hij had gevoeld vlak voor madame Gérard op het toneel was verschenen, begon alweer weg te ebben; madame Morgenstern leek weer hopeloos ver weg.

Toen de chocola op was, haalde hij de schoenen weer op bij de verhuurbalie, waarna ze gezamenlijk het pad naar de rand van het Bois afliepen. Hij bleef azen op een kans om madame Morgenstern een arm te geven en met haar een eindje achter de groep aan te lopen. In plaats daarvan vertraagde Marthe haar pas om met Andras op te lopen. Ze kwam in de steeds kouder wordende namiddag meteen op barse toon ter zake.

'Het heeft echt geen zin,' zei ze. 'Ze wil niks van je weten.'

'Wie?' vroeg Andras, geschrokken dat zijn bedoelingen zo duidelijk waren geweest.

'Elisabet! Ze wil dat je ophoudt steeds naar haar te kijken. Denk je dat ze het leuk vindt om aangestaard te worden door een domme Hongaar?'

Andras zuchtte en richtte zijn blik naar voren, naar madame Gérard en Elisabet, die in haar groene, om haar benen heen zwierende jas naast haar liep. Ze boog zich voorover om iets tegen madame Gérard te zeggen, en die gooide haar hoofd achterover en lachte.

'Ze is niet geïnteresseerd in jou,' zei Marthe. 'Ze heeft al een vriendje. Dus je hoeft niet meer langs te komen. En je hoeft ook haar moeder niet meer in te palmen.'

Andras schraapte zijn keel. 'Goed,' zei hij. 'Nou, bedankt voor de informatie.'

Marthe knikte zakelijk. 'Het is mijn plicht als vriendin van Elisabet.'

En toen waren ze aan het eind van het park en stond madame Morgenstern weer naast hem en raakte haar mouw de zijne. Ze stonden bij de ingang van de metro en hoorden beneden de treinen langskomen. 'Ga je met ons mee?' zei ze.

'Nee, ga met óns mee!' zei madame Gérard. 'We nemen een taxi. We zetten je thuis wel af.'

Het was koud en het werd donker, maar aan een rit in een overvolle metro samen met Elisabet, Marthe en madame Morgenstern moest Andras niet denken. Ook wilde hij niet opgepropt in een taxi zitten met madame Gérard en de anderen. Hij wilde alleen zijn, de weg naar zijn eigen buurt vinden, zich opsluiten in zijn kamer.

'Ik ga wel lopen,' deelde hij mee.

'Maar je komt zondag toch wel weer lunchen?' zei madame Morgenstern, die van onder de rand van haar hoed naar hem opkeek met een gezicht waarop nog steeds een blos lag van het schaatsen. 'Eigenlijk hopen we een beetje dat je er een gewoonte van zult maken.'

Wat had hij anders kunnen zeggen? 'Ja, goed, ik zal er zijn,' zei hij.

10

Rue de Sévigné

Zo werd Andras dus een vaste gast bij de zondagse lunch in de Rue de Sévigné. Al snel werd het een patroon: Andras kwam binnen en schertste wat met madame Morgenstern; Elisabet kwam erbij zitten en keek chagrijnig naar Andras of maakte opmerkingen over zijn kleding of zijn accent; als het haar niet lukte om hem kwaad te krijgen, zoals bij de eerste keer, begon ze zich te vervelen en ging ze op stap met Marthe, die haar eigen minachting voor Andras ook niet onder stoelen of banken stak. Als Elisabet was vertrokken, luisterde hij samen met madame Morgenstern naar grammofoonplaten, bekeek hij kunsttijdschriften en prentbriefkaarten, of las hij voor uit een dichtbundel om zijn Frans te oefenen of vertelde hij over zijn familie en zijn jeugd. Soms probeerde hij haar eigen verleden ter sprake te brengen – de broer die ze al jaren niet meer gezien had, de duistere gebeurtenissen die hadden geleid tot de geboorte van Elisabet en haar verhuizing naar Parijs. Maar het lukte haar altijd om zijn omzichtige vragen te ontwijken, als de handen van een ongewenste danspartner. En als hij bloosde als ze vlak naast hem ging zitten, of hakkelde als hij op een compliment probeerde te reageren, liet ze niet blijken dat ze het gemerkt had.

Al snel wist hij precies hoe de nagels van haar vingers gevormd waren, kende hij de snit en de stof van al haar winterjurken en kon hij het kantwerk van haar zakdoekjes wel uittekenen. Hij wist dat ze haar eieren graag met peper at, dat ze allergisch was voor melk en dat ze het liefst het kapje van het brood at. Hij wist dat ze Brussel en Florence had bezocht (alleen niet met wie); hij wist dat ze bij vochtig weer last had van de botjes in haar rechtervoet. Ze had wel eens een wat mindere bui, maar die wist ze dan te temperen met zelfspot, met het draaien van malle Amerikaanse liedjes op de grammofoon of met het tonen van grappige foto's van haar jongste pupillen in hun optreedkostuums. Hij wist dat haar lievelingsballet *Apollo* was en dat ze een hekel had aan *La Sylphide* omdat het te vaak werd uitgevoerd en zelden op een originele manier. Hij schaamde zich voor zijn gebrek aan kennis op balletgebied, maar madame Morgenstern leek daar niet mee te zitten; ze draaide de muziek van de balletten op de grammofoon en beschreef wat er op het toneel gebeurde als de muziek aanzwol en wegebde, en soms rolde ze het vloerkleed op en gaf een miniatuurvoorstelling van de choreografie, waarbij ze van het plezier van het dansen een blos op de wangen kreeg. Op zijn beurt leidde hij haar rond door de Marais en vertelde hij haar alles over de architectonische historie van de gebouwen die het decor van haar leven vormden: het zestiende-eeuwse Hôtel Carnavalet met zijn bas-reliëfs van de vier jaargetijden; het Hôtel Amelot de Bisseuil, waarvan de grote, met medusahoofden versierde deuren regelmatig open waren gegaan voor het rijtuig van Beaumarchais; de synagoge van Guimard in de Rue Pavée met zijn golvende, op een geopende Thorarol lijkende gevel. Ze vroeg zich hardop af waarom ze die dingen nooit eerder had opgemerkt. Hij had haar de ogen geopend, zei ze, haar een aspect van haar buurt getoond dat ze anders nooit ontdekt zou hebben.

Ondanks de geruststelling dat hij altijd welkom was, bleef hij bang dat hij op een zondag een andere man bij madame Morgenstern aan tafel zou aantreffen, een besnorde kapitein, een in tweed geklede arts of een getalenteerde choreograaf uit Moskou – een wereldwijze veertiger met een culturele bagage waar Andras nooit aan zou kunnen tippen en met verstand van de dingen waar heren verstand van dienen te hebben: wijn, muziek, manieren om een lach op het gezicht van een dame te toveren. Maar de gevreesde rivaal verscheen nooit op het toneel, althans niet op zondagmiddag; dat stukje van de week scheen in huize Morgenstern alleen Andras toe te behoren.

Buiten het huis in de Rue de Sévigné ging het leven zijn gewone gangetje – of wat in de context van zijn leven als bouwkundestudent in Parijs gewoon was gaan lijken. Zijn maquette naderde zijn voltooiing, de muren waren al uit het stijve, witte karton gesneden en konden worden geplaatst. Hoewel het ding inmiddels de omvang van een jassendoos had, sleepte hij de maquette toch elke dag van en naar school. De oorzaak was een recente golf van vandalisme die, zo leek het, uitsluitend gericht was tegen de joodse studenten van de École Spéciale. Bij Jean Isenberg, een derdejaarsstudent, was een serie met veel moeite gemaakte blauwdruk-ken overgoten met inkt; van vierdejaars Anne-Laure Bauer waren haar dure staticaboeken een week voor het examen gestolen. Andras en zijn vrienden waren tot nu toe de dans ontsprongen, maar volgens Rosen was het een kwestie van tijd voordat ook zij doelwit zouden worden. De docenten riepen iedereen bijeen en spraken de studenten streng toe, waarbij ze de daders forse straffen in het vooruitzicht stelden en getuigen opriepen zich te melden. Maar niemand kwam met informatie. In De Blauwe Duif ontvouwde Rosen zijn eigen theorie. Van een aantal studenten was bekend dat ze aangesloten waren bij het Front de la Jeunesse en bij Le Grand Occident, een nationalistische beweging met een duidelijk antisemitische agenda.

'Die gluiperd van een Lemarque zit bij de Jeunesse,' zei Rosen boven zijn kop koffie en zijn amandelkoekje. 'Ik wed dat hij erach-ter zit.'

'Het kan Lemarque niet zijn,' zei Polaner.

'Waarom niet?'

Polaner verschoot even en vouwde zijn dunne, bleke handen in zijn schoot. 'Hij heeft me geholpen met een project.'

'Je meent het,' zei Rosen. 'Nou, ik zou maar oppassen als ik jou was. Het ene moment groet hij je, het andere snijdt hij je de strot af, die kleine *salopard*.'

'Je maakt geen vrienden door je tegen iedereen af te zetten,' zei de diplomatieke Ben Yakov, die voornamelijk bezig was zich te laten bewonderen door zo veel mogelijk mensen, zowel mannen als vrouwen.

'Wat zou het?' zei Rosen. 'We hebben het hier niet over een thee-kransje.'

Stilletjes was Andras het met Rosen eens. Hij wantrouwde Lemarque al sinds het vreemde incident met Polaner aan het begin van het jaar. Daarna was hij op Lemarque gaan letten, en het was hem opgevallen hoe Lemarque naar Polaner keek: alsof iets in Polaner hem zowel aantrok als afstootte, alsof zijn afkeer van Polaner hem een soort genot verschafte. Lemarque bleef Pola-ner schaduwen, vond altijd wel een excuus om hem in de klas aan te spreken: mocht hij Polaners pantograaf lenen? Mocht hij even zien hoe Polaner die lastige staticasom had gemaakt? Was de sjaal die hij op de binnenplaats had gevonden misschien van Polaner? Polaner had geen zin om aan Lemarques goede bedoelingen te twijfelen. Maar Andras vertrouwde hem niet, net zomin als de gluiperig kijkende studenten die in de kantine bij hem aan tafel zaten en een Duits merk sigaretten rookten en hooggesloten overhemden droegen met legerjasjes, alsof ze ieder moment ingezet konden worden in de strijd. Anders dan de andere studenten hadden ze gemillimeterd haar en gepoetste laarzen. Door sommigen werden ze geringschattend *la garde* genoemd. En dan waren er ook nog de studenten die hun overtuigingen subtieler uitten en deden alsof Andras, Rosen, Polaner en Ben Yakov niet bestonden, ook al kwamen ze hen elke dag tegen in de gangen of op de binnenplaats.

'We zouden in die groepen moeten infiltreren,' zei Rosen. 'Het Front de la Jeunesse, Le Grand Occident. Naar hun bijeenkomsten gaan, erachter komen wat ze van plan zijn.'

'Briljant idee,' zei Ben Yakov. 'Dan ontmaskeren ze ons en breken ze onze nek.'

'Wat dacht je eigenlijk dat ze van plan waren?' zei Polaner, die boos begon te worden. 'Ze gaan in Parijs heus geen pogrom houden.'

'Waarom niet?' zei Rosen. 'Dacht je soms dat die gedachte nog niet bij hen opgekomen was?'

'Kunnen we het alsjeblieft ergens anders over hebben?' zei Ben Yakov.

Rosen duwde zijn kop koffie van zich af. 'Hè ja,' zei hij. 'Vertel maar over je laatste verovering. Wat is er nou belangrijker of urgenter dan dat?'

Ben Yakov lachte deze schimpscheut van Rosen weg, wat Rosen alleen maar nog kwader maakte. Hij stond op, gooide geld op tafel, sloeg zijn jas over zijn schouder en liep naar de deur. Andras greep zijn hoed en liep hem achterna; een vriend die boos wegliep, dat kon hij niet aanzien. Hij haalde Rosen in op de hoek van Saint-Germain en Saint-Jacques en bleef samen met hem wachten voor het stoplicht.

'Jij vindt wat ik zeg toch geen onzin?' zei Rosen met zijn handen diep in zijn zakken en zijn ogen strak op Andras gericht.

'Nee,' begon Andras, zoekend naar de Franse woorden voor wat hij wilde zeggen. 'Je probeert gewoon een paar zetten vooruit te denken.'

'O,' zei Rosen oplevend. 'Ben je een schaker?'

'Ik speelde vaak met mijn broers. Ik was niet zo goed. Mijn grote broer had een boek met verdedigingen van een Russische kampioen. Ik kon niks tegen hem uitrichten.'

'Kon je dat boek zelf dan niet raadplegen?' zei Rosen met een grijns.

'Daarvoor had hij het te goed verstopt!'

'Dat is wat ik ook aan het doen ben, denk ik. Het boek zoeken.'

'Dat is niet zo moeilijk,' zei Andras. 'Het hele Quartier Latin hangt vol met aanplakbiljetten van die bijeenkomsten van het Front de la Jeunesse.'

Ze waren nu bij de Petit Pont aan het eind van de Rue Saint-Jacques. In de schemering liepen ze er samen overheen. Toen ze bij het Square Charlemagne kwamen en naar de Notre-Dame liepen, vingen de torens van de kathedraal de laatste stralen zonlicht. Ze hielden stil om naar de grimmige heiligen te kijken die de poorten flankeerden, één met zijn afgehakte hoofd in zijn handen.

'Weet je wat ik later wil gaan doen?' vroeg Rosen.

'Nee,' zei Andras. 'Wat dan?'

'Naar Palestina gaan. Een tempel bouwen van Jeruzalemsteen.' Hij stopte even en keek naar Andras alsof hij verwachtte uitgelachen te worden. Maar Andras lachte niet. Hij dacht aan foto's van Jeruzalem die in *Verleden en Toekomst* hadden gestaan. De gebouwen leken een soort geologische eeuwigheidswaarde te hebben, alsof ze helemaal niet door mensenhanden waren gemaakt. Zelfs op de zwart-witfoto's leken de stenen een gouden gloed uit te stralen.

'Ik wil een stad bouwen in de woestijn,' zei Rosen. 'Een nieuwe stad waar ooit een oude stond. Dezelfde vorm als de oude stad, maar met allemaal nieuwe gebouwen. Perrets gewapend beton is ideaal voor Palestina. Goedkoop en licht, koel in de hitte en in alle vormen te storten.' Terwijl hij sprak, leek hij het vóór zich te zien, een stad tussen de woestijnduinen.

'Een dromer, dus,' zei Andras. 'Dat had ik nooit achter je gezocht.'

Rosen grijnsde en zei: 'Zeg het maar niet tegen de anderen.' Ze keken weer omhoog naar de toppen van de torens en zagen hoe er van de gouden streep nog maar een draadje over was.

'Je gaat toch wel mee?' zei hij. 'Naar zo'n bijeenkomst van de Jeunesse? Dan komen we erachter wat ze van plan zijn.'

Andras aarzelde. Hij probeerde zich voor te stellen wat madame Morgenstern van zo'n daad, zo'n infiltratie zou vinden. Hij zag al voor zich hoe hij het haar zou vertellen op een van hun zondag-

middagen: zijn durf, zijn moed. Zijn stommiteit? 'En als iemand ons nou herkent?' zei hij.
'Dat gebeurt niet,' zei Rosen. 'Ze verwachten ons niet tussen dat volk.'
'Wanneer gaan we?'
'Zo mag ik het horen, Lévi,' zei Rosen.

Ze besloten een wervingsbijeenkomst te bezoeken van Le Grand Occident, omdat ze daar minder kans zouden lopen herkend te worden. De bijeenkomst zou die zaterdag plaatsvinden in een vergaderzaal in de Rue de l'Université in Saint-Germain-des-Prés. Maar eerst moesten de werkstukken waarmee het trimester werd afgesloten nog beoordeeld worden. Andras had eindelijk zijn Gare d'Orsay afgemaakt, wat hem twee nachten doorwerken had gekost; op vrijdagochtend stond het wit en ongerept op zijn grondplaat. Hij wist dat het knap werk was, het product van een gedegen studie en van vele uren nauwkeurig meten en in elkaar zetten. Rosen, Ben Yakov en Polaner hadden ook hun best gedaan: daar in het atelier stonden hun lijkbleke versies van de École Militaire, de Rotonde de la Villette en het Théâtre de l'Odéon. Ze zouden beoordeeld worden door hun medestudenten, door de studenten uit het tweede, derde en vierde jaar, door Médard, hun vijfdejaars begeleider in het atelier en uiteindelijk door Vago zelf. Andras wist zich gehard door de nietsontziende, opbouwende kritiek van zijn redacteur bij *Verleden en Toekomst*; eerder die herfst had hij al een paar beoordelingen gehad en die vielen in het niet bij wat hij van zijn redacteur over zich heen had gekregen.

Maar toen zijn Gare d'Orsay beoordeeld werd, was het al heel snel helemaal mis. Zijn lijnen waren onduidelijk, zijn constructiemethoden amateuristisch; hij had geen enkele poging ondernomen om iets te doen met het grote glasoppervlak van de gevel en met het meest kenmerkende aspect van het ontwerp: de manier waarop het licht van de voor het station stromende Seine gereflecteerd werd door de hoge, spiegelende gevel. Hij had een dode maquette gemaakt, zo had een vierdejaarsstudent gezegd. Een schoenendoos. Een doodskist. Zelfs Vago, die beter dan wie ook wist hoe hard Andras gewerkt had, bekritiseerde de doodsheid van de maquette. In zijn met verf besmeurde werkhemd en zijn daarmee contrasterende chique vest, boog hij zich met een duidelijk teleurgestelde blik over de maquette. Hij haalde een vulpotlood uit zijn zak en tikte met het metalen uiteinde tegen zijn lip. 'Een brave reproductie,' zei hij. 'Als een polonaise van Chopin op een leerlingenavond. Je hebt wel alle noten gespeeld, maar zonder enig kunstzinnig gevoel.'

En dat was het dan. Hij draaide zich om en liep naar de volgende maquette. Andras kon wel door de grond zakken van schaamte en ellende. Vago had gelijk, hij had het gebouw ongeïnspireerd nagemaakt; waarom had hij dat zelf niet gezien? Het was een schrale troost dat de andere eerstejaars het er net zo beroerd vanaf brachten. Hij kon niet geloven hoe zelfverzekerd hij een halfuur geleden nog was geweest, hoe overtuigd van het feit dat iedereen zou zeggen dat zijn maquette bewees dat hij een groot architect zou worden.

Hij wist dat de school een traditie had van strenge eindbeoordelingen en dat maar weinig eerstejaars een deuk in hun ego bespaard bleef. Dat was bij deze school een soort inwijdingsritueel, een vuurproef die de studenten voorbereidde op de diepere en subtielere vernederingen die hun te wachten stonden als hun eigen ontwerpen beoordeeld zouden worden. Maar deze kritiek was veel scherper geweest dan hij zich had voorgesteld, en – erger nog – ook nog eens terecht. Hij had er alles aan gedaan wat hij kon, maar het was niet genoeg geweest, lang niet genoeg, op geen stukken na. En zijn vernedering hield, op een manier die hij niet kon omschrijven, verband met zijn omgang met madame Morgenstern – alsof het bouwen van een geslaagde kopie van het Gare d'Orsay haar voor hem zou kunnen winnen. Nu zou hij haar geen eerlijk verslag van deze dag kunnen doen zonder zichzelf te kijk te zetten als een verwaande kwast. Hij verliet de École Spéciale in een rothumeur, en daar kwam de verdere avond en de volgende morgen geen verbetering in; hij had er nog steeds de pest in toen hij naar Rosen ging voor hun infiltratiepoging.

De vergaderzaal was vlak om de hoek bij de monumentale Beaux-Arts, een paar straten ten oosten van het Gare d'Orsay. Andras hoefde dat gebouw nooit meer te zien. Hij wist dat de kritiek terecht was geweest; in zijn drang om elk detail van het gebouw te repliceren, was het geheel hem tussen de vingers geglipt, had hij niet begrepen wat het ontwerp zo apart en vitaal maakte. Het was een fout die bijna alle eerstejaars maakten, had Vago hem bij het naar buiten gaan verteld. Maar als dat zo was, waarom had Vago hem er dan niet voor gewaarschuwd? Ook Rosen haatte het gebouw dat hij had nagemaakt – de École Militaire – inmiddels hartgrondig, zo zei hij. Zo liepen ze in broederlijke symmetrie over de Rue de l'Université, allebei met de ogen strak naar de grond.

Omdat het alleen maar een wervingsbijeenkomst was, hoefden ze niet geheimzinnig te doen of zich te vermommen. Ze kwamen tegelijk aan met de andere belangstellenden. De meesten zagen eruit als studenten. Achter een katheder op een laag podium aan het eind van de zaal stond een broodmagere man in een slecht zittend grijs pak die zichzelf voorstelde als monsieur Dupuis, 'Secretaris van Voorzitter Pemjean Zelf', en de zaal tot stilte maande door in zijn handen te klappen. Het geroezemoes stopte. Vrijwilligers liepen door de gangpaden en deelden een speciale bijlage uit van een krant die *Le Grand Occident* heette. De Secretaris van Voorzitter Pemjean Zelf deelde mee dat in deze bijlage de uitgangspunten van de organisatie werden uiteengezet en dat de bestuursleden deze thans hardop zouden voorlezen. Een stuk of zes grimmig kijkende jongelieden verzamelden zich op het podium met hun bijlage in de hand. Eén voor één lazen ze voor dat joden in Frankrijk uit invloedrijke functies moesten worden gezet en dat ze geen gezag meer over de Fransen mochten uitoefenen; joodse organisaties in Frankrijk moesten ontbonden worden omdat ze zich schaamteloos voordeden als welzijnsorganisaties voor joden, maar eigenlijk uit waren op de wereldheerschappij; alle joden moest het Franse staatsburgerschap ontnomen worden en joden moesten voortaan als vreemdelingen worden beschouwd – zelfs de families die al generaties lang in Frankrijk woonden en werkten; ook moesten alle bezittingen en eigendommen van joden vervallen aan de staat.

Het voorlezen van de beginselen werd af en toe onderbroken door applaus. Sommige aanwezigen slaakten kreten van bijval, andere hieven hun vuist. Weer anderen leken het er niet mee eens te zijn en enkelen begonnen te ruziën met de aanhangers.

'En hoe zit het dan met de joden van wie de broers en vaders in de oorlog zijn gestorven voor Frankrijk?' riep iemand vanaf het balkon.

'Die zionisten zijn gestorven voor eigen glorie en niet voor Frankrijk,' riep de Secretaris van de Voorzitter Zelf terug. 'Je kan Israëlieten niet toevertrouwen het land te dienen. Het moet ze verboden worden wapens te dragen.'

'Waarom hén niet laten sneuvelen als er toch doden moeten vallen?' riep een andere man.

Rosen omklemde de rugleuning van de stoel voor hem, zijn knokkels werden wit. Andras wist niet wat hij zou doen als Rosen zijn stem zou verheffen.

'U bent hier omdat u gelooft in de noodzaak van een zuiver Frankrijk, het Frankrijk dat onze vaders en grootvaders hebben opgebouwd,' vervolgde de Secretaris van de Voorzitter. 'U bent hier om Frankrijk van vreemde smetten vrij te maken. Als dat niet uw doel is, wil ik u verzoeken de zaal te verlaten. Er is alleen plaats voor de meest patriottistische en gedreven krachten onder u.' De Secretaris liet een stilte vallen. Er ontstond wat onrust in de zaal. Een van de zes jongelieden die de beginselen hadden voorgelezen riep: '*Vive la France!*'

'U wordt onderdeel van een internationale alliantie...' begon de Secretaris, maar zijn woorden werden overstemd door een plotseling staccato van lawaai, een houten geratel. En toen hield het lawaai op, net zo abrupt als het was begonnen. De Secretaris schraapte zijn keel, trok zijn revers recht en begon opnieuw. 'U wordt onderdeel...'

Dit keer was het lawaai nog harder dan daarvoor. Het kwam uit elke hoek van de zaal. Enkele aanwezigen waren opgestaan en draaiden houten ratels op een stok rond. Net als de eerste keer hield het harde geluid na een korte uitbarsting weer op.

'Ik ben blij met uw enthousiasme, heren,' vervolgde de Secretaris. 'Maar ik wil u toch verzoeken te wachten tot...'

Weer barstte het lawaai los, en dit keer hield het aan. De mannen met de lawaaimakers – het waren er twintig of dertig – liepen de gangpaden op en draaiden hun instrumenten zo hard rond als ze konden, met zo veel mogelijk herrie. Het waren poerimratels, zag Andras nu, de houten ratels die in de synagoge tijdens het voorlezen van het verhaal van Esther werden gebruikt om de naam van de schurk Haman te overstemmen. Hij keek naar Rosen en die had het ook begrepen. De Secretaris sloeg op de katheder. De zes grimmig kijkende mannen op het podium stonden in de houding, alsof ze op een order van de Secretaris wachtten. Meer mannen liepen nu de gangpaden op en ontrolden spandoeken die ze omhoog hielden om aan de aanwezigen te laten zien. LIGUE INTERNATIONALE CONTRE L'ANTISÉMITISME, stond er op een van de doeken geschreven. STOP DE FRANSE HITLERIANEN, stond er op een ander.

LIBERTÉ, EGALITÉ, FRATERNITÉ, stond er op een derde. De mannen met de spandoeken lieten een strijdkreet horen en het publiek reageerde met woedend geschreeuw. De iele Secretaris van de Voorzitter kleurde verbazingwekkend paars. Rosen slaakte een kreet en trok Andras mee het gangpad op, en samen grepen ze ook een stok van een van de spandoeken. Eén lid van de Ligue, een lange, breedgeschouderde man met een halsdoek in de kleuren van de Franse vlag, pakte een megafoon en begon te roepen: 'Vrije burgers van Frankrijk! Laat deze idioten uw geest niet vergiftigen!'

De Secretaris gromde een order tegen de zes strak voor zich uit kijkende jongelieden en even later was de chaos compleet. Iedereen stond op. Sommige aanwezigen trokken aan de spandoeken, andere hadden het voorzien op de mannen met de ratels. De zes mannen die de beginselen van de organisatie hadden voorgelezen, gingen achter de man met de megafoon aan, maar anderen gingen in een kring om hem heen staan terwijl hij *Fraternité! Egalité!* bleef roepen. De Secretaris verdween achter een gordijn achter het podium. Mannen duwden Andras in de rug, schopten tegen zijn knieën, plantten hun ellebogen in zijn borst. Andras liet het spandoek niet los. Hij hield de stok hoog geheven en riep *Stop de Franse hitlerianen.* Rosen stond niet langer naast hem; Andras zag hem niet meer. Iemand probeerde het spandoek te pakken en Andras worstelde met hem; iemand anders greep hem bij zijn kraag en hij kreeg een klap in zijn gezicht. Hij viel tegen een pilaar aan en het bloed spatte op de vloer. Overal om hem heen werd er geschreeuwd en gevochten. Hij baande zich een weg naar een deur terwijl hij met zijn tong aan zijn tanden voelde en zich afvroeg of er een tandarts aan te pas moest komen. In de vestibule was Rosen aan het vechten met een enorme kale man in een overall. Andras greep hem bij zijn middel en rukte hem los, alsof hij zelf met Rosen wilde vechten. Daarbij vloog Rosen met zijn schouder tegen de muur. De man in de overall, die opeens geen tegenstander meer had, wierp zich weer in de vechtende meute in de zaal. Andras en Rosen wankelden naar buiten, langs pelotons agenten die de trappen op renden om een einde te maken aan de vechtpartij. Toen ze de drukte achter zich hadden gelaten, renden ze de Rue de Solférino uit, helemaal tot aan de Quai d'Orsay, waar ze hijgend op een bankje neerploften.

'We waren dus niet de enigen!' zei Rosen terwijl hij met zijn vingertoppen zijn ribben betastte. Andras liet zijn tong over de binnenkant van zijn lip gaan. Het bloedde nog steeds waar zijn tand door zijn lip was gegaan, maar zijn gebit was nog intact. Hij hoorde snelle voetstappen en zag drie leden van de Ligue met wapperende spandoeken voorbijrennen. Ze werden achtervolgd door mannen die op hun beurt achtervolgd werden door de politie.

'Ik zou die blik van die secretaris nog wel 's willen zien,' zei Rosen.

'Je bedoelt de Secretaris van de Voorzitter Zelf?'

Rosen legde zijn handen op zijn knieën en lachte. Maar toen stoof er een ambulance voorbij in de richting van de vergaderzaal, en even later nog een. Vrij snel daarna kwamen er nog meer Ligue-leden voorbij; deze zagen er bleek en verslagen uit. Ze sleepten hun spandoeken achter zich aan en hielden hun hoed in hun hand. Andras en Rosen keken zwijgend toe. Er was iets ergs gebeurd: iemand van de Ligue was gewond geraakt. Andras nam ook zijn hoed af en hield hem op zijn schoot. Zijn opwinding maakte plaats voor holle angst. Le Grand Occident stond niet alleen; op dit moment vonden er overal in Parijs wel tientallen van dit soort bijeenkomsten plaats. En als het al in Parijs gebeurde, wat broeide er dan niet in de minder beschaafde steden van Europa? Andras trok zijn jas dichter om zich heen, want hij begon de kou weer te voelen. Rosen stond op; ook hij was stil en ernstig geworden.

'Het zal hier nog veel erger worden,' zei hij. 'Je zult het zien.'

Toen Andras de volgende dag in de Rue de Sévigné verslag deed van alles wat er in de achtenveertig uur daarvoor was gebeurd, luisterden madame Morgenstern en Elisabet in stilte. Hij vertelde over de beoordeling en over de veel lagere dunk die hij nu van zijn eigen werk had. Ook vertelde hij over de bijeenkomst en wat er daar gebeurd was. Hij had een knipsel uit de L'Oeuvre van die ochtend bij zich en las dat voor. Het artikel beschreef de verstoorde wervingsbijeenkomst en de chaos die daarop was ontstaan. De twee kampen gaven elkaar de schuld van het geweld: Pemjean maakte van de gelegenheid gebruik om te wijzen op de onbetrouwbaarheid en agressie van het joodse volk, en Gérard Lecache, de voorzitter van de Ligue Internationale Contre l'Antisémitisme, noemde het incident een bewijs van het gewelddadige karakter van Le Grand Occident. De krant liet alle journalistieke objectiviteit varen. Ze prees de Makkabeese moed van de Ligue en beschuldigde Le Grand Occident van onverdraagzaamheid, domheid en barbarisme; twee leden van de Ligue, zo bleek, waren bewusteloos geslagen en lagen nu in het Hôtel-Dieu.

'Je had wel dood kunnen zijn!' zei Elisabet. Haar toon was net zo venijnig als altijd, maar even wierp ze hem een blik toe die oprecht bezorgd leek. 'Hoe kon je dat nou doen? Dacht je dat jullie al die bruten wel aankonden? Jullie met zijn dertigen tegen tweehonderd van hen?'

'Het was niet de bedoeling,' zei Andras. 'We wisten niet dat de LICA daar zou zijn. Toen ze lawaai begonnen te maken, gingen wij meedoen.'

'Stelletje idioten, jullie allemaal,' zei Elisabet.

Madame Morgenstern keek Andras met haar grijze ogen doordringend aan. 'Pas op dat je niet met de politie te maken krijgt,' zei ze. 'Vergeet niet dat je in Frankrijk te gast bent. Straks word je door zo'n incident nog het land uit gezet.'

'Ze zetten me echt niet het land uit,' zei Andras. 'Niet als ik de idealen van Frankrijk verdedig.'

'Dat doen ze wel,' zei madame Morgenstern. 'En dat zou het einde van je studie betekenen. Je moet te allen tijde je status in dit land beschermen. Alleen je aanwezigheid in Frankrijk is al een politieke daad.'

'Hij redt het hier toch niet,' zei Elisabet met een stem waaruit alle bezorgdheid was verdwenen. 'Aan het eind van het jaar zakt hij als een baksteen. Zijn docenten vinden hem talentloos. Heb je niet geluisterd?' Ze scheurde zich los van de fluwelen stoel en sjokte naar haar kamer. Ze hoorden hoe ze zich stommelend klaarmaakte om de deur uit te gaan. Even later verscheen ze in een olijfgroene jurk en een zwarte wollen muts. Ze had vlechten in haar haar gemaakt en een frisse kleur op haar wangen geboend. Met een handtasje in de ene hand en handschoenen in de andere bleef ze even in de deuropening staan om met een slap handje te wuiven.

'Je hoeft voor mij niet op te blijven,' zei ze tegen haar moeder. En toen wierp ze nog even op de valreep een blik vol minachting op Andras. 'Je hoeft volgend weekend niet te komen, Held van Frankrijk,' zei ze. 'Ik ga met Marthe skiën in Chamonix. Eigenlijk heb ik liever dat je helemaal niet meer komt.' Ze gooide haar tasje over haar schouder en rende de trap af. Ze hoorden de deur met veel gerinkel achter haar dichtslaan.

Madame Morgenstern liet haar hoofd in haar hand zakken. 'Hoe lang gaat dit nog duren, denk je? Jij was toch niet zo toen je zestien was?'

'Nog erger,' zei Andras met een glimlach. 'Maar ik woonde niet thuis, dus bleef mijn moeder dit bespaard.'

'Ik heb gedreigd haar naar kostschool te sturen, maar ze weet dat ik dat niet over mijn hart kan verkrijgen. En ook niet kan betalen, trouwens.'

'Goh,' zei hij. 'Chamonix. Hoe lang blijft ze daar?'

'Tien dagen,' zei ze. 'Zo lang is ze nog nooit weggeweest.'

'Dan zie ik u dus pas in januari weer,' zei Andras. Hij hoorde het zichzelf zeggen – *maga*, het Hongaarse enkelvoudige *u* – maar toen was het al te laat, en daarbij leek madame Morgenstern zijn verspreking niet te hebben opgemerkt. Met het excuus dat hij naar zijn werk moest, stond hij op om zijn jas en hoed van de kapstok boven aan de trap te pakken. Maar ze hield hem tegen met een hand op zijn mouw.

'Je vergeet het Spectacle d'Hiver,' zei ze. 'Je komt toch kijken?'

De wintervoorstelling van haar leerlingen. Hij wist uiteraard dat dat volgende week was. Het zou plaatsvinden in het Sarah-Bernhardt, op donderdagavond; hij had het affiche ontworpen. Maar hij had niet gedacht dat hij een excuus zou hebben om erbij te zijn. Hij hoefde die avond niet te werken omdat *De moeder* tijdens de feestdagen niet gespeeld werd. Madame Morgenstern keek hem verwachtingsvol aan, haar hand brandde door de stof van zijn jas. Zijn mond was een woestijn, zijn handen ijskoud van het zweet. Hij hield zichzelf voor dat de uitnodiging niets betekende en keurig binnen de grenzen van hun vriendschap bleef: hij was een huisvriend en een mogelijke aanbidder van Elisabet, dus was het heel normaal dat hij gevraagd werd om te komen kijken. Hij wist een bevestigend antwoord te produceren, voelde zich zeer vereerd en zo, en daarna was het tijd voor hun wekelijkse afscheidsritueel: de kapstok, zijn spullen, de trap, een kuise groet. Maar op de drempel bleef ze hem iets langer dan normaal aankijken. Ze fronste haar wenkbrauwen en haar mond leek iets te willen zeggen. Net toen ze dat wou doen, renden er twee schoolmeisjes met rode jasjes voorbij, achter een wit hondje aan. Ze moesten er even voor opzij en toen was het moment voorbij. Ze stak haar hand op in een groet, stapte naar binnen en sloot de deur achter zich.

II

Kerstvakantie

Dat jaar had Claire Morgenstern in haar studio in de Rue de Sévigné lesgegeven aan ongeveer vijfennegentig meisjes tussen de acht en vijftien jaar, van wie de oudsten binnenkort zouden vertrekken om opgeleid te worden bij het Ballet Russe van Monte Carlo. Ze had al twee maanden met de kinderen naar het Spectacle d'Hiver toegewerkt; de kostuums waren klaar, de danseresjes hadden hun rol van sneeuwvlokje, suikerboon of zwaan ingestudeerd en de winterse decors waren in gereedheid gebracht. Die week was het affiche van Andras overal in de stad te zien geweest: een sneeuwvlokjeskind in silhouet tegen een winterse sterrenhemel, één been uitgestrekt in een arabesk, de woorden *Spectacle d'Hiver* als de staart van een komeet achter de uitgestrekte rechterhand aan. Elke keer dat hij het zag – op weg naar school, op de muur tegenover De Blauwe Duif, bij de bakker – hoorde hij madame Morgenstern zeggen: 'Je komt toch wel?'

Op woensdag, de avond van de generale repetitie, had hij het gevoel dat hij geen dag meer kon wachten om haar te zien. Hij kwam op zijn gebruikelijke tijd aan bij het Sarah-Bernhardt met een grote pruimentaart voor op de koffietafel. De gangen achter het toneel stonden vol met meisjes in witte en zilveren tule; ze vlogen als een wervelstorm om hem heen toen hij naar de hoek met de koffietafel liep. Met zijn zakmes sneed hij de pruimentaart in een hele verzameling kleine stukjes. Een groep meisjes in sneeuwvlokjeskostuum stond achter het gordijn klaar om op te komen. Terwijl ze naar hun plaatsen trippelden, wierpen ze geïnteresseerde blikken naar de koffietafel en de taart. Andras hoorde een toneelmeester een volgende groep dansers roepen. Madame Morgenstern – Klara, zoals madame Gérard haar noemde – was nergens te bekennen.

Hij zag vanuit de coulissen hoe de kleine meisjes hun sneeuwvlokkendans dansten. Het dochtertje van de vader die te laat was gekomen zat er ook bij; toen ze na haar dans de coulissen in rende, riep ze naar Andras en liet ze hem haar nieuwe bril zien, eentje met flexibele pootjes die helemaal om haar oren heen zaten. Die kon bij het dansen niet afvallen, zo legde ze uit. Toen ze een pirouette maakte om het te demonstreren, hoorde hij achter zich madame Morgenstern lachen.

'Ah,' zei ze. 'De nieuwe bril.'

Andras stond zichzelf toe een korte blik op haar te werpen. Ze was in werkkleding en haar donkere haar zat in een strakke knot gedraaid. 'Ingenieus,' zei hij en probeerde zijn stem normaal te laten klinken. 'Hij kan er helemaal niet meer af.'

'Hij kan af als ík dat wil,' zei het meisje. 'Ik zet hem af als ik ga slápen.'

'Natuurlijk,' zei Andras. 'Ik bedoelde niet dat je hem altíjd op hebt.'

Het meisje keek naar madame Morgenstern, sloeg haar ogen ten hemel en stoof op de koffietafel af, waar de andere sneeuwvlokjes de pruimentaart aan het verorberen waren.

'Wat een verrassing,' zei madame Morgenstern. 'Ik had verwacht je pas dit weekend weer te zien.'

'Toevallig werk ik hier, mocht u dat vergeten zijn,' zei Andras en legde zijn armen over elkaar. 'Ik moet het de artiesten naar de zin maken.'

'Ik neem aan dat jij voor die taart hebt gezorgd?'

'De meisjes lijken er geen bezwaar tegen te hebben.'

'Ík heb er bezwaar tegen. Ik wil niet dat er in de coulissen ge-snoept wordt.' Maar ze gaf hem een knipoog en liep naar de tafel om zelf een stuk pruimentaart te nemen. Het was een rijke, pracht-tige taart en bovenop lagen allemaal gehalveerde mirabellen. 'O,' zei ze. 'Dit is lekker. Dat had je nou niet moeten doen. Neem in ieder geval zelf ook wat.'

'Dat zou niet professioneel zijn, vrees ik.'

Madame Morgenstern lachte. 'Helaas heb ik het nu een beetje druk. Ik moet de volgende groep het toneel op krijgen.' Ze veegde een goudkleurige sneeuw van kruimels van haar handen, wat hem deed verlangen naar de smaak van pruimen aan haar vingers.

'Het spijt me dat ik u gestoord heb,' zei hij. Hij wilde al bijna *Ik moet er weer eens vandoor* zeggen en haar niet meer storen bij de repetitie, maar toen dacht hij aan zijn lege kamer, aan de lange uren die hem nog scheidden van de volgende avond en aan de eindeloze periode die volgde op de donderdag – tijd die geen excuus bood om haar op te zoeken. Hij keek naar haar op. 'Ga vanavond wat met me drinken,' zei hij.

Ze schrok even. 'O, nee,' fluisterde ze. 'Dat kan ik niet doen.' 'Alsjeblieft, Klara,' zei hij. 'Ik kan het niet verdragen als je nee zegt.'

Ze wreef over haar bovenarmen alsof ze het koud had gekregen. 'Andras...'

Hij noemde een café en een tijd. En voor ze opnieuw nee kon zeggen draaide hij zich om en liep hij door de artiesteningang naar buiten, de witte decemberavond in.

Café Bédouin was een donker café. Het leer van de stoelen was gebarsten en de blauwe fluwelen gordijnen waren van ouderdom lavendelkleurig geworden. Achter de toog stonden rijen met stof overdekte flessen van geslepen glas, stille getuigen van drankgebruik uit vroeger tijden. Andras arriveerde er een uur voor de afgesproken tijd. Hij was al ziek van ongeduld en kon nog steeds niet geloven wat hij had gedaan. Had hij haar echt gevraagd om wat met hem te gaan drinken? Had hij haar bij haar voornaam genoemd, getutoyeerd? Had hij gesproken alsof zijn gevoelens bespreekbaar zouden zijn, misschien zelfs beantwoord zouden kunnen worden? Wat dacht hij dat er nu zou gebeuren? Als ze zou komen, zou ze alleen maar bevestigen dat hij te ver was gegaan en hem misschien wel te kennen geven dat hij op de zondagmiddagen niet langer welkom was. Tegelijkertijd was hij ervan overtuigd dat ze al weken wist wat hij voor haar voelde, in ieder geval al sinds de dag dat ze waren gaan schaatsen in het Bois de Vincennes. Het werd tijd om hun gevoelens uit te spreken; misschien moest hij haar wel vertellen dat hij de brief van haar moeder had meegenomen uit Hongarije. Hij staarde naar de deur alsof hij hem met zijn blik uit zijn scharnieren kon lichten. Elke keer als er een vrouw binnenkwam, sprong hij op. Hij schudde het zakhorloge van zijn vader om er zeker van te zijn dat er niks loszat, wond het nogmaals op om er zeker van te zijn dat het bleef lopen. Een halfuur ging voorbij, toen nog een. Ze was te laat. Hij keek in zijn lege whiskyglas en vroeg zich af hoe lang hij nog kon blijven zitten zonder nogmaals te bestellen. De obers keken in het voorbijgaan nadrukkelijk zijn kant op. Hij bestelde nog een whisky en dronk die op, gebogen over zijn glas. Hij had zich nog nooit zo wanhopig en belachelijk gevoeld. Maar toen ging eindelijk de deur weer open en stond ze daar met haar rode hoed en haar getailleerde grijze jas, buiten adem, alsof ze het hele eind vanaf het theater gerend had. Hij sprong overeind.

'Ik was bang dat je er niet meer zou zijn,' zei ze en zuchtte van opluchting. Ze zette haar hoed af en gleed in het bankje tegenover hem. Ze droeg een nauwsluitend gabardine jasje dat bij haar hals werd gesloten door een sierlijke zilveren speld in de vorm van een harp.

'Je bent laat,' zei Andras, en de whisky gonsde als een zwerm bijen door zijn hoofd.

'De repetitie was tien minuten geleden pas afgelopen! Je was al weg voor ik kon zeggen wanneer ik kon komen.'

'Ik was bang dat je zou zeggen dat je niet zou komen.'

'Inderdaad. Ik zou hier niet moeten zijn.'

'Waarom ben je er dan toch?' Hij pakte haar hand. Haar vingers waren ijskoud, maar ze liet ze niet door hem verwarmen. Ze trok haar hand terug en bloosde tot diep in haar hals.

De ober kwam hun bestelling opnemen in de hoop dat de jongeman wat scheutiger zou zijn nu zijn vriendin er was. 'Ik ben whisky aan het drinken,' zei hij. 'Neem er ook een. Het is het drankje van de Amerikaanse filmsterren.'

'Ik ben niet in de stemming,' zei ze. Ze bestelde een Brunelle en een glas water. 'Ik blijf niet lang,' zei ze toen de ober weer verdwenen was. 'Eén drankje en dan ga ik.'

'Ik moet je iets vertellen,' zei Andras. 'Daarom heb ik met je afgesproken.'

'Wat dan?' zei ze.

'Vlak voor ik uit Boedapest vertrok, heb ik ene Elza Hász ontmoet.'

Madame Morgenstern werd lijkbleek. 'En?' zei ze.

'Ik ben bij haar thuis in de Benczúr utca geweest. Ze had gezien hoe ik bij de bank pengö voor Franse francs had gewisseld en wilde haar zoon in Parijs een pakket sturen. Er was daar nog een vrouw, een oudere vrouw, die me iets anders vroeg mee te nemen. Een brief aan een zekere C. Morgenstern in de Rue de Sévigné, naar wie ik niet mocht informeren.'

Madame Morgenstern was zo bleek geworden dat Andras bang was dat ze zou flauwvallen. Toen de ober even later met hun drankjes kwam, pakte ze het glas Brunelle en dronk het half leeg.

'Ik denk dat jij Klara Hász bent,' zei hij met gedempte stem. 'Dat was je in elk geval. En de vrouw die ik ontmoette was je moeder.'

Haar mond trilde, en ze keek naar de deur. Even leek het alsof ze wilde vluchten. Toen zonk ze terug op haar bankje en bleef daar roerloos zitten. 'Goed,' zei ze. 'Vertel me wat je weet en wat je wilt.' Haar stem was bijna niet meer te horen; ze klonk vooral bang.

'Ik weet niets,' zei hij en zocht weer naar haar hand. 'Ik wil ook niets. Ik wilde alleen maar vertellen wat er gebeurd was en wat een vreemd toeval het is. En ik wilde je vertellen dat ik je moeder heb ontmoet. Ik weet dat je haar al jaren niet meer gezien hebt.'

'En je hebt een pakket bezorgd bij mijn neef József?' zei ze. 'Heb je het hier met hem over gehad? Over mij?'

'Nee, met geen woord.'

'Godzijdank,' zei ze. 'Dat mag niet gebeuren, begrijp je dat?'

'Nee,' zei hij. 'Ik begrijp het niet. Ik weet niet wat dit allemaal te betekenen heeft. Je moeder heeft me bezworen met niemand over die brief te praten, en dat heb ik ook niet gedaan. Niemand weet ervan. Of bijna niemand – ik heb hem wel aan mijn broer laten zien toen ik bij je moeder vandaan kwam. Hij dacht dat het een liefdesbrief was.'

Klara stootte een droevig lachje uit. 'Een liefdesbrief! In zekere zin was het dat ook.'

'Ik wou dat je me uitlegde wat dit allemaal te betekenen heeft.'

'Het is een privékwestie. Het spijt me dat jij erbij betrokken bent geraakt. Ik kan geen contact onderhouden met mijn familie in Boedapest en zij kunnen niks direct naar mij opsturen. József mag niet weten dat ik hier woon. Weet je zeker dat je hem niets verteld hebt?'

'Helemaal niets,' zei Andras. 'Dat heeft je moeder me op het hart gedrukt.'

'Het spijt me dat ik er zo'n toestand van maak, maar het is heel belangrijk dat je dat begrijpt. Toen ik nog een meisje was, zijn er in Boedapest verschrikkelijke dingen gebeurd. Ik ben nu veilig, maar alleen als niemand weet dat ik hier ben en niemand weet wie ik was voor ik hier kwam.'

Andras herhaalde zijn gelofte. Als zijn zwijgen haar beschermde, zou hij zijn mond houden. Als ze hem had gevraagd zijn gelofte met bloed te bezegelen, hier op het grijze marmer van het cafétafeltje, had hij zo een mes gepakt en een ader geopend. Maar in plaats daarvan dronk ze haar glas leeg, zonder iets te zeggen en zonder hem aan te kijken. Hij zag de zilveren harp trillen aan haar hals.

'Hoe zag mijn moeder eruit?' vroeg ze eindelijk. 'Is ze grijs geworden?'

'Ze heeft wat grijze haren,' zei Andras. 'Ze droeg een zwarte jurk. Ze is klein, net als jij.' Hij vertelde haar over het bezoek – hoe het huis er had uitgezien, wat haar schoonzus had gezegd. Hij vertelde haar niet over het verdriet van haar moeder, over de smart die zich in haar gezicht had gegroefd, een aanblik die hij nooit had kunnen vergeten; wat zou ze daarmee opgeschoten zijn? Maar hij vertelde wel het een en ander over József Hász – hoe hij Andras onderdak had geboden toen hij net was aangekomen en hoe hij hem wegwijs had gemaakt in het Quartier Latin.

'En György?' vroeg ze. 'De vader van József?'

'Je broer.'

'Inderdaad,' zei ze stilletjes. 'Heb je hem ook gezien?'

'Nee,' zei Andras. 'Ik was daar maar een uurtje, midden op de dag. Hij was vast op zijn werk. Maar aan het huis te oordelen ging het hem voor de wind.'

Klara bracht een hand naar haar slaap. 'Het valt niet mee om dit te verwerken. Zo is het wel genoeg, denk ik,' zei ze, en toen: 'Ik kan maar beter gaan.' Maar toen ze opstond om haar jas aan te trekken, wankelde ze en moest ze zich aan de rand van de tafel vasthouden.

'Je hebt zeker nog niet gegeten,' zei Andras.

'Ik heb even rust nodig.'

'Ik ken een restaurant...'

'Geen restaurant.'

'Ik woon een paar straten verderop. Ga mee voor een kop thee. Dan breng ik je daarna naar huis.'

En zo gingen ze naar zijn zolderkamertje in de Rue des Écoles 34. Ze beklommen de kale houten trap tot ze helemaal boven waren, in zijn tochtige, spartaanse kamer. Hij bood haar de bureaustoel aan, maar ze wilde niet gaan zitten. Ze stond voor het raam en keek omlaag naar de straat, naar het aan de overkant gelegen Collège de France waar 's avonds altijd clochards op de traptreden zaten, zelfs als het ijskoud was. Een van hen speelde mondharmonica; het geluid deed Andras denken aan de onmetelijke prairies uit de Amerikaanse films die hij in het bioscoopje van Konyár had gezien. Terwijl Klara luisterde, maakte hij vuur in de haard, roosterde een paar sneetjes brood en zette theewater op. Hij had maar één glas, het jampotje dat hij sinds de eerste ochtend op zijn nieuwe kamer voor dat doel gebruikte. Maar hij had wel een paar suikerklontjes die hij uit De Blauwe Duif had meegepikt. Hij gaf Klara het glas en zij roerde de suiker door de thee met zijn enige lepel. Hij wou dat ze wat zou zeggen, dat ze het vreselijke geheim van haar verleden zou onthullen, wat het ook mocht zijn. Van de precieze toedracht had hij geen idee, maar hij vermoedde dat het met Elisabet te maken had: een ongewenste zwangerschap, een jaloerse minnaar, boze familieleden, iets waarover niet gepraat mocht worden.

Er kwam tocht door het kierende raamkozijn, en Klara rilde. Ze gaf het glas thee aan hem. 'Neem ook een slok,' zei ze. 'Voor hij koud wordt.'

Hij kreeg een brok in zijn keel. Voor het eerst had ze hem aangesproken met te, en niet met het formele maga. 'Nee,' zei hij. 'Ik heb dic thee voor jou gezet.' Voor jou: te. Hij bood het haar nogmaals aan en zij sloot haar handen om die van hem. In het glas tussen hen in beefde de thee. Ze pakte het glas en zette het op de vensterbank. Toen kwam ze bij hem, sloeg haar armen om zijn middel en vlijde haar donkere hoofd onder zijn kin tegen zijn borst. Hij tilde een hand op om haar rug te strelen en durfde het bijna niet te geloven. Hij was bang dat deze intimiteit niet verdiend was, een gevolg van zijn onthulling en de emoties die dat bij haar opgeroepen had. Maar toen hij haar lichaam voelde rillen kon het hem niet meer schelen hoe ze op dit punt waren gekomen. Hij liet zijn hand over de boog van haar rug gaan en stond zichzelf toe de architectuur van haar ruggengraat te onderzoeken. Zo dicht stond ze tegen hem aan dat hij haar ribben voelde uitzetten toen ze diep inademde; even later maakte ze zich los en schudde ze haar hoofd.

Hij deed zijn handen omhoog, gaf zich over. Maar zij pakte haar jas al van de kapstok, deed haar sjaal om en zette haar rode pothoed op.

'Het spijt me,' zei ze. 'Ik moet gaan. Het spijt me.'

De volgende avond ging hij om zeven uur naar het Spectacle d'Hiver kijken. Het Sarah-Bernhardt zat vol met familieleden van de danseresjes, een gespannen en druk pratend publiek. Alle ouders hadden een met linten versierde tuil rozen voor hun kind meegebracht. De gangen waren versierd met dennentakken en het theater rook naar rozen en dennen. De geur leek hem te wekken uit de droomtoestand waarin hij sinds de vorige avond verkeerde. Zij was ergens achter het toneel; over twee uur zou hij haar zien.

In de orkestbak begonnen violen te spelen en het doek ging op voor zes meisjes in witte balletpakjes met draperieën van tule. Ze leken wel boven het zilverkleurige vloeroppervlak te zweven, hun bewegingen waren dromerig en precies. Ze bewogen zoals zíj bewoog, bedacht hij. Ze had haar precisie, haar souplesse gedestilleerd en overgegoten in deze meisjes, in de vormen van hun lijfjes. Het was alsof hij in een vreemde droom verzeild was geraakt; het leek wel alsof er de vorige avond iets in hem gebroken was. Hij had geen idee hoe hij zich in een situatie als deze moest gedragen. Niets in zijn leven had hem hierop voorbereid. Ook kon hij zich niet voorstellen wat zij had gedacht – wat ze van hem moest denken nadat hij haar op die manier had aangeraakt. Hij zou het liefst meteen naar haar toe rennen om het uit te praten, wat de uitkomst ook zou zijn.

Maar in de pauze, toen hij haar had kúnnen opzoeken, sloeg de paniek zo toe dat hij amper nog kon ademhalen. Hij liep de trap af naar de herentoiletten en sloot zichzelf op in een van de hokjes om weer een beetje op adem te komen. Hij legde zijn voorhoofd tegen het koude marmer van de muur. De stemmen van de mannen om hem heen hadden een kalmerend effect; zij waren vaders, ze klonken als vaders. Het was bijna alsof zijn eigen vader daarbuiten op hem wachtte. Geluksvogel Béla, die gewoonlijk heel spaarzaam met adviezen was, zou hem wel vertellen wat hij moest doen. Maar toen hij weer naar buiten kwam, stond er geen bekende op hem te wachten; hij was moederziel alleen in Parijs en Klara was boven.

De lichten knipperden ten teken dat de pauze voorbij was. Hij liep de trap weer op naar zijn plaats en ging zitten op het moment dat de zaallichten gedoofd werden. Na wat kort geritsel werd het voortoneel beschenen door blauw voetlicht; hoge, ijle noten van de houtblazers klonken op uit de orkestbak en de sneeuwvlokjes dwarrelden tevoorschijn om hun dans te beginnen. Hij wist dat Klara vlak achter het gordijn rechts van het toneel stond. Zij had de musici het teken gegeven dat ze konden beginnen. De meisjes dansten perfect en werden vervangen door grotere meisjes die op hun beurt werden vervangen door nog grotere meisjes, zodat het leek alsof de meisjes steeds iets ouder werden op de momenten dat de lichten gedoofd werden en de wisselingen plaatsvonden.

Maar aan het eind van de voorstelling kwamen ze allemaal het toneel op om te buigen, waarna ze hun juf naar voren riepen. Ze kwam op in een simpele zwarte jurk en had een oranjerode dahlia achter haar oor, als een meisje op een schilderij van Mucha. Eerst maakte ze een reverence naar de jonge danseresjes en daarna naar het publiek. Ze bedankte de musici en de dirigent. Toen verdween ze weer in de coulissen en gunde ze de meisjes het applaus en de open doekjes.

Andras voelde zijn paniek weer oprukken, met steeds luider wordende trom. Om te voorkomen dat hij weer verlamd zou raken, glipte hij snel zijn rij uit en haastte hij zich om achter het toneel te komen. Daar werd Klara omringd door een kluwen meisjes in jurkjes van tule met rouge op hun wangen. Hij kon met geen mogelijkheid in haar buurt komen. Maar het leek wel alsof ze naar hem of iemand anders op zoek was; haar blik bewoog zich over de hoofdjes van de meisjes heen naar de donkere hoeken van de coulissen. Haar ogen keken over hem heen en keerden toen even terug. Misschien beeldde hij het zich in, maar het leek wel alsof haar glimlach even verflauwde. In elk geval had ze hem gezien. Hij nam zijn hoed af en draaide die rond in zijn handen tot het wat minder druk om haar heen werd. Hij zag hoe de ouders hun kinderen allemaal bloemen kwamen brengen en vervloekte zichzelf dat hij geen bloemen had meegebracht. Hij zag dat veel ouders ook voor haar rozen hadden meegebracht. Ze zou naar huis gaan met een karrenvracht aan bloemen, maar zonder iets van hem. De vader van het meisje met de bril had wel een heel groot boeket voor madame meegebracht – rode rozen, merkte Andras op. Hij zag hoe ze talloze uitnodigingen voor een feestelijk diner na afloop van de voorstelling vriendelijk afsloeg; ze zei dat ze uitgeput was en een beetje op adem moest komen. Het duurde bijna een uur voor alle meisjes en hun familieleden vertrokken waren en ze met zijn tweeën achter het toneel waren overgebleven. Zijn hoed was inmiddels helemaal vervormd. Ze had haar armen vol met bloemen; hij kon haar niet omhelzen of haar zelfs maar bij haar hand pakken.

'Je had niet hoeven wachten,' zei ze met een licht verwijtende glimlach.

'Wat een boel rozen heb je daar,' wist hij uit te brengen.

'Heb je al gegeten?'

Dat had hij niet, en dat vertelde hij haar ook. In de rekwisietenkamer vond hij een mand voor haar bloemen. Die laadde hij vol, waarna hij de rozen afdekte met een doek om ze te beschermen tegen de kou. Toen hij haar in haar jas hielp, zag hij de verwondering in de ogen van Pély, de conciërge die al begonnen was om de sneeuw van lovertjes en bloemblaadjes van die avond op te vegen. Andras lichtte zijn hoed ten afscheid en liep met haar naar buiten door de achteruitgang.

Al lopend pakte ze zijn arm en liet ze zich door hem leiden naar een café met witte muren bij de Bastille. Hij was er bij zijn wandelingen door Parijs al heel vaak langs gelopen; het heette Aux Marocaines. Op de lage tafeltjes stonden groene schaaltjes met kardemompeulen. Aan de muren hingen houten rekken met Marokkaans aardewerk. Alles leek wat kleiner dan normaal, alsof het speciaal voor Klara gemaakt was. Hier kon hij het zich net veroorloven om haar op een etentje te trakteren; een week eerder had hij een kerstbonus van monsieur Novak ontvangen.

Een met een fez getooide ober zette ze schouder aan schouder aan een hoektafeltje. Ze kregen Marokkaans brood, honingwijn, gegrilde vis en gestoofde groenten uit een aardewerken pot. Tijdens het eten hadden ze het alleen maar over de voorstelling en over Elisabet, die met Marthe naar Chamonix was vertrokken; ze hadden het over het werk van Andras en over zijn examens, die hij met vlag en wimpel had gehaald. Maar hij was zich voortdurend bewust van haar lichaam naast zich, haar warmte, haar bewegingen, haar arm die de zijne aanraakte. Als ze een slok nam, keek hij hoe haar lippen de rand van haar glas beroerden. Hij kon zijn ogen niet afhouden van de ronding van haar borsten onder de nauwsluitende jurk.

Na het eten dronken ze sterke koffie met piepkleine, roze amandelkoekjes. Geen van tweeën hadden ze nog iets gezegd over de vorige avond – niet over hun gesprek over haar familie en ook niet over wat er daarna was gebeurd. Een paar keer dacht Andras dat hij haar gezicht zag betrekken. Hij verwachtte een verwijt van haar, dat ze liever niet had gehoord dat hij haar moeder en schoonzus had ontmoet, of dat ze spijt had dat ze een verkeerde indruk bij hem had gewekt. Toen ze dat niet deed, dacht hij dat het misschien haar bedoeling was om het er niet meer over te hebben. Aan het eind van de avond betaalde hij de rekening, ondanks haar protesten; hij hielp haar weer in haar jas, waarna ze naar de Rue de Sévigné liepen. Hij droeg de zware mand met bloemen en dacht weer terug aan het idiote boeket dat hij die eerste zondag had meegebracht. Hoe onwetend was hij geweest van wat hem te wachten stond, hoe onvoorbereid op alles wat hij sindsdien had doorgemaakt – de schok van de verliefdheid, de marteling van haar nabijheid op die zondagmiddagen, het schuldige plezier van hun groeiende vertrouwdheid met elkaar, en dan dat onvoorstelbare moment gisteravond toen zij haar handen om de zijne had gevouwen – toen zij haar armen om zijn middel had geslagen en haar hoofd tegen zijn borst had gelegd. En wat ging er nu gebeuren? De avond was bijna voorbij. Ze waren bijna bij haar huis. Het begon licht te sneeuwen toen ze de hoek van haar straat omsloegen.

Op de drempel betrok haar blik weer. Ze leunde tegen de deur, keek neer op de rozen en zuchtte. 'Gek,' zei ze. 'Al jaren doen we elke december weer deze wintervoorstelling, en elke keer voel ik me na afloop weer zoals nu. Alsof er niks is om naar uit te kijken. Alsof álles afgelopen is.' Ze glimlachte. 'Dramatisch, hè?'

Hij zuchtte diep. 'Het spijt me als – gisteravond,' begon hij.

Ze onderbrak hem door met haar hoofd te schudden en te zeggen dat hij zich nergens voor hoefde te verontschuldigen.

'Ik had niet naar je familie moeten vragen,' zei hij. 'Als je erover had willen praten, had je dat zelf wel gedaan.'

'Waarschijnlijk niet,' zei ze. 'Het is voor mij zo'n gewoonte geworden om alles geheim te houden.' Ze schudde nogmaals haar hoofd en hij herinnerde zich opeens iets uit zijn vroege jeugd – een avond dat hij zich in de boomgaard had verstopt terwijl zijn broertje Mátyás doodziek en met hoge koorts in bed lag. Er was een dokter bij geroepen, er waren kompressen aangebracht, medicijnen toegediend, maar zonder resultaat; de koorts bleef maar stijgen en iedereen dacht dat Mátyás zou sterven. Ondertussen had Andras zich in de takken van een appelboom verstopt met zijn vreselijke geheim: híj had Mátyás besmet met de koorts door met hem te spelen terwijl zijn moeder hem bezworen had om toch vooral uit zijn buurt te blijven. Als Mátyás stierf, zou het zijn schuld zijn. Nog nooit had hij zich zo eenzaam gevoeld. Nu raakte hij Klara's schouder aan en voelde hij haar rillen.

'Je hebt het koud,' zei hij.

Ze schudde haar hoofd. Toen pakte ze haar sleutel uit haar tasje en draaide zich om om de deur te openen. Maar haar hand begon te trillen en ze draaide zich weer naar hem toe en keek naar hem op. Hij boog zich naar haar toe en drukte een vluchtige kus op haar mondhoek.

'Kom binnen,' zei ze. 'Eventjes maar.'

Met bonkende slapen volgde hij haar naar binnen. Hij legde een hand om haar middel en trok haar naar zich toe. Ze keek met vochtige ogen naar hem op en toen trok hij haar naar zich toe en kuste hij haar. Hij sloot de deur met één hand. Hield haar vast. Kuste haar nogmaals. Trok zijn dunne jasje uit, knoopte de glanzend zwarte knopen van haar jas los en duwde hem van haar schouders. Hij stond met haar in het halletje en kuste en kuste haar – eerst haar mond, toen haar hals en de halslijn van haar jurk, en toen de gleuf tussen haar borsten. Hij trok het zwartzijden lint rond haar middel los. De jurk viel om haar voeten in een donkere poel en toen stond ze daar voor hem, in huidkleurige onderjurk en kousen en met de roodgouden dahlia in haar haar. Hij begroef zijn handen in haar donkere krullen en trok haar naar zich toe. Ze kuste hem nogmaals en liet haar handen onder zijn overhemd glijden. Hij hoorde zichzelf haar naam zeggen; opnieuw liet hij zijn hand over de kralenketting van haar rugwervels glijden, over de ronding van haar heupen. Ze drukte zich tegen hem aan. Het kon niet waar zijn; het wás waar.

Ze gingen de trap op, naar haar slaapkamer. Hij zou het nooit meer vergeten: de onhandige manier waarop ze de deur door gingen, zijn hardnekkige overtuiging dat ze op haar schreden terug zou keren, zijn ongeloof toen ze haar huidkleurige onderjurk over haar hoofd trok. Hoe ze in een mum van tijd had afgerekend met zijn gênante sokophouders, zijn slecht gestopte sokken en zijn tot op de draad versleten ondergoed. De slanke rondingen van haar danseressenlichaam, het plooitje van haar navel, de schaduw tussen haar benen. De koele omarming van haar bed, haar eigen bed. De zachtheid van haar huid. Haar borsten. Zijn overtuiging dat alles in een gênante flits voorbij zou zijn als haar hand hem zou aanraken; zijn verwoede concentratie op iedere andere gedachte op het moment dat ze het deed. Het woord *baiser* in zijn hoofd. De ondraaglijke sensatie dat hij haar kon aanraken. De schok van de hitte in haar. Als dat het einde was geweest – het einde van Parijs, de wereld, het universum – dan had het hem niets kunnen schelen, zou hij gelukkig gestorven zijn, was hij opgestegen naar een oneindig grote en van licht doordrenkte hemel.

Na afloop lagen ze op het bed en staarden ze naar het plafond, naar het patroon van gedroogde bloemen en bladeren. Ze draaide zich op haar zij en legde een hand op zijn borst. Een fluwelen loomheid hield hem op het bed gedrukt, met zijn hoofd op haar kussen. Haar geur was in zijn haren, op zijn handen, overal.

'Klara,' zei hij. 'Ben ik dood? Ben je er nog?'

'Ik ben er nog,' zei ze. 'Blijf nog even hier liggen.'

'Goed,' zei hij en bleef liggen.

Na een paar minuten haalde ze haar hand van zijn borst, rolde van hem weg, stapte uit bed en liep de gang in. Even later hoorde hij het ruisen van stromend water en de lage grom en het gesis van een geiser. Toen ze weer in de deuropening verscheen, had ze een kamerjas aan.

'Kom mee in bad,' zei ze.

Ze hoefde hem niet over te halen. Hij volgde haar naar de witbetegelde badkamer waar dampend water de porseleinen badkuip in stroomde. Ze liet de kamerjas vallen en stapte in het water terwijl hij sprakeloos toekeek. Hij had daar wel de hele nacht naar kunnen kijken. Haar beeld brandde zich in zijn netvlies: de kleine, hoge borsten; de twee vleugels van haar heupen; het zachte vlak van haar buik. En in het elektrische licht van de badkamer zag hij ook iets wat hij nog niet eerder had opgemerkt: een sikkelvormig litteken met vage puntjes van hechtingen, net boven de mooie, donkere driehoek van haar haar. Hij stapte naar voren om haar aan te raken. Hij streek met zijn hand over haar buik tot aan het litteken, dat hij met zijn vingers licht aanraakte.

'Het was een zware bevalling,' zei Klara. 'Uiteindelijk een keizersnede. Ik kon haar niet aan, toen ook al niet.'

Andras zag opeens een vijftienjarige Klara voor zich die op een metalen tafel wanhopig lag te persen. Een onwelkom beeld dat hem trof als een mokerslag. Zijn knieën werden slap en hij moest steun zoeken tegen de muur.

'Kom er ook in,' zei ze en gaf hem haar hand. Hij klom de badkuip in en liet zich in het water zakken. Ze pakte het washandje en waste hem van top tot teen; ze goot shampoo in haar handen en masseerde er zijn hoofdhuid mee. Toen vrijden ze nog een keer, langzaam, in het bad, en zij deed voor hoe hij haar moest aanraken, en hij besloot dat zijn leven voorbij was, dat hij nooit meer iets anders wilde doen dan dit. Toen waste hij haar zoals zij hem had gewassen, zonder een plekje over te slaan, en wankelden ze weer naar bed.

Op de volgende tien dagen had niets in zijn leven hem voorbereid. Later, in de donkerste momenten van de jaren daarna, zou hij steeds terugdenken aan die dagen en zichzelf voorhouden dat als hij zou sterven en de dood een vormloze stilte zou zijn in plaats van een ander, mooier leven, niemand hem die dagen met Klara Morgenstern kon afpakken.

Het stuk van Brecht werd tijdens de feestdagen niet gespeeld; Elisabet zou tot 2 januari in Chamonix blijven. Er werden geen balletlessen gegeven; de school was dicht tot na Nieuwjaar; Andras' vrienden waren voor de vakantie naar huis. Mevrouw Apfel was naar het huisje van haar schoondochter in Aix-en-Provence vertrokken. Er waren zelfs geen aanplakbiljetten meer die antijoodse bijeenkomsten aankondigden. Op alle uren van de dag waren de straten gevuld met mensen die inkopen deden of op weg waren naar feestjes. Klara was zelf ook voor een aantal feestjes uitgenodigd, maar die had ze allemaal afgezegd. Andras ging naar zijn koude zolderkamer om wat kleren en zijn schetsboeken op te halen, en trok in op de Rue de Sévigné.

Ze gingen eropuit om eten in te slaan: aardappelen voor aardappelpannenkoekjes, koude kip, brood, kaas, wijn, een rozijnencake. In een muziekwinkel in de Rue Montmartre kochten ze platen voor vijf franc per stuk: operettes, Amerikaanse jazz en balletmuziek. Met volle armen en een lege beurs keerden ze terug naar Klara's appartement en installeerden zich. Het was de eerste avond van Chanoeka. Ze maakten aardappelpannenkoekjes, waardoor de keuken zich vulde met de zware lucht van hete olie, en ze staken kaarsen aan. Ze vrijden in de keuken en in de slaapkamer en ook een keer, een beetje onhandig, op de trap. De volgende dag gingen ze schaatsen op de andere ijsbaan, die in het Bois de Boulogne, waar de kans klein was dat ze bekenden zouden tegenkomen. De felle kleuren van de schaatsers in het park staken vrolijk af tegen het grijs van de middag; in het midden van de baan was een stuk waar de meer geoefende schaatsers hun kunsten konden vertonen. Andras en Klara schaatsten tot hun lippen blauw zagen van de kou. Elke avond gingen ze samen in bad en elke ochtend werden ze wakker en bedreven ze de liefde. Andras werd op een ongelooflijke wijze ingewijd in de manieren waarop een mens genot kan ervaren. Als hij 's nachts wakker werd en aan Klara dacht, was hij stomverbaasd dat hij zich kon omdraaien en haar in zijn armen kon nemen. Hij verbaasde haar met zijn kookkunst, die hij van zijn moeder had afgekeken. Hij kon *palacsinta* maken, dunne eierpannenkoekjes met een vulling van chocola, jam of appel; hij kon *paprikás burgonya* en spätzle maken, en rodekool met karwijzaad. 's Middags sliepen ze lang en verrukkelijk. Ze vrijden midden op de dag op Klara's witte bed terwijl buiten ijskoude regen viel. Ze vrijden laat op de avond in de balletstudio, op kleden die ze hadden meegesleept van boven. Eén keer vrijden ze in een steegje, toen ze naar een café waren geweest.

Ze vierden oudejaarsavond bij de Bastille, samen met duizenden juichende Parijzenaars. Daarna dronken ze een fles champagne in de zitkamer en deden ze zich te goed aan paté, brood, kaas en augurkjes. Geen van tweeën wilde gaan slapen, in de wetenschap dat de volgende dag de laatste van die ongelooflijke reeks dagen zou zijn. Toen het licht werd, gingen ze niet naar bed, maar pakten ze hun jassen en hoeden om langs de rivier te gaan wandelen. De zon wierp zijn gouden stralen op de steunberen van de Notre-Dame; de straten waren vol met taxi's die slaperige feestvierders terug naar huis brachten. Ze zaten op een bankje in de dode tuin op het oostelijke puntje van Île St.-Louis en kusten elkaars ijskoude handen. Andras diepte uit zijn geheugen een gedicht van Marot op dat hij bij professor Vago had geleerd:

D'Anne qui luy jecta de la Neige

Anne (pui jeu) me jectu de lu Neige
Que je cuidoys froide certainement;
Mais estoit feu, l'experience en ay-je;
Car embrasé je fuz soubdainement.
Puis que le feu loge secretement
Dedans la Neige, où trouveray je place
Pour n'ardre point? Anne, ta seule grace
Estaindre peult le feu que je sens bien,
Non point par Eau, par Neige, ne par Glace,
Mais par sentir une feu pareil au mien.

En toen ze protesteerde tegen zestiende-eeuws Frans na een doorwaakte en met alcohol besprenkelde nacht, fluisterde hij een andere versie in haar oor, een spontane Hongaarse vertaling van die vurige uitwisseling tussen Marot en zijn vriendin: bij wijze van spel gooide Anne sneeuw naar hem, wat uiteraard heel koud was. Maar wat hij voelde was hitte, omdat zij hem omarmde. Als er vuur huisde in sneeuw, hoe kon hij dan voorkomen dat hij zich brandde? Alleen Anne kon die vlam onschadelijk maken. Niet met water, sneeuw of ijs, maar met een vuur dat even heet was als het zijne.

Toen hij die middag wakker werd, lag Klara naast hem, diep in slaap, met haar verwarde haar uitgespreid over de kussens. Hij stond op, trok zijn broek aan en waste zijn gezicht. Zijn hoofd klopte. Hij ruimde de resten van de zitkamerpicknick van de vorige avond op, zette koffie in de keuken, dronk langzaam een kop zwarte koffie en wreef over zijn slapen. Hij wou dat Klara wakker was, bij hem was, maar hij wilde haar niet wekken. Dus waste hij zijn kopje af en dwaalde in zijn eentje door het appartement. Hij liep door de lege eetkamer, waar ze voor het eerst samen het middagmaal gebruikt hadden; hij liep door de zitkamer, waar hij haar voor het eerst gezien had. Hij nam de badkamer met zijn wonderbaarlijke geiser waar ze zo uitvoerig hadden gebaad goed in zich op. Op de gang hield hij uiteindelijk halt voor de slaapkamer van Elisabet. Op hun zwerftochten door de kamers waren ze daar nooit geweest, maar nu duwde hij de deur open. De kamer van Elisabet was verrassend netjes; een slap rijtje jurken hing in de open klerenkast. Onderaan stonden twee paar bruine schoenen: karamelkleurige links, kastanjekleurige rechts. Op het dressoir stond een houten muziekdoos met geschilderde tulpen op het deksel. Een zilveren kam stond rechtop in de haren van een zilveren borstel. Een leeg parfumflesje stond geelgroen te glanzen. Hij opende de bovenste la: grijzig katoenen ondergoed en grijzige katoenen bustehouders. Een paar zakdoeken. Wat gerafelde haarlinten. Een gebroken rekenliniaal. Een helemaal uitgeknepen en opgerolde tube epoxyhars. Zes sigaretten omwonden door een strookje papier.

Hij sloot de la en ging zitten op het houten stoeltje naast het bed. Hij keek naar de gele sprei, naar de lappenpop die de wacht hield over de stille kamer, en bedacht hoe woedend Elisabet zou zijn als ze zou weten wat er in haar afwezigheid was gebeurd. Hoewel de gedachte heel stiekem iets van triomf in zich borg, was er ook angst; als ze erachter zou komen, zou ze het niet pikken, wist hij. Hij wist niet welk effect haar woede op haar moeder zou hebben, maar hij besefte heel goed dat de band tussen Klara en Elisabet heel wat sterker was dan het zo prille lijntje tussen hem en Klara. Elke keer dat ze vrijden, herinnerde het litteken op haar buik hem daaraan.

Hij draaide zich om, liep het kamertje uit en ging weer naar het omgewoelde bed waar Klara op lag te slapen. Ze lag in innige omarming met zijn kussen. Ze was naakt en haar benen zaten verstrikt in het dekbed. In het zilverachtige noorderlicht van die wintermiddag zag hij de kraaienpootjes rond haar ogen, de nauwelijks waarneembare sporen van haar leeftijd. Hij hield van haar, wilde haar, voelde zijn opwinding weer stijgen bij haar aanblik. Hij wist dat hij zijn leven zou geven om haar te beschermen. Hij wilde haar meenemen naar Boedapest en de vreselijke wond helen die haar daar was toegebracht. Hij wilde haar de salon van dat huis aan de Benczúr utca zien binnenlopen om haar handen in die van haar moeder te leggen. Zijn ogen brandden bij de gedachte dat hij nog maar tweeëntwintig was, een student die niets substantieels voor haar kon doen. Het leven dat ze de afgelopen tien dagen hadden geleid, was niet hun normale leven geweest. Ze hadden niet gewerkt, hadden alleen maar voor zichzelf hoeven zorgen en hadden niet veel geld nodig gehad. Maar geld was een eeuwigdurende zorg voor hem. Het zou nog jaren duren voor hij een vast inkomen zou hebben. Als zijn studie volgens plan zou verlopen, zou het nog vierenhalf jaar duren voordat hij architect was. En hij had al lang genoeg geleefd en genoeg tegenslag gekend om te weten dat dingen zelden volgens plan verliepen.

Hij raakte haar schouder aan. Ze opende haar grijze ogen en keek naar hem. 'Wat is er?' zei ze. Ze ging rechtop zitten en trok het dekbed tegen zich aan. 'Wat is er gebeurd?'

'Er is niets gebeurd,' zei hij terwijl hij naast haar ging zitten. 'Ik zat alleen maar te denken over hoe het nu verder moet.'

'O, Andras,' zei ze met een slaperige glimlach. 'Dat niet. Dat is op dit moment het laatste waar ik aan denken wil.'

Zo was het de afgelopen week iedere keer gegaan als een van hen het onderwerp ter sprake had gebracht; ze hadden het opzijgeschoven en verdreven met steeds weer nieuwe toppen van genot. Dat was niet zo heel moeilijk; hun echte levens waren een stuk minder echt gaan lijken dan het leven dat ze samen in de Rue de Sévigné leidden. Maar nu zat hun tijd er bijna op. Ze konden het onderwerp niet langer vermijden.

'We hebben nog zes uur,' zei hij. 'Dan begint ons leven weer.'

Ze sloeg haar armen om hem heen. 'Ik weet het.'

'Ik wil alles met jou delen,' zei hij. 'Een echt leven. God sta me bij! Ik wil 's nachts naast je liggen, elke nacht. Ik wil een kind met jou.' Hij had deze dingen nog nooit hardop gezegd; terwijl hij sprak, voelde hij het bloed naar zijn hoofd stijgen.

Klara was lange tijd stil. Ze liet haar armen vallen, ging tegen de kussens zitten en legde haar hand in de zijne. 'Ik heb al een kind,' zei ze.

'Elisabet is geen kind meer.' Maar die kwetsbare schoenen onder in de kast dan? En die beschilderde doos op het dressoir? En die verborgen sigaretten?

'Ze is mijn dochter,' zei Klara. 'Voor haar heb ik de afgelopen zestien jaar geleefd. Ik kan niet zomaar een ander leven beginnen.'

'Ik weet het. Maar ik kan ook niet meer zonder je.'

'Toch zou dat misschien het beste zijn,' zei ze en keek weg. Ze zei het bijna fluisterend. 'Misschien kunnen we er maar het beste mee stoppen. Anders zou ons echte leven het misschien verpesten.'

Maar wat voor leven zou hij zonder haar hebben, nu hij wist hoe het was om bij haar te zijn? Hij wilde huilen of haar bij haar schouders pakken en door elkaar schudden. 'Heb je dat al die tijd al gedacht?' zei hij. 'Dat dit een lolletje was? Dat het voorbij zou zijn als het gewone leven weer begon?'

'Ik heb er niet over nagedacht,' zei ze. 'Dat wilde ik niet. Maar nu moeten we wel.'

Hij stapte uit bed en pakte zijn overhemd van een stoel. Hij kon haar niet aankijken. 'Waarom zouden we?' zei hij. 'Je hebt toch al besloten dat het onmogelijk is.'

'Andras, alsjeblieft,' zei ze. 'Ga nou niet weg.'

'Waarom zou ik blijven?'

'Wees niet boos op me. Ga niet zo weg.'

'Ik ben niet boos,' zei hij. Maar hij kleedde zich aan, pakte zijn koffer van onder het bed en begon de paar kledingstukken in te pakken die hij uit de Rue des Écoles had meegenomen.

'Er zijn dingen die je niet van me weet,' zei ze. 'Dingen waar je misschien van zou schrikken, dingen die je gevoelens voor mij zouden kunnen veranderen.'

'Inderdaad,' zei hij. 'En er is ook heel veel wat je niet van mij weet. Maar wat maakt dat nog uit?'

'Doe niet zo naar tegen me,' zei ze. 'Ik ben net zo ongelukkig als jij.'

Hij wilde geloven dat het waar was, maar dat kon gewoon niet; hij had zich helemaal blootgegeven en zij had zich van hem afgewend. Hij stopte de laatste spullen in de koffer, klikte de sluitingen dicht, liep de gang op en pakte zijn jas van de kapstok. Ze volgde hem tot boven aan de trap, met blote voeten en blote schouders. Het laken hing nog om haar heen als bij een Grieks standbeeld. Hij knoopte zijn jas dicht. Hij kon niet geloven dat hij de trap af en de deur uit zou lopen zonder te weten wanneer hij haar weer zou zien. Hij legde een hand op haar arm. Raakte haar schouder aan. Trok aan een hoekje van het laken zodat het van haar lijf viel. Naakt stond ze daar voor hem in de donkere gang. Hij kon niet naar haar kijken, kon haar niet aanraken of zoenen. En dus deed hij wat een ogenblik eerder nog onvoorstelbaar had geleken: hij liep de trap af, bekeken door al die danseresjes in hun etherische pakjes, opende de deur en liet haar achter.

II

Gebroken glas

12

Wat er in het atelier gebeurde

Op de eerste maandag van januari begonnen de lessen weer met een intensieve ontwerpsessie van twee dagen. Binnen achtenveertig uur moesten ze een zelfstandige woning ontwerpen van vijftig vierkante meter, met een verplaatsbare muur, twee ramen, een badkamertje en een keukentje. Ze moesten een tekening van de gevel, een vloerplan en een maquette inleveren. Achtenveertig uur waarin iedere student die het project serieus nam niet zou eten, slapen of het atelier zou verlaten. Andras gebruikte de druk om het project op tijd af te krijgen als een roesmiddel om zijn tien dagen met Klara even te vergeten. Hij boog zich over het vlak van zijn tekentafel en transformeerde het tot het landschap van zijn geest. De beoordeling van zijn Gare d'Orsay had haar sporen achtergelaten; hij nam zich plechtig voor zich niet meer te laten vernederen ten overstaan van zijn medeleerlingen, van die zelfvoldane Lemarque en de ouderejaars. Tegen het eind van zijn dertigste doorwaakte uur ontdekte hij dat hij in grote lijnen het huis van zijn ouders in Konyár had getekend, maar dan met één slaapkamer in plaats van twee, met een badkamer in plaats van de teil en de buiten-wc, en met een modern keukentje. Eén buitenmuur was verplaatsbaar geworden; 's zomers kon hij geopend worden om het huis te verbinden met de tuin. De gevel was strak en wit en had een groot raam met veel glasroeden. In zijn tweede doorwaakte nacht tekende hij een halfronde verplaatsbare muur; als hij geopend werd, ontstond er een schaduwrijk hoekje. Hij tekende een stenen bank in de tuin en een ronde, spiegelende vijver. Het huis van zijn ouders omgebouwd tot buitenhuisje. Hij was bang dat het nergens op sloeg, dat iedereen het meteen zou ontmaskeren als het ontwerp van een Hajdú-jongen, grof en primitief. Hij leverde het op het laatste moment in en ontving er tot zijn verrassing een goedkeurend knikje en een dichtbeschreven alinea vol lof van Vago voor, en de schoorvoetende goedkeuring van zelfs de meest kritische vijfdejaars.

Bij het theater werd *De moeder* geschrapt en begonnen de audities voor Lope de Vega's *Fuente Ovejuna*. Ondanks de smeekbedes van Zoltán Novak wilde madame Gérard niet meespelen in het nieuwe stuk; ze had bij het Théâtre des Ambassadeurs de rol van Lady Macbeth aangeboden gekregen en Novak kon niet betalen wat ze daar zou krijgen. Andras was opgelucht dat ze spoedig zou vertrekken. Hij kon niet naar haar kijken zonder aan Klara te denken, zonder zich af te vragen of madame Gérard wist wat er gebeurd was. De dag voordat ze naar het Théâtre des Ambassadeurs vertrok, hielp Andras haar met het inpakken van haar spullen: haar Chinese kimono, haar theespulletjes, haar schmink en talloze brieven, kaartjes en cadeautjes van fans. Terwijl ze bezig waren vertelde ze hem over de acteurs van haar nieuwe toneelgezelschap. Twee ervan hadden in Amerikaanse films gespeeld en één had samen met Helen Hayes in *De misstap van Madelon Claudet* gestaan. Hij had moeite om zijn aandacht erbij te houden. Hij wilde haar vertellen wat er gebeurd was. Hij had het aan niemand verteld, zelfs niet aan zijn vrienden op school. Op de een of andere manier zou dat het minder hebben gemaakt, zou dat het reduceren tot iets oppervlakkigs, een bevlieging. Maar madame Gérard kende Klara; zij zou weten wat het betekende. Misschien zou ze zelfs wat hoop kunnen bieden. Dus sloot hij de deur van de kleedkamer en biechtte hij alles op, met uitzondering van de brief.

Madame Gérard hoorde zijn verhaal met een ernstig gezicht aan. Toen hij uitgesproken was, stond ze op en begon ze heen en weer te lopen over het groene kleed dat voor de kleedkamerspiegel lag, alsof ze zich een monoloog probeerde te herinneren. Op het laatst draaide ze zich naar hem toe en legde ze haar handen op de rugleuning van haar opmaakstoel. 'Ik wist het,' zei ze. 'Ik wist het en ik had er iets van moeten zeggen. Toen ik jullie in het Bois de Vincennes zag, wist ik het. Je gaf niets om dat meisje. Je had alleen maar oog voor Klara. Ik moet toegeven,' zei ze wegkijkend en met een spijtig lachje, 'dat ik ondanks mijn leeftijd toch een beetje jaloers was. Maar ik had nooit gedacht dat je de daad bij het woord zou voegen.'

Andras wreef met zijn handpalmen over zijn benen. 'Dat had ik beter niet kunnen doen,' zei hij.

'Het is goed dat zij er een eind aan gemaakt heeft,' zei madame Gérard. 'Ze wist dat het niet in de haak was. Ze had je uitgenodigd als potentiële vriend voor haar dochter. Je had moeten wegblijven toen je besefte dat je niks voor Elisabet voelde.'

'Toen was het al te laat,' zei hij. 'Ik kon niet meer terug.'

'Je kent Klara niet,' zei madame Gérard. 'Dat kan ook niet na een paar zondagse lunches en een affaire van een week. Ze heeft nog nooit een man gelukkig gemaakt. Ze heeft genoeg kansen gehad om verliefd te worden – en het spijt me wel, maar dan heb ik het over volwassen mannen en niet over eerstejaars bouwkundestudenten. Geloof me, ze heeft heel wat bewonderaars gehad. Als ze een man ooit serieus zal nemen, doet ze dat met het oog op een huwelijk – en dan bedoel ik dat ze iemand zoekt die haar leven wat makkelijker kan maken, haar kan beschermen. En jij, lieve jongen, bent daar absoluut niet toe in staat.'

'Daar hoeft u me niet aan te herinneren.'

'Kennelijk is dat toch wel nodig!'

'Maar hoe nu verder?' vroeg hij. 'Ik kan niet doen alsof er niks gebeurd is.'

'Waarom niet? Het is voorbij tussen jullie. Dat heb je zelf gezegd.'

'Voor mij is het niet voorbij. Ik kan haar niet uit mijn hoofd zetten.'

'Ik zou het toch maar proberen,' zei madame Gérard. 'Voor je eigen bestwil.'

'Is dat het advies? Dat ik haar moet vergeten?'

'Dat zou het beste zijn.'

'Onmogelijk,' zei hij.

'Arme jongen,' zei madame Gérard. 'Het spijt me. Maar je komt er wel overheen. Je bent nog jong.' Ze ging weer door met inpakken en stopte haar goud- en zilverkleurige schminkstiften in een doos met tientallen kleine laatjes. Ze glimlachte in zichzelf; ze draaide een tube rouge tussen haar vingers en keek hem aan. 'Nu Klara je aan de dijk heeft gezet, ben je toegetreden tot een illuster gezelschap, weet je dat? De meeste mannen bereiken dat punt niet eens.'

'Alstublieft,' zei hij. 'Ik wil niet dat er zo over haar gepraat wordt.'

'Het is de vader van haar dochter. Ik denk dat ze nog steeds van hem houdt.'

'De vader van Elisabet,' zei hij. 'Zit hij hier in Parijs? Gaat ze nog met hem om?'

'O, nee. Hij is al heel wat jaren dood, naar ik heb begrepen.

Maar zoals je misschien nog wel zult merken, staat de dood de liefde niet in de weg.'

'Wie was het?'

'Dat weet ik helaas niet. Klara laat niets los over haar verleden.'

'Dus het is een hopeloze zaak. Ik moet haar vergeten omdat ze verliefd is op een man die al dood is.'

'Laat het zijn wat het was: een mooi avontuur. Het bevredigen van een wederzijdse nieuwsgierigheid.'

'Voor mij was dat het niet.'

Ze keek naar hem op en glimlachte nogmaals, die verschrikkelijke, alleswetende glimlach. 'Ik vrees dat ik niet de juiste persoon ben om liefdesadviezen te geven. Tenzij je graag beroofd wordt van al je romantische idealen.'

'Dan hoop ik dat u het goedvindt dat ik u niet langer stoor.'

'Je hoeft je niet te excuseren, m'n lieve jongen.' Ze stond op, kuste hem op beide wangen en liet hem uit. Het enige wat hij kon doen, was doorgaan met zijn werk; hij deed het in stille ontzetting en had spijt dat hij haar in vertrouwen had genomen.

Er gebeurde ook iets heel fijns, een telegram uit Boedapest met ongelooflijk nieuws: Tibor kwam op bezoek. De colleges in Modena begonnen eind januari en voor hij naar Italië ging, zou hij nog een week naar Parijs komen. Toen Andras het telegram ontving, had hij het nieuws door het trappenhuis laten schallen, zo hard dat de conciërge de gang op was gekomen om hem te manen de andere bewoners niet te storen. Hij onderbrak haar door haar een zoen op haar voorhoofd te geven en haar het telegram te laten zien: Tibor kwam! Tibor, zijn oudere broer. De conciërge sprak de hoop uit dat zijn oudere broer hem met harde hand wat manieren zou bijbrengen en liet hem in de gang achter met zijn vreugde. Andras had het in zijn brieven aan Tibor niet over Klara gehad, maar hij had het gevoel dat Tibor het wist – dat Tibor gevoeld had dat Andras het moeilijk had en dat hij daarom besloten had om te komen.

Het vooruitzicht van zijn bezoek – nog drie weken, nog twee, nog één – gaf hem de kracht om van huis naar school te gaan, en van school naar zijn werk. Nu *De moeder* niet meer opgevoerd werd en madame Gérard vertrokken was, kropen de middagen in het Sarah-Bernhardt voorbij. Hij had alles achter het toneel zo goed georganiseerd dat er tijdens de repetities weinig te doen was; achter het gordijn liep hij maar te ijsberen, steeds banger dat Monsieur Novak zou ontdekken dat hij overbodig was. Nadat hij op een middag een vracht hout voor het decor van *Fuente Ovejuna* in ontvangst had genomen, stapte hij op de eerste timmerman af en bood zijn diensten aan als decorbouwer. De eerste timmerman zette hem aan het werk. Hele middagen timmerde hij zetstukken in elkaar; na zijn dienst bestudeerde hij het ontwerp van de nieuwe decors. Dit was een ander soort architectuur, waarbij alles draaide om illusie en schone schijn: gebruik van perspectief om ruimtes dieper te laten lijken, verborgen deuren waardoor acteurs konden verschijnen of verdwijnen, stukken die omgedraaid of binnenstebuiten gekeerd konden worden om nieuwe decors te creëren. Als hij 's avonds in bed lag, begon hij na te denken over het decorontwerp om zijn gedachten af te leiden van Klara. Hij bedacht dat de nepgevels van het Spaanse stadje op wielen gezet konden worden en dan omgedraaid; aan de achterkant konden dan de interieurs van de gebouwen worden geschilderd. Hij maakte een paar schetsen om te laten zien hoe dat uitgevoerd zou kunnen worden. Daarna maakte hij er bouwtekeningen van. In zijn tweede week als assistent-decorbouwer liet hij zijn werk aan de eerste timmerman zien. De timmerman vroeg of hij dacht dat het geld hem op de rug groeide. Andras vertelde hem dat het minder zou kosten dan twee aparte decors voor de gevels en de interieurs. De timmerman krabde zich achter het oor en zei dat hij het zou bespreken met de decorontwerper. De decorontwerper, een lange, breedgeschouderde man met een slordige snor en een monocle, bestudeerde de tekeningen nauwgezet en vroeg Andras waarom hij nog als manusje-van-alles werkte. Wilde hij geen baan waarmee hij drie keer zoveel zou verdienen? De decorontwerper had een eigen zaak in de Rue des Lombards en had altijd wel een assistent in dienst, maar de laatste was net afgestudeerd aan de Beaux-Arts en had werk buiten de stad gevonden.

Andras had wel oren naar die baan. Maar Zoltán Novak had zijn leven gered; hij kon het Sarah-Bernhardt niet in de steek laten. Hij nam het visitekaartje van de man aan en staarde er de hele avond naar: wat moest hij doen?

De volgende middag ging hij naar het kantoor van Novak om de zaak te bespreken. Het bleef lang stil nadat hij geklopt had. Toen hoorde hij het geluid van ruziënde mannenstemmen; de deur vloog open en twee in krijtstreeppak gestoken mannen met aktetassen kwamen tevoorschijn, rood aangelopen, alsof ze van Novak de wind van voren hadden gekregen. De mannen zetten hun hoed op en liepen langs Andras alsof hij er niet stond. In het kantoor stond Novak achter zijn bureau met zijn handen op het vloeiblad de mannen na te kijken. Toen ze verdwenen waren, kwam hij achter zijn bureau vandaan en schonk hij zich een glas whisky in uit de karaf die op de dientafel stond. Hij keek over zijn schouder naar Andras en wees naar een glas. Andras maakte een afwerend gebaar en schudde zijn hoofd.

'Alsjeblieft,' zei Novak. 'Ik sta erop.' Hij schonk hem een glas whisky in en deed er water bij.

Andras had Novak nog nooit zo vroeg zien drinken. Hij nam het glas aan en liet zich op een van de oude leren stoelen zakken.

'Egéségedre,' zei Novak. Hij hief zijn glas, dronk het leeg en zette het op het vloeiblad. 'Kun je raden wie daar net wegliepen?'

'Nee,' zei Andras. 'Maar ze keken behoorlijk grimmig.'

'Dat zijn de mannen van het geld. De mensen die het stadsbestuur altijd hebben overgehaald om ons niet te sluiten.'

'En?'

Novak leunde achterover in zijn stoel en vouwde zijn handen ineen tot een berg. 'Vijfenzeventig mensen,' zei hij. 'Zo veel moet ik er vandaag ontslaan volgens die twee. Waaronder mijzelf, en jou.'

'Maar dat is iedereen,' zei Andras.

'Precies,' zei hij. 'Ze gooien ons dicht. We zijn hier in elk geval tot het volgende seizoen klaar. Ze kunnen ons niet meer steunen, ook al hebben we de hele herfst met winst gedraaid. De moeder was in Parijs het best lopende stuk, weet je dat? Maar het was niet genoeg. Dit theater is een bodemloze put. Weet je wat het kost om een ruimte van vijf verdiepingen te verwarmen?'

Andras nam een slok whisky en voelde hoe de valse warmte door zijn borst trok. 'Wat gaat u doen?' vroeg hij.

'Wat ga jíj doen?' zei Novak. 'En wat gaan de acteurs doen? En madame Courbet? En Claudel, en Pély, en alle anderen? Het is een ramp. En het blijft niet beperkt tot ons. Ze sluiten vier theaters.' Hij leunde achterover in zijn stoel en streek met één vinger over zijn snor terwijl zijn blik langs de boekenplanken gleed. 'Ik weet eigenlijk nog niet wat ik ga doen. Madame Novak is in blijde verwachting, zoals dat heet. Ze verlangt heel erg naar haar ouders in Boedapest. Ze zal dit wel als een teken zien dat we weer terug moeten.'

'Maar u blijft liever,' zei Andras.

Novak liet een zucht ontsnappen uit zijn machtige borst. 'Ik begrijp hoe Edith zich voelt. We zijn hier niet thuis. We hebben ons hier een plekje veroverd, maar niets is van ons. Uiteindelijk zijn we toch Hongaren en geen Fransen.'

'Toen ik u in Wenen ontmoette, vond ik u een echte Parijzenaar.'

'Zo groen was je toen nog,' zei Novak met een droeve glimlach. 'Maar wat ga jij doen? Je moet toch je studiekosten betalen.'

Andras vertelde hem over het aanbod van de decorontwerper, monsieur Forestier, en zei dat hij naar Novak was gekomen voor advies.

Novak bracht zijn handen bijeen in een applaus van één klap. 'Het zou heel jammer zijn geweest als ik je kwijt was geraakt,' zei hij. 'Maar het is echt een buitenkans, en precies op tijd. Natuurlijk moet je het doen.'

'Ik kan u niet genoeg bedanken voor wat u hebt gedaan,' zei Andras.

'Je bent een goeie vent. Je hebt hier hard gewerkt. Ik heb er nooit spijt van gehad dat ik je heb aangenomen.' Hij nam een laatste slok en duwde het lege glas van zich af. 'Wil je me even bijvullen? Ik moet de anderen het nieuws gaan vertellen. Ik hoop dat je morgen wel komt werken. Het wordt nog een hele klus om de boel hier af te sluiten. Je moet Forestier zeggen dat je pas de volgende maand kunt beginnen.'

'Morgen ben ik er gewoon weer,' zei Andras.

Hij ging die avond naar huis met een angstig, leeg gevoel in zijn borst. Geen Sarah-Bernhardt meer. Geen monsieur Novak. Geen Claudel, geen Pély; geen Marcelle Gérard meer. En geen Klara meer, geen Klara. De harde witte schaal van zijn leven was lekgeprikt en leeggeblazen. Licht was hij nu en leeg, een windei. Licht en leeg werd hij door de januariwind naar huis geblazen. In de Rue des Écoles beklom hij de eindeloze trap – hoeveel treden waren het, honderden? – met het gevoel dat hij de energie niet meer had om zijn studieboeken te bekijken, zelfs geen energie meer om zijn gezicht te wassen en zijn pyjama aan te trekken. Hij wilde alleen maar met broek, schoenen en jas aan in bed gaan liggen, het dekbed over zijn hoofd trekken en zo de nieuwe morgen afwachten. Maar boven aan de trap zag hij een streepje licht onder zijn deur vandaan komen, en toen hij zijn hand op de deurknop legde, merkte hij dat de deur niet op slot zat. Hij duwde de deur open en liet hem naar binnen zwaaien. Vuur in de haard; brood en wijn op tafel; in de enige stoel met een boek in haar handen: Klara.

'*Te*,' zei hij. Jij.

'En jij,' zei zij.

'Hoe ben je binnengekomen?'

'Ik heb de conciërge wijsgemaakt dat je jarig was. Ik zei dat ik je wilde verrassen.'

'En wat heb je je dochter verteld?'

Ze keek omlaag naar het omslag van haar boek. 'Ik heb gezegd dat ik naar vrienden ging.'

'Wat jammer dat dat niet waar was.'

Ze stond op, liep op hem toe en legde haar handen op zijn armen. 'Alsjeblieft, Andras,' zei ze. 'Zeg dat soort dingen nou niet.'

Hij keerde zich van haar af en ontdeed zich van zijn jas, zijn sjaal. Het leek een eeuwigheid te duren voordat hij weer wat kon zeggen; hij liep naar de haard, legde zijn armen over elkaar en keek naar de wankele piramide van gloeiende kolen. 'Het was al erg genoeg dat ik niet wist of ik je ooit nog zou zien,' zei hij. 'Ik hield mezelf voor dat het uit was, maar ik kon mezelf niet overtuigen. Uiteindelijk heb ik Marcelle in vertrouwen genomen. Zij was zo vriendelijk me mee te delen dat ik niet de enige was. Ze zei dat ik was toegetreden tot een illuster gezelschap van door jou aan de dijk gezette mannen.'

Haar grijze ogen werden donker. 'Aan de dijk gezet? Is dat wat ik volgens jou heb gedaan?'

'Aan de dijk gezet, afgedankt, de bons gegeven. Het maakt niet uit hoe je het noemt.'

'We kwamen tot de conclusie dat het onmogelijk was.'

'Jij kwam tot die conclusie.'

Ze ging naar hem toe en streek met haar handen over zijn armen. Toen ze naar hem opkeek, zag hij tranen in haar ogen. Tot zijn afgrijzen begonnen zijn eigen ogen ook te prikken. Dit was Klara, wier naam hij vanuit Boedapest had meegedragen; Klara wier stem hij hoorde in zijn slaap.

'Wat wil je?' zei hij in haar haar. 'Wat moet ik doen?'

'Ik voel me zo ellendig,' zei ze. 'Ik kan het niet loslaten. Ik wil je leren kennen, Andras.'

'En ik jou,' zei hij. 'Ik hou niet van geheimzinnigheid.' Maar terwijl hij dat zei, besefte hij dat die geheimzinnigheid haar juist zo aantrekkelijk maakte; er lag een kwellende uitdaging in haar verborgenheid, in de kamers die voor hem nog gesloten waren gebleven.

'Je moet geduld met me hebben,' zei ze. 'Geef me de tijd om je te vertrouwen.'

'Ik kan geduldig zijn,' zei hij. Hij had haar zo dicht naar zich toe getrokken dat hij de scherpe bogen van haar heupen tegen zich aan voelde drukken; hij wilde zijn handen in haar lijf boren en haar bij haar botten pakken. 'Claire Morgenstern,' zei hij. 'Klárika.' Ze zou zijn ondergang worden, bedacht hij. Maar haar wegsturen was net zo ondenkbaar als architectuur zonder geometrie of januari zonder kou of zijn raam zonder het uitzicht op de winterse lucht. Hij boog zich voorover en kuste haar. En toen nam hij haar voor het eerst in zijn eigen bed.

Toen hij de volgende ochtend naar buiten stapte, trof hij daar een andere wereld. De matheid van de weken zonder haar was verdwenen. Hij was weer mens geworden, voelde zijn vlees en bloed weer, en ook het hare. Alles schitterde oogverblindend in de winterzon; elk detail van de straat drong zich aan hem op alsof hij het voor het eerst zag. Als hij naar de lindebomen voor zijn huis keek, begreep hij niet dat hij niet had gezien hoe het licht van boven op de kale takken viel, uit elkaar spatte op de natte stoeptegels en wit fonkelde op de gepoetste koperen deurknoppen in de straat. Hij genoot van het krachtige klakken van zijn schoenzolen op de stoep, werd verliefd op de ijswaterval in de bevroren fontein van het Luxembourg. Hij voelde de behoefte iemand luidkeels te bedanken voor die prachtige lange Boulevard Raspail waarvan hij de rij huizen uit de Haussmann-periode elke dag passeerde op weg naar de blauwe deuren van de École Spéciale. Hij was wég van de verlaten, door winters zonlicht beschenen binnenplaats met zijn lege groene bankjes, zijn berijpte gazon en zijn door gesmolten sneeuw nat geworden wandelpaden. Een gespikkelde vogel op een tak sprak haar naam perfect uit: Klara, Klara.

Hij rende de trap op naar het atelier en zocht tussen de papieren naar de bouwtekeningen die hij samen met Polaner gemaakt had. Hij wilde ze nog even bestuderen voordat hij zich bij Vago zou melden voor zijn dagelijkse matineuze lesje Frans. Maar de tekeningen waren weg; Polaner had ze zeker mee naar huis genomen. Daarom pakte hij maar het leerboek met bouwkundige termen waar hij die ochtend met Vago uit zou werken. Hij rende de trap af om nog even naar de wc te gaan. Hij duwde de deur open naar het holle duister en tastte naar de lichtknop. Van de andere kant van de ruimte klonk een zacht, hijgend gekreun.

Andras knipte het licht aan. Op de betonnen vloer, tegen de muur, voorbij de urinoirs en de wastafels, lag iemand opgerold in de vorm van een G. Een klein lichaam, van een man, in een fluwelen jasje. Naast hem een stapeltje tekeningen, gekreukt en vertrapt.

'Polaner?'

Weer dat geluid. Een hijgende kreun. En dan zijn eigen naam.

Andras ging naar hem toe en knielde naast hem op het beton. Polaner keek niet naar Andras, misschien kon hij het niet. Zijn gezicht was één grote blauwe plek, zijn neus was gebroken, zijn ogen waren verborgen onder paars vlees. Hij hield zijn knieën stijf tegen zijn borst.

'Mijn god,' zei Andras. 'Wat is er gebeurd? Wie heeft dit gedaan?'

Geen antwoord.

'Blijf liggen,' zei Andras terwijl hij wankelend opstond. Hij draaide zich om en rende de deur uit, de binnenplaats over en de trap op naar de kamer van Vago. Hij viel binnen zonder te kloppen.

'Lévi, wat is dit?'

'Eli Polaner is half doodgeslagen. Hij ligt in de wc beneden.'

Ze renden de trap af. Vago probeerde Polaner over te halen zich te laten onderzoeken, maar Polaner bleef stijf opgerold liggen. Andras smeekte hem. Toen Polaner zijn armen voor zijn gezicht weghaalde, snakte Vago even naar adem. Polaner begon te huilen. Een van zijn ondertanden was eruit geslagen en hij spuugde bloed op het beton.

'Blijf hier, allebei,' zei Vago. 'Ik bel een ambulance.'

'Nee,' zei Polaner. 'Geen ambulance.' Maar Vago was de binnenplaats al op gerend. De deur sloeg achter hem dicht.

Polaner rolde op zijn rug en liet zijn armen zakken. Onder het fluwelen jasje was zijn overhemd opengescheurd. Er stond iets op zijn borst geschreven in zwarte inkt.

Feygele. Een joodse flikker.

Andras voelde aan het gescheurde hemd, aan het woord. Polaner kromp ineen.

'Wie was het?' zei Andras.

'Lemarque,' zei Polaner. Toen mompelde hij nog iets, een zinnetje dat Andras niet helemaal kon verstaan en ook niet kon vertalen: *'J'étais coin...'*

'*Tu étais quoi?*'

'*J'étais coincé*,' zei Polaner en herhaalde het tot Andras het begreep. Ze hadden hem in de val gelokt. Misleid. Fluisterend: 'Sprak gisteravond hier met me af. En kwam toen met drie anderen.'

'Hier 's avonds met hem afspreken?' zei Andras. 'Om aan die tekeningen te werken?'

'Nee.' Polaner keek hem met zijn paarse gezwollen ogen aan. 'Niet om te werken.'

Feygele.

Het duurde even voor hij het begreep. Elkaar 's avonds ontmoeten: een rendez-vous. Dus dit was de reden dat de dames van Parijs hem koud lieten, en niet dat meisje in Polen, zijn gedroomde verloofde die hem die brieven had gestuurd.

'O, god,' zei Andras. 'Ik vermoord hem. Ik sla zijn tanden uit zijn bek.'

Vago kwam de deur binnen met een verbanddoos. Een groep studenten verdrong zich in de deuropening achter hem. 'Ga weg,' riep hij over zijn schouder, maar de studenten bleven staan. Vago's wenkbrauwen fronsten zich in een scherpe v. 'Nu!' bulderde hij, en de studenten weken achteruit, fluisterend met elkaar. De deur sloeg dicht. Vago knielde naast Andras neer en legde een hand op de schouder van Polaner.

'De ambulance komt eraan,' zei hij. 'Het komt goed.'

Polaner hoestte, spuwde bloed. Hij probeerde met één hand zijn overhemd dicht te houden, maar het lukte hem niet; zijn arm viel op de betonnen vloer.

'Vertel het hem,' zei Andras.

'Wat?' zei Vago.

'Wie dit heeft gedaan.'

'Een medestudent?' vroeg Vago. 'Die zal disciplinair gestraft worden. Hij wordt van school gestuurd. We doen aangifte.'

'Nee, nee,' zei Polaner. 'Als mijn ouders het te weten komen...'

Nu zag Vago het woord dat op Polaners borst was gekalkt. Hij week achteruit en bracht zijn hand naar zijn mond. Lange tijd bleef het stil. 'Goed,' zei hij uiteindelijk. 'Goed.' Hij duwde de rafels van Polaners hemd opzij om beter naar zijn verwondingen te kijken; Polaners borst en buik zaten onder de blauwe plekken. Andras durfde bijna niet te kijken. Hij was misselijk en moest zijn hoofd even tegen een wastafel leggen. Vago trok zijn eigen jasje uit en legde het over de borst van Polaner. 'Goed,' zei hij. 'Je gaat nu naar het ziekenhuis en daar zorgen ze voor je. De rest komt later wel.'

'Onze tekeningen,' zei Polaner en raakte de verkreukelde velletjes tekenpapier aan.

'Maak je daar niet druk over,' zei Vago. 'Dat komt wel goed.' Hij pakte de tekeningen op en overhandigde ze voorzichtig aan Andras, alsof er ook maar enige kans was dat ze nog gered konden worden. Toen buiten de bel van de ambulance klonk, rende hij de deur uit om de ziekenbroeders de weg te wijzen. Twee mannen in witte uniformen brachten een brancard de wc in; toen ze Polaner erop tilden, viel hij flauw van de pijn. Andras hield de deur open toen ze hem de binnenplaats op droegen. Buiten had zich een menigte verzameld. Het nieuws had zich snel verspreid onder de studenten die gearriveerd waren voor de ochtendcolleges. De ziekenbroeders moesten zich een weg door de menigte banen toen ze met Polaner over het stenen pad reden.

'Er is niets te zien,' riep Vago. 'Ga naar de les.' Maar er waren nog geen lessen; het was pas kwart voor acht. Iedereen bleef toekijken tot Polaner in de ambulance verdwenen was. Andras stond bij de deur naar de binnenplaats en hield de prop tekeningen van Polaner in zijn hand alsof het een gewond dier was. Vago legde een hand op zijn schouder.

'Kom mee naar mijn kamer,' zei hij.

Andras draaide zich om om hem te volgen. Hij wist dat dit dezelfde binnenplaats was die hij eerder die ochtend had overgestoken, met hetzelfde berijpte gras, dezelfde groene bankjes en dezelfde zonbeschenen natte paden. Hij wist het, maar hij kon niet meer zien wat hij daarvoor had gezien. Het verbijsterde hem dat de wereld die schoonheid voor deze lelijkheid kon inruilen, en dat in een tijdsbestek van een kwartier.

In zijn kamer vertelde Vago Andras over de andere gevallen. Afgelopen februari had iemand de Duitse woorden voor *tuig* en *varkens* op de eindopdrachten van een groep joodse vijfdejaars gestencild, en in het voorjaar daarna was een student uit Ivoorkust 's avonds uit het atelier gesleurd en op de begraafplaats achter de school in elkaar geslagen. Ook bij die student was een racistisch getinte belediging op zijn borst gekalkt. Maar de daders waren nooit opgespoord. Als Andras informatie had, zou hij iedereen daarmee een dienst bewijzen.

Andras aarzelde. Hij zat op de kruk waar hij altijd op zat en wreef met zijn duim over het zakhorloge van zijn vader. 'Wat gebeurt er als ze gepakt worden?'

'Dan worden ze ondervraagd, nemen we disciplinaire maatregelen en doen we aangifte.'

'En dan doen hun vrienden iets nog ergers. Dan weten ze dat Polaner hen verlinkt heeft.'

'En als we niets doen?' zei Vago.

Andras liet het horloge in de holte van zijn zak vallen. Hij probeerde zich voor te stellen wat zijn vader in zo'n situatie zou doen. Hij probeerde zich voor te stellen wat Tibor hem zou aanraden. Het was volkomen duidelijk: ze zouden zijn aarzeling allebei laf vinden.

'Polaner noemde Lemarque,' zei hij. Hij zei het nauwelijks hoorbaar en herhaalde de naam, nu wat harder. 'Lemarque en een paar anderen. Ik weet niet wie.'

'Fernand Lemarque?'

'Dat zei Polaner.' En hij vertelde Vago alles wat hij wist.

'Goed,' zei Vago. 'Ik ga het met Perret bespreken. Ondertussen' – hij opende het boek met bouwkundige termen op de pagina die over de verticale *poinçons*, de ondersteunende *contre-fiches* en de op ribben lijkende *arbalétriers* van dakconstructies ging – 'blijf jij hier studeren,' zei hij, en hij liet Andras alleen in de kamer achter.

Het lukte Andras natuurlijk niet om te studeren; hij kon het beeld van Polaner maar niet uit zijn hoofd krijgen. Steeds weer zag hij hem daar op de grond liggen, met in zwarte inkt dat woord op zijn borst en naast hem die verkreukelde tekeningen. Andras wist alles van wanhoop en eenzaamheid; hij wist hoe het voelde om heel ver van huis te zijn, wist hoe het voelde om een geheim mee te dragen. Maar hoe diep moest de wanhoop van Polaner niet geweest zijn dat hij Lemarque als een mogelijke minnaar zag? Als iemand met wie hij 's avonds een moment van intimiteit zou kunnen delen in de wc?

Het duurde nog geen vijf minuten of Rosen stormde de kamer van Vago binnen met zijn pet in zijn hand. Ben Yakov kwam er beteuterd achteraan, alsof hij vergeefs had geprobeerd om Rosen tegen te houden.

'Waar is die kleine klootzak?' schreeuwde Rosen. 'Waar is die gluiperd? Als ze hem hierboven verbergen, maak ik ze allemaal af!'

Vago kwam over de gang aanrennen vanuit de kamer van Perret. 'Schreeuw niet zo,' zei hij. 'Het is hier geen dranklokaal. Over wie heb je het?'

'Dat weet u heel goed,' zei Rosen. 'Fernand Lemarque. Hij fluistert *sale juif.* Hij hangt die aanplakbiljetten voor het Front de la Jeunesse op. U hebt ze gezien: *Jeugd van Frankrijk, komt samen en verenigt u,* dat soort leuzen, en dat uitgerekend in de Salle des Sociétés Savantes. Ze zijn antiparlementair, antisemitisch, anti-alles. Hij is een van hun handlangers. Ze zijn met een hele groep. Derdejaars, vijfdejaars. Van hier, van de Beaux-Arts, van scholen in de hele stad. Ik weet het. Ik ben op hun bijeenkomsten geweest. Ik weet wat ze met ons willen doen.'

'Goed,' zei Vago. 'Vertel het me na de les.'

'Na de les!' spuugde Rosen eruit. 'Nu meteen! Haal de politie erbij.'

'Hebben we al gedaan.'

'Gelul! Jullie hebben niemand gebeld. Jullie willen geen schandaal.'

Perret zelf kwam nu de gang op, met zijn grijze cape wapperend achter zich aan. 'Genoeg,' zei hij. 'Wij handelen dit af. Ga naar de les.'

'Ik vertik het,' zei Rosen. 'Ik ga zelf op zoek naar die kleine rotzak.'

'Jongeman,' zei Perret. 'Er zijn aspecten van deze situatie die je niet begrijpt. Je bent geen cowboy en het is hier niet het wilde Westen. Dit land kent een rechtssysteem en dat hebben we al ingeschakeld. Als je niet inbindt en enige beschaving betracht, zorg ik dat je van deze school wordt verwijderd.'

Rosen draaide zich om en liep zachtjes vloekend de trap af. Andras en Ben Yakov volgden hem naar het atelier en tien minuten later stond Vago daar weer voor de klas. Om negen uur vervolgden ze de les van de vorige dag, alsof het ontwerpen van het perfecte *maison particulière* het enige was wat er in de wereld toe deed.

Die middag bezochten Andras, Rosen en Ben Yakov Polaner in een lange, smalle, door winters licht beschenen zaal van het ziekenhuis. Hij lag in een hoog bed met zijn benen op kussens en zijn neus in het gips. Zijn ogen waren omrand door paarse bloeduitstortingen. Hij had drie gebroken ribben. Een gebroken neus. Uitgebreide kneuzingen rond het bovenlichaam en de benen. Tekenen van inwendige bloedingen – opgezwollen buik, onregelmatige pols en temperatuur, onderhuidse bloeduitstortingen. Symptomen van shock. Nawerkingen van hypothermie. Dat was het verhaal van de arts. Een status aan het voeteneind toonde de ieder kwartier opgemeten temperatuur, hartslag en bloeddruk. Toen ze met zijn allen om zijn bed zaten, opende hij zijn gezwollen ogen, prevelde hij onbekende Poolse namen en viel hij weer weg. Een zuster kwam de zaal op met twee kruiken die ze bij Polaner onder de lakens stopte. Ze nam zijn hartslag, bloeddruk en temperatuur op en schreef de getallen op zijn status.

'Hoe is het met hem?' vroeg Rosen terwijl hij opstond.

'Dat weten we nog niet,' zei de zuster.

'Weet u dat niet? Dit is toch een ziekenhuis? U bent toch verpleegster? Het is toch uw taak om het te weten?'

'Rustig nou maar, Rosen,' zei Ben Yakov. 'Het is niet haar schuld.'

'Ik wil die arts weer spreken,' zei Rosen.

'Ik ben bang dat die nu zijn ronde maakt.'

'Godallemachtig. Dit is onze vriend. Ik wil alleen maar weten hoe erg het precies is.'

'Ik wou dat ik het u kon vertellen,' zei de zuster.

Rosen ging weer zitten, met zijn hoofd in zijn handen. Hij wachtte tot de zuster de zaal weer had verlaten. 'Ik zweer het,' zei hij. 'Ik zweer het, als ik die klootzakken vind! Het kan me niet schelen wat er met me gebeurt. Het kan me niet schelen als ik inderdaad van school word getrapt. Desnoods ga ik de gevangenis in. Ik zal ervoor zorgen dat ze spijt krijgen dat ze geboren zijn.' Hij keek op naar Andras en Ben Yakov. 'Jullie helpen me toch om ze te vinden?'

'Waarom?' zei Ben Yakov. 'Om ze de hersens in te slaan?'

'O, neem me niet kwalijk,' zei Rosen. 'Je wilt natuurlijk niet het risico lopen dat je eigen mooie neusje geschonden wordt.'

Ben Yakov stond op van zijn stoel en pakte Rosen bij zijn overhemd. 'Dacht je dat ik het leuk vond om hem zo te zien?' zei hij. 'Dacht je dat ík ze niet wilde vermoorden?'

Rosen trok zijn hemd los uit de greep van Ben Yakov. 'Dit gaat niet alleen over hém. De mensen die hem dit hebben aangedaan willen hetzelfde met óns doen.' Hij pakte zijn jas en gooide die over zijn arm. 'Het kan me niet schelen of jullie meegaan. Ik ga ze zoeken, en als ik ze vind, zullen ze boeten voor wat ze hebben gedaan.' Hij ramde zijn pet op zijn hoofd en liep de zaal uit.

Ben Yakov legde een hand in zijn nek en keek naar Polaner.

Toen zuchtte hij en ging weer naast Andras zitten. 'Moet je hem nou zien. Mijn hemel, hoe kreeg hij het in zijn hoofd om 's avonds met Lemarque af te spreken? Hoe kon hij zo stom zijn? Het kan toch niet waar zijn dat hij... is wat er stond?'

Andras zag Polaners borst nauwelijks merkbaar op en neer gaan onder het laken. 'En wat dan nog?' zei hij.

Ben Yakov schudde zijn hoofd. 'Geloof jij het?'

'Ik sluit het niet uit.'

Ben Yakov legde zijn kin op zijn vuist en staarde naar de rand van het bed. Hij leek even niet meer op Pierre Fresnay. Zijn ogen waren geloken en vochtig, zijn mond was samengeknepen tot een streep. 'Ik herinner me een keer,' zei hij langzaam, 'dat we jou en Rosen in het café zouden ontmoeten. Hij zei toen iets over Lemarque. Hij zei dat hij dacht dat Lemarque niet echt antisemitisch was – dat hij zichzelf haatte, en niet de joden. Dat hij zich anders moest voordoen om te verhullen wie hij werkelijk was.'

'En wat zei jij toen?'

'Dat Lemarque de pot op kon.'

'Dat zou ik ook gezegd hebben.'

'Nee,' zei Ben Yakov. 'Jij zou geluisterd hebben. Jij zou iets intelligents terug hebben gezegd. Jij zou gevraagd hebben hoe hij op dat idee was gekomen.'

'Hij is erg gesloten,' zei Andras. 'Waarschijnlijk had hij daar geen antwoord op gegeven.'

'Maar ik wist dat er iets mis was. Jij zult dat ook wel gemerkt hebben. Jij werkte met hem aan dat project. Iedereen kon zien dat hij te weinig sliep, en hij was zo stil als Lemarque erbij was – stiller dan normaal.'

Andras wist niet wat hij moest zeggen. Hij was alleen maar bezig geweest met Klara, met het aanstaande bezoek van Tibor en met zijn eigen werk. Polaner was voor hem een constante in zijn leven, hij wist dat hij gesloten, behoedzaam en ook wel eens wat tobberig was; maar hij had er geen moment aan gedacht dat Polaner problemen zou kunnen hebben die net zo monumentaal waren als de zijne. Hoe problematisch was zijn affaire met Klara geweest in vergelijking met de gevoelens die Polaner in het geheim voor Lemarque koesterde? Hij had er nooit bij stilgestaan hoe het was om als man op andere mannen te vallen. Er waren natuurlijk genoeg vrouwelijke mannen en mannelijke vrouwen in Parijs, en iedereen kende de clubs en de bals waar ze elkaar ontmoetten:

Magic-City, de Monocle, het Bal de la Montagne-Sainte-Geneviève; maar die wereld leek ver verwijderd van het leven dat Andras leidde. Wat waren zijn eigen ervaringen geweest? Op het gimnázium gebeurde er natuurlijk wel eens wat – er waren vriendschappen met op liefdesrelaties lijkende intriges en gevallen van verraad; en hij had zich samen met klasgenoten groepsgewijs staan aftrekken in het halfdonker, met de broek op de enkels. Er was één jongen op school van wie iedereen zei dat hij op jongens viel – Willi Mandl, een slungelachtige blonde jongen die pianospeelde, witte geborduurde sokken droeg en op een middag in een tweedehandswinkel was gesignaleerd met een blauwzijden damestasje dat hij dromerig aan het strelen was. Maar dat lag allemaal verscholen in de nevelen van zijn jeugd en had weinig van doen met zijn huidige leven.

Polaner opende zijn ogen en keek naar Andras. Andras raakte Ben Yakov even aan bij zijn mouw. 'Polaner,' zei Andras. 'Hoor je me?'

'Zijn ze hier?' vroeg Polaner bijna onverstaanbaar.

'Wij zijn hier,' zei Andras. 'Ga maar slapen. We blijven bij je.'

13

Bezoek

Andras was niet meer in het Gare du Nord geweest sinds hij daar in september uit Boedapest was aangekomen. Nu was het eind januari en stond hij op het perron te wachten op Tibors trein. Terugkijkend verbaasde het hem hoe onwetend hij die paar maanden geleden nog was geweest. Hij had bijna niets van architectuur geweten. Niets van de stad. Minder dan niets van de liefde. Hij had nog nooit het naakte lichaam van een vrouw aangeraakt. Geen Frans gesproken. Op die bordjes met SORTIE boven de uitgangen had net zo goed SUKKEL! kunnen staan. De gebeurtenissen van de afgelopen dagen hadden hem er alleen maar aan herinnerd hoe weinig hij nog van de wereld wist. Hij had het gevoel dat hij nu pas begon te beseffen hoe groot zijn gebrek aan ervaring en zijn onwetendheid waren; hij was nog maar amper begonnen met het wegwerken van zijn achterstand. Hij had gehoopt dat hij zijn broer als een man van de wereld had kunnen begroeten. Maar dat kon hij nu wel uit zijn hoofd zetten. Tibor moest hem maar nemen zoals hij was.

Om kwart over vijf kwam de West-Europa Express het station binnenrijden. De overkapping van glas en ijzer vulde zich met het gepiep van remmen. Treinbedienden lieten de trapjes zakken en stapten op het perron; passagiers stroomden naar buiten, mannen en vrouwen die getekend waren door een nacht reizen. Jongemannen van zijn leeftijd, die er in het winterse licht van het station moe en onzeker uitzagen, tuurden naar de borden en zochten naar hun bagage. Andras liet zijn blik over de gezichten van de passagiers dwalen. Naarmate er meer en meer voorbijliepen en Tibor er nog steeds niet bij was, werd Andras toch nog even bang dat zijn broer alsnog had besloten om niet te komen. En toen legde iemand een hand op zijn schouder, draaide hij zich om en zag hij daar Tibor Lévi op het perron van het Gare du Nord staan.

'Dat is nou ook toevallig,' zei Tibor en drukte Andras aan zijn borst.

Een bruisende vreugde borrelde op in Andras' borst, een bijna onwerkelijk gevoel van opluchting. Hij pakte zijn broer met gestrekte armen vast. Tibor nam Andras van hoofd tot voeten op en zijn blik bleef hangen op de gaten in Andras' schoenen. 'Je hebt geluk dat je een broer hebt die in een schoenenzaak werkt,' zei hij. 'Of werkte. Die afgetrapte oxfords halen het eind van de week niet meer.'

Ze haalden Tibors bagage op en namen een taxi naar het Quartier Latin, een verbazingwekkend kort en direct ritje; Andras begreep nu pas hoe grondig hij door zijn eerste Parijse taxichauffeur was opgelicht. Ze vlogen over de Boulevard de Sébastopol en het Île de la Cité en waren in een oogwenk in de Rue des Écoles. Het Quartier Latin zat ineengedoken onder een waas van regen en overal zag je paraplu's. Ze renden met de tassen van Tibor door de motregen en sjouwden ze mee naar boven. Toen ze bij de zolderkamer van Andras kwamen, bleef Tibor in de deuropening staan en lachte hij.

'Wat?' zei Andras. Hij was trots op zijn armoedige kamer.

'Het is precies zoals ik het me had voorgesteld,' zei Tibor. 'Tot in de kleinste details.'

Onder zijn blik werd de Parijse woning voor het eerst helemaal van Andras, alsof het feit dat Tibor hem zag ervoor zorgde dat de kamer paste in het rijtje kamers dat hij eerder had bewoond, een voortzetting was van het leven dat hij had geleid voordat hij in september op de trein in station Nyugati was gestapt. 'Kom binnen,' zei Andras. 'Doe je jas uit. Ik maak de haard wel aan.'

Tibor trok zijn jas uit, maar hij liet Andras de haard niet aanmaken. Het deed er niets toe dat dit de woning van Andras was en dat Tibor een reis van drie dagen achter de rug had. De oudere broer zorgde voor de jongere, zo was het altijd geweest tussen hen. Als Mátyás hier had gewoond en Andras hem was komen opzoeken zou Andras in de weer zijn geweest met aanmaakhoutjes en proppen papier. Binnen een paar minuten had Tibor een mooi vuurtje gestookt. Toen pas trok hij zijn schoenen uit en kroop hij in het bed van Andras.

'Wat een genot!' zei hij. 'Dit is voor het eerst in drie dagen dat ik weer eens kan liggen.' Hij trok de sprei over zich heen en was in een oogwenk in slaap gevallen.

Andras legde zijn boeken op tafel en probeerde te studeren, maar hij kon zich niet concentreren. Hij wilde horen hoe het met

Mátyás en zijn ouders ging. En hij wilde nieuws over Boedapest – niet over de politiek of over de problemen, want dat stond allemaal in de Hongaarse kranten. Nee, hij wilde nieuws over de buurt waar ze gewoond hadden, over de mensen die ze gekend hadden, over de talloze kleine veranderingen die het verstrijken van de tijd markeerden. Ook wilde hij Tibor vertellen over Polaner, die hij die morgen nog had opgezocht. Polaner had er nog beroerder uitgezien dan eerst: opgezwollen, lijkbleek en koortsig. Hij had schurend ademgehaald en de zusters waren druk in de weer geweest met verband voor zijn verwondingen en infusen voor het op peil brengen van zijn bloeddruk. Een groep artsen kwam aan het voeteneind van zijn bed staan om de voor- en nadelen van operatief ingrijpen te bespreken. De symptomen van een inwendige bloeding bleven aanwezig, maar de artsen konden het niet eens worden over de te volgen strategie: operen of wachten tot het bloeden vanzelf zou stoppen. Andras probeerde hun rappe medische jargon te decoderen, probeerde de puzzelstukjes van Franse anatomische termen op hun plaats te leggen, maar hij kon niet alles volgen en zijn angst belette hem vragen te stellen. Dat Polaner zou worden opengesneden was een gruwelijk idee, maar dat hij vanbinnen zou blijven bloeden was misschien nog beangstigender. Andras bleef tot professor Vago hem afloste; hij wilde niet dat Polaner alleen wakker zou worden. Ben Yakov was die ochtend niet gekomen en van Rosen had niemand nog iets gehoord sinds hij het ziekenhuis had verlaten om op zoek te gaan naar Lemarque.

Hij dwong zichzelf in zijn leerboek te kijken: een mierenhoop van staticavraagstukken. Hij zette zich ertoe orde in de getallen en de letters te brengen en maakte met potlood nette kolommen van cijfers op een nieuw vel millimeterpapier. Hij berekende de krachtvectoren voor vijftig stalen staven in een draagmuur van gewapend beton, lokaliseerde de punten met de hoogste belasting in een steunbeer van een kathedraal, schatte de door wind veroorzaakte zijwaartse uitslag van een hypothetische stalen constructie die twee keer zo hoog was als de Eiffeltoren. Elk gebouw een stille optelsom van berekeningen, van getallen die rondzweefden in de constructie. Zo was hij een uur bezig om de lijst met opgaven door te werken. Toen kreunde Tibor en kwam hij overeind.

'Grrmm,' zei hij. 'Ben ik nog in Parijs?'

'Daar ziet het wel naar uit, ja,' zei Andras.

Tibor stond erop om Andras mee uit eten te nemen. Ze gingen

naar een Baskisch restaurant dat bekendstond om zijn lekkere ossenstaartsoep. De ober was een breedgeschouderde bullebak die de borden op tafel smeet en het keukenpersoneel luidkeels uitfoeterde. De soep was dun en het vlees te gaar, maar ze dronken Baskisch bier waar Andras een beetje aangeschoten en sentimenteel van werd. Eindelijk zat hij hier met zijn broer, waren ze samen aan het dineren in een buitenlandse stad, als de volwassen mannen die ze geworden waren. Hun moeder zou zich rot gelachen hebben als ze hen zo had gezien, gebogen over hun pullen bier in dit ruige restaurant.

'Zeg eens eerlijk,' zei Andras. 'Hoe is het met Anya? Haar brieven zijn me iets te opgewekt. Ik ben bang dat ze het niet zal zeggen als er iets is.'

'Ik ben het weekend voordat ik vertrok nog in Konyár geweest,' zei Tibor. 'Mátyás was er ook. Anya probeert Apa ervan te overtuigen de winter in Debrecen door te brengen. Dan is er altijd een goede arts in de buurt als hij weer longontsteking zou krijgen. En natuurlijk wil hij daar niets van weten. Hij houdt vol dat hij niet ziek zal worden. Alsof hij daar iets over te zeggen heeft. En als ik partij kies voor Anya, vraagt hij wie ik wel denk dat ik ben om hem de wet voor te schrijven. Je bent nog geen arts, Tibi, zegt hij dan. Met dat vingertje, hè.'

Andras lachte, hoewel hij wist dat het een serieuze zaak was; ze wisten allebei hoe ziek Geluksvogel Béla was geweest en hoe afhankelijk hun moeder van hem was. 'En wat gaan ze doen?'

'Voorlopig blijven ze in Konyár.'

'En Mátyás?'

Tibor schudde zijn hoofd. 'De avond voor ik vertrok gebeurde er iets raars. Mátyás en ik liepen naar de spoorbrug over dat riviertje. Je weet wel, waar we 's zomers altijd gingen vissen.'

'Ja,' zei Andras.

'Het was eigenlijk te koud om te gaan wandelen. De brug was glad van de ijzel. We hadden er nooit naartoe moeten gaan. Maar goed, we stonden daar een tijdje naar de sterren te kijken en we hadden het over Anya en Apa en over wat Mátyás moest doen als er iets met hen gebeurde, en hij was boos op me, weet je – ik liet hem al het werk alleen opknappen, zei hij. Ik probeerde uit te leggen dat het allemaal wel mee zou vallen en dat als de nood aan de man kwam, jij en ik naar huis zouden komen. Hij zei dat dat niet zou gebeuren en dat jij voorgoed vertrokken was en ik binnenkort ook. Zo stonden we te ruziën boven dat bevroren riviertje toen we een trein hoorden aankomen.'

'Ik geloof niet dat ik wil horen hoe dit afloopt.'

'Dus Mátyás zegt: "Blijf op de brug staan, hier naast de rails, op de dwarsliggers. Kijken of we ons evenwicht kunnen bewaren als de trein voorbijkomt. Denk je dat dat lukt? Je bent toch niet bang?" De trein naderde snel. En je kent die brug, Andras. Die dwarsliggers steken aan elke kant van de rails ongeveer een meter uit. En je staat een meter of twintig boven het water. Dus hij springt tussen de rails op de dwarsligger, met zijn gezicht naar de trein toe. Die komt eraan. Het licht van de koplamp schijnt hem al in zijn gezicht. Ik roep dat hij moet wegspringen, maar hij blijft staan. "Ik ben niet bang," zegt hij. "Laat maar komen." Dus ik ren op hem af, til hem op mijn schouder als een zak zaagsel, en ik zweer het, die brug was zo glad dat ik bijna viel en onder die trein kwam. Ik kreeg hem daar weg en gooide hem in de sneeuw. Nog geen seconde later kwam die trein voorbij. Na afloop stond hij als een idioot te lachen. Ik stond op en gaf hem een klap in zijn gezicht. Ik kon hem wel zijn nek omdraaien, die idioot.'

'Ik hád hem zijn nek omgedraaid!'

'Geloof me, het scheelde niet veel.'

'Hij wilde niet dat je wegging. Nu zit hij daar helemaal alleen.'

'Niet echt,' zei Tibor. 'Hij heeft een druk leven in Debrecen. Heel anders dan toen wij op school zaten. We hebben het de volgende dag weer goedgemaakt en toen ben ik op weg naar Boedapest eerst met hem meegegaan. Je zou hem moeten zien in die nachtclub waar hij optreedt. Hij zou bij de film moeten gaan. Het is net Fred Astaire, maar dan met flikflaks en salto's. En ze betalen hem ervoor! Als hij niet zo'n idioot was, zou ik blij voor hem zijn. Hij staat op het punt om van school getrapt te worden, weet je dat? Hij staat onvoldoende voor Latijn en geschiedenis en met de andere vakken is het hangen en wurgen. Ik weet zeker dat hij stopt zodra hij genoeg geld heeft om naar het buitenland te reizen. Anya en Apa weten dat ook.'

'Je hebt ze toch niet verteld over die brug?'

'Ik ben niet gek.'

Ze wenkten de ober voor nog een rondje. Ondertussen vroeg Andras dingen over Boedapest, over hun oude vertrouwde Hársfa utca en de joodse wijk.

'Er is niet veel veranderd sinds jij weg bent,' zei Tibor. 'Al groeit

wel de angst dat Hitler Europa weer in een oorlog zal storten.'
'Als dat gebeurt, krijgen de joden de schuld. In elk geval hier in
Frankrijk.'

De ober kwam met de bestelling en Tibor nam een lange, bedachtzame teug van zijn Baskische bier. 'Dus het valt wel tegen
met die *fraternité* en *égalité*.'

Andras vertelde hem over de bijeenkomst van Le Grand Occident en over wat er met Polaner gebeurd was. Tibor zette zijn bril
af, poetste de glazen met zijn zakdoek en zette hem weer op.

'In de trein sprak ik iemand die net in München was geweest,'
zei hij. 'Een Hongaarse journalist die verslag moest doen van een
massabijeenkomst daar. Hij had gezien hoe drie mensen waren
doodgeslagen omdat ze exemplaren van een anti-joodse staatskrant vernietigden. Oproerkraaiers, zo werden ze in de Duitse pers
genoemd. Een van hen was een gedecoreerde officier uit de Grote
Oorlog.'

Andras zuchtte en wreef over zijn neusbotje. 'Bij Polaner is het
iets persoonlijks,' zei hij. 'Er zijn vragen over zijn relatie met een
van de daders.'

'Het is dezelfde haat, maar dan in het klein,' zei Tibor. 'Afschuwelijk, hoe je het ook bekijkt.'

'Ik was stom om te denken dat het hier anders zou zijn.'

'Europa is aan het veranderen,' zei Tibor. 'De situatie verhardt
overal. Maar het is hier toch niet alleen maar kommer en kwel,
hoop ik?'

'Nee, dat niet.' Hij keek op naar Tibor en glimlachte.

'Wat betekent die lach, Andráska?'

'Niets.'

'Hou je iets voor me verborgen? Een geheime liefde?'

'Dan moet je me eerst op iets sterkers trakteren,' zei Andras.

In een nabijgelegen kroeg bestelden ze whisky en vertelde hij Tibor
alles: over de uitnodiging in huize Morgenstern en hoe hij de naam
en het adres had herkend van de brief; hoe hij niet op Elisabet,
maar op Klara verliefd was geworden; hoe ze geen weerstand hadden kunnen bieden aan de verleiding. Hoe Klara hem niet had verteld wat haar naar Parijs had gebracht en ook niet waarom haar
identiteit geheim moest blijven. Toen hij uitgesproken was, bleef
Tibor met het glas in zijn hand voor zich uit staren.

'Hoeveel ouder is ze?'

Hij moest het wel zeggen. 'Negen jaar.'

'Goeie god,' zei Tibor. 'Je bent verliefd op een volwassen vrouw. Dit is ernstig, Andras. Besef je dat wel?'

'Dodelijk ernstig.'

'Zet dat glas neer. Ik praat tegen je.'

'Ik luister.'

'Ze is eenendertig,' zei Tibor. 'Ze is geen meisje meer. Wat wil je met haar?'

Andras kreeg een dikke keel. 'Ik wil met haar trouwen,' zei hij.

'Natuurlijk. En waar gaan jullie van leven?'

'Dat heb ik ook al bedacht, hoor.'

'Nog vierenhalf jaar,' zei Tibor. 'Zo lang duurt het nog voor je je bul haalt. Dan is ze zesendertig. Als jij zo oud bent als zij nu, is zij bijna veertig. En als jij veertig bent, is zij...'

'Hou op,' zei Andras. 'Ik kan ook tellen.'

'Maar heb je dat wel gedaan?'

'En wat dan nog? Wat maakt het uit dat ze negenenveertig is als ik veertig ben?'

'Stel nou dat je op je veertigste aandacht krijgt van een vrouw van dertig? Blijf je dan trouw aan je vrouw?'

'Tibi, moet dit nou?'

'En hoe zit het met die dochter? Weet zij dat jij wat met haar moeder hebt?'

Andras schudde zijn hoofd. 'Elisabet heeft een hekel aan me en ze doet heel vijandig tegen Klara. Ik denk niet dat ze er heel blij mee zal zijn.'

'En József Hász? Weet hij dat je verliefd bent geworden op zijn tante?'

'Nee. Hij weet niet waar zijn tante woont. De familie wil niet dat hij dat weet, wat dat ook moge betekenen.'

Tibor vouwde zijn handen. 'Goeie god, Andras, ik benijd je niet.'

'Ik hoopte dat jij mij raad kon geven.'

'Ik weet wel wat ík zou doen. Ik zou het zo snel mogelijk uitmaken.'

'Je hebt haar niet eens ontmoet.'

'Wat zou dat voor verschil maken?'

'Ik weet niet. Ik hoopte dat je dat wel zou willen. Ben je dan helemaal niet benieuwd?'

'Heel erg,' zei hij. 'Maar ik wil niet bijdragen aan jouw ondergang. Zelfs niet als toeschouwer.' Hij wenkte de ober en vroeg om de rekening. Daarna veranderde hij resoluut van onderwerp.

De volgende ochtend nam Andras Tibor mee naar de École Spéciale, waar ze Vago opzochten in zijn kamer. Toen ze binnenkwamen, zat Vago achter zijn bureau te telefoneren op zijn speciale manier: hij hield de hoorn tussen wang en schouder en gebaarde met beide handen. Hij schetste een gebouw dat niet deugde in de lucht, verwierp het met een armzwaai en schetste een nieuw gebouw, dit keer met een dak dat plat léék, maar niet plat wás, dit in verband met de afwatering – en toen was het gesprek voorbij en kon Andras eindelijk Tibor aan Vago voorstellen, daar in die kamer waar Tibor zo vaak het onderwerp van de matineuze gesprekken was geweest dat het wel leek alsof ze hem tot leven gepraat hadden.

'Naar Modena,' zei Vago. 'Ik benijd je. Je zult Italië geweldig vinden. Je wilt nooit meer terug naar Boedapest.'

'Ik ben u dankbaar voor uw hulp,' zei Tibor. 'Anders was het nooit gelukt.'

Vago wuifde het weg. 'Ik moest iets doen om je broer tevreden te stellen. Hij bleef er maar over doorgaan.'

'Als ik ooit iets terug kan doen,' zei Tibor.

'Je wordt arts,' zei Vago. 'Ik hoop dat ik je hulp niet nodig zal hebben.' Toen bracht hij het laatste nieuws uit het ziekenhuis: Polaner bleef stabiel; de artsen hadden besloten nog niet te opereren. Lemarque was nog steeds spoorloos. Rosen had de dag ervoor de deur van zijn kamer ingetrapt, maar hem niet aangetroffen.

Tibor volgde samen met Andras de ochtendcolleges. Hij luisterde hoe Andras zijn oplossing presenteerde voor het staticavraagstuk over de steunbeer van de kathedraal. Ook bekeek hij Andras' tekeningen in het atelier. Hij ontmoette Ben Yakov en Rosen, die al snel door de paar woordjes Hongaars heen waren die ze van Andras hadden geleerd; Tibor grapte met hen in zijn rudimentaire, maar dappere Frans. Tijdens de lunch in de kantine sprak Rosen over zijn uitstapje naar het gebouw waar Lemarque woonde. Hij zag er opeens uitgeblust uit; zijn gezicht was zijn boze blos kwijt en zijn roodbruine sproeten leken op zijn huid te drijven. 'Wat een verschrikking,' zei hij. 'Honderd benauwde, donkere kamertjes vol stinkende mannen. Het stonk er erger dan in een gevangenis. Je kreeg bijna medelijden met die klootzak dat hij daar moest wonen.' Hij kon een lange gaap niet onderdrukken. Hij was de hele nacht in het ziekenhuis geweest.

'En niets gevonden?' vroeg Ben Yakov. 'Geen spoor?'

Rosen schudde zijn hoofd. 'Ik heb dat gebouw van de kelder tot de zolder doorzocht. Niemand had hem gezien. Dat beweerden ze in elk geval.'

'En als je hem gevonden had, wat dan?' vroeg Tibor.

'Wat ik gedaan zou hebben? Op dat moment zou ik hem met mijn blote handen gewurgd hebben. Maar dat zou stom geweest zijn. We moeten weten wie zijn handlangers waren.'

De kantine begon leeg te lopen. Overal rond het atrium werden deuren geopend en dichtgeslagen door studenten die de college-banken weer opzochten. Tibor keek ze door zijn stalen brilletje met een ernstige blik na.

'Waar denk je aan?' vroeg Andras hem in het Hongaars.

'Geluksvogel Béla,' zei Tibor. '*Ember embernek farkasa.*'

'Spreek Frans, Hongaren,' zei Rosen. 'Waar hebben jullie het over?'

'Iets wat onze vader altijd zei,' zei Andras en herhaalde de zin.

'En wat betekent dat in gewonemensentaal?'

'*De mens is de mens een wolf.*'

Die avond zouden ze naar een feest gaan bij József Hász, aan de Boulevard Saint-Jacques. Het zou voor Andras de eerste keer zijn sinds het begin van zijn relatie met Klara dat hij bij József langsging. Het vond het een beetje eng, maar József had hem de week daarvoor persoonlijk uitgenodigd; in het Beaux-Arts was een expositie van studenten waar ook een paar van zijn schilderijen zouden hangen, maar daar moest Andras vooral niet naartoe gaan, want dat was dodelijk saai. Maar na de vernissage kon er bij József thuis gegeten en gedronken worden. Andras had de tegenwerping gemaakt dat Tibor op bezoek was en dat hij József niet kon belasten met nog een gast, maar dat was voor József alleen maar aanleiding om nog meer aan te dringen: als Tibor voor het eerst in Parijs was, mocht hij een feestje bij József Hász niet missen.

Toen ze arriveerden, was iedereen al dronken. Een drietal dichters stond op de bank driestemmig strofen te brullen terwijl een meisje in een groen tricootje zich op het Perzische tapijt in allerlei bochten wrong. József zelf zat aan het hoofd van de kaarttafel te winnen met poker en de andere spelers zaten mokkend achter hun slinkende stapeltjes geld.

'Daar zijn de Hongaren!' riep József toen hij hen zag. 'Nu kunnen we echt gaan spelen. Pak een stoel, mannen! Speel mee.'

'Ik ben bang dat dat niet gaat,' zei Andras. 'We zijn blut.'

József deelde de kaarten onnavolgbaar snel. 'Eet dan wat,' zei hij. 'Als jullie blut zijn, zullen jullie wel honger hebben. Hebben jullie geen trek?' Hij keek niet op van zijn kaarten. 'Loop maar naar het buffet.'

Op de eettafel zagen ze een vlot van baguettes, drie hele kazen, zilveruitjes, appels, vijgen, een chocoladetaart en zes flessen wijn.

'Dat mag ik graag zien,' zei Tibor. 'Gratis eten.'

Ze maakten sandwiches met vijgen en kaas en namen ze mee naar de grote voorkamer, waar ze toekeken terwijl het slangenmeisje haar lichaam in een cirkel, een bel en een gordiaanse knoop veranderde. Daarna poseerde ze erotisch met een ander meisje, waar weer een ander meisje foto's van maakte met een camera die er heel ouderwets uitzag.

Tibor keek gebiologeerd toe. 'Geeft Hász vaak dit soort feestjes?' vroeg hij terwijl hij nauwlettend volgde hoe de meisjes weer een andere pose aannamen.

'Vaker dan je je kunt voorstellen,' zei Andras.

'Hoeveel mensen wonen in dit appartement?'

'Alleen hijzelf.'

Tibor floot zachtjes.

'Er is ook warm water in de badkamer.'

'Nou overdrijf je toch.'

'Nee, echt niet. Er staat ook een porseleinen badkuip op leeuwenpoten. Kom maar kijken.' Hij liep met Tibor over de gang naar achteren en bleef staan voor de badkamerdeur waar door een kier nog net een klein stukje door kaarslicht beschenen wit porselein te zien was. Andras opende de deur. Daar stond, verblind door het ganglicht, een stelletje tegen de muur. Het haar van het meisje zat door de war en de bovenste knoopjes van haar blouse waren losgeknoopt. Het meisje was Elisabet Morgenstern en ze hield een hand omhoog tegen het licht.

'Neem ons niet kwalijk, heren,' zei de man in Amerikaans klinkend Frans. Hij sprak elk woord uit met een beschonken dikke tong.

Elisabet had Andras direct herkend. 'Sta me niet aan te staren, stomme Hongaar!' zei ze.

Andras deed een stap achteruit en trok Tibor mee de gang op. De man knipoogde in beschonken triomf en trapte de deur dicht.

'Nou ja,' zei Tibor. 'Misschien moeten we het sanitair maar op een ander tijdstip inspecteren.'

'Dat lijkt me verstandig.'

'En wie was dat schattige meiske? Ze lijkt je te kennen.'

'Dat schattige meiske was Elisabet Morgenstern.'

'Dé Elisabet? Klara's dochter?'

'De.'

'En wie was die man?'

'In elk geval iemand die niet snel bang is.'

'Kent József Elisabet?' vroeg Tibor. 'Denk je dat hij nu achter het geheim is gekomen?'

Andras schudde zijn hoofd. 'Geen idee. Elisabet leidt duidelijk wel een eigen leven buitenshuis. Maar József heeft het nooit over een geheim nichtje gehad, en dat had hij zeker gedaan, want hij is dol op roddelen.' Zijn slapen begonnen te bonzen toen hij zich afvroeg wat hij nu eigenlijk had ontdekt en wat hij Klara moest vertellen.

Ze wurmden zich weer tussen de mensen door naar de bank en gingen zitten kijken naar feestgangers die een spelletje charade speelden; een meisje pakte de jas van Andras en hing die als een kap over haar hoofd terwijl ze bukte om onzichtbare bloemen te plukken. De anderen riepen titels van films die Andras nog nooit had gezien. Hij had behoefte aan nog een glas wijn en wilde net opstaan toen de minnaar van Elisabet de kamer in strompelde. De man, blond, breedgeschouderd en gekleed in een duur ogend jasje van merinoswol, stopte zijn overhemd in zijn broek en streek zijn haar recht. Hij tilde zijn hand op bij wijze van groet en plofte tussen Andras en Tibor neer op de bank.

'Hoe gaat het, heren?' vroeg hij in zijn lijzige Frans. 'Zo te zien hebben jullie heel wat minder lol dan ik.' Hij klonk als de Hollywoodsterren die reclame maakten voor Radio France. 'Die meid is me er eentje. Ik heb haar met kerst ontmoet op een skivakantie en ik vrees dat ik aan haar verslaafd ben geraakt.'

'We wilden net weggaan,' zei Andras. 'We stappen maar eens op.'

'Geen denken aan!' kraaide de blonde Amerikaan. Hij legde een arm over Andras' borst. 'Niemand de deur uit! We blijven de hele nacht!'

Over de gang kwam Elisabet aangelopen. Ze schudde waterdruppels van haar handen. Ze had haar haar haastig gefatsoeneerd en haar blouse verkeerd dichtgeknoopt. Toen ze de voorkamer bereikte, wenkte ze Andras met één resolute handbeweging. Andras stond op van de bank, excuseerde zich met een halve bui-

ging en volgde Elisabet de gang op. Ze leidde hem naar de slaapkamer van József, waar een zondvloed van jassen had geleid tot
een overvol bed en een stapel op de grond.

'Goed,' zei ze en kruiste haar armen voor haar borst. 'Vertel me
wat je hebt gezien.'

'Niets!' zei Andras. 'Helemaal niets.'

'Als je mijn moeder over Paul vertelt, vermoord ik je.'

'Wanneer zou ik dat moeten doen? Je hebt me toch uit jullie
huis verbannen?'

Elisabet kreeg een sluwe blik in haar ogen. 'Hou je niet van de
domme,' zei ze. 'Ik weet heus wel dat je de afgelopen twee maanden niet bezig bent geweest om mijn hart te winnen. Ik weet wat
er speelt tussen jou en mijn moeder. Ik zag hoe ze naar je keek. Ik
ben niet gek, Andras. Ze vertelt me niet alles, maar ik ken haar
lang genoeg om te weten wanneer ze een minnaar heeft. En jij bent
helemaal haar type. Of een van haar types, zou ik moeten zeggen.'

Nu was het zijn beurt om te kleuren; *ik zag hoe ze naar je keek.*
En hoe hij naar haar gekeken moest hebben. Hoe kon iemand dat
niet hebben gezien? Hij keek omlaag naar de haard; in de as lag
een zilveren sigarettenkoker met een onleesbaar monogram. 'Je
weet dat ze niet zou willen dat je hier was,' zei hij. 'Weet ze dat jij
József Hász kent?'

'Bedoel je die gek die hier woont? Hoezo, is hij soms een beruchte misdadiger of zo?'

'Dat niet,' zei Andras. 'Hij geeft ruige feestjes, dat is alles.'

'Ik heb hem vanavond voor het eerst ontmoet. Paul kent hem
van school.'

'Heb je Paul in Chamonix ontmoet?'

'Dat gaat je niks aan. En ik meen het, Andras, je mag mijn moeder hier niets over vertellen. Dan krijg ik levenslang huisarrest.' Ze
trok aan haar blouse en toen ze zag dat ze hem verkeerd dichtgeknoopt had, vloekte ze hardop.

'Ik zeg niks,' zei hij. 'Erewoord.'

Ze leek te twijfelen aan zijn betrouwbaarheid en keek hem dreigend aan; maar achter haar harde blik zat ook iets kwetsbaars,
een besef dat hij de sleutel in handen had van iets wat belangrijk
voor haar was. Andras wist niet of het haar liefde voor Paul was,
of de vrijheid om een leven buiten het blikveld van haar moeder te
leiden, maar in beide gevallen begreep hij het. Hij herhaalde zijn
belofte. Haar opgetrokken schouders ontspanden zich even en ze

liet een ingehouden zucht ontsnappen. Toen viste ze twee jassen uit de stapel op het bed en liep langs hem heen de gang op naar de voorkamer waar Paul en Tibor nog steeds keken naar het spelletje charade.

'Het is al laat, Paul,' zei Elisabet en gooide zijn jas in zijn schoot. 'Laten we gaan.'

'Het is nog vroeg!' zei Paul. 'Kom hier zitten en naar die meiden kijken.'

'Ik kan niet. Ik moet naar huis.'

'Kom bij me, leeuwinnetje,' zei hij en pakte haar bij haar pols.

'Als ik alleen naar huis moet, doe ik dat,' zei ze en trok zich los.

Paul stond op van de sofa en kuste Elisabet op haar mond. 'Koppig kind,' zei hij. 'Ik hoop dat deze meneer niet onaardig tegen je was.' Hij gaf Andras een knipoog.

'Deze meneer heeft het grootste respect voor de jongedame,' zei Andras.

Elisabet rolde met haar ogen. 'Goed,' zei ze. 'Zo is het wel weer genoeg.' Ze wurmde zich in haar jas, wierp een laatste dreigende blik op Andras en liep naar de deur. Paul salueerde en volgde haar de gang op.

'Zo,' zei Tibor. 'Ga maar eens even zitten en vertel me wat dat allemaal te betekenen had.'

'Ze smeekte me niet aan haar moeder te vertellen dat ik haar met die man heb gezien.'

'En wat was je antwoord?'

'Ik beloofde dat ik het nooit zou vertellen.'

'Niet dat je daar überhaupt nog de gelegenheid voor krijgt.'

'Nou,' zei Andras. 'Het lijkt erop dat Elisabet doorheeft wat er speelt tussen haar moeder en mij.'

'Aha. Het is dus geen geheim meer.'

'Dát in elk geval niet. Ze leek helemaal niet verbaasd. Ze zei dat ik haar moeders type was, wat dat ook moge betekenen. Maar ze lijkt er geen benul van te hebben dat József haar neef is.' Hij zuchtte. 'Tibor, waar ben ik in godsnaam mee bezig?'

'Dat vraag ik me nou ook af,' zei Tibor en sloeg een arm om Andras' schouders. Even later verscheen József Hász met drie glazen champagne in zijn handen. Hij reikte ze ieder een glas aan en proostte op hun gezondheid.

'Vermaken jullie je?' zei hij. 'Iedereen moet zich vermaken.'

'O, zeker,' zei Andras, dankbaar voor de champagne.

'Ik zie dat jullie mijn Amerikaanse vriend Paul hebben ontmoet,' zei József. 'Zijn vader is een grootindustrieel. Autobanden of zoiets. Dat nieuwe vriendinnetje van hem heeft mij een iets te scherpe tong, maar hij is helemaal gek van haar. Misschien denkt hij wel dat alle Franse meisjes zo zijn.'

'Als alle Franse meisjes zo zijn, hebben jullie een groot probleem,' zei Tibor.

'Ik drink op problemen,' zei József en ze leegden hun glazen.

De volgende dag liepen Andras en Tibor door de uitgestrekte zalen van het Louvre en genoten ze van de fluweelbruine schaduwen van Rembrandt, van de frivole tierelantijnen van Fragonard en van de gespierde rondingen van de klassieke beelden; daarna liepen ze over de kades naar de Pont d'Iéna en stonden ze onder de monumentale bogen van de Eiffeltoren. Ze maakten een rondje om het Gare d'Orsay terwijl Andras beschreef hoe hij zijn maquette had gemaakt; uiteindelijk kwamen ze weer uit bij het Luxembourg, waar de bijenstal stil stond te overwinteren. Ze zaten aan het bed van Polaner die doorsliep terwijl de zusters hem verzorgden; Polaner, van wie Andras het vreselijke verhaal nog steeds niet aan Klara had verteld. Ze keken bijna een uur toe terwijl hij sliep. Andras wou dat hij wakker werd, dat hij niet zo bleek en stil bleef liggen; de zusters zeiden dat hij vooruitging, maar Andras zag geen verschil. Daarna liepen ze naar het Sarah-Bernhardt, waar Tibor meehielp met het afbouwen. Ze pakten de koffiespullen in, vouwden de houten tafel op, ruimden de postvakjes van de acteurs uit, brachten verdwaalde rekwisieten naar de rekwisietenkamer en kostuums naar de kostuumkamer, waar madame Courbet kledingstukken netjes in haar gelabelde kasten opborg. Claudel gaf Andras een halfvolle doos sigaren – ooit een rekwisiet – en verontschuldigde zich dat hij hem zo vaak had uitgescholden. Hij hoopte dat Andras hem wilde vergeven nu ze beiden een speelbal van het lot waren geworden.

Andras vergaf hem. 'Ik weet dat je het niet kwaad bedoelde,' zei hij.

'Je bent een goeie jongen,' zei Claudel en kuste hem op beide wangen. 'Hij is een goeie jongen,' zei hij tegen Tibor. 'Een schat.'

Monsieur Novak stond in de gang toen ze weg wilden gaan. Hij liet ze in zijn kantoor komen, waar hij drie geslepen kristallen glazen tevoorschijn haalde en het restant van een fles tokayer inschonk. Ze proostten op de studie van Tibor in Italië en op de mogelijke heropening van het Sarah-Bernhardt en de andere drie theaters die die week werden gesloten. 'Een stad zonder theater is als een feest zonder conversatie,' zei Novak. 'Eten en drinken kunnen nog zo goed verzorgd zijn, de mensen zullen het toch saai vinden. Ik geloof dat Aristophanes dat gezegd heeft.'

'Bedankt dat u mijn broer behoed heeft voor een leven in de goot,' zei Tibor.

'O, hij zou zich zonder mij ook wel gered hebben,' zei Novak terwijl hij een hand op Andras' schouder legde.

'Uw paraplu heeft hem gered,' zei Tibor. 'Anders had hij zijn trein gemist en had hij misschien de moed verloren.'

'Nee, hij niet,' zei Novak. 'Niet onze meneer Lévi. Hij zou zich wel gered hebben. En jij, jongeman, zult je ook wel redden in Italië.' Hij schudde Tibors hand en wenste hem succes.

Het was al donker toen ze vertrokken. Ze liepen over de Quai de Gesvres en zagen de weerspiegeling van de lichtjes van de bruggen en de boten beven in het water. Een windvlaag trok door de corridor van de rivier en drukte de jas van Andras plat tegen zijn rug. Hij wist dat Klara op dat moment in haar balletstudio stond en bijna klaar was met haar namiddagklas. Zonder Tibor te vertellen waar ze heen gingen, leidde hij hem over de Rue François Miron in de richting van de Rue de Sévigné. Hij liep de route die hij al weken niet meer gelopen had. En daar op de hoek zag hij de verlichte ramen van de balletstudio met zijn vitrages en zijn uithangbord met daarop MME MORGENSTERN, MAÎTRESSE. Door het glas heen hoorden ze zachtjes de muziek van de grammofoon: de langzame en statige Schumann die ze gebruikte voor de afsluitende reverences. Dit was een halfgevorderde klas: tengere tienjarige meisjes met donzig haar in de nek en schouderbladen als scherpe vleugeltjes onder het katoen van hun balletpakjes. Aan de voorkant van de studio liet Klara ze een serie indrukwekkende reverences maken. Haar haar zat in een losse, lage wrong en ze droeg een balletjurkje van donkerrode kunstzijde dat met een zwart lint om haar middel was vastgezet. Haar armen waren soepel en sterk en haar gelaatstrekken verstild. Ze had niemand nodig; ze had een eigen leven opgebouwd met de bouwstenen die je hier kon zien: deze afsluitende reverences, haar eigen dochter op de bovenverdieping, mevrouw Apfel en de behaaglijke kamers van het appartement dat ze voor zichzelf had gekocht. En toch leek ze van hem, van Andras Lévi, een tweeëntwintigjarige student aan de École Spéciale, nog iets te willen: de luxe van kwetsbaarheid, misschien; de sensatie van onzekerheid. Terwijl hij toekeek, leek zijn hart in zijn borst tot stilstand te komen.

'Daar is ze,' zei hij. 'Klara Morgenstern.'

'God,' zei Tibor. 'Mooi is ze wel.'

'Laten we vragen of ze mee uit eten gaat.'

'Nee, Andras. Ik wil dat niet.'

'Waarom niet?' zei hij. 'Je bent hier toch om te zien hoe ik leef? Dit is mijn leven. Als je haar niet ontmoet, zul je het niet weten.'

Tibor keek hoe Klara haar armen omhoog bracht; de kinderen brachten hun armen ook omhoog en doken omlaag in een diepe reverence.

'Wat is ze klein,' zei Tibor. 'Net een bosnimf.'

Andras probeerde haar te bekijken zoals Tibor haar zag – probeerde haar weer voor de eerste keer te zien. Er was iets roekeloos, iets meisjesachtigs in de manier waarop ze bewoog, alsof ze ergens nog kind was gebleven. Maar haar blik bleef die van een vrouw die al meerdere levens achter zich had gelaten. Dat was wat haar op een nimf deed lijken, bedacht Andras: de manier waarop ze zowel tijdloosheid als het onherroepelijke verstrijken van de tijd belichaamde. De muziek stopte en de meisjes renden naar hun tassen en jassen. Tibor en Andras keken toe hoe ze vertrokken. Toen gingen ze naar Klara, die in de deuropening stond te bibberen in haar balletjurkje.

'Andras,' zei ze en greep naar zijn hand. Hij was opgelucht dat ze blij leek hem te zien; hij had niet geweten hoe ze op zijn komst zou reageren. Maar hij had zichzelf voorgehouden dat hij best even kon langskomen als hij toch in de buurt was; dat was heel normaal, een kennis zou dat ook kunnen doen.

'Wat een verrassing,' zei ze. 'En wie is deze meneer?'

'Dit is Tibor,' zei Andras. 'Mijn broer.'

Klara pakte zijn hand. 'Tibor Lévi!' zei ze. 'Eindelijk. Ik heb al maanden over je gehoord.' Ze keek over haar schouder omhoog naar de trap. 'Maar wat doen jullie hier? Jullie komen vast niet voor een balletles.'

'Ga met ons mee uit eten,' zei Andras.

Ze lachte, een beetje nerveus. 'Daar ben ik niet op gekleed.'

'We wachten daar wel op je, dan gaan we eerst iets drinken.'

Ze bracht een hand naar haar mond en keek weer over haar

schouder. Uit de woning kwam het geluid van snelle voetstappen en het geruis van overkleding. 'Mijn ondoorgrondelijke dochter gaat vanavond uit eten met vrienden.'

'Ga dan mee,' zei Andras. 'Wij houden je wel gezelschap.'

'Goed dan,' zei ze. 'Waar gaan jullie heen?'

Andras noemde de naam van een tent waar ze bouillabaisse met dikke stukken bruinbrood serveerden. Ze kwamen er allebei graag; ze hadden er gegeten tijdens de tien dagen in december die ze samen hadden doorgebracht.

'Ik ben er over een halfuur,' zei Klara en ze rende de trap op.

Het restaurant was ooit een smederij geweest en rook nog steeds vaag naar steenkool en ijzer. De smeltovens waren omgebouwd tot kooktoestellen; er stonden zware houten tafels en je kon er allerlei goedkope gerechten bestellen en ook sterke appelcider uit aardewerken kommen. Ze gingen aan een van de tafels zitten en bestelden iets te drinken.

'Dus dat was jouw Klara,' zei Tibor hoofdschuddend. 'Zij kan toch nooit de moeder zijn van dat meisje dat we gisteren op dat feestje zagen?'

'Toch is ze dat, vrees ik.'

'Wat een ramp! Hoe is dat zo gekomen? Ze moet zelf nog een kind zijn geweest toen ze haar kreeg.'

'Ze was vijftien,' zei Andras. 'Het enige wat ik van de vader weet, is dat hij al lang dood is. Ze wil daar niets over zeggen.'

Net toen ze een tweede rondje bestelden kwam ze binnen. Ze hing haar rode hoed en haar jas aan een haak naast de tafel en ging bij hen zitten, waarbij ze een paar vochtig geworden haarstrengen achter haar oor deed. Andras voelde de warmte van haar benen naast de zijne; hij raakte onder de tafel de plooien van haar jurk aan. Ze keek naar hem op en vroeg of er iets was. Hij kon haar natuurlijk niet het meest urgente vertellen: dat Tibor bezwaar maakte tegen hun relatie, in elk geval in theorie. Dus vertelde hij haar wat er met Polaner in de École Spéciale was gebeurd.

'Wat een nachtmerrie,' zei ze toen hij uitgesproken was, en ze legde haar voorhoofd in haar handen. 'Die arme jongen. En zijn ouders? Heeft iemand ze geschreven?'

'Hij heeft ons gevraagd dat niet te doen. Hij schaamt zich namelijk.'

'Natuurlijk. Mijn hemel.'

De drie keken zwijgend naar hun cider. Toen Andras een blik op Tibor wierp, leken zijn trekken iets minder streng, alsof het af- of goedkeuren van een liefdesrelatie na het verhaal over Polaner iets absurds had gekregen, een luxe was geworden. Tibor vroeg Klara naar de les die ze had gegeven en zij vroeg wat hij van Parijs vond, en of hij nog tijd had om Italië te zien voordat de colleges begonnen.

'Veel tijd om te reizen heb ik niet,' zei Tibor. 'De colleges beginnen volgende week.'

'En waar begin je mee?'

'Anatomie.'

'Je zult het vast heel boeiend vinden,' zei ze. 'Dat vond ik tenminste wel.'

'Heb je anatomie gedaan?'

'O ja,' zei ze. 'In Boedapest, als onderdeel van mijn dansopleiding. Ik had een docent die geloofde in het bestuderen van de bouw en de werking van het menselijk lichaam. Hij liet ons boeken lezen met anatomische tekeningen waar de meeste meisjes van griezelden – en ook een paar van de jongens, al probeerden ze dat niet te laten merken. Eén keer nam hij ons mee naar de medische faculteit van de universiteit van Boedapest, waar studenten lijken aan het ontleden waren. Een van de professoren liet ons alle spieren, pezen en botten van het been en de arm zien. En daarna kwam de rug, de ruggengraat. Twee meisjes vielen flauw, herinner ik me. Maar ik vond het geweldig.'

Tibor kon de bewondering in zijn blik niet helemaal onderdrukken. 'En ben je er beter door gaan dansen?'

'Dat weet ik niet. Ik heb er wel wat aan bij het lesgeven. Ik kan dingen beter uitleggen.' Ze viel even stil en voelde aan het geborduurde randje van haar servet. 'Weet je, ik heb thuis nog wat van die anatomieboeken staan. Meer dan ik nodig heb of gebruik. Ik zou je er eentje willen schenken als je er in je bagage nog ruimte voor hebt.'

'Dat kan ik niet aannemen,' zei Tibor, maar zijn ogen hadden een bekende begerige blik gekregen. Ze hadden hun vaders manie voor oude boeken geërfd; Tibor en Andras hadden in Boedapest uren doorgebracht in antiquariaten. Daar had Tibor het ene na het andere anatomieboek in handen gehad en Andras de kleurplaten getoond met daarop de verlegen ronding van een pancreas of de wolkachtige formatie van een long. Hij smachtte naar die schitterende boeken die hij zich nooit kon veroorloven, zelfs niet tweedehands.

'Ik sta erop,' zei Klara. 'Kom er na het eten eentje bij me uitzoeken.'

En zo gingen ze na de bouillabaisse en nog een rondje cider naar de Rue de Sévigné waar ze de trap beklommen naar het appartement van Klara. Hier was de zitkamer waar hij haar voor het eerst gezien had; hier was de nestvormige schaal met suikereitjes, de grijsfluwelen divan, de grammofoon, de amberkleurige lampen – het intieme landschap van haar leven dat hem de afgelopen maand onthouden was. Van een van de boekenplanken pakte ze drie lijvige, in leer gebonden anatomieboeken. Ze legde ze op de schrijftafel en sloeg de goudbestempelde kaften open. Tibor vouwde de bladen met illustraties uit en toonde zo de wonderen van het menselijk lichaam in vier kleuren: de botten met hun geweven omhulsels van spierweefsel, het spinnenweb van het lymfatische systeem, de in elkaar gedraaide slang van de ingewanden, het kamertje met uitzicht van het oog. Het zwaarste en mooiste boek was een exemplaar in folioformaat van *Corpus Humanum*, in het Latijn en met een opdracht voor Klara in het krachtige, hoekige handschrift van haar leermeester, Viktor Romankov: *Sine scientia ars nihil est. Boedapest 1925.*

Ze nam dat boek uit Tibors handen en stopte het terug in het omhulsel van leer. 'Deze wil ik je schenken,' zei ze en legde het in zijn armen.

Hij bloosde en schudde zijn hoofd. 'Dat kan ik echt niet aannemen.'

'Het is voor jou,' zei ze. 'Voor je studie.'

'Ik ga reizen. Ik wil het niet beschadigen.' Hij bood het haar weer aan.

'Nee,' zei ze. 'Neem het. Je zult er blij mee zijn. Ik vind het een prettig idee dat het in Modena zal liggen. Het stelt niet zoveel voor als je kijkt wat je ervoor hebt moeten doen om daar te komen.'

Tibor keek naar het boek in zijn armen. Hij keek op naar Andras, maar Andras meed zijn blik; hij wist dat als hij zou kijken, dit over het al of niet goedkeuren van zijn relatie met Klara zou gaan. Dus keek hij strak naar het haardscherm met zijn vervaagde afbeelding van een paard en ruiter in een donker bos, en liet Tibors verlangen naar dat schitterende boek zijn werk doen. Na nog een korte aarzeling stootte Tibor klanken van dankbaarheid uit en liet hij toe dat Klara het boek in bruin papier verpakte.

Op Tibors laatste dag in Parijs namen hij en Andras de denderende metro naar Boulogne-Billancourt. Het was een warme middag voor januari, windstil en droog. Ze liepen over de lange, stille lanen, langs de bakkers, groenteboeren en fourniturenwinkels, naar de buurt waar Pingussons witte oceaanschip door de lucht sneed alsof het op weg was naar zee. Andras vertelde het verhaal van het spelletje poker waarin het verlies van Perret was omgezet in een studiebeurs. Vervolgens liep hij met zijn broer nog verder de Rue Denfert-Rochereau af, waar gebouwen van Le Corbusier, Mallet-Stevens, Raymond Fisher en Pierre Patout in al hun strenge, sobere kracht stonden te stralen in het middaglicht. Na zijn eerste bezoek was hij telkens weer teruggekeerd naar dit buurtje waar de nog levende architecten die hij het meest bewonderde kleine tempeltjes van eenvoud en schoonheid hadden opgericht. Nog niet zo lang geleden was hij op een morgen gestuit op Perrets Villa Gordin, een vierkant en enigszins Japans ogend huis dat hij had gebouwd voor een beeldhouwster. Het had een spiegelende raampartij boven twee rechthoeken van metselwerk. Perret had alles kunnen bouwen wat hij wilde, op elke lege plek in Parijs, maar hij had ervoor gekozen om dit te maken: een huis van een spartaanse eenvoud, een op de menselijke maat afgestemde ruimte in een klein straatje waar een kunstenaar in alle rust kon wonen en werken. Het was Andras' favoriete gebouw geworden in Boulogne-Billancourt. Ze gingen aan de overkant van de straat op de stoep zitten, waar hij zijn broer vertelde over Dora Gordin, de in Letland geboren beeldhouwster die daar woonde en ook werkte in het hoge atelier dat Perret aan de achterkant van het huis voor haar had ontworpen.

'Herinner je je nog die hutten die je in Konyár bouwde?' zei Tibor. 'Je bouwbedrijfje?'

Het bouwbedrijf. De zomer dat hij negen werd, vlak voor hij in Debrecen naar school zou gaan, was hij aannemer geworden voor de buurtkinderen. Hij had een monopolie op restjes hout en kon in een halve dag een fort of een clubhuis bouwen. De vier jaar oude Mátyás was zijn assistent. Mátyás vergezelde Andras bij zijn klussen en reikte hem plechtig de spijkers aan die hij nodig had om de hutten in elkaar te timmeren. Als tegenprestatie voor zijn bouwwerkzaamheden kreeg Andras alles wat de buurtjongens te bieden hadden: een foto van iemands vader in militair uniform, een eskader oorlogsvliegtuigjes van blik, een kattenschedel, een modelbootje, een witte muis in een kooitje. Die zomer was hij de rijkste jongen van het dorp.

'Herinner je je mijn muis nog?' zei Andras. 'Weet je nog hoe je hem noemde?'

'Eliahu ha Navi.'

'Anya vond dat vreselijk. Ze vond het heiligschennis.' Hij glimlachte en strekte zijn vingers tegen de koude stoeprand. De schaduwen werden langer en de kou was door de lagen van zijn kleding heen gedrongen. Hij wilde voorstellen om door te lopen, maar Tibor leunde achterover op zijn ellebogen en keek omhoog naar de daktuin met zijn rij dennenboompjes.

'Dat was het jaar dat ik voor het eerst verliefd werd,' zei hij. 'Ik heb je dat nooit verteld. Je was nog te jong om het te begrijpen en toen je oud genoeg was, was ik verliefd op een ander, Zsuzsanna, het meisje met wie ik naar dansavonden ging toen ik op het gimnázium zat. Maar vóór haar was er een ander meisje, Rózsa Geller. Rózsika. Ik was dertien, zij zestien. Ze was de oudste dochter van het gezin waar ik bij in de kost was in Debrecen. Toen jij ook op school kwam, waren ze net uit de stad vertrokken.'

Andras hoorde iets ongewoons in Tibors stem, bijna iets bitters. 'Zestien,' zei hij en floot zachtjes. 'Een oudere vrouw.'

'Ik keek altijd als ze baadde. Dat deed ze in een teil in de keuken, en mijn bed stond achter het gordijn. Dat gordijn zat vol gaten. Ze moet geweten hebben dat ik keek.'

'En je zag alles.'

'Alles. Ze stond zich daar met water te begieten terwijl ze de Marseillaise neuriede.'

'Waarom de Marseillaise?'

'Ze was verliefd op een of andere Franse filmster. Hij speelde veel in oorlogsfilms.'

'Pierre Fresnay.'

'Inderdaad, zo heette die rotzak. Hoe wist je dat?'

'Die vriend van mij, Ben Yakov, lijkt precies op hem.'

'Hm. Goed dat ik dat niet wist toen ik hem ontmoette.'

'Maar hoe liep het af?'

'Op een dag betrapte haar vader mij toen ik lag te gluren. Hij sloeg me bont en blauw. Brak mijn arm.'

'Je had je arm toch gebroken met voetballen!'

'Dat was het officiële verhaal. Haar vader dreigde de politie erbij te halen als ik de waarheid zou vertellen. Ze zetten me uit huis. Ik heb haar nooit meer teruggezien.'

'Jeetje, Tibor. Dat heb ik nooit geweten.'

'Dat was ook de bedoeling.'

'Vreselijk! Je was pas dertien.'

'En zij was zestien. Ze had beter moeten weten. Ze moest geweten hebben dat ik uiteindelijk betrapt zou worden. Misschien wilde ze dat wel.' Hij stond op en klopte het stof van zijn broek. 'Dat is dus mijn ervaring met oudere vrouwen.'

Er bewoog iets achter een van de ramen van het huis, de schaduw van een vrouw die langs een vlak van licht liep. Andras ging naast zijn broer staan. Hij stelde zich voor hoe de beeldhouwster naar haar raam liep en hen daar zag staan, twee jongens die daar rondhingen alsof ze hoopten een glimp van haar op te vangen.

'Ik ben geen dertien,' zei Andras. 'En Klara is geen zestien.'

'Nee, dat klopt,' zei Tibor. 'Jullie zijn volwassen. En dat betekent dat de gevolgen desastreuzer kunnen zijn als jullie het geen halt toeroepen.'

'Daar is het al te laat voor,' zei Andras. 'Ik ben al verloren. Ik weet niet wat er gaat gebeuren. Ik ben aan haar genade overgeleverd.'

'Dan hoop ik dat ze je genadig zal zijn,' zei Tibor, en hij gebruikte het Jiddische woord *rachmones*, hetzelfde woord dat Andras weer tot zichzelf had gebracht, drie maanden geleden in de Jardin du Luxembourg.

De volgende morgen droegen ze Tibors bagage naar het Gare de Lyon, net zoals ze Andras' bagage naar station Nyugati hadden gebracht toen hij naar Parijs vertrok. Nu was het Tibor die zich op onbekend terrein waagde, Tibor die ging werken en studeren, Tibor die de onbekende wateren van een vreemde taal moest bevaren. De wind loeide door de corridors van de boulevards en probeerde de koffers uit hun handen te rukken; van het warme weer van de vorige dag was geen spoor meer te bekennen, alsof ze het alleen maar gedroomd hadden. Parijs was net zo grijs als op de dag dat Andras was aangekomen. Hij wou dat hij een excuus had om Tibor nog een dag of een week langer bij zich te houden. Tibor had natuurlijk volkomen gelijk. Het was stom van Andras dat hij zich had ingelaten met Klara Morgenstern. Hij had zich al op gevaarlijk terrein begeven, hij schuifelde al voetje voor voetje over een steeds smaller wordend pad dat langs een afgrond leidde. Hij had er niet de schoenen voor, niet de mondvoorraad, niet de kleding, niet de kennis, niet de wilskracht, niet de ervaring. Het enige wat hij had was een soort roekeloze hoop – enigszins vergelijkbaar, zo bedacht hij, met de hoop die ontdekkingsreizigers uit de vijftiende eeuw ertoe had gebracht de kaart af te varen. Hoe kon Tibor hem in de steek laten nu hij hem net duidelijk had gemaakt hoe slecht hij was toegerust? Hoe kon hij zomaar op de trein naar Italië stappen, ook al wenkte daar een medicijnenstudie? Hij had Andras altijd de weg in het donker gewezen – soms letterlijk, toen ze nog kinderen waren; Tibors hand was Andras' enige baken in het donker geweest. Maar nu waren ze bij het Gare de Lyon aangekomen en stond de trein al zwart en onbeweeglijk op zijn rails.

'Nou,' zei Tibor. 'Dan ga ik maar.'

Blijf, had Andras willen zeggen. 'Het ga je goed,' zei hij.

'Schrijf me. En werk je niet in de nesten. Begrepen?'

'Begrepen.'

'Goed. We zien elkaar weer snel.'

Je liegt, wilde Andras zeggen.

Tibor legde een hand op de mouw van Andras. Het leek alsof hij nog iets wilde zeggen, nog een paar woorden in het Hongaars voor hij op een trein vol met Italianen en Fransen zou stappen. Maar hij zweeg en keek weg naar de enorme muil van het station en de wirwar van spoorrails die daarachter lag. Hij stapte de trein in en Andras gaf hem zijn leren tas aan. Zijn zilverkleurige bril gleed van zijn neus en hij duwde hem met zijn duim terug.

'Schrijf me als je er bent,' zei Andras.

Tibor tikte aan zijn pet, verdween in de derdeklaswagon en was weg.

Toen de trein het station had verlaten, liep Andras de deuren met SORTIE uit en betrad hij een broerloze stad. Hij liep op verkleumde voeten in de nieuwe zwarte schoenen die zijn broer voor hem uit Hongarije had meegenomen. Het kon hem niet schelen wie hij op straat tegenkwam of waar hij naartoe liep. Als hij niet van de stoep de straat op, maar de lucht in was gelopen, als hij de leegte boven de auto's en tussen de gebouwen had beklommen tot hij had kunnen neerkijken op de daken met hun roodstenen schoorsteenpotten, op dat onregelmatig gebogen raster, en als hij dan was blijven klimmen tot hij door de laaghangende winterse bewolking was gewaad, dan had hij geen vreugde of verwondering gevoeld, alleen maar dezelfde loodzware vochtigheid in zijn ledematen. Zijn voeten leidden hem verder weg van zijn broer, westwaarts naar de Boulevard Raspail, helemaal tot aan de École Spéciale en de blauwe deuren van de binnenplaats. Die was helemaal gevuld met studenten die allemaal onwezenlijk stil en met gebogen hoofd in groepjes van drie of vier stonden. Een zware stilte hing boven de binnenplaats, inktzwart, als een net opgevlogen groep kraaien die in de lucht was stilgezet. Op een gehavend bankje in de hoek zat Perret met zijn hoofd in zijn handen.

Dit was er gebeurd: via de trage provinciale postbezorging had het nieuws over de verwondingen van Polaner de boerderij van de ouders van Lemarque in Bayeux bereikt, waar Lemarque na de aanval naartoe was gevlucht. In de brief, geschreven door zijn mededaders, stond dat Polaner met inwendige bloedingen in het ziekenhuis lag en op het randje van de dood zweefde. De brief was bedoeld om Lemarque een hart onder de riem te steken, om hem te laten weten dat het niet voor niets was geweest en dat de mishandeling haar vruchten had afgeworpen. Na ontvangst van de brief had Lemarque zelf twee brieven geschreven. De ene had hij aan de directie van de school gericht. Hij bekende verantwoordelijk te zijn voor wat er was gebeurd en noemde de namen van de drie andere derde- en vierdejaarsstudenten die hadden meegedaan. De tweede brief was voor Polaner: een korte spijtbetuiging en liefdesverklaring. Nadat hij beide brieven op de keukentafel had achtergelaten, had hij zich laat op de avond verhangen aan een balk in de schuur van zijn ouders. Zijn vader had hem die ochtend aangetroffen, net zo koud en blauw als de winterse dageraad.

14

Haren knippen

Er werd besloten – eerst laat op de avond in het kantoor van Perret, en nog later in De Blauwe Duif – dat Andras de aangewezen persoon was om Polaner het nieuws over de dood van Lemarque te brengen. Als hoofd van de school zag Perret het als zíjn taak, maar Vago voerde aan dat de situatie zo gevoelig lag dat hier sprake was van een bijzonder geval; het zou minder hard aankomen als een vriend het nieuws bracht, zo redeneerde hij. Andras, Rosen en Ben Yakov vielen hem bij en besloten onderling dat Andras de brief aan Polaner moest geven. Uiteraard zouden ze daarmee wachten tot de artsen toestemming gaven; het zag ernaar uit dat dat niet lang meer zou duren. Na een tweede week in het ziekenhuis waren de symptomen en de gevolgen van de inwendige bloedingen onder controle. Polaner was weer aanspreekbaar en zijn bloeduitstortingen en zwellingen waren geslonken; hij kon weer zelfstandig eten en drinken. Volgens de artsen zou hij nog een maand nodig hebben om te herstellen van zijn bloedverlies, maar ze waren het er allemaal over eens dat hij buiten levensgevaar was. Dat weekend zag hij er zo goed uit dat Andras de moed had om in zijn beste Frans een van de artsen aan te spreken over de kwestie-Lemarque. De arts, een internist met een lang gezicht die zich veel met Polaner had beziggehouden, sprak zijn zorgen uit over de mogelijke effecten van de schok; maar hij vond ook dat Polaner het nieuws beter in de gecontroleerde omgeving van het ziekenhuis kon horen.

Toen Andras de volgende dag weer in de inmiddels vertrouwde ijzeren stoel naast het bed zat, bracht hij voor het eerst de École Spéciale weer eens ter sprake. Omdat Polaner zo goed vooruitging, zei Andras, vond de dokter dat hij wel weer aan studeren kon gaan denken. Moest Andras soms iets voor hem meebrengen uit het atelier – zijn staticaboeken, zijn tekenspullen, een schetsboek?

Polaner wierp Andras een medelijdende blik toe en sloot zijn ogen. 'Ik ga niet terug naar school,' zei hij. 'Ik ga terug naar Krakau.' Andras legde een hand op zijn arm. 'Is dat wat je wilt?' Polaner zuchtte diep. 'Het is voor mij beslist,' zei hij. 'Zij hebben het beslist.'

'Er is niets beslist. Je gaat gewoon weer terug naar school als je dat wilt.'

'Dat kan ik niet,' zei Polaner en zijn ogen vulden zich met tranen. 'Hoe kan ik Lemarque of een van die anderen nog onder ogen komen? Ik kan niet aan mijn tafel in de klas gaan zitten alsof er niets gebeurd is.'

Het had geen zin om nog langer te wachten; Andras haalde de brief uit zijn zak en gaf hem aan Polaner. Polaner bleef lang staren naar de envelop met daarop zijn naam in het hoekige handschrift van Lemarque. Toen opende hij de brief en streek het enige velletje plat tegen zijn been. Hij las de zes regels waarin Lemarque zijn liefde bekende en Polaner om vergiffenis vroeg voor de aanval en voor wat hij ging doen. Toen Polaner het gelezen had, vouwde hij het velletje weer dubbel en liet zich met gesloten ogen tegen het kussen zakken. Zijn borst ging op en neer onder het laken.

'Mijn god,' zei hij half fluisterend. 'Het is alsof ik hem zelf heb vermoord.'

Tot dat moment dacht Andras dat zijn haat jegens Lemarque onmogelijk nog groter kon worden, dat die haat door de dood van Lemarque misschien wel was omgezet in iets wat op medelijden leek. Maar toen hij het verdriet op Polaners gezicht zag, toen hij zag hoe de vertrouwde gelaatstrekken ineenkrompen onder het gewicht van het nieuws, kookte hij van woede. Deze liefdesbekentenis en spijtbetuiging maakten het nieuws van de dood van Lemarque alleen nog maar erger! Nu zou Polaner zich altijd blijven afvragen wat hij was misgelopen, wat er in een betere wereld misschien mogelijk was geweest. Dit was nog veel wreder dan de aanval en de zelfmoord; dit was als het branden van bepaalde stekelplanten die op de Hajdúvlakte groeiden: als de stekel zich in de huid had geboord, werkte die zich dieper de wond in en bleef hij dagen- of wekenlang brandend gif verspreiden.

Hij bleef die avond tot lang na zonsondergang waken bij Polaner en trok zich niets aan van de vermaning van de zuster dat het bezoekuur voorbij was. Toen ze bleef aandringen zei hij dat ze hem daar alleen met hulp van de politie zou weg krijgen; uiteindelijk greep de arts met het lange gezicht in en mocht Andras tot de volgende ochtend blijven. Terwijl hij naast het bed de wacht hield, moest hij steeds weer terugdenken aan wat Polaner in oktober in De Blauwe Duif had gezegd: *Ik wil niet opvallen. Ik wil studeren en mijn bul halen.* Hij nam zich voor om ten koste van alles te voorkomen dat Polaner uit schaamte en verdriet weer terug zou gaan naar Krakau.

Het duurde nog een week voor Polaner het ziekenhuis mocht verlaten. Toen het zover was, was het Andras die hem naar zijn kamer aan de Boulevard Saint-Germain bracht. Hij was het die zijn wonden verzorgde, voor hem kookte, zijn kleren naar de wasserij bracht en het vuur in de haard opstookte wanneer het dreigde uit te gaan. Op een morgen kwam hij terug van de bakker en zag hij hoe Polaner rechtop in bed zat te tekenen; het dekbed lag bezaaid met potloodslijpsel en op de stoel naast het bed lagen allemaal stukjes houtskool. Andras legde twee baguettes op tafel en zei geen woord. Hij bracht Polaner brood met jam en thee op bed en ging aan tafel zitten. Die hele ochtend lang werkte hij met op de achtergrond het geluid van Polaners potlood, dat hem als muziek in de oren klonk.

Later die ochtend stond Polaner voor de spiegel bij het bureau en voelde hij aan de stoppels op zijn kin. 'Ik zie eruit als een misdadiger,' zei hij. 'Ik zie eruit alsof ik maanden in de cel heb gezeten.'

'Je ziet er heel wat beter uit dan een paar weken geleden.'

'Het lijkt idioot om over een kapper te denken,' zei hij bijna fluisterend.

'Wat is daar zo idioot aan?'

'Ik weet het niet. Alles. Om te beginnen weet ik niet of het me lukt om in zo'n kappersstoel een gesprek over koetjes en kalfjes te voeren.'

Andras stond naast Polaner en keek in de spiegel naar hem. Hij zag er zelf verzorgder uit dan hij in weken was geweest; Klara had hem de avond ervoor geknipt, zodat hij er bijna uitzag als een heer, ook al zag ze hem graag met lang haar.

'Luister,' zei Andras. 'Als ik nou eens aan een kennis vraag om je haar te komen knippen. Dan hoef je niet in zo'n kappersstoel over koetjes en kalfjes te praten.'

'Welke kennis?' vroeg Polaner terwijl hij Andras in de spiegel aankeek.

'Een nogal intieme kennis.'

Polaner draaide zijn hoofd weg van de spiegel en keek Andras nu direct aan. 'Een dame?'

'*Exactement.*'

'Welke dame, Andras? Wat is er allemaal gebeurd toen ik in bed lag?'

'Ik ben bang dat dit al heel wat langer speelt. Al maanden zelfs.'

Een vluchtige, verlegen glimlach verscheen op Polaners gezicht; voor het eerst sinds het nieuws van de dood van Lemarque leek hij weer even zichzelf te worden. 'Je wilt me er vast niet alles over vertellen.'

'Nu ik erover ben begonnen, zie ik het als mijn plicht.'

Polaner gebaarde naar een stoel. 'Vertel,' zei hij.

De volgende avond zat Polaner midden in de kamer in diezelfde stoel met een theedoek over zijn schouders en de spiegel voor zijn gezicht, terwijl Klara Morgenstern in de weer was met een schaar en een kam en zachtjes tegen hem praatte op haar hypnotiserende manier. Toen Andras het de avond daarvoor bij haar ter sprake had gebracht, had ze meteen begrepen waarom ze aan zijn verzoek gehoor moest geven; ze had er haar eetafspraak voor afgezegd. Toen ze eerder die avond naar Polaner waren gelopen, had ze Andras' hand met een stille heftigheid vastgepakt toen ze de Seine overstaken. Ze keek daarbij strak naar de grond, volgens Andras omdat ze moest terugdenken aan een soortgelijk verdriet. Nu stond hij bij het vuur en zag hij de haarlokken vallen. Hij was stil van dankbaarheid voor deze vrouw die begreep waarom het zo belangrijk was dat deze simpele en intieme herstelwerkzaamheden plaatsvonden, daar op dat zolderkamertje aan de Boulevard Saint-Germain.

15

In de Tuilerieën

Die lente leerde Andras onder leiding van Vincent Forestier decors ontwerpen en bouwen, als hij tenminste niet op school zat, Polaner verzorgde of tijd met Klara doorbracht. Monsieur Forestier had een atelier in de Rue des Gravilliers waar hij ontwerpen tekende en schaalmodellen bouwde; hij was al maanden wanhopig op zoek geweest naar een leerjongen die hem kon helpen met het kopiëren van tekeningen en met het pietepeuterige werk van het bouwen van schaalmodellen. Forestier was een grote, zwaargebouwde man met een sombere uitstraling. Hij had altijd een grijs waas op zijn kaken en had de gewoonte om bij alles wat hij zei zijn brede schouders op te halen, alsof hij zelf niet zo geloofde in wat hij te melden had. Maar in stilte bleek hij een geniaal ontwerper te zijn. Met zeer beperkte financiële middelen en heel weinig productietijd wist hij paleizen, drukke straten of lommerrijke valleien te produceren, en dat in zijn eigen onnavolgbare stijl. Het boudoir van een sprookjesprinses kon in een theater aan de andere kant van de stad dienstdoen als kantoor van een commandant en daarna nog een derde leven krijgen als treincoupé, kluizenaarshut of hemelbed van een pasja. Van Andras' idee om panelen te maken met interieurs aan de ene en exterieurs aan de andere kant, keek Forestier allang niet meer op. Hij maakte decors die als puzzelstukken in elkaar schoven en omgetoverd konden worden tot drie of vier interieurs, afhankelijk van de manier waarop de panelen werden geplaatst; hij was een meester van de optische illusie. Hij kon een acteur die over het toneel liep laten groeien of krimpen, hij kon door een subtiele belichtingstruc een kinderkamer veranderen in een gruwelkabinet. Projecties van handgekleurde dia's suggereerden een verre stad, een gebergte, spookachtige verschijningen of de jeugdherinneringen van een van de hoofdfiguren. Een toverlantaarn die door de warmte van een kaars aan het draaien was gebracht kon vluchten vogels over een scherm laten vliegen.

In elk decor konden luiken en roterende panelen verborgen zitten; achter elke buitenkant zat een mysterieuze binnenkant die weer een andere binnenkant kon verbergen, waar dan nóg een binnenkant achter kon zitten die weer sprekend op de buitenkant leek. Monsieur Forestier had de gewoonte om opeens te verschijnen en te verdwijnen alsof hij een acteur was in een decor dat hij zelf had ontworpen; hij kwam binnen met een opdracht voor Andras en vijf minuten later was hij spoorloos verdwenen en kon Andras zelf de problemen van het ontwerp zien op te lossen. Na de drukte in het Sarah-Bernhardt vond Andras het eenzaam werk. Maar als hij 's avonds terugkeerde naar zijn kamer bestond altijd de kans dat Klara daar op hem wachtte.

Hij haastte zich elke avond naar huis in de hoop dat zij er zou zijn; maar meestal was het haar geest die hij in het donker omarmde, haar schaduw die in zijn kamer achterbleef als de echte Klara er niet was. Als ze meerdere dagen wegbleef, werd hij bijna gek. Hij wist, maar wilde er niet aan herinnerd worden, dat Klara haar eigen leven leidde als hij naar school ging, op zijn werk zat of bij Polaner was. Ze gaf etentjes, ging naar de bioscoop en het theater, naar jazzclubs en vernissages. Hij vormde zich beelden van de mensen die ze ontmoette op de feestjes van vrienden of van zichzelf – buitenlandse choreografen en dansers, jonge componisten, schrijvers, acteurs en rijke mecenassen. Hij was er bijna zeker van dat ze hem zou laten vallen. Als ze drie avonden wegbleef van de Rue des Écoles dacht hij: nu is het gebeurd. De volgende dag bracht hij dan door in een permanente staat van wanhoop. Als hij in zijn eentje op straat liep, wekte elk stelletje dat hij tegenkwam zijn woede op; als hij zijn zinnen wilde verzetten met een film, vervloekte hij de filmgodin met wapperende haren die stiekem de treincoupé van haar man verruilde voor de maanbeschenen couchette van haar minnaar. Als hij aan het eind van zo'n avond bij thuiskomst licht zag branden achter zijn raam, beklom hij de trappen met het idee dat ze was gekomen om het nu echt uit te maken. Maar dan opende hij de deur en zag hij haar bij het vuur zitten, waar ze een boek las, een balletjurkje verstelde of thee zette. Ze stond dan op en legde haar armen om zijn hals, en dan schaamde hij zich dat hij aan haar getwijfeld had.

Op een zaterdagavond in mei, toen de bomen nauwsluitende groene hemdjes droegen en het briesje dat van de Seine kwam ook 's avonds nog warm was, kwam Klara langs met een nieuw lentehoedje op, een lichtblauwe toque met een donkerblauw lint. Gewoon een nieuwe hoed, niets meer dan een modeartikel, een teken dat er een nieuw seizoen was aangebroken. Hij had haar diverse hoeden zien dragen sinds de rode pothoed waarmee hun winterse romance was begonnen; hij kon zich nog een camelkleurige hoed met een zwarte veer voor de geest halen en een groene muts met een soort kwastje van leer. Maar juist dit zo lenteachtige hoedje, deze lichtblauwe toque, maakte hem ervan bewust dat de tijd voor hen allebei verstreek, dat hij nog steeds studeerde en zij nog steeds op hem wachtte, dat wat zij samen hadden een romance was, vluchtig en vergankelijk. Hij trok haar hoedenpen met de libelle erop los en hing de hoed op de kapstok naast de deur. Hij pakte haar beide handen en leidde haar naar het bed. Ze glimlachte, omarmde hem en fluisterde zijn naam in zijn oor, maar hij pakte haar handen weer beet en ging samen met haar zitten.

'Wat is er?' zei ze. 'Wat is er aan de hand?'

Hij kon niets uitbrengen, kon niet verwoorden wat hem zo melancholiek had gemaakt. Hij wist niet hoe hij moest zeggen dat haar hoed hem eraan herinnerde dat het leven kort was en dat hij haar nog steeds helemaal niets te bieden had. Dus nam hij haar in zijn armen en gaf hij zich over aan de liefde en maakte hij zichzelf wijs dat hij genoeg had aan deze ontmoetingen op de late avond, aan deze begrensde liefde.

De tijd vloog voorbij; tegen de tijd dat ze zich hadden losgerukt uit de warmte van het bed en zich weer hadden aangekleed was het al bijna drie uur 's nachts. Ze daalden de vijf trappen af naar de straat en liepen toen naar de Boulevard Saint-Michel voor een taxi. Ze namen altijd op dezelfde hoek afscheid. Hij was dat stukje straat gaan haten omdat het haar elke nacht weer van hem afpakte. Bij daglicht, als de macht om haar van hem te scheiden verborgen lag onder het liefdeloze straatlawaai, was het een andere plek; dan leek het wel een straathoek als alle andere, een plek zonder betekenis. Maar nu, in het donker, was de hoek zijn aartsvijand. Hij wilde er niets van zien – niet de boekwinkel aan de overkant, niet de hekjes om de lindebomen, niet de apotheek met het oplichtende groene kruis: helemaal niets. Hij sloeg daarom een andere straat in en liep met haar naar de Seine.

'Waar gaan we naartoe?' zei ze terwijl ze met een glimlach naar hem opkeek.

'Ik loop met je mee naar huis.'

'Goed,' zei ze. 'Het is een mooie nacht.' En dat was ook zo. Een voorjaarsbriesje woei over de Seine toen ze de bruggen naar de Marais overstaken. De trottoirs waren nog vol met mannen en vrouwen in avondkleding; niemand wilde nog afscheid nemen van de nacht. Al lopend fantaseerde Andras over het onmogelijke: dat ze bij Klara samen de trap op zouden lopen en dan stilletjes naar haar slaapkamer zouden sluipen om in elkaars armen in slaap te vallen op haar witte bed. Maar op nummer 39 brandden alle lichten nog; toen Klara de sleutel in het slot stak, kwam mevrouw Apfel de trap af rennen met het nieuws dat Elisabet nog niet thuis was gekomen.

Klara's ogen werden groot van schrik. 'Het is al drie uur geweest!'

'Ik weet het,' zei mevrouw Apfel, wanhopig wringend aan haar schort. 'Ik wist niet waar ik u kon bereiken.'

'O god, wat zou er gebeurd zijn? Ze is nog nooit zo laat thuisgekomen.'

'Ik heb de hele buurt al afgezocht, mevrouw.'

'En ik ben al die tijd weg geweest! O god. Drie uur 's nachts! Ze zei dat ze alleen maar met Marthe naar een dansavond ging!'

Er volgde een uur vol paniek waarin Klara een aantal telefoongesprekken voerde en erachter kwam dat Marthe Elisabet de hele avond niet gezien had, dat er in de ziekenhuizen niemand was binnengebracht met de naam Elisabet Morgenstern, en dat de politie geen melding had gekregen van een incident met een meisje dat voldeed aan het signalement van Elisabet. Toen ze klaar was met bellen liep ze met haar hoofd in haar handen door de salon heen en weer. 'Ik vermoord haar,' zei ze en barstte in tranen uit. 'Waar is ze nou? Het is al bijna vier uur!'

Andras had al bedacht dat Elisabet waarschijnlijk bij haar blonde Amerikaan was en dat haar afwezigheid misschien wel dezelfde reden had als de late thuiskomst van Klara. Hij had beloofd haar geheim te bewaren; hij aarzelde om zijn vermoedens uit te spreken. Maar hij kon niet aanzien hoe Klara zichzelf kwelde. En daarbij kon het gevaarlijk zijn om nog langer te wachten. Hij zag al voor zich hoe Elisabet misschien wel een alcoholvergiftiging had opgelopen na een van de feestjes van József, of alleen was achtergelaten in een buitenwijk nadat een dansavond in ruzie was geëindigd. Hij kon niet langer zwijgen.

'Je dochter heeft een vriend,' zei hij. 'Op een feestje heb ik haar met hem gezien. Misschien moeten we uitzoeken waar hij woont en daar gaan kijken.'

Klara's ogen vernauwden zich. 'Wat voor vriend? Wat voor feestje?'

'Ze smeekte me het niet aan jou te vertellen,' zei Andras. 'Ik heb haar beloofd dat ik dat niet zou doen.'

'Wanneer is dat gebeurd?'

'Maanden geleden,' zei Andras. 'In januari.'

'Januari!' Met een hand zocht ze steun bij de sofa. 'Andras, dat meen je niet.'

'Het spijt me. Ik had het eerder moeten vertellen. Ik wilde het vertrouwen van Elisabet niet beschamen.'

Haar ogen spuwden vuur. 'Hoe heet die meneer?'

'Ik weet alleen zijn voornaam. Maar je neef kent hem. We kunnen naar zijn huis gaan – ik ga wel naar binnen, jij kunt in de taxi blijven zitten.'

Ze pakte haar dunne jas van de bank en even later renden ze de trap af. Maar toen ze de deur openden, stond daar Elisabet met in de ene hand een paar avondschoentjes en in de andere een suikerspin. Klara, die in de deuropening stond, keek eens goed naar haar, naar de schoenen en de suikerspin; het was duidelijk dat het geen onschuldig dansavondje met Marthe was geweest. Elisabet onderwierp op haar beurt Andras aan een doordringende blik. Hij kon haar niet in de ogen kijken, en op dat moment wist ze dat hij haar verraden had; ze keek hem met een blik van verschrikte woede aan, wrong zich langs hem en haar moeder en rende de trap op. Even later hoorden ze haar slaapkamerdeur dichtslaan.

'We hebben het er nog over,' zei Klara en liet hem achter bij de deur. Hij had zich de woede en minachting van beide Morgensterns op de hals gehaald.

'Ik vind dat je moet weten wat voor vrouw mijn moeder is,' zei Elisabet.

Ze zat op een bankje in de Tuilerieën en Andras stond voor haar; het was twee dagen geleden dat hij Klara voor het laatst gezien had en sindsdien had hij niets meer vanuit de Rue de Sévigné vernomen. Maar die middag had Elisabet hem verrast op de binnenplaats van de École Spéciale, wat Rosen en Ben Yakov het idee had gegeven dat zíj de mysterieuze vrouw in zijn leven moest zijn – de vrouw die ze nooit hadden ontmoet en over wie hij in De Blauwe Duif alleen maar in de meest vage bewoordingen gesproken had. Toen ze de collegezaal uit kwamen en daar op de binnenplaats Elisabet zagen staan, met haar koude ogen gericht op Andras en haar armen gekruist voor het lijfje van haar lichtgroene jurk, floot Rosen en trok Ben Yakov een wenkbrauw op.

'Een amazone,' fluisterde hij. 'Hoe zou ze in bed zijn?'

Alleen Polaner wist dat dit niet de geliefde van Andras was – Polaner die dankzij de zorgen van Andras en Klara en de onwankelbare steun van zijn vrienden Rosen en Ben Yakov weer naar de École Spéciale was teruggekeerd en zijn plaats in de klas weer had ingenomen. Alleen Polaner wist van het geheim van Andras' relatie; hoewel hij Elisabet nog nooit ontmoet had, wist hij net zoveel van Klara's geschiedenis en haar familie als Andras zelf. Dus toen hij die lange, sterke meid op de binnenplaats van de École Spéciale zag staan en merkte hoe haar ogen koud elektrisch vuur in de richting van Andras spuwden, wist hij meteen wie ze was. Hij leidde Rosen en Ben Yakov af met het voorstel een kop thee in het studentencafé te gaan drinken. Hij kon niet anders dan Andras aan zijn lot overlaten.

Bij de poort van de school draaide Elisabet zich om en ging ze Andras zonder een woord te zeggen voor over de Boulevard Raspail. De hele weg naar de Tuilerieën bleef ze hem twee passen voor. Ze had haar haar in een strakke paardenstaart gedaan die ritmisch op en neer wipte onder het lopen. Hij volgde haar over de Boulevard Raspail naar Saint-Germain, waarna ze de rivier overstaken en naar de Tuilerieën liepen. Ze leidde hem over met goud, lila en fuchsia omzoomde paden, door de sterk geurende overvloed aan voorjaarsbloemen, tot ze aan het enige sombere hoekje van het park kwamen: een verveloze zwarte bank, een bloemperk zonder bloemen. Achter hen raasde het verkeer van de Rue de Rivoli voorbij. Elisabet ging zitten, kruiste haar armen weer voor haar borst en keek Andras met een van haat vertrokken gezicht aan.

'Ik hou het kort,' zei ze. En toen deelde ze hem mee dat hij moest weten wat voor vrouw haar moeder was.

'Ik weet wat voor vrouw ze is,' zei Andras.

'Jij hebt haar verteld hoe het met mij en Paul zit. Nu ga ik jou vertellen hoe het met haar zit.'

Ze was kwaad, bedacht hij. Ze zou geen middel onbeproefd laten om hem pijn te doen en elke leugen vertellen die in haar straatje te pas kwam. In zekere zin voelde hij zich verplicht naar haar te luisteren; per slot van rekening hád hij haar ook verraden.

'Goed,' zei hij. 'Wat wil je me vertellen?'

'Je zult wel denken dat jij voor mijn moeder de eerste bent na mijn vader.'

'Ik weet dat ze een ingewikkeld leven heeft geleid,' zei hij. 'Dat is geen nieuws.'

Elisabet lachte kort en hard. 'Ingewikkeld! Zo zou ik het niet willen noemen. Het is heel simpel als je het patroon eenmaal herkent. Al zolang ik me kan herinneren heb ik beklagenswaardige mannen voor haar zien vallen. Ze heeft altijd geweten hoe ze daar gebruik van kon maken en wat ze waard was. Hoe denk je dat ze aan dat appartement en die balletstudio is gekomen? Door als een gek te dansen?'

Hij kon haar wel slaan. Hij drukte zijn nagels in zijn handpalm. 'Zo is het wel genoeg,' zei hij. 'Hier wil ik niet naar luisteren.'

'Iemand moet je toch de waarheid vertellen.'

'Je moeder weet dat ik wel beter weet en dat zou jij ook moeten doen.'

'Maar je wéét niet beter, sukkel! Ze speelt een spelletje met je. Ze gebruikt je om een andere man jaloers te maken. Een echte man, een volwassene, eentje met een baan en geld. Lees zelf maar.' Ze haalde een stapel enveloppen uit haar leren schooltas. Een mannelijk handschrift; de naam van Klara. Ze haalde nog een stapel tevoorschijn, en nog een. Stapels brieven. Ze pakte de bovenste envelop van een stapel, haalde de brief eruit en begon te lezen.

'"Mijn liefste Odette". Zo noemt hij haar, zijn Odette, naar de prinses uit *Het Zwanenmeer*. "Sinds gisteravond denk ik alleen nog maar aan jou. Ik heb jouw smaak nog in mijn mond. Mijn handen zijn nog vol van jou. Overal in mijn huis ruik ik je geur."'

Andras pakte de brief uit haar hand. Daar stonden de zinnen die ze net had voorgelezen, in een bekend handschrift. Hij draaide het velletje om, op zoek naar de ondertekening. Eén initiaal: Z. Op de envelop zat een poststempel van een jaar geleden.

'Wie denk je dat het is?' zei Elisabet terwijl ze hem aankeek. 'Het is jouw monsieur Novak. Z staat voor Zoltán. Ze is al elf jaar zijn maîtresse. En als de klad erin komt, zoals dat nu eenmaal gebeurt zo af en toe, legt ze het aan met idioten zoals jij om hem gek te maken. Hij komt altijd bij haar terug. Zo werkt het. Nu weet je het.'

Een vloedgolf van hete naalden spoelde door hem heen. Hij had het gevoel dat zijn longen lekgeprikt waren, dat hij geen adem meer kon krijgen. 'Ben je klaar?' zei hij.

Ze stond op en trok de rok van haar lichtgroene jurk recht. 'Het is misschien even slikken,' zei ze. 'Maar ik kan je verzekeren dat wat zij mij aandoet, nu ze het weet van Paul, minstens even erg is.' En ze liet hem daar in de Tuilerieën met de brieven van Novak achter.

Hij ging niet naar zijn werk. In plaats daarvan bleef hij op die bank in dat stoffige hoekje van het park zitten en las hij de brieven. De oudste dateerde van januari 1927. Hij las over de eerste ontmoeting van Klara en Novak na een balletvoorstelling; hij las over Novaks verloren strijd om trouw aan zijn vrouw te blijven, en daarna las hij Novaks bijna jubelende zelfkastijding na zijn eerste rendez-vous met Klara. Er waren cryptische verwijzingen naar plekken waar ze het gedaan hadden – een loge in de opera, het huisje van een vriend in Montmartre, een slaapkamer bij een feestje, Novaks kantoor in het Sarah-Bernhardt; er waren briefjes waarin Novak smeekte om haar te zien, en ook briefjes waarin hij haar op het hart drukte om dit soort verzoeken de volgende keer te weigeren. Er waren verwijzingen naar uitbarstingen van gewetensnood aan beide kanten en daarna was er een onderbreking van een halfjaar in de regelmatige stroom brieven – een periode waarin ze kennelijk uit elkaar waren en zij iets met een ander had, want in de brieven daarna werd er op verwijtende toon gesproken over een jonge danser met de naam Marcel. (Was dit de Marcel, zo vroeg Andras zich af, die Klara die briefkaarten uit Rome had gestuurd?) Novak eiste dat ze de relatie met Marcel verbrak; het was absurd, zo schreef hij, om te denken dat de gevoelens van zo'n jochie ook maar in de buurt konden komen van de zijne. En kennelijk had ze aan zijn verzoek voldaan, want de brieven van Novak kwamen weer met dezelfde regelmaat en stonden ook weer vol liefdevolle verwijzingen naar de periodes die hij met haar doorbracht. Er waren brieven waarin hij sprak over het appartement en de balletstudio die hij voor haar gevonden had, saaie brieven over de formaliteiten van de vastgoedtransactie. Er waren wanhopige briefjes waarin hij schreef dat hij bij zijn vrouw weg zou gaan en bij haar in de Rue de Sévigné zou komen wonen – met haar zou trouwen en Elisabet zou adopteren – en ontnuchterende briefjes over de redenen waarom hij dat niet kon doen. Toen weer een onderbreking en daarna weer brieven waarin gesproken werd over een andere minnaar van Klara, dit keer een schrijver wiens stukken in het Sarah-Bernhardt waren opgevoerd; de ene week schreef Novak dat dit de druppel was en dat hij helemaal klaar was met Klara, maar de week daarop smeekte hij haar bij hem terug te komen en de week daarop werd duidelijk dat zij dat inderdaad had gedaan – *wat een heerlijke opluchting dat ik je weer terug heb, wat een vervulling van mijn stoutste dromen.* Uiteindelijk had zijn vrouw aan het begin van het jaar 1937 kennelijk van de notaris gehoord dat zij samen een pand bezaten waar zij niets van wist; ze had Novak om opheldering gevraagd en hij had bekend. Zijn vrouw had hem voor de keuze gesteld. Toen was hij naar Hongarije gegaan – niet alleen om te herstellen van een milde vorm van tuberculose, zoals hij tegen iedereen zei, maar ook om een keuze te maken tussen zijn vrouw en zijn maîtresse. Het zal op zijn terugreis uit Hongarije zijn geweest dat Andras hem op het station had ontmoet. Hij was berouwvol teruggekeerd, beschaamd dat hij zowel Edith als Klara tekort had gedaan. Hij had zijn relatie met Klara verbroken en zijn vrouw was zwanger geraakt. Dat nieuws was in december gekomen. Maar de recentste brief was nog maar van een paar weken geleden en handelde over de geruchten dat Klara een relatie met een ander had – en niet zomaar iemand, maar *Andras Lévi*, de jonge Hongaar die Zoltán in het najaar een baantje had bezorgd in het Sarah-Bernhardt. Hij wilde tekst en uitleg van haar, in eigen persoon, 's middags op die en die datum in een met name genoemd hotel; hij zou daar op haar wachten.

Andras zat op het bankje met de stapel brieven naast zich. Die middag, twee weken geleden – wat had hij toen gedaan? Was hij op zijn werk geweest? Op school? Hij kon het zich niet meer herinneren. Had ze haar lessen afgezegd en Novak ontmoet? Was ze op dit moment bij hem? Opeens voelde hij de hevige behoefte om iemand te wurgen. Het maakte niet uit wie: die opgedirkte matrone naast de fontein met haar bichon frisé; die treurig uitziende meid onder de lindebomen, die politieagent op de hoek met zijn groteske Novak-snor. Hij stond op, propte de brieven in zijn tas en liep terug naar de rivier. Het was donker geworden, een vochtige lente-avond. Hij stapte voor auto's langs die luid naar hem toeterden, liep op de stoep tegen mensen op en ploegde zich een weg door de groepjes clochards op de bruggen. Hij wist niet hoe laat het was en dat kon hem ook niets schelen. Hij was uitgeput. Hij had niks gegeten en had geen honger. Het was al te laat om nog naar Forestier te gaan, maar hij wilde ook niet naar huis; de kans bestond dat Klara langs zou komen om met hem te praten en dat was op dit moment het laatste waar hij behoefte aan had. Hij wilde haar Novak niet voor de voeten werpen; hij schaamde zich dat hij de brieven gelezen had, dat hij Elisabet had toegestaan hem dit aan te doen. Hij draaide zich om en liep de Rue des Écoles af naar de Place de la Sorbonne, waar hij op de rand van een fontein naar een eenbenige accordeonist ging zitten luisteren. Die speelde de bitterste liefdesliedjes die hij ooit had gehoord. Toen hij geen maat muziek meer kon aanhoren, vluchtte hij naar de Jardin du Luxembourg, waar hij op een bankje onder een iep in een rustcloze slaap viel.

Een tijdje later werd hij gewekt door een vochtige, blauwe dageraad. Hij had een stijve nek door de houding waarin hij in slaap was gevallen. Hij herinnerde zich dat hem de vorige avond een ramp was overkomen en hij voelde die herinnering nu als een vloedgolf naar zijn bewustzijn stromen. Daar was hij al: Zoltán Novak, de brieven. Hij wreef zich met duim en wijsvinger in de ogen en knipperde in het ochtendlicht. Voor hem op het gras zaten twee konijntjes aan een polletje klaver te knabbelen. Het eerste licht van de dag scheen door hun oren die aan blaadjes lof deden denken; ze waren zo dichtbij dat hij hun tanden hoorde bijten en malen. Verder was het helemaal stil in het park en was hij alleen met wat hij van Klara wist en nooit meer niet kon weten.

Zijn vermoeden klopte: ze was de avond daarvoor bij hem thuis geweest. Sterker nog, ze had hem overal gezocht. Hij kon haar gangen volgen aan de hand van een reeks steeds bezorgder klinkende briefjes die hij in omgekeerde volgorde te zien kreeg. Als eerste het briefje dat ze aan zijn tekentafel in het atelier had vastgemaakt: *A, waar ben je in godsnaam? Ik heb je overal gezocht. Kom naar me toe zodra je dit leest. K.*; daarna het briefje dat ze had achtergelaten bij die aardige monsieur Forestier, die eerder bezorgd dan boos was toen Andras als een zwerver op het werk verscheen: *A, toen je niet thuiskwam, ben ik je hier komen zoeken. Ik ga nu naar je school. K.*; en uiteindelijk, na de langste dag van zijn leven, het briefje dat ze bij hem thuis had achtergelaten op het tafeltje onder aan de trap: *A, ik ga kijken of je bij Forestier bent. Je K.* Hij liep de vijf trappen op naar de zolder en opende de deur. In het donker klonk het geluid van een stoel die omviel en van Klara's lichte voetstappen op de vloer, en toen stond ze naast hem. Hij knipte een lamp aan en wurmde zich uit zijn jas.

'Andras,' zei ze. 'Mijn god, wat is er met jou gebeurd? Waar was je?'

'Ik wil niet praten,' zei hij. 'Ik ga slapen.' Hij kon niet naar haar kijken. Als hij naar haar keek, zag hij hoe Novaks handen haar betastten, hoe zijn mond de hare kuste. *Jouw smaak.* De misselijkheid overmande hem en hij zakte naast het bed door zijn knieën. Toen ze een hand op zijn schouder legde, schudde hij die af.

'Wat is er?' zei ze. 'Kijk me aan.'

Hij kon het niet. Hij trok zijn hemd en broek uit en kroop in bed, met zijn gezicht naar de muur. Achter zich hoorde hij haar bewegen in de kamer.

'Dit kan niet zo,' zei ze. 'We moeten praten.'

'Ga weg,' zei hij.

'Dit is belachelijk. Je gedraagt je als een kind.'

'Laat me met rust, Klara.'

'Dan moet je eerst met me praten.'

Hij ging rechtop zitten. Hij voelde zijn ogen branden. Hij wilde niet huilen in haar bijzijn. Zonder iets te zeggen stond hij op, pakte de brieven uit zijn tas en gooide ze op tafel.

'Wat zijn dat?' vroeg ze.

'Zeg jij dat maar.'

Ze pakte een van de brieven op. 'Hoe kom je hieraan?'

'Je dochter was zo vriendelijk ze mij te bezorgen. Dat was haar manier om me te bedanken voor mijn loslippigheid over haar relatie met Paul.'

'Wat?'

'Ze dacht dat ik wel zou willen weten met wie je nog meer neukt.'

'O god!' riep ze uit. 'Ongelooflijk. Heeft zij dat gedaan?'

'"*Ik heb jouw smaak nog in mijn mond. Mijn handen zijn nog vol van jou. Overal in mijn huis ruik ik je geur.*"' Hij pakte de brief van de stapel en smeet hem haar toe. 'Of deze: "*Zonder jou zou mijn leven één zwart gat zijn.*" Of dit: "*De herinnering aan afgelopen nacht heeft me door deze vreselijke dag heen geholpen. Wanneer kom je weer?*" En deze, van twee weken geleden: "*...Hôtel St. Lazare, waar ik op je wacht.*"'

'Andras, alsjeblieft...'

'Donder op, Klara, donder op! Mijn huis uit! Ik kan je niet meer zien.'

'Het is verleden tijd,' zei ze. 'Ik kon het niet meer. Ik heb nooit van hem gehouden.'

'Je bent elf jaar met hem geweest! Je ging drie keer per week met hem naar bed. Je hebt twee andere minnaars voor hem laten vallen. Je hebt hem een appartement en een balletstudio voor je laten kopen. En je hebt nooit van hem gehouden? Als dat waar is, moet dat me dan geruststellen?'

'Ik heb het je gezegd,' zei ze gepijnigd. 'Ik heb je gezegd dat je beter niet alles van me kon weten.'

Hij kon haar niet meer aanhoren. Hij was uitgeput, hongerig en leeg. Zijn gevoelens leken wel een geblakerde pot waarvan de hele inhoud was verbrand. Het kon hem al bijna niet meer schelen of er nog iets tussen Novak en Klara was en of hun meest recente breuk definitief of weer eens tijdelijk was. Hij kon gewoon niet leven met de gedachte dat zij het bed had gedeeld met die man, die Zoltán Novak met zijn weerzinwekkende snor – dat hij met zijn handen aan haar lichaam had gezeten, aan haar moedervlekjes en littekens, het terrein dat hij als het zijne had beschouwd, maar dat natuurlijk alleen aan Klara toebehoorde en waar ze mee kon doen wat haar beliefde. En dan waren er nog die anderen – die danser, die toneelschrijver – en daarvoor ongetwijfeld nog weer anderen. Opeens leken ze voor hem tot leven te komen, die legioenen van exen, die mannen die hem waren voorgegaan in zijn kennis van haar. Ze leken de hele kamer te vullen. Hij zag ze in hun idiote balletkostuums, in hun dure overjassen en hun met decoraties bespelde uniformjasjes. Hij zag hun gesoigneerde of ongesoigneerde kapsels, hun stoffige of glimmend gepoetste schoenen, hun trotse of afhangende schouders, hun elegantie, hun eigenaardigheid, hun verschillende brilmonturen, hun collectieve geur van leer, scheerzeep, makassarolie en wellust. Klara Morgenstern, dat was wat ze gemeen hadden. In weerwil van wat madame Gérard hem verteld had, had hij toch gedacht dat hij in haar leven een unieke plek innam, iets eenmaligs was. Maar de waarheid was dat hij maar een eenvoudige soldaat was in een leger van minnaars, en dat als hij sneuvelde, er anderen klaarstonden om hem te vervangen, en weer anderen om hen te vervangen. Het was te erg. Hij trok de sprei over zijn schouders en bedekte zijn ogen met zijn arm. Met haar zachte, vertrouwde stem zei ze nogmaals zijn naam.

Hij zei niets terug en ze zei het nog een keer. Hij maakte geen enkel geluid. Na een tijdje hoorde hij hoe ze opstond, haar jas aantrok, hoe de deur opende en weer sloot. Aan de andere kant van de muur begonnen de nieuwe buren luidruchtig te vrijen. Hij hoorde de hese alt van de vrouw en de grommende bas van de man. Andras begroef zijn gezicht in het kussen, wild van verdriet. Hij dacht nergens meer aan en wenste vurig dat hij dood was.

16

Het stenen huisje

De volgende ochtend was hij duizelig van de koorts. Zijn lakens waren doorweekt van de hitte die uit zijn lichaam stroomde; hij rilde van de kou onder alle dekens die hij bezat, aangevuld met zijn jasje, zijn overjas en drie wollen truien. Hij kon niet eten en niet opstaan om naar zijn werk of naar school te gaan. Als hij dorst had, zette hij zijn mond aan de waterketel, waar nog een restje oude thee in zat. Als hij moest plassen gebruikte hij de po onder zijn bed. Op de tweede dag kwam Polaner 's ochtends kijken waar hij bleef. Hij had niet de kracht om hem weg te sturen, hoewel hij eigenlijk het liefst alleen wilde zijn. Nu was het Polaner die zich als verzorger manifesteerde; het leek wel alsof hij nooit iets anders had gedaan. Hij zorgde ervoor dat Andras uit bed kwam en zich waste. Hij leegde de po en verschoonde de lakens. Hij kookte water en zette sterke thee; hij liet de conciërge soep halen en zorgde ervoor dat Andras die ook opat. Toen Andras schoon, gekleed en uitgeput in het verschoonde bed lag, liet Polaner hem vertellen wat er precies gebeurd was. Hij luisterde aandachtig en oordeelde dat de situatie ernstig, maar niet hopeloos was. Het belangrijkste, zo zei hij, was dat Andras beter werd. Voor school moesten er twee opdrachten ingeleverd worden. Als hij niet opknapte, zou Polaner daaronder lijden: het waren groepsopdrachten en hij en Andras waren de groep. Ook kwamen er weer examens aan: statica en architectuurgeschiedenis. Die zouden over tien dagen worden afgenomen. Als Andras zou zakken, dan zou hij zijn beurs kwijtraken en naar huis worden gestuurd. En dan was er ook nog het probleempje van zijn werk; monsieur Forestier had al twee dagen niets meer van hem vernomen.

Polaner zei dat hij hun spullen zou meenemen van school – Andras was te zwak om naar de Boulevard Raspail te lopen – zodat ze de hele dag aan hun opdrachten konden werken. 's Middags zou Polaner naar de werkplaats van monsieur Forestier gaan met

een excuusbriefje van Andras. Polaner zou aanbieden om het ko-
pieerwerk van Andras die avond over te nemen. Ondertussen zou
Andras een studieplan maken voor de examens statica en architectuurgeschiedenis.

Hij had nog nooit zo'n goede vriend als Polaner gehad en zou
ook nooit meer een betere krijgen. De volgende dag was zijn baantje veiliggesteld en waren de eindopdrachten al een heel eind gevorderd. Ze moesten een moderne concertzaal ontwerpen en daar
zaten nogal wat haken en ogen aan: ze hadden voor een cilindrisch
gebouw gekozen en moesten een plafond ontwerpen dat het geluid
zonder echo of vervorming over de zaal verspreidde. Toen het ontwerp klaar was, moesten ze een maquette maken. Het schuiven
met kartonnen vormen duurde wel een dag en een avond. Polaner
repte niet over naar huis gaan; hij sliep op de vloer en was er nog
steeds toen Andras de volgende ochtend wakker werd.

Om halfelf, toen Polaner op het punt stond om naar huis te
gaan, hoorden ze iemand de trap op komen. Andras had het gevoel dat iemand over zijn ruggengraat naar de donkere grot van
zijn gekwetste hart klom. Ze hoorden dat er een sleutel in het slot
werd gestoken en zagen de deur opengaan. Het was Klara. Haar
ogen gingen schuil onder de rand van haar voorjaarshoedje.

'Het spijt me,' zei ze. 'Ik wist niet dat je bezoek had.'

'Monsieur Polaner wilde net naar huis gaan,' zei Polaner. 'Monsieur Lévi heeft wel weer even genoeg van mij. Ik heb hem de hele
avond opgezadeld met architectuur, en dat terwijl hij koorts had
gehad.'

'Koorts?' zei Klara. 'Is de dokter geweest?'

'Polaner heeft voor me gezorgd,' zei Andras.

'Ik ben geen goede dokter geweest,' zei Polaner. 'Hij is afgevallen.
Ik ga weg voor ik nog meer schade aanricht.' Hij zette zijn eigen
voorjaarshoed op – die qua vorm en kleur zo modieus was dat je
de reparatie tussen rand en hoed bijna niet zag – liep de gang op
en sloot zachtjes de deur achter zich.

'Koorts,' zei Klara. 'Voel je je nu beter?'

Hij gaf geen antwoord. Ze ging op de houten stoel zitten en voelde aan de kartonnen muren van de concertzaal. 'Ik had je moeten
vertellen van Zoltán,' zei ze. 'Het was voor jou een vreselijke manier om erachter te komen. En het had nog erger kunnen uitpakken. Jullie werkten samen. Marcelle wist het.'

Hij vond het een akelig idee, dat madame Gérard alles had

geweten en gezien. 'Het was rot genoeg om er zo achter te komen,' zei hij.

'Je moet weten dat het uit is,' zei Klara. 'Ik ben twee weken geleden niet naar de afspraak gegaan en zal dat ook niet doen als hij het nog een keer vraagt.'

'Dat zeg je natuurlijk elke keer.'

'Je moet me geloven, Andras.'

'Je zit nog steeds aan hem vast. Je woont in het huis dat hij voor je gekocht heeft.'

'Hij heeft de eerste aanbetaling gedaan,' zei Klara. 'Maar ik heb de rest betaald. Elisabet kent niet alle details van onze financiën. Misschien wil ze niet geloven dat ik de kostwinner ben. Dan zou ze minder reden hebben om vijandig tegen me te doen.'

'Maar je hield wel van hem,' zei Andras. 'Nog steeds. Je hebt het met mij aangelegd om hem jaloers te maken, net zoals met die anderen. Marcel. En die schrijver, die Édouard.'

'Het is waar dat ik me niet in huis heb opgesloten toen Zoltán me liet vallen. Niet lang in elk geval. Toen hij zei dat hij verder moest met zijn leven, heb ik mijn leven weer opgepakt. Maar ik gaf minder om Marcel of om Édouard dan om hem, dus ging ik naar hem terug.'

'Dus het is waar,' zei Andras. 'Je houdt wél van hem.'

Ze zuchtte. 'Ik weet het niet. Zoltán en ik hebben een sterke band, die hadden we althans. Maar we kozen niet voor elkaar. Hij niet om wat hij voor Edith voelde en ík niet om dezelfde reden. Uiteindelijk besloot ik dat ik niet de rest van mijn leven de maîtresse van iemand wilde zijn. En hij besloot dat we niet zo door konden gaan als hij en Edith een kind zouden krijgen.'

'En nu?'

'Ik heb hem niet meer gesproken sinds we die beslissingen hebben genomen. Sinds november.'

'Mis je hem?'

'Soms,' zei ze en vouwde haar handen tussen haar knieën. 'Hij was een dierbare vriend en heeft me erg geholpen met Elisabet. Zij is ook op hem gesteld, of was dat in elk geval. Hij was voor haar de vader die ze nooit heeft gehad. Toen we de relatie verbraken, was dat ook voor haar een verlies. Ze verweet het mij. Ik vermoed dat ze hoopte dat ik hem weer zag, die avonden dat ik bij jou was.'

'En wat nu? Wat als hij weer bij je aanklopt? Jullie zijn elf jaar samen geweest, bijna een derde deel van je leven.'

'Het is afgelopen, Andras. Jij bent nu in mijn leven.'

'Is dat zo?' zei hij. 'Ik dacht dat je klaar was met mij. Ik wist niet of je me kon vergeven voor het achterhouden van Elisabets geheim.'

'Ik weet niet of ik dat kan,' zei ze zonder een spoortje ironie. 'Elisabet had je niet in zo'n lastig parket mogen brengen, maar toen ze dat deed, had je het me meteen moeten vertellen. Die man is vijf jaar ouder dan zij – een rijke Amerikaan die voor de lol aan de Beaux-Arts studeert. Niet iemand die lief voor haar zal zijn of haar serieus zal nemen. En erger nog, hij kent mijn neef.'

'Dat kun je hem niet echt verwijten,' zei Andras. 'Volgens mij kent jouw neef in het Quartier Latin zo'n beetje iedereen tussen de zestien en de dertig.'

'In elk geval moet het uit zijn. Ik ben niet van plan hem de kans te geven te bewijzen dat hij een schoft is.'

'En hoe staat Elisabet daartegenover?'

'Ik ben bang dat dat er even niet toe doet.'

'Dat zal Elisabet niet me je eens zijn. Als je haar tegenwerkt, zal de weerstand alleen maar toenemen.'

Klara schudde haar hoofd. 'Ga mij niet vertellen hoe ik dat kind moet opvoeden, Andras.'

'Ik zeg niet dat ik weet hoe dat moet, maar ik weet wel hoe ik me voelde toen ík zestien was.'

'Dat was mijn verklaring voor het feit dat je haar geheim hebt bewaard,' zei Klara. 'Ik wist dat je met haar meevoelde, en dat vind ik ook wel lief van je. Maar je moet ook mijn kant van de zaak zien.'

'Juist. Dus je hebt een einde gemaakt aan de relatie tussen Elisabet en Paul.'

'Dat hoop ik,' zei Klara. 'En ik heb haar gestraft voor het tonen van die brieven.' Ze kreeg een frons op haar gezicht die hij al vaker had gezien. 'Ze was nogal met zichzelf ingenomen toen ze zag hoe kwaad ik daarover was. Ze zei dat ik mijn verdiende loon had gekregen. Ik heb haar huisarrest gegeven. Mevrouw Apfel houdt de wacht als ik weg ben. Elisabet mag het huis pas weer uit als ze je een excuusbrief heeft geschreven.'

'Ze gaat nog liever dood.'

'Dat is dan haar keus,' zei Klara.

Maar hij wist dat Klara Elisabet niet lang thuis zou kunnen houden, zelfs niet met hulp van mevrouw Apfel. Elisabet zou snel een manier vinden om te ontsnappen, en hij was bang dat ze dan niet meer terug zou komen. Dat wilde hij niet op zijn geweten hebben.

'Laat me morgen met haar praten,' zei hij.

'Dat heeft geen enkele zin.'

'Geef me de kans.'

'Ze zal je niet ontvangen. Ze is echt onbenaderbaar.'

'Het kan nooit erger zijn dan ik me heb gevoeld.'

'Je weet hoe ze is, Andras. Ze kan echt beestachtig tekeergaan.'

'Ik weet het. Maar het blijft toch gewoon een meisje.'

Klara zuchtte diep. 'En wat nu?' zei ze terwijl ze vanuit haar stoel naar hem opkeek. 'Hoe gaan we nu verder?'

Hij wreef met een hand over zijn nek. Hij had zich dezelfde vraag gesteld. 'Ik weet het niet, Klara. Ik weet het niet. Ik ga hier op het bed zitten. Als je wilt, mag je naast me zitten.' Hij wachtte tot ze naast hem zat en ging toen verder. 'Het spijt me dat ik gisteravond zo naar tegen je deed,' zei hij. 'Ik gedroeg me alsof je me bedrogen had, maar dat heb je niet gedaan, toch?'

'Nee,' zei ze en legde een hand op zijn knie. Hij voelde de hand gloeien als een koortsige vogel. 'Mijn gevoelens voor jou zouden dat onmogelijk maken. Of in elk geval absurd.'

'Hoe zit dat dan, Klara? Wat zijn je gevoelens voor mij?'

'Als ik die vraag wil beantwoorden ben ik wel even bezig,' zei ze met een glimlach.

'Ik kan zijn plaats niet innemen. Ik kan je geen huis geven en ik kan ook geen vader voor Elisabet zijn.'

'Ik heb een huis,' zei ze. 'En Elisabet mag dan in veel opzichten nog een kind zijn, het duurt niet lang meer voor ze volwassen is. Ik heb nu iets anders nodig dan toen.'

'Wat dan?'

Ze zoog peinzend haar lippen naar binnen. 'Ik weet het niet precies. Maar ik kan het kennelijk niet verdragen om niet bij je te zijn. Zelfs niet als ik razend op je ben.'

'Er is nog veel dat ik niet van je weet.' Hij streelde de ronding van haar rug; hij voelde de gloeiende kooltjes van haar rugwervels door haar dunne truitje heen.

'Ik hoop dat ik de tijd krijg om het te vertellen.'

Hij trok haar bij zich op het bed en zij legde haar hoofd op zijn schouder. Hij streelde haar warme, donkere haar van boven naar beneden en hield de onderste lokken tussen zijn vingers. 'Laat me met Elisabet praten,' zei hij. 'Als we hiermee doorgaan, wil ik niet dat ze me haat. En ik wil háár niet haten.'

'Goed,' zei Klara. 'Je mag een poging wagen.' Ze rolde op haar rug en keek naar het schuine plafond met zijn lekkages in de vorm van vissen en olifanten. 'Ik deed ook vreselijk tegen mijn moeder,' zei ze. 'Het zou stom zijn om te zeggen dat dat niet zo was.'

'We zijn allemaal vreselijk tegen onze ouders als we zestien zijn.'

'Maar jij niet,' zei ze en deed haar ogen dicht. 'Jij houdt van je ouders. Jij bent een goede zoon.'

'Ik zit hier in Parijs terwijl zij in Konyár zitten.'

'Dat is jouw schuld niet. Je ouders hebben ervoor gewerkt om je te laten studeren en ze wilden dat je deze kans zou grijpen. Je schrijft ze iedere week. Ze weten dat je van ze houdt.'

Hij hoopte dat ze gelijk had. Het was al negen maanden geleden dat hij ze voor het laatst gezien had. Toch voelde hij dat hij nog met een dun koord aan ze vastzat, een dunne, lichtgevende draad aan zijn borst die hem honderden kilometers verder verbond met zijn vader en moeder. Nooit eerder had hij koorts gehad zonder dat zijn moeder erbij was; toen hij in Debrecen ziek was geworden was ze op de trein gestapt om bij hem te zijn. Nooit eerder had hij een schooljaar afgerond zonder dat hij terugging naar zijn vader om samen met hem in de houtzagerij te werken en 's avonds door de velden te lopen. Nu was er een andere draad, eentje die hem met Klara verbond. En zij woonde in Parijs, een stad die meer dan duizend kilometer van zijn huis verwijderd was. Hij voelde hoe een nieuwe pijn zich begon te roeren, iets wat leek op heimwee, maar nog dieper zat; het was een terugverlangen naar een tijd waarin zijn hart nog simpel en tevreden was, en net zo klein als de groene appeltjes die in de boomgaard van zijn vader groeiden.

Voor het eerst zocht hij József Hász op school op. De Beaux-Arts was een enorm stadspaleis, een monument voor de zuivere kunst; hiermee vergeleken waren de bescheiden binnenplaats en de lokalen van de École Spéciale kinderspel, iets wat een paar knulletjes op een lege plek in de stad in elkaar hadden geflanst. Hij kwam binnen door een smeedijzeren hek met bloemmotieven, met aan weerszijden twee streng kijkende, uit steen gehouwen koppen. Hij vervolgde zijn weg door een beeldentuin die vol stond met perfecte marmeren korai en kouroi die zo weggelopen leken te zijn uit zijn kunstgeschiedenisboek. Met hun lege, amandelvormige ogen staarden ze in de verte. Hij beklom de marmeren trap van een drie verdiepingen hoog romaans gebouw en kwam uit in een hal die wemelde van de jonge mannen en vrouwen, stuk voor stuk zorgvuldig nonchalant gekleed. Op een lesrooster vond hij Józsefs naam, op een kaartje zag hij waar hij hem moest zoeken. Hij liep de trap op naar een klaslokaal met een schuin, glazen plafond op het noorden. Daar, tussen de rijen van schilderende studenten, stond József vernis aan te brengen op een schilderij dat op het eerste gezicht nog het meeste weg had van drie doodgemepte bijen rond de zwarte afgrond van een afvoerputje. Bij nadere inspectie bleken de bijen donkerharige vrouwen in geel met zwart gestreepte jurken te zijn.

József leek er niet van op te kijken dat Andras hem in de klas opzocht. Hij trok onverstoorbaar een wenkbrauw op en ging door met vernissen. 'Wat kom je hier doen, Lévi?' vroeg hij. 'Moet je niet aan je eigen opdrachten werken? Doe je het een dagje rustig aan? Kom je me ophalen voor een vroege borrel?'

'Ik ben op zoek naar die Amerikaan,' zei Andras. 'Die man die op je feest was. Paul.'

'Waarom? Ga je met hem duelleren om zijn rijzige vriendin?' Hij gaf een trap tegen de ezel van de student tegenover hem, die een kreet van protest slaakte.

'Je ben niet goed wijs, Hász,' zei Paul, want dat was de student. Hij kwam achter zijn ezel vandaan met een penseel vol gebrande omber, en zijn lange, paardachtige gezicht was vertrokken van irritatie. 'Door jou heeft mijn maenade nu een snor.'

'Daar zal ze alleen maar van opknappen.'

'Daar heb je Lévi weer,' zei Paul met een knikje naar Andras. 'Zit je hier op school?'

'Nee. Ik kom met je praten.'

'Volgens mij wil hij met je duelleren om die potige meid,' zei József.

'Wat ben je weer grappig, Hász,' zei Paul. 'Je moet komiek worden.'

József wierp hem een kushandje toe en ging verder met vernissen.

Paul pakte Andras bij zijn arm en liep met hem naar de deur van het lokaal. 'Soms kan ik wel wat hebben van die eikel en soms niet,' zei hij terwijl ze de trap af liepen. 'Vandaag dus niet.'

'Het spijt me dat ik je op school kom storen,' zei Andras. 'Ik wist niet waar ik je anders moest zoeken.'

'Ik hoop dat je me komt vertellen wat er aan de hand is,' zei Paul. 'Ik heb Elisabet al dagen niet meer gezien. Ik neem aan dat haar moeder haar thuishoudt omdat we het laatst zo laat hadden gemaakt. Maar misschien weet jij meer.' Hij keek schuin naar Andras. 'Ik begrijp dat jij iets met madame Morgenstern hebt.'

'Ja,' zei Andras. 'Zo kun je dat wel zeggen.' Ze waren bij de ingang van het gebouw gekomen en gingen buiten op de marmeren treden zitten. Paul zocht in zijn zakken naar een sigaret en stak die aan met een aansteker met monogram.

'En?' zei hij. 'Wat heb je voor nieuws?'

'Elisabet mag haar kamer niet uit,' zei Andras. 'Haar moeder houdt haar daar tot ze mij haar verontschuldigingen heeft aangeboden.'

'Waarvoor?'

'Dat doet er niet toe, een ingewikkeld verhaal. Het punt is dat Elisabet geen excuses wil maken. Ze gaat nog liever dood.'

'Hoe zit dat dan?'

'Nou, ik vrees dat ik jullie verraden heb. Toen Elisabet laatst zo laat thuiskwam, was haar moeder helemaal van streek. Ik voelde me verplicht haar te vertellen dat Elisabet wel eens bij jou zou kunnen zijn. Nu ligt alles op straat. En haar moeder was er niet zo blij mee dat Elisabet een oudere vriend had.'

Paul nam een lange trek van zijn sigaret en blies een grijze wolk de binnenplaats op. 'Eerlijk gezegd ben ik opgelucht,' zei hij. 'Dat geheimzinnige gedoe begon me tegen te staan. Ik ben gek op dat kind en ik heb de pest aan' – hij moest even zoeken naar het Franse woord – '*stiekem* doen. Ik wil graag de man met de witte cowboyhoed zijn. Begrijp je dat? Hou je van Amerikaanse westerns?'

'Ik heb er wel een paar gezien,' zei Andras. 'Maar dan in het Hongaars nagesynchroniseerd.'

Paul lachte. 'Ik wist niet dat ze dat deden.'

'Ze doen het echt.'

'Dus je komt vrede stichten? Nu je alles in de war hebt gestuurd wil je ons helpen?'

'Iets in die geest. Ik wil wel als tussenpersoon fungeren. Om het vertrouwen van Elisabet terug te winnen, eigenlijk. Ik wil niet dat ze me blijft haten. Niet als haar moeder en ik elkaar blijven zien.'

'Wat is je plan?'

'Jíj kunt Elisabet niet opzoeken, maar ik wel. Ik weet zeker dat ze graag iets van je hoort. Misschien wil je haar een briefje schrijven.'

'En als haar moeder erachter komt?'

'Ik wil het niet voor haar verbergen,' zei Andras. 'Ik denk dat ze je uiteindelijk wel zal accepteren.'

Paul nam een lange, Amerikaanse trek van zijn sigaret en leek het voorstel te overdenken. Toen zei hij: 'Luister, Lévi. Ik ben echt gek op dat meisje. Ze is anders dan al die andere die ik ken. Ik hoop niet dat dit de zaak er alleen maar erger op maakt.'

'Veel erger dan dit kan het niet worden, lijkt me.'

Paul drukte zijn sigaret uit op de marmeren trede en schopte de peuk op de grond. 'Goed,' zei hij, 'blijf hier wachten, dan schrijf ik een briefje.' Hij stond op en bood Andras zijn hand. Andras liet zich overeind helpen en bleef wachten. Hij keek naar twee vinken die zaadjes zochten in een struik lavendel. Hij keek om zich heen of de kust veilig was, pakte zijn zakmes en sneed een bosje af. Met een stukje garen dat hij van de draagband van zijn canvas tas had afgetrokken bond hij de stengels samen. Een paar minuten later kwam Paul naar beneden met een bruine envelop in zijn hand.

'Een briefje,' zei Paul en gaf het aan hem. 'Ik hoop er maar het beste van voor ons allebei.'

'*Here goes nothing*,' zei Andras. Het enige Engels dat hij kende.

Toen hij de volgende middag bij Klara aankwam, was ze een privé-les aan het geven. Het was mevrouw Apfel die de deur opendeed. Op haar witte schort zaten paarse sapvlekken en ze had wallen als bloeduitstortingen onder haar ogen. Het leek wel alsof ze al nachten geen oog had dichtgedaan. Een vermoeide frons verscheen op haar gezicht toen ze Andras zag; kennelijk verwachtte ze van hem alleen nog maar meer moeilijkheden.

'Ik kom voor Elisabet,' zei Andras.

Mevrouw Apfel schudde haar hoofd. 'U kunt beter naar huis gaan.'

'Ik wil met haar praten,' zei hij. 'Haar moeder weet waarom ik hier ben.'

'Elisabet wil u niet ontvangen. Ze heeft zichzelf opgesloten in haar kamer. Ze wil niet naar buiten komen. Ze eet zelfs niet.'

'Laat me een poging wagen,' zei Andras. 'Het is belangrijk.'

Ze fronste haar rossige wenkbrauwen. 'Echt, dat kunt u beter niet proberen.'

'Maak een dienblad voor haar klaar, dan breng ik het binnen.'

'Het zal u niet anders vergaan dan ons,' zei ze, maar ze draaide zich om en liep voor hem uit de trap op. Hij volgde haar naar de keuken, waar een ingezakte bosbessencake op een ijzeren rooster stond af te koelen. Terwijl mevrouw Apfel een omelet voor Elisabet bakte, stond hij boven de cake het aroma op te snuiven. Ze sneed een dikke plak van de cake en legde die samen met een vierkantje boter op een bord.

'Ze heeft al twee dagen niks gegeten,' zei mevrouw Apfel. 'Nog even en we moeten een dokter laten komen.'

'Ik zal zien wat ik kan doen,' zei Andras. Hij nam het dienblad mee en liep over de gang naar de kamer van Elisabet, waar hij tweemaal met de hoek van het dienblad op de gesloten deur klopte. Aan de andere kant van de deur bleef het stil.

'Elisabet,' zei hij. 'Ik ben het, Andras. Ik heb je lunch meegebracht.'

Stilte.

Hij zette het dienblad neer in de gang, pakte de envelop van Paul uit zijn tas, drukte hem plat en schoof hem onder de deur door. Lange tijd hoorde hij niets. Toen een zacht schrapen, alsof ze de envelop naar zich toe trok. Hij luisterde of hij papier hoorde ritselen. Daar was het al. Nog meer stilte. Toen opende ze eindelijk de deur en kon hij naar binnen. Hij zette het dienblad op haar bureautje. Ze keek misprijzend naar het eten en Andras zelf keurde ze al helemaal geen blik waardig. Haar vale haar zat helemaal door de war en haar gezicht was helemaal rood en nat. Ze droeg een verkreukelde nachtpon en rode sokken met gaten.

'Doe de deur dicht,' zei ze.

Hij deed de deur dicht.

'Hoe kom je aan die brief?'

'Ik heb Paul opgezocht. Ik dacht dat hij wel zou willen weten wat er met jou gebeurd was. Ik dacht dat hij je misschien een briefje wilde sturen.'

Ze zuchtte huiverend en ging op bed zitten. 'Wat maakt het uit?' zei ze. 'Mijn moeder laat me nooit meer het huis uit. Het is voorbij met Paul.' Toen ze naar hem opkeek, zag hij iets in haar ogen dat hij nog nooit eerder bij haar had gezien: wanhoop, uitputting en verslagenheid.

Andras schudde zijn hoofd. 'Paul denkt daar anders over. Hij wil je moeder ontmoeten.'

Elisabets ogen vulden zich met tranen. 'Ze zal hem nooit ont-vangen,' zei ze.

Andras bedacht dat ze net zo oud was als Mátyás. Hun tandjes waren rond dezelfde tijd doorgekomen, ze waren rond dezelfde tijd gaan lopen en ze hadden in hetzelfde schooljaar leren schrijven. Maar zij had geen broer of zus. Ze had niemand die ongeveer zo oud was als zij en die ze als bondgenoot kon beschouwen. Zij kreeg in haar eentje de volle laag van haar moeders zorg en liefde over zich heen.

'Hij wil weten hoe het met je gaat,' zei Andras. 'Als je hem terug schrijft, breng ik het briefje wel.'

'Waarom zou je dat doen?' wilde ze weten. 'Ik ben zo gemeen tegen je geweest!' Ze legde haar hoofd op haar knieën en begon te huilen – niet omdat ze spijt had, zo was zijn indruk, maar omdat ze uitgeput was. Hij ging zitten op de bureaustoel naast het bed en keek door het raam omlaag naar de straat, waar de ene reeks aanplakbiljetten reclame maakte voor de Jardin des Plantes en de andere voor *J'accuse* van Abel Gance, die net in de Grand Rex was gaan draaien. Hij zou net zo lang wachten tot ze uitgehuild was. Hij bleef zwijgend naast haar zitten tot ze klaar was, tot ze haar neus aan haar mouw had afgeveegd en haar haar met een vochtige hand uit haar gezicht had geduwd. Toen vroeg hij zo vriendelijk als hij kon: 'Moet je niet eens wat eten?'

'Geen honger,' zei ze.

'Jawel.' Hij liep naar het dienblad op het bureau, smeerde de boter op de plak bosbessencake, pakte het servet, legde het op Elisabets knieën en zette het dienblad voor haar neus op het bed. Even was het stil; van beneden hoorden ze de driekwartsmaat van een wals en de stem van Klara die de passen uittelde voor haar privéleerling. Elisabet pakte haar vork op. Ze legde hem pas weer neer toen ze alles had opgegeten. Daarna zette ze het dienblad op de grond en pakte papier van het bureau. Terwijl Andras toekeek, krabbelde ze met een stomp potlood iets op een blaadje uit haar schoolschrift. Ze scheurde het eruit, vouwde het dubbel en duwde het in zijn hand.

'Hier heb je je excuus,' zei ze. 'Ik heb mijn excuses gemaakt aan jou en aan mijn moeder, en aan mevrouw Apfel omdat ik de af-gelopen dagen zo naar tegen haar heb gedaan. Leg maar op de schrijftafel van mijn moeder in de zitkamer.'

'Wil je Paul nog een briefje sturen?'

Ze beet op haar potlood en scheurde een nieuw velletje uit haar schrift. Na een tijdje wierp ze een boze blik op Andras. 'Ik kan dit niet schrijven als je naar me zit te kijken,' zei ze. 'Ga in de andere kamer zitten tot ik je roep.'

Hij pakte het dienblad en de lege borden en bracht ze naar de keuken, waar mevrouw Apfel hem met stomme verbazing aankeek. Hij legde het excuusbriefje op de schrijftafel van Klara. Daarna liep hij naar haar slaapkamer en zette het bosje lavendel in een glas op het nachtkastje, samen met een eigen briefje van vier woorden. Toen ging hij naar de zitkamer om te wachten op de brief van Elisabet en om te overdenken wat hij tegen Klara zou zeggen.

In augustus sloot monsieur Forestier zijn ontwerpstudio voor drie weken. Elisabet ging met Marthe naar Avignon, waar de familie van Marthe een vakantiehuis had; ze zouden pas de eerste week van september terugkomen. Mevrouw Apfel ging weer naar haar dochter in Aix. En Klara schreef in een briefje aan Andras dat hij naar de Rue de Sévigné moest komen met genoeg kleren voor twaalf dagen.

Hij pakte een koffer, bijna ademloos van blijde opwinding. De Rue de Sévigné, dat appartement, die zonnige kamers, dat huis waarin hij in december met Klara had gebivakkeerd: het zou bijna twee weken weer hun domein zijn. Hij had zo verlangd naar zo'n samenzijn. De eerste maand nadat hij van de relatie met Novak had gehoord, had hij in een voortdurende angst geleefd; ondanks Klara's geruststellingen was hij altijd bang gebleven dat Novak haar weer zou benaderen en zij zou toegeven. De angst verminderde toen juli voorbijging zonder enig teken van Novak en zonder enig teken dat Klara Andras voor hem zou verlaten. Eindelijk begon hij haar te vertrouwen en zelfs aan een toekomst met haar te denken, al bleef onduidelijk hoe die er precies uit zou zien. De zondagse bezoekjes werden weer hervat en die verliepen plezieriger dan voorheen; zijn diplomatieke optreden had hem de dankbaarheid van Elisabet opgeleverd, zij het niet van harte. Ze kon wel een uur in zijn aanwezigheid doorbrengen zonder hem te beledigen of zijn gebrekkige Frans belachelijk te maken. Hoewel Klara aanvankelijk woedend was geweest over Andras' rol als tussenpersoon, was ze toch wel onder de indruk van de verandering die hij bij Elisabet teweeg had gebracht. Hij had een vurig pleidooi gehouden voor Paul en uiteindelijk had Klara haar verzet opgegeven en Elisabets vriend uitgenodigd voor de lunch. Al snel was er een broze vrede ontstaan; Klara was onder de indruk geraakt van Pauls kennis van hedendaagse kunst, van zijn opgeruimde hoffelijkheid en zijn onuitputtelijke geduld met Elisabet.

Een nieuwe mijlpaal stond eraan te komen: Andras' eerste verjaardag in Parijs. Eind augustus zou hij drieëntwintig worden. Terwijl hij zijn koffer aan het pakken was, zag hij al voor zich hoe hij met Klara champagne zou drinken in de Rue de Sévigné, heerlijk alleen met zijn tweetjes, een herhaling van hun winteridylle. Maar toen hij die ochtend aankwam bij haar huis, stond er een zwarte Renault met open dak op de stoep. Twee kleine koffers stonden naast de auto; een sjaal en een stofbril lagen op de bestuurdersstoel. Klara kwam naar buiten, met haar hand voor haar ogen tegen de zon; ze droeg een autojas, canvas laarzen en handschoenen. Ze had haar haar opgestoken in twee knotjes achter op haar hoofd.

'Wat is dit allemaal?' zei Andras.

'Zet je spullen in de kofferbak,' zei Klara en gooide hem de sleutels toe. 'We gaan naar Nice.'

'Naar Nice? In deze auto? Rijden we in deze auto?'

'Ja, in deze auto.'

Hij slaakte een kreet, klom over de auto en nam haar in zijn armen. 'Ik kan het bijna niet geloven,' zei hij.

'Toch is het zo. Het is voor je verjaardag. We hebben een huisje aan zee.'

Hij wist dat auto's en huisjes in theorie gehuurd konden worden, maar hij kon bijna niet geloven dat Klara ook écht een auto had gehuurd, en dat ze die auto alleen maar hoefden vol te tanken om ermee naar een vakantiehuisje in Nice te rijden. Dus niet zeulen met bagage op een station, niet dicht opeengepakt zitten in een naar rook, zweet en belegde boterhammen stinkende derdeklaswagon, en niet bij aankomst op zoek gaan naar een taxi of een koetsje. Alleen maar Andras en Klara in dit keverzwarte autootje. En daarna een huisje helemaal voor hen alleen. Wat een luxe, wat een vrijheid. Ze stouwden hun koffers in de auto en Klara deed haar sjaal om en zette haar stofbril op.

'Waar heb je leren autorijden?' vroeg hij toen ze wegreden in de richting van de Rue des Francs-Bourgeois. 'Kun je dan alles?'

'Bijna alles,' zei ze. 'Ik spreek geen Portugees of Japans, ik kan geen brioche bakken en ik kan absoluut niet zingen. Maar autorijden kan ik. Dat heb als kind van mijn vader geleerd. We gingen altijd oefenen op het platteland, bij het huis van mijn grootmoeder in Kaba.'

'Ik hoop dat je sinds die tijd ook nog wel eens gereden hebt.'

'Niet vaak. Hoezo? Ben je bang?'

'Ik weet het niet,' zei Andras. 'Moet ik bang zijn?'

'Dat merk je snel genoeg!'

Van de Rue du Pas de la Mule reed ze de Boulevard Beaumarchais op en voegde zich moeiteloos tussen het verkeer rondom de Bastille. Ze reed de Boulevard Bourdon op; ze namen de Pont d'Austerlitz over de Seine en reden hard door in zuidelijke richting. Andras moest zijn pet met één hand vasthouden, anders waaide hij van zijn hoofd. Ze doorkruisten de eindeloze voorsteden van Parijs (Wie woonden in deze afgelegen buurten, in deze drie verdiepingen hoge gebouwen met balkons? Van wie was al die was die daar hing?) en daarna het in een gouden waas gehulde, golvend groene landschap. Kloeke schapen en geiten stonden op afgegraasd gras. Bij een boerderij sloegen kinderen met stokken en scheppen op het roestige pantser van een oude Citroën. Er liep een troepje kippen op de weg en Klara moest ze met luid getoeter verjagen. Hoge, gevederde lindebomen schoten voorbij, elke boom met een kort zoefgeluid. Ze stopten bij een grasveld om te lunchen en aten koude kip met aspergesalade en perentaart waar de wespen op afkwamen. Bij Chantilly werden ze overvallen door een onweersbui. Voordat ze het dak dicht hadden was het al flink ingeregend; toen ze doorreden besloeg de voorruit zo erg dat ze moesten wachten tot de bui voorbij was. De zon ging al bijna onder toen ze na vijftig kilometer olijfboomgaarden de top van een heuvel bereikten en de afdaling inzetten naar het einde van de wereld. Zo zag het er althans uit in de ogen van Andras, die nog nooit de zee had gezien. Naarmate ze dichterbij kwamen werd het een onafzienbare plas vloeibaar metaal, een eindeloze smeltkroes van oververhit brons. Maar hoe dichter ze naderden, hoe koeler de lucht werd. De grashalmen langs de weg bogen hun kopjes voor een opstekende wind. Net toen de rode bol van de zon achter de horizon zakte, kwamen ze bij een strook zand. Klara stopte bij een verlaten strandje en zette de motor af. Aan de rand van het water een dreunend gebrul en woest schuim. Zonder iets te zeggen stapten ze uit en liepen ze naar die witte rafelrand.

Andras sloeg zijn broekspijpen om en stapte in het water. Toen

er een golf aankwam, werd de grond onder zijn voeten vandaan getrokken en moest hij Klara's arm pakken om niet te vallen. Hij
kende dat gevoel, die machtige en angstaanjagende zuiging: dat
was Klara, haar aantrekkingskracht op hem, haar onontkoom-
baarheid. Ze lachte en liet zich in de golven op haar knieën zakken. Ze sloegen over haar heen en maakten haar blouse doorschijnend; toen ze weer ging staan, was haar rok versierd met zeewier.
Hij wilde haar op het verkoelende zand leggen en haar ter plekke
nemen, maar zij rende over het strand terug naar de auto en riep
hem.

Nadat ze door de stad waren gereden, met zijn witte hotels en
zijn glinsterende baai, sloegen ze een weggetje in met zo veel kui-
len en stenen dat de Renault opengereten dreigde te worden.
Boven aan het weggetje stond een bouwvallig stenen huisje met
een tuintje dat werd omgeven door bremstruiken. De sleutel lag in
een vogelnestje boven de deur. Ze sleepten hun koffers naar binnen en vielen op bed, te uitgeput om aan vrijen, eten of iets anders dan slapen te denken. Toen ze wakker werden, was het donker als zwart fluweel. Ze zochten op de tast naar petroleumlampen
en aten de kaas en het brood op dat voor de volgende ochtend was
bedoeld. Een laaghangende mist onttrok de sterren aan het zicht.
Klara was haar nachtpon vergeten. Andras ontdekte dat hij allergisch was voor een bepaalde plant in de tuin; zijn ogen brandden
en hij bleef maar niezen. Die hele slapeloze nacht lang luisterden
ze naar het gerammel van de deur in zijn sponning, naar de wind
die suisde tussen het raam en het raamkozijn, en naar het eindeloze zagen en tjirpen van de nachtelijke insecten. Toen Andras
wakker werd in de grijze nevel van de vroege ochtend, was zijn eerste gedachte dat ze desgewenst gewoon weer terug konden rijden
naar Parijs. Maar naast hem lag Klara, met zandkorreltjes in de
fijne haartjes bij haar slaap; ze waren in Nice en hij had de Middellandse Zee gezien. Hij ging naar buiten en plaste een grote
straal naar asperge ruikende urine over de achtertuin. Toen hij
weer naar binnen ging, kroop hij tegen Klara aan en viel hij in zijn
diepste slaap van die nacht, en toen hij opnieuw wakker werd, was
Klara vervangen door een straal warm zonlicht. God, wat had hij
een trek; het leek wel alsof hij in dagen niet gegeten had. Buiten
hoorde hij het knippen van een tuinschaar. Zonder de moeite te
nemen om een hemd, broek of zelfs maar onderbroek aan te trekken liep hij naar buiten, waar Klara bezig was een stel hoge bloe-

men te verwijderen die nog het meeste weg hadden van kantklos-
werk.

'Wilde peen,' zei ze. 'Daar moest je zo van niezen.' Ze droeg een
mouwloos roodkatoenen jurkje en had een strohoed op; haar
armen hadden in het zonlicht een gouden glans. Ze veegde haar
voorhoofd af met een zakdoek en keek naar Andras in de deuropening. 'Au naturel,' merkte ze op.

Andras gebruikte zijn hand als vijgenblad.

'Ik geloof dat ik wel klaar ben met tuinieren,' zei ze met een
glimlach.

Hij stapte weer in het bed. Dat stond in een nis met een raam
waardoor hij een streepje van de Middellandse Zee kon zien. Het
leek een eeuwigheid te duren voordat ze naar binnen kwam en
haar handen ging wassen. Hij was zijn honger bij het wakker worden helemaal vergeten. Hij was alles vergeten. Ze trok haar schoenen uit en klom in bed, waarbij ze over hem heen moest klimmen.
Haar donkere haar gloeide nog na van de zon en haar adem rook
heerlijk: ze had in de tuin aardbeien gegeten. De rode sluier van
haar jurk viel over zijn ogen.

Buiten kwamen drie dwerggeitjes uit het struikgewas tevoorschijn. Ze aten alle afgeknipte bloemen op en aardig wat jonge sla
en een leeg lucifersdoosje en de zakdoek die Klara was vergeten.
Ze kwamen graag buurten bij dit huisje; in de tuin lagen vaak in-
trigerende, onbekende dingen. Ze waren net aan de banden van de
Renault aan het snuffelen toen menselijke geluiden hun de oren
deed spitsen: twee stemmen in het huisje die het maar bleven uit-
schreeuwen.

Ver onder het huisje lag onhoorbaar de stad Nice met zijn oogverblindend witte stranden. In Nice kon je zwemmen in de deinende
zee. Je kon eten in een café aan het strand. Je kon op het strand
slapen of langs de galerij van een hotel flaneren. Voor vijftig centime kon je naar een film kijken die werd geprojecteerd op de witte
muur van een pakhuis. Je kon grote bossen rozen en anjers kopen
op een overdekte bloemenmarkt. Je kon een bezoekje brengen aan
de ruïnes van de Romeinse baden bij Cemenelum en picknicken
op een heuvel die uitkeek over de haven. Je kon tekenspullen
kopen voor de helft van de prijs die in Parijs werd gevraagd. Andras kocht een schetsboek en twaalf goede potloden van verschillende hardheid. Als Klara 's middags balletoefeningen deed, oefen-

de Andras zijn tekenvaardigheden. Eerst tekende hij hun huisje, net zo lang tot hij elke steen en elke dakhoek kon dromen. Daarna sloopte hij het huisje in gedachten en begon hij te bedenken wat voor huis ze op die plek zouden kunnen bouwen. De grond liep een beetje schuin af; het zou een huis van twee verdiepingen worden waarvan de onderste vanaf de voorkant niet te zien zou zijn. Het dak zou dicht op de heuvel liggen en bedekt worden met plaggen; in die laag aarde zouden ze geurende lavendel planten. Als bouwmateriaal zou hij ruw uitgehakte kalksteen gebruiken. Hij zou de strenge geometrie van de ontwerpen van zijn docenten loslaten en het huis tegen de heuvel laten liggen als een door de wind schoongeblazen stuk rots. Aan de kant van de zee zou hij glazen schuifdeuren in het kalksteen plaatsen. Er zou een oefenruimte voor Klara komen. Voor hemzelf zou er een atelier zijn. Er zouden woonkamers en logeerkamers zijn, kamers voor de kinderen die ze misschien zouden krijgen. Achter het huis zou een terras komen dat groot genoeg was voor een eettafel en stoelen. Er zou een in terrassen aangelegde moestuin zijn met komkommers, tomaten, tuinkruiden, pompoenen en meloenen; er zou een pergola zijn voor druiven. Hij durfde er niet over na te denken hoeveel het zou kosten om zo'n stukje land te kopen en zo'n huis te bouwen, en ook niet of hij van de gemeente Nice een bouwvergunning zou kunnen krijgen. Het huis stond los van de harde realiteit van geld en bestemmingsplannen. Het was een schitterend droombeeld dat steeds concreter werd naarmate ze langer bleven. Overdag liep hij om de verwilderde tuin heen en plaatste hij de op zee uitkijkende kamers; 's nachts, als hij naast Klara lag en niet kon slapen, betegelde hij het terras en legde hij de tuin tegen de heuvel aan. Maar hij liet Klara zijn tekeningen niet zien en vertelde ook niet wat hij aan het doen was als zij haar balletoefeningen deed. Iets aan het project maakte hem voorzichtig, uit zelfbescherming; misschien was de oorzaak wel de grote discrepantie tussen het harmonieuze en permanente karakter van het huis en de gecompliceerde onzekerheid van hun levens.

In het stenen huisje leefden ze voor het eerst als man en vrouw. Klara deed boodschappen in het dorp en ze kookten samen; Andras vertelde haar over zijn plannen voor het nieuwe schooljaar: dat hij misschien stage kon lopen bij het architectenbureau waar Pierre Vago werkte. Klara vertelde hem over haar eigen plannen om een jonge buitenlandse danser of danseres in dienst te nemen als assistent. Voor hem of haar wilde ze hetzelfde doen wat Novak en Forestier voor Andras hadden gedaan. Ze praatten terwijl ze naar de stad slenterden; ze praatten na zonsondergang in de donkere tuin op houten stoelen die ze uit het huis naar buiten hadden gesleept. Ze wasten elkaar in een ijzeren teil midden in de woonkamer. Ze zetten groenten en brood buiten voor de dwerggeitjes en een van de geitjes liet zich melken. Ze bespraken de namen van hun kinderen: het meisje zou Adèle heten, de jongen Tamás. Ze zwommen in zee, aten citroenijsjes en vrijden. En op de onverharde weggetjes langs de stranden leerde Klara Andras autorijden.

De eerste dag liet hij de Renault zo vaak afslaan dat hij gek van woede werd. Hij sprong uit de auto en beschuldigde Klara ervan dat ze het hem niet goed leerde, dat ze hem voor gek wilde zetten. Zonder haar eigen kalmte te verliezen ging ze achter het stuur zitten, gaf hem een knipoog en reed weg. Hem liet ze kokend van woede achter in het stof. Tegen de tijd dat hij de drie kilometer naar het huisje had afgelegd, was hij verbrand en had hij spijt van zijn woorden. De volgende dag sloeg de auto maar twee keer af; de dag daarna reed hij zonder haperen. Ze reden de heuvel af naar de Promenade des Anglais en volgden de kust helemaal naar Cannes. Hij genoot van het overhellen in de bochten en van Klara met haar wapperende witte sjaal. Op de terugweg reed hij langzamer en keken ze hoe de zeilboten als vliegers over het water scheerden. Hij reed de lastige weg naar hun huisje omhoog zonder de auto ook maar één keer af te laten slaan. Toen ze bij de tuin waren, stapte Klara uit en juichte ze. Die avond, de avond voor zijn verjaardag, reed hij met haar naar de stad om wat te drinken in het Hôtel Taureau d'Or. Ze droeg een zeegroene jurk die haar schouders bloot liet en ze had een glinsterende speld in de vorm van een zeester in haar haar. Haar huid had op het strand een diepgouden kleur gekregen. Maar het allermooiste waren haar voeten in haar Spaanse sandalen, haar verlegen, gebronsde tenen, haar nagels als stukjes roze parelmoer. Op het terras van de Taureau d'Or vertelde hij haar dat hij het geweldig vond om haar blote voeten zo in het openbaar te zien.

'Het is zo gewaagd,' zei hij. 'Je lijkt opwindend bloot.'

Ze keek hem met een droeve glimlach aan. 'Je had ze moeten zien toen ik elke dag op spitzen stond. Dat was geen gezicht. Je kunt je niet voorstellen wat ballet met je voeten doet.' Ze draaide met haar glas keurige cirkeltjes op de houten tafel. 'Ik had toen voor geen miljoen pengö sandalen willen dragen.'

'Ik had je twee miljoen betaald om het toch te doen.'

'Dat geld had je niet. Je was toen nog een schooljongen.'

'Ik zou wel een manier hebben gevonden om het te verdienen.'

Ze lachte en liet een vinger onder zijn manchet glijden en streek daarmee de huid van zijn pols glad. Het was een marteling om zo de hele dag naast haar te zitten. Hoe meer hij van haar kreeg, hoe groter zijn honger werd. Op het strand was het nog wel het ergste, want daar droeg ze een zwart badpak en een badmuts met witte racestrepen. Dan draaide ze zich om op haar rotan matje en zag hij zilverachtige korreltjes zand tussen haar borsten, hij zag de zachte welving van haar venusheuvel en de zijdezachte huid van haar dijen. Het grootste deel van de tijd dat ze op het strand hadden gelegen, had hij zijn erectie moeten verbergen onder een boek of een handdoek. De vorige middag had hij haar mooie duiken zien maken van de hoge duikplank op ditzelfde strand; hij zag de toren staan, spookachtig in het maanlicht, als een skelet dat in de zee stond.

'Ik vind dat we hier voorgoed moeten blijven,' zei hij. 'Jij kunt in Nice balletles geven. Ik kan mijn studie schriftelijk afmaken.'

Er leek een sluier van melancholie over haar heen te vallen. Ze nam een slokje uit haar glas. 'Jij wordt drieëntwintig,' zei ze. 'Dat betekent dat ik binnenkort tweeëndertig word. Tweeëndertig. Hoe langer ik erover nadenk, hoe meer het als de leeftijd van een oude vrouw gaat klinken.'

'Dat is onzin,' zei Andras. 'De laatste Hongaarse zwemkampioene was drieëndertig toen ze goud in München won. Mijn moeder was vijfendertig toen ze Mátyás kreeg.'

'Ik heb het gevoel dat ik al zo lang heb geleefd,' zei ze. 'Die tijd dat ik voor geen goud sandalen had willen dragen...' Ze zweeg even en glimlachte, maar haar ogen stonden droef en in zichzelf gekeerd. 'Dat was zo lang geleden! Zeventien jaar!'

Hij begreep dat dit niet over hem ging. Dit ging over haar eigen leven, hoe alles was veranderd toen ze haar dochter had gekregen. Daar kwam die melancholie vandaan. Toen de ober kwam, bestelde ze absint voor allebei, een drankje dat ze alleen maar dronk als ze bedroefd was en de wereld wilde ontvluchten.

Maar absint had op hem een ander effect; het deed rare dingen met zijn hoofd. Hij had gedacht dat het hier in deze prachtige hotelbar aan het strand in Nice wel mee zou vallen, maar het duurde niet lang of de alsem begon zijn giftige werk te doen. Er zwaaide een poort open en daar kwam de paranoia al naar binnen. Dat Klara melancholiek was, kwam niet doordat ze haar leven vergooid had aan het ballet, maar omdat ze de vader van Elisabet had verloren. Haar grote liefde. Het enige, ontzaglijke geheim dat ze voor hem verborgen had gehouden. Daarmee vergeleken stelden haar gevoelens voor Andras niets voor. Zelfs haar elf jaar durende relatie met Novak had de betovering niet kunnen verbreken. Madame Gérard wist het; Elisabet zelf wist het; zelfs Tibor had het al in minder dan een uur begrepen. Maar hij was maandenlang blind geweest. Wat een idioot was hij geweest dat hij zich de hele zomer zorgen had gemaakt om Novak, terwijl het echte gevaar dit fantoom was, de eerste en laatste man die Klara's hart had gewonnen. Dat ze hier in die zeegroene jurk en die sandalen zo rustig absint kon zitten drinken, alsof ze ooit zijn vrouw zou worden, en zich dan toch weer liet meetrekken naar waar ze ooit was meegetrokken – ongetwijfeld door hém, die naamloze, gezichtsloze man die ze bemind had – maakte dat hij haar bij haar schouders wilde pakken en door elkaar schudden tot ze zou huilen.

'God, Andras,' zei ze eindelijk. 'Kijk me niet zo aan.'

'Hoe?'

'Alsof je me wilt vermoorden.'

Haar heldergrijze ogen. Het glinsteren van de zeester in haar haar. Haar kleine handen op de tafel. Hij was banger voor haar, voor wat ze hem kon aandoen, dan hij ooit was geweest, voor wie dan ook. Hij schoof zijn stoel naar achteren, ging naar de bar, waar hij een pakje Gauloises kocht, en liep toen het strand op. Het hielp wel om schelpen te zoeken en die zo het water in te keilen dat ze opsprongen en geluidloos verdwenen. Hij ging op een ligstoel met houten latjes zitten en rookte drie sigaretten achter elkaar. Hij overwoog om die nacht op het strand te slapen, luisterend naar de golven die in het donker op de kust sloegen en naar de klanken van het orkestje van het hotel die uit de richting van de in de open lucht gelegen dansvloer aan kwamen waaien. Maar al snel begon de mist in zijn hoofd op te trekken en realiseerde hij zich dat hij Klara alleen had achtergelaten. De poort van de absint sloot zich weer. Zijn paranoia trok weg. Hij keek achterom en zag de zeegroene vlek van Klara's jurk verdwijnen in het saffraankleurige licht van het hotel.

Hij rende terug over het strand om haar in te halen, maar ze was nergens meer te bekennen. In de lobby ontkende de man achter de balie dat hij een in het groen geklede vrouw had zien langskomen; de portiers hadden haar wel gezien, maar de een zei dat ze in de richting van de stad was gelopen en de ander zei het tegenovergestelde. De auto stond nog steeds waar ze hem hadden achtergelaten, helemaal aan de rand van een stoffig terreintje. Het was nu behoorlijk donker. Hij dacht dat ze niet naar de stad zou lopen, niet in de stemming waarin ze nu verkeerde. Hij stapte in de auto en reed langzaam over de weg langs het strand. Het duurde niet lang of hij zag hij een zeegroene flits in zijn koplampen. Ze liep snel, haar sandalen wierpen wolken stof op. Ze had haar armen om zich heen geslagen; hij zag de heerlijke, vertrouwde kolom van haar rugwervels uit de van achteren laag uitgesneden jurk komen. Hij zette de auto stil en sprong naar buiten om haar in te halen. Ze wierp een korte blik over haar schouders en liep door.

'Klara,' zei hij. 'Klárika.'

Eindelijk hield ze halt en liet haar armen hangen. Uit een bocht in de weg kwam het licht van koplampen; haar lichaam werd even in de lichtbundel gevangen toen er een open sportwagen langsscheurde in de richting van de stad; de passagiers schreeuwden een lied de nacht in. Toen de auto verdwenen was, klonk alleen nog het dreunen en beuken van de golven. Lange tijd werd er niets gezegd. Ze wilde zich niet omdraaien.

'Het spijt me,' zei hij. 'Ik weet niet waarom ik je daar liet zitten.'

'Laten we naar huis gaan,' zei ze. 'Ik wil hier niet aan de kant van de weg over praten.'

'Niet boos zijn.'

'Het is mijn schuld. Ik had het niet over vroeger moeten hebben. Dan krijg ik altijd een rotbui en daardoor ben jij weggelopen naar het strand.'

'Het was de absint,' zei hij. 'Die maakt me gek.'

'Het kwam niet door de absint,' zei ze.

'Klara, alsjeblieft.'

'Ik heb het koud,' zei ze en sloeg haar armen om zich heen. 'Ik wil naar huis.'

Hij reed terug, maar die prestatie deed hem niets; toen ze uitstapten werden zijn chauffeurskunsten niet bejubeld. Klara liep de tuin in en ging op een van de houten stoelen zitten die ze naar buiten hadden gesleept. Hij ging naast haar zitten.

'Het spijt me,' zei hij. 'Het was stom en egoïstisch dat ik je daar liet zitten.'

Ze leek hem niet te horen. Ze was ver weg, had zich teruggetrokken in zichzelf, op een plekje dat zo klein was dat hij er niet
bij paste. 'Het moet een marteling voor je geweest zijn,' zei ze.

'Waar heb je het over?'

'Over alles. Onze relatie. Mijn halve waarheden. Alles wat ik je
niet heb verteld.'

'Ik word gek van die generalisaties,' zei hij. 'Welke halve waarheden? Bedoel je dat gedoe met Novak? Ik dacht dat we daar wel
klaar mee waren, Klara. Wat wil je me nog meer vertellen?'

Ze schudde haar hoofd. Toen bedekte ze haar ogen met haar
hand en begonnen haar schouders te schokken.

'Wat is er met je gebeurd?' zei hij. 'Ik kan dit niet veroorzaakt
hebben door te gaan roken op het strand.'

'Nee,' zei ze terwijl ze met betraande ogen naar hem opkeek. 'Alleen begreep ik toen opeens iets.'

'Wat dan?' zei hij. 'Als het een naam heeft, zeg het dan.'

'Ik maak dingen kapot,' zei ze. 'Ik ben destructief. Alles wat goed
is maak ik slecht. Alles wat erg is maak ik nog erger. Ik heb het bij
mijn dochter gedaan en bij Zoltán, en nu ook bij jou. Ik zag hoe
ongelukkig je keek vlak voor je opstond.'

'Aha, dus zo zit dat. Het is allemaal jouw schuld. Door jou heeft
Elisabet zich in de nesten gewerkt. Door jou heeft Novak zijn
vrouw bedrogen. Door jou ben ik verliefd op je geworden. Wij
drieën hadden daar part noch deel aan.'

'Je zou eens moeten weten wat ik op m'n geweten heb.'

'Vertel het dan! Wat is het? Vertel.'

Ze schudde haar hoofd.

'En als je dat niet doet?' zei hij. Hij stond op en trok haar aan
haar arm omhoog tot ze naast hem stond. 'Hoe moeten we dan
verder? Laat je me in het ongewisse? Moet ik dan ooit van je dochter de waarheid te horen krijgen?'

'Nee,' zei ze, bijna te zacht om te horen. 'Elisabet weet het niet.'

'Als we samen willen blijven, moet ik alles weten. Je moet een
beslissing nemen, Klara. Als je hiermee door wilt gaan, moet je
open kaart met me spelen.'

'Je knijpt in mijn arm,' zei ze.

'Wie was hij? Alleen een naam is al genoeg.'

'Wie?'

'De man die je liefhad. De vader van Elisabet.'

Ze rukte haar arm los. In het maanlicht zag hij hoe de stof van de jurk zich even om haar ribben spande en weer glad werd. Haar ogen vulden zich met tranen. 'Pak me nooit meer zo beet,' zei ze en begon te snikken. 'Ik wil naar huis. Alsjeblieft, Andras. Het spijt me. Ik wil terug naar Parijs.' Ze sloeg haar armen om zich heen en bibberde alsof ze in de koele, mediterrane nacht koorts had gekregen. Haar zeesterspeld twinkelde als een opzichtige vergissing, als een feestelijk stukje confetti dat over zee was komen aanwaaien en was blijven steken in de donkere golven van haar haar.

Hij zag het: ze was gegrepen door iets wat op een ziekte leek, iets wat haar lichaam deed trillen en het bloed uit haar gezicht deed wegtrekken. Hij zag het aan de manier waarop ze wegkroop onder de dekens in het huisje, aan de manier waarop ze naar de muur staarde. Ze wilde echt naar huis, de volgende ochtend al. Een uur lang lag hij klaarwakker naast haar in bed, tot hij haar adem voelde wegglijden in het ritme van haar slaap. Hij durfde niet meer boos op haar te worden. Als zij naar huis wilde, zou hij haar brengen. Hij kon hun spullen 's nachts inpakken zodat ze 's ochtends vroeg konden vertrekken. Hij kroop voorzichtig uit bed om haar niet wakker te maken en begon hun koffers te pakken. Het was prettig om iets concreets en eindigs te doen. Hij vouwde haar kleine kledingstukken op, de katoenen jurkjes, haar kousen, haar ondergoed, haar zwarte maillot; hij stopte haar kettinkjes en oorbellen weer terug in de satijnen envelop waar zij ze ook had uitgehaald. Hij duwde de ene balletschoen in de andere en vouwde haar dansrokjes en -pakjes op. Daarna trok hij een jasje aan en ging in de tuin zitten. In het gras langs de weg zongen de krekels een Frans liedje; het liedje dat de krekels in Konyár zongen was anders geweest, met andere hoge noten en een ander ritme. Maar de sterren aan de hemel waren hetzelfde. Daar was de maagd die op haar steen lag, en daar waren de kleine beer en de draak. Hij had ze Klara een paar avonden daarvoor aangewezen; ze had hem elke nacht gevraagd het opnieuw te doen, net zo lang tot zij het net zo goed wist als hij.

De volgende ochtend reden ze terug naar Parijs. Hij had haar helpen opstaan en aankleden in het blauwe ochtendlicht; ze had gehuild toen ze zag dat hij al hun spullen al had ingepakt. 'Ik heb deze vakantie voor je verpest,' zei ze. 'En dat terwijl je vandaag jarig bent.'

'Dat kan me niet schelen,' zei hij. 'Laten we gaan. Het is een lange rit.'

Terwijl zij in de auto wachtte, sloot hij het huisje af en legde hij de sleutel weer in het vogelnestje boven de deur. Voor het laatst reed hij de bochtige weg naar Nice af; de zee schitterde toen de zon begon te schijnen over de lovertjes van het wateroppervlak. Hij was niet bang op de weg, niet na de lessen die hij van haar had gehad. Hij reed naar Parijs terwijl zij stil naast hem naar de akkers en de boerderijen zat te kijken. Toen ze bij de wirwar van wegen aan de rand van de stad aankwamen, was ze in slaap gevallen en moest hij zich proberen te herinneren hoe ze gereden waren. De straten hadden daar hun eigen ideeën over; hij dwaalde een uur door de voorsteden totdat een agent hem de weg naar de Porte d'Italie wees. Eindelijk kon hij de Seine oversteken en reed hij over de vertrouwde boulevards naar de Rue de Sévigné. De zon stond inmiddels laag aan de hemel; de balletstudio lag in de schaduw en het trappenhuis was donker. Klara werd wakker en wreef met haar handen over haar gezicht. Hij hielp haar de trap op en hees haar in de nachtpon die vergeten op het bed lag. Ze ging op haar rug liggen en liet de tranen langs haar slapen op het kussen rollen.

'Wat kan ik voor je doen?' vroeg hij terwijl hij naast haar zat. 'Waar heb je behoefte aan?'

'Aan alleen zijn,' zei ze. 'Alleen maar even slapen.'

Haar stem klonk ongewoon mat. Deze bleke vrouw in haar geborduurde nachtpon was de spookachtige zus van de Klara die hij kende, van de vrouw die een week eerder met een noodgang was weggereden van haar huis, gehuld in een autojas en met een stofbril op. Hij kon gewoon niet naar huis gaan. Hij wilde haar niet in deze toestand achterlaten. Hij bracht haar spullen uit de auto naar boven en zette een kop lindebloesemthee voor haar. Dat dronk ze ook altijd als ze hoofdpijn had. Toen hij ermee binnenkwam, ging ze rechtop zitten en stak ze haar hand naar hem uit. Hij liep naar het bed en ging naast haar zitten. Ze hield zijn blik vast met haar ogen; haar borst had een roze kleur gekregen. Ze legde haar hoofd op zijn schouder en haar armen om zijn middel. Hij voelde haar borst tegen de zijne rijzen en dalen.

'Wat een vreselijke verjaardag heb je gehad,' zei ze.

'Helemaal niet,' zei hij terwijl hij haar haren streelde. 'Ik ben de hele dag bij jou geweest.'

'Er staat iets voor je in de balletstudio,' zei ze. 'Een verjaarscadeau.'

'Ik hoef geen cadeau,' zei hij.

'Toch krijg je er een.'

'Geef het me maar een andere keer.'

'Nee,' zei ze. 'Nu we toch terug zijn, moet je het op je verjaardag krijgen. Kom, we gaan naar beneden.' Ze kwam uit bed en pakte zijn hand. Samen liepen ze de trap af naar de balletstudio. Tegen de muur stond een met een laken afgedekt ding dat de afmetingen en de vorm van een piano had.

'Mijn hemel,' zei hij. 'Wat is dat?'

'Ga maar kijken,' zei ze.

'Ik weet niet of ik dat wel durf.'

'Vooruit.'

Hij tilde een hoekje van het laken op en trok het weg. Hij zag een glanzend houten tekenblad dat naar het raam gekanteld was en een ijzeren onderstel waarin de naam van een beroemde meubelmaker was gegraveerd. Het was een handgemaakte tekentafel, net zo mooi en professioneel als die van Pierre Vago. Onder aan het tekenoppervlak was een perfecte uitsparing voor potloden; aan de rechterkant zat een diepe inktpot. Onder de tafel stond een tekenkruk waarvan de zitting en de koperen wielen glommen. Hij kreeg een brok in zijn keel.

'Je vindt het niks,' zei ze.

Hij wachtte tot hij weer wat kon zeggen. 'Het is te mooi,' zei hij. 'Het is een tafel voor een architect, niet voor een student.'

'Je zult hem ook nog hebben als je architect bent. Maar ik wilde je hem nu al geven.'

'Bewaar hem voor me,' zei hij. Hij draaide zich naar haar om en legde een hand op haar wang. 'Als jij voor me kiest, neem ik hem mee naar huis.'

De kleur trok uit haar lippen en ze sloot haar ogen. 'Alsjeblieft,' zei ze. 'Ik wil dat je hem nu meeneemt. Hij kan in twee delen uit elkaar. Neem de auto.'

'Ik kan het niet,' zei hij. 'Niet nu.'

'Andras, alsjeblieft.'

'Bewaar hem voor me. Als je erover nagedacht hebt, moet je maar zeggen of ik hem wel of niet moet krijgen. Maar ik wil hem niet als een aandenken aan jou. Begrijp je dat? Ik wil hem niet in plaats van jou.'

Ze knikte. Ze had haar grijze ogen neergeslagen.

'Het is het mooiste cadeau dat ik ooit heb gekregen,' zei hij.

En dat was het einde van hun vakantie. September kwam eraan. Hij voelde het toen hij met zijn tas met kleren voor twaalf dagen over de Pont Marie naar huis liep. September zond zijn eerste koele vlagen Parijs in, zijn rode gloed van vuur. De geur blies door de corridor van de Seine als het parfum van een meisje dat een feestzaal binnenkomt. Haar in een satijnen schoentje gestoken voet was de drempel nog niet over, maar iedereen wist dat ze daar stond. Nog even en ze zou binnenkomen. Heel Parijs leek in gespannen afwachting zijn adem in te houden.

17

Synagogue de la Victoire

Andras had er alles voor gegeven om dat jaar Rosj Hasjana in Konyár te kunnen vieren: met zijn vader en Mátyás naar sjoel gaan, bij zijn moeder aan tafel honingkoek eten, in de boomgaard staan en zijn hand op de stam leggen van zijn favoriete appelboom met de kruin waarin hij zo vaak zijn toevlucht had gezocht als hij bang, eenzaam of bedroefd was. In plaats daarvan zat hij op zijn zolderkamertje in de Rue des Écoles, tegen het einde van zijn eerste jaar in Parijs, te wachten op Polaner met wie hij samen naar de synagoge in de Rue de la Victoire zou gaan. Hij had Klara al vier weken niet gesproken. En nu het joodse nieuwjaar in zicht kwam, leek heel Europa aan een zijden draadje boven de afgrond te hangen. Toen hij na Nice weer een beetje op verhaal was gekomen, hij de brieven had gelezen die op hem wachtten en de gebruikelijke stapel kranten had doorgewerkt, besefte hij dat er ergere dingen in Europa aan de hand waren dan de weigering van Klara Morgenstern om hem de grote geheimen van haar leven te onthullen. Hitler, die het afgelopen voorjaar het verdrag van Versailles aan zijn laars had gelapt met de Anschluss van Oostenrijk, had nu zijn zinnen gezet op de grensregio met Tsjecho-Slowakije, het bergachtige Sudetenland, met zijn militaire fortificaties, wapenfabrieken, textielindustrie en mijnen. *Wat vind je van de nieuwste bevlieging van de kanselier?* had Tibor vanuit Modena geschreven. *Denkt hij nu echt dat Groot-Brittannië en Frankrijk lijdzaam zullen toezien hoe hij de laatste democratie van Midden-Europa van haar verdedigingsmiddelen berooft? Het zou het einde betekenen van een vrij Tsjecho-Slowakije, dat staat wel vast.*

Van Mátyás was een ander verontwaardigd schrijven gekomen, een kinderlijk protest tegen Hitlers geografisch revisionisme: *Hoe kan hij nu de 'teruggave' van Sudetenland eisen als het nooit van Duitsland is geweest? Wie denkt hij voor de gek te houden? Elke tweedeklasser weet dat Tsjecho-Slowakije voor de Grote Oorlog bij*

Oostenrijk-Hongarije hoorde. Daarop antwoordde Andras dat de Hongaarse regering waarschijnlijk bij Hitlers plannen betrokken was, omdat Hongarije hoopte verloren gebied terug te winnen als Duitsland Sudetenland annexeerde; het woord 'teruggave' was bedoeld als aansporing voor elk land dat meende er bij Versailles bekaaid te zijn afgekomen. *Maar jij hebt tenminste wel goed opgelet op school,* schreef hij. *Misschien haal je nog wel eens je eindexamen.*

De ontwikkelingen werden door de Parijse kranten op de voet gevolgd: tijdens zijn slottoespraak op 12 september op de bijeenkomst van de nazipartij in Neurenberg had Hitler opruiend met zijn vuist gezwaaid en gerechtigheid geëist voor de miljoenen Volksduitsers die in Sudetenland woonden; hij was niet van zins werkeloos toe te zien hoe zij door de regering van de Tsjechische president Beneš werden onderdrukt. Een paar dagen later vloog Chamberlain, die nog nooit van zijn leven in een vliegtuig had gezeten, naar Hitlers adelaarsnest in Berchtesgaden om overleg te voeren over wat inmiddels bekendstond als de 'Sudetencrisis'.

'Hij had nooit moeten gaan,' zei Polaner bij een whisky in De Blauwe Duif. 'Het is een vernedering, snap je? Een oude man, die nog nooit heeft gevlogen, wordt gedwongen om naar de verste uithoek van Duitsland af te reizen voor een ontmoeting met de Führer. Een staaltje machtsvertoon van Hitler. Het feit dat Chamberlain is gegaan, duidt erop dat hij bang is. Hitler zal hier ongetwijfeld zijn voordeel mee doen, let maar op.'

'Als iemand aan machtsvertoon doet, is het Chamberlain wel,' zei Andras. 'Hij is naar Berchtesgaden gegaan om zijn standpunt duidelijk te maken: als Hitler Tsjecho-Slowakije binnenvalt, zullen Groot-Brittannië en Frankrijk proberen hem met alle mogelijke middelen ten val te brengen. Zo moet je het zien.'

Het bleek al snel dat Andras het bij het verkeerde eind had. Chamberlain was teruggekeerd uit Duitsland, zo berichtten de kranten, met een eisenpakket van Hitler en het vaste voornemen om de Britse regering ervan te overtuigen dat men onverwijld aan de Führers voorwaarden tegemoet diende te komen. In de Franse hoofdredactionele commentaren werd ervoor gepleit om Sudetenland op te offeren voor het behoud van de vrede, die tijdens de Grote Oorlog tegen zo'n onvoorstelbare hoge prijs was bevochten; slechts een handjevol fel-communistische en socialistische commentatoren was een andere mening toegedaan. Enkele dagen later deden Franse en Britse regeringsvertegenwoordigers president Beneš het voorstel om de grensgebieden van de republiek op te geven, sterker nog, ze eisten dat de Tsjechische regering direct akkoord ging met het plan. Andras deed niets anders meer dan de kranten spellen en naar de rode bakelieten radio-ontvanger in Forestiers decorbouwatelier luisteren, alsof zijn niet-aflatende aandacht de gebeurtenissen een andere wending kon geven. Zelfs Forestier liet even zijn gereedschap liggen om met Andras het nieuws te bespreken. In reactie op het Brits-Franse voorstel kwam president Beneš met een bondig, belerend memorandum waarin Frankrijk werd herinnerd aan zijn belofte Tsjecho-Slowakije in geval van dreiging bij te staan; enkele uren nadat het memorandum was doorgeseind, haalden Britse en Engelse afgevaardigden in Praag Beneš uit zijn bed en dwongen hem ter plekke het voorstel te tekenen, anders zou hij het in zijn eentje tegen Duitsland moeten opnemen. De dag daarop luisterden Andras en monsieur Forestier met ongeloof en ontzetting naar het radiobericht dat Beneš akkoord was gegaan met het Engels-Franse voorstel. Het voltallige Tsjechische kabinet was kort daarvoor uit protest afgetreden. Op 22 september zou Chamberlain opnieuw een ontmoeting met Hitler hebben, deze keer in Bad Godesberg, om de overdracht van Sudetenland te regelen.

'Nou, dat was het dan!' riep Forestier en hij liet zijn brede schouders hangen. 'De laatste democratie van Midden-Europa maakt op aandringen van Engeland en Frankrijk een knieval voor Hitler. Het zijn benarde tijden, jongeheer Lévi, benarde tijden.'

Andras had al aangenomen dat de crisis hiermee voorbij was, dat een oorlog in de kiem was gesmoord, hoe hoog de prijs ook was geweest. Maar toen hij op 23 september bij Forestier kwam, hoorde hij dat de ontmoeting in Bad Godesberg alleen nog maar in meer eisen had geresulteerd: Hitler was van plan Sudetenland te bezetten en hij had de Tsjechische bevolking opgedragen om binnen een week hun huizen en boerderijen te ontruimen, met achterlating van al hun bezittingen. Chamberlain keerde terug naar Groot-Brittannië met deze nieuwe eisenlijst, die door de Franse en Engelse regering meteen naar de prullenbak werd verwezen. Een militaire bezetting was uit den boze, het stond gelijk aan het zonder slag of stoot opgeven van de rest van Tsjecho-Slowakije.

De gevreesde oproep is gekomen, had Andras de ochtend voor Rosj Hasjana aan Tibor geschreven. *Het Tsjechische leger is gemo-*

biliseerd en onze premier Daladier heeft opdracht gegeven tot een gedeeltelijke mobilisatie van de Franse troepen. Andras had het die ochtend met eigen ogen gezien: overal in de stad verlieten reservisten hun winkels, taxi's en cafétafeltjes en vertrokken naar locaties buiten Parijs waar ze in een bataljon zouden worden ingedeeld. Er was een enorm gedrang bij de brievenbus toen hij zijn brief aan Tibor wilde posten; bijna iedere vertrekkende soldaat leek nog een bericht te willen versturen. Nu zat hij op zijn bed met zijn talliettas in de hand te wachten op Eli Polaner en dacht ondertussen aan zijn ouders, zijn broers, Klara en het vooruitzicht van een oorlog. Om halfzeven was Polaner bij hem; samen namen ze de metro naar Le Peletier in het negende arrondissement en liepen de twee straten naar de Synagogue de la Victoire.

Deze synagoge verschilde nogal van het fraai versierde gebedshuis in Marokkaanse stijl aan de Dohány utca, waar Andras en Tibor in Boedapest tijdens de Hoge Feestdagen naartoe gingen. Hij leek evenmin op de sjoel in Konyár, die uit één grote, met donker hout betimmerde ruimte bestond en waar het mannengedeelte met een houten schot van dat van de vrouwen was gescheiden. De Synagogue de la Victoire was een hoog oprijzend, romaans bouwwerk van lichtgouden steen, met een groot roosvenster boven de boogfaçade. Binnen waren slanke pilaren die naar een tongewelf oprezen; de ruimte werd overspoeld met licht dat uit een hoge dakkoepel naar binnen viel. Aan de bovenkant van de Byzantijns geornamenteerde bima stond de gebiedende inscriptie TU AIMERAS L'ÉTERNEL TON DIEU DE TOUT TON COEUR. Toen Andras en Polaner de synagoge betraden was de dienst al begonnen. Ze gingen op een bankje achterin zitten en knoopten hun fluwelen talliettassen open: het talliet van Polaner was van vergeelde zijde met blauwe strepen en Andras had er een van fijngeweven witte wol. Samen vroegen ze de zegen alvorens de gebedskleden om te doen; tegelijk sloegen ze het kleed om hun schouders. De chazan zong in het Hebreeuws: *zie hoe goed en hoe aangenaam het is dat broeders in eenheid samen wonen.* Steeds opnieuw de bekende melodie: de ene regel laag en droevig als een werklied, de volgende als een vraag omhoogzwevend naar het plafondgewelf: is het niet goed voor broeders om in eenheid samen te wonen? Polaner had het lied in Krakau geleerd. Andras in Konyár. De chazan had het van zijn grootvader in Minsk geleerd. De drie oude mannen naast Polaner hadden het in Gdynia, Amsterdam en Praag geleerd. Het was ergens vandaan gekomen. Het was ontsnapt aan de pogroms in Odessa en Orade, had zijn weg naar deze synagoge gevonden en zou zijn weg naar talloze nog niet gebouwde synagoges vinden.

Op Andras, die de laatste vier weken bezig was geweest een muur om zijn gevoelens voor Klara Morgenstern op te trekken, had het lied haast het effect van een aardbeving. Het begon als een lichte trilling, net krachtig genoeg om de muur te laten schudden – ja, het was goed als broeders samen woonden, al was het vele maanden geleden dat hij zijn eigen broeders had gezien – en hij voelde een schok van ondraaglijk heimwee naar Konyár door hem heen gaan, en daarna een tweede schok van heimwee naar de Rue de Sévigné en het diepe, o zo vertrouwde thuis dat Klara zelf was. De afgelopen vier weken had hij zich uitsluitend verdiept in het wereldnieuws en de gedachte aan haar van zich afgezet; maar 's nachts, als hij niet langer kon veinzen dat ze uit zijn gedachten was, hield hij zichzelf voor dat haar stilzwijgen niet per se hoefde te betekenen dat het voorbij was. Ze had weliswaar geen contact meer met hem opgenomen, maar ze had zijn brieven ook niet geretourneerd of gevraagd haar spullen terug te geven die nog bij hem thuis lagen. Ze had hem geen reden gegeven om alle hoop te laten varen. Maar hoe moest hij, nu de Parijzenaars naar het platteland vluchtten in afwachting van een bombardement, nu de abstracte mogelijkheid van een oorlog een concrete realiteit werd, haar volhardende stilzwijgen opvatten? Zou ze uit Parijs weggaan zonder het hem te laten weten? Zou ze onder bescherming van Zoltán Novak vertrekken, in de auto met chauffeur die hij had laten sturen? Was ze misschien op dit moment de koffer aan het pakken die Andras een paar weken eerder voor haar had uitgepakt?

Hij trok zijn talliet dichter om zich heen en probeerde het malen te stoppen; het reciteren van de gebeden had iets kalmerends, er ging troost uit van de aanwezigheid van Polaner en de andere mannen en vrouwen die de woorden uit hun hoofd kenden. Hij reciteerde het gebed waarin de zonden begaan door het Huis Israëls worden opgesomd, daarna het gebed waarin hij G'd vroeg om zijn mond voor kwaadspreken te behoeden en zijn lippen voor het verspreiden van leugens. Hij zei het dankgebed voor de Thora, en luisterde naar de anderen die de woorden zongen die op de in witte manteltjes gehulde Thorarollen stonden. Aan het einde van de dienst bad hij om in het Boek des Levens te worden bijgeschreven, mocht er in dat boek nog een plekje voor hem zijn.

Na de dienst liep hij samen met Polaner langs de Seine naar de mensa, die in de zomer goeddeels was verlaten en aan het begin van het nieuwe studiejaar weer langzaam was volgestroomd, maar nu met de oorlogsdreiging opnieuw leegliep. De bediende laadde Andras' bord vol met brood, rundvlees en harde, vettige aardappelen.

'Thuis zou mijn moeder nu braadstuk en vermicellisoep op tafel zetten,' zei Polaner terwijl ze met hun borden naar een tafeltje liepen. 'Zulke aardappelen zouden er in haar keuken niet in komen.'

'Wat kan die aardappel er nou aan doen?' zei Andras. 'Het ligt heus niet aan de aardappel.'

'Het begint altijd met de aardappel,' zei Polaner, die onheilspellend een wenkbrauw optrok.

Andras moest lachen. Na alles wat er in januari was gebeurd, was het haast een wonder dat Polaner gezond en wel tegenover hem aan tafel zat. Er was veel mis in de wereld, maar het kon niet ontkend worden dat Eli Polaner geheel was hersteld en de moed had kunnen opbrengen om aan zijn tweede jaar op de École Spéciale te beginnen.

'Je moeder vond het zeker vreselijk dat je uit Krakau wegging,' zei Andras.

Polaner vouwde zijn servet open en legde het op zijn schoot. 'Ze vindt het nooit fijn dat ik wegga,' zei hij. 'Ze is mijn moeder.'

Andras keek hem onderzoekend aan. 'Je hebt je ouders niet verteld wat er is gebeurd, hè?'

'Had je dat dan verwacht?'

'Je was wel bijna dood.'

'Dan hadden ze me vast nooit meer terug laten gaan,' zei Polaner. 'Ze zouden me in een of ander freudiaans kuuroord hebben laten opsluiten voor een gesprekstherapie en dan was jij vanavond alleen geweest, *copain*.'

'Dan ben ik blij dat je het niet hebt verteld,' zei Andras. Hij had zijn vrienden gemist, vooral Polaner. Hij was ervan uitgegaan dat ze inmiddels weer met z'n allen in de mensa zouden eten, dat ze binnenkort weer in het atelier zouden samenkomen, dat ze als vanouds na college in De Blauwe Duif aan de zwarte thee met amandelkoekjes zouden zitten. Hij had gedacht dat hij Klara rond het haardvuur in de Rue de Sévigné verhalen over hun avonturen zou opdissen en dat ze daar hartelijk om zou moeten lachen. Maar

Rosen en Ben Yakov waren thuis bij hun familie, Polaner en hij waren nog maar met z'n tweetjes, en de École Spéciale had de colleges opgeschort, zoals alle hogescholen in Parijs. En aan Klara diste hij helemaal geen verhalen op.

Toen de Ontzagwekkende Dagen tussen Rosj Hasjana en Jom Kipoer waren begonnen, hield hij zichzelf voor dat hij binnenkort vast wel iets van Klara zou horen. Een oorlog leek onvermijdelijk. 's Avonds werd de verduistering alvast geoefend; de luttele straatlantaarns die nog brandden, werden met zwartpapieren kappen afgedekt zodat het licht naar beneden scheen. De treinen zaten vol met vertrekkende gezinnen en op straat was het een kakofonie van claxonnerende auto's. Nog eens vijfhonderdduizend mannen werden onder de wapenen geroepen. Degenen die in Parijs achterbleven, haastten zich om gasmaskers, levensmiddelen in blik en meel in te slaan. Andras kreeg een telegram van zijn ouders: *bij oorlogsverklaring eerste beste trein naar huis nemen.* Hij zat met het telegram in zijn handen op zijn bed en vroeg zich af of dit nu het einde betekende van zijn studie, zijn leven in Parijs, alles. Het was 28 september, over drie dagen, zo had Hitler gedreigd, zou Sudetenland bezet worden. Over tweeënzeventig uur was zijn leven misschien wel voorbij. Hij kon gewoonweg niet stil blijven zitten. Hij ging nu meteen naar de Rue de Sévigné en vragen of hij Klara kon spreken; hij zou voorstellen dat zij en Elisabet zo snel mogelijk hun koffers pakten en dat hij ervoor zou zorgen dat ze de stad uit kwamen. Voordat hij zich kon bedenken, schoot hij zijn jasje aan en rende het hele eind naar haar huis.

Maar bij de voordeur versperde mevrouw Apfel hem de toegang. Madame Morgenstern wilde niemand ontvangen, zei ze. Ook hem niet. En ze was niet van plan de stad uit te gaan, voor zover mevrouw Apfel wist. Ze lag met hoofdpijn op bed en had uitdrukkelijk gevraagd door niemand gestoord te worden. Had Andras het trouwens nog niet gehoord? De volgende dag zou er een bespreking in München zijn, een laatste poging tot verzoening. Mevrouw Apfel wist zeker dat die idioten wel tot inkeer zouden komen. Volgens haar ging het uiteindelijk niet op een oorlog uitlopen.

Dat was nieuw voor Andras. Hij rende naar het atelier van Forestier en zat de volgende twee dagen met zijn oor tegen de radio geplakt. En op 30 september kwam het bericht dat Hitler een akkoord met Frankrijk, Groot-Brittannië en Italië had bereikt: binnen tien dagen zou Sudetenland bij Duitsland worden ingelijfd. Er zou dus toch een militaire bezetting komen. De Sudeten-Tsjechen moesten hun huizen, winkels en boerderijen uit en mochten niets meenemen: nog geen krukje, lapje stof of korreltje graan. En de achtergelaten bezittingen zouden niet worden vergoed. In de gebieden waar Poolse en Hongaarse minderheden woonden zou door middel van een referendum besloten worden waar de nieuwe grenzen kwamen te liggen; de kans was groot dat Polen en Hongarije de verloren gebieden terug zouden willen hebben. De radio-omroeper las het bericht in rap, onduidelijk Frans voor en Andras had moeite het te verstaan. Hoe was het toch mogelijk dat Groot-Brittannië en Frankrijk akkoord waren gegaan met een plan dat bijna identiek was aan het plan dat ze een paar dagen daarvoor hadden verworpen? Op de radio werd het gejuich van feestvierende mensen in Londen uitgezonden; ook buiten het atelier van Forestier was feestgedruis te horen; honderden Parijzenaars bejubelden de vrede, juichten voor Daladier en Chamberlain. De opgeroepen mannen konden weer naar huis. Dat was ontegenzeggelijk iets positiefs – zo veel mensen die voor het komende jaar in het Boek des Levens waren bijgeschreven. Waarom voelde hij zich dan toch meer zoals Forestier zich leek te voelen – Forestier, die in een hoekje zat met zijn ellebogen op zijn knieën en met zijn voorhoofd in zijn handen? Het leek een schande wat er de afgelopen tijd allemaal gebeurd was. Andras voelde zich zoals hij zich waarschijnlijk zou hebben gevoeld als professor Perret, na de aanval op Polaner, had geprobeerd de rust op de École Spéciale te herstellen door het slachtoffer van school te sturen.

Op de avond voor Jom Kipoer gingen Andras en Polaner naar de Synagogue de la Victoire om naar het kol nidree-gebed te luisteren. In een ernstige plechtigheid met veel kniebuigingen waarbij voorhoofden de vloer raakten, baden de chazan en de rabbijn rachmones voor de hele gemeente en het Huis Israëls. Ze verklaarden de sjoelgangers ontslagen van alle niet-nagekomen geloften en eden van het afgelopen jaar, ten aanzien van G'd en van elkaar. Ze dankten de Almachtige dat Europa een oorlog had weten af te wenden. Andras dankte ook, maar zijn vage angst bleef. Naarmate de dienst vorderde, begon hij zich om iets anders zorgen te maken. De afgelopen week had hij gemerkt dat hij door de oorlogsdreiging niet meer constant aan Klara dacht. Hij had zichzelf een tijdje voor de gek gehouden en zich wijsgemaakt dat haar maand van stilzwijgen een impliciete boodschap bevatte, een aanwijzing dat ze nog steeds in haar maag zat met de kwestie die ervoor had gezorgd dat ze voortijdig uit Nice waren vertrokken. Maar hij kon zichzelf niet langer voor de gek houden. Ze wilde hem niet meer zien. Het was over; zoveel was duidelijk. Haar stilte kon maar op één manier geduid worden.

Die avond ging hij naar huis en stopte haar spullen in een houten kist: haar kam en borstel, twee nachthemden, een verdwaalde oorhanger in de vorm van een narcis, een pillendoosje van groen glas, een boek met Hongaarse korte verhalen, een bundel met zestiende-eeuwse Franse poëzie waaruit ze hem graag voorlas. Hij bleef even talmen bij het boek; hij had het voor haar gekocht omdat het gedicht van Marot erin stond over het vuur dat huisde in de sneeuw. Hij bladerde naar het gedicht. Voorzichtig sneed hij met zijn zakmes de bladzij uit het boek en stopte hem in de envelop waarin hij haar brieven bewaarde. De brieven waarvan hij geen afscheid kon nemen. Hij pakte een prentbriefkaart die hij maanden daarvoor als souvenir had gekocht: een foto van het Square Barye, het piepkleine parkje in de oostpunt van het Île Saint-Louis, waar hij op nieuwjaarsdag het gedicht van Marot in haar oor had gefluisterd. *Lieve Klara,* schreef hij, *hier zijn nog een paar spullen die je bij mij had laten liggen. Mijn gevoelens voor jou zijn onveranderd, maar ik kan niet langer wachten zonder te weten wat de reden van je zwijgen is, of zonder te weten of die ooit doorbroken wordt. Daarom moet ik zelf de breuk forceren. Ik ontsla je van je beloften jegens mij. Je hoeft me niet langer trouw te zijn, noch je als mijn toekomstige echtgenote te gedragen. Ik laat je vrij, maar ik kan mezelf niet bevrijden van de geloften die ik jou heb gedaan; je moet doen wat je hart je ingeeft, Klara. Mocht je alsnog besluiten om me te komen opzoeken, weet dan dat ik nog steeds geheel de jouwe ben, Andras.*

Hij spijkerde het deksel op de kist en tilde hem op. De laatste resten van Klara in zijn leven wogen bijna niets. In het donker liep hij naar haar huis en zette de kist op het stoepje, waar ze hem 's ochtends zou aantreffen.

De volgende dag zei hij zijn gebeden en vastte. Tijdens de vroege dienst wist hij zeker dat hij een gruwelijke vergissing had begaan. Als hij nog een week had gewacht, bedacht hij, was ze misschien wel bij hem teruggekomen; nu had hij zijn eigen ongeluk over zich afgeroepen. Het liefst was hij de synagoge uit gerend naar de Rue de Sévigné om de kist weg te halen voordat iemand hem vond.

Maar naarmate zijn innerlijk door het vasten werd gereinigd, begon hij te geloven dat hij juist had gehandeld, dat hij uit zelfbescherming het goede had gedaan. Hij trok zijn talliet om zijn schouders en boog zich voorover om de achttien zegens op te zeggen. De bekende volgorde van het gebed bevestigde hem in zijn overtuiging. De natuur bestond uit een kringloop; er was een tijd voor alles, en alles verging.

Tegen de avonddienst voelde hij zich leeggeschraapt, versuft en duizelig van het vasten. Hij wist dat hij afgleed naar een afgrond en niet bij machte was om zichzelf tot staan te brengen. Eindelijk werd de dienst besloten met de snerpende, in toonhoogte klimmende stoot op de sjofar. Na afloop ging hij met Polaner eten in de Rue Saint-Jacques; József had hen uitgenodigd om met zijn vrienden van de Beaux-Arts te komen aanbijten. Zwijgend staken ze de Seine over, de honger had hen compleet uitgehold. Bij József thuis was er muziek en een enorme tafel met drank en eten. József wenste ze een goed Nieuwjaar en duwde ze een glas wijn in de handen. Vervolgens wenkte hij Andras met een samenzweerderig gekromde vinger om hem in vertrouwen iets mee te delen.

'Ik heb zoiets merkwaardigs over jou gehoord,' zei hij. 'Mijn vriend Paul heeft me verteld dat jij een verhouding hebt met de moeder van dat lange kind, die recalcitrante Elisabet van hem.'

Andras schudde zijn hoofd. 'Niet meer,' zei hij. En hij pakte een fles whisky van tafel en sloot zichzelf op in Józsefs slaapkamer, waar hij het op een zuipen zette, tegen zijn spiegelbeeld vloekte en tierde, voorbijgangers de stuipen op het lijf joeg door ver over de balkonbalustrade te gaan hangen, in de open haard kotste en ten slotte buiten westen op de vloer viel.

18

Café Bédouin

Het joodse geloof kent geen sjivve voor een verloren liefde. Er was geen kaddisj om op te zeggen, geen kaars om te branden, geen verbod op scheren, naar muziek luisteren of naar je werk gaan. Hij kon moeilijk in gescheurde kleren zijn dagen rouwend doorbrengen. Ook de meer wereldse vormen van troost boden geen soelaas; hij kon het zich gewoonweg niet permitteren om elke avond stomdronken te worden of een zenuwinzinking te krijgen. Nadat hij zich van Józsefs parket overeind had gehesen en zich naar zijn eigen kamer had gesleept, besefte hij dat hij het dieptepunt van zijn verdriet had bereikt. Die gedachte alleen al beurde hem op. Hij had het uitgemaakt met Klara. Nu kon hij zonder haar verder. Weldra zouden de colleges op de École Spéciale weer beginnen; hij mocht niet vanwege haar zakken voor zijn tweede jaar. En ook kon hij het voor zichzelf niet verantwoorden om zich op te hangen, van een brug te springen of zich anderszins als de hoofdpersoon van een Griekse tragedie te gedragen. Hij moest gewoon door met zijn dagelijks leven. Voor het raam van zijn zolderkamertje, omlaag turend naar de Rue des Écoles, stond hij dit alles te overpeinzen. Hij koesterde nog steeds de ijdele, onbedwingbare hoop dat ze elk moment met haar rode hoed de hoek om kon komen hollen, op weg naar hem, de rok van haar herfstjas achter haar aan wapperend.

Maar toen haar stilzwijgen zijn zevende week inging, doofde ook zijn laatste sprankje hoop. Het leven ging gewoon door, onverschillig voor zijn verdriet. Rosen en Ben Yakov waren met de andere studenten van de École Spéciale naar Parijs teruggekeerd; Rosen in een permanente staat van woede om wat er in Tsjecho-Slowakije was gebeurd en wat er nog steeds aan de gang was, Ben Yakov bleek van verliefdheid vanwege een meisje dat hij die zomer in Italië had ontmoet, de dochter van een orthodoxe rabbijn in Florence. Hij had zich heilig voorgenomen het meisje als zijn bruid mee te nemen naar Parijs en hij had, om wat bij te verdienen, een baantje als inruimhulp in de Bibliothèque Nationale genomen. Ook Rosen had een nieuwe liefde: hij had zich aangesloten bij de Ligue Internationale Contre l'Antisémitisme, en rende van de ene bijeenkomst naar de andere. Andras zelf had het inmiddels zo druk dat hij nauwelijks nog aan de toestand met Klara dacht. Dankzij de aanbevelingsbrief van Vago had hij de stageplaats bij het architectenbureau weten te bemachtigen waarop hij in het voorjaar had gesolliciteerd. Hij had zijn uren bij Forestier moeten terugschroeven, maar ter compensatie van de loonderving kreeg hij een bescheiden stagevergoeding. Nu was hij drie middagen per week de duvelstoejager van de architect Georges Lemain en vervulde hij alle taken die van de jongste stagiair werden verwacht: tekeningen archiveren, potloodlijnen uitgummen, zwarte koffie halen en berekeningen maken. Lemain was een pietje-precies met kortgeknipt, glanzend grijs haar. Hij sprak in rap, metalig Frans en tekende met machinale precisie. Hij haalde zich vaak de woede van zijn collega's op de hals omdat hij onder het werk opera-aria's zong. Om die reden was hij verbannen naar een uithoek van het kantoor, afgeschermd door boekenkasten die vol stonden met oude nummers van *L'Architecture d'Aujourd'hui*. Andras zat aan zijn eigen bescheiden bureautje naast de imposante tekentafel van Lemain te werken en leerde daardoor al snel de aria's mee te zingen. Als dank voor zijn verdraagzaamheid en ijver had Lemain aangeboden hem met zijn opdrachten voor school te helpen. Het duurde niet lang of Lemains gestroomlijnde glasgevels en gepolijste steenvlakken deden hun intrede in Andras' ontwerpen. Hij raadde Andras aan om een portfolio met persoonlijke tekeningen aan te leggen, werk dat losstond van de opdrachten voor de École Spéciale; hij spoorde Andras aan om hem zijn uitgewerkte ideeën te laten zien. En zo kwam het dat Andras op een middag eind oktober de stoute schoenen aantrok en zijn bouwtekeningen voor het zomerhuis in Nice meenam naar kantoor. Lemain vouwde de tekeningen uit op zijn eigen tafel en boog zich over de schetsen.

'Zo'n muur houdt het in Nice nog geen vijf jaar vol,' zei hij terwijl hij met zijn beide duimen een stukje van Andras' tekening omkaderde. 'Denk eens aan het zout. Dat gaat zich in die spleten ophopen.' Hij legde een stuk calqueerpapier over Andras' bouwplan en tekende er een gladde muur in. 'Maar je hebt een slimme oplossing bedacht voor de hellingshoek. Die schuine patio en het terras sluiten goed aan bij het terrein.' Hij legde nog een vel calqueerpapier over de tekening van de achterzijde en maakte van de twee aparte terrasniveaus één glooiend vlak. 'Het terras mag niet te groot zijn, hoor. Laat de vorm van de heuvel intact. Je kunt rozemarijn planten om de grond bijeen te houden.'

Andras keek toe en maakte in gedachten verdere aanpassingen. In het harde kantoorlicht leken de tekeningen niet meer zozeer op een blauwdruk van zijn gedroomde leven, als wel op een neutrale bestektekening van een huis voor een opdrachtgever. Die kamer hoefde geen balletstudio te worden; het kon evengoed een heerlijk lichte *salon* zijn. En die twee kamertjes op de hoofdverdieping hoefden niet per kinderkamers te zijn; het konden ook *chambres* 2 en 3 zijn; door de opdrachtgever naar eigen inzicht te gebruiken. In de keuken hoefden niet de denkbeeldige resten van een genuttigde maaltijd te staan; de *chambre principale* hoefde niet per se twee Hongaarse vluchtelingen te herbergen, niemand eigenlijk. De hele middag was hij bezig met uitvlakken en opnieuw intekenen totdat hij dacht dat hij alle spoken uit het ontwerp had verdreven.

Met de opgerolde tekeningen en Lemains vellen calqueerpapier onder zijn arm liep hij door een confetti van herfstbladeren naar de Rue des Écoles. Het geluid van de knisperende, ritselende bladeren op het trottoir voerde hem terug naar de talloze herfstige middagen in Konyár, Debrecen en Boedapest, de geur van gepofte kastanjes boven de gietijzeren pan van de straatverkoper, de stugge grijze wollen schooluniformen, de vazen van de bloemisten die opeens waren gevuld met korenaren en zonnebloemen met fluwelen harten. Hij bleef voor de etalage van een fotografiestudio in de Rue des Écoles staan, waar een nieuwe serie portretten was uitgestald: melancholieke Parijse kinderen in boerenkleren die voor een achterdoek met een geschilderde oogst poseerden. De kinderen hadden allemaal schoenen aan en die schoenen waren glimmend gepoetst. Hij moest lachen toen hij bedacht hoe de foto eruit zou zien als hij, Tibor en Mátyás als kind voor een echte hooiwagen hadden geposeerd. Dan hadden ze niet deze smetteloze kielen en broeken gedragen, maar bruine werkhemden die hun moeder had gemaakt, tweedehands overalls, gevlochten riemen en petten die uit de versleten stof van hun vaders overjas waren gemaakt. En hun voeten zouden bedekt zijn met het fijne bruine stof van Konyár. Hun zakken zouden uitpuilen van de kleine harde appeltjes, hun armen zouden pijn doen van het maken van hooibalen voor de boeren uit de omgeving. Uit het huis zou het volle, rode aroma van paprikás van kip komen; hun vader zou zo veel hout voor nieuwe hooiwagens en schuren hebben verkocht dat ze tot aan de winter elke vrijdag kip konden eten. Het was een mooie tijd van het jaar, die periode van warme oktoberdagen nadat het hooi van het land was gehaald. De lucht was nog zacht en geurig, de molenkolk die weldra dichtgevroren zou zijn, was nu nog een helder vloeibaar ovaal waarin de molen en de hemel werden weerspiegeld.

In de etalageruit van de fotograaf schoot een vage gedaante langs de kinderportretten: de flits van een groenwollen mantel, de gouden schoof van een vlecht. De weerspiegeling stak de straat over en kwam zijn kant op. De anonieme trekken namen geleidelijk een bekende vorm aan: Elisabet Morgenstern. Ze tikte hem hard op de schouder en hij draaide zich om.

'Elisabet,' riep hij uit. 'Wat doe jij op een donderdagmiddag in het Quartier Latin? Heb je een afspraak met Paul?'

'Nee,' zei ze en ze keek hem met kille ogen aan. 'Ik kom jou opzoeken.' Ze haalde een blikje pastilles uit haar tasje en schudde er eentje op haar vlakke hand. 'Ik wil jou er ook best eentje aanbieden, alleen zijn ze bijna op.'

'Wat is er?' vroeg hij en zijn maag trok samen. 'Is er soms iets met je moeder?'

Elisabet liet de pastille in haar mond rondgaan en begon erop te kauwen. Toen ze het woord weer nam, ving hij een vleugje anijs op. 'Ik heb geen zin hier op de stoep een gesprek te voeren,' zei ze. 'Kunnen we niet ergens anders heen?'

De Blauwe Duif was vlakbij, maar Andras wilde liever niet zijn vrienden tegenkomen. Dus loodste hij haar de hoek om de heuvel op naar Café Bédouin, waar hij, eeuwen geleden leek het wel, met Klara iets had gedronken. Sinds die avond was hij er niet meer geweest. Achter de bar stond nog steeds dezelfde kartelige rij drankflessen en voor de ramen hingen nog dezelfde verschoten lila vitrages. Ze gingen op de bankjes aan een van de tafeltjes zitten en bestelden thee.

'Nou, wat is er?' vroeg hij toen de ober weg was.

'Ik weet niet wat je met mijn moeder uithaalt, maar hou er zo snel mogelijk mee op,' zei Elisabet.

'Waar heb je het over? Ik heb haar in geen weken gezien.'

'Dat is het 'm juist! Ik zal er geen doekjes om winden, Andras, maar je gedraagt je ploerterig. Mijn moeder is een hoopje ellende. Ze eet haast niets meer. Ze luistert niet meer naar muziek. Ze slaapt aan een stuk door. En ze loopt de hele tijd op me te vitten. Ik haal te lage cijfers op school of ik voer mijn huishoudelijke taken niet goed uit of ik ben brutaal tegen haar.'

'En dat zou allemaal mijn schuld zijn?'

'Van wie anders? Je hebt haar als een baksteen laten vallen. Je komt niet meer bij ons thuis. Je hebt al haar spullen teruggestuurd.'

Hij werd in één keer overmand door zijn aloude verdriet. 'Wat had ik dan moeten doen?' vroeg hij. 'Ik heb het zo lang mogelijk volgehouden. Zij heeft me niet meer geschreven, wilde me niet meer zien. En ik ben wél naar haar toe geweest. Na Rosj Hasjana, toen iedereen dacht dat er een evacuatie zou komen. Mevrouw Apfel zei dat je moeder niemand wilde ontvangen, vooral mij niet. En daarna heb ik geen woord meer van haar vernomen. Ik moest het wel opgeven. Ik moest haar wens eerbiedigen. En ik moest er ook voor zorgen dat ik zelf niet gek werd.'

'Dus uit gemakzucht heb je haar laten zitten.'

'Ik heb haar niet laten zitten, Elisabet. Bij de spullen die ik heb teruggestuurd zat een briefje. Daarin schreef ik dat mijn gevoelens voor haar onveranderd waren, maar daarop kwam geen reactie. Het is wel duidelijk dat ze me niet meer wil zien.'

'Als dat zo is, waarom is ze dan zo ongelukkig? En ze heeft heus geen ander, hoor. Ze gaat nooit meer uit. 's Avonds zit ze altijd thuis. Op zondagmiddag ligt ze in bed.' De ober kwam met hun bestelling en Elisabet roerde melk door haar thee. 'Ze laat Paul en mij geen moment met rust. Ik moet midden in de nacht het huis uit sluipen om hem te zien.'

'Gaat het daarom? Je wilt alleen kunnen zijn met Paul?'

Ze keek hem vuil aan, haar mond van walging vertrokken. 'Je bent een sukkel, wist je dat? Een grote sukkel. Ook al denk jij van niet, ik maak me wel degelijk zorgen om mijn moeder. Meer dan jij, klaarblijkelijk.'

'Onzin!' riep hij uit, leunend over de tafel. 'Ik ben er bijna krankzinnig van geworden. Maar ik kan haar niet van gedachten doen veranderen, Elisabet. Ik kan haar niet iets laten voelen wat ze niet voelt. Als we elkaar nog een keer willen zien, moet zíj contact met me opnemen.'

'Maar dat doet ze niet, snap dat dan! Ze blijft zich in haar ongeluk wentelen. Dat kan ze heel lang volhouden. Haar hele leven staat in het teken van haar ellende. En ze sleept mij er ook in mee.'

Ze keek even naar haar hand en Andras zag voor het eerst dat er om de vierde vinger een ring zat: een diamant met twee smaragden in de vorm van een blaadje. Terwijl hij de ring bestudeerde, draaide zij hem peinzend rond.

'Paul en ik zijn verloofd,' zei ze. 'Als ik volgend jaar juni klaar ben met school wil hij me meenemen naar New York.'

Hij trok een wenkbrauw op. 'Weet je moeder dat?'

'Natuurlijk niet! Je weet hoe ze zal reageren. Van haar mag ik pas rond mijn dertigste naar mannen kijken. Je zou denken dat ze niet wil dat ik net zo eindig als zij: oud en eenzaam.'

'Ze wil ook niet dat je net zo eindigt als zij. Dat is het 'm juist! Ze was te jong toen ze jou kreeg. Ze wil niet dat jij net zo moet sappelen als zij.'

'Zal ik je wat vertellen?' zei Elisabet en ze wierp hem opnieuw die granieten blik toe. 'Ik zal nooit zo eindigen als zij. Als ik zwanger was van een man die niet van me hield, zou ik wel weten wat ik moest doen. Ik ken meisjes die het hebben gedaan. Ik zou doen wat zij eigenlijk ook had moeten doen.'

'Hoe kun je zoiets zeggen!' riep hij. 'Ze heeft haar hele leven opgeofferd om voor jou te kunnen zorgen.'

'Dat kan ik toch niet helpen?' zei Elisabet. 'En als ik eenentwintig ben, bepaalt zij niet meer mijn doen en laten. Ik trouw met wie ik wil. En ik ga met Paul naar New York.'

'Je bent een egoïstisch kind, Elisabet.'

'Moet je horen wie het zegt!' Ze kneep haar ogen toe en prikte met een vinger over het cafétafeltje naar hem. 'Jíj hebt haar in de steek gelaten toen ze neerslachtig werd. Iemand die er zo aan toe is, gaat geen mensen voor de lunch uitnodigen of liefdesbrieven versturen. Maar ach, jij hebt toch nooit echt om haar gegeven. Je wilde wel haar minnaar zijn, maar je wilde haar niet werkelijk leren kennen.'

'Natuurlijk wel!' riep hij uit. 'Zij heeft mij afgewezen.' Maar hij had het nog niet gezegd, of hij voelde de druk binnen in zich veranderen, iets van een stille schok die natrilde in zijn oren. Ze had hem inderdaad afgewezen, meerdere keren zelfs, maar hij had haar óók afgewezen. In Hôtel Taureau d'Or in Nice. Net toen ze op het punt stond hem haar levensverhaal uit de doeken te doen, had hij haar alleen aan tafel laten zitten in plaats van te luisteren naar wat ze te zeggen had. En later die avond in het huisje had hij haar zo onbehouwen toegebeten dat ze hem alles moest vertellen dat ze er bang van was geworden. Daarop had hij haar spullen in de koffer gestopt en had haar met de auto terug naar Parijs gebracht. En sindsdien had hij welgeteld nog maar één keer geprobeerd contact met haar op te nemen. Hij had haar één miezerige ansichtkaart gestuurd en haar spullen teruggegeven, waarna hij zich had voorgenomen haar voorgoed uit zijn gedachten te bannen. Hun liefde zou een keurig, droevig einde kennen: een kist met teruggestuurde spullen, een onbeantwoord briefje. Nooit zou hij de onthullingen hoeven horen die hem pijn konden doen of zijn mening over haar konden veranderen. Hij had er juist voor gekozen om zijn beeld van haar intact te laten: de herinnering aan haar kleine, sterke lichaam, hoe ze naar hem luisterde en tegen hem sprak, hun nachten samen in zijn kamer. Hij kon zichzelf nog zo hard wijsmaken dat hij alles over haar wilde weten, diep vanbinnen voelde hij ook angst. Hij dacht dat hij van haar hield, maar waarvan hij had gehouden was niet haar hele persoon. Het was eerder zoiets als de zilveren schimmen op die stokoude foto's of haar naam op een ivoorwitte envelop.

'Denk je dat ze me nog wil zien?' vroeg hij aan Elisabet.

Ze keek hem doordringend aan, waarbij de koele blauwe meren van haar ogen even warm doorstroomden van opluchting. 'Dat moet je haar zelf maar vragen,' zei ze.

19

Een steegje

In de negen weken dat hij haar niet had gezien, had de tijd niet stilgestaan. De aarde had zijn baan om de zon vervolgd, Duitsland had Sudetenland onder de voet gelopen en op zijn eigen kleine planeet was ook het een en ander gebeurd. In zijn nek voelde hij nu de wind schuren; hij had namelijk zijn haar geknipt, dat hij op Klara's verzoek lang had laten groeien. Zijn ochtendlessen bij Vago waren afgelopen en de afgestudeerden waren weg; de nieuwe lichting eerstejaars zat zwijgend te luisteren naar het commentaar dat Andras en zijn jaargenoten in het praktijklokaal gaven. Hij sprak inmiddels een aardig mondje Frans, de taal was zelfs de grens van zijn onderbewuste overgestoken en had zich in het domein van zijn dromen genesteld. Hij was begonnen aan zijn stage bij het architectenbureau, zijn eerste baan op zijn eigen vakgebied. En in de studio van Forestier werd gewerkt aan nieuwe toneeldecors (voor *Lysistrata*, een schaalmodel van het Parthenon en een bos met pilaarachtige fallussen; en voor *De kersentuin* een salon waarvan de wanden, gemaakt van doorschijnend toneeldoek en gevoerd met verborgen lampjes, tijdens het toneelstuk steeds transparanter werden totdat ze geheel verdwenen en de bomenrijen erachter zichtbaar werden).

Dan was er nog zijn kamer in de Rue des Écoles. Hij had zijn tafel versleept tot onder het schuine dak van de zolder, waar hij zijn tekeningen tegen het plafond kon prikken. Hij had een bureaulamp met een groene kap gekocht om hem bij zijn bezigheden bij te lichten en tegen de muren had hij prenten van bouwwerken gespijkerd – niet de oceaanstomers en ijsbergen die zijn docenten ontwierpen, niet de monumentale architectuur van Parijs, maar de compacte eivormen van Ghanese hutten, de nestachtige rotswoningen van indianen en de gouden stenen muren van Palestina. Hij had de plaatjes uit tijdschriften en boeken nagetekend en daarna ingekleurd met de waterverf die hij in Nice goedkoop op de kop had weten te tikken. Op de vloer lag een dik rood kleed dat naar houtvuur rook; op het bed lag een boterkleurige sprei die van een gescheurd toneeldoek was gemaakt. En naast de haard stond een diepe, lage fauteuil van verschoten wijnrood pluche, een afdankertje dat hij op een ochtend voor het gebouw op het trottoir had gevonden. De stoel had ondersteboven gelegen, in een diep vernederende houding, alsof hij na een lange kroegentocht was gestruikeld en niet meer overeind had kunnen komen. De fauteuil had nog een koddig maatje bij zich, een voetenbankje met franjes en kwastjes dat op een langharig hondje leek.

En in deze stoel zat Klara nu. Hij had haar geschreven, gezegd dat hij haar wilde zien, had gevraagd of ze hem een avondje gezelschap kwam houden, meer niet. Hij ging er maar van uit dat ze toch niet zou antwoorden, maar ergens hoopte hij dat Elisabet haar kon overhalen terug te schrijven. En toen hij die avond terugkwam van Forestier trof hij haar in zijn fauteuil aan, met haar zwarte schoenen als twee kwartnoten keurig ervoor opgesteld. Beduusd bleef hij in de deuropening staan, bang dat ze een geestverschijning was; ze stond op en nam de tas van zijn schouder, schoof haar armen onder zijn jas en drukte hem tegen haar borst. Haar geur van lavendel en honing, de broodachtige lucht van haar huid. Het was zo vertrouwd dat hij de tranen in zijn ogen voelde prikken. Hij legde zijn duim in het kuiltje van haar hals, raakte het barnstenen knoopje van haar blouse aan.

'Je hebt je haar geknipt,' zei ze.

Hij knikte, niet bij machte te spreken.

'En je bent afgevallen,' ging ze verder. 'Je ziet eruit of je haast niet eet.'

'En jij dan?' vroeg hij en hij keek haar onderzoekend aan. Ze had paarse kringen onder haar ogen; haar gebronsde gouden teint was tot ivoor verbleekt. Ze leek haast wel doorschijnend, alsof de wind haar van binnenuit had leeggeblazen. Ze stond erbij alsof haar hele lichaam pijn deed.

'Ik zal thee zetten,' zei hij.

'Doe geen moeite.'

'Het is absoluut geen moeite, Klara.' Hij zette water op en maakte voor hen beiden thee. Daarna pookte hij het vuur op en ging op het voetenbankje met de franje zitten. Hij schortte haar rok op, haakte de metalen oogjes van haar jarretelgordel van de rubberen nopjes, stroopte haar kousen omlaag. Hij streelde haar benen niet, al had hij dat wel gewild; hij begroef zijn gezicht niet tussen haar dijen. Hij pakte alleen haar voeten en streek met zijn duimen langs de holte.

Ze slaakte een kreet, een zucht. 'Waarom laat je me niet gaan?' vroeg ze. 'Wat wil je toch?'

Hij schudde zijn hoofd. 'Ik weet het niet, Klara. Misschien alleen dit.'

'Sinds onze terugkeer uit Nice ben ik doodongelukkig,' zei ze. 'Ik kon nauwelijks mijn bed uitkomen. Ik kreeg geen hap door mijn keel. Ik kon geen brief meer schrijven, geen jurk verstellen. Toen het ernaar uitzag dat Frankrijk in oorlog zou raken, sloeg de angst me om het hart dat je je als vrijwilliger zou aanmelden.' Ze zweeg even en schudde haar hoofd. 'Ik ben twee nachten opgebleven om de moed te verzamelen naar jou toe te komen, maar ik had er zo'n verschrikkelijke hoofdpijn door gekregen dat ik het bed moest houden. Ik kon niet eens lesgeven. Ik ben nog nooit zo ziek geweest dat ik geen les kon geven, in al die vijftien jaar niet. Ik heb mevrouw Apfel een brief laten ophangen waarin stond dat ik ziek was.'

'Je had gezegd dat ze me niet binnen mocht laten als ik aan de deur kwam.'

'Ik had niet gedacht dat je zou komen, behalve dan om te melden dat je je als vrijwilliger had aangemeld. Ik was bang dat ik die mededeling niet zou overleven. En toen stuurde je mijn spullen terug. Allemachtig, Andras! Ik heb je briefje wel honderd keer gelezen. Ik heb wel honderd kladversies van een antwoord gemaakt en ze allemaal weggegooid. Alles wat ik schreef leek me verkeerd of laf.'

'En toen bleek Frankrijk toch niet in oorlog te zijn.'

'Nee. En daar was ik voor mezelf heel blij om, geloof me, al wist ik best wat het voor Tsjecho-Slowakije betekende.'

Hij glimlachte droevig. 'Ik heb trouwens niet ál je spullen teruggestuurd. Het gedicht van *D'Anne qui luy jecta de la Neige* heb ik gehouden.'

'Van Marot.'

'Ja. Ik heb het uit je boek gesneden.'

'Je hebt mijn boek vernield!'

'Helaas wel, ja.'

Ze schudde haar hoofd en legde haar voorhoofd op haar vlakke hand, haar elleboog steunend op de armleuning. 'Toen ik je briefje deze week kreeg, zei mijn dochter dat ze geen enkel respect meer voor me had als ik niet onmiddellijk naar je toe ging.' Ze zweeg om hem een wrang lachje toe te werpen. 'Eerst was ik vooral verbijsterd dat ze überhaupt respect voor me had. En toen besloot ik dat ik maar moest gaan.'

'Klara,' zei hij, terwijl hij dichter naar haar toe kroop en haar handen in de zijne nam. 'Ik vrees dat ik je nu die moeilijke vraag moet stellen. Ik moet weten wat er nu precies aan de hand was toen we uit Nice weggingen. Je moet het me vertellen, ik weet niet eens hoe die man heette. De vader van Elisabet. Je moet me vertellen waarom je naar Frankrijk bent gekomen.'

Ze zuchtte en keek in het vuur, waar de hitte als een vluchtige stof over de kooltjes golfde. Haar ogen leken het rode licht haast in te drinken. 'De vader van Elisabet,' zei ze en ze streek met haar hand over de fluwelen armleuning. 'Die man.'

En toen deed ze hem haar verhaal, hoewel het al over twaalven was.

In het tweede decennium van de twintigste eeuw hadden de grootste danstalenten in Boedapest les gekregen van Viktor Vasilievitsj Romankov, de eigenzinnige, excentrieke derde zoon uit een verarmde adellijke Russische familie. Romankov had in Leningrad, dat toen nog Sint-Petersburg heette, aan de Keizerlijke Balletacademie gestudeerd en bij het beroemde dansgezelschap van het Mariinsky Theater gedanst; op zijn vijfendertigste was hij vertrokken om zijn eigen balletschool te beginnen. Honderden dansers, zoals de grote Olga Spessivtzeva en Alexandra Danilova, hadden bij hem hun opleiding gevolgd. Als jongeman had hij zich altijd tot het uiterste ingespannen om zijn ballettechniek tot in het uiterste te verfijnen; door zijn streven de fysiologie van de dans te ontraadselen en door het geduld dat hij had ontwikkeld tijdens zijn eigen balletopleiding was hij een buitengewoon effectieve leraar. Zijn naam begon in West-Europa rond te zingen en zelfs aan de andere kant van de Atlantische Oceaan werd hij bekend. Toen zijn familie aan het begin van de revolutie het laatste restje van het ooit zeer aanzienlijke fortuin had verloren, was hij Sint-Petersburg ontvlucht, met het voornemen naar Parijs te emigreren en hetzelfde pad te bewandelen als zijn grote held Diaghilev, oprichter van Les Ballets Russes. Maar tegen de tijd dat Romankov in Boedapest aankwam, waren zijn energie en zijn geld op. Tot zijn eigen verrassing werd hij verliefd op deze stad van bruggen en parken, fraai

betegelde gebouwen en met bomen omzoomde alleeën. Al na enkele dagen toog hij naar het Hongaarse Koninklijke Ballet om daar
zijn licht op te steken; het bleek dat de academie met hopeloos
verouderde lesmethodes werkte en dat er eens flink de bezem door
moest. De artistiek directeur van de balletschool kende Romankov
van naam. Hij was de aangewezen persoon voor hun school. Ze
wilde niets liever dan dat hij er docent werd. En zo kwam het dat
hij in Boedapest bleef.

Klara was een van zijn eerste leerlingen. Op haar negende kwam
ze bij hem op les. Toen hij een wandeling maakte door de joden-
buurt, keek hij toevallig door een raam en zag haar bezig in haar
balletklasje. Hij beende meteen de studio in, trok haar weg bij
haar medeleerlingen, zei tegen de docente dat hij een vriend van
de familie was en dat ze dringend naar huis moest. Buiten legde
hij aan Klara uit dat hij een balletdocent uit Sint-Petersburg was,
dat hij getroffen was door haar talent en dat hij haar wilde zien
dansen. Daarna liepen ze samen naar de Koninklijke Balletacademie op de tweede verdieping aan de Andrássy út, een wirwar van
armoedige oefenzaaltjes, lang niet zo mooi als de school waar Klara
net vandaan kwam. De vloeren waren grijs van ouderdom, de
piano's gebutst, de muren kaal, er hing niet eens een prent van
Degas, en het rook er naar voeten, spitzensatijn en hars. Die dag
werd er geen lesgegeven; de studio's waren uitgestorven. Het enige
geluid was die merkwaardige, zoemende weergalm die je hoort in
zalen die normaal gesproken met muziek en dansers zijn gevuld.
Romankov bracht Klara naar een van de kleinere studio's en ging
aan de piano zitten. Terwijl hij hamerend een menuet speelde,
deed zij haar vlinderdansje uit de voorstelling van het jaar daarvoor. Het was de verkeerde muziek maar het goede tempo; onder
het dansen had ze het gevoel dat er iets beslissends gebeurde.
Toen ze klaar was, klapte Romankov en liet haar een reverence
maken. Ze was fantastisch voor haar leeftijd, zei hij, en nog niet
te oud om aan haar technische tekortkomingen te werken. Ze
moest meteen met lessen beginnen; dit was de school waar ze
ballerina zou worden. Hij moest nog diezelfde dag haar ouders
spreken.

De negenjarige Klara, die gevleid was door zijn visioen van haar
toekomst, nam hem mee naar haar ouders' villa aan de Benczúr
utca. In de zitkamer met de zalmroze sofa's deelde Romankov Klara's verbouwereerde moeder mee dat haar dochter haar tijd ver-

deed op de balletschool in de Wesselényi utca en dat ze zich onverwijld op de Koninklijke Balletacademie diende in te schrijven.
Klara was een grote belofte, maar hij moest wel de schade herstellen die haar vorige balletjuf had aangericht. Hij liet mevrouw
Hász de geforceerde kromming van Klara's hand zien, haar te
sterk uitgedraaide vijfde positie, de krampachtige precisie van
haar *port de bras*; daarna vlijde hij haar handen in een kinder-
lijker kromming, liet haar een lossere vijfde positie innemen,
pakte haar polsen vast en liet haar armen zo vloeiend door de po-
sities bewegen alsof ze onder water was. Zó moest een danseres
eruitzien, zo moest ze zich bewegen. Dat kon hij haar allemaal
leren, en als ze uitblonk, was een plek bij het Koninklijk Ballet
verzekerd.

Klara's moeder, die door de toevallige loop van het lot en de liefde uit het slaperige boerendorp Kaba naar de uitbundige joodse
society van Boedapest was overgeheveld, had er nooit bij stilgestaan dat haar dochter beroepsdanseres zou kunnen worden. Ze
had zich altijd een prettig, financieel onbezorgd leventje voor haar
kinderen voorgesteld. Natuurlijk zat Klara op ballet, want sierlijk-
heid was een noodzakelijke eigenschap voor jongedames van haar
stand. Maar een carrière als ballerina was uitgesloten. Ze bedankte Romankov voor zijn belangstelling en wenste hem succes
in zijn nieuwe functie op de balletacademie; ze zou die avond met
Klara's vader gaan praten. Toen hij weg was, nam ze Klara mee
naar de kinderkamer boven en legde haar uit waarom ze geen balletopleiding kon volgen bij deze vriendelijke Russische meneer.
Dansen was een aardig tijdverdrijf voor een meisje, maar niet iets
om betaald voor publiek te doen. Het leven van een beroepsdanseres werd gekenmerkt door armoede, ontberingen en uitbuiting.
Ze trouwden bijna nooit en als ze wel trouwden, liep hun huwelijk
meestal op de klippen. Als Klara groot was, zou ze trouwen en kinderen krijgen. Als ze wilde dansen, kon ze een soiree voor haar
vrienden geven, net zoals haar Anya en Apa.

Klara knikte instemmend, omdat ze veel van haar moeder hield.
Maar hoewel ze pas negen was, wist ze dat ze danseres wilde worden. Dat wist ze sinds haar broer haar op haar vijfde naar het
Operaház had meegenomen waar *Cendrillon* werd opgevoerd. Toen
het kindermeisje haar de keer daarop naar de balletschool aan de
Wesselényi utca bracht, rende ze de zeven straten naar de Koninklijke Balletacademie en vroeg daar aan een van de danseressen

waar ze de lange man met de rode baard kon vinden. Het meisje nam haar mee naar een studio aan het einde van een gang, waar Romankov juist een beginnersklasje les zou geven. Hij was in het geheel niet verbaasd om Klara te zien; hij liet twee kinderen plaatsmaken aan de barre voor Klara, en vervolgens leidde hij ze met zijn bariton, waarin een Russisch accent doorklonk, een hele reeks lastige oefeningen door. Aan het einde van de les haastte Klara zich terug naar de andere balletschool en was nog net op tijd voor het kindermeisje, aan wie ze niets vertelde over haar avontuur. Pas na drie weken ontdekten Klara's ouders dat ze niet meer op haar balletles aan de Wesselényi utca verscheen. Maar toen was het al te laat: Klara was in de ban van Romankov en de Koninklijke Balletacademie. Klara's inschikkelijke vader wist haar moeder ervan te overtuigen dat er geen gevaar bestond dat hun dochter op de planken zou eindigen; de academie was niet meer dan een strengere versie van haar eerste balletschool. Hij had geïnformeerd naar Romankovs beroepsverleden en de man bleek ontegenzeggelijk een zeer begaafd docent. Dat zijn dochter van zo'n beroemde leermeester les kreeg, was een eer die Tamás Hász' kleinburgerlijke ijdelheid streelde en hem tevens bevestigde in zijn vaderlijke vooringenomenheid.

Het beginnersklasje van de Koninklijke Balletacademie bestond uit twintig pupillen: zeventien meisjes en drie jongens. Een van hen was een lange jongen met donker haar, die Sándor Goldstein heette. Hij was de zoon van een timmerman en hij rook altijd naar pas gezaagd hout. Romankov had Sándor Goldstein niet bij een balletles ontdekt, maar in het Palatinus-strandbad, waar hij met een groepje vrienden acrobatische sprongen van de duikplank maakte. Hij was pas elf, maar hij kon al op de rand van de hoge duikplank een handstand doen, zich afzetten en met een achterwaartse salto in het water landen. Op school had hij drie jaar achter elkaar de gymnastiekmedaille gewonnen. Het voorstel van Romankov om zijn pupil te worden deed Goldstein af met de woorden dat ballet een bezigheid voor meisjes was, waarop Romankov een van de mannelijke dansers bij het Hongaars Koninklijk Ballet vroeg om Goldstein na school op te wachten, hem als een halter boven zijn hoofd te tillen en met hem door de straten te hollen totdat Goldstein smeekte om neergezet te worden. De volgende dag schreef Goldstein zich voor Romankovs beginnersklasje in en toen hij twaalf was en Klara tien, dansten ze allebei kinderrollen bij het Koninklijk Ballet.

Voor Klara was Sándor een broer, een vriend en een medestander. Hij liet haar zien hoe ze Romankov gek kon krijgen door elke danspas steeds een halve maat te laat te doen. Hij liet haar kennismaken met onbekende heerlijkheden: het lekkere droge eindje van een Debrecen-worst; het gekristalliseerde aanbaksel van de gesuikerde noten op de bodem van de pan, dat je aan het einde van de dag voor een halve filler kon kopen; de kleine zure appeltjes die eigenlijk voor moes waren bedoeld, maar die je prima uit de hand kon eten als je er tenminste niet te veel at. En op de grote markt aan de Vámház körút leerde hij haar stelen. Terwijl Klara de snoepverkoper imponeerde met haar pirouettes, jatte Sándor snel een handje perziksnoepjes. Hij liet kleine Russische poppetjes in zijn pet glijden, wikkelde geborduurde sjaals om zijn pink, stal pasteitjes uit de boodschappenmand van vrouwen die bij het fruit en de groente stonden af te dingen. Klara nodigde hem een keer uit voor het middageten bij haar thuis en al snel was hij daar een graag geziene gast. Haar vader praatte met hem alsof hij een volwassen man was, haar moeder presenteerde hem roze glacébonbons en haar broer hees hem in een soldatenjas en leerde hem hoe je op denkbeeldige Serviërs moest schieten.

Toen ze tieners waren, koppelde Romankov Klara en Sándor als danspaar. Hij leerde Sándor hoe hij Klara zonder zichtbare inspanning kon liften en de schijn kon wekken dat ze zo licht als een veertje was. Hij leerde hun hoe je als één moest dansen, hoe je naar het ritme van elkaars ademhaling moest luisteren, hoe je elkaars bloedsomloop kon horen. Ze moesten samen anatomieboeken bestuderen en daarna overhoorde hij hen over het spierstelsel en het beendergestel. Hij nam ze mee naar de medische faculteit om een ontleding bij te wonen. Ze traden vijf keer per week op met het Koninklijk Ballet. Op haar dertiende was Klara al een vlinder, een sylfide, een suikerboon, een klein zwaantje, een hofdame, een bergbeekje, een manestraal en een hertje geweest. Haar ouders hadden zich erbij neergelegd dat ze op de planken stond; haar groeiende faam had hun een zeker aanzien in hun vriendenkring gegeven. Toen Klara veertien en Sándor zestien was mochten ze grotere rollen dansen, waarmee ze dansers van vier, vijf jaar ouder van hun plek verdrongen. De grote balletmeesters uit Parijs, Petrograd en Londen kwamen naar hun optredens kijken. Ze dansten voor de onttroonde vorsten van Europa en voor rijke zakenmensen uit Frankrijk en Amerika. En te midden van de hectiek van auditie doen, repeteren, kostuums passen en optreden gebeurde het onvermijdelijke: ze werden verliefd.

Een jaar later, in het voorjaar van 1922, kwam het admiraal Miklós Horthy ter ore dat de sterdansers van zijn koningsloze koninkrijk twee joodse kinderen waren, opgeleid door een emigrant uit Wit-Rusland. Nu was er geen wet die joden verbood om danser te worden; het Koninklijk Balletgezelschap kende geen quota, in tegenstelling tot de universiteiten en de overheid die een numerus clausus van een redelijke zes procent hanteerden. Maar de kwestie druiste tegen Horthy's gevoel voor nationalisme in. Hongaarse joden werden dan wel tot de etnische Hongaren gerekend, maar in werkelijkheid waren het geen echte Hongaren. Ze mochten meedoen met het economische en maatschappelijke leven van het land, maar het was niet de bedoeling dat ze op het wereldtoneel als stralende voorbeelden van het Hongaarse succes figureerden. En dat was de reden dat de minister van Cultuur de kwestie onder de aandacht van Horthy had gebracht. Dat voorjaar zouden ze in zeventien steden optreden en ze hadden de benodigde visa al aangevraagd.

Horthy had geen zin zich verder te verdiepen in de zaak, maar vond wel dat er iets aan gedaan moest worden. Hij gaf de minister van Cultuur opdracht om de kwestie naar eigen goeddunken af te handelen. De minister echter schoof dat door aan een ondersecretaris, die bekendstond om zijn onverdroten ambitie en zijn ondubbelzinnige gevoelens jegens joden. Deze man, Madarász, zette zich terstond aan zijn opdracht. Allereerst verbood hij het visumbureau om een uitreisvisum aan de twee dansers te verstrekken. Vervolgens gaf hij twee politieagenten, twee bekende leden van de extreem rechtse Pijlkruisers, opdracht de gangen van de twee dansers na te gaan. Klara en Sándor hadden niet door dat de politiemannen die ze elke avond in de steeg zagen staan iets te maken hadden met de problemen die zij op het visumbureau ondervonden; de mannen schenen hen niet eens op te merken. Meestal waren de twee agenten aan het ruziemaken. Ze waren altijd dronken en gaven steeds een veldfles aan elkaar door. Hoe laat Klara en Sándor ook uit het Operaház terugkwamen – en soms bleven ze er wel tot halfeen of een uur 's nachts, omdat het theater de enige plek was waar ze alleen konden zijn – de mannen waren er altijd. Nadat hij ongeveer een week hun gekibbel had aangehoord, kende Sándor hun namen: Lajos was de lange met de vierkante kaak; Gáspár was degene die eruitzag als een buldog. Sándor begon ze na verloop van tijd met een handgebaar te begroeten. De agenten zwaaiden nooit terug, uiteraard; met een ijzige blik lieten ze Klara en Sándor passeren.

Een maand later waren de mannen er nog steeds en was hun aanwezigheid nog even raadselachtig als daarvoor. Maar inmiddels waren ze een soort meubelstuk in de buurt geworden, het weefsel van het dagelijks leven van Sándor en Klara. Deze toestand had eeuwig zo door kunnen gaan, in ieder geval totdat het ministerie van Cultuur er genoeg van kreeg, ware het niet dat de agenten op een gegeven moment zelf het observeren beu werden. Door de verveling en de drank vonden ze het steeds moeilijker hun mond te houden. Ze begonnen naar Klara en Sándor dingen te roepen: Hé, tortelduifjes. Hé, schatjes. Hoe smaakt ze? Mogen we ook proeven? Hebben dansers nog wel iets in hun broek zitten? Weet hij wel wat hij ermee moet doen, snoes? Sándor had Klara bij haar arm gepakt en meegetrokken, maar ze voelde hem trillen van woede terwijl de beschimpingen van de mannen hen door de straat achtervolgden.

Op een avond kwam een van de mannen, Gáspár, naar hen toe. Hij stonk naar sigaretten en sterkedrank. Klara wist nog dat ze de leren riem over zijn borst op de riem vond lijken waarmee de leraren op school ondeugende kinderen sloegen. Hij haalde zijn wapenstok uit zijn holster en tikte daarmee tegen zijn been.

'Waar wacht je nog op?' hitste de man die Lajos heette hem op.

Gáspár stak zijn wapenstok onder de rand van Klara's jurk; met één snelle beweging trok hij de zoom op tot aan haar hoofd, waardoor haar bovenlijf even ontbloot was.

'Alsjeblieft,' zei Gáspár tegen Lajos. 'Nu heb je het gezien.'

Voordat Klara er erg in had, was Sándor op de man afgestapt en had hij het andere uiteinde van de stok gepakt; hij probeerde hem uit zijn handen te trekken maar de agent hield de stok stevig vast. Sándor gaf de man een schop tegen zijn knie, waarop hij het uitbrulde van de pijn. De agent rukte de stok los en gaf Sándor een klap op zijn hoofd. Sándor viel op zijn knieën. Hij stak zijn armen omhoog en de agent begon hem in zijn buik te schoppen. Klara was even totaal verlamd van schrik: ze begreep gewoon niet wat er gebeurde of waarom. Maar de andere agent, Lajos, pakte haar bij de arm en trok haar mee. Hij sleurde haar naar een donker hoekje van de steeg, waar hij haar dwong op de grond te gaan liggen.

Toen sjorde hij haar rok tot haar middel op. Hij propte zijn zakdoek in haar mond, duwde een pistool onder haar kin en deed zijn zin met haar.

De pijn maakte haar extra alert. Ze schoof met haar vingers over de stenen, op zoek naar iets waarvan ze wist dat het er lag: de wapenstok, koud en glad op de keien. Die had hij laten vallen toen hij zich bukte om zijn broek los te knopen. Nu omsloot zij de stok met haar hand en gaf ze hem een mep tegen zijn slaap. Hij slaakte een kreet en ging met zijn hand naar zijn hoofd, waarop zij hem zo hard mogelijk tegen zijn borst trapte. Hij wankelde achterover tegen de andere muur van de nis, sloeg met zijn hoofd tegen de muur en bleef roerloos liggen. Op dat moment klonk uit de steeg waar Sándor en de agent met elkaar aan het vechten waren, een scherpe dreunende knal. Het geluid leek Klara's hoofd in te vliegen en er met een explosie weer uit te gaan.

Daarna een verschrikkelijke stilte.

Ze hees zich op haar knieën en kroop de nis uit, naar de plek waar de ene mannengestalte zich over de andere heen boog. Sándor lag op zijn rug met open ogen naar de hemel te staren. De agent met het gezicht van een buldog knielde naast hem met een hand op Sándors borst. De agent schreeuwde tegen de jongen dat hij moest opstaan, opstaan, verdomme. Hij schold hem uit voor smerig onderkruipsel. Zijn hand zat onder het bloed toen hij hem van Sándors borst haalde. Hij raapte zijn pistool op dat hij had laten vallen en richtte het op Klara; de loop ving het licht en trilde in het duister van het steegje. Klara liep voorzichtig achteruit het gangetje in waar de andere agent lag. Ze zakte door haar knieën en ging op zoek naar zijn revolver; die had ze op de stenen horen kletteren toen ze hem buiten westen sloeg. Daar lag-ie, koud en zwaar op de grond. Ze pakte hem met een hand op en probeerde hem onbeweeglijk tegen haar been te houden. De agent die Sándor had neergeschoten kwam huilend naar haar toe gelopen. Als ze even daarvoor niet had gezien dat hij een pistool in zijn hand had, had ze kunnen denken dat hij smekend op haar afkwam. Ze keek naar Sándor op de grond en voelde het gewicht van het wapen in haar hand, hetzelfde wapen dat de agent die Lajos heette tegen haar keel had geduwd. Ze hief het wapen en richtte het.

Een tweede knal. De man wankelde even en viel op de grond. Daarna een diepe stilte.

Door de pijn in haar schouder van de terugslag wist ze dat het echt was gebeurd: ze had met het vuurwapen geschoten en een man gedood. Uit de Andrássy út kwam het gegil van een vrouw. Verderop klonk het tweetonige gejank van een sirene. Met het wapen in haar hand liep ze het gangetje uit naar de agent die ze had neergeschoten. Hij was achterover op de stenen gevallen, met zijn ene arm boven zijn hoofd. Uit het gangetje kwam gekreun en een woord dat ze niet kon verstaan. De andere agent zat nu op zijn handen en knieën. Hij zag het pistool in haar hand en de dode man op straat. Drie dagen later zou hij overlijden aan zijn hoofdwond, maar in de tussentijd had hij nog wel de identiteit onthuld van degene die hem en zijn partner had gedood. De sirenes kwamen steeds dichterbij; Klara liet het wapen vallen en zette het op een lopen.

Ze had een agent gedood en een andere dodelijk verwond. Dat waren de feiten. Dat ze door een van de agenten was verkracht zou nooit in rechtszitting bewezen kunnen worden. Alle getuigen waren dood en Klara's blauwe plekken en schaafwonden waren een paar dagen later ook verdwenen. Maar toen was ze al, op aandringen van haar vaders raadsman, in het geheim de grens overgebracht naar Oostenrijk, en van daaruit naar Duitsland en van Duitsland naar Frankrijk. Parijs zou haar toevluchtsoord worden, de beroemde balletdocente Olga Nevitskaya, een nicht van Romankov, haar beschermvrouwe. Het was als tijdelijke regeling bedoeld. Ze zou bij Nevitskaya logeren totdat haar ouders erachter waren wie ze moesten omkopen of totdat haar veiligheid op andere wijze gewaarborgd was. Maar al na twee weken werd het duidelijk dat Klara flink in de nesten zat. Ze werd van moord beschuldigd. Het misdrijf was zo ernstig dat Klara als volwassene zou worden berecht. Haar vaders raadsman dacht dat het argument van zelfverdediging niet-ontvankelijk zou worden verklaard; de politie had vastgesteld dat de man die zij had gedood ongewapend was toen ze hem neerschoot. Hij had natuurlijk wel een wapen gehád; daarmee had hij even daarvoor Sándor doodgeschoten. Maar de andere agent, de getuige van de schietpartij, had onder ede verklaard dat zijn partner het pistool had laten vallen voordat hij op Klara toe liep. De verklaring werd door concreet bewijs gestaafd: het wapen was naast Sándors lichaam aangetroffen, drie meter bij de gevallen agent vandaan.

Tot overmaat van ramp bleek de man die Klara had doodgeschoten een oorlogsheld te zijn. Bij de slag van Kovel had hij vijftien mannen van zijn compagnie het leven gered en een eremedail-
le uit handen van de keizer ontvangen. En alsof dit allemaal niet
erg genoeg tegen Klara pleitte, bleken de rechtse leden van hun afdeling – althans, dat beweerde de politie – dreigbrieven te hebben
ontvangen van Gesher Zahav, een zionistische organisatie waarmee Klara en Sándor in verband werden gebracht. De maand ervoor had men de twee dansers drie keer het hoofdkwartier van de
organisatie aan de Dohány utca zien in- en uitgaan. Dat ze daar
toevallig naar de zondagse dansavond gingen en niet een moord-
aanslag op politieagenten beraamden deed niet ter zake. Het feit
dat Klara het land uit was, werd als bevestiging van haar schuld
gezien, van haar rol als pion in de samenzwering van Gesher
Zahav. Het nieuws had zich als een lopend vuurtje verspreid. Elke
krant in Boedapest had groot op de voorpagina het bericht gebracht over de jonge joodse ballerina die een oorlogsheld had vermoord. En daarmee was alle hoop van Klara's ouders hun dochter nog terug te krijgen vervlogen. Gelukkig maar, schreef haar
vaders raadsman, dat ze haar nog op tijd het land hadden weten
uit te smokkelen. Als ze was gebleven, was er nóg een bloedbad
aangericht.

De eerste twee maanden van haar verblijf bij madame Nevitskaya lag Klara in een klein donker kamertje dat uitkeek op een
luchtschacht. Elk slecht bericht uit Boedapest leek haar dieper
naar de bodem van een put te duwen. Ze kon niet slapen, niet
eten, geen enkele aanraking velen. Sándor was dood. Ze zou haar
ouders of haar broer nooit meer zien. Zou nooit meer teruggaan
naar Boedapest. Nooit meer ergens wonen waar iedereen op straat
Hongaars sprak. Nooit meer schaatsen in het Városliget of dansen
op het toneel van het Operaház, nooit meer haar vrienden van
school zien of een hoorntje kastanjepuree eten slenterend langs de
oever van de Donau op het Margaretha-eiland. Nooit meer de
mooie spulletjes op haar kamer zien, haar in leer gebonden dag-
boeken, de Herend-vazen en de geborduurde kussens, haar Russische matroesjkapoppen, haar verzameling glazen beestjes. Ze
had zelfs haar eigen naam niet meer, ze zou nooit meer Klara Hász
zijn; voortaan zou ze door het leven gaan als Claire Morgenstern,
een naam die de raadsman voor haar had uitgekozen. Elke ochtend werd ze wakker met het besef dat het allemaal echt gebeurd

was, dat ze hier in Frankrijk in het huis van madame Nevitskaya een vluchtelinge was. Ze werd er zelfs lichamelijk ziek van. Elke dag hing ze 's ochtends brakend en kokhalzend boven de wastafel. Als ze ging staan, was ze bang dat ze flauwviel. Op een ochtend kwam madame Nevitskaya Klara's kamer binnen en stelde een aantal raadselachtige vragen. Deden haar borsten pijn? Werd ze misselijk van etensgeuren? Wanneer was ze voor het laatst ongesteld geweest? Later die dag kwam een dokter die een pijnlijk, vernederend onderzoek uitvoerde en het vermoeden van madame Nevitskaya bevestigde: Klara was zwanger.

Drie dagen lang lag ze alleen maar naar het stukje lucht te staren dat ze vanaf haar bed kon zien. Wolken dreven voorbij; een v-formatie bruine vogels scheerde langs; 's avonds kleurde de lucht tot indigo en vervolgens tot het gouddoorweven donker van de Parijse nacht. Ze keek ernaar terwijl Nevitskaya's dienstmeisje, Masha, haar kippenbouillon voerde en haar voorhoofd bette. Ze keek ernaar toen Nevitskaya haar uitlegde dat er geen noodzaak was dat Klara de kwelling doorstond het kind van die man te dragen. De dokter kon een eenvoudige ingreep doen waarna Klara niet meer zwanger zou zijn. Nevitskaya liet haar alleen om er eens goed over na te denken en Klara tuurde maar omhoog naar het veranderlijke stukje lucht en was nauwelijks in staat de mededeling te bevatten. Zwanger. Een eenvoudige ingreep. Maar madame Nevitskaya kende niet het hele verhaal. Voordat hij werd vermoord, waren Sándor en zij al een halfjaar intiem met elkaar. Op de avond van de aanslag hadden ze nog de liefde bedreven. Ze hadden voorzorgsmaatregelen genomen, maar ze wist dat die niet altijd werkten. Als ze zwanger was, kon het kind net zo goed van hem zijn.

Die gedachte joeg haar het bed uit. Ze zei tegen madame Nevitskaya dat ze geen ingreep wilde ondergaan, en waarom. Madame Nevitskaya, een strenge vrouw van vijftig met glanzend haar, sloeg haar armen om Klara heen en begon te huilen; ze begreep het, zei ze, en ze zou niet proberen haar op andere gedachten te brengen. Toen Klara's ouders van haar zwangerschap en haar voornemen hoorden, waren ze niet zo mild. Ze vonden het een onverdraaglijk idee dat Klara het kind van die ander zou grootbrengen. Haar vader was zelfs zo sterk gekant tegen het idee dat hij dreigde Klara geen cent toelage meer te geven. Wat moest ze in haar eentje in Parijs aanvangen? Ze kon niet dansen als ze zwanger was en evenmin als ze voor een kind moest zorgen; hoe moest ze in haar onderhoud voorzien? Was haar situatie niet al ingewikkeld genoeg? Maar Klara's besluit stond vast. Ze liet het niet weghalen en ze wilde de baby ook niet na de bevalling afstaan. Toen de gedachte eenmaal had postgevat dat het Sándors kind kon zijn, raakte ze er steeds meer van overtuigd dat het ook zo was. Het kon haar niet schelen dat haar vader geen geld meer zou geven. Ze ging wel werken; ze wist wat ze kon doen. Ze smeekte madame Nevitskaya om haar een paar beginnersklasjes te laten doen. Daar kon ze mee doorgaan zolang haar zwangerschap niet te zien was, en na de kraamtijd kon ze er opnieuw mee beginnen. Als Nevitskaya haar als lerares aannam, zou dat de redding van haar eigen leven en van dat van haar kind betekenen.

Nevitskaya stemde toe. Ze gaf Klara een klasje van zevenjarigen en kocht voor haar het zwarte lespak dat alle docenten op de school droegen. En al snel begon Klara weer te leven. Haar eetlust keerde terug en ze kwam weer wat aan. Haar duizeligheid verdween. Ze merkte dat ze 's nachts weer kon slapen. Sándors kind, dacht ze; niet dat van die ander. Ze ging naar de kapper en liet haar haar kort knippen. Ze kocht zo'n vormeloze jurk die destijds in de mode was en die ze tot het einde van haar zwangerschap kon dragen. Ze kocht een nieuw in leer gebonden dagboek. Elke dag ging ze naar de balletschool en gaf les aan haar groep van twintig meisjes. Toen ze geen les meer kon geven, smeekte ze Masha of ze haar mocht helpen met het huishouden. Masha leerde haar schoonmaken, koken, wassen; ze wees haar de weg op de markt en in de winkels. Toen ze in haar zesde maand was, begon Klara te merken dat de verkopers steelse blikken op haar buik en haar kale linkerhand wierpen. Daarom kocht ze een koperen bandje dat ze om haar ringvinger schoof bij wijze van trouwring. Het was bedoeld als handige oplossing, maar naar verloop van tijd begon ze het als haar echte trouwring te beschouwen; ze had het gevoel alsof ze met Sándor Goldstein was getrouwd.

Aan het begin van haar negende maand kreeg ze levendige dromen over Sándor. Niet de nachtmerries die ze tijdens haar eerste weken in Parijs had gehad – Sándor die in het steegje lag, met zijn ogen naar de hemel opgeslagen – maar dromen waarin ze doodgewone dingen deden, een moeilijke lift oefenen of kibbelen over de oplossing van een rekensom of stoeien in de vestiaire van het Operaház. In een droom was hij dertien en stal hij samen met haar snoepjes op de markt. In een andere was hij nog jonger, een jongetje met magere armen dat haar in het Palatinus-strandbad leerde duiken. Ze dacht aan hem toen de eerste weeën begonnen; ze dacht aan hem toen haar vliezen braken. Het was om Sándor dat ze riep toen de pijn lang en heftig begon te worden, een gloeiend hete vuurstroom die haar haast leek te splijten. Toen ze na de keizersnee wakker werd, stak ze haar armen uit om zijn kind aan te nemen.

Maar het was natuurlijk niet zijn kind. Het was Elisabet.

Toen ze klaar was met haar verhaal, zaten ze een poosje zwijgend bij het vuur, Andras op het voetenbankje en Klara in de dieprode leunstoel met haar voeten opgetrokken onder haar rok. De thee in hun kopjes was koud geworden. Buiten stak een harde wind op die de bomen deed schudden. Andras stond op, liep naar het raam en tuurde naar de ingang van het Collège de France, naar de rafelrand van clochards.

'Zoltán Novak weet hiervan,' zei Andras.

'Hij kent de grote lijnen. Hij is de enige in Frankrijk die het weet. Madame Nevitskaya is een tijdje terug overleden.'

'Je hebt het hem verteld zodat hij begreep waarom je niet van hem kon houden.'

'We hadden een hechte band, Zoltán en ik. Ik wilde dat hij het wist.'

'Zelfs Elisabet weet het niet,' zei Andras, die met zijn duim over de rand van zijn kopje ging. 'Zij denkt dat ze het kind is van iemand van wie je hield.'

'Ja,' zei Klara. 'Met de waarheid was ze niets opgeschoten.'

'En nu heb je het mij verteld. Je hebt het mij verteld zodat ik kan begrijpen wat er in Nice gebeurde. Je bent één keer van je leven verliefd geweest, op Sándor Goldstein, en je kunt van niemand anders houden. Madame Gérard voelde dat ook aan. Een tijd geleden heeft ze me verteld dat jij verliefd was op een man die was overleden.'

Klara zuchtte zachtjes. 'Ik hield oprecht van Sándor,' zei ze. 'Ik was dol op hem. Maar het is romantische onzin om te suggereren dat mijn gevoelens voor hem me ervan weerhouden op een ander verliefd te worden.'

'Maar wat was er dan in Nice aan de hand?' vroeg Andras. 'Waarom sloot je je voor me af?'

Ze schudde haar hoofd en ondersteunde haar wang met haar

hand. 'Ik was bang, geloof ik. Ik zag voor me hoe een leven met jou zou kunnen zijn. Voor het eerst leek dat denkbaar. Maar er waren nog zo veel vreselijke dingen die ik je niet had verteld. Jij wist niet dat ik iemand had doodgeschoten, dat ik voortvluchtig was. Je wist niet dat ik verkracht was. Je wist niet hoe beschadigd ik was.'

'Maar daardoor had ik me juist toch meer verbonden met je gevoeld?'

Ze kwam naast hem bij het raam staan, haar gezicht was verhit en bezweet. In het schemerlicht zag het er rauw uit. 'Jij bent nog jong,' zei ze. 'Je kunt nog verliefd worden op iemand met een simpel leven. Jij hebt hier ook geen behoefte aan. Ik wist zeker dat je er zo over zou denken als je eenmaal op de hoogte was. Ik wist zeker dat je mij als een wrak zou beschouwen.'

December het jaar daarvoor had ze op precies dezelfde plek gestaan met een kopje thee bevend in haar handen. Neem jij ook wat, had ze gezegd en hem het kopje aangeboden. *Te.*

'Klara,' zei hij. 'Je vergist je. Ik zou jouw complexiteit voor niemand anders' eenvoud willen ruilen. Begrijp je dat?'

Ze sloeg haar ogen naar hem op. 'Dat is moeilijk te geloven.'

'Doe een poging,' zei hij en hij trok haar tegen zich aan zodat hij de warme geur van haar hoofdhuid, haar donkere haar kon opsnuiven. Hier in zijn armen stond het meisje dat in het huis bij het Városliget had gewoond, de jonge ballerina die van Sándor Goldstein had gehouden, de vrouw die nu van hem hield. Binnen in haar kon hij dat bijna ondefinieerbare iets zien, die onveranderlijke kern: haar ik, haar leven. Het leek zo klein, een mosterdzaadje dat maar één worteltje diep in de aarde had geschoten, sterk en teer tegelijk. Meer was er ook niet nodig. Het was alles. Ze had het aan hem gegeven en nu hield hij het in zijn handen.

Die nacht brachten ze samen door in de Rue des Écoles. De volgende ochtend wasten ze zich en kleedden ze zich aan in de blauwe kilte van Andras' kamer. Daarna liepen ze samen naar de Rue de Sévigné. Het was 7 november, een koude grijze morgen, bedekt met een laagje rijp. Andras ging mee naar binnen om de kolenkachel in de studio aan te maken. Twee maanden lang was hij hier, in haar eigen ruimte, niet geweest. Het was er stil, de verwachtingsvolle stilte van een leslokaal; het rook er naar balletschoenen en hars, net als de studio in Boedapest uit haar beschrijving. In een hoek stond de tekentafel die zij hem voor zijn verjaardag had gegeven, met een doek erover tegen het stof. Ze liep erheen en trok het laken weg.

'Die heb ik bewaard, zoals je had gevraagd,' zei ze.

Andras pakte het laken uit haar handen en wikkelde het om hen beiden heen. Hij drukte haar zo dicht tegen zich aan dat hij haar heupbotten duidelijk tegen de zijne voelde, en als ze inademden werden hun ribben tegen elkaar geperst. Hij sloeg de punt van het laken over hun hoofden zodat ze verborgen in een hoekje van de studio stonden. In de witte beslotenheid van die tent tilde hij haar kin met één vinger op en kuste haar. Zij trok het laken nog strakker om hen heen.

'Laten we hier nooit meer weggaan,' zei hij. 'Laten we hier voor altijd blijven.'

Hij boog zijn hoofd om haar nogmaals te kussen, in de vaste overtuiging dat niets ter wereld hem nog van deze plek kon verdrijven: geen honger, uitputting, pijn, angst of oorlog.

20

Geweest

Andras hoorde het nieuws toen hij op school was. Hoewel hij doodop was na zijn nacht met Klara, moest hij toch naar school; die dag was de beoordeling van het emulatieproject. De opdracht was een monofunctionele ruimte te ontwerpen in de stijl van een hedendaagse architect. Hij had een architectenstudio ontworpen naar voorbeeld van Pierre Charreau, gebaseerd op het doktershuis in de Rue Saint-Guillaume: een gebouw van drie verdiepingen, opgetrokken in glasblokken en staal, waar overdag van alle kanten diffuus licht binnenviel en dat 's avonds van binnenuit oplichtte. Ze waren allemaal wat vroeger gekomen om hun ontwerpen op te hangen. Toen Andras een goed plekje voor zijn tekeningen had gevonden, pakte hij zijn tekenkrukje en ging met de oudere studenten om een met verf bespatte radio zitten. Ze luisterden gewoontegetrouw naar het nieuws, naar de dagelijkse opsomming van kopzorgen.

Rosen was de eerste die het opving; hij zette het geluid harder zodat iedereen het kon horen. De Duitse ambassadeur was zojuist doodgeschoten. Nee, niet de ambassadeur, een medewerker van de ambassade. Een gezantschapssecretaris, wat dat ook wezen mocht. Ernst Eduard Vom Rath. Negenentwintig jaar. Hij was door een kind neergeschoten. Een kind? Dat kon niet kloppen. Een jongeman. Een jongen van zeventien. Een joodse jongen. Een Duitsjoodse jongen van Poolse afkomst. Hij had de medewerker doodgeschoten als wraak voor de deportatie van twaalfduizend joden uit Duitsland.

'O, jee,' riep Ben Yakov, die naar zijn gepommadeerde haar greep. 'Die is er geweest.'

Iedereen ging dichter om de radio zitten. Was de ambassadesecretaris dood of leefde hij nog? Het antwoord kwam een paar tellen later: hij was vier keer in zijn buik geraakt; hij lag op de operatietafel in de Clinique de l'Alma in de Rue de l'Université, nog geen tien minuten bij de École Spéciale vandaan. Het gerucht ging dat Hitler zijn lijfarts uit Berlijn zou sturen, samen met de directeur van de chirurgische kliniek van het academisch ziekenhuis van München. De aanvaller, Grynszpan of Grünspan, werd op een geheim adres vastgehouden.

'Zijn lijfarts sturen!' zei Rosen. 'Ja, ja, dat zal wel. Zeker met een lekkere grote capsule arsenicum voor hun medewerker.'

'Hoe bedoel je?' wilde iemand weten.

'Vom Rath moet sterven voor Duitsland,' antwoordde Rosen. 'Als hij dood is, kunnen ze ongehinderd hun gang gaan met de joden.'

'Ze gaan toch niet hun eigen medewerker ombrengen?'

'Natuurlijk wel.'

'Dat hoeft niet eens,' viel een ander hem bij. 'De man is vier keer getroffen.'

Polaner was weggelopen bij de groep en bij het raam een sigaret gaan roken. Andras ging naar hem toe en keek omlaag naar de binnenplaats, waar twee vijfdejaarsstudenten een ingewikkelde houten mobile in een boom probeerden op te hangen. Polaner zette het raam op een kiertje en blies een sliert rook de koude lucht in.

'Ik kende hem,' zei hij. 'Niet die joodse jongen. Die ander.'

'Vom Rath?' vroeg Andras. 'Hoe dan?'

Polaner keek even op naar Andras en wendde toen zijn blik af. Hij tikte zijn as af op de vensterbank buiten, waar die even rondwervelde en wegdwarrelde. 'Ik kwam vroeger wel eens in een café,' zei Polaner. 'En daar kwam hij ook.'

Andras knikte zwijgend.

'Doodgeschoten,' zei Polaner. 'Door een joodse jongen van zeventien. Uitgerekend Vom Rath.'

Op dat moment kwam Vago binnen. Hij zette de radio uit. Iedereen zocht zijn plaats op voor het korte college dat aan de beoordeling voorafging. Andras zat op zijn houten kruk met een half oor te luisteren terwijl hij met de metalen klip van zijn pen een kubus in het blad van de tekentafel kraste. Het was allemaal te veel, wat Klara hem de nacht daarvoor had verteld en wat er zojuist op de Duitse ambassade was gebeurd. In zijn hoofd werden ze één: Klara en die Pools-Duitse jongen, alle twee vernederd, alle twee een wapen in hun trillende handen, alle twee schoten gelost, alle twee veroordeeld. En nu waren Duitse artsen op weg naar

Parijs om een man te redden of te doden. En de Pools-Duitse jongen zat ergens in een gevangenis te wachten op het bericht of hij een moordenaar was of niet. Andras' tekening was bij een hoekje uit een van de knijpertjes gegleden en hing nu scheef aan de wand. Hij keek ernaar en dacht: *zo is het.* Alles leek nog maar aan één hoekje te hangen: niet alleen huizen, maar complete steden, landen, volkeren. Hield die herrie in zijn hoofd maar op! Hij wilde in het zachte witte bed in Klara's huis liggen, in haar witte slaapkamer, tussen de lakens die naar haar lichaam roken. Maar hier was Vago, die Andras' tekening bij een punt vastpakte en weer ophing. Hier waren de studenten die meekeken. Zijn ontwerp was aan de beurt. Hij dwong zich van zijn kruk te komen en naast zijn ontwerp te gaan staan terwijl het besproken werd. Pas na afloop, toen iedereen hem op de schouder klopte en de hand schudde, besefte hij dat het een succes was geweest.

'Vom Rath had geen hekel aan joden,' zei Polaner. 'Hij was partijlid, uiteraard, maar hij vond het vreselijk wat er in Duitsland aan de gang was. Daarom was hij naar Frankrijk gekomen. Dat had hij mij tenminste verteld.'

Het was twee dagen later en Ernst Vom Rath was die middag in de Clinique de l'Alma overleden. Hitlers artsen waren nog gekomen, maar hadden de Franse artsen niet in de weg gestaan. Volgens het avondnieuws was Vom Rath overleden aan de complicaties die het gevolg waren van de verwondingen aan zijn milt. Die zaterdag zou er in de Duits-lutherse kerk een plechtigheid worden gehouden.

Andras en Polaner waren naar De Blauwe Duif voor een glas whisky gegaan, maar daar hadden ze ontdekt dat hun geld bijna op was. Het was het einde van de maand; zelfs als ze botje bij botje legden, hadden ze niet genoeg voor één glas. Dus zeiden ze tegen de ober dat ze straks wilden bestellen en gingen door met hun gesprek, in de hoop dat ze een halfuurtje in de warme gelagkamer konden zitten voordat ze gesommeerd werden te vertrekken. Even later kwam de ober met hun gebruikelijke whisky-soda aanzetten. Toen ze tegenwierpen dat ze die niet konden betalen, draaide de ober een punt van zijn snor op en zei: 'Die reken ik de volgende keer wel met jullie af.'

'Hoe heb je hem ontmoet?' vroeg Andras aan Polaner.

Polaner haalde zijn schouders op. 'Via via. Hij trakteerde me op een glas. We hebben wat gekletst. Hij was slim en belezen. Ik mocht hem wel.'

'Maar toen je hoorde wie hij was...?'

'Wat had ik dan moeten doen?' vroeg Polaner. 'Weglopen? Had jij gewild dat hij hetzelfde met mij had gedaan?'

'Maar hoe kon je nou met een nazi zitten praten? Vooral na wat er vorige winter is gebeurd?'

'Dat had hij niet gedaan. Dat had hij nooit gekund. Dat heb ik je verteld.'

'Tja, dat beweert hij. Maar misschien had hij andere motieven.'

'Godallemachtig,' zei Polaner. 'Laat het toch rusten. Een bekende van me is net dood. Ik probeer het te verwerken. Kunnen we het hierbij laten?'

'Het spijt me,' zei Andras.

Polaner legde zijn gevouwen handen op de tafel en liet zijn kin erop rusten. 'Ben Yakov had gelijk,' zei hij. 'Ze gaan die jongen, die Grynszpan, als voorbeeld stellen. Ze zullen hem uitleveren en dan op opzienbarende wijze om het leven brengen.'

'Dat doen ze heus niet. De hele wereld kijkt toe.'

'Des te beter, wat hun betreft.'

Klara stond bij het raam met de krant in haar hand naar de Rue de Sévigné onder zich te kijken. Ze had net een kort bericht voorgelezen over de maatregelen die de Duitse regering tegen joden had afgekondigd *ter vergelding van de rampzalige vernieling van Duitse bezittingen ten gevolge van de geweldsuitbarsting van 9 november jl.* Door de kranten ook wel de 'Kristallnacht' genoemd. Andras ijsbeerde door de kamer, zijn handen diep in zijn zakken gestoken. Aan het bureautje had Elisabet een schoolschrift opengeslagen en zat met potlood een serie poppetjes te tekenen.

'Een miljard reichsmark,' zei ze. 'Dat is de boete die de joden moeten betalen. En in Duitsland wonen een half miljoen joden. Dat betekent tweeduizend reichsmark per persoon, kinderen meegerekend.'

De achterliggende logica was verbijsterend. Hij had die tevergeefs proberen te bevatten. Grynszpan had Vom Rath neergeschoten; Vom Rath was overleden; 9 november, de Kristallnacht, werd verondersteld de natuurlijke reactie van het Duitse volk te zijn. En daarom hadden de joden het aan zichzelf te wijten dat hun winkels waren vernield, hun synagoges in brand gestoken en hun huizen geplunderd – om nog maar te zwijgen van de moord op eenennegentig joden en het oppakken van nog eens dertigduizend – en moesten ze zelf voor de rekening opdraaien. Niet alleen moesten ze de boetes betalen, maar ook de uitkeringen van hun inboedelverzekeringen gingen rechtstreeks naar de regering. En in Duitsland mochten joden geen eigen zaak of winkel meer uitbaten. In Parijs, New York en Londen waren er protesten geweest tegen de pogrom en de gevolgen ervan. Maar de Franse regering bleef verdacht stil. Volgens Rosen was dat omdat Von Ribbentrop, Hitlers minister van Buitenlandse Zaken, in december naar Parijs zou komen om een vriendschapsverklaring tussen Duitsland en Frankrijk te tekenen. Het was allemaal één grote schijnvertoning.

Beneden hoorden ze het geklepper en de plof van de middagpost die door de bus viel. Elisabet stond zo snel op dat haar stoel tegen het haardscherm viel. Daarna rende ze naar beneden om de brieven te halen.

'Vroeger moest ik haar met gemberkoek paaien om de post te halen,' zei Klara terwijl ze de stoel overeind zette. 'Nu weet ze niet hoe snel ze erbij moet zijn.'

Het duurde lang voordat Elisabet weer boven was. Toen ze buiten adem en met een kleur verscheen, gooide ze alleen maar een paar enveloppen op het bureautje en rende door de gang naar haar eigen kamer. Klara ging aan het bureau zitten en bladerde door de post. Vooral één poststuk, een dunne crèmekleurige envelop, leek haar aandacht te trekken. Ze pakte haar briefopener en sneed de envelop open.

'Hij is van Zoltán,' zei ze en haar ogen schoten over het enkele velletje. Iets deed haar fronsen en ze las het nog eens. 'Edith en hij gaan over drie weken weg. Hij schrijft me om afscheid te nemen.'

'Waar gaat hij dan heen?'

'Boedapest,' zei ze. 'Dat had ik al gehoord. Volgens Marcelle ging het gerucht dat ze weg zouden gaan – dat heeft ze me vorige week bij onze ontmoeting in de Tuilerieën verteld. Zoltán is gevraagd om zakelijk directeur van de Koninklijke Hongaarse Opera te worden. En madame Novak wil dat haar kind dicht bij haar familie opgroeit.' Ze zoog haar lippen naar binnen en legde haar hand op haar mond.

'Vind je het zo erg dat hij weggaat, Klara?'

Ze schudde haar hoofd. 'Niet om de reden die jij denkt. Je weet wat ik voor Zoltán voel. Het is een dierbare vriend, een oude vriend. En een goed mens. Hij heeft jou tenslotte ook werk gegeven toen het Bernhardt met verlies draaide.' Ze ging naast Andras op de sofa zitten en pakte zijn hand. 'Maar ik vind het niet erg dat hij weggaat. Ik ben blij voor hem.'

'Wat scheelt er dan aan?'

'Ik ben jaloers,' antwoordde ze. 'Vreselijk jaloers. Edith en hij kunnen gewoon op de trein stappen en naar huis gaan. Ze kunnen hun kindje bij de moeder van Edith brengen, zodat ze met haar neefjes en nichtjes opgrocit.' Ze streek haar grijze rok glad over haar knieën. 'Die pogrom in Duitsland,' zei ze. 'Stel dat zoiets ook in Hongarije gebeurt? Stel dat ze mijn broer oppakken? Hoe moet het dan met mijn moeder?'

'Als er iets in Hongarije gebeurt, zal ik naar Boedapest gaan en me om je moeder bekommeren.'

'Maar dan kan ik niet met je mee.'

'Misschien kunnen we ervoor zorgen dat je moeder naar Frankrijk komt.'

'Maar dan zou het nog een tijdelijke oplossing zijn,' zei ze. 'Van ons algemene probleem, bedoel ik.'

'Welk algemeen probleem?'

'Je weet wel. Het probleem van waar we samen moeten gaan wonen. Op de lange termijn, bedoel ik. Je weet dat ik niet terug kan naar Hongarije en jij kunt niet hier blijven.'

'Hoezo niet?'

'Je familie,' zei ze. 'Stel dat de oorlog uitbreekt. Dan wil je bij hen zijn. Dat is al zo vaak door me heen geschoten. In september kon ik aan weinig anders denken, zoals je misschien weet. Dat was een van de redenen dat ik het moeilijk vond je terug te schrijven. Ik zag gewoon geen uitweg. Ik wist dat als we besloten ons leven te delen, ik je zou afsnijden van je familie.'

'Als ik blijf, is dat mijn eigen besluit,' zei Andras. 'Maar als ik moet gaan, verzin ik wel iets zodat je met me mee kunt. We kunnen een advocaat consulteren. Bestaat er niet een soort verjaringswet?'

Ze schudde haar hoofd. 'Ik kan nog steeds worden opgepakt en berecht voor wat ik heb gedaan. En stel dat ik terug kan gaan, dan kan ik nog Elisabet niet achterlaten.'

'Natuurlijk niet,' zei Andras. 'Maar Elisabet heeft haar eigen plan al getrokken.'

'Ja, daar ben ik juist bang voor. Ze is nog maar een kind, Andras. Ze heeft een verlovingsring om, maar ze weet niet wat verloofd zijn eigenlijk inhoudt.'

'Haar verloofde lijkt me erg serieus. Ik weet dat hij de beste bedoelingen heeft.'

'Als dat zo is, waarom heeft hij dan niet eerst met zijn ouders overlegd, voordat hij haar het hoofd op hol bracht met trouwen en Amerika! Hij heeft ze nog steeds niet verteld dat ze verloofd zijn. Het schijnt dat ze al een meisje voor hem in gedachten hebben, een dochter van een rijke bierbrouwer uit Wisconsin. Hij beweert dat hij niets voor haar voelt, maar ik weet zeker dat zijn ouders daar heel anders over denken. Hij had in ieder geval eerst míj toestemming kunnen vragen voordat hij Elisabet die ring gaf.'

Andras glimlachte. 'Gaat het zo dan nog? Vragen jongemannen echt nog toestemming?'

Ze schonk hem een glimlach terug. 'Fatsoenlijke jongemannen wel,' zei ze.

Hij boog zich dicht naar haar oor. 'Ik zou ook iemand om toestemming willen vragen, Klara,' zei hij. 'Ik zou je moeder graag om toestemming vragen.'

'En als ze nee zegt?' fluisterde ze terug.

'Dan moeten we maar ergens stiekem trouwen.'

'Maar waar dan, schat?'

'Maakt me niet uit,' zei hij terwijl hij diep in het grijze landschap van haar ogen keek. 'Zolang ik maar bij jou ben. Ik weet dat het onpraktisch is.'

'Het is uiterst onpraktisch,' zei ze. Maar ze sloeg haar armen om zijn nek en bracht haar gezicht naar het zijne, waarna hij haar oogleden kuste en een spoortje zout proefde. Op dat moment hoorden ze Elisabets voetstappen in de gang; ze verscheen in de deuropening van de zitkamer met haar groene wollen muts op en jas aan. Andras en Klara maakten zich los uit hun omarming en rechtten zich.

'Het spijt me dat ik stoor, weerzinwekkende volwassenen,' zei Elisabet. 'Ik ga naar de film.'

'Hoor eens, Elisabet,' zei Andras. 'Stel ik dat met je moeder wil trouwen?'

'Toe,' zei Klara, die waarschuwend haar hand hief. 'Laten we er niet op deze manier over praten.'

Elisabet keek Andras nieuwsgierig aan. 'Wat zei je daar?'

'Met haar trouwen,' zei Andras. 'Haar tot mijn echtgenote maken.'

'Meen je dat?' vroeg Elisabet. 'Wil je met haar trouwen?'

'Ja.'

'En zij ook met jou?'

Er viel een lange stilte waarin bij Andras de paniek toesloeg, maar toen pakte Klara zijn hand en drukte die, bijna alsof ze pijn had. 'Hij weet wat ik wil,' zei ze. 'We willen allebei hetzelfde.'

Andras slaakte een zucht van verlichting. Elisabets gezicht straalde van opluchting; haar permanente denkrimpel verdween. Ze liep de kamer door en omhelsde Andras, waarna ze haar moeder een zoen gaf. 'Geweldig,' zei ze oprecht gemeend. Daarna zwaaide ze zonder iets te zeggen haar tasje over haar schouder en klepperde over de trap naar beneden.

'Geweldig?' zei Klara in de galmende stilte die steevast op Elisabets vertrek volgde. 'Ik weet niet goed wat ik moest verwachten, maar dit in ieder geval niet.'

'Ze denkt dat het de weg voor haar en Paul vrijmaakt.'

Klara zuchtte. 'Dat weet ik. Als ik met jou trouw, hoeft ze zich niet schuldig te voelen dat ze me in de steek laat.'

'We kunnen ook best wachten, als dat volgens jou beter is. We kunnen ook wachten tot ze klaar is met school.'

'Dat duurt nog zeven maanden.'

'Zeven maanden,' zei hij, 'maar daarna begint de rest van ons leven.'

Ze knikte en pakte zijn hand. 'Zeven maanden.'

'Klara,' zei hij, 'Klara Morgenstern. Heb je zojuist erin toegestemd met me te trouwen?'

'Ja,' zei ze. 'Ja. Als Elisabet klaar is met school. Maar dat betekent nog niet dat ik haar met die gladde praatjesmaker naar Amerika laat gaan.'

'Zeven maanden,' zei hij.

'En misschien hebben we tegen die tijd ook de geografische kwestie opgelost.'

Hij pakte haar bij haar schouders en drukte een kus op haar mond, haar jukbeenderen, haar oogleden. 'Laten we ons daar nu niet druk om maken,' zei hij. 'Beloof me dat je daar niet over gaat piekeren.'

'Dat kan ik niet beloven, Andras. We moeten er toch over nadenken als we het willen oplossen.'

'We denken er later wel over. Nu wil ik je kussen. Mag dat?'

Als antwoord sloeg ze haar armen om hem heen en hij kuste haar, en het liefst had hij de hele dag, het hele jaar, zijn hele leven niets anders meer gedaan. Hij maakte zich op een gegeven moment los en zei: 'Ik was hier niet op voorbereid. Ik heb niets voor je. Ik heb niet eens een ring.'

'Een ring!' riep ze. 'Ik wil geen ring.'

'Je krijgt er toch eentje. Laat dat maar aan mij over. En ik maakte geen grapje zo-even toen ik zei dat ik je moeder ging schrijven.'

'Dat is een netelige kwestie, zoals je weet.'

'Konden we maar met József overleggen,' zei Andras. 'Hij zou haar kunnen schrijven of een berichtje van mij in een brief van hem bijsluiten.'

Klara perste haar lippen opeen. 'Van wat je mij over zijn leven hebt verteld, lijkt het me niet verstandig om hem op de hoogte te brengen van onze situatie.'

'Als we gaan trouwen, moet hij dat toch weten. Het Quartier Latin is maar een klein buurtje.'

Ze zuchtte. 'Ik weet het. Het is niet eenvoudig.' Ze liep naar de sofa en vouwde de krant open. 'We hebben nu tenminste tijd om ons te beraden. Zeven maanden,' zei ze. 'Wie weet wat er nog allemaal kan gebeuren? Moet niet iedereen nu meteen trouwen? Moet ik niet blij zijn dat mijn dochter de grote oversteek naar Amerika maakt? Als er oorlog uitbreekt, is ze daar veiliger dan hier.'

Dat ongrijpbare spook: veiligheid. Het was uit Hongarije ontsnapt, uit de collegezalen van de École Spéciale en was al ruim voor 9 november uit Duitsland ontsnapt. Maar nu hij naast haar zat en zijn blik over de krant op haar schoot liet gaan, ervoer hij opnieuw die schok. Hij volgde de lijn van haar hand naar de foto op de voorpagina: een man en vrouw in hun nachthemd op straat; tussen hen in een jongetje dat zo te zien een janklaassenpop met een puntmuts in zijn hand houdt; het drietal wordt verlicht door de helse vlammengloed van een huis dat van onder tot boven in brand staat. Op de plaatsen waar het vuur het tapijt en vloerplanken, het behang en het pleisterwerk al had weggevreten, zag hij het geraamte van het huis oplichten als de afgekloven botten van een beest. En hij zag wat waarschijnlijk alleen een architect ziet en wat de man, de vrouw en de jongen niet hadden

kunnen zien omdat ze op straat stonden: de belangrijkste draag-
balken van het huis waren al doorgebrand en het hele bouwwerk
kon elk moment als een kaartenhuis ineenstorten, de balken ver-
pulverd tot as.

III

Aankomst en vertrek

21

Een diner

Begin december gaf madame Gérard een dinertje voor haar verjaardag. Klara kreeg een uitnodiging op een zware, ivoorwitte kaart bedrukt met gouden inkt; Andras mocht mee als haar gast. Op de avond van het diner trok hij een smetteloos wit overhemd aan en een blauwzijden das, besprenkelde en borstelde zijn mooiste smokingjasje en poetste de schoenen die Tibor het jaar daarvoor voor hem uit Boedapest had meegenomen. Hij hield zichzelf voor dat het niets bijzonders was dat Marcelle hem had uitgenodigd; in feite zou het hun eerste weerzien zijn na haar vertrek bij het Théâtre Sarah-Bernhardt, en de eerste keer dat hij in het openbaar als Klara's echtgenoot in spe zou verschijnen, in een gezelschap van mensen die hem waarschijnlijk als haar mindere zouden beschouwen. Hij was niet zozeer bang voor wat haar vrienden van hem zouden denken, maar eerder wat zijzelf zou denken nu ze hem voor het eerst tussen haar eigen soort mensen zag. Al die choreografen en dansers. De componisten die haar soms een muziekstuk schonken. Vergeleken met hen moest hij toch wel overkomen als een groentje, als iemand die net komt kijken en nog niets voorstelt? Hij vroeg zich af of dat ook het effect was wat Marcelle had beoogd. Gelukkig was het Klara zelf die deze zorgen wegnam; toen hij die avond in de Rue de Sévigné arriveerde was ze in een vrolijke, vertrouwelijke bui. Samen liepen ze over de kille boulevards naar het nieuwe appartement van Marcelle in het elfde arrondissement, langs straten waar het naar houtvuur en de naderende kou rook. Het was moeilijk te geloven dat het al bijna december was, een jaar na hun ontmoeting. Binnenkort zouden de schaatsvijvers in het Bois de Vincennes en het Bois de Boulogne dichtgevroren zijn.

Bij madame Gérard werden ze ontvangen door een meisje in een wit gesteven schortje, dat hun jassen aannam en hen voorging naar een salon met een parketvloer. Het was een gebouw uit de belle époque, maar madame Gérard had haar nieuwe appartement modern laten inrichten: in de salon stonden lage zwartleren bankjes en in glazen vitrines stonden Afrikaanse maskers en vazen van geaderd malachiet. Voor de ramen hingen grasgroene gordijnen en naast de bankjes stonden twee stalen tafeltjes op wacht, als windhonden op hoge poten. Op elk van de tafeltjes stond een sculptuur van Brancusi, twee strakke vlammen van zwart marmer. Dit alles was het resultaat van haar recente successen; sinds *De moeder* had ze Parijs met vele glansrollen veroverd, en ze had net een groot aantal lovende recensies gekregen voor haar vertolking van Antigone in het Théâtre des Ambassadeurs, waarvoor Andras en Forestier een ingenieus surrealistisch decor hadden gemaakt. Nu stak madame Gérard, gehuld in een geelgroene zijden avondjapon, de salon door om Andras en Klara te begroeten. Ze kuste hen allebei en nadat ze enkele beleefdheden hadden uitgewisseld, ging ze Andras voor naar een zwartgelakte wandtafel waar drankjes werden geserveerd.

'Kijk nou toch eens,' zei ze en ze streek over zijn revers. 'Je bent een echte heer geworden. Een smoking staat je goed. Misschien word ik aan het eind van de avond nog wel verschrikkelijk jaloers.'

'Zeer bedankt voor je uitnodiging,' zei Andras. Hij hoorde de geforceerde rust in zijn stem, en meende een glimlachje om madame Gérards mondhoeken te zien spelen.

'Zeer bedankt dat je mijn verjaardag komt opluisteren,' zei ze. En toen, nadrukkelijker: 'Ik denk dat je je wel zult vermaken met de andere gasten. Onze vriend monsieur Novak en zijn vrouw zijn er ook. Heb je gehoord dat ze naar Hongarije teruggaan?' Ze wees met haar hoofd naar een hoek van de kamer, waar Novak en zijn vrouw in gesprek waren met een zilverharige man met een halsdoekje om. 'Hij reageerde trouwens wel enigszins verbaasd toen ik vertelde dat Klara en jij ook zouden komen. Ik neem aan dat je op de hoogte bent...'

'Ja, ik ben op de hoogte, hoor,' zei hij. 'Al had je natuurlijk liever gehad dat ik nog van niets wist. Het had je ongetwijfeld veel plezier gedaan om me persoonlijk op de hoogte te kunnen stellen.'

'Ik had je alleen maar willen beschermen,' zei madame Gérard. 'Ik had je nog gewaarschuwd niets met Klara te beginnen. Ik was werkelijk verbijsterd toen ik hoorde dat het zo serieus tussen jullie was. Ik was ervan overtuigd dat ze jou meer als prettig tijdverdrijf zag.'

Andras voelde zijn huid prikken. 'En is dit jouw idee van een prettig tijdverdrijf?' vroeg hij. 'Om mensen bij je thuis uit te nodigen en ze vervolgens te beledigen?'

'Niet zo hard, liefje,' zei madame Gérard. 'Je dicht me te veel geslepenheid toe. Het is ondoenlijk om al die amourettes bij te houden. Als ik alleen mijn vrienden zou vragen met een ongecompliceerde relatie, dan bleef er niemand meer over!'

'Ik ken je langer dan vandaag,' zei Andras. 'Volgens mij doe je nooit iets zonder bijbedoeling.'

'Tjonge, je hebt wel een erg romantisch beeld van me,' zei ze, zichtbaar gevleid. 'Wat ben je toch een charmante jongeman.'

'Wanneer vertrekt monsieur Novak eigenlijk naar Hongarije?' vroeg hij.

Ze liet haar diepe, onwelluidende lach horen. 'Januari,' zei ze. 'Ik kan me niet voorstellen dat je rouwig om zijn vertrek bent. Al weet ik niet hoe Klara zal reageren. Ze hadden een heel hechte band, weet je.' Ze gaf hem een glas whisky met ijs en keek in de richting van Klara, die naast Novak op het lage zwarte bankje was gaan zitten. 'Je moet je trouwens niets aantrekken van wat de mensen over jullie zeggen, over jullie verloving, bedoel ik. Iedereen heeft een zwak voor Klara en haar eigenaardigheden. Ik vind het ook om van te smullen. Het is net een sprookje! Kijk hoe je eruitziet. Ze heeft je van een kikker omgetoverd in een prins.'

'Als je klaar bent,' zei hij, 'dan ga ik nu Klara iets te drinken brengen.'

'Doe dat,' zei madame Gérard. 'Anders ziet híj zich nog geroepen iets voor haar te gaan halen.' Ze wendde haar blik weer naar de lage zwarte zitbank, waar Novak iets op dringende toon aan Klara zat uit te leggen. Klara schudde triest glimlachend haar hoofd; Novak leek zijn argument kracht bij te zetten en Klara sloeg haar blik neer.

Andras haalde een glas wijn en baande zich een weg door een groepje genodigden in avondkostuum; hij wurmde zich langs Novaks vrouw, Edith, een rijzige vrouw met donker haar in een fluwelen avondjapon, omwolkt door jasmijnparfum. De laatste keer dat hij haar had gezien, bijna een jaar geleden in het Sarah-Bernhardt, had ze hem haar tasje in handen gedrukt omdat zij in haar zakken naar een zakdoek moest zoeken. Toen had ze hem al geen blik waardig gekeurd, alsof hij een nietig insect was. Nu stond ze met kaarsrechte rug te luisteren naar een vrouw die iets in haar oor fluisterde; het was duidelijk dat de andere vrouw de voortgang van Novaks tête-à-tête met Klara versloeg. Toen Andras bij de bank was, sprong monsieur Novak overeind en stak een klamme rode hand naar Andras uit. Zijn ogen waren roodomrand en zijn ademhaling ging zwaar. Na zijn begroeting leek hij niet zo goed te weten welk gespreksonderwerp hij moest aansnijden.

'Ik heb gehoord dat u teruggaat naar Boedapest,' zei Andras.

Novak glimlachte met zichtbare moeite. 'Ja, dat klopt,' zei hij. 'Met wie moet ik deze keer mijn twaalfuurtje nuttigen? Mijn echtgenote geeft de voorkeur aan de restauratiewagen.'

'Er is vast wel een dwaze jongeman op weg van Parijs naar Boedapest die u kunt opvrolijken.'

'Dwaas is hij zeker als hij jong is en teruggaat naar Boedapest.'

'Boedapest is een heerlijke stad voor een jongeman,' zei Andras.

'Misschien had je er dan maar moeten blijven,' zei Novak, die zich net iets te dicht naar Andras toeboog; meteen besefte Andras dat hij dronken was. Klara had het inmiddels ook door; ze stond op en legde een hand op Novaks mouw. Een lichte wrevel maakte zich van Andras meester. Als Novak zich hier ging misdragen, hoefde Klara zich toch niet als zijn beschermster op te werpen? Maar ze keek Andras aan met een smekende blik die vroeg om toegeeflijkheid en hij zwichtte. Hij kon het Novak ook niet kwalijk nemen. Het was immers pas drie maanden geleden dat hij zelf stomdronken was geworden bij József thuis.

'Monsieur Novak vertelde me zojuist over zijn benoeming bij de Koninklijke Hongaarse Opera,' zei Klara.

'Ach ja. Ze mogen blij zijn met u,' zei Andras.

'Tja, Parijs zal me niet missen,' zei Novak en hij keek Klara indringend aan. 'Zoveel is duidelijk.'

Madame Gérard kwam door de salon op hen af lopen en ze pakte Novaks handen beet. 'We zullen je ontzettend missen,' zei ze. 'Een groot verlies voor ons. Een groot verlies voor míj. Wat moet ik zonder jou? Wie moet er nu aan het hoofd van de tafel zitten op mijn dinertjes?'

'Jij natuurlijk, zoals altijd,' antwoordde Novak.

'Niet "zoals altijd",' zei ze. 'Vroeger was ik dodelijk verlegen. Jij moest altijd het woord voor me doen. Maar misschien weet je dat niet meer. Misschien weet je ook niet meer dat je me in je kantoor wijn moest voeren om me over te halen de rol van madame Villareal-Bloch over te nemen.'

'Ach, ja, arme Claudine,' zei Novak, die op luidere toon begon te praten. 'Die was briljant, maar ze heeft alles opgegeven voor die knaap. Die persattaché uit Brazilië. Ze is hem achternagegaan naar São Paolo en vervolgens liet hij haar zitten voor een jong snolletje.' Hij keek Andras dreigend aan. 'En ze was zo zeker van zijn liefde. Maar hij heeft haar misleid.' Hij dronk zijn glas leeg, liep naar het raam en tuurde omlaag naar de straat.

Het zwijgen van Novak verspreidde zich als een golf over de ander gasten; in alle groepjes stokte beurtelings het gesprek. Het leek wel of iedereen had meegeluisterd naar het gesprek tussen Andras, Klara en Novak; het leek haast wel alsof ze van tevoren van de situatie op de hoogte waren gebracht, met het advies goed op hen te letten. Na een tijdje kuchte een oudere dame in een zwarte japon van Mainbocher. Ze nam een versterkend slokje gin en verklaarde dat ze zojuist had gehoord dat de veertigduizend spoorwegarbeiders die door monsieur Reynaud waren ontslagen waarschijnlijk toch een protestdemonstratie gingen houden, en dat het enige voordeel daarvan was dat monsieur en madame Novaks vertrek wellicht uitgesteld werd.

'O, maar dat zou vreselijk zijn,' riep madame Novak. 'Moeder geeft een welkomstfeestje voor ons en de uitnodigingen zijn al de deur uit.'

Madame Gérard lachte. 'Niemand kan jou er ooit van beschuldigen een vrouw van het volk te zijn, Edith,' zei ze en de gesprekken werden weer hervat.

Aan tafel bleek Andras tussen madame Novak en de oudere dame in de Mainbocher-japon te zijn gezet. Andras werd zo overweldigd door het jasmijnparfum van madame Novak dat elk opgediend gerecht ermee op smaak leek te zijn gebracht; hij at jasmijnschildpadsoep, jasmijnsorbet, jasmijnfazant. Klara zat naast Novak, een paar stoelen rechts van Andras, waardoor hij niet in staat was haar gezicht te zien. Het onderwerp van het tafelgesprek was eerst madame Gérard: haar carrière en haar nieuwe appartement en haar onverminderde schoonheid. Marcelle zat er met slecht gespeelde bescheidenheid naar te luisteren, om haar mond vormde zich vanzelf een zelfvoldaan lachje. Toen ze genoeg had van het luisteren naar de vleierijen bracht ze het gesprek op Boedapest, de charmes en problemen ervan en hoe de stad was veranderd sinds haar kinderjaren en die van de andere Hongaren in hun midden. Ze begon haar zinnen de hele tijd met: 'Toen we net zo oud waren als monsieur Lévi.' Een zekere kapitein Von-hier-tot-Gunter, die tegenover Andras zat, beweerde dat het niet lang zou duren voordat de oorlog in Europa uitbrak en dat Hongarije mee moest doen, en dat Boedapest over tien jaar radicaal veranderd zou zijn. Madame Novak sprak de hoop uit dat het park waar ze als kind speelde in ieder geval hetzelfde zou blijven. Daar wilde ze ook haar eigen kind laten spelen.

'Ja, toch?' vroeg ze aan haar man die tegenover haar zat. 'Zodra we in de stad zijn, laat ik het kindermeisje met János naar het park gaan.'

'Waarheen, liefste?'

'Het park aan de Pozsonyi út, aan de oever van de rivier.'

'O, ja,' zei Novak afwezig en hij richtte zich weer tot Klara.

Het diner werd afgesloten met kaas en port, waarna de gasten zich terugtrokken in een kamer met bleekgele muren waarin velours canapés en een Victrola stonden opgesteld. Madame Gérard stond erop dat er werd gedanst. De canapés werden aan de kant geschoven, er werd een plaat op de Victrola gelegd en even later wiegden de gasten op een nieuwe Amerikaanse song, 'They Can't Take That Away from Me'. Monsieur Novak omvatte Klara's middel en leidde haar naar het midden van de kamer. Ze dansten stuntelig. Klara had haar handen om Novaks armen geklemd en Novak probeerde zijn hoofd op haar schouder te leggen. Madame Novak, die net deed of ze niets in de gaten had, danste een krampachtige charleston met kapitein Von-hier-tot-Gunter, en Andras werd gekoppeld aan de oudere vrouw in het zwart. *The way you wear your hat*, zong ze in Andras' oor. *The way you sip your tea. The memory of all that – no, they can't take that away from me.*

'Het gaat over vervlogen liefde!' zei ze, toen hij tegenwierp dat zijn Engels abominabel was. Ze scheen te denken dat ze in zijn oor moest brullen om boven de muziek en de gesprekken uit te komen. 'De man is gescheiden van de vrouw, maar hij zal haar nooit vergeten! Ze achtervolgt hem in zijn dromen! Ze heeft zijn leven op zijn kop gezet!'

Ze kregen maar geen genoeg van het nummer. Madame Gérard riep het tot haar nieuwe favoriet uit. Pas na vier keer afspelen waren ze de plaat beu. Andras danste met madame Gérard, met Edith Novak en nog een keer met de oudere dame; maar Zoltán Novak wilde Klara maar niet laten gaan. Binnenkort ging hij weg uit Parijs, voorgoed. Daar was niets meer aan te doen: geen spoorwegstaking, geen oorlogsdreiging, niet eens de kracht van zijn eigen liefde. Klara probeerde zich los te wurmen, maar elke keer dat ze zich losmaakte protesteerde hij zo heftig dat ze bij hem bleef om een scène te vermijden. Uiteindelijk viel hij stomdronken achterover op een canapé en bettc zijn voorhoofd met een grole witte zakdoek. Madame Gérard haalde de plaat van de grammofoon en deelde mee dat de verjaardagstaart werd opgediend. Klara wenkte Andras mee naar de gang.

'Laten we gaan,' fluisterde ze. 'We hadden nooit moeten komen. Ik had kunnen weten dat Marcelle ccn groot drama voor ons in petto had.'

Hij wilde niets liever dan vertrekken. Ze haalden hun jassen uit een rode slaapkamer en slopen de hal in. Waarschijnlijk had Novak Klara gemist en de lift naar beneden horen gaan; of misschien was de hitte in de kamer hem gewoon te veel geworden. In elk geval stond hij op het balkon en riep Klara iets na, net toen zij gcarmd de straat uit liepen. Andras, die geen enkele triomf voelde, was misselijk van medelijden. Voor hetzelfde geld had Klara voorgoed afscheid genomen van hém en moest hij zonder haar terug naar Hongarije. Het gevoel was zo overweldigend dat hij op een bankje moest gaan zitten met zijn hoofd tussen zijn knieën. Het was haast een schok om haar naast zich te voelen, haar gehandschoende hand op zijn schouder. Ze bleven lange tijd zo in de kou op het bankje zitten, zonder een woord te zeggen.

22

Signorina Di Sabato

Op een decemberdag met een snijdende wind had de Ligue Internationale Contre l'Antisémitisme een protestbetoging georganiseerd tegen het bezoek van de Duitse minister van Buitenlandse Zaken aan Parijs. Andras, Polaner, Rosen en Ben Yakov stonden in een opeengepakte groep demonstranten voor het Palais de l'Élysée protestleuzen tegen de Franse en Duitse regering te scanderen en te zwaaien met borden waarop stond: GEEN VRIENDSCHAP MET FASCISTEN; WEG MET VON RIBBENTROP. Ze zongen de zionistische liederen die ze hadden geleerd op eerdere bijeenkomsten van de Ligue. Na de pogrom in Duitsland waren ze daar op aandringen van Rosen lid van geworden. Die ochtend had hij hen in alle vroegte uit hun bed getrommeld om protestborden te schilderen. Geen enkel excuus om lijdzaam toe te zien, had hij gezegd, geen enkel excuus om te liggen luieren terwijl Joachim von Ribbentrop op het punt stond een niet-aanvalsverdrag met Frankrijk te tekenen; het was allemaal bekokstoofd door Bonnet, de Franse minister van Buitenlandse Zaken, die zich zo inschikkelijk had opgesteld toen Hitler Sudetenland wilde annexeren. Bij Rosen thuis dronken ze een pot Turkse koffie en maakten een stuk of tien protestborden, terwijl Rosen met een liniaal in de verfpot roerde en erop stond dat ze allemaal de dampen van de revolutie opsnoven. Andras wist dat Rosen dit toneelstukje vooral voor zijn nieuwe *copine* opvoerde, een zionistische leerling-verpleegster die hij afgelopen zomer had ontmoet. Het meisje, Shalhevet, was gekomen om mee te helpen protestborden te schilderen. Ze was lang met felle ogen en een ontroerend wit lokje in haar zwarte haar. Af en toe liet ze met een knipoog aan Andras, Polaner en Ben Yakov merken dat ze wist hoe lachwekkend Rosen kon zijn, maar ze sloeg hem ook bewonderend gade, een teken van haar diepere gevoelens.

Hoewel Andras tegenstribbelde toen hij uit bed werd gesleurd, was hij blij dat hij een concretere bijdrage kon leveren dan alleen de krant lezen en jammeren om het nieuws. Terwijl hij voor de presidentiële ambtswoning stond met zijn bord in de lucht, moest hij denken aan de jonge Grynszpan in de gevangenis van Fresnes – wat zou er op dit moment door hem heengaan en zou hij weten dat Frankrijk die dag de Duitse minister van Buitenlandse Zaken ontving? Om twaalf uur verscheen de zwarte limousine van Von Ribbentrop voor de poort van het paleis en werd snel doorgewuifd. Buiten hield de politie de barricades rond het paleis streng in de gaten en binnen werd het Vriendschapsverdrag getekend. De betogers waren niet bij machte dat tegen te houden, maar ze konden wel hun misnoegen kenbaar maken. Nadat de minister van Buitenlandse Zaken was vertrokken, marcheerde de Ligue, leuzen scanderend en liederen zingend, naar de Seine. Bij de Quai des Tuileries knepen Andras en zijn vrienden ertussenuit om hun middag af te sluiten in De Blauwe Duif, waar ze het nu eens niet over politiek hadden, maar over hun andere favoriete onderwerp. Ben Yakov bleek ernstig in de problemen te zitten: hij had nog maar twee derde van het bedrag gespaard dat hij nodig had om zijn Florentijnse bruid naar Parijs te laten komen – om haar te schaken, zoals Rosen het noemde. En de tijd begon te dringen: ze konden niet veel langer wachten. Over een maand zou ze getrouwd zijn met de ouwe bok die haar ouders voor haar hadden uitgekozen.

Rosen sloeg met zijn vuist op tafel. 'Te wapen, mannen,' zei hij. 'We moeten alles op alles zetten om jonge meisjes van ouwe bokken te verlossen.'

Shalhevet stemde daarmee in. 'Ja, graag,' zei ze. 'Jonge meisjes van ouwe bokken verlossen.'

'Moeten jullie per se overal een grapje van maken?' zei Ben Yakov.

'Koekje van eigen deeg, ben ik bang,' zei Polaner.

'Dit is het beslissende moment van mijn leven,' zei Ben Yakov. 'Ik wil Ilana niet kwijt. Vier maanden lang heb ik me over de kop gewerkt om haar naar Parijs te kunnen halen. Dag en nacht, op school en in de bibliotheek, om elke centime opzij te kunnen leggen. Ik kan alleen maar aan haar denken. Ik schrijf haar bijna elke dag. Ik leef zo kuis als een monnik.'

'Pardon?' zei Rosen. 'En afgelopen weekend in Le Carrousel dan? Wat deed je daar met Lucia als je zo kuis bent als een monnik?'

'Eén klein slippertje!' riep Ben Yakov met zijn handen geheven. 'Afscheid van mijn vrijgezellenjaren.'

Andras schudde zijn hoofd. 'Je wordt vast een vreselijk slechte echtgenoot,' zei hij. 'Je kunt beter een paar jaar wachten tot je al je wilde haren kwijt bent.'

Ben Yakov keek peinzend naar zijn lege glas. 'Ik ben verliefd op Ilana,' zei hij. 'We willen niet langer wachten. Maar ik kom nog duizend franc te kort. Ik heb genoeg geld voor een retourtje voor mijzelf, maar ik kan niet ook haar reis betalen.'

'En jouw broer dan?' vroeg Polaner zich tot Andras wendend. 'Kan hij niet bijspringen?'

Tibor zou over drie weken komen; hij was van plan de winter in Parijs door te brengen. Andras en hij waren al maanden bezig met sparen. Zelfs Klara had meebetaald aan Tibors reis; ze vond dat ze daar als Andras' verloofde het recht toe had. 'Ik wil niet dat hij afstand doet van zijn kaartje,' zei Andras. 'Zelfs niet voor Ben Yakovs verloofde.'

'Dat hoeft ook niet,' zei Rosen. 'Ben Yakov heeft wel genoeg geld voor haar treinreis. Dan kan Tibor haar begeleiden. Hij hoeft alleen maar met de trein naar Florence te komen, meer niet.'

Ben Yakov sprong van zijn stoel. Hij greep naar zijn hoofd. 'Geniaal,' zei hij. 'Allemachtig. Dat kunnen we doen. De treinreis van Modena naar Florence kan me de kop niet kosten.'

'Hoho,' zei Andras. 'Tibor heeft nog geen toestemming gegeven en ik ook niet. Hoe zie jij dat dan voor je? Tibor reist naar Florence en gaat er in jouw plaats met haar vandoor?'

'Hij ontmoet haar op het station en samen reizen ze verder,' zei Rosen. 'Ja, toch, Ben Yakov? Hij hoeft haar alleen maar in Florence op te wachten.'

'Maar hoe moet het dan als ze hier is?' vroeg Andras. 'Ze kan niet gewoon uit de trein stappen en meteen met je trouwen. Waar moet ze logeren voor het huwelijk?'

Ben Yakov keek voor zich uit. 'Ze logeert natuurlijk bij mij.'

'Het is een orthodox meisje, vergeet dat niet.'

'Ze mag in mijn kamer. Dan ga ik wel bij een van jullie slapen.'

'Niet bij mij,' zei Rosen met een zijdelingse blik op Shalhevet.

'Als Shalhevet bij jou logeert,' zei Ben Yakov, 'kan Ilana in haar kamer slapen.'

'Je kunt haar niet in haar eentje in een studentenhuis laten,' zei Shalhevet. 'Daar wordt ze doodongelukkig.'

'Tja, wat moet ik dan doen?' vroeg Ben Yakov.

'En Klara?' opperde Polaner. 'Kan Ilana niet bij haar logeren?' Andras liet zijn kin op zijn hand rusten. 'Hmm, ik weet niet,' zei hij. 'Zij oefent nu met haar leerlingen voor de wintervoorstelling. Het is de drukste tijd van het jaar.' En hij zei het niet hardop, maar bepaalde aspecten van deze hele toestand zouden Klara beslist niet bevallen. Dat wist hij zeker. Waarom zouden zij zo veel moeite doen om voor Ben Yakov, hun beruchte deugniet, een bruid te gaan halen? Het meisje liep van huis weg om in Parijs te gaan wonen; ze was opgegroeid in een hechte Sefardische gemeenschap in Florence, en ze was pas negentien. Tibor erbij betrekken was één ding, maar Klara tot medeplichtige maken iets heel anders.

Polaner keek bezorgd naar Andras. 'Wat is er?' vroeg hij.

'Ik weet niet. Opeens heb ik zo mijn twijfels over deze hele zaak.'

'Toe,' zei Ben Yakov, die zijn hand op Andras' schouder legde. 'Ik smeek je. Juist jij zou begrip voor mijn situatie moeten hebben. Jij hebt het heel zwaar gehad het afgelopen jaar, maar nu ben je gelukkig. Kun je me niet helpen? Ik weet dat ik me niet altijd even netjes heb gedragen, maar sinds mijn terugkeer uit Florence heb ik keihard gewerkt, dat weet jij ook. Ik heb alles gedaan om mijn meisje hierheen te krijgen. Ik ben ten einde raad.'

Andras zuchtte en legde zijn hand op die van Ben Yakov. 'Goed dan,' zei hij. 'Ik zal Tibor schrijven. En ik zal met Klara praten.'

Modena, Italië
12 december

Andráska,
Dat je mij vraagt om de toekomstige madame Ben Yakov naar Parijs te begeleiden, beschouw ik als een eer. Ik ben blij dat ik een van je vrienden kan helpen. Ik heb trouwens wel te doen met de ouders van het meisje! Die zullen vreemd opkijken als ze ontdekken dat ze weg is. Ik hoop dat Ben Yakov het zo snel mogelijk weer in orde maakt met hen. Wie weet heeft hij genoeg charme om met deze stunt weg te komen. Vraag hem om me de aankomsttijd van signorina Di Sabato te telegraferen en ik zal haar op het station van Firenze opwachten.
Ik kijk er erg naar uit om enkele luie weken bij jou in die zelfgenoegzame stad van je door te brengen. Ik ben doodop. Niemand

waarschuwt studenten geneeskunde dat ze tijdens hun studie het idee krijgen aan veel van de ziektes te lijden die ze moeten bestuderen. Ik hoop dat ik mezelf met slaap, wijn en jouw gezelschap kan genezen.

Het anatomieboek van madame Morgenstern komt zeer goed van pas. Ik ben haar voor eeuwig dank verschuldigd. Maar zeg alsjeblieft tegen haar dat ze me niet nog meer van zulke cadeaus geeft! Als mijn vrienden zien dat ik zo'n mooi boek heb, denken ze vast dat ik steenrijk ben en verwachten ze dat ik hun eten betaal. En dan ben ik binnen de kortste keren failliet. Ondertussen verblijf ik,

je voorlopig armlastige broer,

Tibor

Andras ging met de brief naar Klara en vroeg haar om hulp. Hij had François Ben Yakov meegebracht; het was voor het eerst dat hij met Klara kennismaakte. Voor de gelegenheid had hij een jasje van fijne zwarte wol aan en een rode das bedrukt met Franse lelies ter grootte van gerstekorrels. Toen Ben Yakov Klara's handen vastpakte en haar om begrip smeekte, haar doordringend aankeek met zijn donkere filmsterrenogen, was Andras ergens toch wel benieuwd of Klara door hem betoverd zou raken, net als de andere vrouwen die hij ontmoette. Ze was in zoverre onder de indruk dat ze toestemde hem te helpen; verder mocht hij haar hand kussen en haar een engel noemen. Toen Ben Yakov weg was en Andras en Klara weer met z'n tweetjes waren, zei ze lachend dat ze nu kon begrijpen waarom zo veel jongedames van slag raakten door zijn verschijning.

'Ik hoop dat je er niet met hem vandoor gaat voordat de bruid er is,' zei Andras. Hij trok een stoel voor haar bij en samen zaten ze te kijken hoe de kooltjes in de haard langzaam opbrandden.

'Geen haar op mijn hoofd,' zei Klara glimlachend. Maar toen trok ze een ernstig gezicht en sloeg haar armen over elkaar. 'Ik kan me overigens wel vinden in de bedenkingen van je broer. Ik had ook liever niet gezien dat het kind van huis had moeten weglopen. Had Ben Yakov echt niet eerst met de vader kunnen gaan praten?'

'Zou jij je dochter toestemming geven met François Ben Yakov te trouwen? Vooral als je haar als een vroom joods meisje hebt opgevoed? Ik vrees dat Ben Yakov niet anders kon dan in het geheim te trouwen.'

Klara zuchtte. 'Wat moet mijn eigen dochter niet denken?'
'Die zal denken dat ze een barmhartige, begripvolle moeder heeft.'
'Ik begrijp het ook maar al te goed,' zei Klara. 'En Elisabet ook.
Dat Florentijnse meisje is natuurlijk rusteloos. Ze wil ontsnappen
aan het lot dat haar ouders voor haar beslist hebben. Dus ver-
beeldt ze zich dat ze verliefd is op jullie vriend. Ze moet wel erg
wilskrachtig zijn als ze haar familie voor hem in de steek laat.'
'Wilskrachtig zeker,' zei Andras. 'En verliefd. Als ik hem moet
geloven, is ze vastbesloten om te komen. En hij wil het ook.'
'Denk je dat hij haar gelukkig kan maken?'
Andras staarde in het vuur, terwijl de hitte zich door de kooltjes
verspreidde. 'Hij zal zijn best doen. Hij is een goed mens.'
'Ik hoop dat je in beide gelijk hebt,' zei ze.

Op de avond van de verwachte komst van Tibor en Ilana gingen ze
met z'n allen naar het station om hen af te halen. Ze stonden bij
elkaar op het perron, Andras, Klara, Polaner, Rosen en Shalhevet,
terwijl Ben Yakov een eindje verderop onrustig heen en weer liep.
In zijn hand hield hij een tuiltje viooltjes voor signorina Di Sabato.
Viooltjes in de winter waren een decadente uitspatting, maar hij
had ze per se willen kopen. Het waren de bloemen die hij haar ook
bij hun eerste ontmoeting had gegeven.
Shalhevet zag de trein als eerste, het lichtpuntje in de verte op
de rails. Ze hoorden de hese falsettonen van de stoomfluit; met de
andere Parijzenaars die hun bezoekers voor de feestdagen kwamen afhalen dromden ze naar voren. De trein minderde vaart,
stootte een wolk stoom uit en kwam tot stilstand. Iedereen baande
zich een weg naar de trein. Het duurde tergend lang voordat de
deuren eindelijk met de bekende metalen klik opengingen en de
conducteurs met hun gouden epauletten op het perron sprongen.
Iedereen deed een stapje achteruit en wachtte.
Tibor was de eerste die verscheen. Andras zag hem bij de deur
van een van de derdeklaswagons. Hij zag er bezorgd en vermoeid
uit; in zijn handen had hij een lichtgroene hoedendoos en een op-
gesmukt damesparasolletje. Hij deed een stapje opzij voor een
meisje met een lange donkere vlecht, dat even op de bovenste tree
bleef staan en haar zoekende blik over de menigte liet gaan.
'Het is d'r!' riep Ben Yakov over zijn schouder naar de anderen.
'Het is Ilana!' Hij riep haar naam en zwaaide met de viooltjes,
waarop haar gezicht in zo'n prachtige verwachtingsvolle glimlach

uitbrak dat Andras haast zelf verliefd op haar werd. Ze kwam de treeplank af, stak het perron over naar Ben Yakov en kon zichzelf er nog net van weerhouden hem om de hals te vliegen. In plaats daarvan barstte ze in rap, ratelend Italiaans uit, ondertussen naar de trein gebarend. Andras vroeg zich af hoe Ben Yakov de verleiding haar te omhelzen kon weerstaan; het baarde hem even zorgen totdat het hem weer te binnen schoot dat het niet van haar geloof mocht. Ben Yakov zou haar pas aanraken nadat hij de ring tijdens de huwelijksplechtigheid om haar vinger had geschoven. Maar de blik waarmee ze naar hem opkeek was nog inniger dan een omhelzing. Hij gaf haar de viooltjes en zij schonk hem opnieuw die glimlach.

Tibor was achter signorina Di Sabato het perron overgestoken en zette de hoedendoos met de parasol ertegenaan bij haar voeten. Zij zei enkele woorden tegen hem waarin dankbaarheid doorklonk en hij zei zachtjes iets terug, zonder haar aan te kijken. Daarna sloeg hij zijn arm om Andras en fluisterde in zijn oor: 'Gefeliciteerd, broertje.'

'Je moet Ben Yakov feliciteren!' zei Andras. 'Die is de bruidegom.'

'Hij is het nu,' zei Tibor. 'Maar hierna ben jij aan de beurt. Waar is jouw bruid?' Hij liep naar Klara, gaf haar op beide wangen een kus en drukte haar tegen zich aan. 'Ik heb nooit een zuster gehad,' zei hij tegen haar. 'Ik hoop dat jij me wilt leren hoe ik me als goede broer moet gedragen.'

'Het begin is er,' zei Klara. 'Want je bent helemaal uit Modena hierheen gekomen.'

'Ik ben bang dat ik vanavond niet gezellig kan meedoen,' zei Tibor. Hij legde een hand op Andras' mouw. 'Ik heb vreselijke hoofdpijn. Ik weet niet of ik in staat ben een feestje te vieren.' Hij zag er zelfs geradbraakt uit: hij zette zijn bril af en wreef met twee vingers in zijn ogen voordat hij de anderen begroette. Hij schudde Ben Yakov de hand, gaf Polaner een waarderend klopje op zijn schouder, zei tegen Rosen wat een genoegen het was om hem met zo'n lieftallige dame aan zijn zijde te zien. Toen nam hij Andras even apart.

'Breng me naar bed,' zei hij. 'Ik ben kapot. Volgens mij heb ik iets onder de leden.'

'Natuurlijk,' zei Andras. 'We halen je koffers op en dan gaan we.' Hij was eigenlijk van plan om signorina Di Sabato naar Klara's huis te brengen, zich ervan te overtuigen dat ze het er naar haar zin had, maar Klara zei dat ze het ook prima alleen af kon. Er was niet veel om te vervoeren: signorina Di Sabato had behalve de hoedendoos een koffer bij zich en een houten kist, en samen met het mooie parasolletje waren dat al haar spullen. Ze sjouwden alles het station uit en Ben Yakov hield een taxi aan. Hij opende het portier voor signorina Di Sabato en liet haar instappen; omwille van haar eerbaarheid liet hij daarna Klara doorschuiven en stapte zelf, met een saluut naar zijn vrienden, als laatste in en trok het portier dicht.

Rosen en Shalhevet bleven met Andras en zijn broer achter op het trottoir. 'Zullen we wat gaan drinken?' vroeg Rosen.

Tibor excuseerde zich in zijn trefzekere maar rudimentaire Frans, en Shalhevet en Rosen zeiden er alle begrip voor te hebben. Andras wenkte een taxi. Hij had eerst naar huis willen lopen, maar Tibor zag eruit of hij elk ogenblik in elkaar kon zakken. Hij zei weinig onderweg naar de Rue des Écoles. De enige mededeling die hij deed was dat het een lange reis was geweest en dat hij blij was dat die achter de rug was.

Ze stapten uit de taxi en brachten Tibors spullen naar binnen. Toen ze eindelijk op de bovenste verdieping waren aangeland, was Tibor buiten adem en moest hij steun bij de muur zoeken. Vlug deed Andras de deur open. Tibor liep naar binnen, ging op het bed liggen, zonder zijn schoenen of jas uit te doen, en legde een arm over zijn ogen.

'Tibi,' zei Andras. 'Wat kan ik voor je doen? Zal ik naar de apotheek gaan? Wil je misschien iets drinken?'

Tibor schopte zijn schoenen los en liet ze op de grond vallen. Hij rolde zich op zijn zij en trok zijn knieën hoog op. Andras liep naar het bed en boog zich over hem heen. Hij legde een hand op Tibors voorhoofd: droog en warm. Tibor trok de sprei over zich heen en begon te rillen.

'Je bent ziek,' zei Andras met zijn hand op de schouder van zijn broer.

'Een koutje. Ik voelde het al de hele week aankomen. Ik moet gewoon slapen.'

Een seconde later sliep Tibor al. Andras trok de jas uit van de slapende Tibor, deed zijn kleren uit en legde een koud waslapje op zijn voorhoofd. Rond middernacht kwam de koorts opzetten en gooide Tibor de dekens van zich af; maar even later begon hij weer te rillen. Hij werd wakker en vroeg Andras om een doosje aspirine uit zijn koffer te halen. Andras gaf hem de pillen en dekte Tibor toe met alle dekens en jassen die hij kon vinden. Ten slotte draaide Tibor zich op zijn zij en viel in slaap. Andras rolde het matras uit dat hij van de conciërge had geleend en ging op de vloer naast het vuur liggen, maar hij merkte dat hij de slaap niet kon vatten. Hij ijsbeerde door de kamer, ging om het halfuur bij Tibor kijken totdat zijn voorhoofd koeler werd en zijn ademhaling rustiger. Andras ging in zijn kleren op het geleende matras liggen; hij wilde niet de dekens van zijn broer weghalen.

Tibor werd 's ochtends als eerste wakker. Tegen de tijd dat Andras zijn ogen opendeed, had zijn broer al thee gezet en een paar sneden brood geroosterd. Ergens gedurende de nacht moest hij een deken over Andras hebben heen gelegd. Nu zat hij in de badjas van Andras in de rode pluchen stoel, schoon en pas geschoren, en at toast met jam. Om de zoveel tijd snoot hij luidruchtig zijn neus in een zakdoek.

'Zo,' zei Andras vanaf zijn matras op de vloer. 'Je leeft nog.'

'Je kunt maar beter niet te dicht in mijn buurt komen. Ik heb nog koorts.'

'Te laat. Ik heb al de hele nacht voor je gezorgd.' Hij ging zitten en streek met zijn handen door zijn haar zodat het rechtovereind stond.

Tibor glimlachte. 'Dat pak staat je goed, broertje.'

'Dank je, broer. En hoe gaat het met de patiënt? Al wat beter?'

'Beter dan gister in de trein.' Hij tuurde in zijn theekopje. 'Signorina Di Sabato zal me vast een fijne reisgenoot gevonden hebben.'

'Bij jullie aankomst leek ze in een goede stemming.'

'Vlak na ons vertrek uit Florence kreeg ze het even moeilijk, maar over het algemeen heeft ze zich kranig gehouden.'

'Liefde maakt moedig,' zei Andras.

Tibor knikte en zette het kopje op het schoteltje. 'Zeg eens,' zei hij. 'Wat is die Ben Yakov eigenlijk voor figuur?'

'Je hebt hem ontmoet,' zei Andras schouderophalend. 'Het is best een prima kerel.'

'Is dat je hoogste lof?'

Dat bleek bij nader inzien niet zo. Andras herinnerde zich het gesprek dat ze na de aanval op Polaner rond diens bed hadden gevoerd. Bij die gelegenheid hadden ze beseft hoe slecht ze hun vriend eigenlijk kenden en hoe klein de kans was dat hij een van hen in vertrouwen zou nemen. 'Het is een trouwe vriend,' zei Andras. 'En een goed student. Vrouwen zijn dol op hem. Hij is niet altijd even eerlijk tegen ze, maar met Ilana is hij uiterst serieus.'

'Ze heeft me verteld hoe ze elkaar ontmoet hebben,' zei Tibor. 'Op de markt, waar ze met een vriendin was. Ze hadden net twee levende kippen gekocht, maar die waren uit hun kooi losgebroken en ontsnapt. De kippen waren een steegje in gevlucht en iemands achtertuin in gerend. Ben Yakov heeft ze toen gevangen. Hij heeft ze in hun kooi gestopt en die met ijzerdraad vastgemaakt. Daarna stond hij erop de kooi voor ze naar huis te dragen.'

'Weggelopen kippen,' zei Andras. 'Een romantisch begin.'

'En daarna kwam hij haar vaak stiekem opzoeken,' zei Tibor.

'Uiteraard. Hij heeft altijd een hang naar drama gehad.'

'Het probleem was dat haar ouders heel andere plannen met haar hadden. Maar het is ook wel wat respectloos van zijn kant, vind je niet? Hij had toch ook tegen haar vader kunnen zeggen dat hij verliefd was op zijn dochter en haar tot zijn vrouw wilde maken.'

Andras stootte een lachje uit. 'Dat is precies wat Klara zei, in bijna dezelfde bewoordingen.'

Tibor keek bedenkelijk en zette zijn kopje op tafel. Hij legde zijn verstrengelde vingers op zijn borst, keek naar de grijze lucht buiten en naar de plumeaus van rook die uit de schoorstenen omhoog kringelden. 'Het kind is negentien,' zei hij. 'Ik heb haar paspoort gezien. Ze was vorige week jarig. En weet je? Ze heeft een moedervlekje in haar hals in de vorm van een vliegende vogel.'

'Wat voor vogel?' vroeg Andras. 'Een kip?'

Tibor barstte in lachen uit, waarop hij meteen een hoestbui kreeg. Hij boog zich voorover in zijn stoel met zijn zakdoek voor zijn mond. Toen hij weer rechtop zat, moest hij eerst de tranen met zijn mouw wegvegen en de rest van zijn thee opdrinken voordat hij iets kon uitbrengen.

'Waarom praat ik ook eigenlijk met jou?' zei hij.

'Omdat je jaren geleden die gewoonte hebt aangenomen en nooit meer hebt afgeschud.'

'Nou ja, we hebben belangrijker zaken te bespreken. Jouw verloving met madame Morgenstern bijvoorbeeld.'

'O, ja. Wonder boven wonder heeft Klara Morgenstern zich bereid gevonden mijn echtgenote te worden.'

'Dan ben je de eerste van ons die gaat trouwen.'

'Tenzij de wereld nog voor de zomer vergaat.'

'Die kans zit er zeker in, gezien de huidige situatie,' zei Tibor.

'Maar zo niet, dan wordt ze madame Lévi.'

'En hoe zit het met die geheime gebeurtenis uit haar leven?'

Andras had die niet in een brief uit de doeken willen doen, maar gezegd dat hij het wel zou uitleggen als Tibor op bezoek was; hij had de waarschuwing van de oude mevrouw Hász in zijn oren geknoopt en wist dat het niet verstandig was om het verhaal per post te versturen. Hij ging bij Tibor aan het tafeltje zitten en deed hem Klara's verhaal van begin tot eind. Klara zelf had hem toestemming gegeven het te onthullen. Toen hij klaar was, keek een verbijsterde Tibor hem een tijdje sprakeloos aan.

'Wat een gruwelijk verhaal,' zei hij uiteindelijk. 'Alles. En nu is ze een balling.'

'En dat is ons probleem,' zei Andras. 'Klaarblijkelijk onoplosbaar.'

'Je hebt Anya en Apa hier niet over geschreven, hè? Je hebt ze niet eens verteld dat je verloofd bent, toch?'

'Dat durf ik niet. Ik heb nog steeds de hoop dat er snel een einde aan Klara's situatie komt.'

'Maar hoe dan, is er niet een verjaringswet?'

'Hoe, dat weet ik ook niet, eerlijk gezegd. Tot die tijd blijf ik samen met haar in ballingschap.'

'Ach, Andráska,' zei Tibor. 'Broertje van me.'

'Je hebt me nog gewaarschuwd,' zei Andras.

'En jij hebt die waarschuwing natuurlijk in de wind geslagen.' Hij boog zich voorover om in zijn vuist te hoesten. 'Ik moet niet zo lang rechtop zitten. Ik kan maar weer beter naar bed gaan. En ik ben wel de laatste die adviezen op liefdesgebied moet uitdelen. Het enige wat ik weet van het hart is dat het een orgaan is met vier kamers bedoeld om het bloed rond te pompen. Linkerventrikel, rechterventrikel, linkerboezem, rechterboezem, en al die kleppen, driedelig, de mitralisklep, de klep van de longen, van de aorta.' Hij kreeg weer een hoestbui. 'Ach, breng me alsjeblieft naar bed en laat me slapen. En als ik wakker word, wil ik geen slecht nieuws meer horen.'

De volgende dag was hij voldoende hersteld om naar buiten gaan, dus stelde Tibor voor om bij signorina Di Sabato langs te gaan – om te kijken of ze het naar haar zin had in haar onderkomen en om een boek terug te brengen dat hij in de trein van haar geleend had: een prachtige oude uitgave van La Divina Commedia, in een band van bewerkt leer. Op Andras' verbaasde uitroep dat hij niet had gedacht dat signorina Di Sabato Dante las, zei Tibor dat hij nog nooit zo'n belezen meisje had ontmoet. Sinds haar twaalfde leende ze al stiekem boeken uit de bibliotheek in de joodse wijk, dicht bij haar huis. Dit exemplaar van La Divina Commedia kwam uit die bibliotheek; Tibor liet Andras het stempel op de rug zien. Ze was niet van plan geweest het te stelen, maar toen ze haar koffers pakte besefte ze dat haar ouders haar bibliotheekgeheim zouden ontdekken als ze het boek achterliet. Dat had ze Tibor met een schamper lachje tijdens de treinreis verteld: dat ze van huis was weggelopen om in Parijs te gaan trouwen en zich dan druk maakte om de reactie van haar ouders als ze ontdekten dat hun dochter wereldse boeken uit de bibliotheek had geleend.

Bij Klara thuis zat signorina Di Sabato de ivoorwitte zijden jurk om te zomen waarin ze van plan was te trouwen. Klara zat naast haar op de sofa en was bezig een smal kanten schulprandje langs de sluier vast te zetten. Elisabet, die normaal gesproken geen belangstelling had voor wat anderen deden, zat verdiept in een taartenboek. Ze keek Tibor even nieuwsgierig aan en wuifde vanuit haar stoel naar hem. Maar toen Ilana di Sabato hem zag, sprong ze overeind waardoor de ivoorwitte jurk van haar schoot op de grond viel.

'Ha, Tibor!' riep ze uit, gevolgd door een paar woordjes in rap Italiaans. Ze gebaarde naar het bibliotheekboek en lachte dankbaar naar hem.

'Je hebt het boek meegenomen,' zei Klara. 'Ze had me al verteld dat jij het had geleend. Althans, dat meende ik begrepen te hebben. Ik spreek een klein mondje Italiaans en zij een klein mondje Frans, en daarmee redden we ons.'

'En wat vindt signorina Di Sabato van Parijs?' vroeg Andras.

'Ze vindt het hier erg mooi,' zei Klara. 'We zijn vanochtend in de Tuilerieën gaan wandelen.'

'Ik weet zeker dat ze het hier vreselijk vindt,' merkte Elisabet op, die niet opkeek van haar taartenboek. 'Te koud en te somber. Ze wil vast zo snel mogelijk terug naar Florence.'

Signorina Di Sabato keek Elisabet vragend aan. Tibor vertaalde en signorina Di Sabato schudde haar hoofd en gaf een driftig antwoord.

'Ze vindt het hier helemaal niet vreselijk,' zei Tibor.

'Dat komt nog wel,' zei Elisabet. 'December in Parijs is deprimerend.'

Klara legde de bruidssluier neer en verkondigde dat ze zin had in thee. 'Wil jij me helpen met de kopjes op het blad?' vroeg ze aan Andras. Hij liep achter haar aan naar de keuken, waar een hele verzameling kookboeken opengeslagen op tafel lag.

Andras streek over een bladzij met daarop een tekening van een complete vis bekleed met dunne plakjes citroen. 'En wanneer is de trouwerij?' vroeg hij.

'Aanstaande zondag,' zei Klara. 'Ben Yakov heeft het met de rebbe geregeld. Zijn ouders komen met de trein uit Rouen. Na afloop is er bij mij thuis een maaltijd.'

'Klárika,' zei Andras, die haar middel omvatte en haar naar zich toedraaide. 'Niemand verwacht dat je een bruidsmaaltijd klaarmaakt.'

Ze sloeg zijn armen om zijn nek. 'Er moet toch een soort feest voor ze komen.'

'Maar dit is te veel. Je moet ook nog aan je voorstelling denken.'

'Ik wil het graag,' zei ze. 'In ons eerdere gesprek heb ik iets te snel geoordeeld. Je vriend lijkt de liefde toch wel serieus op te vatten. En ik had verwacht dat signorina Di Sabato een ander soort meisje zou zijn.'

'Hoe anders?'

'Niet zo zelfverzekerd misschien. Niet zo volwassen. Misschien wel niet zo intelligent, wat vooral iets zegt over hoe bekrompen ik ben geworden. Ik beschouw mezelf als joodse, met mijn halfslachtige naleving van de regels, maar orthodoxe joden vind ik maar ouderwets en kortzichtig. Dat bewijst maar weer eens hoe kleingeestig je kunt zijn.'

'En Ben Yakov? Is hij hier geweest?'

'Hij heeft het grootste deel van de sabbat bij ons doorgebracht,' zei Klara. 'Hij is vreselijk aardig en beleefd, maar ook een beetje zenuwachtig. Vanochtend kwam de rebbe om haar te ontmoeten en ze hebben de huwelijksceremonie doorgesproken. Na afloop nam Ben Yakov me apart en drukte me op het hart het tegen hem te zeggen als ze ongelukkig leek.'

'En wat zei jij?'

Klara zette de kopjes en schoteltjes op een blauw dienblad. 'Ik zei dat het naar omstandigheden goed met haar leek te gaan. Ik weet dat ze haar ouders mist. Ze heeft me hun foto laten zien en toen moest ze huilen. Maar ik geloof niet dat ze spijt van haar daad heeft.' Ze deed een hoeveelheid theeblaadjes in een thee-ei en liet dat in de pot zakken. 'Natuurlijk, Elisabet is ook lastig geweest. Die is jaloers aangelegd. Ik ben doodsbang dat ze ervandoor gaat om met die Amerikaan te trouwen. Maar vanochtend zei ze dat ze de taart wil maken, dat is in ieder geval iets.' Ze schudde haar hoofd en keek hem met een spottend lachje aan. 'En je broer? Is die alweer beter? Toen jullie gisteren niet kwamen, begon ik me zorgen te maken.'

Andras reageerde niet meteen, maar ging met zijn hand over de rand van het dienblad. 'Hij is overwerkt. En hij is ziek geweest, maar niet ernstig. Hij slaapt bijna de hele tijd en als hij wakker is, jaagt hij al mijn zakdoeken er doorheen.' Hij keek op naar Klara. 'Hij maakt zich zorgen om ons. Gister heb ik hem alles verteld.'

Ze sloeg haar ogen neer. 'Vindt hij het erg dat we verloofd zijn?'

'O, nee. Wat jou is overkomen, vindt hij erg. En dat je niet terug kunt naar je familie.' Hij raakte het oortje aan van een van de tere kopjes en voor het eerst zag hij dat het patroon op haar servies bijna hetzelfde was als dat op haar moeders servies. 'Natuurlijk, hij zit in de rats over de reactie van onze ouders op het nieuws. Maar hij is niet tegen onze verloving. Hij weet wat ik voor jou voel.'

Ze sloeg haar armen om hem heen en zuchtte. 'Het was nooit mijn bedoeling je ongelukkig te maken.'

'Hou hier onmiddellijk mee op,' zei hij en hij kuste haar paarsblauwe oogleden.

Toen ze terugkwamen in de zitkamer was Elisabet bezig aan haar moeders bureautje een ingrediëntenlijst op te stellen voor de taart, terwijl Tibor op de sofa in rap Italiaans tegen signorina Di Sabato praatte. Hij boog zich naar haar toe en keek haar strak aan, maar zijn handen op zijn knieën trilden. Signorina Di Sabato schudde haar hoofd, schudde nog een keer nadrukkelijk haar hoofd zonder op te kijken van haar naaiwerk. Na een poosje stak ze de naald in de ivoorwitte zijde en keek Tibor aan met iets van ontzetting in haar ogen.

'*Mi dispiace*,' zei ze. '*Mi dispiace molto.*'

Tibor leunde achterover en wreef met beide handen over zijn gezicht. Hij wierp een blik op het dienblad, op de klok op de schoorsteenmantel en ten slotte op Andras. 'Hoe laat moeten we in het atelier zijn?' vroeg hij.

Andras werd niet op een bepaalde tijd verwacht en dat wist Tibor best; het was zondag en hij ging alleen naar school om nog wat te werken. Maar Tibor keek hem zo indringend aan dat Andras begreep dat hij maar beter met een concreet tijdstip kon komen. 'Over een halfuur,' zei hij. 'Polaner wacht op ons.'

'Een halfuur!' riep Klara uit. 'Dat had je eerder moeten zeggen. Nu hebben we geen tijd meer voor thee.'

'Ja, we moeten weg, helaas,' zei Tibor. Hij bedankte Klara voor haar gastvrijheid en sprak de hoop uit haar spoedig weer te zien. Toen ze in de gang hun jas aantrokken, vroeg Andras zich af of signorina Di Sabato hen zou laten vertrekken zonder afscheid te nemen. Maar net toen ze de trap af wilden lopen, verscheen ze in de gang met haar hand op haar borst, alsof ze haar hartslag tot bedaren probeerde te brengen. Ze zei enkele zinnen in het Italiaans tegen Tibor, zo gloedvol en intens, dat Andras dacht dat ze in tranen zou uitbarsten. Tibor mompelde iets terug en liep de trap af.

'Waar ging dat over?' vroeg Andras zodra ze buiten stonden. 'Wat zei ze?'

'Ze bedankte me voor het boek,' zei Tibor en de rest van de weg naar de École Spéciale deed hij er het zwijgen toe.

Ben Yakov trouwde met zijn Florentijnse bruid op de koudste dag van het jaar. Buiten voor de Synagogue de la Victoire hing een fijne ijskoude mist; signorina Di Sabato, in haar ivoorzijden jurk en ijswitte sluier, leek haast een voortzetting van de winterlucht. Maar binnen in de synagoge was het warm en benauwd; Andras voelde de warmte van de bruid toen ze onder de choepa stapte. Haar gezicht ging schuil achter de tule van de sluier, maar hij zag haar handen beven toen ze zeven keer om Ben Yakov liep. Andras wisselde even een blik met Rosen, die een van de baldakijnpalen vasthield, en met Polaner, die de derde vasthad; de vierde paaldrager was Tibor. Ben Yakov zag er prachtig uit in zijn bruidegomskleed; evenals het talliet was de kittel zuiver wit, ter herinnering aan de dood. Op zekere dag zou het kleed als zijn lijkwade dienen. Nadat de rabbijn de zegen over de wijn had uitgesproken, schoof Ben Yakov een ring om Ilana's vinger en verklaarde hij dat ze nu aan hem was verbonden volgens de wetten van Mozes en Israël. Het gebruik schreef voor dat ze stil was onder haar sluier en dat ze pas na de plechtigheid Ben Yakov zijn ring zou geven. De ooms en grootvaders van Ben Yakov werden onder de baldakijn ontboden om de Zeven Zegens op te zeggen. Andras merkte dat de spanning in het heiligdom steeg tijdens het reciteren; hij voelde het als de oplopende druk in een barometer; onder de plechtige Hebreeuwse woorden voelde hij het besef van de aanwezigen dat dit geen goedgekeurd huwelijk was, dat het een opstandige daad van de bruid was. En er broeide nog iets anders, een donkere onderhuidse spanning: voor hen stond een maagd die niet lang maagd meer zou zijn.

Toen de ooms en *grands-pères* allemaal aan de beurt waren geweest en de wijn nogmaals gezegend was, trapte Ben Yakov met zijn hak het glas kapot. De bruid tilde haar sluier op alsof ze van het lawaai was geschrokken, en het kleine gezelschap bruiloftsgasten zong *siman tov u'mazal tov*. Vervolgens toog iedereen naar de Rue de Sévigné voor het bruiloftsmaal.

In de eetkamer stond een geroosterde zalmfilet op tafel, een bruiloftschalle, dampende schotels met rode aardappelen en zoete gouden noedels; er waren dure witte asperges uit Marokko, een schaal sinaasappels uit Spanje en op een apart tafeltje de verbluffende taart die Elisabet had gemaakt: een schitterend gevaarte van drie etages versierd met dragees en zilveren suikerblaadjes. In de slaapkamer naast de eetkamer hadden madame en monsieur Ben Yakov zich teruggetrokken voor hun rituele halfuur van afzondering. Een violist en een klarinettist vermaakten een aantal gasten in de zitkamer terwijl anderen witte wijn stonden te drinken en de uitgestalde schotels bewonderden.

In de keuken had Tibor zich over een meisje ontfermd dat buiten over een stuk ijs was uitgegleden. Andras hielp hem de bloedende knie te verbinden en de schaafwonden op haar handen schoon te maken. Het was een nichtje van Ben Yakov, ze had donkere ogen en de jurk van blauwe tafzij gaf haar iets melancholieks; ze leek te genieten van de aandacht van deze twee chic geklede jongeheren, en toen ze klaar waren met het verband, stond ze erop dat ze bij haar bleven tot ze weer beter was. Ze deed een spel met Tibor waarbij zij een voorwerp in de keuken aanwees en het Franse woord zei, waarop Tibor vervolgens het overeenkomstige woord in het Hongaars noemde; elk Hongaars woord bleek ze dolkomisch te vinden. Andras was blij met de afleiding. Hij had het vermoeden dat er in de trein uit Florence iets ergs en onbespreekbaars tussen Tibor en signorina Di Sabato was voorgevallen. Andras en

Tibor hadden de afgelopen week allerlei plezierige dingen ondernomen, althans zo had het moeten zijn – ze waren naar de bioscoop geweest en naar een jazzconcert in Montmartre; ze hadden
een kroegavond gehouden met Rosen, Polaner en Ben Yakov, als
afsluiting van zijn vrijgezellentijd; ze waren met Ben Yakov naar de
kleermaker geweest om zijn trouwpak op te halen, en hadden geholpen om de voorraadkasten in het appartement van het bruids-
paar te vullen – maar Tibor was steeds erg afstandelijk en afwezig
geweest en als Ilana toevallig ter sprake kwam, klapte hij meestal
dicht. En vandaag was hij in een pesthumeur, vervloekte zijn gebroken schoenveter, schold op het koude water in de wastafel, was
ook bijna tegen Andras uitgevaren omdat Andras na de plechtigheid had gezegd dat hij een beetje door moest lopen naar Klara's
huis. Het verzorgen van het gewonde meisje had hem wat gekal-
meerd; hij leek weer de oude nu hij met haar het zelfbedachte
spelletje deed.

'*Passoire*,' zei het meisje, wijzend naar een vergiet.

'*Szürö edény*,' zei Tibor in het Hongaars.

'Haha! En wat is een *spatule?*'

'*Spachtli.*'

'*Spachtli!* En een *couteau?*' Het meisje pakte een gevaarlijk uit-
ziend vleesmes van de tafel en hield het op voor Tibor om uit te
spreken.

'*Kés*,' zei hij. 'Maar geef dat maar aan mij.' Hij pakte het mes af
en wilde het wegleggen, maar op dat moment verscheen de kersverse madame Ben Yakov in de deuropening; haar wangen waren
vuurrood en uit haar opgerolde vlechten was een wirwar van zwarte krulletjes ontsnapt. Het mes hing in Tibors opgeheven hand
vlak boven de ivoren knoopjes van haar jurk. Als ze de keuken binnen was komen rennen, had hij dwars door haar heen gestoken.

'Ai!' riep ze en ze deed een stapje naar achteren.

Hun blikken vonden elkaar en ze barstten in lachen uit.

'Niet de bruid vermoorden, broer,' zei Andras.

Tibor legde het mes langzaam op het aanrecht, alsof het niet
vertrouwd kon worden.

Het meisje, dat voelde dat er wat aan de hand was, keek met on-
beschroomde nieuwsgierigheid naar hen op. Toen niemand iets
zei, begon ze zelf maar een gesprek.

'Ik heb mijn knie bezeerd,' legde ze aan de bruid uit en ze liet
haar verband zien. 'Deze meneer heeft het verband erom gedaan.'

Madame Ben Yakov knikte begrijpend en bukte zich om het verband te bekijken. Het meisje draaide haar knie naar links en naar rechts. Toen de inspectie was uitgevoerd, stond ze op en streek haar fluwelen rokken glad. Met veel nadruk hinkte ze voorzichtig de keuken uit.

Madame Ben Yakov lachte even vluchtig tegen Tibor. 'Ché buon medico siete,' zei ze. Ze schoof langs hem en draaide de kraan boven de porseleinen wasbak open. Ze begon aan het rituele handenwassen. Tibor bestudeerde elk gebaar: het vullen van het kopje, het afdoen van haar nieuwe trouwring, het drie keer gieten van water over de rechterhand, drie keer over de linker.

Na de maaltijd werd er beneden in de balletstudio gedanst. Volgens het orthodoxe gebruik dansten de mannen aan de ene kant van de zaal en de vrouwen aan de andere, gescheiden door een harmonicawand. Af en toe zagen de mannen een zoom van een jurk voorbijschieten of de flits van een haarlint; af en toe glipte er een satijnen vrouwenschoentje onder de wand door, zodat de mannen even de suggestie van een blote vrouwenvoet te zien kregen. Achter het scherm lachten de vrouwen, trommelden met hun voeten de snelle ritmische coupletten op de dansvloer. Maar aan hun kant van het scherm wisten de mannen niet goed raad met hun houding. Niemand wilde dansen. Pas toen Rosen een zakfles whisky tevoorschijn haalde en het vuurwater twee keer de kring liet rondgaan, begonnen ze in de maat van de muziek mee te schuifelen. Ben Yakov en Rosen haakten hun armen ineen en duwden elkaar van rechts naar links. Ze pakten elkaars handen en begonnen rondjes te draaien totdat ze er duizelig van werden. Rosen pakte Andras' schouder beet, Andras die van Polaner en Polaner die van Ben Yakov, Ben Yakov die van zijn vader, en even later dansten ze in een slordige polonaise achter elkaar aan. Ben Yakov en zijn vader verbraken de cirkel en begonnen in het midden te dansen, met hun handen op elkaars schouders; ze schopten hun benen hoog in de lucht, totdat hun overhemdsslippen uit hun broek vlogen en hun gepommadeerde haar terugschoot in de krul. Alleen Tibor stond met zijn rug tegen de barre toe te kijken.

Eindelijk was het moment daar dat madame en monsieur Ben Yakov in stoelen werden getild en de zaal rondgedragen. De vrouwen kwamen vanachter het scherm tevoorschijn om te kijken; de aanblik van Klara met haar losgeraakte knot en ietwat bezwete jurk tegen haar borstbeen, werd Andras haast te veel. Even leek het niet eerlijk dat dit het huwelijk van een ander was en niet van hen. Zij onderschepte zijn blik en glimlachte. Ze leek te voelen wat hij dacht en haar blik straalde zo veel zekerheid en belofte uit dat hij Ben Yakov zijn geluk niet meer kon misgunnen.

Na het huwelijk zat Tibors bezoek er alweer bijna op. Nog maar drie dagen. Hij leek in een betere stemming; hij ging met Andras mee naar school en naar zijn werk. Overal waar hij kwam, oogstte hij bewondering. Monsieur Forestier gaf hem kaartjes voor de voorstellingen waarvoor hij het decor had ontworpen, onder andere madame Gérards *Antigone*, dat hij in alle opzichten een voortreffelijk stuk vond, op het optreden van de hoofdrolspeelster na. Georges Lemain van het architectenbureau was diep onder de indruk van Tibors talent om een willekeurige opera na slechts enkele geneuriede maten te herkennen; hij trakteerde ze op de matineevoorstelling van *La Traviata*, en daarna kregen ze een rondleiding door een *maison particulière* in aanbouw dat in het zeventiende arrondissement stond, een huis dat Lemain voor een Nobelprijswinnaar scheikunde en zijn gezin had ontworpen. Hij liet Tibor het op het noorden gelegen laboratorium zien, de bibliotheek met de ebbenhouten boekenkasten, de hoge slaapkamers met uitzicht op een fraai aangelegde binnenplaats. Tibor sprak in zijn plechtstatige Frans overal zijn bewondering voor uit en Lemain beloofde eenzelfde soort huis voor hem te ontwerpen als hij een beroemd arts was. Drie dagen lang zocht Andras naar een gelegenheid, onderweg van het ene huis naar het andere, van de ene verplichting naar de andere, om Tibor over signorina Di Sabato aan te spreken, maar het juiste moment deed zich maar niet voor. 's Avonds, wanneer ze tot laat hadden kunnen zitten drinken en praten, wendde Tibor steeds vermoeidheid voor. Andras lag wakker op het matras op de vloer en vroeg zich af hoe hij de tere celwand die hem van zijn broer leek te scheiden kon doorbreken; hij had het gevoel dat Tibor zich achter dat doorzichtige membraan verschool alsof hij bang was om zijn ware gezicht te laten zien.

Tibors trein vertrok op de avond van het Spectacle d'Hiver, de uitvoering van Klara's balletleerlingen. Andras zou Tibor eerst naar het station brengen en dan Klara bij het Théâtre Deux Anges ontmoeten. Het naderende afscheid had hen allebei stilletjes gemaakt. Tijdens de metrorit onder de stad door stelde Andras in gedachten een lijst op van alle dingen waaraan ze niet waren toegekomen. En aanstonds moesten ze afscheid nemen zonder te weten wanneer ze elkaar weer zouden zien. Hij sleepte Tibors bagage de metro uit en sjouwde die naar het treinstation. Toen de koffers waren afgegeven, gingen ze samen op een bankje met een hoge rugleuning zitten en dronken koffie uit een thermoskan. Aan de andere kant van het perron stond de locomotief die Tibors trein naar Italië zou trekken: een reusachtig insect van glimmend zwart staal, de drijfstangen gebogen als de poten van een sprinkhaan.

'Hoor eens, broertje,' zei Tibor, met zijn donkere ogen strak op de trein. 'Ik hoop dat je me mijn gedrag op de bruiloft kunt vergeven. Het was verschrikkelijk. Ik heb me schandelijk gedragen.'

Daar kwam de aap uit de mouw, een halfuur voor zijn vertrek. 'Wat was er zo verschrikkelijk aan?'

'Je weet best wat ik bedoel. Dwing me niet om het uit te spreken.'

'Ik zag je helemaal niets schandelijks doen.'

'Ik kon niet blij voor ze zijn,' zei hij. 'Ik kon niet van die prachtige taart eten. Ik kon het niet opbrengen te dansen.' Hij haalde diep adem. 'Ik heb iets verschrikkelijks gedaan, Andras. Niet op de bruiloft. Daarvoor.'

'Waar heb je het over?'

'In de trein heb ik iets onvergeeflijks gedaan.' Hij sloeg zijn armen over elkaar en keek naar de grond. 'Ik durf het je bijna niet te vertellen. Het was onfatsoenlijk. Erger nog. Het was een ploertenstreek.'

En toen bekende hij dat hij halsoverkop verliefd was geworden op signorina Di Sabato, vanaf het moment dat ze het perron in Florence op liep met haar parasolletje en haar lichtgroene hoedendoos. Ze had een jongetje bij zich – haar broertje, die was meegekomen om met de bagage te helpen. Hij had een air van gewichtigheid, zei Tibor – gewichtigheid en geheimzinnigheid. Totdat hij besefte dat het geen spelletje was en dat zijn grote zus daadwerkelijk op de trein naar Parijs zou stappen. Op dat moment schrompelde het gezicht van het jochie ineen. Hij zette de koffer neer, ging erop zitten en begon te huilen. Ilana di Sabato was bij hem gaan zitten en had uitgelegd dat het allemaal goed zou komen, dat hij haar kon komen opzoeken en dat zij haar knappe nieuwe echtgenoot naar Italië zou meenemen en dan kon de hele familie hem ontmoeten. Maar hij mocht het aan niemand vertellen, nog niet. Je had erbij moeten zijn, zei Tibor, hoe ze hem de situatie uitlegde.

'Ik hield mezelf voor dat het alleen maar logisch was dat ik een zekere genegenheid voor haar opvatte,' ging hij verder. 'Zij was aan mijn zorg toevertrouwd en ze was volkomen weerloos, voor het eerst van haar leven alleen de wijde wereld in. Alles was nieuw voor haar. Niet geheel nieuw, natuurlijk, want ze had er in boeken over gelezen – maar het werd opeens allemaal werkelijkheid voor haar, een wereld die in haar verbeelding bestond maar die ze nog nooit in het echt had gezien. En ik was er getuige van. Ik was degene bij wie ze steun zocht toen we de Italiaanse grens overgingen. Het was alsof ik bij een geboorte was. Met pijn en al. Ik zag hoe het besef tot haar doordrong dat ze haar ouders, haar familie had achtergelaten. Toen ze na de grens begon te huilen, sloeg ik een arm om haar heen. Dat gebeurde zonder dat ik er erg in had.' Hij zweeg even en deed zijn bril af, wreef met een duim en wijsvinger in zijn ogen. 'En toen ze naar me opkeek, Andras, tja, je raadt het al, toen kuste ik haar. Geen onschuldige kus, vrees ik. Geen vluchtig kusje. Ik heb dus een zonde begaan tegenover je vriend. En ook tegenover Ilana. En het is niet bij die ene keer gebleven.' Hij zweeg weer. 'Ik had het je eerder willen vertellen, omdat het vanaf het begin als een molensteen om mijn nek hing. Hier op dit station heb ik iets tegen haar gezegd, vlak voordat we uitstapten.'

'Wat dan?'

'Ik wees haar erop dat ze nog steeds kon kiezen,' zei Tibor. 'Ik zei dat ik haar met liefde terug zou brengen naar Italië mocht ze zich bedenken.' Hij schudde zijn hoofd en zette zijn bril weer op. 'En ik heb haar mijn liefde verklaard, Andras. Later. Op de ochtend dat we haar bij Klara gingen opzoeken. Toen we haar het bibliotheekboek gingen teruggeven.'

Andras herinnerde zich het gefluisterde gesprek, Tibors trillende handen, Ilana's ontzetting. 'Ach, Tibor,' zei hij. 'Dus dat was er aan de hand toen ik terugkwam uit de keuken.'

'Precies,' zei Tibor. 'Even dacht ik dat ik haar zag aarzelen. Ik hield mezelf voor de gek dat ze wellicht ook iets voor mij voelde.' Hij schudde zijn hoofd. 'Als ik nog een keer met haar had afgesproken, zou ik het geluk van je vriend hebben verwoest.'

'Maar dat is niet gebeurd,' zei Andras. 'Alles verliep volgens plan. En op de bruiloft leken ze allebei volmaakt gelukkig.' Dat geloofde hij ook, maar even later vroeg hij zich af of dat wel echt zo was. Was er die ochtend geen spanning voelbaar geweest tussen Ilana en Tibor? Hing er tussen die twee geen vreemde sfeer, toen in de keuken op de trouwdag? Dacht ze soms aan Tibor als ze bij Ben Yakov was?

'Ze zijn getrouwd,' zei Tibor. 'Het is voorbij. Mijn gevoelens voor haar zijn nu mijn gerechte straf.'

Andras begreep het. Hij sloeg zijn arm om Tibors schouders en keek naar de insectengedaante van de locomotief.

'In Modena ben ik vreselijk eenzaam geweest,' zei Tibor. 'Jij zult wel hetzelfde ervaren hebben in Parijs. Maar toen leerde je Klara kennen.'

'Ja,' zei hij. 'En ook dat was soms heel zwaar.'

'Ik zie wat jullie nu voor elkaar voelen,' zei Tibor. 'Afgelopen week ben ik heel vaak ziek van jaloezie geweest.' Hij drukte zijn handen tussen zijn knieën. Voor het raam van de locomotief vond een woordenwisseling plaats tussen de machinist en de dienstdoende conducteur, alsof ze ruzieden over de vraag of ze nu wel of niet naar Italië moesten gaan.

'Ga niet terug,' zei Andras. 'Je kunt bij me blijven wonen, als je wilt.'

Tibor schudde zijn hoofd. 'Ik moet naar college. Ik wil mijn studie afmaken. En bovendien weet ik niet of ik het aankan om zo dicht bij háár te zijn.'

Andras keek zijn broer aan. 'Ze is mooi,' zei hij. 'Absoluut.'

Hij zag een minieme verandering in Tibors gezicht, de lijnen om zijn mond verzachtten zich. 'Nou en of,' zei hij. 'Ik zie haar nog steeds in die jurk en die sluier. God, Andras, denk je dat ze gelukkig is?'

'Ik hoop het.'

Tibor gaf met de neus van zijn gepoetste schoen een schopje tegen zijn leren schoudertas. 'Het lijkt me beter als je Anya en Apa schrijft,' zei hij. 'Vertel ze wat er tussen Klara en jou is gebeurd. Stel ze op de hoogte van Klara's situatie. Ik zal ze ook schrijven. Ik zal zeggen dat ik haar heb leren kennen en dat ik het niet krankjorum van je vind dat je met haar wil trouwen.'

'Maar ik ben wél krankjorum.'

'Dat is elke verliefde man,' zei Tibor.

De conducteur blies op zijn fluitje dat iedereen moest instappen. Tibor sprong overeind en drukte Andras stevig tegen zich aan. 'Hou je taai, broertje,' zei hij.

'*Bon voyage,*' zei Andras. 'Geniet van de lente. Studeer hard. Genees de zieken.'

Tibor stak het perron over en stapte in, met zijn tas over zijn schouder. Een paar tellen later stootte de trein een enorm metalig gegrom uit; met veel gepiep en gekras stoomde de trein langzaam het station uit. De sprinkhanenpoten van de loc bogen en strekten zich. Andras hoopte dat Tibor een plaatsje aan het raam had gevonden, waar hij comfortabel uit het raampje kon kijken hoe de stad in het donker van het winterse landschap oploste. Hij hoopte dat Tibor kon slapen. Hij hoopte dat hij een voorspoedige reis zou hebben, en dat hij als hij eenmaal thuis was snel zou vergeten dat er een zekere Ilana di Sabato bestond.

Het Spectacle d'Hiver van dat jaar was een rustig, bescheiden evenement. Het Théâtre Deux Anges was klein, sjofel en slecht verwarmd, de stoeltjes van blauw velours waren verbleekt tot grijs; het schellinkje leek bevolkt door geesten. Meisjes in blauwe en witte satijnen kostuums renden achter elkaar aan over het podium, en uit de toneeltoren dwarrelde een koude wolk zilveren sneeuw naar beneden. Een groepje twaalfjarigen in ijsroze tule voerde Andras terug naar de vroege ochtend op nieuwjaarsdag. Hij dacht aan Klara in het Square Barye; haar roze voorhoofd onder de rode wollen hoed, de kristallen druppels in haar wenkbrauwen, de damp van haar adem in de koude lucht. Hij kon amper geloven dat zij na de voorstelling in de coulissen op hem zou wachten – dezelfde vrouw die hem bijna een jaar geleden in dat ijskoude park had gekust. Het leek haast een wonder dat een man die verliefd was op een vrouw zijn liefde ook beantwoord zag. Hij wreef zijn handen warm en wachtte tot de paarse lichten doofden.

23

Sportstadion
Saint-Germain

Elk voorjaar streden de studenten van de École Spéciale om de Prix de l'Amphithéâtre. De winnaar kreeg niet alleen een gouden medaille ter waarde van honderd franc, maar ook de bewondering van zijn medestudenten en een zeker prestige op zijn curriculum vitae. Het jaar daarvoor was de prijs naar de mooie Lucia gegaan voor haar ontwerp van een flatgebouw van gewapend beton. Het thema van dit jaar was een stadion voor olympische sporten: zwemmen, schoonspringen, turnen, gewichtheffen, hardlopen, schermen. Andras vond het een belachelijk idee om een stadion te ontwerpen terwijl Europa op een oorlog afstevende. Uit het verscheurde Spanje stroomden vluchtelingen Frankrijk in; de Marais was een moeras van asielzoekers geworden. Honderdduizenden waren bij de grens tegengehouden en naar interneringskampen gestuurd aan de voet van de Pyreneeën. Elke dag bracht slecht nieuws en het ergste leek uit Tsjecho-Slowakije te komen. Hitler had de Tsjechische minister van Buitenlandse Zaken opdracht gegeven het joodse probleem in hun land harder aan te pakken; een week later zette de Tsjechische regering alle joodse mannen en vrouwen uit hun hoogleraarschap, hun overheidsfunctie of betrekking in de gezondheidszorg. In Hongarije deed Horthy hetzelfde en eiste een nieuw kabinet dat een sterker bondgenootschap met de asmogendheden voorstond. Het zou niet lang meer duren, was de teneur van krantenrubrieken, of ook het Hongaarse parlement zou nieuwe anti-joodse wetten invoeren.

Hoe moest Andras, geconfronteerd met zulke berichten, een zwembad, een kleedkamer, een schermpiste ontwerpen? Op een avond zat hij nog laat in het tekenlokaal met een geopende brief voor zich op tafel. Zijn tekenspullen lagen nog in de kist. De brief was eerder op de dag gekomen van zijn broer Mátyás:

12 februari 1939
Boedapest

Andráska,
Anya en Apa hebben me zojuist het heuglijke nieuws verteld.
Mazzeltof! Ik wil de gelukkige dame zo spoedig mogelijk ontmoeten. Aangezien jij de komende tijd nog wel in Frankrijk zult zijn,
moet ik je daar maar komen opzoeken. Ik ben er al voor aan het
sparen. Je zult inmiddels wel van onze ouders gehoord hebben
dat ik van school ben. Ik woon nu in Boedapest waar ik werk als
etaleur. Het is een mooi beroep. Ik verdien twintig pengö per
week. Mijn beste klant is de fourniturenhandelaar in de Molnár
utca. Ik had gehoord van een vriend dat hun oude etaleur ermee
was opgehouden, dus de volgende dag ging ik langs om mijn
diensten aan te bieden. Ik mocht op proef de etalage inrichten. Ik
had een jachttafereel gemaakt: twee ruiterkostuums, een cape,
vier dassen, een jachtdeken, een pet, een hoorn. Ik was binnen
een uur klaar en een uur later hadden ze alles uit de etalage verkocht. Zelfs de hoorn.
Boedapest is geweldig. Ik heb veel nieuwe vrienden gemaakt en
één vriendinnetje. Verder heb ik een fantastische dansleraar, een
Amerikaanse neger die zichzelf Kid Sneeks noemt. Een maand
geleden zag ik hem optreden in de Gold Hat met zijn tapdans-
ploeg, de Five Hot Shots. Na het optreden bleef ik nog even hangen om de ster te ontmoeten. Met hulp van mijn vriendin, die een
paar woordjes Engels spreekt, vertelde ik hem dat ik ook danser
ben en ik vroeg of hij me les wilde geven. Hij zei: Laat maar eens
zien wat je in huis hebt. Ik deed heel erg mijn best. Hij gaf me ter
plekke de bijnaam Bliksem en we hebben afgesproken dat hij me
lesgeeft zolang hij in Boedapest is. Zijn show is zo populair dat
hij al meer dan een maand loopt.
Ik weet dat je het me kwalijk neemt dat ik van het gimnázium ben
afgegaan, maar geloof me ik ben nu veel gelukkiger. Ik had een
hekel aan school. De leraren gaven me steeds straf voor mijn
slechte gedrag. De andere jongens waren idioten. En Debrecen!
Wat een gat. Niet het platteland maar ook niet de stad, niet modern maar ook niet pittoresk, niet een thuis en ook geen plek
waar ik mijn thuis zou willen hebben. In Boedapest is een beter
joods gimnázium. Als het kan, laat ik mijn rapporten doorsturen
en ga daar mijn school afmaken. Daarna kom ik naar jou in Parijs

en ga het theater in. Als je lief voor me bent, zal ik je leren tapdansen.

Maak je geen zorgen om mij, broer. Het gaat goed. Ik ben blij dat
het met jou ook goed gaat. Niet trouwen voordat ik er ben! Ik wil
de bruid kussen op jullie trouwdag.

Liefs,

Je MÁTYÁS

Hij las de brief een paar maal over. *Ik ga mijn school afmaken. Kom
ik naar jou in Parijs. Ga het theater in.* Hoe kon Mátyás denken dat
al deze dingen konden doorgaan als in Europa oorlog uitbrak? Las
hij de kranten wel? Verwachtte hij soms dat de wereldproblemen
met tapdansen konden worden opgelost? Wat moest Andras nou
eigenlijk terugschrijven?

Hij hoorde naderende voetstappen op de gang; het was midden
in de nacht, hij had met niemand afgesproken. Zonder na te denken deed hij zijn potlodendoos open en greep naar zijn punten-
slijpmes. Maar toen herkende hij de voetstappen en daar stond
professor Vago in zijn avondkleding tegen de deurpost geleund.

'Het is drie uur in de nacht,' zei Vago. 'Je kunt je post toch ook
thuis lezen?'

Andras haalde glimlachend zijn schouders op. 'Hier is het warmer,' zei hij. Daarna keek hij met een opgetrokken wenkbrauw
naar Vago's pak: 'Mooie smoking.'

Vago trok aan de revers. 'Dit is het laatste pak dat ik bezit waarop geen inkt- of houtskoolvlekken zitten.'

'Dus u bent hier om wat inkt over uzelf heen te morsen.'

'Zoiets, ja.'

'Was u naar de opera?'

Hij plukte de roos uit zijn knoopsgat en draaide die bedachtzaam rond. 'Ik was uit dansen met madame Vago, als je het per se
wilt weten. Die houdt van zulk soort dingen. Maar halverwege de
nacht stort ze in, terwijl ik juist niet kan slapen na het dansen.'
Hij liep naar de tekentafel en boog zich over Andras' schetsen.
'Zijn die voor de wedstrijd?'

'Ja. Polaner is ermee begonnen. Ik moet ze afmaken.'

'Verstandig om hem als partner te nemen. Hij is een van de
besten.'

'Onverstandig van hém,' zei Andras. 'Hij heeft mij gevraagd.'

'Mag ik?' vroeg Vago. Hij pakte Andras' notitieblok en bladerde door de schetsen, hield even stil bij de tekeningen van het zwembad met het uitschuifbare dak. Hij sloeg het vel om naar de tekening van het binnenbad met het dak open, en toen weer terug naar de tekening van het bad met dicht dak.

'Het gaat allemaal hydraulisch,' zei Andras, wijzend naar de kast waarin het aandrijfmechanisme zou komen te staan. 'De panelen zijn gebogen en overlappen op het raakpunt, zodat het niet kan inregenen.' Hij zweeg even en beet op het uiteinde van zijn tekenpotlood, in gespannen afwachting van Vago's reactie. Het was een ontwerp dat zowel op Forestiers kameleontische decors was geïnspireerd als op de gestroomlijnde openbare gebouwen van Lemain.

'Het is een mooi ontwerp,' zei Vago. 'Je doet je begeleiders eer aan. Maar waarom hang je hier zo verloren rond in het holst van de nacht? Als je dan toch om drie uur 's nachts naar school komt, kun je net zo goed wat werk verzetten.'

'Ik kan me niet concentreren,' zei Andras. 'Alles stort ineen. Kijk.' Hij pakte een krant uit zijn schooltas en schoof die over de tafel naar Vago. Op de voorpagina stond een foto van joodse studenten bij de poort van een universiteit in Praag; ze waren per direct uitgeschreven als student en mochten niet meer naar binnen. Vago pakte de krant en bestudeerde de foto, waarna hij hem op de tekentafel liet vallen.

'Jij zit nog wél op school,' zei hij. 'En ga je je studie afmaken?'

'Dat was ik wel van plan,' zei Andras.

'Doe het dan.'

'Maar ik heb het gevoel dat ik meer moet doen dan alleen gebouwen tekenen. Ik wil naar Praag en meelopen in de protestmarsen.'

Vago trok een kruk bij en ging zitten. Hij deed zijn lange zijden sjaal af en legde die opgevouwen op zijn knieën. 'Moet je eens goed luisteren,' zei hij. 'Die schoften in Berlijn kunnen de pest krijgen. Ze kunnen niemand hier in Parijs van school trappen. Jij bent een kunstenaar en je moet oefenen.'

'Maar een sportcomplex,' zei hij. 'In deze tijd!'

'In deze tijd is alles politiek,' zei Vago. 'Onze Hongaarse landgenoten wilden niet dat joodse zwemmers in '36 meededen aan de Spelen, terwijl hun oefentijden beter waren dan die van de uiteindelijke medaillewinnaars. Maar jij, een joodse architectuurstudent, zit hier en je bent gevraagd een sportcomplex te ontwerpen voor een land waar joden nog steeds mee mogen doen aan de Olympische Spelen.'

'Nog wel, ja.'

'Hoezo?'

'Het is mij niet ontgaan dat Daladier von Ribbentrop naar Frankrijk heeft ontboden om een vriendschapsverdrag te tekenen. En wist je dat alleen de zogenaamde arische kabinetministers waren uitgenodigd voor het diner van Bonnet na afloop? Drie keer raden wie niet waren uitgenodigd. Jean Zay en Georges Mandel. Allebei joods.'

'Ik heb over dat diner gehoord en wie er wel en niet bij waren. Het ligt niet zo simpel als je denkt. Er waren ook een paar die de uitnodiging uit protest hadden afgeslagen.'

'Maar Zay en Mandel waren niet eens gevráágd. Dat bedoel ik nou.' Hij deed zijn kist open en pakte een potlood en het slijpmes. 'Met alle respect,' zei hij, 'maar voor u is het makkelijk om er in algemene termen over te praten. Het is niet uw volk dat voor de universiteitspoort staat.'

'Maar het zijn mensen,' zei Vago. 'Dat volstaat. Het is een smet op de mensheid; deze jodenhaat vermomd als nationalisme. Het is een ziekte. Sinds die smerige fascisten Polaner in elkaar hebben geslagen, kan ik aan niets anders meer denken.'

'En is dit uw conclusie?' vroeg Andras. 'Dat we ons erbij neer moeten leggen en gewoon doorgaan met ons werk?'

'Dat heeft Polaner gedaan,' zei Vago. 'En dat moet jij ook doen.'

18 maart 1939
Konyár

Lieve Andras,
Je kunt je wel indenken hoezeer je moeder en ik ons het lot van Tsjecho-Slowakije aantrekken. De bezetting van Sudetenland was al pijnlijk genoeg. Maar om te zien hoe Hitler Slowakije onder de voet loopt en dan ongehinderd optrekt naar Praag! De straten waar ik in mijn studententijd rondliep en waar het nu wemelt van de nazisoldaten! Misschien was ik te naïef om anders te verwachten. Toen Slowakije eenmaal verdwenen was, hield het land dat Groot-Brittannië en Frankrijk hadden beloofd te beschermen op te bestaan. Maar je hebt het idee dat deze reeks wan-

*daden niet eeuwig kan blijven doorgaan. Er moet een einde aan
komen, of een einde aan gemaakt worden.*

*De laatste tijd is er hier ter rechterzijde veel vreugde geweest dat
Roethenië weer terug is bij Hongarije. Wat van ons was gestolen
is weer in ons bezit, en dergelijke. Je weet dat ik veteraan van de
Eerste Wereldoorlog ben en dat ik een zeker gevoel van nationale
trots heb. Maar we weten inmiddels ook wat er schuilgaat achter
de roep om rechtvaardiging van al die chauvinisten.*

*Ondanks al het slechte nieuws zijn je moeder en ik het met pro-
fessor Vago eens. Je moet je niet door de huidige gebeurtenissen
van je studie laten afhouden. Als je wilt trouwen, moet je eerst
een vak onder de knie hebben. Tot nu toe doe je het goed en je
wordt vast een uitstekend architect. En misschien is Frankrijk
wel een veiliger land voor jou dan Hongarije. Ik zou trouwens heel
boos worden als je je mogelijkheden niet benut. Zo'n kans krijg je
maar eens in je leven.*

*Wat klink ik streng, hè? Je weet dat ik je alle goeds toewens.
Hierbij ingesloten een brief van je moeder.*

Apa

*Lieve Andráska,
Luister naar je Apa! En pak je goed in. Je hebt nogal eens last
van koortsigheid in maart. En stuur de foto van Klara op. Dat heb
je beloofd. En belofte maakt schuld.*

*Liefs,
Anya*

Elke brief bracht talloze nieuwtjes en lieve woorden, elke brief was
ook een herinnering aan het feit dat zijn ouders sterfelijk waren.
Dat zij opnieuw twee winters in Konyár hadden overleefd zonder
ziekte of letsel kon zijn bezorgdheid nauwelijks wegnemen; elke
winter bracht meer gevaren met zich mee. Toen ze in het voorjaar
overstelpt werden met een stroom van slecht nieuws, was hij in
gedachten voortdurend bij zijn ouders. Eind maart kwam er een
einde aan de bloedige burgeroorlog in Spanje; het Republikeinse
leger gaf zich over op de ochtend van de negenentwintigste en
Franco's troepen trokken de hoofdstad in. Het was het begin van
een dictatuur die door Hitler en Mussolini al was voorzien, wist hij
– de enige reden dat ze zo veel wapens en troepen in de hellebrand
van die oorlog hadden gestort. Hij vroeg zich af of deze twee over-

winningen – de opdeling van Tsjecho-Slowakije en de zege van Franco in Spanje – Hitler misschien de moed hadden gegeven om in april tegen de Amerikaanse president in te gaan. Het bericht stond breeduit in de kranten: op de vijftiende had Roosevelt een telegram aan Hitler gestuurd waarin hij van Duitsland de garantie eiste dat het de eerstkomende tien jaar geen aanval of invasie ondernam tegen een van de eenendertig opgesomde onafhankelijke naties – waaronder Polen, dat Hitler door middel van een snelweg en spoorwegnet tot corridor tussen Duitsland en Oost-Pruisen wilde maken. Na twee weken tijd rekken kwam Hitler met een antwoord. In een toespraak voor de Reichstag verklaarde hij het zeeverdrag tussen Duitsland en Engeland nietig, verscheurde het Duits-Poolse niet-aanvalspact en maakte gehakt van Roosevelts telegram. Ten slotte beschuldigde hij Roosevelt ervan zich met internationale zaken te bemoeien terwijl hij, Hitler, zich uitsluitend en alleen met zijn eigen kleine landje bezighield, dat hij in 1919 al eerder uit de puinhopen had gered en zijn trots had teruggegeven.

In de collegezalen van de École Spéciale werden verhitte discussies gevoerd. Rosen was niet de enige die zeker wist dat Europa in oorlog zou raken. Ben Yakov was niet de enige die betoogde dat een oorlog nog altijd afgewend kon worden. Andras had dezelfde mening als Rosen – hij zag geen uitweg uit het web waarin Europa was verstrikt. En terwijl Polaner en hij zich over hun ontwerp bogen, dwaalden zijn gedachten af naar zijn vaders verhalen over de Eerste Wereldoorlog – de stank en de bloederige gevechten, de nachtmerrie van vliegtuigen die kogelregens over de infanteristen uitstortten, de verwarring en de honger en de modder van de loopgraven, de verbazing er heelhuids aan te zijn ontsnapt. Als er oorlog kwam, zou hij gaan vechten. Niet voor zijn vaderland; Hongarije had de kant van bondgenoot Duitsland gekozen, dat niet alleen Roethenië aan Hongarije had teruggegeven maar ook de Boven-Provincie, die het bij het Verdrag van Trianon was verloren. Nee, als er oorlog kwam, zou Andras zich bij het Vreemdelingenlegioen aanmelden en voor Frankrijk vechten. In zijn verbeelding zag hij zichzelf in vol ornaat voor Klara verschijnen, een zwaard omgegord, de knopen van zijn jasje blinkend gepoetst. Zij zou hem smeken niet te gaan, en hij zou steeds opnieuw zeggen dat hij niet anders kon – dat hij de idealen van Frankrijk, van Parijs en van Klara die er woonde moest verdedigen.

Maar in mei vonden er twee gebeurtenissen plaats die zijn besef van het naderende conflict naar de achtergrond drongen. De eerste was een tragedie: Ben Yakovs bruid had na vijf maanden zwangerschap haar kindje verloren. Het was Klara die naar Ben Yakovs appartement was gegaan en zich over haar had ontfermd, Klara die de dokter erbij had geroepen toen ze Ilana bloedend en met hoge koorts aantrof. In het ziekenhuis wachtten Klara en Andras samen met Ben Yakov in een lange gang met linoleumtegels en prenten van Franse artsen aan de muur, terwijl een chirurg de baarmoeder van Ilana leegmaakte. Ben Yakov zat er, nog in zijn pyjamajasje, verdoofd van schrik bij. Andras wist dat hij dacht dat het zijn schuld was. Hij had het kind niet gewild. Dat had hij namelijk een week eerder bekend, 's avonds laat in het tekenlokaal waar ze aan een opdracht voor hun college statica werkten. 'Ik kan het niet aan,' had hij gezegd, terwijl hij zijn zeskantige potlood op de rand van de tafel had gelegd. 'Ik kan geen vader zijn. Ik kan geen kind onderhouden. Er is geen geld. En de wereld stort ineen. Stel dat ik voor mijn nummer moet opkomen?'

Andras dacht vooral aan de baarmoeder van Klara, die geheime ruimte binnen in haar die ze met veel moeite leeg probeerden te houden. Hij moest zichzelf dwingen om een meelevend antwoord te geven. Wat hij eigenlijk wilde vragen was waarom Ben Yakov met Ilana di Sabato was getrouwd als hij toch geen kind wilde. Maar het onderwerp bleef in de steriele lucht van de gang hangen: Ben Yakov had het kind weggewenst en nu was het ook weg.

Voor de ziekenhuisramen kleurde de oostelijke rand van de lucht al blauw van de aanbrekende morgen. Klara was kapot, wist Andras. Haar rug, die ze doorgaans kaarsrecht hield, was van uitputting aan het doorzakken. Hij zei dat ze naar huis moest gaan, met de belofte dat hij naar haar toe zou komen na het gesprek met de arts. Hij stond erop: ze moest de volgende ochtend om negen uur lesgeven. Ze protesteerde, wilde net zo lang blijven als nodig was, maar uiteindelijk wist hij haar over te halen naar huis te gaan om te slapen. Ze nam afscheid van Ben Yakov en hij bedankte haar voor haar kundige bijstand. Samen keken ze haar na terwijl haar schoenen hun kalme ritme op het linoleum tikten.

'Ze weet het,' zei Ben Yakov, toen Klara om de hoek was verdwenen.

'Weet wat?'

'Ze weet hoe ik over het kind dacht.'

'Hoe kom je daarbij?'

'Ze keek me amper aan.'

'Dat verbeeld je je,' zei Andras. 'Ik weet dat ze je hoog heeft zitten.'

'Dat is dom van haar.' Hij drukte met zijn vingers tegen zijn slapen.

'Het is niet jouw schuld,' zei Andras. 'Dat denkt niemand.'

'Maar als ik het nu denk?'

'Dan nog niet.'

'Stel dat zij het denkt? Ilana, bedoel ik?'

'Dan ook nog niet. En trouwens, volgens mij denkt ze dat niet.'

Nadat de arts klaar was, reden twee verpleeghulpen Ilana op een brancard naar een andere afdeling, waar ze haar in een ziekenhuisbed overhevelden. Andras en Ben Yakov stonden naast haar bed te kijken hoe ze sliep. Haar huid was krijtwit van het bloedverlies en haar zwarte haar was van haar voorhoofd weggestreken.

'Ik ben bang dat ik flauw ga vallen,' zei Ben Yakov.

'Ga even zitten,' zei Andras. 'Wil je wat water?'

'Ik wil niet gaan zitten. Ik heb al uren gezeten.'

'Ga dan even naar buiten. Een frisse neus halen.'

'Daar ben ik niet bepaald op gekleed.'

'Toe maar. Daar knap je van op.'

'Goed dan. Blijf jij bij haar?'

Hij beloofde geen vin te verroeren.

'Ik ben zo terug,' zei Ben Yakov. Hij stopte zijn pyjamajasje in zijn broek en liep langs de lange allee van bedden. Net toen hij de deur van de zaal uit was, begon Ilana te kermen van pijn en met haar heupen onder de lakens te draaien.

Andras keek rond of hij een verpleegster zag. Drie bedden verderop was een zilverharige vrouw met een gesteven kapje op bezig met een ander doodsbleek meisje. 'S'il vous plaît,' riep Andras.

De verpleegster kwam om Ilana te onderzoeken. Ze nam haar pols op en keek op de status aan haar bed. 'Momentje,' zei ze en ze rende de zaal door. Even later kwam ze terug met een spuit en een injectieflacon. Ilana deed haar ogen open en keek verdwaasd van pijn om zich heen. Ze leek iets te zoeken. Toen ze Andras zag, werd haar blik scherper en haar voorhoofd ontspande zich. Haar lippen kleurden lichtroze.

'Jij bent het,' zei ze in het Italiaans. 'Je bent helemaal uit Modena gekomen.'

'Ik ben Andras,' zei hij tegen haar. 'Je wordt weer helemaal beter.'

De verpleegster ontblootte Ilana's schouder en ontsmette die met alcohol. 'Ik geef haar morfine tegen de pijn,' zei ze. 'Dat werkt heel snel.'

Ilana's adem stokte toen de naald erin ging. 'Tibor,' zei ze en ze keek naar Andras. Toen trof de morfine doel en haar oogleden knipperden even en gingen dicht.

'Ga maar naar huis,' zei de verpleegster. 'Wij zullen goed voor uw vrouw zorgen. Ze moet nu rusten. U kunt haar vanmiddag bezoeken.'

'Het is mijn vrouw niet,' zei Andras. 'Het is een vriendin. Ik heb haar man beloofd om bij haar te blijven tot hij terug is.'

De verpleegster trok een wenkbrauw op, alsof er een luchtje aan Andras' verhaal zat, en ze ging terug naar haar patiënte verderop in de zaal.

Aan de andere kant van de ramen kleurde de lucht steeds verder blauw. Terwijl hij keek hoe Ilana's borst onder het laken op en neer ging, leek de rust op de zaal dieper te worden. Het verdovende middel had haar in een doorzichtige slaapcocon gehuld, als de prinses uit het sprookje 'Hófehérke' – in het Frans was dat waarschijnlijk Blanche-Neige – de verbannen prinses die in haar glazen kist op een heuvel ligt te slapen, terwijl de kleine mannetjes, de *törpék*, de wacht houden. Hij moest weer denken aan het gedicht van Marot dat hij uit Klara's boek had gesneden. *Als er vuur huist in sneeuw, hoe kan ik dan voorkomen dat ik me brand?* Hij was blij dat Ben Yakov er niet bij was geweest toen Ilana had gesproken, blij dat hij haar lippen niet had zien kleuren toen ze dacht dat Tibor aan haar bed stond.

Ben Yakov kwam veertig minuten later terug, met de lucht van pas gemaaid gras om zich heen; de rug van zijn pyjamajasje was vochtig van de dauw. Hij deed zijn pet af en streek zijn haar glad.

'Hoe gaat het met haar?'

'Goed,' zei Andras. 'De zuster heeft haar een dosis morfine gegeven.'

'Ga maar naar huis,' zei Ben Yakov. 'Ik blijf bij haar tot ze wakker wordt.'

'We moeten allebei weg. De zuster zegt dat ze moet rusten. We mogen vanmiddag terugkomen.'

Ben Yakov maakte geen bezwaar. Hij raakte even Ilana's bleke voorhoofd aan en liet zich door Andras de zaal uit loodsen. De hele weg naar het Quartier Latin legden ze zwijgend af, met hun handen in hun zakken. Het was wel een bijzonder wrede ochtend om een kind te verliezen, dacht Andras: uit de bloembakken op de vensterbakken en de nieuwe bloemperken in het park steeg een leemachtige damp op, de takken van de kastanjes zaten vol met natte verse blaadjes. Hij liep met Ben Yakov naar de voordeur van zijn flatgebouw en op de stoep keken ze elkaar even aan.

'Je bent een goede vriend,' zei Ben Yakov.

Andras haalde zijn schouders op en keek omlaag. 'Ik heb niets gedaan.'

'Jawel. En Klara ook, jullie allebei.'

'Jij zou hetzelfde voor ons hebben gedaan.'

'Ik ben een vriend van niets,' zei Ben Yakov. 'En een waardeloze echtgenoot.'

'Zeg dat niet.'

'Mensen als ik zouden niet mogen trouwen.' Zelfs na een nacht in het ziekenhuis en een uurtje slaap op de bank, zag hij er nog elegant uit, op zijn hoekige filmsterrenmanier. Maar zijn mond vertrok zich van walging om zijn eigen gedrag. 'Ik ben nalatig,' zei hij. 'En, om eerlijk te zijn, ook ontrouw.'

Andras gaf een schop tegen de laarzenschraper bij de ingang. Hij wilde er geen woord meer over horen. Hij wilde zich omdraaien en terug naar de Rue des Écoles lopen, in bed gaan liggen en slapen. Maar hij kon niet net doen alsof hij Ben Yakovs opmerking niet had gehoord.

'Ontrouw,' zei hij. 'Wanneer dan?'

'Constant. Wanneer ze me maar wil zien. Het is Lucia, uiteraard. Van school.'

Ben Yakov had zijn stem tot een fluistertoon laten zakken. 'Het lukt me niet ermee op te houden. Zo is ze zelfs vanochtend nog bij me in het park komen zitten, terwijl jij over mijn vrouw waakte. Ik ben verliefd, geloof ik, of iets vreselijks in die trant. Dat ben ik al sinds ik haar ken.'

Andras voelde namens de jonge vrouw in het ziekenhuisbed een golf van verontwaardiging in zich oprijzen. 'Als je verliefd op haar bent, waarom heb je Ilana dan hierheen gehaald?'

'Ik dacht dat zij mij kon genezen,' antwoordde Ben Yakov. 'Toen ik haar in Florence ontmoette, vergat ik door haar Lucia. Ze bracht me in verrukking. En tot mijn schande moet ik ook bekennen dat haar onschuld me opwond. Door haar begon ik te denken dat ik een beter mens kon worden, en een tijd lang was ik dat ook.' Hij sloeg zijn blik neer. 'Ik verheugde me op ons aanstaande huwelijk. Ik wist dat ik niet met Lucia kon trouwen. In de eerste plaats wil die helemaal niet trouwen. Zij wil architect worden en de wereld zien. En in de tweede plaats is ze... une négresse. Mijn ouders, snap je. Dat kan gewoon niet.'

Andras dacht aan hun studiegenoot die op de begraafplaats in elkaar was geslagen, de man uit Ivoorkust. Dat soort onverdraagzaamheid hoorde eigenlijk bij de andere kant. Maar zo was het niet, natuurlijk. Was hij zelf niet doodsbang geweest om Lucia aan te spreken vanwege haar ras en vond hij haar tegelijkertijd ook niet onverklaarbaar spannend? Stel dat hij zelf verliefd op haar was geworden? Had hij met haar kunnen trouwen? Had hij haar mee kunnen nemen naar zijn ouders? Hij pakte Ben Yakov bij zijn schouder. 'Ik leef met je mee,' zei hij. 'Echt.'

'Het is mijn eigen schuld,' zei Ben Yakov. 'Ik had nooit met Ilana moeten trouwen.'

'Je kunt maar beter wat gaan slapen,' zei Andras. 'Je moet vanmiddag weer bij haar op bezoek.'

In de ogen van Ben Yakov vlamde even een vonk van angst op. Andras herkende de blik; die had hij talloze malen bij zijn jongere broertje gezien vlak voordat Andras de kaars doofde. Het was de paniek van een kind dat bang is in zijn eentje in het donker. Talloze malen had Andras naast Mátyás op bed gelegen en naar zijn ademhaling geluisterd tot hij in slaap viel. Maar zij waren volwassen, Ben Yakov en hij; de troost die ze van elkaar konden vragen was beperkt. Ben Yakov bedankte hem nogmaals en stak de sleutel in het slot.

Het tweede voorval die maand – een gebeurtenis die belangrijk genoeg was om zijn aandacht van de steeds grimmiger krantenkoppen af te leiden – was het naderende einde van de architectuurwedstrijd. Na een week van slapeloze nachten waarin hij afwisselend misselijkheid, hallucinaties en de duizeligmakende spanning van laatste sublieme invallen had doorgemaakt, zaten Polaner en hij nu in het volle amfitheater te wachten tot ze aan de beurt waren om hun project te verdedigen. Professor Vago had Lemain gevraagd als voorzitter van de driekoppige jury. De andere twee, wier identiteit tot op de dag van de beoordeling geheim was gehouden, bleken niemand minder dan Le Corbusier en Georges-Henri Pingusson te zijn. Le Corbusier was gekleed alsof hij net van een bouwplaats kwam; zijn broek zat onder de witte kalkvegen en zijn bezwete werkhemd leek wel een stilzwijgend verwijt aan Lemain in zijn onberispelijke zwarte pak, en aan Pingusson in zijn parelgrijze krijtstreepjasje. Perret, voorzitter van de wedstrijd, had zijn snor met was tot krullende punten opgestreken en zijn imposantste militaire cape omgedaan. De juryleden gingen langzaam de zaal rond en bekeken de opgestelde maquettes en de bouwtekeningen die op kurkplaten in de buitenring van het amfitheater waren geprikt. De studenten liepen er in een eerbiedig groepje achteraan.

Het werd al spoedig duidelijk dat er een groot verschil van mening was tussen Le Corbusier en Pingusson. Alles wat de een zei, werd door de ander afgedaan als volslagen onzin. Op een gegeven moment prikte Le Corbusier zelfs met een potlood in Pingussons borst; Pingusson begon daarop recht in Le Corbusiers rood aangelopen gezicht te schreeuwen. Het twistpunt was twee Diana-achtige kariatiden, die de ingang van de damessporthal opluisterden. Ze waren ontworpen door twee vrouwen uit het vierde jaar. Le Corbusier vond de kariatiden neoclassicistische kitsch. Pingusson zei dat hij ze juist uitermate elegant vond.

'Elegant!' riep Le Corbusier uit. 'Misschien zou je dat ook van Speers misbaksel op de Wereldtentoonstelling zeggen! Daar was bepaald geen gebrek aan afgezaagde neoclassicistische rommel.'

'Neem me niet kwalijk,' zei Pingusson. 'Maar wil jij beweren dat we de Grieken en Romeinen maar moeten vergeten omdat de nazi's er toevallig mee aan de haal zijn gegaan? Ze verkracht hebben, mag ik wel zeggen?'

'Alles moet in zijn context worden bekeken,' meende Le Corbusier. 'In het huidige politieke klimaat is deze keuze onverdedigbaar, dunkt me. Hoewel we de jongedames misschien door moeten laten gaan, want, ach, het zijn *maar vrouwen*.' De laatste woorden zette hij kracht bij met een paar stompen tegen Pingussons borst.

'Flauwekul!' riep Pingusson. 'Hoe durf je mij van vooringenomenheid te beschuldigen? Als je deze keuze als kitsch afdoet, dan verwerp je toch ook categorisch de traditie van de vrouwelijke macht in de klassieke mythologie?'

'Een zinnige opmerking,' zei Lemain. 'En aangezien u beiden zo onbevooroordeeld bent, heren, kunnen we misschien beter de dames zelf hun keus laten verdedigen.'

De langste van de twee studentes – Marie-Laure heette ze – begon in trefzeker, afgemeten Frans uit te leggen dat het hier niet om gewone kariatiden ging: ze waren gemaakt naar het voorbeeld van Suzanne Lenglen, de Franse tenniskampioene die kort daarvoor was overleden. Ze ging verder met de verdediging van andere aspecten van het ontwerp, maar Andras verloor de draad van haar betoog. Polaner en hij waren hierna aan de beurt en Andras was te gespannen om zijn gedachten erbij te houden. Polaner stond naast hem en verfrommelde zijn zakdoek tot een compacte bal; aan de andere kant stond Rosen, die een uitdrukking van vaag geïnteresseerde onverschilligheid op zijn gezicht had. Maar hij hoefde zich ook geen zorgen te maken; hij deed niet mee aan de wedstrijd. Hij had het te druk gehad met bijeenkomsten van de Ligue Contre l'Antisémitisme, waarvan hij onlangs secretaris was geworden.

Onaangenaam snel, vond Andras, was de beoordeling van de damessporthal ten einde en gingen de juryleden naar het volgende project. De studenten dromden om de tafel heen waar de maquette van Andras en Polaner stond.

'Heren, presenteer uw ontwerp maar,' zei Perret met een wuivend gebaar.

Polaner nam als eerste het woord. Hij trok aan de zoom van zijn jasje en begon in zijn Frans met een Pools accent uit te leggen waarom een groot sportcomplex nodig was, een stadion dat symbool stond voor de pijlers van de Republiek. Het ontwerp was gericht op de toekomst; de basismaterialen van het gebouw zouden gewapend beton, glas en staal zijn en boven de deuren en ramen kwamen panelen van donker hout.

Hij zweeg even en keek naar Andras, die als volgende het woord moest nemen. Andras deed zijn mond open en ontdekte dat zijn Frans compleet verdwenen was. Er was alleen nog een verbijsterende leegte, een boek waaruit alle tekst was gewist.

'Wat is er, jongeman?' vroeg Le Corbusier. 'Heb je je tong verloren?'

Andras, die drie nachten niet had geslapen, begon van uitputting te hallucineren. De tijd vertraagde zich tot het peddelen van een zeeschildpad. Hij keek naar het oneindig langzame knipperen van Le Corbusiers ogen achter zijn met gips bespatte brillenglazen. Achter in het amfitheater stootte iemand een onmetelijk lange hoest uit.

Misschien had hij nooit meer zijn stem teruggekregen als Pierre Vago, de ceremoniemeester, hem niet vlug te hulp was geschoten. Vago was degene die Andras de taal had geleerd die hij nu moest spreken; hij kende de woorden die Andras op zijn gemak zou stellen. 'Waarom begin je niet met de *piste*,' zei hij. *Piste*: de renbaan, Frans voor *pálya*. Twee dagen daarvoor hadden ze het daarover in het atelier gehad: hoe je in het Frans *sintelbaan* zei, en dat het weer een ander woord was dan *weg, spoor, parcours* en *pad*. Andras kon wel wat over de piste zeggen; het was het opvallendste element van hun ontwerp, het resultaat van een middernachtelijke ingeving. '*La piste*,' begon hij, '*est construite d'acier galvanisé*, en wordt aan het dak van het gebouw opgehangen, als een halo, aan stalen kabels die aan versterkte dubbele т-balken zijn bevestigd. Hij wist de woorden weer; hij sprak ze uit terwijl Le Corbusier, Lemain en Pingusson luisterden en aantekeningen maakten op hun blocnotes. Dankzij het hangende model was een langere atletiekbaan mogelijk dan als de piste zich binnen in het gebouw bevond. Het sportcomplex zou boven de omringende gebouwen uit komen, zodat de atletiekbaan aan de hoogste verdiepingen bevestigd kon worden. Het dak was tevens het plafond van het binnenbad; Andras boog zich over de maquette en liet zien hoe het dak bij mooi weer ingeschoven kon worden. Beide ontwerpelementen, de hangende atletiekbaan en het uitschuifbare dak, waren een weerspiegeling van de principes van veelzijdigheid en vrijheid die het stadion voorstond.

Toen hij klaar was, viel er een stilte in de zaal. Hij wierp professor Vago een dankbare blik toe, maar die weigerde te erkennen dat hij Andras had geholpen. Toen begon de jury met het vragenvuur: Hoe kon worden voorkomen dat een atletiekbaan ging deinen onder de schokkracht van de hardlopers? Wat gebeurde er bij harde wind? Hoe snel kon het dak bij onweer worden uitgeschoven? Hoe dachten ze het probleem op te lossen van het herbergen van een hydraulisch systeem in de open ruimte van het zwembad?

Nu kwamen de woorden sneller. Dit waren problemen waarover Andras en Polaner 's nachts in het atelier al urenlang hadden zitten praten en overleggen. De steunkabels zouden in dunne stalen kokers worden gevat zodat ze stijf waren maar toch ook flexibel; een bepaalde mate van vering zou de tred van de atleten dempen.

De atletiekbaan zou met stutten tegen het gebouw worden verankerd zodat de baan niet ging schommelen. En het hydraulische systeem werd in een kastachtige behuizing ondergebracht. Nadat ze alle vragen hadden beantwoord, leken Pingusson, Lemain en Le Corbusier er uren over te doen voor ze alle materialen hadden geïnspecteerd en aantekeningen hadden gemaakt. Zelfs Perret wilde het graag van dichtbij bekijken en begon binnensmonds mompelend de dwarsdoorsnede van een buitenmuur te bestuderen.

'En wie bent u, monsieur Lévi?' vroeg Le Corbusier ten slotte en hij stopte zijn potlood achter zijn oor.

'Ik ben Hongaar, meneer, uit Konyár,' antwoordde Andras.

'Aha. U bent de jongeman die ze op de kunstexpositie hebben ontdekt. Ik begrijp dat ze u op grond van enkele linosnedes tot de school hebben toegelaten.'

'Dat klopt,' zei Andras en hij kuchte even opgelaten.

'En u, monsieur Polaner?' vroeg Pingusson. 'Uit Krakau? Ze hebben me verteld dat uw voorkeur uitgaat naar techniek.'

'Inderdaad, meneer,' zei Polaner.

'Nou, ik vind het een schitterend ontwerp maar onuitvoerbaar,' zei Le Corbusier. 'Ruimtelijke ordening zal gaan dwarsliggen. Je krijgt Parijzenaars nooit zo gek dat ze een baan aan een gebouw gaan hangen. Het lijkt een beetje op wat de vrouwen in de achttiende eeuw onder hun rokken droegen. Hoe heten die dingen ook alweer. Martingalen. Franjers.'

'Het lijkt eerder op een buitenissige hoed,' zei Pingusson. 'Maar het is een fantastisch gebruik van de openbare ruimte.'

'Maar wel vergezocht,' vond Lemain. 'Het gebouw is een degelijk ontwerp. En de houten ornamentatie is een mooi detail. Doet denken aan een houten gymzaalvloer.'

En daarna ging de jury verder met het volgende project. Het was voorbij. Andras en Polaner wisselden een blik van vermoeide voldoening. Hun ontwerp, hoewel niet volmaakt, had tenminste lof toegezwaaid gekregen. Terwijl de andere studenten langs hen dromden, kwam Rosen naar hen toe, sloeg ze op hun schouders en gaf ze een klapzoen.

'Gefeliciteerd, jongens,' zei hij. 'Jullie hebben de eerste bouwkundige franjer ontworpen. Als ik niet volkomen platzak was, zou ik jullie op een drankje trakteren.'

Toen Andras de volgende ochtend door de blauwe deuren de binnenplaats betrad – over dezelfde drempel die hij twee jaar daarvoor als nieuweling had genomen – werd hij met gejuich onthaald. De aanwezige studenten klapten en begonnen zijn naam te scanderen. Op een splinterige houten stoel in de hoek zat een beduusde Polaner: hij was omstuwd door studenten en om zijn hals hing een gouden medaille. Iemand had de driekleur over zijn schouders gedrapeerd. Een fotograaf stond gebukt achter een camera en schoot plaatjes. Toen Rosen opnieuw gejuich hoorde, stormde hij op Andras af en pakte hem bij zijn arm.

'Waar bleef je nou?' zei hij. 'Iedereen wacht op je! Je hebt gewonnen, sukkel. Jij en je lieftallige partner. Jullie hebben de Grand Prix gewonnen. Je medaille hangt ter bezichtiging in het amfitheater.'

Andras rende erheen en zag dat het waar was: hun sportstadion Saint-Germain was bekroond met een getuigschrift met een gouden zegel en daarnaast hing een medaille aan een driekleurig lint. De handtekeningen van de drie juryleden stonden erop, die van Le Corbusier, Lemain en Pingusson. Hij bleef er een tijdje ongelovig naar staan kijken; hij pakte de medaille en bekeek hem aan alle kanten. Hij was zwaar en glimmend gepoetst en op de voorkant stond een portret van Emile Trélat in bas-reliëf met daaronder: *Grand Prix de l'Amphithéâtre*. Op de achterzijde waren de namen van Andras en Polaner plus het jaar, 1939, gegraveerd. Hij deed de medaille om en die was zo zwaar dat het driekleurige lint strak tegen zijn nek werd getrokken. Hij moest Polaner spreken en daarna professor Vago.

'Lévi,' zei iemand en hij draaide zich om.

Het waren twee studenten die ook aan de wedstrijd hadden meegedaan, twee derdejaars. Andras had ze al eerder op de École Spéciale gezien maar hij kende ze niet; geen van beiden zat in zijn ateliergroepje of bij zijn derdejaarsbegeleiders. De langste met het inktzwarte haar was Frédéric zussemezo; de man met de brede borstkas en de hoornen bril was bekend onder de bijnaam Noirlac. De langste pakte Andras' medaille vast en gaf er een ruk aan.

'Geinig prulletje,' zei hij. 'Jammer dat je moest vals spelen om hem te krijgen.'

'Pardon?' zei Andras. Hij wist niet goed of hij het Frans van deze kerel goed had begrepen.

'Ik zei dat het jammer is dat je moest vals spelen om hem te krijgen.'

Andras keek met toegeknepen ogen naar Frédéric. 'Waar heb je het over?'

'Iedereen weet dat ze hem je uit medelijden hebben gegeven,' zei degene die Noirlac heette. 'Ze hadden te doen met dat vriendje van je, die in zijn kont is geneukt en in elkaar geslagen. Het was niet genoeg dat Lemarque zich erom heeft verhangen. Nee, het moest een publieke verklaring worden.'

'We weten allemaal dat je voor Lemain werkt,' zei de ander. 'En we weten ook alles van Pingusson en je studiebeurs. We weten dat het doorgestoken kaart was. Hou jezelf maar niet voor de gek. Met zo'n gedrocht had je nooit kunnen winnen, alleen als je iemands lievelingetje bent.'

Vanuit de binnenplaats steeg een gedempt gejuich op. Andras kon nog net Rosens stem onderscheiden die de lofrede uitsprak. 'Als je Polaner iets aandoet, maak ik je af,' zei hij. 'Jullie alle twee.'

De langste moest lachen. 'Kom je op voor je minnaar?'

'Wat is er aan de hand, heren?' Het was Vago die met een stapel bouwtekeningen onder zijn arm aan kwam lopen. 'Zeker de winnaar feliciteren?'

'Precies, meneer,' zei Frédéric en hij pakte Andras hand alsof hij die wilde schudden. Andras trok zich los.

Vago scheen iets te bespeuren op Andras' gezicht en in de spottende lach van de derdejaars. 'Ik wil monsieur Lévi even spreken,' zei hij.

'Natuurlijk, professor,' zei Noirlac en maakte een kort buiginkje voor Vago. Hij nam zijn vriend bij de arm en beende het amfitheater door. Bij de deuren van de binnenplaats draaide hij zich nog even om en salueerde naar Andras.

'Klootzakken,' zei Andras.

Vago zette zijn handen op zijn heupen en zuchtte. 'Ik ken die twee,' zei hij. 'Ik zou ze graag met mijn blote handen wurgen, maar ja, dan word ik ontslagen.'

'Zeg eens, is het waar? Hebt u ons de prijs gegeven om iets duidelijk te maken?'

'Iets duidelijk?'

'Over Polaner.'

'Natuurlijk,' zei Vago. 'Om duidelijk te maken dat hij een uitstekend architect en tekenaar is. Net als jij. Jullie inzending had ui-

teraard allerlei gebreken, maar het was verreweg het meest inno-
vatieve en best uitgevoerde project van de wedstrijd. Het was een
unanieme beslissing. Alle juryleden waren het eens en dat komt
zelden voor. Maar Pingusson was jullie grootste voorstander. Hij
zei dat we jou koste wat kost bij ons moesten houden. Hij heeft
zelfs toegezegd om jouw toelage te verhogen. Hij wil graag dat je
meer tijd in het tekenatelier krijgt.'

'Maar dit ontwerp,' zei Andras terwijl hij de hangende atletiekbaan een tikje met zijn vinger gaf. 'Dat is toch belachelijk? Le
Corbusier had gelijk toen hij zei dat zoiets nooit gebouwd zal
worden.'

'Misschien niet in Parijs,' zei Vago. 'Misschien de komende tien
jaar nog niet. Maar Le Corbusier heeft aantekeningen en schetsen
gemaakt voor een project in India en hij wil graag wat van zijn
ideeën met Polaner en jou bespreken.'

Andras keek hem ongelovig met zijn ogen knipperend aan. 'Hij
wil ideeën met ons bespreken?'

'Ja, waarom niet? De beste ideeën komen vaak uit het leslokaal.
Jullie hebben namelijk niet jarenlang hoeven onderhandelen met
welstandscommissies, ruimtelijke ordening en buurtcomités. De
kans is veel groter dat jullie met iets onwaarschijnlijks op de proppen komen en dat is eigenlijk de enige manier waarop een echt interessant bouwwerk tot stand komt.'

Andras draaide de medaille om. De beledigingen van de derde-
jaarsstudenten weerklonken nog in zijn hoofd, zijn slapen klopten
nog van de adrenaline.

'Jaloerse mensen zullen je altijd proberen naar beneden te
halen,' zei Vago. 'Zo is de mens.'

'Een fraaie soort zijn we,' zei Andras.

'Zeg dat wel! Er is geen redden aan. Uiteindelijk zullen we onszelf vernietigen. In de tussentijd moeten we natuurlijk wel onderdak hebben, dus blijft de architect doorwerken.'

Op dat moment verscheen Rosen bij de ingang van het amfitheater. 'Waar blijf je?' riep hij. 'De fotograaf wacht.'

Vago legde een hand op Andras' schouder en bracht hem naar
de binnenplaats waar zich op het gras een groep had verzameld.
De jury was er ook om samen met de winnaars op de foto te gaan,
Polaner stond tussen Le Corbusier en Pingusson in, met een dood-
ernstige uitdrukking op zijn bleke jongensachtige gezicht, en naast
hen stond Lemain, trots en gewichtig. De fotograaf zette Andras

naast Le Corbusier, en Vago aan zijn andere kant. Andras schikte de medaille om zijn hals en rechtte zijn schouders. Toen hij in de lens van de camera keek, nog natrillend van woede, zag hij dat Noirlac en Frédéric met over elkaar geslagen armen toekeken, en dat bracht hem een van de kernwaarheden van zijn leven in herinnering: aan elk moment van geluk kleefde iets van bitterheid of verdriet, als de gesprenkelde druppels uit het Pesachglas die de tien plagen verbeeldden of het vleugje alsem in absint dat door geen vrachtlading suiker gemaskeerd kon worden. En dat was de reden dat hij dit groepsportret, ook al had hij verder geen foto's van hemzelf op de École Spéciale, niet aan de muur kon hangen. Telkens als hij ernaar keek, zag hij alleen maar zijn eigen woede en de oorzaak ervan die hem vanuit de menigte aanstaarde.

Die zomer draaide bijna elk gesprek om het lot van de Vrije Stad Danzig. In de kranten stond dat Duitsland wapens en legertroepen de grens over smokkelde; officieren van het Reich schenen de lokale nazi's te trainen in gevechtsmanoeuvres. Terwijl Groot-Brittannië en Frankrijk maar niet tot een akkoord over militaire bijstand met Rusland konden komen, ging via de radio het gerucht dat de banden tussen Berlijn en Moskou werden aangehaald. Begin juli beloofde Chamberlain dat Groot-Brittannië Polen te hulp zou komen als Danzig werd bedreigd, en op *quatorze juillet* wemelde het op de Champs-Élysées van de Franse en Britse tanks, pantservoertuigen en geschut. Twee dagen later wapperde opeens op geheimzinnige wijze de Poolse vlag aan de Reichsgebouwen in Breslau. Hoe die opstandige daad verricht had kunnen worden, was een raadsel; het gebouw werd dag en nacht streng bewaakt. Polaner, die de hele zomer al veronruste brieven van zijn ouders had gekregen, snakte gewoonweg naar goed nieuws. Toen hij dit bericht hoorde, hoe onbeduidend ook, stelde hij voor om er in De Blauwe Duif het glas op te heffen, op zijn kosten. Het was een warme julidag, de straten lagen nog vol van het afval van quatorze juillet, de stoepen waren bezaaid met vettige zakjes, lege bierflesjes en kleine Engelse en Britse vlaggetjes. Toen ze bij De Blauwe Duif kwamen zat Ben Yakov al aan een tafeltje, met een fles whisky voor zich. Over zijn gezicht was een uitdrukking van een door drank ingegeven berusting neergedaald.

'Goedemiddag, lieve schatten,' zei hij. 'Ik trakteer jullie op een glas.'

'Vandaag betaal ik,' zei Polaner. 'Heb je het gehoord van de Poolse vlag?'

'Ik hoorde dat men van plan is om die te vervangen,' zei Ben Yakov. 'Ik hoor dat men iets van zwart en wit op een rode ondergrond heeft bedacht. Persoonlijk lijkt me het niks.' Hij dronk zijn glas leeg en schonk het nog eens vol. 'Jullie mogen me feliciteren, jongens. Ik ga naar de rebbe toe.'

Ze hadden Ben Yakov nog nooit in het openbaar dronken gezien. Zijn mooie mond zag er vlekkerig uit bij de hoeken, alsof iemand zijn mond had willen uitvegen.

'Ga je naar de rebbe?' vroeg Rosen. 'Waarom moeten we je daarmee feliciteren?'

'Omdat ik dan weer vrij man ben. Ik ga een echtscheiding aanvragen.'

'Wat?'

'Een ouderwetse joodse echtscheiding. En ik ben ertoe gerechtigd, weet je, want ik heb een doktersverklaring dat Ilana onvruchtbaar is. Dat betekent dat we ervoor in aanmerking komen. De eervolle manier, hè? Ze kan geen kinderen krijgen, dus ik mag haar verstoten.' Hij boog zich over zijn glas en wreef in zijn ogen. 'Neem er eentje!'

Dit was geen nieuws voor Andras. De afgelopen maand was Ilana bij Klara ingetrokken en sliep naast Klara in bed. Klara had aangeboden om voor haar te zorgen tot ze hersteld was; Ilana was direct uit het ziekenhuis naar de Rue de Sévigné gegaan en was sindsdien niet meer thuis geweest. Ze was doodongelukkig, had ze tegen Klara gezegd; ze was tot de ontdekking gekomen dat Ben Yakov niet van haar hield, tenminste niet zoals eerst. Ze begreep dat hij zich gekooid voelde door het huwelijk. Ze had al lang het vermoeden dat hij een ander had. Als Ben Yakov haar bij Klara opzocht, zaten ze in de voorkamer en zeiden amper een woord tegen elkaar; wat viel er nog te zeggen? Ze had vaak ontroostbaar verdriet om de baby en tot zijn verbazing bleek Ben Yakov haar verdriet te delen. Volgens Klara had hij vooral verdriet om het verlies van een bepaald idee. En dan had je nog de niet te beantwoorden vraag wat er met Ilana moest gebeuren. Aan de andere kant van haar herstel was een blanco pagina. Niets bond haar nog aan Parijs, maar ze wist niet hoe ze door haar ouders ontvangen zou worden als ze terugging. Op haar brieven aan hen had ze nooit antwoord gekregen.

Andras had in zijn brieven aan Tibor niet gerept over Ilana's situatie. Hij wilde zijn broer niet ongerust maken, maar hem ook geen valse hoop geven. Een week eerder hadden Ben Yakov en Ilana bij Klara een bespreking gehad over hoe ze hun huwelijk konden ontbinden. Ilana had tegen Ben Yakov gezegd dat ze misschien wel mochten scheiden als de dokter officieel verklaarde dat ze geen kinderen meer kon krijgen. Het was onduidelijk of dat ook echt zo was, maar de dokter kon misschien wel tot zo'n verklaring worden overgehaald. Ben Yakov stemde in met deze aanpak. Toen ze het besluit eenmaal hadden genomen, leken ze allebei enigszins opgelucht. Ilana's gezondheid ging vooruit en Ben Yakov sloot zich op in het atelier om het achterstallige werk van dat voorjaar in te halen. Maar nu was het eerste gesprek met de rabbijn daar en Ben Yakov zat in zak en as. De mogelijkheid van een scheiding zou spoedig realiteit zijn; bewijs van wat voor puinhoop hij van Ilana's leven had gemaakt, en van dat van hemzelf.

Terwijl ze met z'n vieren zaten te drinken, stortte Ben Yakov zijn hele hart uit. Niet alleen was zijn huwelijk met Ilana op de klippen gelopen, ook de mooie Lucia, die het wachten beu was, had hem verlaten. Ze bracht de zomer in New York door, onder bescherming van een meester-architect, en het gerucht ging dat de architect verliefd op haar was geworden en dat ze misschien de École Spéciale ging verruilen voor een vormgevingsacademie op Rhode Island. Het gerucht had hem via een reeks van gemeenschappelijke vrienden bereikt. Lucia zelf had sinds haar vertrek uit Parijs Ben Yakov niet meer geschreven.

Tegen het einde van de avond, nadat ze De Blauwe Duif uit waren gestommeld, bood Andras aan om Ben Yakov naar huis te brengen. Rosen en Polaner sloegen Ben Yakov op zijn rug en spraken de hoop uit dat hij zich morgen beter voelde.

'O, maar ik voel me geweldig,' had Ben Yakov gezegd en het volgende ogenblik stond hij gebukt naast een lantaarnpaal en liet een straal kots in de goot kletteren.

Andras gaf hem een zakdoek en hielp hem zichzelf schoon te maken; daarna sloeg hij een arm om Ben Yakov en begeleidde hem naar huis. Bij de deur moest hij naar de sleutel zoeken en het had niet veel gescheeld of Ben Yakov was in huilen uitgebarsten. Toen hij eindelijk de sleutel in zijn borstzakje had gevonden, hielp Andras hem de trap op. Het interieur zag er precies zo uit als Andras zich had voorgesteld: alsof degene die het leefbaar moest maken weken geleden was vertrokken. De gootsteen was verstopt met vuile borden, de geraniums in de vensterbank waren dood, overal lagen boeken en kranten, en het onopgemaakte bed was bedekt met croissantkruimels en hopen neergesmeten kleren. Andras duwde Ben Yakov in de stoel naar het bed terwijl hij het beddengoed afhaalde en schone lakens erop deed. Hij dwong Ben Yakov om zijn besmeurde overhemd uit te trekken. Tot meer was hij niet in staat; van de rest van het huis raakte hij gedeprimeerd en ontmoedigd. Het ergste was nog het tafeltje met de lege theekopjes en de broodkorst: Andras herkende het tafelkleedje met de vergeet-mij-nietjes, Klara's huwelijksgeschenk aan de bruid.

Ben Yakov kroop in bed en deed het licht uit, en Andras moest op de tast de weg naar de deur vinden. Het antieke slot bracht hem in verwarring. Hij bukte zich en morrelde aan de verroeste klink.

'Lévi,' zei Ben Yakov. 'Ben je daar nog?'

'Ja,' antwoordde Andras.

'Hoor eens,' zei hij. 'Je moet je broer schrijven.'

Andras liet zijn hand op de deurknop rusten.

'Ik ben niet achterlijk,' zei Ben Yakov. 'Ik weet wat er tussen die twee is voorgevallen. Ik weet wat er in de trein is gebeurd.'

'Hoe bedoel je?' vroeg Andras.

'Toe, probeer me niet te... te beschermen, of waar je ook mee bezig bent. Dat is beledigend.'

'Hoe weet jij wat er in de trein is gebeurd?'

'Dat weet ik gewoon. Ik voelde dat er iets mis was toen ze hier kwamen. En ze heeft het bekend, op een avond toen ik allerlei gemene dingen tegen haar heb gezegd. Maar het lag er al dik bovenop. Ze deed haar best... om het tegen te gaan, bedoel ik. Het is een net meisje. Maar ze werd verliefd op hem. Dat kan gebeuren. Ik ben niet zo'n man als hij, Andras, dat weet je toch wel?' Hij zweeg en zei: 'O, jezus...' en hij trok de po onder het bed vandaan en gaf over. Hij stommelde naar de badkamer op de gang en kwam terug, zijn gezicht afvegend met een handdoek. 'Schrijf hem,' zei hij. 'Zeg dat hij naar haar toe moet komen. Maar dan moet je niet aan mij vertellen wat er verder gebeurt, goed? Ik wil het niet weten. En ik kan je een poosje niet zien. Het spijt me ontzettend. Ik weet dat het niet jouw schuld is.' Hij stapte in bed en ging met zijn gezicht naar de muur liggen. 'Ga nu maar naar huis, Lévi.' Zijn stem werd gedempt door het kussen. 'Aardig dat je je om me bekommert. Ik had hetzelfde gedaan voor jou.'

'Dat weet ik,' zei Andras. Hij probeerde nogmaals het weer-spannige slot; nu ging de deur wel open. Hij liep naar zijn huis in de Rue des Écoles, pakte een notitieblok en begon een brief aan zijn broer op te stellen.

24

Het ss Île de France

Dat Elisabet ervandoor ging om in het geheim te trouwen klopte niet helemaal; zo geheim was het niet, want Klara wist al maanden dat ze zou weggaan. Bijna elke zondagmiddag kwam Paul Camden bij Klara op de lunch, om haar vertrouwen en sympathie te winnen. In zijn bedachtzame, onmelodieuze Frans vertelde hij Klara over zijn ouderlijk huis in Connecticut, waar zijn moeder dressuurpaarden fokte en trainde, en over zijn vader die adjunct-directeur van een elektriciteitscentrale in New York was; over zijn zusters, die allebei studeerden op Radcliffe en die vast dol zouden zijn op Elisabet. Maar dat nam niet het probleem weg wat père en mère Camden ervan zouden zeggen als hun zoon met een arm joods meisje van onduidelijke afkomst kwam aanzetten. De beste oplossing was, meende Paul, om vóór hun vertrek naar New York te trouwen. Het was eenvoudiger om als man en vrouw te reizen en als ze eenmaal in Amerika waren, zou het voldongen feit van hun huwelijk zijn ouders alles duidelijk maken, ongeacht hun bezwaren. Paul dacht dat ze Elisabet in de armen zouden sluiten als ze haar eenmaal hadden ontmoet, maar Klara drong erop aan om toch vooral te wachten met trouwen totdat ze in Amerika waren, totdat Paul zijn ouders op de hoogte had gebracht en zij de kans kregen langzaam aan het idee te wennen. Als hij buiten hun medeweten met Elisabet trouwde, zouden ze hun zoon ongetwijfeld onterven, dat wist Klara zeker. Om op die mogelijkheid te zijn voorbereid, was Paul alvast begonnen met sparen en zette elke maand de helft opzij van de enorme toelage die hij van zijn vader kreeg. Hij was naar een kleiner appartement verhuisd en at meestal in de mensa in plaats van zijn maaltijden door een restaurant te laten bezorgen; hij kocht geen nieuwe kleren meer en had tweedehands studieboeken aangeschaft. Deze bezuinigingsmaatregelen waren hem door Andras bijgebracht, die vond dat Paul maar bar weinig afwist van de basisprincipes van spaarzaamheid. Zo wist hij niet eens dat je brood van gisteren kon kopen, dat je je eigen schoenen kon poetsen of je eigen overhemden wassen; hij was stomverbaasd dat je ook je hoed kon laten opknappen in plaats van een nieuwe te kopen.

'Maar dan ziet iedereen toch dat het je oude hoed is,' wierp hij tegen en daarna zei hij de laatste woorden nog een keer in het Engels. 'Old hat. In Amerika heeft dat een ongunstige betekenis. Je gebruikt het voor iets voorspelbaars, afgezaagds of démodé.'

'Het enige wat je hoeft te doen is de hoedenband vernieuwen,' zei Andras. 'Niemand die ziet dat het je olt gèt is. Mensen letten er heus niet zo erg op wat je nu precies aanhebt.'

Paul lachte. 'Je zult wel gelijk hebben, kerel,' zei hij en hij vroeg aan Andras waar je hoeden kon laten opknappen.

Als Paul op zondag kwam lunchen, merkte Andras dat Klara vaak stilletjes zat toe te kijken. Hij wist dat ze de aanstaande van haar dochter observeerde, hem taxeerde, in zich opnam hoe hij zich tegenover Elisabet gedroeg, hoe hij op Andras' vragen naar zijn werk reageerde, hoe hij mevrouw Apfel bejegende als zij de *káposzta* opdiende. Maar ze hield ook Elisabet in de gaten. Haar waakzaamheid had iets dringends, alsof ze alle nuances van Elisabets wezen in zich wilde opslaan. Ze leek zich scherp bewust van het feit dat dit haar laatste dagen samen met haar dochter waren. Klara kon haar op geen enkele manier tegenhouden; Elisabet was de laatste jaren natuurlijk steeds meer op eigen benen gaan staan, maar nu zou ze voorgoed uitvliegen, over de oceaan, en zich op jonge leeftijd in een huwelijk storten met een niet-joodse man wiens ouders haar misschien niet zouden accepteren. Tot overmaat van ramp zat ook nog de pas gescheiden Ilana di Sabato bij hen aan tafel: het bewijs van hoe een huwelijk tussen twee jonge mensen in korte tijd spaak kon lopen. Ilana maakte een verloren, wanhopige indruk; ze raakte haar eten amper aan; toen ze met Ben Yakov trouwde, had ze haar prachtige donkere vlecht op kinhoogte afgeknipt en nu zat haar haar troosteloos tegen haar hoofd geplakt, als zo'n strak kapje dat tien jaar daarvoor in de mode was. *Old hat*, dacht Andras. Het was pijnlijk om haar zo te zien. Hij had nog geen antwoord op zijn brief en hij wilde pas iets tegen haar zeggen als hij bericht van Tibor had gekregen.

Elisabet zou begin augustus scheep gaan en er moest nog van alles voor de reis worden geregeld. Haar kleren waren te meisjesachtig; ze moest een garderobe van een getrouwde vrouw hebben.

Paul wilde per se een bijdrage leveren en gaf haar allerlei overdreven luxeartikelen cadeau die hij zelf als eerste levensbehoeften zag: een linnen tennisensemble met een paar canvas schoenen met rubberen zolen; een parelcollier met een platina slotje; een set koffers van beige leer, met daarop haar initialen in goudopdruk. Elke aankoop was een aanslag op het spaargeld dat hij met zijn door Andras voorgestelde bezuinigingen opzij had weten te leggen. Uiteindelijk maakte Klara hem op tactische wijze duidelijk dat Paul beter aan haar kon vragen waaraan het geld besteed moest worden. Elisabet had bijvoorbeeld batisten onderjurken, nachtponnen en wandelschoenen nodig. Ook moest een vulling in haar kies worden vervangen. Ze wilde haar lange haar in een kort kapsel laten knippen. Al deze zaken kostten geld en tijd. Als Andras 's avonds vertrok, haalde Klara altijd haar naaimandje tevoorschijn; hij had een beeld van haar als een soort plaatsvervangende Penelope, die elke avond het werk uithaalde dat ze overdag had gedaan zodat Elisabet nooit zou kunnen trouwen. Ze had hem bekend dat ze het doodeng vond dat Elisabet de oceaan ging oversteken terwijl Europa op de rand van oorlog verkeerde. Het kwam nogal eens voor dat burgerschepen werden getorpedeerd. Kon Elisabet niet nog een paar maanden wachten, totdat de toestand in Polen geluwd was en de problemen van het Engels-Franse verdrag met Rusland inzake de wederzijdse bijstand waren opgelost? Moesten Paul en Elisabet echt al in augustus vertrekken, de maand waarin de meeste oorlogen uitbraken? Maar Elisabet voerde aan dat als ze langer wachtten Frankrijk misschien in oorlog was en dat ze dan helemaal niet meer weg konden. Het onderwerp had aanleiding gegeven tot kibbelpartijen, die op Klara en Elisabet een zware emotionele wissel trokken. Andras had het idee dat dit hun laatste grote kans was om elkaar op de gebruikelijke manier hun liefde te betuigen, namelijk door ruzie te maken waarin geen van beiden een duimbreed toegaf, een conflict waarin het niet om de kwestie zelf ging maar om de ingewikkelde moeder-dochterband.

Op de zeldzame avonden dat Klara hem in zijn zolderkamertje opzocht, bedreef ze zo vurig de liefde dat het haast leek of hij er zelf niet bij was. Hij had nooit gedacht dat hij zich zo eenzaam in haar armen kon voelen; hij wilde dat ze haar afwezige blik op hem richtte. Toen hij haar een keer had tegengehouden en gezegd: 'Kijk me aan', had ze zich van hem weggedraaid en was in huilen uitgebarsten. Daarna had ze haar excuses aangeboden en hij had haar tegen zich aan gedrukt, heimelijk wensend dat het allemaal maar snel voorbij was. De positieve kant van Elisabets vertrek was dat de belofte die ze elkaar vorige herfst hadden gedaan in vervulling zou gaan: ook zij gingen trouwen en bij elkaar wonen, eindelijk. Door het verdriet om het verlies van haar kind was Klara helemaal niet meer bezig met wat er ná Elisabets vertrek zou gebeuren.

21 juli 1939
Modena

Lieve Andras,
Wat vreselijk naar om te horen dat het huwelijk tussen Ilana en Ben Yakov zo triest is geëindigd. Ik betreur de rol die ik wellicht in het mislukken van hun huwelijk heb gespeeld. Als spijt die fout kon goedmaken, had ik dat allang gedaan.
Toen ik jouw brief kreeg, dacht ik eerst dat ik onmogelijk naar Parijs kon komen. Hoe moest ik Ilana nog onder ogen komen, vroeg ik mezelf af, na het onrecht dat ik haar had aangedaan? Maar de liefde volgt haar eigen loop; ze zegt ons dat het goed is simpelweg omdat het liefde is. Maar wij zijn mensen en moeten zelf bepalen wat goed is. Mijn gevoelens voor Ilana waren zo sterk dat ik ze niet meer in de hand had. Ik verdien eigenlijk niet eens een kans om mezelf als vriend te bewijzen, laat staan me als haar geliefde op te werpen.
Toch merk ik, Andráska – en wellicht vind je dit onbetamelijk van me – dat mijn gevoelens voor haar onveranderd zijn. Mijn hart ging als een bezetene tekeer toen ik las dat ze naar me had gevraagd! Het ontroerde me diep toen ik hoorde dat ze met genegenheid over me had gesproken! Je kent me te goed om deze dingen terloops te vermelden; je moet geweten hebben wat ze voor me betekenen.
En daarom kom ik uiteindelijk wel. Ik schaam me, maar ik kom. Al was het alleen maar om mijn standvastigheid aan jou te tonen, en aan Ilana, hopelijk. Tegen de tijd dat jij deze brief krijgt, ben ik al in Parijs. Ik neem een kamer in Hôtel St. Jacques, waar je me vrijdag kunt vinden.

Je je liefhebbende,
Tibor

Pas op zaterdagochtend kreeg Andras de brief van zijn broer. Hij had de hele avond op het architectenbureau doorgebracht om Lemain te helpen een stel tekeningen voor een opdrachtgever in orde te maken. De brief lag op het haltafeltje samen met een handgeschreven briefje van Tibor: *Andras, kwam je vanochtend opzoeken. Tot negen uur gewacht. Hou het niet langer uit! Moet naar haar toe. Kom naar Klara. T.*

Hij klopte bij de conciërge aan. Een lange stilte; daarna een onverstaanbare Franse vloek en naderende voetstappen. De conciërge verscheen, ze had een groezelig schort voor, handschoenen aan met roetvlekken en op haar voorhoofd zat een vettige veeg.

'Tsk!' riep ze uit. 'Op een ongelegen tijdstip komt vanochtend een bezoeker met veel misbaar aanzetten. Wat een verrassing: hij is familie van u.'

'Wanneer is mijn broer weggegaan?'

'Nog geen drie minuten geleden. Ik was bezig het fornuis schoon te maken, zoals u ziet.'

'Drie minuten geleden!'

'Je hoeft niet zo te schreeuwen, jongeman.'

'Neem me niet kwalijk,' zei Andras. Hij propte het briefje in zijn zak en stormde de straat op. De deur knalde achter hem dicht; huizen verderop hoorde hij nog het gedempte gevloek van de conciërge. In draf zette hij koers naar de Marais. Het was een onbewolkte, warme ochtend; op straat waren al heel veel met camera's behangen toeristen, gezinnen die een zondagse wandeling maakten, verliefde stelletjes die gearmd liepen. Bij de Pont Louis-Philippe zag Andras een flits van een bekende hoed in de menigte. Hij riep zijn broers naam en de man draaide zich om.

Midden op de brug ontmoetten ze elkaar. Tibor leek magerder geworden sinds de vorige keer; zijn jukbeenderen waren hoekiger en scherper en de kringen onder zijn ogen donkerder. Toen ze elkaar omhelsden, leek het of hij van een ander materiaal dan vlees was gemaakt.

'Gaat het goed?' vroeg Andras, die hem onderzoekend aankeek.

'Sinds ik je brief heb gekregen, heb ik niet meer geslapen,' zei Tibor.

'Wanneer ben je aangekomen?'

'Gisteravond. Ik ben naar je huis gegaan, maar je was er niet.'

'Ik heb de hele nacht doorgewerkt. Ik vond nu net je briefje.'

'Dus je hebt haar nog niet gesproken? Weet ze dat ik in Parijs ben?'

'Nee. Ze weet niet eens dat ik je heb geschreven.'

'Hoe gaat het met haar, Andras?'

'Hetzelfde. Heel erg verdrietig. Maar dat zal binnenkort wel ver-anderen, denk ik.'

Tibor lachte even verdwaasd naar zijn broer. 'Als je er zo zeker van bent dat ze blij zal zijn me te zien, waarom ben je me dan hele-maal achterna gekomen?'

'Omdat ik jou graag eerst even wilde zien!' zei Andras lachend.

'En?' Tibor strekte zijn armen uit.

'Even lelijk als altijd. En ik?'

'Veters los. Inktvlekken op je overhemd. En je hebt je niet ge-schoren.'

'Prima. Laten we gaan.' Hij pakte Tibors arm en draaide hem de kant op van de Rue de Sévigné. Maar Tibor maakte geen aanstal-ten. Hij legde een hand op de brugleuning en keek omlaag naar de Seine.

'Ik weet niet of ik dit wel aankan,' zei hij. 'Ik ben doodsbang.'

'Dat spreekt vanzelf,' zei Andras. 'Maar je bent hier en nu moet je ook doorzetten.' Hij knikte in de richting van de Marais. 'Kom mee.'

Ze liepen naast elkaar, allebei licht in het hoofd van slaapge-brek. Onderweg kocht Tibor een bos pioenrozen bij een bloemen-stal. Tegen de tijd dat ze bij Klara's straat waren, was Andras aan-gestoken door de bange voorgevoelens van zijn broer; hij had misschien toch moeten laten weten dat ze kwamen. Hij keek door de ramen naar het serene licht van de balletstudio, de eerste les was nog niet begonnen, en hij wilde maar dat ze de zondagse rust bij de Morgensterns niet hoefden te verstoren.

Maar alles was er al in rep en roer. Andras kon de voordeur zo openduwen; van boven klonken geluiden alsof er een ramp was gebeurd – Klara's stem overslaand van paniek, een schreeuwende mevrouw Apfel. Even dacht Andras dat ze te laat waren: in haar wanhoop had Ilana di Sabato zich van het leven beroofd en Klara had net haar lichaam gevonden. Hij pakte de leuning vast en rende de trap op, Tibor erachteraan.

Maar Ilana was nergens te bekennen. Het was mevrouw Apfel die boven aan de trap verscheen. 'Ze is weg!' riep ze. 'Dat kleine kreng is ervandoor!'

'Wat?' zei Andras. 'Wat is er gebeurd?'

'Ze is naar Amerika met die monsieur Camden van haar. Alleen

een briefje voor haar moeder achtergelaten. Ik zou het kind wel kunnen wurgen! Ik kan haar de nek wel omdraaien.'

Uit de gang kwam een hevig gekletter van iets omvangrijks en hards. Andras liep naar Klara's kamer en zag dat ze een koffer van de bovenste plank van haar kleerkast trok. Ze gooide hem op het bed, zwaaide hem open en haalde haar autojas uit het bruine papier.

'Wat doe je nu?' vroeg Andras.

Ze keek hem aan, haar mooie gezicht leek opengekrabd door verdriet. 'Haar achterna,' zei ze en ze drukte hem een papiertje in handen. In haar ronde kinderlijke handschrift had Elisabet uitgelegd dat ze weg moest, dat ze niet langer kon wachten, dat ze bang was dat Frankrijk door de situatie in Polen in de oorlog zou worden meegesleurd nog voordat ze waren afgevaren. Ze waren die ochtend met de trein uit Parijs vertrokken en de volgende dag zouden ze op het ss Île de France scheep gaan naar New York. De kapitein zou hen aan boord in de echt verbinden. Ze bood haar excuses aan – en toen werden de letters vlekkerig – en het volgende dat hij weer kon lezen was *is beter voor iedereen als ik*, en dan weer een onleesbare zin. *Ik schrijf als ik ben aangekomen*, zo eindigde de brief. *Bedankt voor de uitzet en dergelijke. Liefs, E.*

'Wanneer heb je dit gekregen?'

'Vanochtend. Al haar spullen zijn weg.'

'En ga je haar proberen in te halen?'

'Ik kan haar tot aan Le Havre achterna. Als we met de auto gaan kunnen we er vanmiddag zijn.'

Andras zuchtte. De band tussen Klara en Elisabet was bijna niet te verbreken; hij snapte wel waarom Elisabet een ruime voorsprong had willen nemen, maar de gedachte dat Elisabet haar spullen als een dief in de nacht had weggehaald, al die zorgvuldig ingepakte kisten met kleren en linnengoed die Klara voor haar had samengesteld, maakte hem razend. 'Heb je een auto gehuurd?' vroeg hij.

'Ik heb mevrouw Apfel laten telefoneren. Hij kan er elk moment zijn.'

'Klara...'

'Ja, zeg maar niks.' Ze ging op het bed zitten met de autojas op haar schoot. 'Ze is een grote meid. Ze gaat me sowieso verlaten. Ik moet haar laten gaan en me niet meer met haar leven bemoeien.'

'Ga je haar proberen tegen te houden? Denk je dat je haar kunt overhalen niet te vertrekken?'

'Nee,' zei ze met een zucht. 'Maar aangezien ze vastbesloten is weg te gaan, wil ik haar graag uitzwaaien. Ik wil afscheid nemen van mijn dochter.'

Dat begreep hij natuurlijk best. Elisabets onafhankelijkheidsstrijd was voorbij; nu wilde Klara persoonlijk vrede met haar sluiten in plaats van ieder aan een kant van de Atlantische Oceaan. Dat er nog iets van verzet in haar capitulatie was, vond hij ook begrijpelijk. Ze voerde deze strijd al jaren en het was haast een gewoonte geworden.

'Ik ga met je mee,' zei hij. 'Of niet, als je dat liever hebt.'

'Ik wil dat je meegaat. Graag.'

'Maar Klara, ik moet je nog iets vertellen,' zei hij. 'Tibor is hier.'

'Tibor? Is je broer hier?'

'Ja. Nu, op dit moment, in jouw huis.'

'Je had helemaal niet gezegd dat hij had teruggeschreven.'

'Ik kreeg zijn brief ook pas vanochtend.'

'Ilana,' zei ze en samen liepen de gang door om het nieuws te vertellen.

Ilana en Tibor hadden elkaar echter al gevonden. Ze zaten samen op de bank in de voorkamer. Ilana had een uitdrukking van ongelovige vreugde op haar gezicht en Tibor leek opgelucht en uitgeput. Ze vonden het bepaald niet erg dat Andras en Klara naar Le Havre gingen en dat ze de hele dag in elkaars gezelschap moesten doorbrengen.

'Maar laat even wat horen als jullie in Le Havre zijn,' zei Tibor. 'Laat weten of jullie haar hebben gevonden.'

Buiten op straat werd twee keer hard geclaxonneerd; het verhuurbedrijf had de auto afgeleverd en het was tijd om te gaan. Mevrouw Apfel gaf een picknickmand mee voor onderweg en even later waren ze vertrokken, zigzaggend door de straten van Parijs, Andras met kromme tenen in de passagiersstoel en Klara vastberaden en grimmig achter het stuur. Toen ze eenmaal op de openbare weg waren, kon Klara zich wat meer ontspannen. De ochtendzon stroomde over de zonnebloemvelden in de verte. Vanwege de wind en het lawaai van de motor zeiden ze niets, maar toen ze op een lang recht stuk weg kwamen, pakte ze zijn hand.

De plannen van Paul en Elisabet waren niet geheim; ze verbleven in hetzelfde hotel dat ze een maand eerder hadden uitgezocht toen ze besloten uit Le Havre te vertrekken. Andras en Klara liepen de hoge witte lobby binnen en informeerden bij de receptie naar hen. Ze werden verzocht even te wachten en daarna verscheen een piccolo die ze moesten volgen. Het paar zat op een terras met uitzicht op de haven, waar het ss Île de France in zijn strenge zeewaardige uniform lag, met de vuurrode schoorstenen, afgezet met een zwarte band. Klara rende het terras over, Elisabets naam roepend, en Elisabet kwam met een verbaasde en opgeluchte uitdrukking op haar gezicht uit haar stoel. Andras had haar nog nooit zo blij meegemaakt haar moeder te zien. En toen deed ze iets ongewoons: ze sloeg haar armen om Klara's hals en barstte in tranen uit.

'Vergeef me!' jammerde Elisabet. 'Ik had niet zomaar weg moeten gaan. Ik wist niet wat ik anders moest doen!' En ze huilde op haar moeders schouder.

Paul stond het tafereel met zichtbare gêne te bekijken; hij knikte Andras schaapachtig toe en bestelde maar een drankje voor iedereen.

'Wat haalde je je nou in je hoofd?' vroeg Klara toen ze allemaal zaten. Ze streek over Elisabets gezicht. 'Gunde je me niet eens een behoorlijk afscheid? Dacht je soms dat ik je voor altijd in je kamer zou opsluiten?'

'Ik weet het niet,' zei Elisabet nog nasnikkend. 'Het spijt me.' Opgelaten draaide ze aan de korte plukjes van haar haar; zonder haar lange gele vlecht zag haar hoofd er merkwaardig klein en verloren uit. Door haar bobkapsel kwam het accent op haar bleke naakte mond te liggen. 'Ik was ook erg bang. Ik wist niet of ik een afscheid wel aankon.'

'En jij dan,' zei Klara, die zich tot Paul richtte. 'Heb jij ook zo afscheid genomen van je moeder toen je naar Frankrijk vertrok?'

'O, nee, madame.'

'O, nee, zeg dat! Voortaan bejegen je me met hetzelfde respect als je je eigen moeder betoont, begrepen?'

'Het spijt me, madame.' Hij zag er werkelijk schuldbewust uit. Andras vroeg zich af of zijn eigen moeder ooit op zo'n toon tegen hem had gesproken. Hij probeerde zich een beeld van Pauls moeder voor de geest te halen, maar het enige wat hij kon bedenken was een in paardrijbroek gestoken versie van barones Kaczynska, een zestiende-eeuwse aristocrate wier ingewikkelde levensloop en stamboom hij op school in Debrecen had moeten bestuderen.

'Wil je echt door een scheepskapitein getrouwd worden?' vroeg Klara aan haar dochter. 'Is dat wat je het liefste wilt?'

'Dat besluit hebben we nu eenmaal genomen,' antwoordde Elisabet. 'En het is ook wel spannend.'

'Dus ik kan nu niet bij je huwelijk zijn.'

'Je ziet me wel na de bruiloft. Als we op bezoek komen.'

'En wanneer denk je dat dat zal zijn?' vroeg Klara. 'Wanneer denk je genoeg geld te hebben gespaard om passage te boeken? Vooral als de ouders van je man jullie verbintenis niet accepteren?'

'We dachten misschien dat u wel in de Verenigde Staten wilde komen wonen,' zei Paul. 'Zodat u dicht bij de kinderen kunt zijn, wanneer we die hebben.'

'En hoe zit het dan met mijn eigen kinderen?' zei Klara. 'Misschien kan ik dan niet een-twee-drie de oceaan oversteken.'

'Welke kinderen?'

Ze keek naar Andras en pakte zijn hand. 'Onze kinderen.'

'Maman!' riep Elisabet. 'Je bent toch niet serieus van plan om kinderen te krijgen met...!' Ze wees met haar duim naar Andras.

'Waarom niet? We hebben het er al over gehad.'

'Maar je bent *une femme d'un certain âge!*'

Klara lachte. 'We zijn allemaal van zekere leeftijd, nietwaar? Jij bent bijvoorbeeld op de leeftijd waarop het onmogelijk is om je voor te stellen dat tweeëndertig niet het einde van je leven is maar juist een nieuw begin.'

'Maar ík ben je kind,' zei Elisabet die eruitzag of ze opnieuw in huilen ging uitbarsten.

'Natuurlijk ben je dat,' zei Klara en ze streek een blond lokje achter Elisabets oor. 'Daarom ben ik hierheen gekomen. Ik kon je niet de oceaan laten oversteken zonder fatsoenlijk afscheid te nemen.'

'Mesdames,' zei Andras. 'Neem me niet kwalijk. Maar meneer Camden en ik gaan een wandelingetje maken, dan kunnen jullie even alleen zijn.'

'Precies,' viel Paul hem bij. 'We gaan het schip bekijken.'

Het was allemaal iets te emotioneel geweest; er waren al te veel tranen geplengd naar Pauls zin en Andras was duizelig geworden toen ze het over zijn toekomstige kinderen hadden. Het was voor beiden een opluchting om even weg te zijn bij Klara en Elisabet en er samen op uit te trekken.

Ze liepen over een straatmarkt in de richting van de haven, langs lui die makreel, tong en langoustines verkochten, kisten *myrtilles*, netjes met meloenen, hopen kleine gele pruimen. Gezinnen op vakantie sjokten door de straten, er waren zo veel kinderen in matrozenpakjes dat ze een hele kindervloot hadden kunnen vormen. Ietwat schutterig, alsof de emotionele uitbarsting van zoeven hun mannelijkheid in gevaar had gebracht, begonnen ze een gesprek over schepen en sport, en toen ze langs een Engels schip liepen dat in een van de immense aanlegplaatsen voor anker lag, ook over een mogelijke oorlog. Iedereen had gehoopt dat Chamberlains steunbetuiging aan Polen een paar weken rust kon brengen in de kwestie-Danzig en dat het zelfs tot een vreedzame oplossing kon leiden, maar Hitler had zojuist een bijeenkomst in Berchtesgaden gehad met de leider van de nazipartij in Danzig en een oorlogsschip naar de haven van de Vrije Stad gestuurd. Als Duitsland Danzig opeiste, dan zouden Engeland en Frankrijk de oorlog verklaren. Die week had een Frans vliegtuig een proefaanval op Londen uitgevoerd om te testen of het Engelse luchtverdedigingssysteem klaar voor een oorlog was. Sommige Londenaren dachten dat er al echt oorlog was uitgebroken en in de stormloop naar de schuilkelders waren drie mensen omgekomen.

'Wat denk je dat Amerika gaat doen?' vroeg Andras.

Paul haalde zijn schouders op. 'Ik neem aan dat Roosevelt een ultimatum zal stellen.'

'Hitler is niet bang voor Roosevelt. Kijk maar naar wat er in april is gebeurd.'

'Tja, ik ben geen expert op dit gebied,' zei Paul die gespeeld verdedigend zijn handen ophief. 'Ik ben maar een eenvoudige schilder. Ik lees de kranten vaak niet eens.'

'Je verloofde is joods,' zei Andras. 'Haar familie woont hier. De oorlog zal haar raken, of Amerika nu wel of niet meedoet.'

Ze stonden een tijdje zwijgend te kijken naar het schip met de stekelachtige aanzetting van wapentuig. 'Wat voor onderdeel zou jij kiezen als je mee moest vechten?' vroeg Paul.

'Niet de marine, dat weet ik wel,' zei Andras. 'Vorig jaar heb ik pas voor het eerst de zee gezien. En ook niets in een greppel. Geen loopgraven. Ik zou wel vliegtuigpiloot willen worden. Dat lijkt me geweldig.'

Paul grijnsde. 'Mij ook,' zei hij. 'Het lijkt me fantastisch om een vliegtuig te besturen.'

'Maar ik wil niemand hoeven doden,' zei Andras.

'Precies,' zei Paul. 'Dat is het probleem. Maar ik zou best een held willen zijn. Ik hou ervan om medailles te winnen.'

'Ik ook,' zei Andras. Het voelde goed om dat toe te geven, zij het ook een beetje gênant.

'Tot ziens in de lucht dan,' zei Paul lachend, maar het had ook iets geforceerds, alsof de kans op een oorlog en zijn rol erin opeens reëel voor hem waren geworden.

Ze waren bij het ss Île de France aangekomen, het gevaarte torende hoog boven hen uit als de voorrand van een gletsjer. De romp glansde van de nieuwe verf; elke letter van de naam was zo hoog en breed als een mens. De zee klotste tegen de kademuur en er steeg een penetrante stank op van dode vis, olie en havenwier en een soort zilte, kalkachtige lucht die waarschijnlijk van het zeewater zelf afkomstig was. Vanaf de waterlijn telde het schip vijftien verdiepingen; vanaf de plek waar ze stonden telden ze vijf lagen. Op de dekken krioelde het van stuwadoors, matrozen, kamermeisjes met hun armen vol linnengoed. Honderden mensen troffen de laatste voorbereidingen voor het vertrek van ongeveer een dorp aan mensen die een reis van zeventien dagen gingen maken. Er zouden vijftienhonderd passagiers meegaan, zei Paul; er waren vijf balzalen, een bioscoop, een overdekte schietbaan, een enorme sportzaal, een binnenzwembad, honderd reddingsboten. Het schip was ruim tweehonderdvijftig meter lang en voer met een snelheid van vierentwintig knopen per uur. En aan boord wachtte Elisabet een verrassing, een laatste uitspatting: ze hadden een luxe hut met een privébalkon en hij had drie dozijn witte rozen en een doos champagne op hun kamer besteld.

'Gelukkig heb je je hoed laten opknappen,' zei Andras. 'Denk je eens in wat een nieuwe gekost had.'

Die avond aten ze met z'n allen op het terras van een restaurant met uitzicht op het water. Ze kregen tomatensoep met verse venusschelpen en een hele gegrilde vis met citroen en olijven, ze dronken twee flessen wijn en praatten over hun kinderfantasieën en welke verre oorden ze nog wilden bezoeken voor hun dood: India, Japan, Marokko. Het was net of ze op vakantie waren. Voor het eerst in weken was Klara weer in een vrolijke stemming, alsof ze het gevreesde afscheid kon vermijden omdat ze Elisabet had gevonden. Maar Elisabet en Paul bleven bij hun besluit: ze zouden de volgende ochtend vertrekken. En in de loop van de avond voelde Andras de bekende spanning in zich opkomen, alsof een spoel steeds strakker werd opgewonden. Het was de angst dat Klara, na het vertrek van Elisabet, ook zou verdwijnen, alsof de bestaande spanning hen aan de grond verankerd hield.

Na het eten gingen Klara en hij niet samen naar een hotelkamer. Zij sliep in Elisabets suite terwijl Paul en Andras een eenvoudige kamer onder de hanenbalken hadden. Toen Klara hem *bonne nuit* wenste legde ze haar hand tegen zijn wang, bij wijze van belofte. Die nacht viel hij in slaap met de hoop dat hun toekomstige leven samen een pleister op de wonde kon zijn. Maar toen hij de volgende ochtend in alle vroegte naar beneden ging, stond zij in haar eentje op de veranda, met haar autojas al om haar schouders gedrapeerd, te kijken naar het roze licht dat omhoogkroop over de schoorstenen van het ss Île de France. Lange tijd stond hij bij de openslaande deuren zonder naar haar toe te gaan. Het getij was gekeerd. Haar dochter ging weg. En er was niets wat hij kon doen om die leegte te vervangen.

Om acht uur gingen ze naar de kade om Paul en Elisabet uit te zwaaien. Het schip zou om twaalf uur uitvaren; de passagiers moesten om negen uur aan boord gaan. Ze hadden een boeketje viooltjes voor Elisabet gekocht om mee te nemen aan boord, plus een dozijn petitfours en een koker gele serpentines die ze in de lucht kon gooien als het schip vertrok. Ze had een strohoed op met een rood lint en haar blauwe ogen straalden bij het vooruitzicht van de lange reis.

Paul wilde zo snel mogelijk aan boord, hij popelde om Elisabet te laten zien wat hij had geregeld voor haar. Maar eerst wilde hij nog dat de scheepsfotograaf een foto van hen vieren op de kade maakte, met het hoog oprijzende ss Île de France op de achtergrond. Daarna was er enige agitatie om de koffers, een bepaald kledingstuk moest er op het laatst nog worden uitgehaald. Eindelijk, op het aangegeven tijdstip, klonk er ergens hoog boven een explosieve stoot op de scheepshoorn en alle passagiers die nog op de kade stonden dromden naar de loopplank.

Het grote moment was daar. Klara nam Paul even apart om een laatste woordje tegen hem te zeggen, en Andras en Elisabet stonden opeens elkaar aan te kijken. Hij had niet bedacht wat hij op het laatste moment nog tegen haar moest zeggen. Tot zijn verbazing zag hij haar met pijn in zijn hart vertrekken. Tijdens het diner de avond daarvoor had hij ingezien hoe ze als volwassen vrouw zou zijn, en hij realiseerde zich dat ze meer van haar moeder had dan hij aanvankelijk had gedacht.

'Ik neem aan dat je er niet rouwig om bent dat ik wegga,' zei ze. Maar in haar ogen zag hij dat ze een grapje maakte en ze had het in het Hongaars gezegd.

'Inderdaad,' antwoordde Andras en hij pakte haar hand. 'Wegwezen, jij!'

Ze glimlachte. 'Zorg ervoor dat mijn moeder ons komt opzoeken, goed?'

'Doe ik,' zei Andras. 'Ik wil graag naar New York.'

'Ik zal je een kaartje sturen.'

'Fijn.'

'Ik ben nog niet aan het idee gewend dat je met mijn moeder gaat trouwen,' zei Elisabet. 'Dan word je mijn, eh...'

'Alsjeblieft, zeg dat niet.'

'Goed dan. Maar luister goed: als ik hoor dat je haar ongelukkig maakt, kom ik je persoonlijk vermoorden.'

'En als ik hoor dat jij die knappe echtgenoot van je ongelukkig maakt,' begon Andras maar Elisabet gaf hem een klap op zijn schouder, en toen was het tijd om afscheid van Klara te nemen. Ze stonden dicht bij elkaar, Elisabet had haar hoofd gebogen om het tegen dat van haar moeder te kunnen leggen. Andras draaide zich om en drukte Pauls hand.

'*See you in the funny papers*,' zei Paul in het Engels. 'Dat zeggen we in de States.' Hij vertaalde het voor Andras: '*Je te verrai dans les bandes dessinées.*'

'Klinkt beter in het Frans,' zei Andras en dat moest Paul beamen.

De scheepshoorn loeide nog een keer. Klara gaf Elisabet de allerlaatste kus en toen liepen Paul en Elisabet over de loopplank en verdwenen tussen de rest van de passagiers. Klara stak haar arm door die van Andras, zwijgend en zonder te huilen, totdat Elisabet bij de reling van het schip verscheen. Het zou nog uren duren voordat het schip uitvoer, maar Elisabet was nog maar een stipje in de verte, alleen herkenbaar aan het rode lint dat om de rand van haar hoed wapperde, en aan het donkerpaarse speldenknopje dat het bosje viooltjes in haar hand was. De blauwe vlek naast haar was Paul in zijn blazer. Klara pakte Andras' hand stevig vast. Haar magere gezicht zag bleek onder haar donkere lokken; ze was zo halsoverkop naar Le Havre vertrokken dat ze vergeten was een hoed mee te nemen. Ze zwaaide met haar zakdoekje naar Elisabet, die met het hare terugwuifde.

Drie uur later keken ze toe hoe het Île de France langzaam naar de effen blauwe uitgestrektheid van de open zee en de lucht gleed. Onvoorstelbaar, dacht Andras, dat een schip van die afmetingen tot de grootte van een huis kon krimpen, en daarna tot die van een auto, een bureau, een boek, een schoen, een walnoot, een rijstkorrel, een zandkorrel. Onvoorstelbaar dat het grootste voorwerp dat hij ooit had gezien niet opgewassen was tegen het verkleinende effect van afstand. Hierdoor was hij zich extra bewust van zijn eigen nietigheid in de wereld, zijn onbeduidendheid tegenover wat de toekomst ging brengen, en even ging er een scheut van paniek door hem heen.

'Voel je je niet lekker?' vroeg Klara die een hand tegen zijn wang legde. 'Wat is er?'

Maar hij merkte dat hij zijn gevoelens niet onder woorden kon brengen. Even later was het alweer voorbij, en toen was het tijd om terug te gaan naar de auto en naar huis te rijden.

25

Het Hongaarse consulaat

Terwijl Andras en Klara in Le Havre waren, brachten Tibor en Ilana de tijd door in het appartement in de Rue de Sévigné. De volgende dag, toen Andras en Tibor een wandeling langs de oever van de Seine maakten en naar de grote platte schuiten keken die onder de bruggen voeren, deed Tibor het verhaal uit de doeken. Af en toe vingen ze flarden zigeunermuziek op waardoor Andras zich even terug in Boedapest waande, alsof hij kon opkijken en de goudgestreepte koepel van het Parlementsgebouw op de rechteroever kon zien, en de Burchtheuvel op de linkerkant. Het was een benauwde middag en het rook naar natte stoepen en rivierwater; in de schuine banen zonlicht zag Tibor er woest van blijdschap uit. Hij vertelde Andras dat Ilana al in de trein had beseft dat ze een fout beging, maar dat het te laat was om de klok nog terug te draaien. Schuldgevoelens alom, een eindeloze carrousel van schuldgevoel: dat van haarzelf, van Ben Yakov, van Tibor. Het was nog een wonder dat ze zonder al te veel kleerscheuren uit deze emotionele draaikolk waren gekomen. Maar Tibor had veilig in Modena gezeten; Klara had zich als een moeder over Ilana ontfermd en Ben Yakov had 's avonds met Andras op zijn kamer gesprekken gevoerd.

'Ze gaat met me mee naar Italië,' zei Tibor. 'Ik breng haar terug naar Florence en dan blijf ik daar de rest van de zomer. Ik zou het liefst vandaag nog met haar trouwen, maar ik heb liever niet dat haar ouders me als de vijand zien. Ik wil graag eerst hun toestemming.'

'Dat is dapper van je. En als ze weigeren?'

'Dat zie ik dan wel weer. Je kunt nooit weten. Misschien vinden ze me wel geschikt.'

Ze staken het Île de la Cité en de Petit Pont over naar het Quartier Latin, waar ze onwillekeurig de Rue Saint-Jacques in wandelden. Het huis van József was vlakbij; Andras was voor het laatst bij hem thuis geweest na de Vastenavond op Jom Kipoer. Hij had

József nog wel een paar keer vluchtig gesproken, maar was al in geen maanden meer in zijn appartementsgebouw geweest. En binnenkort zouden Klara en hij misschien het idee moeten heroverwegen om József in vertrouwen te nemen. Bij Józsefs huis zag hij dat de voordeur werd opengehouden door twee gepoetste, gelabelde leren koffers. En op de zijkanten van de koffers stond in duidelijke letters Józsefs naam en adres. Even later kwam József in een zomers reiskostuum naar buiten.

'Lévi!' riep hij uit. Hij liet zijn blik over Andras gaan, die zich op een verstrooide, broederlijke manier getaxeerd voelde. 'Nou, nou, kerel, je ziet er patent uit. En daar is de andere Lévi, de dokter in spe, als ik me niet vergis. Wat jammer dat jullie net komen terwijl ik ervandoor moet. Anders konden we wat gaan drinken. Maar het komt eigenlijk ook wel goed uit. Nu kunnen jullie een taxi voor me aanhouden.'

'Ga je met vakantie?' vroeg Tibor.

'Dat was wel de bedoeling,' zei József, en op zijn gezicht verscheen een ongebruikelijke uitdrukking – een blik die Andras alleen als irritatie kon omschrijven. 'Ik zou eigenlijk een paar vrienden in Saint-Tropez gaan opzoeken. Maar in plaats daarvan vertrek ik naar het lieflijke Boedapest.'

'Hoezo?' vroeg Andras. 'Wat is er gebeurd?'

József stak zijn arm op naar een passerende taxi. Hij parkeerde langs de stoep en de chauffeur stapte uit om Józsefs koffers te pakken. 'Luister,' zei József, 'waarom rijden jullie niet met me mee naar het station? Ik moet helemaal naar het Gare du Nord en met dit verkeer duurt dat minstens een halfuur. Tenzij jullie iets beters te doen hebben.'

'Iets beters dan een lange warme rit in de spits?' zei Andras. 'Dat dacht ik niet.'

Ze stapten de taxi in en ze reden door de Rue Saint-Jacques de richting in waaruit ze net waren gekomen. József legde een lange arm op de rugleuning en richtte zich tot Andras.

'Zo, Lévi,' zei hij. 'Het is een verdomd vervelende toestand, maar ik vind dat ik het je moet vertellen.'

'Wat dan?' vroeg Andras.

'Heb je je studentenvisum laten verlengen?'

'Nee, nog niet. Hoezo?'

'Wees niet verbaasd als je op het Hongaarse consulaat op moeilijkheden stuit.'

Andras keek hem van opzij aan; het schuine licht van de namiddag scheen door de raampjes van de taxi en lichtte iets uit wat
hem nog niet eerder was opgevallen: de kringen van zorg onder
Józsefs ogen, de sporen van slaapgebrek. 'Wat voor moeilijkheden?'
'Ik wilde mijn visum laten verlengen. Ik dacht dat ik nog een
paar weken had. Ik had niet gedacht dat het problemen kon op-
leveren. Maar volgens hen konden ze dat niet hier doen, niet in
Frankrijk.'
'Maar dat is toch niet logisch,' zei Tibor. 'Dat is namelijk wat een
consulaat doet.'
'Niet meer, kennelijk.'
'Als ze je visum niet in Frankrijk willen verlengen, waar moet
het dan wel?'
'Thuis,' zei József. 'Daarom ga ik erheen.'
'Kun je je vader het niet laten regelen?' vroeg Andras. 'Kan hij
niet zijn invloed aanwenden om iemand iets te laten doen? Of anders, en vergeef me deze banaliteit, iemand omkopen?'
'Dat zou je denken, ja,' zei József. 'Maar kennelijk niet. Mijn
vaders invloed is niet meer wat die geweest is. Hij is niet langer
directeur van de bank. Hij gaat nog wel naar hetzelfde kantoor,
maar hij heeft een andere titel. Adviserend secretaris of zoiets
onzinnigs.'
'Omdat hij joods is?'
'Natuurlijk. Wat zou het anders zijn?'
'En ik neem aan dat alleen joden terug moeten naar Hongarije
om hun visum te laten verlengen.'
'Verbaast je dat, kerel?'
Andras haalde zijn papieren uit zijn jaszak. 'Mijn visum is nog
drie weken geldig.'
'Dat dacht ik ook. Maar het is niet geldig meer tenzij je zomercolleges volgt. Het volgende trimester telt niet meer, kennelijk. Ik
zou maar snel naar het consulaat gaan voordat iemand naar je pa-
pieren vraagt. Wat de autoriteiten betreft ben je hier nu illegaal.'
'Maar dat kan toch niet? Dat is gewoon niet logisch.'
József haalde zijn schouders op. 'Ik wou dat ik beter nieuws
voor je had.'
'Ik kan nu niet terug naar Boedapest,' zei Andras.
'Eerlijk gezegd verheug ik me er zelfs op,' zei József. 'Ik ga lekker
in de baden van Szécseny liggen weken, koffiedrinken bij Ger-
beaud, een paar jongens van het gimnázium opzoeken. Misschien

een tijdje naar het huis aan het Balatonmeer. Daarna zal ik het gedoe op het paspoortbureau afhandelen en dan ben ik begin van het najaarstrimester weer terug – mits er natuurlijk een najaarstrimester komt, wat weer afhangt van de luimen van Herr Hitler.'

Andras liet zich tegen de rugleuning vallen en probeerde het allemaal te verwerken. Normaal gesproken had hij elk excuus aangegrepen om een paar weken naar Hongarije te kunnen gaan, hij had zijn ouders en Mátyás al in geen twee jaar gezien. Maar hij moest trouwen; en het huwelijk moest plaatsvinden terwijl Tibor nog in Parijs was. Hij moest zijn spullen naar de Rue de Sévigné verhuizen. En dan had je nog de kwestie-Hitler en Danzig. Dit was niet de tijd om met de trein naar Boedapest te gaan, niet de tijd om Europa door te reizen, niet de tijd om problemen met zijn visum te hebben. Bovendien had hij helemaal geen geld om op reis te gaan. Een retourkaartje zou al het geld opslokken dat hij voor Klara's ring en voor het collegegeld opzij had gezet. Hij had niet zoveel gespaard als Tibor. Hij had niet zes jaar gewerkt voordat hij ging studeren. Opeens voelde hij zich misselijk en hij moest het raampje opendraaien en de frisse lucht opsnuiven.

'Ik had je eerder moeten spreken,' zei József. 'Dan hadden we samen kunnen gaan.'

'Het is mijn schuld,' zei Andras. 'Sinds ik stomdronken in je slaapkamer lag, durf ik je niet meer zo goed onder ogen te komen.'

'Schaam je niet,' zei József. 'Niet voor mij althans. Niet om die reden.' En hij wendde zich tot Tibor. 'En jij?' vroeg hij. 'Hoe gaat het met je medicijnenstudie? In Zwitserland toch?'

'Italië.'

'Natuurlijk. Dus je bent bijna dokter.'

'Nog lang niet.'

'En wat brengt jou naar de stad?'

'Dat is een lang verhaal,' zei Tibor. 'De beknopte versie luidt ongeveer zo: ik ben verliefd op een meisje dat eerder getrouwd was met een vriend van Andras. Ik ben blij dat je de stad uit gaat, dan hoef ik tenminste niet meer te vertellen.'

József lachte. 'Die is goed,' zei hij. 'Ik wilde dat ik tijd had voor de uitgebreide versie.'

Ze waren inmiddels bij het station en de chauffeur stapte uit om de koffers van het dak los te maken. József deed zijn portefeuille open en telde het geld uit. Andras en Tibor stapten na hem uit en hielpen hem de koffers naar binnen te dragen.

'Ga maar vast,' zei Andras toen ze de bagage bij een kruier in bewaring hadden gegeven, 'anders mis je je trein nog.'

'Hoor eens,' zei József, 'als je toch nog naar Boedapest komt, moet je langskomen. Dan drinken we wat. Ik zal je aan een paar meisjes voorstellen die ik ken.'

'Monsieur Hász, de playboy,' zei Tibor.

'Zo is het!' zei József en hij knipoogde. Daarna zwaaide hij zijn kastanjebruine tas over zijn schouder en beende met lange passen het drukke station in.

Nog geen week later zou Andras met zijn eigen koffers en zijn tas op het Gare du Nord staan. Maar die avond, toen hij met Tibor aan de lange wandeling naar de Rue de Sévigné begon, wist Andras alleen nog maar dat hij naar het consulaat ging om uit te leggen waarom hij een verblijfsvergunning moest krijgen. Slechts tot het einde van de maand – totdat hij ambtelijke huwelijkstoestemming had en hij met zijn bruid kon trouwen. Als ze eenmaal getrouwd waren kon hij toch het Franse staatsburgerschap aanvragen? Dan kon hij toch naar believen het land in- en uitreizen?

Bij Klara brandden alle lampen en de vrouwen zaten bij elkaar in haar slaapkamer. Ilana kwam naar buiten en zei tegen Andras dat hij niet naar binnen mocht; de kleermaker was er en achter Klara's deur werden geheime voorbereidingen getroffen voor haar bruidsjurk.

Andras liet een wanhopig gekreun horen. Hij ging met Tibor naar de voorkamer en ze gingen ieder aan een kant van de sofa zitten, waar Tibor zijn eigen papieren uit zijn broekzak viste en nauwgezet het visum bestudeerde.

'Het mijne is nog geldig tot januari volgend jaar,' zei hij. 'En ik heb me ingeschreven voor de zomercolleges, maar ik ben bang dat ik het afgelopen collegeblok niet heb gehaald.'

'Maar je hebt je al ingeschreven. Het zal wel loslopen.'

'Maar jij dan? Wat ga jij doen?'

'Ik ga naar het consulaat,' zei Andras. 'En dan naar de Mairie. Ik zal alles doen wat van me gevraagd wordt. Ik moet geldige papieren hebben voordat we in ondertrouw kunnen gaan.'

Uit de slaapkamer klonk een drietal kreten, een crescendo van gelach. Tibor vouwde zijn papieren op en legde ze op tafel. 'Wat ga je tegen haar zeggen?'

'Nog niets,' zei hij. 'Ik wil haar niet ongerust maken.'

'Morgen gaan we naar het consulaat,' zei Tibor. 'Als je je situatie uitlegt, geven ze je misschien wel een verlenging. En als ze moeilijk doen, zwaait er wat.' Hij hief dreigend zijn vuisten. Maar zijn handen waren sierlijk als die van een pianist, lang en slank; zijn knokkels zagen eruit als gepolijste rivierkiezels, zijn pezen waaierden uit als de tere botjes van een vogelvlerk.

'Moge God ons allemaal bijstaan,' zei Andras met een moeizame glimlach.

Het Hongaarse consulaat zat niet ver van de Duitse Ambassade, waar Ernst Vom Rath zijn moordenaar had getroffen. Op het eerste gezicht was het een gebouw dat bij een emigrant heimwee zou kunnen oproepen; de voorgevel was ingelegd met mozaïeken die gezichten op Boedapest en landschapstafereeltjes verbeeldden. Maar de kunstenaar had een abnormale voorkeur voor lelijkheid: zijn mensen zagen er bloedeloos en opgezwollen uit; zijn landschappen kampten met een gebrek aan perspectief, genoeg om de toeschouwer een licht misselijk gevoel te bezorgen. Andras had toch al geen zin in ontbijt; hij had die nacht amper geslapen. Op een of andere manier was hij de avond doorgekomen zonder iets aan Klara te vertellen, maar ze had toch gemerkt dat er wat aan de hand was. Na het eten, toen Andras en Tibor aanstalten maakten om naar het Quartier Latin te gaan, hield ze hem in de gang tegen en vroeg of hij soms twijfels had over hun huwelijk.

'Helemaal niet,' zei hij. 'Integendeel. Ik zie er erg naar uit.'

'Ik ook,' zei ze en in de schemerige gang ze sloeg haar armen om hem heen. Hij had haar gekust, maar zijn gedachten waren elders. Hij dacht aan wat hem al sinds de taxirit die middag dwarszat: niet het vooruitzicht op tegenwerking van het consulaat, ook niet hoe hij aan geld voor een kaartje naar huis moest komen, maar het feit dat de jongeman die zich naar het station haastte *József Hász* was, József Hász die wonderbaarlijk genoeg nooit werd geplaagd door enige tegenslag in het leven – József Hász die naar Boedapest was vertrokken omdat hij één enkel stempeltje op een document moest hebben.

De volgende dag werd hem op het consulaat door een roodharige matrone met een accent uit Hajdú meegedeeld dat zijn visum was verlopen toen zijn colleges begin van de zomer waren geëindigd, en dat hij nu al anderhalve maand illegaal in Frankrijk verbleef. Als hij niet opgepakt wilde worden, moest hij per direct het land verlaten. Hij kreeg een doorslag van een formulier waarin stond dat hij toestemming had om Hongarije binnen te gaan. Dat leek een overbodige beschikking, aangezien hij al Hongaars ingezetene was. Maar hij was te verbouwereerd om er lang bij stil te staan. Het enige wat hij wilde weten was wat hij moest doen als hij in Boedapest was, hoe hij zo snel mogelijk weer terug kon naar Parijs. Tibor, die zoals beloofd was meegekomen, hield zijn handen in zijn zakken en stelde beleefde vragen op de momenten dat Andras misschien was gaan eisen, schreeuwen en protesteren. Dankzij Tibors vriendelijke manier van vragen kwamen ze erachter dat als Andras een brief meenam van zijn school waarin stond dat hij ingeschreven was als student plus de verzekering dat zijn beurs in het voorjaar verlengd zou worden, hij waarschijnlijk in Boedapest een tweejarig visum kon krijgen. Deze brief mocht door elke docent opgesteld worden, maar was alleen geldig met het briefhoofd van de school en het officiële schoolstempel. Tibor bedankte haar overvloedig en de roodharige vrouw zei zelfs dat het haar speet van het ongemak. Maar haar waterige kleine oogjes bleven ongeëmotioneerd terwijl ze een rood ÉRVENYTELEN op Andras' visum stempelde. *Verlopen. Ongeldig.* Hij moest per direct vertrekken. Het had geen zin om eerst nog bij de Mairie huwelijksaangifte te doen. Als hij daar zijn verlopen papieren liet zien, kon hij ter plekke opgepakt worden. Al zijn spaargeld zou opgaan aan het treinkaartje, maar hij had geen keus. Als hij terug was, kon hij opnieuw met sparen beginnen.

Samen met Tibor ging hij naar de École Spéciale om de officiële brief te halen, maar toen ze bij de poort kwamen, bleek die op slot te zitten. Natuurlijk: de school was tot eind augustus dicht. Iedereen, ook de administratief medewerkers, was met vakantie; begin september zouden ze pas terugkomen. Andras slingerde een Hongaars scheldwoord de warme melkwitte lucht in.

'Hoe komen we nu aan dat briefhoofd?' vroeg Tibor. 'Waar krijgen we een officieel stempel?'

Andras vloekte nog een keer, maar kreeg toen een inval. Als hij iets goed kende, dan was het de architectuur van de École Spéciale wel. Het was een van de eerste ontwerpen die ze in het atelier hadden bestudeerd; ze hadden het gebouw in extenso opgemeten, van boven tot onder, van de stenen fundering van de neoclassicistische hal tot het piramidevormige glazen dak van het amfitheater. Hij kende elke deur, elk raam, zelfs de stortkokers voor de kolen en het stelsel van de buizenpost waarmee het secretariaat berichten naar de werkkamers van de docenten verstuurde. Zo wist hij dat je, als je de Cimetière de Montparnasse doorstak, bij de achterkant van de school uitkwam. In de muur daar zat achter een wirwar van klimop een deurtje verstopt, zo moeilijk te vinden dat het nooit op slot was. Het kwam uit op de binnenplaats en via ramen die los in hun scharnieren hingen kon je zonder veel moeite op het secretariaat komen. Zo waren Andras en Tibor het vakantiestille heiligdom van de school binnengekomen. Op het secretariaat stond een doos met postpapier waaruit ze een paar vellen met briefhoofd en enveloppen pakten. In de bureaula van de secretaresse vond Tibor het officiële stempel. Ze waren beiden weinig bedreven op de schrijfmachine; pas na acht pogingen hadden ze een geslaagde brief opgesteld waarin stond dat Andras ingeschreven was aan de École Spéciale en dat hij voor het komende trimester een studiebeurs zou ontvangen. Ze ondertekenden de brief met de naam van Pierre Vago en Tibor had Vago's handtekening zo sierlijk nagemaakt dat Vago zelf er waarschijnlijk jaloers op zou zijn. Daarna preegden ze het officiële schoolstempel in de brief.

Voordat ze weggingen liet Andras de plaquette aan Tibor zien waarin stond vermeld dat hij de Prix de l'Amphithéâtre had gewonnen. Tibor stond met zijn armen over elkaar naar de plaquette te kijken. Daarna liep hij naar het kantoor en kwam terug met twee blanco vellen met briefhoofd en een potlood. Hij legde het papier over de plaquette en maakte met het potlood twee afdrukken. 'Eentje voor onze ouders,' zei hij. 'En eentje voor mij.'

Ze moesten naar het telegraafkantoor om Mátyás per telegram van Andras' komst op de hoogte te stellen. Hij zou zijn ouders pas in Boedapest berichten; van een telegram zouden ze alleen maar schrikken en een brief uit Frankrijk kwam misschien pas aan als hij weer terug was in Parijs. Op het kantoor stonden zorgelijk kijkende mannen en vrouwen bij de lessenaars over kaartjes gebogen. Zonder dat ze het zelf wisten, maakten ze sierlijke haiku's over onderwerpen als geboorte en liefde, geld en dood. Overal op de vloer lagen onafgemaakte berichten: MAMAN IK ONTVING, MATHILDE: TOT MIJN SPIJT –. Terwijl Tibor het spoorboekje inkeek dat op het telegraafkantoor lag, ging Andras naar het loket om zijn telegramformulier en een potlood te halen. Hij liep naar een van de lessenaars en wachtte op zijn broer, die hem informeerde dat de Donau Express de volgende ochtend om halfacht zou vertrekken en twee-enzeventig uur later in Boedapest zou aankomen.

'Wat zullen we schrijven?' vroeg Andras. 'Er is zoveel te vertellen.'

'Wat vind je hiervan?' opperde Tibor en hij likte aan de punt van het potlood. 'MÁTYÁS: ARRIVEER DONDERDAGOCHTEND IN BOEDAPEST. NEEM EEN BAD SVP. LIEFS ANDRAS.'

'Neem een bad svp?'

'Waarschijnlijk moet je naast hem in bed liggen.'

'Daar zeg je wat. Ik ben blij dat je er bent om me te helpen.'

Ze betaalden en het telegram werd in de wacht gezet. Nu moest Andras alleen nog naar de Rue de Sévigné om Klara op te hoogte te brengen van zijn voornemen. Hij zag als een berg tegen het gesprek op, het nieuws dat hij haar moest vertellen: hun trouwplannen die in het water vielen, zijn visum dat was verlopen. De bevestiging dat ze gelijk had gehad toen ze voelde dat er wat aan de hand was. Hoe kon hij haar overtuigen dat hun toekomst er zonnig uitzag nu de toekomst van Europa zelf zo onzeker was? Maar toen ze bij haar huis kwamen, bleken Klara en Ilana op een geheimzinnige missie te zijn vertrokken. Mevrouw Apfel wilde niet zeggen waarheen. Het was vier uur; normaal gesproken gaf Klara op dit uur les. Maar haar balletschool was ook gesloten in augustus. Als Ilana niet was gescheiden en Elisabet niet naar Amerika vertrokken, dan waren Andras en zij waarschijnlijk samen ergens naartoe gegaan, wellicht naar het huisje in Nice. Nu waren ze samen in de stad; de winkels en restaurants gingen één voor één dicht en de stad soesde in een gouden waas. Andras vroeg zich af waar Klara en Ilana stiekem heen konden zijn. Een kwartier later kwamen ze thuis met natte haren en een roze, stralende huid; ze gloeiden helemaal. Ze bleken naar het Turkse bad in het zesde arrondissement te zijn geweest. Hij liep onwillekeurig achter Klara aan naar haar slaapkamer om te kijken hoe ze zich voor het diner omkleedde. Ze wierp hem over haar schouder een lachje toe terwijl ze haar zomerjurk op de grond liet glijden. Haar lichaam was koel en blank, haar huid zijdezacht als salieblad. Het was onvoorstelbaar dat hij op een trein zou stappen die hem van haar zou wegvoeren. Hij vond het al moeilijk één dag van haar gescheiden te zijn.

'Klárika,' zei hij en ze draaide zich naar hem om. Haar haar was in zachte strengetjes om haar hals en voorhoofd opgedroogd; hij voelde zo'n begeerte dat hij haar wel had willen bijten.

'Wat is er?' Ze legde een hand op de blote huid van zijn arm.

'Er is iets gebeurd,' zei hij. 'Ik moet naar Boedapest.'

Ze keek hem verbouwereerd aan. 'Maar Andras... mijn hemel, is er iemand dood?'

'Nee, nee. Mijn visum is verlopen.'

'Kun je dan niet gewoon naar het consulaat?'

'Ze hebben de regels veranderd. Dat heb ik van József gehoord. Hij moest ook het land uit. Ik kwam hem tegen toen hij op weg was naar het Gare du Nord. Volgens de regering ben ik hier nu illegaal. Ik moet meteen vertrekken. Morgenochtend gaat mijn trein.'

Ze pakte een witte zijden kamerjas en wikkelde die om zich heen; daarna ging ze met een krijtwit gezicht in de lage stoel bij de kaptafel zitten.

'Boedapest,' zei ze.

'Het is maar voor een paar dagen.'

'Maar wat als je daar in moeilijkheden komt? Wat als ze je visum niet willen verlengen? Stel dat de oorlog uitbreekt als jij weg bent?' Peinzend maakte ze het groene haarlint in haar nek los en ze bleef lange tijd met het reepje zijde in haar handen zitten. Toen ze het woord weer nam, was haar stem de angstvallige beheersing kwijt. 'We zouden volgende week trouwen. En nu ga je naar Hongarije, het enige land waar ik niet samen met jou heen kan.'

'Ik blijf niet langer weg dan nodig is, ik ga mijn ouders opzoeken en dan kom ik weer terug.'

'Ik zou het vreselijk vinden als er iets gebeurde.'

'Denk je dat ik zonder jou weg wil?' zei hij en hij trok haar omhoog uit de stoel. 'Denk je dat ik dit leuk vind? Twee weken zonder jou terwijl Europa op de rand van oorlog verkeert? Denk je dat ik dat wil?'

'En als ik nu met je meega?'

Hij schudde zijn hoofd. 'We weten dat dat niet kan. Daar hebben we het al over gehad. Het is te gevaarlijk, vooral nu.'

'Ik zou er niet over gepeinsd hebben toen Elisabet hier nog was, maar nu hoef ik niet meer voorzichtig te zijn omwille van haar. En Andras, nu weet ik een beetje hoe mijn moeder zich gevoeld moet hebben toen ik wegging. Zij wordt ook een dagje ouder. Wie weet wanneer ik nog eens de kans krijg haar te zien. Het is ruim achttien jaar geleden. Misschien dat we een geheime ontmoeting kunnen regelen, zonder dat iemand het merkt. Als we een paar dagen blijven, lopen we geen gevaar – ik ben al meer dan twintig jaar Claire Morgenstern. Ik heb een Frans paspoort. Waarom zou iemand daar vragen over stellen? Toe, Andras. Laat me meegaan.'

'Dat kan niet,' zei hij. 'Ik zou het mezelf nooit vergeven als je wordt ontdekt en opgepakt.'

'Is dat erger dan niet bij je zijn?'

'Het is maar twee weken, Klara.'

'Twee weken waarin van alles kan gebeuren!'

'Als er oorlog uitbreekt, dan ben je hier veel veiliger.'

'Mijn veiligheid,' zei ze. 'Wat kan mij die nou schelen!'

'Maar mij wel,' zei Andras. Hij drukte een kus op haar bleke voorhoofd, haar jukbeenderen, haar mond. 'Ik kan je niet meenemen,' zei hij. 'Het heeft geen zin er nog langer over te discussiëren. Ik kan het niet. Bovendien moet ik aanstonds naar huis om mijn spullen te pakken. Mijn trein vertrekt al om halfacht morgenochtend. Dus je moet even goed nadenken. Ga lekker zitten en bedenk wat je naar Boedapest wilt sturen. Ik kan brieven voor je meenemen.'

'Een schrale troost!'

'Denk je eens in hoe fijn je moeder het zal vinden een brief van je te krijgen.' Met trillende handen streelde hij haar haar, haar schouders. 'En ik kan met haar gaan praten, Klara. Ik kan haar vragen of ik met je mag trouwen.'

Ze knikte en pakte zijn hand, maar zonder hem aan te kijken; het leek of ze zich in een afgelegen hoekje van zelfbescherming had teruggetrokken. Ze gingen naar de zitkamer waar Klara brieven kon schrijven; hij stond voor het open raam naar de lichtgroene blaadjes van de uitbottende kastanjes te kijken. De wind voerde de geur van onweer aan. Hij wist dat hij het omwille van haar veiligheid deed, zoals een goede echtgenoot betaamt. Hij wist dat hij hier juist aan deed. Zo meteen was ze klaar met de brieven en dan zou hij met een kus afscheid van haar nemen.

Hoe had hij kunnen bevroeden dat dit zijn laatste nacht zou zijn als inwoner van Parijs? Wat had hij gedaan, hoe had hij de laatste uren doorgebracht als hij het wél had geweten? Zou hij de hele nacht door de stad hebben gezworven om alle onvoorspelbare hoekjes, geuren, lichtinval in zijn geheugen op te slaan? Zou hij naar Rosens huis zijn gegaan om hem wakker te maken en alle goeds te wensen met zijn politieke strijd en met Shalhevet? Zou hij voor de laatste keer naar het droefgeestige appartement van Ben Yakov zijn gegaan? Zou hij naar Polaner zijn gegaan en naast zijn bed zijn neergehurkt om hem te vertellen wat hij werkelijk voelde: dat hij nog nooit zoveel van een vriend had gehouden, dat hij zijn leven en geluk aan hem te danken had, dat hij zich nog nooit zo opgetogen had gevoeld als tijdens hun nachten samen in het atelier, werkend aan een project dat in hun ogen gedegen doch gewaagd was? Zou hij voor het laatst langs het Sarah-Bernhardt zijn geslenterd, die slapende grande dame, met haar stoffige stoeltjes van rood fluweel, haar lege, stille gangen, haar kleedkamers die nog naar toneelschmink roken? Zou hij Forestiers atelier zijn binnengeslopen om diens catalogus over optische illusie uit zijn hoofd te leren? Zou hij via het Cimetière du Montparnasse door de geheime deur zijn gegaan om in het tekenlokaal zijn handen te laten glijden over het vertrouwde gladde werkblad van zijn tekentafel, de groef van de potlodenbalk, de technische potloden zelf met de dubbel gearceerde vingergrepen, de harde gladde punten, het bevredigende tikje als de ene taak af was en de andere begon? Zou hij naar de Rue de Sévigné zijn gegaan, zijn eerste en laatste thuishaven in Parijs, de plek waar hij voor het eerst Klara Morgenstern met een blauwe vaas in haar handen had gezien? De plek waar ze voor het eerst de liefde hadden bedreven, ruzie hadden gemaakt, over hun kinderen hadden gesproken?

Maar hij wist het niet. Hij wist alleen dat het beter was om Klara niet mee te nemen. Hij zou gaan en ook weer bij haar terugkomen. Geen oorlog, geen wet of regel kon hem daarvan weerhouden. Hij wikkelde zich in de dekens die ze deelden en dacht de hele nacht aan haar. Naast hem op de vloer lag Tibor op een geleend matras. Van het vertrouwde ritme van zijn ademhaling ging een onbeschrijflijke troost uit. Het was net of ze weer in hun huisje in Konyár waren, het weekend thuis van het gimnázium, terwijl hun ouders in de kamer ernaast sliepen en Mátyás in zijn ledikantje lag te dromen.

Het enige wat hij bij zich had was zijn kartonnen koffer en zijn leren schoudertas. Niet genoeg bagage om een taxi voor te bestellen. Daarom liep hij samen met Tibor naar het station, net zoals twee jaar eerder, toen Andras uit Boedapest was vertrokken. Bij het oversteken van de Pont au Change overwoog hij toch nog even bij Klara langs te gaan, maar daar was geen tijd meer voor; de trein ging al over een uur. Hij ging een bakkerij binnen en kocht een brood voor onderweg. In de etalage van de *tabac* ernaast verkondigden de kranten dat graaf Csaky, de Hongaarse minister van Buitenlandse Zaken, op een geheime diplomatieke missie naar Rome was afgereisd. Hij was gestuurd door de Duitse regering en was direct vanaf het vliegveld naar een bespreking met Mussolini vertrokken. De Hongaarse regering had geen verdere mededelingen willen doen over het doel van het bezoek, alleen dat Hongarije blij was om de communicatie tussen de bondgenoten te bevorderen.

Het station was vol met vakantiegangers, de vloer een wirwar van rugzakken en koffers, kisten en reistassen. Over niet al te lange tijd gingen Tibor en Ilana met de trein terug naar Italië. In de rij voor het loket legde Andras zijn hand op Tibors mouw: 'Ik wilde dat ik bij je huwelijk kon zijn.'

Tibor glimlachte en zei: 'Ik ook.'

'Ik had nooit verwacht dat het zo goed voor je zou uitpakken.'

'Ik durfde het niet eens te hopen,' zei Tibor.

'Geluksvogel,' zei Andras.

'Laten we hopen dat het in de familie zit,' zei Tibor. Andras' blik dwaalde af naar het begin van de rij, waar een kleine donkerharige vrouw een portemonnee opendeed om haar papiergeld te tellen. Er ging even een steek door hem heen. Ze droeg haar haar op dezelfde manier als Klara, in een losse wrong in haar nek. Haar zomerjas had dezelfde snit als die van Klara, haar houding was recht en sierlijk. Wat wreed van het lot, bedacht Andras, om uitgerekend op dit moment een evenbeeld van Klara voor zijn ogen te laten verschijnen.

Maar toen, op het moment dat ze de portemonnee in haar tas terugstopte, dacht hij dat zijn hart het zou begeven: het wás Klara. Ze keek hem aan met haar grijze ogen en hield het treinkaartje omhoog: ze ging met hem mee. Hij kon hoog of laag springen, maar ze ging mee.

IV

De onzichtbare brug

26

Subkarpatië

In januari 1940 was eenheid 112/30 van het Hongaarse leger gestationeerd in Karpato-Roethenië, halverwege de dorpen Jalová
en Stakčin, niet ver van de rivier de Cirocha. Het was het gebied
dat Hongarije van Tsjecho-Slowakije had geannexeerd, nadat
Duitsland Sudetenland had ingelijfd. Het was een ruig, onher-
bergzaam landschap met begroeide bergtoppen, beboste heuvels,
besneeuwde dalen en bevroren riviertjes vol rotsen. Andras had
in de Parijse kranten over de annexatie van Roethenië gelezen en
journaalbeelden gezien van de bosrijke heuvels daar, maar toen
was het iets abstracts voor hem geweest, niet meer dan een pion
in Hitlers schaakpartij. En nu leefde hij onder het bladerdak van
een Karpato-Roetheens bos, als lid van een Hongaarse arbeids-
divisie die aan de spoorweg werkte. Eenmaal terug in Boedapest
was hem al snel duidelijk geworden dat zijn visum niet verlengd
ging worden. De beambte van het visumbureau, met een walm
van uien en peper om zich heen, had Andras hartelijk uitgelachen en hem erop gewezen dat hij zowel joods was als dienstplichtig. De kans dat hij een visum voor twee jaar zou krijgen was
ongeveer even groot als de kans dat hij, Márkus Kovács, de komende vakantie op Korfoe met Lily Pons zou doorbrengen, haha-
ha. Zijn meerdere, een bezadigder type maar even kwalijk riekend
– sigaren, worst, zweet – bestudeerde langdurig de brief van de
École Spéciale en verkondigde met een vaderlandslievende blik
op de Hongaarse vlag dat hij geen Frans sprak. Toen Andras de
brief voor hem had vertaald, merkte de hogergeplaatste op dat als
zijn school zo dol op hem was ze hem over twee jaar, als hij uit
dienst kwam, ook heus nog wel zouden willen hebben. Andras liet
zich niet met een kluitje in het riet sturen en ging elke dag naar
het bureau. Ondertussen liepen de frustratie en spanning bij
hem steeds hoger op. Augustus was bijna voorbij. Ze moesten
terug naar Parijs. Klara liep hier risico en hoe langer ze bleven,

hoe groter het werd. Toen brak in de eerste week van september de oorlog uit.

Een onbenullig incident – ss'ers verkleed als Poolse soldaten hadden een schijnaanval op een Duitse radiozender in het grensplaatsje Gleiwitz uitgevoerd – werd door Hitler als voorwendsel aangegrepen om anderhalf miljoen manschappen en tweeduizend tanks de Poolse grens over te sturen. In de dagbladen van Boedapest stonden foto's van Poolse ruiters die met zwaarden en lansen de Duitse pantserdivisies te lijf gingen. De volgende dag zag je in de kranten een slagveld vol met uiteengereten paarden en de resten van stokoud krijgstuig; grijnzende pantsertroepen poseerden met scheenplaten en borstplaten. In de krant stond dat het krijgstuig in een nieuw op te richten Overwinningsmuseum in Berlijn tentoongesteld zou worden. Enkele weken later kreeg Andras zijn oproep voor het leger terwijl Duitsland en Rusland overleg voerden over de verdeling van de veroverde gebieden. Hongarije zou pas anderhalf jaar later aan de oorlog meedoen, maar joodse mannen waren al in juli voor hun nummer opgeroepen. Andras meldde zich bij het hoofdkwartier in de Soroksári út, waar hij hoorde dat zijn eenheid, de $112/30^{ste}$, in Roethenië gelegerd zou worden. Over drie weken moest hij vertrekken.

Hij ging het Mátyás vertellen in de damesondergoedwinkel in de Váci utca waar hij net een nieuwe etalage aan het inrichten was. Een stel keurig geklede dames van middelbare leeftijd stond op de stoep te kijken hoe Mátyás een rij paspoppen met een reeks steeds kleiner wordend ondergoed aankleedde, een kuise naaktrevue, gevangen in de tijd. Toen Andras op het glas tikte, stak Mátyás een vinger op ten teken dat zijn broer even moest wachten; hij speldde eerst het achterpand van een lila onderjurk vast en daarna kroop hij door een kabouterdeurtje in de zijkant van de etalage. Even later verscheen hij bij de menseningang van de winkel, met een meetlint over zijn schouder geslingerd en een laddertje van spelden op zijn revers. De afgelopen twee jaar was hij van een broodmager jochie in een slanke, goedgebouwde jongeman veranderd; met de natuurlijke gratie van een balletdanser deed hij de dagelijkse routineklusjes. Op zijn kaken was het donkere zweem van stoppels zichtbaar en bij zijn keel was het bolletje van een adamsappel verschenen. Hij had het dikke donkere haar en de hoge geprononceerde jukbeenderen van hun moeder.

'Ik moet nog een paar poppies aankleden,' zei hij. 'Waarom kom je niet even mee? Dan kun je me onder het spelden je nieuws vertellen.'

Ze gingen de winkel in en betraden via het kabouterdeurtje de etalage. 'Wat vind je?' vroeg Mátyás met een gebaar naar een paspop met een smal middeltje. 'De roze onderjurk of de blauwe?' Het was zijn gewoonte om tijdens kantooruren de etalage in te richten; hij had geconstateerd dat de spullen die hij in de vitrine plaatste meteen gretig aftrek vonden.

'De blauwe,' zei Andras, en toen: 'Raad eens waar ik over drie weken zal zijn.'

'Niet in Parijs, denk ik.'

'Roethenië, met mijn legeronderdeel.'

Mátyás schudde zijn hoofd. 'Als ik jou was, zou ik 'm direct smeren. Op de trein naar Parijs springen en politiek asiel aanvragen. En zeggen dat je dienst weigert voor een land dat gebied van de nazi's als geschenk aanneemt.' Hij stak een speld in het schouderbandje van de blauwe onderjurk.

'Ik wil geen vluchteling worden. Ik ben verloofd en ga trouwen. Trouwens, de Franse grenzen zijn toch dicht.'

'Ga dan ergens anders heen. België. Zwitserland. Je hebt zelf gezegd dat Klara hier niet veilig is. Neem haar mee.'

'Met z'n tweetjes als zwervers per trein rondtrekken?'

'Waarom niet? Beter dan afgevoerd worden naar Roethenië.' Toen kwam hij overeind van zijn bezigheid en keek Andras met een diep somber gezicht aan. 'Je moet echt weg, hè?'

'Ik zie geen andere oplossing. De eerste dienstperiode duurt maar een halfjaar.'

'En dan krijg je een karig verlof en word je voor nog eens een halfjaar teruggestuurd. En dat moet je dan nog twee keer doen.' Mátyás sloeg zijn armen over elkaar. 'Ik vind nog steeds dat je 'm moet smeren.'

'Ik wou dat ik het kon, heus.'

'Klara zal niet staan te juichen.'

'Dat weet ik. Ik ga straks naar haar toe. We hebben bij haar moeder afgesproken.'

Mátyás gaf hem een klap op zijn schouder om hem sterkte te wensen en hield het deurtje voor hem open, zodat hij erdoorheen kon kruipen. Hij stapte omlaag de winkel in en liep door de grote deur naar buiten, zwaaiend naar Mátyás achter het raam. Hij baande zich een weg langs de vrouwen die nieuwsgierig waren samengedromd. Hij kon amper geloven dat het al bijna oktober was en dat hij niet terug naar school ging; de laatste dagen spelde hij de *Pesti Napló* van voor naar achter voor nieuws over Parijs. In de krant van vandaag stonden foto's van enorme mensenmassa's op de stations. Zestienduizend kinderen werden naar het platteland geëvacueerd. Als Klara en hij in Frankrijk waren gebleven, hadden ze misschien ook de stad verlaten, maar misschien waren ze gebleven en hadden ze zich op het ergste voorbereid. Maar nu zat hij hier, in Boedapest, en liep over de Andrássy út naar het Városliget, naar de lommerrijke lanen van Klara's jeugd. Het was inmiddels al bijna gewoon om een middag door te brengen in het huis op de Benczúr utca, al waren ze pas sinds een maand in Boedapest. In het begin was Klara's situatie zo ongewis dat ze niet eens naar het huis durfden te gaan; ze hadden in een afgelegen hotelletje aan de Cukor utca een kamer genomen onder Andras' naam, en hadden besloten dat het verstandiger was om Klara's moeder eerst van de komst van haar voortvluchtige dochter op de hoogte te stellen voordat Klara thuis haar opwachting maakte. De volgende middag was hij naar de Benczúr utca gegaan en had zich aan de dienstbode voorgesteld als een vriend van József. Ze had hem binnengelaten in dezelfde salon met de kleden van roze en goud, waar hij vlak voor zijn vertrek naar Parijs zo'n ongemakkelijk uur had doorgebracht. De jonge en de oude mevrouw Hász waren een kaartspelletje aan het doen op een verguld tafeltje voor het raam en József zat onderuitgezakt in een zalmkleurige leunstoel met een boek op schoot. Toen hij Andras in de deuropening zag staan, had József zich uit zijn stoel gehesen en hem hartelijk begroet, zoals hij had verwacht, en daarna gezegd hoe erg het hem speet dat ook Andras gedwongen naar Boedapest was teruggekeerd. De jonge mevrouw Hász had hem even beleefd toegeknikt, maar de oude mevrouw had hem een warme lach van herkenning geschonken. Andras' houding moest op een of andere manier de aandacht van Klara's moeder hebben getrokken, want even later legde ze haar waaier kaarten op tafel en stond op.

'Meneer Lévi,' zei ze. 'Hoe maakt u het? U ziet wat bleek.' Ze liep de kamer door en stak haar hand uit, de blik in haar ogen gelaten, alsof ze slecht nieuws verwachtte.

'Ik maak het goed,' zei hij. 'Net als Klara.'

Daar keek ze verbaasd van op en ook Józsefs moeder kwam overeind. 'Meneer Lévi,' begon ze maar viel toen stil. Kennelijk wist ze niet goed hoe ze hem moest waarschuwen zonder dat haar zoon te veel te weten kwam.

'Wie is Klara?' vroeg József. 'Je bedoelt toch niet Klara Hász?'

'Jawel,' zei Andras. En hij legde uit dat hij een twee jaar oude brief van Klara aan haar moeder bij zich had en daarna hoe ze elkaar hadden leren kennen. 'Ze gaat nu onder de naam Morgenstern door het leven. Je kent haar dochter, Elisabet.'

Voorzichtig liet József zich op de damasten stoel zakken. Hij zag eruit of Andras hem een vuistslag had gegeven. 'Elisabet?' zei hij. 'Bedoel je soms dat Elisabet Morgenstern de dochter van Klara is? Klara, mijn verdwenen tante?' En op dat moment schoten hem waarschijnlijk de geruchten te binnen over de relatie tussen Andras en de moeder van Elisabet Morgenstern, want hij trok wit weg en keek Andras aan alsof hij een volslagen vreemde was.

'Waarom ben je hier?' vroeg de jonge mevrouw Hász. 'Wat wil je ons vertellen?'

En eindelijk kwam Andras met het verlossende bericht: dat Klara het goed maakte, dat ze levend en wel hier in Boedapest was en dolgraag haar moeder wilde zien. Hij had het nog niet gezegd of de tranen welden op in de ogen van Klara's moeder. Maar meteen daarop betrok haar gezicht van angst. Waarom, vroeg ze, had Klara zo'n verschrikkelijk groot risico genomen?

'Ik ben bang dat dat deels mijn schuld is,' zei Andras. 'Ik moest zelf terug naar Boedapest. Klara en ik zijn verloofd en we gaan binnenkort trouwen.'

Daarop brak er een soort pandemonium in de salon los. Józsefs moeder verloor alle zelfbeheersing en wilde op hoge, paniekerige toon weten hoe zoiets in hemelsnaam had kunnen gebeuren om meteen daarop te verklaren dat ze het eigenlijk niet wilde weten, dat het belachelijk en onaanvaardbaar was. Ze riep de dienstbode en vroeg om de pilletjes voor haar hart, waarna ze József opdroeg om zijn vader onmiddellijk van zijn werk op de bank te gaan halen. Even later trok ze de opdracht weer in, omdat het achterdocht zou wekken als György midden op de dag halsoverkop naar huis ging. Ondertussen drong de oude mevrouw Hász er bij Andras op aan om toch te zeggen waar Klara was, of ze veilig was en of het mogelijk was haar op te zoeken. Andras, het middelpunt van alle opschudding, vroeg zich af of dit het einde betekende van zijn verloving met Klara en dat haar broer en zijn vrouw wellicht door indirecte invloed een verbintenis tussen iemand van Klara's stand en iemand van zijn eigen afkomst konden verhinderen. József Hász keek Andras nu al aan met een onbekende, haast vijandige uitdrukking op zijn gezicht – van verwarring, verraad en wantrouwen. En dat laatste verontrustte Andras nog het meest.

Het werd al snel duidelijk dat de oude mevrouw Hász direct naar Klara wilde en dat niemand haar kon tegenhouden. Ze had de auto laten voorrijden; ze wilde dat Andras met haar meeging. De chauffeur zou hen halverwege de weg naar het hotelletje in de Cukor utca afzetten en dan zouden ze het laatste stuk gaan lopen. Zonder afscheid te nemen van Andras ging József met zijn moeder naar boven om haar zenuwen tot bedaren te brengen. Klara's moeder keek Andras even nadrukkelijk aan om hem te laten weten hoe bespottelijk ze het gedrag van haar schoondochter vond. Ze sloeg een jas om en op een holletje liepen ze naar de wachtende auto. Onder het rijden vroeg ze nogmaals of het goed ging met Klara, hoe ze er tegenwoordig uitzag en ten slotte ook of ze haar moeder wilde zien.

'Dolgraag,' zei Andras. 'Dat moet u van me aannemen.'

'Achttien jaar!' zei ze op fluistertoon en daarna zweeg ze beduusd.

Enkele ogenblikken later werden ze afgezet aan het begin van de Andrássy út. Andras omvatte de elleboog van mevrouw Hász en ze repten zich door de straten. Haar knot raakte los onder het lopen en haar haastig omgeslagen sjaal gleed van haar hals; Andras ving de paarse zijden doek met zijn vingers op terwijl ze de kleine receptie van het hotel binnengingen. Onder aan de gietijzeren trap leek Klara's moeder bevangen te worden door angst en schroom. Traag en bedachtzaam klom ze de treden op, alsof ze tijd nodig had om in gedachten enkele van de talloze weerziensscènes af te spelen. Toen Andras aangaf dat ze op de juiste verdieping waren gekomen, liep ze zwijgend achter hem aan door de gang en keek ernstig toe hoe hij de sleutel uit zijn broekzak haalde. Hij stak de sleutel in het slot en deed de deur open. Klara stond bij het raam in haar beige jurk. Het ochtendlicht viel over haar gezicht, in haar vuist zat een verkreukeld zakdoekje. Haar moeder liep als een slaapwandelaarster naar haar toe; ze ging naar het raam, pakte Klara's handen, streelde haar gezicht, zei haar naam. Een bevende Klara legde haar hoofd op haar moeders schouder en weende. Een tijd lang stonden ze trillend in elkaars armen, zonder iets te zeggen, terwijl Andras toekeek. Dit was het omgekeerde van wat hij een paar weken eerder bij Elisabets vertrek had meegemaakt: een verloren kind was teruggekeerd, het ongrijpbare was tastbaar geworden. Hij wist dat hun weerzien op een benauwd hotelkamertje op een armoedige zolderverdieping in een triest straatje van Boedapest plaatsvond, maar toch had hij het gevoel dat hij getuige was van een welhaast onaardse hereniging, zo'n prachtige versmelting dat hij zich simpelweg moest afwenden. Hier werd het gat tussen Klara's verleden en haar huidige leven gedicht; het leek niet meer ondenkbaar dat ze binnenkort samen een nieuw leven konden beginnen. Maar toen wist hij nog niet van de moeilijkheden op het visumbureau van Boedapest. De Franse grenzen waren nog open. Alles leek nog mogelijk.

Nu, vier weken later, was het duidelijk dat hij niet op korte termijn terug kon naar Parijs, zoals hij had gehoopt. Erger nog: al snel zou hij naar verre, onbekende bossen worden gestuurd en zou hij Klara niet meer zien. Toen hij die middag in de Benczúr utca arriveerde om daar het nieuws te vertellen dat hij even daarvoor aan zijn broer had overgebracht – dat hij over drie weken in Karpato-Roethenië werd gestationeerd – constateerde hij opgelucht dat er niemand thuis was, alleen Klara. Ze had de thee boven laten komen in haar lievelingskamer, een mooi boudoir met een bankje voor het raam dat uitkeek op de tuin. Toen ze klein was, vertelde ze aan Andras, was dit haar toevluchtshaven als ze alleen wilde zijn. Ze noemde het de Konijnenkamer vanwege een prachtige gravure van Dürer die boven de schoorsteenmantel hing: een jonge haas van opzij gezien, met opgetrokken, donzige poten en platliggende oren. Ze had een vuur aangemaakt in de haard en taartjes voor bij de thee besteld. Maar nadat hij haar het nieuws had verteld dat hem op het hoofdkwartier was meegedeeld, kon ze alleen nog zwijgend naar de schaal strudel met walnoten en maanzaad zitten staren.

'Zodra de Franse grenzen weer open zijn, moet je teruggaan,' zei hij na een tijdje. 'Ik vind het doodeng, het risico dat je hier loopt.'

'In Parijs ben ik heus niet veiliger,' zei ze. 'Daar kunnen elk moment de bommen vallen.'

'Je kunt met mevrouw Apfel naar het platteland gaan. Misschien wel naar Nice.'

Ze schudde haar hoofd. 'Ik laat je hier niet alleen. We gaan trouwen.'

'Maar het is waanzin om te blijven,' zei hij. 'Vroeg of laat komen ze erachter wie je bent.'

'Maar in Parijs heb ik niets. Elisabet is weg. Jij bent hier. En mijn moeder en György. Ik kan niet terug, Andras.'

'En je vriendinnen dan, je leerlingen, de rest van je leven?'

Ze schudde weer met haar hoofd. 'Frankrijk verkeert in oorlog. Mijn leerlingen zijn de stad uit. Ik moet de school toch sluiten, voorlopig tenminste. Misschien duurt de oorlog niet zo lang. Met een beetje geluk is hij voorbij voordat jij je dienstplicht hebt vervuld. Dan kun je een visum aanvragen en gaan we samen terug naar Parijs.'

'En ondertussen loop jij hier dus gevaar?'

'Ik zal stilletjes onder jouw achternaam door het leven gaan. Niemand zal enige reden hebben om achterdocht te koesteren. Ik kan mijn appartement en studio in Parijs verhuren en een optrekje in de joodse buurt hier zoeken. Misschien kan ik privéles aan een paar leerlingen geven.'

Hij zuchtte en wreef met zijn handen over zijn gezicht. 'Dit wordt nog eens mijn dood,' zei hij. 'De gedachte dat je hier in Boedapest als voortvluchtige leeft.'

'Maar in Parijs leefde ik ook als voortvluchtige.'

'Maar de lange arm reikt gelukkig niet zo ver!'

'Ik laat je niet achter in Hongarije,' zei ze. 'Punt uit.'

Hij had nooit durven dromen dat Klara en hij in de sjoel aan de Dohány utca zouden trouwen, laat staan dat zijn ouders en Mátyás erbij konden zijn; en al helemaal niet dat ook Klara's familie erbij was: haar moeder, die haar weduwedracht voor een zuil van roze zijde had verwisseld, moest huilen van blijdschap; de jonge mevrouw Hász, met een zuinig mondje en kaarsrecht, in een watervaljurk van Vionnet; Klara's broer, György, die zijn liefde voor Klara zwaarder had laten wegen dan zijn eventuele bezwaren tegen Andras, stapte zo trots en nerveus rond alsof hij de vader van de bruid was. Verder was er József Hász die alles zwijgend van een afstandje bekeek. Het gebedskleed van Geluksvogel Béla diende als hun huwelijksbaldakijn en Klara's trouwring was een gladde gouden ring die van Béla's moeder was geweest. Het huwelijk werd op een oktobermiddag op de binnenplaats van de sjoel voltrokken. Een grootse viering in het heiligdom was uitgesloten. Het enige openbare aan hun huwelijk was het papierwerk waarmee de meisjesnaam van Klara Hász werd veranderd in de nieuwe naam van de bruid. Ze mocht zich niet als ingezetene inschrijven, vanwege een nieuwe anti-joodse wet die in mei was aangenomen, maar ze kon wel wettig de achternaam van Andras aannemen en onder die dekmantel een verblijfsvergunning aanvragen. Andras' vader las zelf de huwelijksakte in het Aramees voor, dat hij op het rabbinaal seminarium had geleerd. Andras' moeder, die zich wat opgelaten voelde in aanwezigheid van het handjevol gasten, overhandigde het glas dat Andras moest vertrappen.

Er werd echter met geen woord gerept – niet tijdens de plechtigheid zelf en ook niet tijdens de daaropvolgende feestelijke lunch in de Benczúr utca – over Andras' aanstaande vertrek naar Karpato-Roethenië. Toch was het besef steeds onderhuids aanwezig, als een klaaglied. Het bleek dat József aan een eender lot was ontsnapt; de familie Hász had een overheidsfunctionaris omgekocht, zodat József een gang naar het werkkamp bespaard was gebleven. De prijs die ervoor was betaald was evenredig aan het vermogen van de familie: ze hadden hun chalet aan het Balatonmeer, waar Klara als kind de zomer had doorgebracht, aan de functionaris moeten geven. Zijn studentenvisum was verlengd en zodra de grenzen weer opengingen kon hij Frankrijk in. Niemand wist alleen wanneer en evenmin of Frankrijk staatsburgers zou toelaten uit landen die bondgenoten van Duitsland waren. De ouders van Andras hadden niet genoeg geld om een vrijstelling te regelen. Ze konden amper van de houthandel leven. Klara had geopperd om haar broer om hulp te vragen, maar Andras had die mogelijkheid meteen verworpen. Ten eerste liepen ze het risico dat de beambten ontdekten dat Andras gerelateerd was aan de familie Hász. Bovendien wilde Andras niet op de zak van György teren. Ten einde raad stelde Klara toen voor om haar appartement en studio in Parijs te verkopen, maar daar wilde Andras niets van horen. Het appartement in de Rue de Sévigné was haar huis. Als de grond in Hongarije te heet werd onder haar voeten, moest ze onverwijld terug kunnen naar Parijs. En verder was er nog een minder praktische kant aan de zaak: zolang Klara het appartement en de studio had, bleef het idee dat ze daar op een goede dag samen zouden wonen intact. Andras zou zijn twee jaar diensttijd vervullen en daarna, zoals Klara had gezegd, was de oorlog waarschijnlijk voorbij en konden ze samen terug naar Parijs.

Een paar verrukkelijke uren lang, tijdens de feestelijkheden in de Benczúr utca, wist hij de gedachte aan zijn aanstaande vertrek van zich af te zetten. Andras werd op een stoel op een grote entresol getild, waar de meubels waren weggehaald, en zat naast zijn kersverse bruid terwijl een stel muzikanten zigeunermuziek speelde. Later danste hij samen arm in arm met Mátyás en hun vader tot ze tollend bijna op de grond vielen. József Hász, die automatisch de rol van gastheer op zich had genomen, zelfs op een huwelijk dat hij afkeurde, zorgde ervoor dat ieders champagneglas gevuld bleef. En Mátyás hield de traditie hoog om de bruid en de bruidegom aan het lachen te maken met een Chaplin-achtige tapdans met een inklappende wandelstok en een constant wegschietende hoge hoed. Klara gierde het uit. Haar bleke voorhoofd was helemaal roze en uit haar lage wrong waren donkere krulletjes ontsnapt. Toch was Andras zich er de hele tijd van bewust dat het straks voorbij was, dat hij aanstonds afscheid moest nemen van zijn prille echtgenote en op de trein naar Karpato-Roethenië moest stappen. Maar ook zonder dat vooruitzicht had hij niet met volle teugen kunnen genieten. Hij kon niet doen of hij de kille houding van de jonge mevrouw Hász niet bemerkte. Bovendien werd hij er steeds van alle kanten op gewezen dat Klara's jeugd zo anders was geweest dan die van hem. Zijn moeder, die er in haar grijze jurk heel elegant uitzag, durfde amper de breekbare flûtes van de familie Hász aan te pakken; zijn vader wist niet goed wat hij tegen Klara's broer moest zeggen, en al helemaal niet tegen József. Was Tibor er maar, dacht Andras, die had vast wel de kloof weten te dichten. Maar Tibor was er uiteraard niet bij, net als drie anderen. Door hun afwezigheid had de hele bruiloft iets onwerkelijks: Polaner en Rosen, die in ieder geval wel een felicitatietelegram hadden gestuurd, en Ben Yakov, die niets meer van zich had laten horen. Hij wist dat Klara ondanks haar geluk ook het nodige verdriet doormaakte. Haar gedachten waren vast bij haar vader en bij Elisabet, die zo ver weg was.

Er werd over de oorlog gepraat en over de mogelijke rol van Hongarije. Nu Polen was gevallen, aldus György Hász, werd Duitsland waarschijnlijk door Engeland en Frankrijk gedwongen om een wapenstilstand af te kondigen voordat Hongarije zijn bondgenoot te hulp kon komen. Het leek Andras een vergezocht idee, maar het was een dag die om optimisme vroeg. Het was half oktober, een van de laatste warme middagen van het jaar. In de platanen speelden schuine lichtbanen en over de tuin lag een gouden nevel, als een plas honing. Terwijl de laatste zonnestralen de tuinmuur raakten, pakte Klara de hand van Andras en leidde hem naar buiten. Ze nam hem mee naar een besloten plekje achter een liguster, waar een marmeren bankje onder een cascade van klimop stond. Hij ging zitten en trok haar op zijn schoot. De huid van haar hals was warm en vochtig, de geur van rozen vermengde zich met de flauwe mineraalsmaak van haar zweet. Ze kwam dichterbij met haar gezicht en toen hij haar kuste, proefde hij bruidstaart.

Tijdens zijn nachten in de heuvels van de Karpaten was dat het moment dat steeds opnieuw in zijn gedachten terugkeerde. Dat moment en die erna in hun suite in Hôtel Gellért. Hun wittebroodsweken duurden maar kort, slechts drie dagen. Nu teerde hij daar op: het moment dat ze zich als man en vrouw bij de receptie hadden ingeschreven; de blik van opluchting op haar gezicht toen ze eindelijk alleen op hun kamer waren; haar verrassende schroom in het bruidsbed; de welving van haar blote rug in de verknoopte lakens toen ze de volgende ochtend wakker werden; de trouwring die een opvallend nieuw gewicht aan zijn hand was. Onder het werken leek het een ongepaste luxe om de ring te dragen, niet alleen vanwege het contrast van het goud met de aarde en de grauwe omgeving, maar ook omdat het bij hun heerlijk vertrouwde intimiteit hoorde. *Ani l'dodi v'dodi li*, had ze in het Hebreeuws gezegd toen ze hem de ring had gegeven, een regel uit het Hooglied: 'Van mijn geliefde ben ik en van mij is mijn geliefde.' Hij was de hare en zij was de zijne, zelfs hier in Karpato-Roethenië.

Hij bivakkeerde met zijn maten in een verlaten boerderij in een uitgestorven gehucht bij een steengroeve waaruit al jaren geleden alle bruikbare graniet was geput. Hij wist niet hoe lang de boerderij al door de bewoners was verlaten; in de schuur rook het nog heel in de verte naar dieren. In de schuur sliepen vijftig mannen, twintig in een verbouwd kippenhok, dertig in de stallen en nog eens vijftig in de recent opgetrokken kazerne. De pelotonkapiteins en de compagniecommandant, de legerarts en de voormannen sliepen op de deel, waar ze echte bedden en stromend water hadden. In de schuur had ieder een metalen veldbed en een kaal matras gevuld met stro. Aan het voeteneind stond een houten uitrustingskist met daarop het identificatienummer van de eigenaar gestempeld. Het eten was karig maar constant: 's ochtends brood met koffie, 's middags aardappelsoep of bonen, 's avonds nog meer soep en nog meer brood. De kleding was toereikend om warm te blijven: overjassen en winteruniformen, wollen ondergoed, wollen sokken, stugge zwarte laarzen. Hun overjassen, hemden en broeken leken precies op het uniform dat de rest van het Hongaarse leger droeg. Het enige verschil was de groene M die op hun boord was genaaid, die stond voor *Munkaszolgálat*, de arbeidsdienst. Niemand had het echter ooit over *Munkaszolgálat*, ze noemden het de *Musz*, een enkele haatdragende lettergreep. In de Musz, zo hadden zijn maten verteld, was je net als ieder ander dienstplichtig soldaat, alleen was je leven er nog mínder waard dan drek. In de Musz, zeiden ze, kreeg je dezelfde soldij als alle andere dienstplichtigen: net genoeg voor je familie om honger te lijden. De Musz wilde je niet dood hebben, je werd gewoon afgebeuld totdat je zelf dood wilde. En er was nog een verschil, uiteraard: iedereen van zijn eenheid was joods. Het Hongaarse ministerie van Oorlog meende dat het gevaarlijk was om joden wapens te laten dragen. Het leger oordeelde de joden onbetrouwbaar en stuurde ze de bossen in om bomen om te hakken, wegen en bruggen te bouwen, kazernes op te trekken voor de troepen die in Roethenië gelegerd zouden worden.

Er waren privileges waarop Andras niet had gerekend. Omdat hij getrouwd was, kreeg hij extra soldij en een huisvestingstoelage. Hij had een zakboekje met het koninklijke Hongaarse zegel; twee keer per maand kreeg hij uitbetaald in overheidscheques. Hij mocht brieven en pakjes versturen en ontvangen, al werd alles eerst gecontroleerd. En omdat hij zijn gymnasiumdiploma had, kreeg hij de rang van officier. Hij was de chef van zijn groep van twintig man. Hij had een officierskepie en op zijn mouw zat een dubbele chevron en de rest van zijn ploeg moest hem aanspreken met 'kapitein' en salueren als hij langsliep. Hij moest de presentielijst bijhouden en de nachtwacht organiseren. Zijn twintig mannen moesten met hun persoonlijke verzoeken en problemen bij hem komen; bij meningsverschillen trad hij als rechter op. Twee keer per week moest hij aan de compagniecommandant verslag uitbrengen van de stand van zaken in zijn groep.

De 112/30ste had opdracht gekregen om een stuk bos te kappen waar in het voorjaar een weg aangelegd zou worden. 's Ochtends stonden ze in het donker op en wasten zich met gesmolten sneeuwwater; ze kleedden zich aan en schoven hun voeten in de laarzen die stijf waren geworden van de kou. In de flauwe rode gloed van de houtkachel dronken ze bittere koffie en aten hun rantsoen brood. Er was ochtendgymnastiek: opdrukken, armzwaaien, diepe kniebuigingen. Daarna moesten ze zich op bevel van de sergeant in marsorde op de binnenplaats opstellen, waarna ze met hun bijl als een geweer over hun schouder in het donker naar het werkterrein marcheerden.

Het enige lichtpuntje in dat oord was zijn ploegmaat. Dat bleek namelijk niemand minder dan Mendel Horovitz te zijn, die zes jaar met Andras op dezelfde school in Debrecen had gezeten en tijdens de voorrondes voor de Olympische Spelen van 1936 het Hongaarse record op de honderd meter sprint en het verspringen had gebroken. Tien minuten lang was Mendel lid van de Hongaarse Olympische ploeg geweest – na zijn laatste sprong had iemand het officiële jasje om zijn schouders gehangen en naar de registratietafel gebracht, waar de secretaris van het Olympische team de persoonlijke gegevens van alle kandidaten noteerde. Maar de derde vraag, na *naam* en *geboorteplaats*, was *geloof*, en daar ging Mendel de mist in. Hij wist natuurlijk van tevoren dat joden van deelname waren uitgesloten; hij had uit protest aan de voorrondes meegedaan, in de ijdele hoop dat ze voor hem misschien een uitzondering zouden maken. Niet, natuurlijk. Een besluit waar de wedstrijdcommissie later spijt van had: Mendels record op de honderd meter was een tiende seconde onder de tijd van Jesse Owens, die goed was voor een gouden medaille.

Toen Mendel en Andras elkaar voor het eerst zagen op het spoorwegemplacement waren ze zo blij elkaar te zien en sloegen elkaar zoveel op de rug dat het ze meteen al een slechte aantekening opleverde. Mendel had een verweerd gezicht en een mond die in een spottende v stond. Zijn wenkbrauwen leken op de veerachtige voelsprieten van een vlinder. Hij was in Zalaszabar geboren en was naar het gimnázium in Debrecen gegaan, een opleiding die door zijn oom van moederskant was bekostigd. In ruil daarvoor wilde hij dat zijn protegé wiskunde ging studeren. Maar Mendel had geen aanleg voor wiskundige abstracties, maar was ook niet van plan professioneel sporter worden, ondanks zijn talent. Hij wilde journalist worden. Na de teleurstelling van de Olympische Spelen was hij bij een avondkrant, de *Avondpost*, op de eindredactie gaan werken. Al snel begon hij zijn eigen cursiefjes te schrijven, satirische journalistieke stukjes die hij onder pseudoniem in de postbus van de hoofdredacteur schoof en die zo nu en dan in de krant werden afgedrukt. Toen hij een jaar bij de *Avondpost* werkte, werd hij opgeroepen voor zijn nummer. Inmiddels had hij al een ontslagronde overleefd, gevolgd na de instelling van het nieuwe quotum van zes procent joodse medewerkers bij een krant. Andras vond dat hij opvallend opgewekt was over zijn transport naar Subkarpatië. Hij vond het fijn in de bergen, zei hij, fijn om in de buitenlucht met zijn handen te kunnen werken. Hij vond zelfs het eindeloze houthakken niet erg.

Andras had het zelf ook niet erg gevonden als het gereedschap scherp was geweest en er voldoende eten was geweest, lekker warm weer, en als hij het werk vrijwillig had gekozen. Elke boom die op het enorme terrein werd gekapt had iets van een bevredigend ritueel. Eerst maakte Mendel met zijn bijl een kerf en daarna zette Andras de trekzaag in de groef. Vervolgens pakten ze elk een handvat en zetten zich schrap voor het werk. Bij het zagen van de buitenste ring kwam de zoete lucht van zaagsel vrij. Hoe dichter ze bij de stam kwamen, hoe meer weerstand ze ondervonden. Ze moesten dunne stalen wiggen in het gat schuiven om het open te houden; bij de kern, waar het hout compacter werd, begon het zaagblad te kermen. Soms duurde het wel een halfuur om door dertig centimeter kern heen te zagen. Dan in looppas naar de andere kant voor het afmaken van het karwei. Als ze nog maar enkele centimeters moesten, stopten ze nog een paar wiggen erin en trokken de zaag eruit. Mendel riep dan: 'Van onderen!' en gaf de boom een duw. Vervolgens een reeks krakende kreungeluiden, de stuwkracht trok over de stam naar boven, waarna de bovenste takken zich langs hun buren wrongen. Dat was het definitieve einde van de boom, het moment waarop het duidelijk werd wat er van de boom zou worden. *Hout.* Het vallen van de boom ging gepaard met een grote luchtverplaatsing. De takken doorkliefden de lucht met honderd verschillende fluittonen terwijl de boom tegen de vlakte sloeg. Als de stam de grond raakte, dreunde de hele aarde van het onvoorstelbare gewicht, een schok die zich voortplantte door de zolen van Andras' laarzen, via zijn botten naar de kruin van zijn hoofd, waar het als een geweerschot in zijn schedel afketste. Dan volgde een moment van enorme weergalm, het zwijgende kaddisj voor de boom. En in die stilte joeg de voorman de manschappen op: 'Goed, mannen! Vooruit! Doorgaan!' De takken moesten tot brandhout gekloofd worden, de kale stammen moesten naar de enorme diepladers versleept worden waarna ze naar een spoorwegstation vervoerd zouden worden en van daaruit naar het binnenland van Hongarije.

Hij vormde een goed duo met Mendel. Ze waren de snelste werkers van hun ploeg en kregen complimenten van de voorman. Maar onder deze omstandigheden gaf dat weinig voldoening. Hij was uit zijn leven weggerukt, niet alleen van Klara gescheiden maar van alles wat in de afgelopen twee jaar zo belangrijk voor hem was geweest. In oktober had hij eigenlijk met Le Corbusier over zijn plannen voor een sportstadion in India willen praten, maar in plaats daarvan stond hij hier bomen te kappen. In november had hij eigenlijk zijn maquettes voor de derdejaarsexpositie moeten maken, maar in plaats daarvan stond hij hier bomen te kappen. In december had hij eigenlijk zijn tentamens voor het semester moeten doen, maar in plaats daarvan stond hij hier bomen te kappen. Hij wist dat het academische jaar tijdelijk onderbroken was, maar het zou inmiddels wel hervat zijn. Polaner, Rosen en Ben Yakov – erger nog, ook die rotkerels die hem na de uitreiking van de Prix de l'Amphithéâtre hadden getreiterd – waren vast hard bezig met de laatste loodjes om de gebouwen die ze in gedachten voor zich zagen met duidelijke zwarte lijnen op tekenpapier gestalte te geven. Zijn vrienden kwamen vast nog elke avond bij De Blauwe Duif samen voor een borrel, zouden nog in het Quartier Latin wonen en hun oude leventje leiden.

Althans, dat dacht hij, totdat Klara hem een pakje brieven stuurde met berichten uit Parijs. Polaner was bij het Vreemdelingenlegioen gegaan, vernam Andras. *Had je je maar samen met mij aangemeld*, schreef hij. *Ik ben nu in opleiding op de École Militaire. Deze week heb ik geleerd hoe je met een geweer moet schieten. Voor het eerst in mijn leven voelde ik een brandend verlangen om vuurwapens te bedienen. De kranten doen geregeld verslag van verschrikkingen: ss Einsatzgruppen houden razzia's waarbij professoren, kunstenaars, padvinders op pleinen bijeen worden gedreven en gefusilleerd. Poolse joden worden in treinen geladen en naar vreselijke moeraslanden rond Lublin afgevoerd. Mijn ouders wonen voorlopig nog in Krakau, al is vader zijn fabriek kwijt. Ik zal vechten tegen het Reich, al kost het me mijn leven.*

Rosen bleek plannen te hebben om met Shalhevet naar Palestina te emigreren. *Zonder jou is het maar saai in de stad*, had hij in zijn hanenpoten geschreven. *Verder vind ik het moeilijk me nog op mijn studie te concentreren. Nu Europa in oorlog is lijkt het zo zinloos om te studeren. Maar ik ga me niet als Polaner voor de tanks werpen. Ik blijf liever leven en werken. Shalhevet wil een liefdadig-*

heidsorganisatie opzetten om joden weg te halen uit Europa. Eerst rijke Amerikanen vinden om het te financieren. Het is een slim meisje. Wie weet gaat het haar lukken. Als alles meezit, vertrekken we in mei. Vanaf nu schrijf ik al mijn brieven aan jou in het Hebreeuws.

Ben Yakov, die geestelijk nog niet was hersteld van de gebeurtenissen van het afgelopen jaar, had zijn studie onderbroken en bivakkeerde nu bij zijn ouders in Rouen. Dat had hij vernomen van Rosen, die had voorspeld dat Ben Yakov binnenkort wel weer contact zou opnemen met Andras. En inderdaad, bij het pakje brieven zat ook een telegram dat naar Klara's adres in Boedapest was gestuurd: ANDRAS: VERGEVEN EN VERGETEN? ONDANKS ALLES JE VRIEND VOOR ALTIJD. GOD BEHOEDE JE. BEN YAKOV.

Klara schreef elke week. Haar officiële verblijfsvergunning was zonder problemen gearriveerd: wat de overheid betreft was zij Claire Lévi, de in Frankrijk geboren echtgenote van een Hongaarse tewerkgestelde dienstplichtige. Het appartement in de Rue de Sévigné had ze verhuurd aan een Poolse componist die naar Parijs was gevlucht; de componist kende een balletlerares die blij zou zijn met een nieuwe studio, dus de oefenruimte was ook verhuurd. Klara woonde nu in het appartement in de Király utca en had een studio gevonden, zoals ze had gehoopt. Ze had een paar privéleerlingen aangenomen en zou binnenkort met wat kleine klasjes beginnen. Ze leidde een rustig, teruggetrokken leven, waarbij ze dagelijks haar moeder zag en op zondagmiddag met haar broer een wandeling door het park maakte; samen hadden ze het graf bezocht van haar docent Viktor Romankov, die na twintig jaar les te hebben gegeven aan de Koninklijke Academie aan een beroerte was gestorven. Boedapest was een web van herinneringen, schreef ze. Soms vergat ze haast dat ze een volwassen vrouw was; als ze naar de Benczúr utca liep, verwachtte ze haar vader levend en wel aan te treffen, haar broer nog een lange jonge gymnasiumleerling, haar meisjeskamer nog precies hetzelfde. Soms voelde ze zich triest, maar ze miste vooral Andras. Maar hij moest zich geen zorgen om haar maken. Het ging goed. Alles leek veilig.

Hij maakte zich natuurlijk wel zorgen, maar het was fijn om van haar te horen – dat ze zich veilig voelde, althans, veilig genoeg om het tegen hem te zeggen. Hij bewaarde haar laatste brief in de zak van zijn overjas. Als er een nieuwe kwam, legde hij de oude in zijn uitrustingskist op het stapeltje waar hij haar groene haarlint omheen had gebonden. Hun trouwfoto bewaarde hij in een gemarmerde brochure over Pomerans en Zonen. Hij telde de dagen voor zijn verlof, telde de dagen met smart af, tijdens die winter waaraan geen einde leek te komen.

In het voorjaar vulde de lucht zich met de geur van zwarte aarde en was er van de ochtend tot de avond een kakofonie van vogelgezang. Van de ene dag op de andere hingen er opeens nieuwe gordijnen voor de ramen van de lege huizen aan de weg waarlangs ze naar hun werk gingen. Kinderen speelden op het land, er waren fietsers op de weg en uit de eethuisjes steeg de geur van gebraden worst op. Het beloofde verlof was tot aan het eind van de zomer uitgesteld; volgens hun commandant was er te veel werk en kon hun compagnie zich geen onderbreking veroorloven. *Godzijdank is de winter voorbij*, schreef zijn moeder. *Elke dag maakte ik me zorgen. Mijn Andráska in de bergen, in die vreselijke kou. Ik weet dat je sterk bent, maar een moeder haalt zich altijd de ergste dingen in haar hoofd. Nu ben ik geruster. Je hebt het warm, het werk is minder zwaar en binnenkort kom je naar huis.* In dezelfde kring van uitlopers waar Andras en zijn maten maanden achtereen hadden gezwoegd, stroomden nu Hongaren toe om van de frisse buitenlucht te genieten, om bessen met verse room te eten en in de ijskoude meertjes te zwemmen. Voor de dienstplichtigen ging het werk gewoon door. Nu de dooi was ingetreden en de grond zacht was geworden, nu de bomen op de plaats waar de weg moest komen gekapt waren, wachtte hun legeronderdeel de taak om de enorme stronken uit te graven zodat het wegdek geëgaliseerd kon worden en het grind uitgespreid. De zomermaanden verschenen aan de horizon met de belofte van bloedhete dagen tussen het asfalt en de teer. Het leek of er nooit iets zou veranderen. Tot er in juni weer een pakje brieven van Klara kwam, met berichten over Tibor en Frankrijk.

In mei waren Tibor en Ilana getrouwd, na een lange verloving en een verzoeningsperiode met haar ouders. Een zekere rabbijn Di Samuele had uit naam van het stel bemiddeld. Hij bleek zo'n goede intermediair te zijn dat Ilana's vader en moeder Tibor uiteindelijk voor het sabbatdiner hadden uitgenodigd. *Maar toch*, had Tibor geschreven, *dacht ik dat haar vader me het liefst een klap had verkocht. Ik was namelijk de slechterik, niet Ben Yakov: ik was degene die hun dochter op de trein had begeleid. Elke keer dat ik het waagde een opmerking te maken over een bepaalde lezing van*

de Bijbel, moest haar vader lachen alsof hij behagen schepte in mijn
domheid. Ilana's moeder vergat opzettelijk de schalen aan mij door
te geven. Halverwege de maaltijd deed de Almachtige een gedurfde
ingreep: Ilana's vader viel van zijn stoel, geveld door een hartaan-
val. Ik hield hem in leven met hartmassage totdat de echte dokter
er was. Hij heeft het gehaald en ik was de held van de avond. Sig-
nor en signorina Di Sabato moesten hun mening over mij herzien.
Een maand later waren Ilana en ik getrouwd. Toen mijn visum ver-
lopen was, zijn we teruggekeerd naar Hongarije en wonen nu in
Boedapest, niet ver van jouw lieve bruid, die we zo vaak mogelijk
bezoeken. Verder ben ik bezig mijn papieren voor onze terugkeer
naar Italië in orde te maken. Ik heb mijn Ilana aan Anya en Apa
voorgesteld. Ze waren meteen dol op haar en vice versa, en onze
vader werd een beetje dronken en spoorde ons aan het eind van de
avond aan om kleinkinderen te maken. Onze jongste broer is nog
steeds zijn wilde haren niet kwijt. Deze maand heeft hij zijn de-
buutoptreden in The Pineapple Club, waar de bezoekers een hele
hoop geld betalen om hem te zien tapdansen op een witte vleugel.
Ondertussen is het hem ook gelukt zijn eindexamen te doen. Hij
werkt nog steeds als etaleur en heeft meer klanten dan hij kan be-
dienen. Zijn vriendinnetje heeft hem helaas voor een ploert in de
steek gelaten. Hij doet je de hartelijke groeten en heeft een foto in-
gesloten. Op de foto stond Mátyás in rokkostuum met een hoge
hoed en witte strikdas, een stok in zijn hand en de ene voet over
de andere gebogen zodat je het ijzer van zijn tapdansschoen zag
glinsteren.

In gedachten ben ik steeds bij je, schreef Tibor. *Ik hoop dat je*
nooit gebruik hoeft te maken van de medicijnvoorraad die ik met
deze brief bijsluit, maar je weet maar nooit. Ik heb mijn best gedaan
om een veldhospitaal in het klein aan te leggen. Ondertussen ver-
blijf ik, in de constante angst om je welzijn maar met geloof in je
kracht, je je liefhebbende broer, Tibor.

De volgende brief was van Mátyás, gedateerd op 29 mei, en met
driftige letters neergepend. *Ik ben opgeroepen,* had hij Andras geschreven. *De rotzakken. Denk maar niet dat ik voor ze ga werken.*
Horthy beweert dat hij de joden zal beschermen. Leugenaar! Mijn
schoolvriend Gyula Kohn is vorige maand in het werkkamp gestor-
ven. Hij had pijn in zijn onderbuik en koorts maar moest toch door-
werken. Het was blindedarmontsteking. Drie dagen later was hij
dood. Hij was net zo oud als ik, negentien.

De laatste brief was van Klara zelf, met een krantenknipsel waarop het Duitse Achttiende Leger door de straten van Parijs marcheerde en een reusachtige nazivlag aan het Hôtel de Ville wapperde. Andras zat op zijn veldbed naar de foto's te staren. Hij dacht aan zijn eerste kortstondige oponthoud in Duitsland, dat inmiddels een heel geologisch tijdperk geleden leek – zijn overstap in Stuttgart waar hij een brood had willen kopen bij een bakker die geen joden bediende. Daar had hij aan de voorgevel van het station de rode vlag zien hangen, een vijf verdiepingen hoge uiting van het nationaalsocialistische vuur. Hij weigerde te geloven wat er in het begeleidende artikel stond: dat dezelfde vlag aan alle openbare gebouwen in Parijs hing; dat Paul Reynaud, opvolger van Daladier, was afgetreden; dat de nieuwe premier, Philippe Pétain, had verklaard dat Frankrijk met Duitsland aan de vorming van een Nieuw Europa ging werken. Zelfs het *Liberté, Egalité, Fraternité* was vervangen door een nieuw motto: *Travail, Famille, Patrie.* Het gerucht ging dat alle joden die zich als vrijwilliger voor het Franse leger hadden aangemeld uit hun bataljon zouden worden gehaald en in concentratiekampen zouden worden gezet, van waaruit ze naar het Oosten zouden worden gedeporteerd.

Polaner. Die naam zei hij hardop in de vochtige, hooi-bezwangerde lucht van zijn slaapkooi. Zijn ogen brandden. Hier zat hij, duizenden kilometers verderop, machteloos; hij kon niets doen, niemand kon iets doen. Hitler had al een stuk van Polen ingepikt. Hij had Luxemburg, België en Nederland, hij had Tsjecho-Slowakije en Hongarije, hij had Italië als lid van het Driemogendhedenpact; hij had Hongarije als bondgenoot en nu had hij ook nog Frankrijk. Hij ging de oorlog winnen en wat zou er dan gebeuren met de joden in de veroverde landen? Zou hij ze dwingen om te emigreren, zou hij ze naar de moeraslanden midden in Polen verbannen? Het was niet te voorspellen wat er ging gebeuren.

Hij liep naar de binnenplaats, die door de maan werd beschenen, om Klara's brief te lezen. Het was een klamme avond; boven het exercitieterrein, waar het gras door de juniregen hoog was opgeschoten, hing een nevel. De soldaat die naast de schuurdeur op wacht stond, tikte tegen zijn pet naar Andras. Ze kenden elkaar inmiddels allemaal en niemand overwoog te deserteren. Hier in Karpato-Roethenië kon je toch nergens heen. Bovendien gingen ze allemaal binnenkort met verlof – gratis vervoer naar Boedapest. Andras ging op een van de grote keien aan de rand van het exercitieterrein zitten, waar het maanlicht helder en wit door een paar verkreukelde zakdoeken van wolken scheen.

Liefste Andráska,
Frankrijk is gecapituleerd. Ik schrijf dit op maar kan het amper geloven. Het is een tragedie, een verschrikking. De wereld is gek geworden. Mevrouw Apfel schrijft dat alle inwoners van Parijs naar het zuiden zijn gevlucht. Ik prijs mezelf gelukkig dat ik hier in Hongarije zit, beter dan in Frankrijk onder de nazivlag.
Ik was heel blij met je brief van 15 mei. Wat een grote opluchting om te lezen dat het goed met je gaat en dat je de winter hebt overleefd. Nu duurt het nog maar een paar maanden voordat je terug bent. Tot het zover is, moet je weten dat het goed met me gaat – althans, voor zover dat mogelijk is zonder jou. Ik heb inmiddels vijfentwintig leerlingen. Allemaal getalenteerde kinderen, allemaal joods. Wat moet er van hen terechtkomen, Andras? Ik spreek mijn angsten natuurlijk niet uit; we oefenen en ze gaan vooruit.
Moeder maakt het goed. György en Elza ook. En József. Met je broers gaat het ook goed. Het gaat met ons allemaal goed! Dat moet je altijd in brieven zetten. Maar jij weet hoe het werkelijk is, liefje. We zijn zeer bezorgd. Ons leven wordt overschaduwd door onzekerheid. Je bent constant in mijn gedachten: dat is iets wat zeker is. De tijd kan me niet snel genoeg gaan voordat ik je weer zie.

Liefs,
Je Klara

27

De Sneeuwgans

De hele zomer lang hield de gedachte dat hij binnenkort bij haar zou zijn hem op de been – dat hij weer zo dicht bij haar zou zijn dat hij haar kon strelen, ruiken, proeven, de hele dag in bed met haar kon liggen als hij daar zin in had, alles vertellen wat er tijdens die lange maanden zonder haar was gebeurd, en van haar horen wat haar tijdens zijn afwezigheid had beziggehouden. Hij dacht aan het weerzien met zijn vader en moeder, dat hij haar voor het eerst zou meenemen naar hun huis in Konyár, dat hij met zijn ouders en zijn vrouw door de appelboomgaard naar de akkers zou lopen. Hij dacht ook aan het weerzien met Tibor, die het niet gelukt was zijn studentenvisum te verlengen en nu met Ilana in Boedapest was gestrand. Maar in augustus, net toen Andras met verlof zou gaan, stond Duitsland Noord-Transsylvanië af aan Hongarije. De Karpaten: de witte keten van graniet tussen het beschaafde Westen en het primitieve Oosten, Europa's natuurlijke barrière tegen de reusachtige communistische buurman. Daar had Horthy zijn zinnen op gezet, ook al was de prijs ervoor een sterkere vriendschapsband met Duitsland; Hitler stond het af en al snel werd de vriendschap beklonken met Hongarijes toetreding tot het Driemogendhedenpact. Eenheid 112/30 was eerder klaar met de aanleg van de weg in Subkarpatië dan voorzien en was per trein naar Transsylvanië getransporteerd. Daar, in de maagdelijke bossen tussen Mármaros-Sziget en Borsa, moest de compagnie opnieuw bomen kappen en greppels graven, een karwei waarmee ze een goed deel van de herfst en winter zoet zouden zijn.

Toen de kou opnieuw zijn intrede deed, besefte Andras dat het een jaar, een jáár, geleden was dat hij Klara voor het laatst had gezien. Van hun getrouwde leven waren ze maar een week samen geweest. Elke nacht lagen de mannen in de barakken te huilen of te vloeken om het verlies van hun vriendin, hun verloofde, hun echtgenote, vrouwen die van hen hielden maar het wachten inmiddels beu waren. Wie garandeerde hem dat Klara niet genoeg kreeg van het alleen-zijn? Ze had zichzelf altijd omringd met mensen; haar sociale kring in Parijs bestond uit acteurs en dansers, schrijvers en componisten, mensen die haar in hoge mate inspireerden. Waarom zou ze ook niet in Boedapest zo'n kring om zich heen verzamelen? En waarom zou ze niet lichamelijke troost zoeken bij een van die pas verworven vrienden? Op een nacht verscheen Zoltán Novak in een droom aan Andras. Hij liep op zijn blote voeten door de Wesselényi utca in zijn smokingjasje, op weg naar de synagoge in de Dohány utca, waar een vrouw die Klara kon zijn op de schemerige binnenplaats op hem wachtte. Novak had ongetwijfeld gehoord dat ze terug was; hij zou haar natuurlijk gaan opzoeken. Misschien had hij dat al gedaan. Misschien was ze op dit moment wel bij hem, in een kamer die hij voor hun rendez-vous had afgehuurd.

Soms had Andras het gevoel dat zijn verstand door de dwangarbeid langzaam verpulverde, deeltje voor deeltje, als as van een vuur. Wat zou er van hem over zijn als hij weer terug was in Boedapest, vroeg hij zich af. Maandenlang probeerde hij zijn geest scherp te houden, ontwierp in gedachten gebouwen en bruggen in plaats van op papier, neuriede de Franse namen van bouwkundige elementen om zichzelf wakker te houden terwijl hij met zijn spade modder schepte of met zijn bijl takken afhakte. *Porte, fenêtre, corniche, balcon*, een bezweringsformule tegen geestelijke achteruitgang. Nu het vooruitzicht op verlof steeds verder op de achtergrond raakte, begonnen zijn gedachten hem steeds meer te kwellen. Hij zag Klara samen met Novak of mijmerend over Sándor Goldstein; hij dacht aan de meedogenloze voortgang van de oorlog, die nu al ruim een jaar aan de gang was. In de paar krantenknipsels die zijn vader had opgestuurd had hij gelezen over het nietsontziende bombardement op Londen, de vliegtuigen van de Luftwaffe die zevenenvijftig nachten lang de stad hadden bestookt. En terwijl de oorlog in Engeland voortwoedde, voerde hij met zijn maten een kleinere oorlog tegen de verwoestingen van de Munkaszolgálat. Langzaam maar zeker, man voor man, brokkelde zijn eenheid af: iemand brak zijn been en moest naar huis, een ander had een diabetesaanval gehad en was overleden, een derde had zichzelf doodgeschoten met het wapen van een officier nadat hij had gehoord dat zijn verloofde het kind van een ander had gebaard. Mátyás was ook tewerkgesteld en Tibor was zojuist opgeroepen. Andras had verhalen gehoord over arbeidseenheden die naar de Oekraïne waren gestuurd om daar mijnenvelden te ruimen. Hij zag Mátyás voor zich, 's ochtends vroeg in het open veld, zijn weg zoekend in de mist; in zijn hand een stok, een afgebroken tak, waarmee hij in de grond prikt op zoek naar mijnen.

In december, toen een reeks sneeuwstormen het berglandschap teisterde waardoor de arbeiders vaak noodgedwongen overdag in de slaapbarak bleven, viel Andras ten prooi aan een verlammende depressie. In plaats van te lezen, brieven te schrijven of in zijn van vocht opgezwollen schetsboek te tekenen, lag hij op bed en verzorgde de vreemde bloeduitstortingen die onder zijn huid waren opgekomen. Hij was eigenlijk de leider; in naam was hij nog steeds de kapitein van de ploeg, en hij moest nog steeds de mannen naar het exercitieterrein laten marcheren en toezicht houden op het schoonmaken van de barak en het onderhoud van de houtkachel en alle andere pietluttigheden van hun ingeperkte leventje; maar hoe langer hoe meer had hij het gevoel dat hij achterop raakte en zich door de anderen moest laten leiden omdat zijn laarzen vol met sneeuw waren gelopen. Toen Mendel Horovitz op een zondagmiddag tijdens een verzengende sneeuwstorm het idee opperde om een Munkaszolgálat-krant te maken, reageerde hij amper. Mendel had allerlei ideeën in een opschrijfboekje neergepend, daarna een stapel papier en een schrijfmachine geleend van een van de officieren zodat het geheel er professioneel uit zou zien. Hij was geen snelle typist; het kostte hem drie avonden voordat hij twee pagina's artikelen af had. Hij tikte aan een stuk door. De mannen gooiden laarzen naar hem om een eind aan het geratel te maken, maar zijn wens om de krant af te maken was groter dan zijn angst voor rondvliegende voorwerpen. Een week lang werkte hij er in zijn vrije uurtjes onafgebroken aan.

Toen hij eindelijk klaar was, gaf hij de pagina's aan Andras en ging op de rand van zijn bed zitten. Buiten loeide de wind als jankende vossen. Het was de derde dag op rij van de ergste storm tot nu toe en de sneeuw had zich al tot aan de hoge ramen van de slaapbarak opgehoopt. Het werk voor die dag was afgelast. Terwijl de rest van de mannen hun uniform repareerde, vochtige sigaretten rookte of bij de kachel kletste, lag Andras op bed naar het plafond te staren en met zijn tong tegen zijn tanden te duwen. Zijn ondertanden voelden beangstigend los aan, zijn tandvlees sponsachtig. Eerder die dag had hij een bloedneus gehad die pas na uren was overgegaan. Hij was niet in de stemming voor een praatje. Het kon hem niets schelen wat er op de vellen stond die Mendel in zijn hand had. Hij trok de ruwe deken over zijn hoofd en draaide zich om. 'Zo, Parisi,' zei Mendel en hij trok de deken omlaag. 'Genoeg gemokt.' Parisi: dat was Mendels bijnaam voor hem; hij was jaloers op Andras' periode in Parijs en hij wilde er altijd alles over horen – vooral over zijn avonden bij József, de drama's achter de schermen in het Sarah-Bernhardt en de liefdesavonturen van Andras' vrienden.

'Laat me met rust,' zei Andras.

'Dat gaat niet. Je moet me helpen.'

Andras kwam overeind. 'Moet je mij zien,' zei hij en hij strekte zijn armen uit. Onder zijn huid bloeiden trosjes bloedviooltjes. 'Ik ben ziek. Ik weet niet wat ik heb. Zie ik eruit als iemand die een ander kan helpen?'

'Jij bent de leider,' zei Mendel. 'Het is je plicht.'

'Ik wil geen leider meer zijn.'

'Dat is helaas niet aan jou, Parisi.'

Andras zuchtte. 'Wat moet ik precies voor je doen?'

'Ik wil dat jij de illustraties voor de krant maakt.' Hij liet zijn getypte vellen op Andras' schoot vallen. 'Niks ingewikkelds. Niet van die artistieke onzin. Gewoon wat snelle tekeningen. Om de artikelen heb ik wit overgelaten.' Hij legde een bescheiden voorraadje potloden in Andras' hand, waarvan sommige kleurpotloden.

Andras had in geen tijden meer een kleurpotlood gezien. Deze waren scherp, schoon en heel, een klein wonder in het rokerige donker van de barak.

'Hoe kom je daaraan?' vroeg hij.

'Uit het kantoor gepikt.'

Andras hees zich op zijn ellebogen. 'Hoe noem je dat vodje van je?'

'*De Sneeuwgans.*'

'Goed dan. Ik kijk wel even. En laat me nu weer met rust.'

Afgezien van oorlogsnieuws stond in *De Sneeuwgans* het weerbericht (*Maandag: sneeuw. Dinsdag: sneeuw. Woensdag: sneeuw*); een moderubriek (*Verslag van een modeshow rond het ochtendkrieken: de dromerige arbeiders kwamen op in beeldige pakjes van paardendeken, de meest geziene stof voor deze winter. Mangold Béla Kolos, de grootste modedictator van Boedapest, voorspelt dat deze pittoreske stijl binnenkort heel Hongarije zal veroveren*); een sportpagina (*De Gouden Jeugd van Transsylvanië is dol op sport. Gisteren, om vijf uur 's ochtends, was het bos alweer gevuld met jongelui die zich vermaakten met de populaire ontspanningsvormen van vandaag: kruiwagenduwen, sneeuwruimen en boomkappen*); een rubriek met lezersbrieven (*Beste mevrouw Coco: ik ben een vrouw van twintig jaar. Zal het mijn reputatie schaden als ik een nacht in het slaapverblijf van de officieren doorbreng? Liefs, Maagd. Beste Maagd: je vraag is te algemeen. Als je me een gedetailleerde beschrijving geeft van je plannen, kan ik je een passend antwoord geven. Liefs, mevrouw Coco*); reisadvertenties (*Verveeld? Toe aan iets anders? Probeer onze luxe rondreis door de landelijke Oekraïne!*); en ter ere van Andras, een artikel over een architectonisch kunststukje (*Een technisch wonder! De in Parijs opgeleide bouwkundige Andras Lévi heeft een onzichtbare brug ontworpen. De gebruikte materialen zijn opvallend lichtgewicht en de brug kan in een mum van tijd gerealiseerd worden. Onwaarneembaar voor de vijand. Uit proeven blijkt dat de brug op bepaalde punten nog verbetering behoeft; een bataljon van het Hongaarse leger stortte op raadselachtige wijze in de diepte terwijl het de brug overstak. Sommigen beweren echter dat de brug zijn ideale vorm reeds gevonden heeft*). En daaronder kwam het pièce de résistance, de Tien Geboden à la Munkaszolgálat:

1 Indien gij een ernstige fout maakt, dan zult gij uw mond houden en de schuld in andermans schoenen schuiven.

2 Gij zult uw eigen zaag niet slijpen. Laat het slijpen over aan degene die na u komt.

3 Gij zult uzelve niet wassen. Uw maten stinken ook.

4 Als gij in de rij voor het middageten staat, zult gij voordringen. Anders loopt gij de aardappel in de soep mis.

5 Op weg naar het werk zult gij ertussenuit knijpen. Laat de voorman een ander zoeken om u te vervangen.

6 Indien gij de spullen van uw naaste begeert, houdt uw plannen voor u. Zo niet, dan zijn de spullen van uw naaste misschien al weg voordat u ze kunt jatten.

7 Indien uw maat naïef is, leen dan alles van hem zonder het terug te geven.

8 Indien gij terugkomt van wachtlopen, maakt gij zo veel mogelijk lawaai. Waarom zoudt gij anderen laten slapen als gij zelf wakker zijdt?

9 Indien gij ziek wordt, zult gij zo lang mogelijk te bed blijven. Indien uw maten dan overwerkt raken, kunnen zij ook het voorrecht genieten van ziek zijn.

10 Houdt u aan deze geboden zodat gij tijd heeft om inschikkelijkheid te prediken.

Aanvankelijk begon Andras met tegenzin aan de illustraties voor *De Sneeuwgans*, maar allengs kreeg hij er meer plezier in. Voor het weerbericht tekende hij een reeks vierkantjes met steeds dikkere sneeuwvlokken erin. Voor de moderubriek tekende hij een poppetje dat op Mendel leek, met rechtopstaand haar en een gerafelde grijze deken als een toga om zijn bovenlijf gewikkeld. Op de sportpagina sleurden drie zwetende tewerkgestelden karren met grind een steile heuvel op. De brievenrubriek werd opgesierd door een uitdagende, bebrilde Coco, met lange blote benen en een pen tegen haar lippen. De reisadvertentie voor de Oekraïne bestond uit een strandparasol die in een sneeuwstorm was geplant. Het architectuurstuk vroeg om een plaatje van de architect die trots naar een lege kloof wees. En voor de Tien Geboden was alleen een achtergrondschets van twee stenen tafelen nodig. Toen hij klaar was, hield hij het werk met uitgestrekte arm voor zich en bekeek de tekeningen door zijn oogharen. Het waren karikaturen van belabberde kwaliteit, haastig geschetst door een zieke kunstenaar. Maar Mendel had gelijk. Voor *De Sneeuwgans* waren ze geknipt.

Het enige exemplaar van de krant ging door de handen van tweehonderd mannen en al snel kon je ze in de rij voor de soep het Vierde Gebod horen citeren of weemoedig mijmeren over een vakantie in de Oekraïne. Andras voelde onwillekeurig een soort bezitterige voldoening, een gevoel dat hij in geen maanden had ervaren. Toen het eenmaal bekend was dat de tekenaar die zich *Parisi* noemde hun groepschef Lévi was, kwamen de mannen naar hem toe met het verzoek iets te tekenen. Het meest gevraagd was een naakte versie van Coco. Hij tekende haar op het deksel van een houten opbergkist, op de voering van een kepie en op de brief voor iemands jongere broer met een bordje in haar hand waarop stond: 'Hallo, schat!' De tekening van Mendel gaf aanleiding tot een andere rage: gelijkenissen. De mannen stonden in de rij om door Andras hun portret te laten tekenen. Hij was geen goede portrettist, maar dat kon de mannen niet schelen. De grove lijnen, de schaduw van houtskool rond de ogen of de kin van de geportretteerde was de

weerslag van de grote onzekerheid van hun leven in de Munkaszolgálat. Ook Mendel Horovitz was opeens in trek als een soort van
professionele brievenschrijver. Hij zette hun gevoelens van liefde,
spijt en verlangen op papier en die brieven gingen mee met de on-
stuimige stroom van de legerpost en bereikten soms wel, soms niet
de vrouwen, broers en kinderen voor wie ze bestemd waren.

Toen het eerste nummer van *De Sneeuwgans* stukgelezen was,
maakte Mendel een tweede editie en verzorgde Andras opnieuw de
illustraties. Het succes van het eerste nummer gaf hun de moed
om direct naar het kantoor te gaan, waar een stencilmachine
stond. Ze kochten de secretaris van hun compagnie om met twintig pengö. De secretaris, die het risico liep straf te krijgen en zijn
baan te verliezen, drukte tien exemplaren voor hen af, die gretig
aftrek vonden onder de manschappen. Er volgde een derde nummer, in een oplage van dertig exemplaren. Dat de mannen met zo
veel plezier het krantje lazen, gaf Andras het gevoel dat hij uit een
lange, verdoofde slaap ontwaakte. Nu vond hij het vreemd dat hij
zo slap was geweest, zich zo gemakkelijk door naargeestige gedachten had laten meeslepen en zich zo leeg had gevoeld. Inmiddels was hij elke dag aan het tekenen. Het waren gekke kleine
schetsjes, maar ach, het gaf hem nieuwe zuurstof en opeens leek
het weer de moeite waard om adem te halen.

Toen op een gure, natte dag in maart werden Andras en Mendel
op het kantoor van de compagniecommandant ontboden. Het
bevel kwam van de eerste luitenant van majoor Kálozi, een norse
beer van een vent die door het leven ging onder de onfortuinlijke
naam Grimasz. Rond het avondeten kwam hij naar de binnenplaats waar Andras en Mendel in de rij stonden en sloeg de gamel
uit hun handen. Hij hield een verfomfaaid exemplaar van het
nieuwste nummer van *De Sneeuwgans* omhoog, waarin een liefdes-
gedicht van een zekere luitenant G aan een zekere majoor K stond.
In het gedicht werd gesuggereerd dat hun betrekkingen niet uitsluitend zakelijk waren. Het gezicht van luitenant Grimasz was
vuurrood; zijn nek leek wel twee keer zo dik. Hij verfrommelde het
krantje in zijn vierkante vuist. De andere mannen deden allemaal
een stapje naar achteren, zodat Andras en Mendel aan de verzengende woede van Grimasz waren overgeleverd.

'Kálozi wil dat jullie op zijn kantoor komen, nu,' grauwde hij.

'Zeker, luit,' zei Mendel en hij waagde het zelfs Andras een knipoog te geven.

Grimasz ontging de toon, de knipoog niet. Hij stak zijn hand al op om Mendel een klap te verkopen, maar Mendel bukte net op tijd. De mannen juichten binnensmonds. Grimasz pakte Mendel bij zijn kraag en bracht hem al duwend en trekkend naar het kantoor, Andras hollend erachteraan.

Majoor János Kálozi was geen wreed mens, maar wel ambitieus. Hij was de zoon van een zigeunerin en een rondtrekkende messenslijper, en in de Munkaszolgálat op eigen kracht opgeklommen. Nu hoopte hij tot een gewapend legeronderdeel bevorderd te worden. Zijn huidige functie had hij gekregen omdat hij de bossen goed kende; voordat hij in de jaren twintig naar Hongarije was geëmigreerd had hij in de bossen van Transsylvanië gewerkt. Andras was nog nooit ontboden op zijn kantoor, dat in de enige barak was gehuisvest met een eigen opgang en een eigen buiten-wc. Uiteraard had Kálozi zich de kamer met het grootste raam toegeëigend. Dat was onverstandig. Het raam, dat uit kleine ruitjes bestond en uit een afgebrande boerderij was gesloopt, rook naar roet en liet alle kou binnen. Noodgedwongen had Kálozi het raam met legerdekens moeten afdekken, dezelfde dekens die in de Moderubriek figureerden, waardoor het kantoor zo donker als een kelder was. Afgezien van de roetlucht hing er een penetrante stank van paarden; de dekens hadden in een stal gelegen voordat ze hun huidige bestemming hadden gekregen. Kálozi zat in het midden van deze riekende duisternis achter een enorm metalen bureau. Er was een kolenstoof die de kamer net warm genoeg hield om eraan herinnerd te worden dat er warme kamers bestonden en dat deze daar niet toe behoorde.

Andras en Mendel stonden in de houding terwijl Kálozi vluchtig door ongeveer alle nummers van *De Sneeuwgans* bladerde, te beginnen met december 1940 en eindigend met het nummer van die week, gedateerd 7 maart 1941. Het enige nummer dat ontbrak was het stukgelezen eerste exemplaar. De majoor was tijdens zijn leiderschap van eenheid 112/30 zichtbaar ouder geworden. Zijn slapen waren grijs en over zijn brede neus lag een netwerk van gesprongen rode adertjes. Met de blik van een vermoeide schooldirecteur keek hij naar Andras en Mendel.

'*Lachen, gieren, brullen,*' zei hij terwijl hij zijn bril afzette. 'Verklaar u nader, kapitein Lévi. Of moet ik u Parisi noemen?'

'Het was mijn idee,' zei Mendel. Hij had zijn kepie in zijn handen en zijn duim wreef over de koperen knoop op de schuine klep.

'Ik heb het eerste nummer geschreven en aan de kapitein gevraagd om het te illustreren. En zo is het balletje gaan rollen.'
'Dat kun je wel zeggen,' zei Kálozi. 'Jullie hebben je toegang verschaft tot de stencilmachine en tientallen exemplaren gedrukt.'
'Als groepschef neem ik alle verantwoordelijkheid op me,' verklaarde Andras.
'Ik ben bang dat ik je niet met alle eer ga laten strijken, Parisi. Onze man Horovitz heeft zo veel talent dat we zijn inspanningen niet zomaar terzijde kunnen schuiven.' Kálozi sloeg een artikel op waar hij een afgekloven potlood tussen had gelegd. 'Wisseling van leiderschap in Kamp Erdei,' las hij hardop. 'De stokoude potentaat, commandant Jánika Kálozi de Schele, is deze week in opdracht van regent Miklós Horthy persoonlijk uit zijn militaire functie ontzet wegens grote onbekwaamheid en onbetamelijk gedrag. Tijdens een plechtigheid op de paradeplaats werd hij ingewisseld voor een waardiger leider, een mannelijke baviaan, Roze Billen genaamd. De commandant verliet onder een oorverdovend lawaai van scheten en applaus de paradeplaats.' Hij draaide de krant om en hield Andras' tekening op van een scheelkijkende majoor die van boven in uniform was gekleed en van onderen in damesondergoed en op hoge hakken naast zijn eerste luitenant trippelde, een man met een onmiskenbare varkenskop, terwijl op de achtergrond een aap met een vuurrood achterwerk naar de verzamelde werkcompagnie salueerde.

Andras kon ternauwernood een grijns onderdrukken. Dit was een van zijn favoriete plaatjes.

'Wat is er zo grappig, groepskapitein?'

'Niets, majoor,' antwoordde Andras. Hij kende Kálozi nu anderhalf jaar en wist dat het eigenlijk een goedzak was; hij leek er zelfs prat op te gaan dat hij er moeite mee had harde straffen uit te delen. Andras had gehoopt dat Kálozi nou net niet dit nummer van *De Sneeuwgans* onder ogen zou krijgen, maar hij had deze tekening zonder enig voorbehoud gemaakt.

'Ik hou ook best van een geintje op z'n tijd,' zei Kálozi, 'maar ik kan het niet toestaan dat ik door mijn eigen manschappen belachelijk wordt gemaakt. Dan wordt het een zooitje in deze compagnie.'

'Dat begrijp ik, commandant,' zei Andras. 'We hadden geen kwaad in de zin.'

'Wat weet jij van kwaad?' viel Kálozi uit en hij kwam overeind.

Bij zijn slaap klopte een ader; voor het eerst sinds hun binnen-
komst voelde Andras iets van angst. 'Toen ik in de Grote Oorlog
vocht, zou een soldaat die zoiets had getekend afgeranseld worden
door zijn leidinggevende.'

'U bent altijd heel aardig voor ons geweest,' zei Andras.

'Dat klopt. Ik heb jullie vertroeteld, stelletje joodse armoedzaai-
ers. Ik heb jullie kleren en eten gegeven en op koude dagen mochten jullie in bed liggen luieren en ik had jullie twee keer zo hard
kunnen afbeulen. En als dank komen jullie met deze smeerlappe-
rij aanzetten die jullie ook nog aan de hele compagnie laten lezen.'

'Het was maar een lolletje, majoor,' zei Mendel.

'Niet meer. Niet ten koste van mij.'

Andras duwde met zijn tong tegen zijn wiebelige tanden. De pijn
straalde tot diep in zijn tandvlees uit en hij moest de neiging
onderdrukken het op een lopen te zetten. Maar hij rechtte zich en
keek Kálozi diep in de ogen. 'Ik bied u mijn welgemeende verontschuldigingen aan,' zei hij.

'Hoezo verontschuldigingen?' vroeg Kálozi. 'In zekere zin heb je
de Munkaszolgálat een grote dienst bewezen. Er zijn namelijk lui
die de leugen hebben verspreid dat de tewerkgestelden in onze
krijgsmacht ernstig worden mishandeld. Dit vodje is een ondub-
belzinnig bewijs van het tegendeel.' Hij rolde een exemplaar van
De Sneeuwgans in een stijve koker. 'In de werkkampen voeren
kameraadschap en humor de boventoon, en zo. De omstandigheden zijn zo menswaardig dat de manschappen naar hartenlust
kunnen schertsen en lachen en hun situatie op de hak nemen. Ze
hebben zelfs schrijfmachines, tekenbenodigdheden en stencilmachines tot hun beschikking. Vrije meningsuiting. Het is haast
Frans.' Hij grinnikte, omdat ze allemaal wisten wat er met de vrijheid van meningsuiting in Frankrijk was gebeurd.

'Maar toch wil ik genoegdoening,' ging Kálozi verder. 'Gezien de
situatie zullen jullie dat wel met me eens zijn. Jullie hebben me
publiekelijk voor schut gezet. Volgens mij is het billijk dat jullie
daarvoor publiekelijk gestraft worden.'

Andras moest even slikken. Naast hem was Mendel bleek weg-
getrokken. Ze hadden beiden de geruchten gehoord over wat in
andere arbeidseenheden plaatsvond, en ze waren geen van beiden
zo naïef om te denken dat dat bij hen niet kon gebeuren. Het gru-
welijkste voorbeeld was wel de broer van een van hun maten, die
lid was geweest van het arbeidsbataljon van Debrecen. Als straf

voor het stelen van een brood uit de voorraadkamer van de officiers, hadden ze al zijn kleren uitgetrokken en hem gedwongen naakt tot aan zijn knieën drie dagen achtereen in de modder te staan; het weer werd elke dag kouder en tijdens de derde nacht was de man gestorven aan onderkoeling.

'Ik praat tegen je, groepskapitein Lévi,' zei Kálozi. 'Kijk me aan. Sta daar niet als een geslagen hond.'

Andras keek naar hem op. De majoor vertrok geen spier. 'Ik heb lang en hard nagedacht over een passende straf,' zei hij. 'Jullie hebben geluk dat ik een zwak voor jullie heb. Jullie zijn harde werkers. Maar jullie hebben me te schande gemaakt. Te schande voor al mijn manschappen. En daarom, Lévi en Horovitz' – Kálozi zweeg even veelbetekenend, terwijl hij met zijn opgerolde exemplaar van De Sneeuwgans tegen zijn bureau tikte – 'ben ik bang dat jullie je woorden moeten terugnemen.'

En zo kwam het dat Andras en Mendel op een koude ochtend in maart om zes uur 's ochtends in hun ondergoed, hun handen op hun rug vastgebonden, op hun knieën zaten, ten overstaan van hun voltallige compagnie. Voor hen, op een bankje, lagen tien nummers van De Sneeuwgans. Onder het toeziend oog van de andere tewerkgestelden scheurde luitenant Grimasz de krant in repen, waarvan hij proppen maakte die hij in water dompelde en in de mond van de redacteuren Lévi en Horovitz stopte. Twee uur lang moesten ze onder dwang ieder twintig pagina's van De Sneeuwgans opeten. Andras klemde zijn tanden opeen tegen Grimasz' duwende handen en op dat moment begreep hij dat hij tot nu toe een betrekkelijk gerieflijk en beschermd leventje in de Munkaszolgálat had geleid. Zijn handen waren nog nooit op zijn rug vastgebonden, hij was nog nooit gedwongen om zonder jas en broek urenlang op zijn knieën in de sneeuw te zitten; hij had altijd voldoende eten en kleren gehad en een dak boven zijn hoofd en zijn leed werd verzacht door het idee dat zijn kompanen hetzelfde leed moesten ondergaan. Nu werd hij zich bewust van een ander soort hel, een hel waarvan hij zich amper een voorstelling durfde te maken. Hij wist dat wat er hier gebeurde nog altijd als betrekkelijk mild op de wereldschaal van straffen kon worden aangemerkt; dieper in de tunnel bestonden straffen die een mens naar de dood deden verlangen. Hij dwong zichzelf om te kauwen en te slikken, te kauwen en te slikken; zichzelf voorhoudend dat het de enige manier was om deze verschrikking te doorstaan. Ergens na de vijftiende pagina proefde hij bloed in zijn mond en hij spuugde een kies uit. Andras' tandvlees, dat sponzig van het vitaminegebrek was geworden, begon nu eindelijk zijn tanden te lossen. Hij kneep zijn ogen stevig dicht en at papier, hij at en at totdat hij het bewustzijn verloor en in de koude natte hoop sneeuw viel.

Hij werd naar de ziekenboeg versleept waar hij onder behandeling kwam van de enige arts van de compagnie, een zekere Báruch Imber, wiens enige opdracht was het redden van tewerkgestelden die bijna aan het werk ten onder gingen. Andras en Mendel werden vijf dagen in de ziekenboeg door Imber verpleegd. Toen ze waren hersteld van de onderkoelingsverschijnselen en de gedwongen papierconsumptie kregen ze beiden de diagnose 'ernstige scheurbuik en bloedarmoede' en werden naar Boedapest gestuurd voor behandeling in het militair hospitaal aldaar, gevolgd door een verlof van twee weken.

28

Verlof

Na een treinreis van een week, waarin ze vreselijke last kregen van hoofdluis en hun huid begon te schilferen en te bloeden, werden ze in een ziekenbusje voor gewonde en ernstig zieke dwangarbeiders gezet. Onder in het busje lag hooi, maar desondanks rilden de mannen in hun grove wollen dekens. Ze waren met acht man en de meesten waren er erger aan toe dan Andras en Mendel. Een man met tuberculose had een enorm gezwel op zijn heup, een ander was blind geworden door een ontplofte kachel, van een derde zat de mond vol etterende zweren. Toen ze Boedapest binnenreden, stak Andras zijn hoofd uit het open achterraam van het busje. De aanblik van het dagelijkse stadsleven – van trams, bakkerijen, jongens en meisjes die een avondje uit gingen, bioscoopborden met hun duidelijke zwarte belettering – vervulde hem met een onredelijke woede; alsof het allemaal de spot dreef met zijn verblijf in de Munkaszolgálat.

Het busje stopte voor het militaire hospitaal en de patiënten gingen te voet of op een brancard naar de registratieruimte, waar Andras en Mendel de hele nacht op een koud bankje moesten wachten terwijl van honderden arbeiders en soldaten naam en nummer in een opschrijfboek werden genoteerd. Ergens in de vroege ochtend werd Mendel in het register ingeschreven en afgevoerd om gewassen en behandeld te worden. Pas twee uur later was Andras aan de beurt. Ondanks zijn verlammende uitputting had hij nog genoeg kracht om achter een verpleger naar de doucheruimte te sjokken, waar de man zijn vuile kleren uittrok, zijn hoofd kaalschoor, hem met een brandend desinfecterend middel besproeide en onder een harde straal heet water zette. De verpleger waste zijn kapotte huid met een soort onpersoonlijke tederheid, met het alwetende geduld van iemand die de zwakheden van het menselijk lichaam kent. De man droogde hem af en ging hem voor naar een lange zaal die werd verwarmd door radiatoren langs de gehele lengte van de muur. Andras werd naar een smal metalen bed gebracht en voor het eerst in anderhalf jaar sliep hij op een echt matras, onder echte lakens. Toen hij even later wakker werd, hij dacht althans dat het even later was, zat Klara met roodbehuilde ogen naast zijn bed. Hij hees zich overeind, pakte haar handen en wilde weten wat het vreselijke nieuws was: wie was er dood? Welke nieuwe tragedie had hen nu weer getroffen?

'Andráska,' zei ze met een stem die schor was van medelijden. Toen begreep hij dat híj de tragedie was, dat zij moest huilen om het armzalige hoopje dat hij was. Hij wist niet dat hij in het kamp op het regime van koffie, soep en droog brood zo mager was geworden – alleen dat hij de riem om zijn broek steeds strakker moest aansnoeren en dat zijn botten zich onder zijn huid begonnen af te tekenen. Over zijn armen en benen liepen koorden van pezige spieren die hij van het onafgebroken harde werken had gekregen; ondanks zijn winterdepressie had hij zich lichamelijk nooit zwak gevoeld. Maar hij zag wel dat zijn lichaam amper een bolling maakte onder de deken. Hij kon zich alleen maar een voorstelling maken van hoe knokig en vreemd hij er in zijn ziekenhuispyjama uit moest zien, met zijn armen vol bloeduitstortingen en zijn kale kop. Hij had liever gehad dat Klara hem pas was komen opzoeken als hij er weer als een man uitzag. Hij sloeg zijn ogen neer en pakte zijn beide ellebogen vast, uit een soort zelfbescherming. Hij keek naar haar gevouwen handen op haar schoot; haar gouden trouwring glinsterde. De ring was nog even glad en glimmend, haar handen waren nog even blank als de laatste keer dat hij ze had gezien. Zijn eigen ring was dof en gebutst, zijn handen waren bruin en gebarsten van het zware werk.

'De dokter is net geweest,' zei Klara. 'Hij zegt dat het weer goed met je komt. Maar je moet vitamine C en ijzerpillen slikken en goed uitrusten.'

'Ik hoef niet uit te rusten,' zei Andras, die per se voor haar zijn bed uit wilde. Hij was tenslotte niet gewond of verminkt. Hij zwaaide zijn benen over de bedrand en zette zijn voeten op het koele linoleum. Maar toen werd hij overvallen door een vlaag van duizeligheid en legde een hand tegen zijn voorhoofd.

'Je moet wat eten,' zei ze. 'Je hebt twintig uur geslapen.'

'Echt waar?'

'Ik moet je vitaminepillen en wat bouillon geven, en straks nog wat brood.'

'O, Klara,' zei hij en hij legde zijn hoofd in zijn handen. 'Laat me alsjeblieft alleen. Ik zie er vreselijk uit.'

Ze ging naast hem op bed zitten en sloeg haar armen om hem heen. Ze had een ander luchtje dan vroeger – hij bespeurde een zweem van seringenzeep of een haarverzorgingsmiddel, iets wat hem deed denken aan Éva Kereny van vroeger, zijn eerste liefde in Debrecen. Ze kuste zijn droge lippen en sloeg haar armen om zijn middel. Hij liet het toe, hij was te moe om tegen te stribbelen.

'Een beetje respect, kapitein,' hoorde hij een stem ergens uit de zaal. Het was Mendel, die in zijn eigen schone bed lag. Ook hij had een kaalgeschoren kop.

Andras stak zijn hand op en zwaaide. 'Neem me niet kwalijk, soldaat,' zei hij. Het was een onwezenlijk gevoel om in het militaire hospitaal met Mendel Horovitz te zijn en tegelijkertijd Klara naast zich te hebben. Hij had hoofdpijn. Hij leunde tegen het kussen en liet zich door Klara vitaminepillen en bouillon voeren. Zijn vrouw. Klara Lévi. Hij deed zijn ogen open om naar haar te kijken, naar de vertrouwde lok over haar voorhoofd, de slanke kracht van haar armen, de manier waarop ze haar lippen naar binnen zoog als ze zich concentreerde, haar donkere grijze ogen die eindelijk op hem, op hém bleven rusten.

Hij ontdekte al snel dat het verlof gewoon een andere vorm van kwelling was, een les die geleerd moest worden ter voorbereiding op een zwaardere beproeving. Toen hij zijn oproep had gekregen, kon hij zich slechts een vage voorstelling maken van wat het betekende om van Klara gescheiden te zijn. Nu wist hij het. Twee weken verlof stelde niets voor vergeleken met de pijn van de scheiding.

Officieel ging zijn verlof drie dagen later in, na zijn ontslag uit het hospitaal. Klara had zijn uniform laten wassen en strijken en op de dag van zijn ontslag had ze hem het wonderbare cadeau van een nieuw paar laarzen gedaan. Hij had nieuw ondergoed, nieuwe sokken, een nieuwe kepie met een glimmende koperen knoop voorop. Hij voelde zich lichtelijk bezwaard toen hij in zijn mooie schone kleren voor Mendel Horovitz verscheen. Mendel had niemand die voor hem zorgde. Hij was niet getrouwd en zijn moeder was overleden toen hij jong was; zijn vader woonde nog altijd in Zalaszabar. Toen Andras en Klara met Mendel voor de ziekenhuispoort op de tram stonden te wachten, vroeg Andras hoe Mendel zijn verlof ging doorbrengen.

Mendel haalde zijn schouders op. 'Een oude kamergenoot van me woont in Boedapest. Ik kan bij hem logeren.'

Klara legde haar hand op Andras arm en wisselde een blik met hem. Het was lastig om zonder overleg dit besluit te nemen; het was zo lang geleden dat ze met z'n tweetjes waren. Maar Mendel was een oude vriend en tijdens hun verblijf in het leger was hij min of meer familie van Andras geworden. Ze wisten allebei dat Andras het hem moest aanbieden.

'Wij gaan naar mijn ouderlijk huis buiten de stad,' zei hij. 'Er is plaats genoeg, als je mee wil. Het stelt weinig voor. Maar ik weet zeker dat mijn moeder je zal vertroetelen.'

De kringen rond Mendels ogen namen een dankbare uitdrukking aan. 'Dat is aardig van je, Parisi,' zei hij.

En dus zaten ze die ochtend met z'n drieën in de trein naar Konyár. Ze kwamen langs Maglód, langs Tápiogyörgy, langs Újszász, reden over de laagvlakte van Hajdú, en dronken samen uit een thermosfles koffie en aten kersenstrudel. Andras kreeg bijna tranen in zijn ogen van de rinse zoetheid van het fruit. Hij pakte Klara's hand en drukte die; ze keek hem aan en hij voelde dat ze hem begreep. Zij was iemand die wist wat heftige emoties waren, die wist wat het was om de wanhoop nabij te zijn. Hij vroeg zich af hoe ze zijn onwetendheid zo lang had geduld.

Het was de eerste week van april. De akkers waren nog kaal en koud, maar over de struiken en bomen rond de boerderijen lag al een groen waas. De kale takken van de treurwilgen waren fonkelend geel. Hij wist dat de ware schoonheid van hun boerderij nog verborgen was, dat het erf nog een modderpoel was, de kleine appelboompjes nog geen blad droegen en dat de moestuin nog kaal zou zijn. Hij vond het jammer dat hij het huis niet in de zomer aan Klara kon laten zien. Maar toen ze arriveerden, toen ze op het bekende station uitstapten en het lage witgepleisterde huis met het donkere rieten dak, de schuur, de molen en de molenkolk zagen waarop hij samen met Mátyás en Tibor houten bootjes had laten varen, kon hij zich geen mooiere plek op de hele wereld voorstellen. Uit de bakstenen schoorsteen kringelde rook omhoog; uit de schuur kwam het regelmatige gejank van de elektrische zaag. Rondom het erf lagen stapels pas gekliefd brandhout. In de boomgaard staken de kale appelbomen hun takken uit naar de aprilhemel. Hij liet zijn legerplunjezak op de grond vallen, pakte Klara's hand en rende naar de voordeur. Hij roffelde op het raam en wachtte op zijn moeder.

Een jonge blonde vrouw deed open. Op haar heup had ze een rood aangelopen baby met een afgekloven beschuitje in zijn handje. Toen de vrouw Andras en Mendel in hun legerjassen zag, schoten haar wenkbrauwen angstig omhoog.

'Jenö!' riep ze. 'Kom vlug.'

Een potige man in een overall kwam vanuit de schuur aangehold. 'Wat is er?' riep hij. En toen hij bij hen was: 'Wat komt u hier doen?'

Andras knipperde. De zon was net vanachter de wolken tevoorschijn gekomen; het was moeilijk om het gezicht van de man goed te zien. 'Ik ben kapitein Lévi,' zei hij. 'Dit is het huis van mijn ouders.'

'Wás hun huis,' zei de man met een zweem van trots. Hij bestudeerde Andras. 'Je ziet er niet uit als een legerofficier.'

'Groepskapitein Lévi van compagnie 112/30,' zei Andras, maar de man keek al niet meer naar Andras. Hij wierp een blik op Mendel, op wiens jas geen officiersstrepen te zien waren. Toen draaide hij zich om naar Klara en liet zijn oog goedkeurend over haar heen gaan.

'En jij ziet er niet als een boerenmeid uit,' zei hij.

Andras voelde het bloed naar zijn hoofd stijgen. 'Waar zijn mijn ouders?' vroeg hij.

'Hoe moet ik dat weten?' zei de man. 'Jullie lui zwerven altijd maar wat rond.'

'Doe niet zo stom, Jenö,' zei de vrouw en toen tegen Andras: 'Ze zijn in Debrecen. Een maand geleden hebben ze de boerderij aan ons verkocht. Hebben ze je niet geschreven?'

Een maand. Zo lang duurde het voordat een brief Andras aan de grens bereikte. Waarschijnlijk lag de brief daar nu in de postkamer te verstoffen, als ze hem al niet in de kachel hadden gestopt. Hij probeerde langs de vrouw in de keuken te kijken; de oude keukentafel, waarvan hij elke kwast en groef in het hout kende, stond er nog. De baby volgde met zijn hoofdje Andras' blik en begon toen weer op zijn beschuitje te sabbelen.

'Zeg,' zei de vrouw. 'Heb je geen familie in Debrecen? Is er niemand die weet waar je ouders verblijven?'

'Ik ben er in geen jaren geweest,' antwoordde Andras. 'Ik weet het niet.'

'Nou, ik moet weer aan de slag,' zei de man. 'Ik geloof dat u zo wel genoeg hebt gepraat met mijn vrouw.'

'En ik geloof dat u zo wel genoeg naar mijn vrouw hebt gekeken,' zei Andras.

Net op dat moment kneep de man in Klara's middel waarop Klara een gilletje slaakte. Zonder na te denken stompte Andras de man in zijn maag. De man hapte naar lucht en wankelde achterover. Hij struikelde over een kei en viel achterover in de vette diepe modder op het erf. Hij probeerde overeind te komen, maar gleed uit en viel op zijn handen. Intussen hadden Andras, Klara en Mendel het op een lopen gezet, hun tassen achter zich aan vliegend. Het was voor het eerst dat Andras blij was dat hij zo dicht bij het station woonde; hij deed iets wat hij Mátyás talloze keren had zien doen. Hij stormde op een openstaande goederenwagon af en gooide zijn tas erin, waarna hij Klara een zetje gaf. Daarna sprongen Mendel en hij in de wagon, precies op het moment dat de trein piepend het station uit reed op weg naar Debrecen. Ze zagen nog net hoe de nieuwe eigenaar van de houtwerf met een geweer in zijn hand uit het huis kwam rennen, roepend dat zijn vrouw zijn patronen moest halen, godverdomme.

In de kille namiddag reden ze, nog nahijgend, in de open goederenwagon naar Debrecen. Andras was bang dat Klara heel erg ontdaan zou zijn, maar ze moest juist lachen. Haar schoenen en de zoom van haar jurk waren zwart van de modder.

'Ik zal die blik op zijn gezicht nooit vergeten,' zei ze. 'Daar was hij niet op bedacht.'

'Ik ook niet,' zei Andras.

'Hij is er nog genadig afgekomen,' zei Mendel. 'Ik zou hem met liefde een paar klappen hebben verkocht.'

'Ik raad je niet aan om daarvoor terug te gaan,' zei Klara.

Andras leunde tegen de wand van de wagon en sloeg zijn arm om haar heen; Mendel haalde een sigaret uit zijn jaszak en ging op zijn zij liggen roken en nagenieten. De wind was zo onstuimig, de middagzon zo stralend dat Andras een soort triomf ervoer. Toen hij weer naar Klara keek – haar blik stond ernstig, alsof ze hem duidelijk wilde maken dat ze wist wat zich op dat modderige erf had afgespeeld – besefte hij pas dat dit de laatste keer was dat hij zijn ouderlijk huis had gezien.

De woning van zijn ouders in Debrecen had hij snel gevonden. Ze gingen een koosjere bakker binnen naast de synagoge en daar vernam Andras dat zijn moeder er zojuist matses had gekocht; op vrijdag begon Pesach.

Pesach. Het jaar daarvoor was het feest in een zucht voorbijgegaan: een paar strenggelovige mannen hadden in de slaapbarak een seideravond georganiseerd, de zegeningen uitgesproken alsof er wijn was en er groen, charoset, matses en bittere kruiden voor hen lagen, terwijl ze in werkelijkheid alleen aardappelsoep hadden. Vaag herinnerde hij zich dat hij een aantal keren het brood bij het avondeten had geweigerd, maar daarvan was hij zo slap geworden dat hij er toch maar weer van had gegeten. Hij had niet eens durven hopen dat hij dit jaar Pesach met zijn ouders zou vieren. Maar nu liep hij voor Klara en Mendel uit de straat af die naar de Simonffy utca leidde, waar volgens de bakker zijn ouders tegenwoordig woonden. Daar, in een stokoud gebouw met twee witte geiten op de binnenplaats en een nog bladerloze wijnrank die zich van balkon naar balkon slingerde, zagen ze zijn moeder op de eerste verdieping de tegels van de veranda boenen. Naast haar stond een emmer heet water te dampen; ze had een bedrukte blauwe hoofddoek om en haar onderarmen waren knalroze. Toen ze Andras en Mendel zag, stond ze op en rende naar beneden.

Zijn moedertje. Lichtvoetig als altijd stak ze de binnenplaats over en sloot Andras in haar armen. Haar donkere ogen schoten over hem heen; ze drukte hem tegen haar borst en hield hem even zo vast. Daarna omhelsde ze Klara, die ze *kislányom, mijn dochter*, noemde. En als laatste sloeg ze haar armen om Mendel, die het met een goedmoedige blik op Andras onderging. Zijn moeder kende Mendel nog van Andras' schooltijd en had hem altijd als haar eigen zoon behandeld.

'Arme stakkers,' riep ze. 'Moet je zien hoe ze jullie hebben afgebeuld!'

'Het komt wel goed, Anya. We hebben twee weken verlof.'

'Twee weken!' Ze schudde haar hoofd. 'Na anderhalf jaar twee weken. Maar jullie zijn tenminste hier voor Pesach.'

'En wie is die pummel die ons huis in Konyár woont?'

Zijn moeder sloeg haar hand voor haar mond. 'Ik hoop dat je geen ruzie met hem hebt gemaakt.'

'Ruzie?' zei Andras. 'Nee, hoor! Hij was reuzeaardig. Ik heb zijn handen gekust. We zijn vrienden voor het leven.'

'O, jee.'

'Hij heeft ons met een geweer achtervolgd,' zei Mendel.

'Hemeltje, wat een vreselijke man! Het gaat me aan het hart dat hij nu in ons huis woont.'

'Ik hoop dat jullie tenminste een goede prijs voor de boerderij hebben gekregen,' zei Andras.

'Je vader heeft het allemaal geregeld,' zei zijn moeder met een zucht. 'Hij zei dat we blij mochten zijn met het bedrag. We zitten hier goed. Er is hier gelukkig niet zo veel werk te doen. En ik heb Kicsi en Noni nog.' Ze knikte naar de twee melkgeitjes die in hun omheinde stukje op de binnenplaats stonden.

'U had me moeten waarschuwen,' zei Klara. 'Dan had ik met de verhuizing kunnen helpen.'

Zijn moeder sloeg haar ogen neer. 'We wilden je niet storen. We wisten dat je het druk had met je leerlingen.'

'U bent mijn familie.'

'Dat is lief van je,' zei Andras' moeder, maar er klonk iets van reserve in haar stem, haast een zweem van eerbied. Een tel later vroeg Andras zich af of hij het zich maar had verbeeld, want zijn moeder had Klara's arm gepakt en stak samen met haar de binnenplaats over.

De flat was klein maar licht, een driekamerhoekwoning met openslaande deuren naar de veranda. Zijn moeder had boerenkool in terracotta potten geplant; voor het middageten had ze er wat van gekookt en diende het met aardappelen, eieren en rode paprika op. Andras en Mendel namen hun vitaminepillen in en aten een paar appels die Klara voor ze had meegebracht, elke appel apart verpakt in een groen papiertje. Onder het eten vertelde zijn moeder hoe het met Mátyás en Tibor ging: Mátyás was in de buurt van Abaszéplak gelegerd, waar zijn werkeenheid een brug over de Torysa moest aanleggen. Maar dat was nog niet alles: voor hij het leger inging, had hij in The Pineapple Club zo'n opzien gebaard met zijn dansnummer in rokkostuum boven op de vleugel dat de bedrijfsleider hem een tweejarig contract had aangeboden. In zijn brieven schreef hij dat hij aan een stuk door aan het oefenen was, in gedachten repeteerde hij de danspassen terwijl hij met zijn maten aan de Torysabrug bouwde. En 's nachts hield hij die arme mannen ook nog uit hun slaap omdat hij dan de danspassen oefende die hij overdag had bedacht. Als hij thuiskwam, zei hij, zou hij zo razendsnel kunnen tapdansen dat ze een nieuw soort muziek moesten uitvinden om hem bij te houden.

Tibor, vertelde Andras' moeder, was afgelopen november bij een detachering van zijn werkeenheid in Transsylvanië ingedeeld; dankzij zijn opleiding in Modena was hij nu tot hospik bevorderd. In zijn brieven liet hij weinig los over zijn werk – Andras' moeder vermoedde dat hij haar niet aan het schrikken wilde maken – maar hij vertelde wel welke boeken hij las. Op het moment was dat Miklós Radnóti, een jonge joodse dichter uit Boedapest, die sinds het najaar ook tewerkgesteld was. Net als Andras had Radnóti enige tijd in Parijs gewoond. Enkele van zijn gedichten – eentje dat hij op het terras van La Rotonde zit met een Japanse arts en een ander over lome middagen in de Jardin du Luxembourg – riepen bij Tibor herinneringen op aan zijn verblijf in Parijs. Het gerucht ging dat het bataljon van Radnóti niet ver van dat van Tibor was gestationeerd en die gedachte had Tibor de winter door geholpen.

Voor Andras was het een enorme, onwerkelijke luxe om in de keuken van deze schone zonnige woning te zitten luisteren naar zijn moeder die vertelde hoe het Mátyás en Tibor in hun diensttijd verging. Hoe kon hij ontspannen in deze bekende stoel zitten, hoe kon hij appels met Klara en Mendel eten en naar het geblaat van de witte geiten op de binnenplaats luisteren terwijl zijn broers bruggen bouwden en zieken in Roethenië en Transsylvanië verzorgden? Het was vreselijk om zo heerlijk weg te kunnen soezen, vreselijk om zich te verheugen op het middagdutje in zijn eigen jongensbed, want zijn bed was ook meeverhuisd uit Konyár. Zelfs de aanblik van de tafel – de kleine gele tafel uit de buitenkeuken die ze zomers gebruikten – bezorgde hem een steek van plaatsvervangend verlangen, alsof hij het heimwee van zijn broers kon voelen. Zijn vader had het tafeltje gemaakt voordat Andras was geboren. Hij wist nog dat hij er op een warme middag onder zat terwijl zijn moeder erwten dopte voor het avondeten. Hij at een handjevol erwten en keek ondertussen hoe een spanrups over een van de tafelpoten omhoog kroop. Hij zag de spanrups zelfs weer voor zich, dat stukje groene elastiek met zijn minuscule stompe pootjes, die zich buigend en strekkend een weg omhoog naar het tafelblad baande om daar iets geheimzinnigs te gaan doen. Overleven, zo begreep hij nu – daar ging het om. Het samentrekken en uitrekken, dat driftige zich oprichten om te kunnen rondkijken: het was niets meer dan de dringende noodzaak om in leven te blijven.

'Waar denk je aan?' vroeg zijn moeder en ze drukte even zijn hand.

'De zomerkeuken.'

Ze lachte. 'Je herkent de tafel.'

'Natuurlijk.'

'Andras hield me vroeger gezelschap als ik aan het bakken was,' zei ze tegen Klara. 'Hij tekende altijd met een stokje in het zand. Aan het eind van de dag veegde ik de keuken aan, maar ik ging altijd met de bezem om zijn tekeningen heen.'

Ze hoorden Mendel zacht en schor ademhalen; hij was te moe geweest om een gerieflijke plek voor een dutje te zoeken. Hij was aan de keukentafel in slaap gevallen en zijn armen dienden als hoofdkussen. Andras bracht Mendel naar de bank en legde een sprei over hem heen. Mendel werd niet wakker, niet van het lopen door de kamer en ook niet van het schikken van zijn benen op de bank. Daar had hij een talent voor. Soms legde hij 's ochtends het hele stuk naar het werkterrein slapend af.

'Ga jij ook slapen?' vroeg Klara. 'Ik help je moeder wel.'

Maar door de frisse rinse smaak van de appels was hij weer klaarwakker; hij had geen zin om te gaan slapen. Wat hij wilde, wat geen uitstel meer duldde, was zijn vader opzoeken.

Het was een grof staaltje Hongaarse ironie dat zijn vader nu in de houtzagerij werkte waarvan misschien een deel van het hout wel afkomstig was van de bomen die Andras in Transsylvanië en Subkarpatië had gekapt. De NV Debrecen Zaaghout leek in niets op de houtzagerij die Geluksvogel Béla aan die rotkerel in Konyár had verkocht. Dit was een grootschalige overheidsonderneming, waar dagelijks honderden bomen werden verwerkt en duizenden vamen zaaghout voor de bouw van kazernes, opslagloodsen en treinstations werden geproduceerd. Hongarije bereidde zich al maandenlang voor op een oorlog en de kans was groot dat het dan werd gedwongen aan de kant van Duitsland mee te vechten. Mocht het inderdaad zo ver komen, dan waren er enorme hoeveelheden hout nodig om de opmars van het leger te bevorderen. Als het aan Geluksvogel Béla had gelegen, had hij liever gewerkt voor een kleiner bedrijf dat vreedzame producten maakte. Maar hij wist dat hij blij mocht zijn dat hij überhaupt werk had, nu zo veel joden zonder werk zaten. En als Hongarije in oorlog raakte, zouden ook de kleinere houtbedrijfjes voor de oorlogsindustrie worden ingezet. Daarom had hij de baan van tweede voorman aangenomen nadat afgelopen winter de vorige tweede voorman aan longontsteking was overleden. De eerste voorman, een schoolvriend van Béla, had hem als tijdelijke kracht aangenomen om Béla de schrale wintermaanden door te helpen. Twee maanden lang had Béla in Debrecen gewoond en was elk weekend naar huis gegaan. De zorg voor zijn eigen houtzagerij had hij aan zijn voorman overgelaten. Toen de schoolvriend hem een vaste baan aanbood, besloten Béla en Flóra dat het tijd was om hun eigen kleine bedrijfje te verkopen. Ze werden een dagje ouder. Het werk werd zwaarder, hun schulden groter. Met het geld van de verkoop konden ze hun schuldeisers afbetalen en een bescheiden woninkje in Debrecen huren.

Het was pech dat de enige geïnteresseerde koper lid was van de Nationaalsocialistische Partij van Hongarije, de Pijlkruisers, en dat het bod van de man de helft was van wat de houtzagerij waard was. Er zat voor Béla niets anders op dan te verkopen. Het was een zware winter geweest. Ze hadden nauwelijks genoeg te eten en de treinen deden al een maand Konyár niet meer aan. Er bleek een mankement aan het spoor te zijn, maar niemand voelde zich geroepen het te repareren. Bepaalde dagelijkse dingen – de bezorging van de post, het bevoorraden van winkels en het transport van timmerhout – lagen helemaal stil. Maar in Debrecen was er geen voedseltekort en ging het werk op de houtzagerij gewoon door. Béla kon er twee keer zoveel verdienen als op zijn eigen zagerij. Het was eeuwig zonde dat hij het voor zo'n prijs van de hand had moeten doen, maar de verhuizing had hen goed gedaan – Flóra was weer op gewicht gekomen na de lange schamele winter en Béla's hoest en reumatiek waren verminderd. Met krachtige stem en kwieke pas liep hij met Andras over het terrein en deed hem het verhaal.

'Wat wij nodig hebben,' besloot hij terwijl hij zijn helm in de kleedkamer ophing, 'is een lekker koud biertje.'

'Daar zeg ik geen nee tegen,' zei Andras en samen liepen ze naar zijn vaders favoriete bierlokaal, een donker hol niet ver van de Rózsa utca, waar opgezette wolvenkoppen en hertengeweien aan de muren hingen en een reusachtig ouderwets bierfust op een houten stelling stond. De mannen zaten aan de tafeltjes Fox-sigaretten te roken en voerden verhitte gesprekken over het lot van Europa. De kastelein was een enorme besnorde man die eruitzag of hij zich uitsluitend met gefrituurde beignets en bier in leven hield.

'Hoe is het tapbier vandaag, Rudolf?' vroeg zijn vader.

Rudolf grijnsde zijn kleine tanden bloot. 'Je wordt er dronken van,' zei hij.

Dit was kennelijk hun vaste uitwisseling. De kastelein vulde twee glazen en nam zelf een whisky, waarna ze op elkaars gezondheid klonken.

'Wie is die magere knul?' vroeg Rudolf.

'Dat is mijn middelste zoon, de architect.'

'Zo, architect?' zei Rudolf met een opgetrokken wenkbrauw. 'Heb je hier al iets gebouwd?'

'Nog niet,' zei Andras.

'In dienst?'

'De Munkaszolgálat.'

'Dus die hebben je zo uitgehongerd?'

'Inderdaad.'

'Ik was zelf *huszár* in de Grote Oorlog, net als je vader. Aan het Servische front. Bijna mijn been kwijtgeraakt bij Varaždin. Maar het werkkamp, dat is andere koek. De hele dag modder scheppen, geen spanning, geen heroïek. En dan word je ook nog eens uitgehongerd.' Hij schudde zijn hoofd. 'Dat is geen werk voor een slimme jongen als jij. Hoe lang moet je nog?'

'Zes maanden,' antwoordde Andras.

'Zes maanden! Dat valt wel mee. En je hebt goed weer. Je redt het wel. Maar ik trakteer jullie voor de zekerheid op nog een rondje. Ad fundum. Mogen we duizend keer aan de dood ontsnappen!'

Ze dronken. Daarna gingen Andras en zijn vader aan een tafeltje in een donker hoekje van de gelagkamer zitten, onder een wolvenkop die huilend was vereeuwigd. De kop deed bij Andras de rillingen over zijn rug lopen. Die winter in Transsylvanië had hij 's nachts wolven horen huilen, en dan stelde hij zich hun gele tanden en zilveren vacht voor. Soms was hij zo radeloos dat hij zich het liefst aan de wolven had overgeleverd. Om zichzelf eraan te herinneren dat hij thuis was en op verlof, stak hij zijn hand in zijn zak en raakte even zijn vaders horloge aan. Dat had hij bij zijn vertrek naar de Munkaszolgálat bij Klara in bewaring gegeven. Hij liet het nu aan zijn vader zien.

'Dat is een goed horloge,' zei Béla, die het om- en omdraaide. 'Een fantastisch horloge.'

'In Parijs,' zei Andras, 'haalde ik het altijd tevoorschijn, als ik in moeilijkheden zat, en dan vroeg ik me af wat jij zou doen.'

Zijn vader lachte even spottend. 'Je deed vast niet altijd wat ik zou hebben gedaan.'

'Niet altijd,' zei Andras.

'Je bent een goeie jongen,' zei zijn vader. 'Een zorgzame jongen. Je houdt je altijd kranig in de brieven uit de Musz, om je moeder niet ongerust te maken. Maar ik weet dat het er veel erger is dan je ons voorhoudt. Kijk, hoe je eruitziet. Je bent meer dood dan levend.'

'Zo erg is het niet,' zei Andras en hij voelde dat hij het meende. Het was gewoon werk; hij had al zijn hele leven gewerkt. 'We krijgen te eten,' zei hij. 'Ze geven ons kleren en laarzen. We hebben een dak boven ons hoofd.'

'Maar je moest je studie onderbreken. Daar denk ik elke dag aan.'

'Ik ga weer terug,' zei hij.

'Waarheen? Frankrijk bestaat niet meer, niet als land voor joden. En in Hongarije...' Vol afschuw en walging schudde hij zijn hoofd. 'Maar je zult wel een manier vinden om je studie af te maken. Dat moet gewoon. Ik wil niet dat je er de brui aan geeft.'

Andras wist wat door zijn hoofd speelde. 'Jij hebt toch ook niet de brui aan je studie gegeven,' zei hij. 'Je moest noodgedwongen weg uit Praag.'

'Maar ik ben niet meer teruggegaan, of wel?'

'Je had weinig keus.' Het gesprek nam een heilloze wending, vond Andras; er viel nu toch niets aan zijn studie te doen, en dat wist zijn vader net zo goed als hij. De gedachte dat het alweer bijna twee jaar geleden was dat hij op de École Spéciale zat gaf hem het gevoel dat er een groot, onwrikbaar gewicht op hem drukte. Hij keek op naar het groepje mannen dat zich over de sportpagina van de *Pesti Hírlap* had gebogen en twistte over de vraag welke worstelaar die avond het toernooi in de Nationale Sportclub zou winnen. Andras kende niet één van de namen van de worstelaars.

'Het is vast fijn om Klara weer te zien,' zei zijn vader. 'Het is zwaar om zo lang van je vrouw gescheiden te zijn. Het is een lief kind, die Klara.' Maar in zijn stem klonk hetzelfde door als wat hij eerder op zijn moeders gezicht had gezien, een zweem van aarzeling, van reserve.

'Hadden jullie haar maar geschreven dat jullie gingen verhuizen,' zei Andras. 'Dan was ze jullie komen helpen.'

'De keukenhulp van je moeder is komen helpen. Die was blij met het extraatje.'

'Klara is onze familie, Apa.'

Zijn vader tuitte zijn lippen en haalde zijn schouders op. 'Waarom zouden we haar met onze problemen opzadelen?'

Andras had tijdens het verhaal van zijn vader iets willen zeggen, maar had zich bedacht: eigenlijk had hij liever gezien dat Klara de onderhandelingen over de verkoop van de houtzagerij had gedaan. Hij wist zeker dat zij er een veel betere prijs uit had gesleept. Maar ja, een vrouw in Parijs kon zulke onderhandelingen voeren zonder dat iemand ervan opkeek. In Konyár was zoiets ondenkbaar. Op het platteland van Hajdú stonden vrouwen niet te pingelen met mannen over de prijs van een huis. 'Klara weet wat hard werken is,' zei Andras. 'Sinds haar zestiende voorziet ze in haar eigen onderhoud. Bovendien beschouwt ze jou en Anya als haar eigen ouders.'

'Dat is wel een vreemde opvatting,' merkte Béla hoofdschuddend op. 'Vergeet niet, mijn jong, dat we jullie huwelijk in haar moeders huis hebben gevierd. Ik heb mevrouw Hász ontmoet. Ik heb Klara's broer ontmoet. Ik denk niet dat Klara ons ooit voor haar eigen familie kan aanzien.'

'Dat bedoel ik niet. Je doet net of je me niet begrijpt.'

'In Parijs waren Klara en jij gewoon twee Hongaren die met elkaar omgingen,' zei Béla. 'Maar hier gaat het er anders aan toe. Kijk maar om je heen. De rijken gaan niet om met de armen.'

'Ze is niet een van *de rijken*, Apa. Ze is mijn vrouw.'

'Haar familie heeft die neef van haar vrijgekocht. Hij hoefde zich niet af te beulen in het leger. Maar voor jou hebben ze dat niet gedaan.'

'Ik heb tegen haar broer gezegd dat ik dat per se niet wilde hebben.'

'En daar protesteerde hij niet tegen, hè?'

Andras voelde dat zijn nek warm werd; een grote woede kwam in hem op. 'Het is onterecht om dat Klara te verwijten,' zei hij.

'Het is onterecht dat sommigen moeten werken en anderen niet.'

'Ik ben hier niet gekomen om ruzie te maken.'

'Laten we dat dan niet doen.'

Maar het was al te laat. Andras was razend. Hij wilde geen moment langer in zijn vaders gezelschap verkeren. Hij legde geld op de tafel voor het bier, maar zijn vader schoof het terug.

'Ik ga naar buiten,' zei Andras en hij stond op. 'Even een frisse neus halen.'

'Dan gaat je ouwe vadertje met je mee.'

Andras wist niet hoe hij hem dat kon beletten. Zijn vader liep achter hem aan de kroeg uit en samen liepen ze in het blauwe

avondlicht. Overal langs de straat waren gele lantaarns aange-
gaan om de afgebladderde, verveloze gebouwen te verlichten. Ge-
dachteloos liep hij verder; hij wou dat hij sneller kon lopen, dat
hij zijn vader in de schemer van zich kon afschudden, maar hij
was gewoon te moe, hij had geen kracht, en het enige wat hij wilde
was slapen. Hij beende langs Hotel Aranybika, een oude douairière
in withouten kant; hij liep langs de dubbele torens van de lutherse
kerk met zijn onverstoorbare spitsen. Hij liep stug door, hoofd naar
beneden, tot aan het park aan de overkant van het Déri-museum,
een log geelgepleisterd gebouw in barokstijl. De zachtgerande
aprilavond deed hem denken aan de talloze avonden die hij hier
als scholier had doorgebracht, met vrienden of alleen, pulkend
aan zijn adolescentenproblemen als aan de bladzijden van zijn lie-
velingsboek. In die tijd kon hij zichzelf altijd opbeuren met de gedachte aan thuis, aan het stukje grond in Konyár met de boomgaard, de schuur, de houtzagerij en de molenkolk. Nu zou zijn
huis in Konyár nooit meer zijn huis zijn. Zijn verleden, zijn vroegste jeugd, was hem afgenomen. En zijn toekomst, het leven zoals
hij zich dat als scholier had voorgesteld, was hem ook ontnomen.
Hij ging op een bankje zitten, boog zich voorover en legde zijn
hoofd in zijn handen. De pijn en de verwarring die hij achttien
maanden lang had gevoeld kwamen in één keer naar boven en
even later zat hij hees te snikken in de schemering.

Geluksvogel Béla staarde naar zijn zoon, de jongen in wiens
problemen hij zich altijd het meest had herkend. Zelf had hij nooit
zijn tranen de vrije loop gelaten en ook bij zijn zoons had hij dat
nooit aangemoedigd. Hij had ze geleerd om hun pijn met hard werken te verdringen. Dat was ook zijn eigen redding geweest. Hij had
zijn zoons nooit veel lichamelijke warmte gegeven; dat was meer
iets voor hun moeder. Maar nu hij zijn jongen zo zag, deze zieke,
uitgeputte jongeman, die schokkend met zijn hoofd in zijn schoot
zat te huilen, wist hij wat hem te doen stond. Hij ging op het bankje naast Andras zitten en sloeg zijn armen om hem heen. Hij had
altijd het idee gehad dat zijn liefde iets speciaals voor Andras betekende. Hij hoopte dat dat nog steeds zo was.

Ze bleven een week in Debrecen. Zijn moeder maakte eten en verzorgde zijn kapotte voeten en liet in de keuken een heet bad voor
hem vollopen; ze lachte om de verhalen van Mendel over hun kameraden in het werkkamp en ze maakte samen met Klara het huis

brandschoon voor Pesach. De nieuwe keukenhulp, een oude vrijster die Márika heette, had een diepe genegenheid voor Mendel opgevat, die volgens haar als twee druppels water op haar broer leek die in de Grote Oorlog was omgekomen. Stiekem gaf ze hem wollen sokken en ondergoed cadeau, die haar een aanzienlijk deel van haar loon gekost moesten hebben. Toen Mendel tegensputterde dat de cadeaus overdreven waren, deed ze net of ze van niets wist. Voor Andras was het gezapige vertrouwde leventje in Debrecen een prettige afwisseling. Hij vond het fijn om met zijn vriend en zijn vrouw door de oude buurtjes te lopen, om kegelvormige beignets voor ze te kopen in dezelfde bakkerij waar hij als kind zijn stuivers had uitgegeven, om Klara mee te nemen naar het joods gimnázium en de rolschaatsbaan, die in de winter een ijsbaan werd. Zijn lichaam werd weer sterker, zijn zachte tandvlees werd weer stevig. De bloeduitstortingen onder zijn huid waren bijna verdwenen.

De eerste dagen voelde hij zich vreselijk opgelaten tegenover Klara. Hij wilde niet dat zij zijn verzwakte lichaam zag en hij was bang dat hij niet was opgewassen tegen de eisen van het liefdesspel. Maar hij was een jongeman van vijfentwintig en zij was de vrouw die hij liefhad. En al snel schoof hij 's nachts naar haar toe op het dunne matras dat ze deelden in het kleine naaikamertje van zijn moeder. Ze waren omringd door de kleren die zijn moeder moest verstellen, nieuwe kleren die ze ging maken voor Andras of die ze aan zijn broers in hun werkkamp wilde opsturen. Het rook er naar schoon strijkgoed en de geschroeide zoete lucht van gestreken kleren. In die beslotenheid, in hun tweede bruidsbed, strekte hij zijn armen naar haar uit en zij beantwoordde zijn omhelzing. Hij kon amper geloven dat haar lichaam er nog was, dat hij alle plekjes mocht bezoeken die hij anderhalf jaar lang in gedachten als een soort amuletten met zich had meegedragen: haar kleine hoge borsten, het zilverwitte litteken op haar buik, de tweelingtoppen van haar heupen. Tijdens het vrijen hield ze haar ogen wijd open en keek hem recht aan. In het gefilterde licht dat door het gordijn viel, kon hij de kleur niet goed onderscheiden, maar hij zag het aloude vuur, dat hij zo mooi vond, erin branden. Soms leek het wel of ze strijd leverden als oude vijanden; ergens wilde hij haar straffen voor het pijnlijke verlangen dat ze al die tijd bij hem had opgeroepen. Dat leek ze te begrijpen en ze pareerde zijn woede met haar eigen woede. Toen hij ten slotte uitgeput tegen haar aan viel, met een hart dat heftig tegen haar borst klopte, wist hij dat ze in staat waren om de kloof te overbruggen die door hun langdurige scheiding was ontstaan.

Tegen het einde van hun week in Debrecen was er in de verhouding tussen Andras' moeder en Klara een nauwelijks waarneembare verandering opgetreden. Tijdens het eten wisselden ze veelbetekenende blikken met elkaar en zijn moeder stond erop dat Klara meeging naar de markt en ze had gevraagd of Klara de matseballetjes voor de seidermaaltijd wilde maken. De matseballetjes waren het hoogtepunt van de maaltijd, nog geliefder dan de gebraden kippenboutjes, de aardappelkugel of de gefilte fisj die van een levende karper werd gemaakt. In Konyár zwom de vis altijd rond in een grote zinken bak water, maar in Debrecen moesten ze hem noodgedwongen op de binnenplaats tentoonstellen. (Twee kinderen, een meisje en haar broertje, hadden vriendschap gesloten met de vis en voerden hem stukjes brood als ze uit school kwamen; toen de vis opeens verdwenen was om als tweede gang op seideravond te dienen, zei Andras dat hij hem naar het park had meegenomen en vrijgelaten, wat hem op hun eeuwigdurende vijandschap kwam te staan – ook al beweerde hij dat de karper hem het verzoek in het Karpatisch had ingefluisterd, een taal die Andras zei in de Munkaszolgálat te hebben geleerd.) Zijn moeders recept voor matseballetjes was met ragfijne zwarte letters neergepend op een gewijd ogend stuk papier, hoogstwaarschijnlijk perkament. Het was oorspronkelijk van Flóra's overgrootmoeder Rifka geweest en Flóra had het op haar trouwdag gekregen in een zilveren doosje met het Jiddische woord *Knaidlach* erin gegraveerd.

Op een middag kwam hij terug van een wandeling met Mendel en trof zijn moeder en Klara samen aan in de keuken. Het zilveren doosje stond open op de tafel en Klara had het kostbare recept in haar handen. Ze had een doekje om haar hoofd gebonden en een geborduurd schort met aardbeien voor; haar huid gloeide helemaal van de hitte in de keuken. Ze tuurde naar het kriebelige handschrift en vervolgens naar de ingrediënten die Andras' moeder op de tafel had uitgestald.

'Maar hoeveel van alles?' vroeg ze aan Flóra. 'Waar staan de hoeveelheden?'

'Maak je geen zorgen,' zei Andras' moeder. 'Doe het gewoon op je gevoel.'

Klara lachte even benauwd naar Andras.

'Kan ik helpen?' vroeg Andras.

'Ja, lieve jongen,' zei Flóra. 'Ga je vader van zijn werk halen. Hem kennende is hij vast vergeten dat hij vandaag vroeg naar huis moet komen.'

'Goed,' zei Andras. 'Maar eerst wil ik even met mijn vrouw praten.' Hij nam het recept uit haar handen en legde het voorzichtig terug in het doosje; daarna pakte hij haar hand en trok haar met zich mee naar het naaikamertje. Hij deed de deur dicht. Klara sloeg lachend haar handen voor haar gezicht.

'Lieve help!' zei ze. 'Die matseballetjes gaan me nooit lukken.'

'Je moet je er gewoon aan overgeven.'

'Wat een recept, dat recept! Het lijkt wel of het in geheimtaal is geschreven!'

'Misschien is het wel tovenarij. Misschien doen de hoeveelheden er niet toe.'

'Was mevrouw Apfel er maar. Of Elisabet.' Een wolk van verdriet trok over haar gezicht, zoals de afgelopen twee weken elke keer was gebeurd als ze het over Elisabet had. Haar verwachtingen waren uitgekomen: Pauls ouders, die op een landgoed in Connecticut woonden, wilden niets van Elisabet weten en hadden de toelage van hun zoon stopgezet. Paul en Elisabet hadden zich niet uit het veld laten slaan en op Manhattan een appartement en werk gevonden – Paul als grafisch ontwerper en Elisabet als hulpje in een bakkerij. Elisabet bleek talent te hebben en was al snel tot assistente van de banketbakker bevorderd; het feit dat ze Frans was gaf haar een zeker cachet en een paar maanden geleden had ze geschreven dat een taart die zij had versierd het pièce de milieu was geweest op een chique bruiloft in de balzaal van het Waldorf-Astoria Hotel. Daarop stroomden de verzoeken binnen van andere moeders van rijke jongedames. Maar nu was ze in verwachting. Dat nieuws had in haar laatste brief gestaan, een paar weken terug.

'Klara,' zei hij en hij streelde haar hand. 'Elisabet redt zich wel. Dat weet je toch?'

Ze zuchtte. 'Het is heerlijk hier te zijn,' zei ze. 'Bij jou. En om tijd met je moeder door te brengen. Zij houdt net zoveel van haar kinderen als ik van mijn dochter.'

'Vertel eens wat je precies hebt gedaan,' zei Andras. 'Je hebt haar betoverd.'

'Wat bedoel je?'

'Mijn moeder is verliefd op je, dat bedoel ik.'

Klara leunde tegen de muur en sloeg haar slanke enkels over elkaar. 'Ik heb haar in vertrouwen genomen,' zei ze.

'Hoe bedoel je?'

'Ik heb haar de waarheid verteld. Alles. Ik wilde dat ze wist wat mij als jong meisje is overkomen en hoe ik sindsdien heb geleefd. Ik wist zeker dat het zou helpen.'

'Dat heeft het zeker.'

'Ja.'

'Maar nu moet je matseballetjes maken.'

'Volgens mij is dit een soort vuurproef,' zei Klara glimlachend.

'Ik hoop dat je slaagt,' zei hij.

'Daar lijk je niet zeker van te zijn.'

'Natuurlijk wel.'

'Ga je vader maar halen,' zei ze en ze duwde hem naar de deur.

Toen hij en Mendel met Geluksvogel Béla terugkeerden, waren de matseballetjes in een pan op het vuur aan de kook. De gefilte fisj was klaar, de tafel gedekt met een wit laken en de borden en het bestek glansden in het licht van de twee witte kaarsen. Midden op tafel stond de zilveren seiderschotel, die ze al zolang Andras het zich kon herinneren gebruikten, met in elk van de zes zilveren kommetjes het groen, de bittere kruiden, het zoute water, de charoset, een ei en het lamsbotje.

Geluksvogel Béla stond naast zijn stoel aan het hoofd van de tafel, verslagen door het nieuws dat hij zojuist had vernomen toen de jongens hem van het werk kwamen halen. In het kantoortje van de voorman hadden ze het op de radio gehoord: Horthy had besloten om Hitler vanaf Hongaarse bodem naar Joegoslavië te laten oprukken – Joegoslavië, waarmee Hongarije het jaar daarvoor nog een vredes- en vriendschapsovereenkomst had getekend. De nazitroepen hadden zich bij Barcs verzameld en waren en masse de Drau overgestoken terwijl bommenwerpers van de Luftwaffe Belgrado met de grond gelijkmaakten. Béla wist waar het eigenlijk om ging: Hitler strafte het land voor de militaire coup en de volksopstand die hadden plaatsgevonden nadat Joegoslavië zich bij het Driemogendhedenpact had aangesloten. Nog geen week eerder had Duitsland plechtig beloofd de grenzen van Joegoslavië duizend jaar lang te beschermen; nu bracht Hitler zijn leger ertegen in stelling. De invasie zou die middag beginnen. Later die week zouden Hongaarse troepen naar Belgrado worden gestuurd ter ondersteuning van het Duitse leger. Het zou Hongarijes eerste militaire actie in het Europese conflict worden. Béla was ervan overtuigd dat dit pas het begin was, dat Hongarije onvermijdelijk verder bij de oorlog betrokken zou raken. Duizenden jongens zouden omkomen. Zijn kinderen zouden aan de frontlinie tewerkgesteld worden. Hij had naar het nieuws geluisterd en had het diep tot in zijn botten laten doordringen, maar toen Andras en Mendel kwamen had hij er niets over gezegd. En ook nu, staande voor de gewijde tafel, ging hij er niets over zeggen. Hij kon het niet over zijn hart verkrijgen de maaltijd die zijn vrouw en zijn zoons vrouw hadden bereid door dit nieuws te bederven. Hij leidde de seider zoals hij altijd deed, maar in zijn borst voelde hij scherp het gemis van zijn jongste en oudste zoon. Hij vertelde opnieuw het verhaal over de uittocht uit Egypte en hij liet Mendel de Vier Vragen opzeggen. Het lukte hem te eten van het overbekende maal, met het gekookte ei op de groente en de verse gevulde karper en de gouden bouillon met de matseballetjes. Na afloop sprak hij de zegeningen uit, zoals altijd, en was blij met het vierde glas wijn. Toen hij aan het einde van de seider de deur openzette om de profeet Elia binnen te noden, zag hij overal op de binnenplaats deuren openstaan. Het was een troost om te weten dat hij door andere joden was omringd. Maar hij kon het nieuws niet eeuwig voor zich uit blijven schuiven. Op de binnenplaats klonk het gruizige geluid van de nationale nieuwszender; beneden had iemand een radio op de vensterbank gezet zodat iedereen kon meeluisteren. Een man met een ernstige, deftige stem hield een toespraak: het was Miklós Horthy, hun regent, die het land voorbereidde op een glorieuze toekomst binnen een nieuw Europa. Béla zag dat het nieuws langzaam tot zijn vrouw en daarna tot zijn zoon doordrong. Hongarije was bij de oorlog betrokken, daar was niets meer tegen te doen. Terwijl ze samendromden op het balkon om naar de uitzending te luisteren, duwde Béla de deur een eindje verder open. *Elijahoe hanavi,* zong hij binnensmonds. *Elijahoe hatisjbi.* Hij stond met zijn hand tegen de deurpost de naam van de heilige te scanderen; hij koesterde nog steeds hoop op een ander soort profetie.

29

Kamp Bánhida

Toen Andras en Mendel zich aan het einde van hun verlof bij het bataljonskwartier meldden, bleek dat ze niet naar hun oude eenheid in Transsylvanië teruggingen. Majoor Kálozi, zo zei de bataljonssecretaris, was hen zat. Ze zouden in Bánhida gelegerd worden, tachtig kilometer ten noordwesten van Boedapest, waar ze zich bij compagnie 101/18 moesten vervoegen. Daar was een kolenmijn en een elektriciteitscentrale.

Tachtig kilometer van Boedapest! Dat zou betekenen dat hij misschien Klara op weekendverlof kon zien. En de post deed er wellicht ook geen maand over. Mendel en hij moesten wachten op het spoorwegemplacement, waar de leden van hun nieuwe compagnie aankwamen. Daar werden ze vervolgens in werkploegen ingedeeld en kregen een zitplaats in een van de wagons toegewezen. De mannen die teruggingen naar Bánhida leken minder last te hebben gehad van de winter dan Andras en Mendel. Hun kleren waren nog heel, hun lichamen zagen er sterk en stevig uit. Ze praatten op luchtige, schertsende toon met elkaar, alsof ze klasgenoten waren die na de grote vakantie weer naar school gingen. Terwijl de trein door de groene glooiende heuvels van Boeda reed, door bossen en langs akkers, vulde de wagon zich met de lucht van aarde en lente. Maar toen de trein Bánhida naderde, werden de tewerkgestelden steeds stiller. Hun blikken verstrakten en op hun schouders leek een onzichtbaar gewicht te drukken. Buiten begon het groen plaats te maken voor de lage, bouwvallige huisjes langs het spoor die altijd de aankondiging leken te zijn van een naderende stad, en daarna kwam het stadje zelf met een kronkelige wirwar van straatjes en huizen met rode dakpannen. De trein stopte niet op het station, maar reed rechtstreeks door naar de elektriciteitscentrale, waarbij ze een steeds onaantrekkelijker uitzicht kregen voorgeschoteld van verharde zandwegen, opslagloodsen en machinewerkplaatsen. Eindelijk kwam de centrale zelf in

zicht, een slagschip met drie schoorstenen waaruit kastanjebruine rookpluimen naar de blauwe voorjaarshemel opstegen. Piepend
kwam de trein tot stilstand op een emplacement dat propvol stond
met honderden verroeste goederenwagons. Aan het einde van een
kale akker zag je achter een hek van harmonicagaas rijen barakken van sintelblokken. Een eind verder waren mannen bezig
wagentjes met kolen naar de centrale te duwen. Het uitzicht op
platgestampte modder werd door geen enkele boom of struik onderbroken. In de verte verrezen de koele groene heuvels van het
Gerecse- en Vertesgebergte, als een zoete hoon.

Bewakers gooiden de deuren van de wagons open en bruiden de
mannen de trein uit. Op een kaal stuk land werden de nieuwelingen gescheiden van de oudgedienden. De laatsten werden meteen
aan het werk gezet. De rest van de manschappen kreeg het bevel
om hun plunjezak in de hun toegewezen barak neer te zetten en
zich daarna op het exercitieterrein te melden dat zich in het midden van het kampement bevond. De barakken van sintelblokken
leken zonder beleid te zijn neergekwakt, het enige uitgangspunt
was zuinigheid. De gebruikte materialen waren goedkoop, het
handjevol ramen hoog en klein. Toen hij er binnenging, had Andras het gevoel dat hij onder de grond zat. Mendel en hij hadden
zich een bed achterin toegeëigend, waar de muur ze nog enige privacy bood. Daarna gingen ze met hun maten naar het exercitieterrein, een reusachtige met modder bedekte binnenplaats.

De mannen werden door twee sergeanten in rijen van tien verdeeld; die dag waren er in Kamp Bánhida vijftig nieuwelingen bij
gekomen. Ze moesten in de houding staan wachten tot majoor
Barna, de compagniecommandant, de troepen kwam inspecteren.
Daarna zouden ze in ploegen worden ingedeeld en dan begon hun
nieuwe dienst. Ze stonden bijna een uur zwijgend in de modder en
luisterden ondertussen naar de bevelen in de verte van de voormannen, het ronken van de elektriciteitscentrale en het geluid van
metalen wielen op het spoor. Eindelijk kwam de nieuwe commandant uit het administratiegebouw. Hij had een kepie met goudgalon op en aan zijn voeten zaten twee glimmende laarzen. Met
ferme pas beende hij langs de gelederen en liet zijn blik over de gezichten gaan. Andras vond dat hij op een schoolboekplaatje van
Napoleon leek: hij was klein en stevig, stram, met donker haar en
een heerszuchtige blik. Toen hij voor de tweede keer langs Andras'
rij liep, bleef hij even voor Andras staan en vroeg naar zijn rang.

Andras salueerde. 'Groepskapitein, commandant.'

'Hoe zei je?'

'Groepskapitein,' zei Andras nogmaals, deze keer wat harder. Soms dwongen de commandanten de manschappen om hun antwoord te brullen, alsof ze in het echte leger zaten in plaats van in een werkkamp. Andras kon hier slecht tegen. En nu moest hij van majoor Barna uit de rij stappen en naar voren marcheren.

Hij vond het vreselijk om te moeten marcheren. Hij vond het allemaal even vreselijk. De paar weken thuis hadden hem weer het gevaarlijke besef bijgebracht dat hij een mens was. Toen hij bij het voorste gelid was aangekomen, ging hij gespannen en bevend in de houding staan terwijl majoor Barna hem opnam. De man scheen hem met een soort geboeide weerzin te bekijken, alsof Andras een gedrocht op een rondreizende kermis was. Toen haalde hij een zakmesje met een parelmoeren heft tevoorschijn en hield dat onder Andras' neus. Andras snoof. Hij was bang dat hij moest niezen. Hij rook het metaal van het lemmet. Hij wist niet wat Barna van plan was. Hij zag iets ondeugends twinkelen in de kleine donkere oogjes van de majoor, alsof Andras en hij onder één hoedje speelden. Met een knipoog haalde hij het mes weg bij zijn gezicht en stak de punt onder de officierstekens op Andras' overjas, waarna hij met enkele snelle halen de insignes van zijn borst lostrok. Het stuk stof viel in de modder; Barna trapte het de modder in totdat het niet meer te zien was. Daarna legde hij zijn hand op Andras' hoofd, op de nieuwe kepie die hij van Klara had gekregen. Nog een paar halen van het mes en hij had ook de officierstekens van zijn kepie verwijderd.

'En welke rang heb je nu, soldaatje?' brulde majoor Barna, zo luid dat ook de mannen achterin het konden horen.

Andras stond paf. Hij wist alleen dat je gedegradeerd kon worden als je een krijgstuchtelijk vergrijp op je geweten had. Met de moed der wanhoop richtte hij zich op – hij was ruim vijftien centimeter langer dan Barna – en riep: 'Groepskapitein, commandant!'

Een flits van beweging van Barna en een verzengende pijn onder aan Andras' schedel. Hij viel op zijn handen en knieën in de modder.

'Niet in Bánhida,' riep majoor Barna. In zijn trillende hand hield hij een witte beukenhouten wandelstok die besmeurd was met Andras' bloed. Ondanks de pijn barstte Andras haast in lachen uit. Het was te absurd voor woorden. Had hij niet zojuist nog appels in de keuken van zijn moeder gegeten? Had hij niet zojuist nog met zijn vrouw de liefde bedreven? Hij voelde met zijn hand in zijn nek, een pijnlijke bult.

'Overeind, soldaatje,' brulde de majoor. 'In het gelid.'

Hij had geen keus. Zwijgend gehoorzaamde hij.

Deze kennismaking met Bánhida bleek nog maar een voorproefje te zijn. Het leek wel of er tijdens zijn korte verlof van de Munkaszolgálat iets was veranderd, maar misschien ging het er bij zijn oude eenheid gewoon anders aan toe. Hier had geen enkele jood een officiersrang, evenmin waren er joodse artsen, genieofficiers of voormannen. De bewakers waren wreder en opvliegender, de officiers deelden sneller straf uit. Bánhida was in alle opzichten een gruwelijk oord. Het leek uitsluitend te zijn gemaakt voor het ongerief en het ongenoegen van de bewoners. De elektriciteitscentrale braakte dag en nacht drie grote bruine kolenwolken uit; het stonk overal naar zwavel en alles was bedekt met een laagje fijn oranjebruin stof dat in de regen in een gipsachtige pasta veranderde. In de barakken rook het muf, de ramen lieten wel warmte binnen maar nauwelijks licht of lucht; en uit het dak lekte het op de bedden. Het leek wel of de paden en wegen expres door de drassigste delen van het kamp waren aangelegd. Elke middag om precies drie uur begon het te hozen waardoor het terrein een verraderlijk, glibberig moeras werd. De warme vochtige wind blies de stank van de latrines over het kampement zodat de mannen onder het werken naar adem snakten. De plassen waren kweekplaatsen van muggen, die zich in grote zwermen op het voorhoofd, in de hals en nek en op de armen van de manschappen stortten.

Andras en Mendel hadden opdracht gekregen de bruine kolen in de mijnkarretjes te scheppen en dan de karretjes over de roestige rails naar de centrale te duwen. De rails lagen wel op de grond maar waren niet vastgeklonken, en al snel werd duidelijk waarom: als het hard regende, moesten de rails opgetild worden en om de plassen ter grootte van vijvertjes heengeleid worden. Op een gegeven moment waren er zo veel plassen dat er eerst bielzen overheen gelegd moesten worden en daarop de rails. De volgeladen wagentjes wogen honderden kilo's. Met trekken, duwen en takelen probeerden de mannen de wagentjes vooruit te krijgen en als dat niet lukte, begonnen ze te vloeken en mepten er met hun spades tegen. Op elk karretje stond in witte letters geschilderd KMOF; voor Közérdekū Munkaszolgálat Országoz Felügyelöje, de Nationale Administratie van de Arbeidsinzet; maar volgens Mendel stonden de letters voor Királyi Marhák Ostobasági Földbirtoka, het Koninklijke Gekkenhuis voor Gestoorden.

Er waren ook dingen waar ze zich gelukkig om konden prijzen. Het was erger geweest als ze in de elektriciteitscentrale hadden moeten werken, waar het kolenstof en de chemische dampen de lucht tot een dikke verstikkende brij transformeerde. Het was erger als ze naar beneden de mijnen in waren gestuurd. Het was erger geweest als ze elkaar niet hadden gehad. En het was erger geweest als ze honderden kilometers buiten Boedapest waren gelegerd, zoals destijds in Roethenië en Transsylvanië. De post in Bánhida werkte goed. De brieven van zijn ouders deden er twee weken over, die van Klara één week. In een van haar brieven had ze een epistel van Rosen bijgesloten, vijf velletjes hanenpoten helemaal uit Palestina. Shalhevet en hij waren net op tijd, voordat de grenzen voor joodse emigranten werden gesloten, uit Frankrijk vertrokken. Ze waren getrouwd in Jeruzalem en werkten allebei voor de Palestijns-joodse Gemeenschap: Rosen op de afdeling kolonisatieplanning en Shalhevet bij de immigratiedienst. Er was een kindje op komst; ze was uitgerekend in november. Er waren zelfs brieven van Andras' broers: Tibor, die met Ilana thuis op verlof was en haar voor het eerst naar de top van de Burchtheuvel had meegenomen; er was een foto bij waarop ze samen voor een muurtje stonden, Ilana met een stralende lach en haar hand in die van Tibor. Mátyás zat nog steeds vast in zijn werkcompagnie, maar hij was gegrepen door de lentekoorts en was er stiekem tussenuit geknepen naar een nabijgelegen dorp, waar hij bier had gedronken, in de plaatselijke kroeg met meisjes had rondgehopst en op de zinken toog met zijn laarzen een tapdans had gedaan om daarna ongezien terug te keren naar zijn eenheid.

Als tegenwicht voor de ellende van Bánhida had Mendel een nieuw blaadje bedacht met de naam *De Steekvlieg*. Hoewel Andras het aanvankelijk een drieste, zelfs overmoedige daad vond om weer een krant te willen maken na wat er in eenheid 112/30 was gebeurd, wist Mendel hem ervan te overtuigen dat ze iets moesten doen om te zorgen dat ze niet gek werden. Het nieuwe krantje, zei hij, zou een rebellerende ondertoon krijgen, maar niet openlijk de spot drijven met de kampautoriteiten. Stel dat ze werden betrapt, dan trof hun commandant er niets in aan dat hij persoonlijk kon opvatten. Er zat natuurlijk een zeker risico aan vast, maar het alternatief was dat ze zichzelf de mond lieten snoeren door de Munkaszolgálat. En hoe kon Andras nu, na de vernedering die hij op het exercitieterrein had moeten ondergaan, weigeren om zich uit te spreken tegen onrecht?

Het einde van het liedje was dat Andras toestemde om opnieuw mederedacteur te worden. Zijn besluit werd deels ingegeven door ijdelheid, vermoedde hij, en deels door zijn wens om zijn waardigheid te behouden; maar het doorslaggevende argument was dat Mendel en hij zich op deze manier sterk konden maken voor de vrijheid van meningsuiting en het moreel van hun kameraden hoog konden houden. In zijn oude eenheid was *De Sneeuwgans* uitgegroeid tot een symbool van de strijd van de tewerkgestelden. Er ging een zekere troost van uit om hun dagelijkse portie ellende in druk te zien – om te weten dat de schandalige vernederingen die ze ondergingen belangrijk genoeg waren om in een clandestiene krant te worden gepubliceerd, ook al was het zo'n idioot blaadje als *De Sneeuwgans*. In Bánhida zouden ze in ieder geval gemakkelijker aan tekenmateriaal kunnen komen; er was hier een zwarte markt voor van alles en nog wat. Behalve worst uit Debrecen, Fox-sigaretten, pikante foto's van Hedy Lamarr en Rita Hayworth, blikjes doperwten, wollen sokken, tandpoeder en wodka kon je er ook papier en potloden krijgen. En er was genoeg om te illustreren. In het eerste nummer van *De Steekvlieg* was een verklarende woordenlijst opgenomen met termen als Ochtendaantreden (*een populair familiespel waarbij men om de beurt een rondje verveling, gymnastiek en vernedering ondergaat*), Waterdrager (*een soldaat met een lege emmer en een volle mond*) en Slaap (*een zeldzaam natuurverschijnsel waarvan weinig bekend is*). Er was ook een horoscoop waarin voor elk sterrenbeeld rampspoed werd voorspeld. Er was een advertentie waarin een privédetective zijn diensten aanbood om na te gaan of je vrouw of vriendin ontrouw was, maar de detective kon niet aansprakelijk worden gehouden voor het geval er onverhoopt een relatie ontstond tussen hemzelf en zijn onderzoeksobject. Verder stonden er kleine annonces in (*Gezocht: arsenicum. Betaling in termijnen*) en een avonturenfeuilleton over een Noordpoolexpeditie, die in populariteit steeg naarmate het warmer werd. Met behulp van een joodse bediende op de bevoorradingspost verscheen de krant in een wekelijkse oplage van vijftig exemplaren. Al snel verwierven Andras en Mendel heimelijk journalistieke faam onder de kampbewoners.

Het enige wat er in *De Steekvlieg* ontbrak – en dat wilde iedereen juist het liefst in de krant lezen – was het echte nieuws uit Boedapest en de wereld. Voor die informatie moesten ze zich op de paar beduimelde kranten verlaten die hun door familie waren toegestuurd of door de bewakers waren weggegooid. Die kranten gingen van hand tot hand tot ze vrijwel onleesbaar waren en het nieuws dat erin stond al lang achterhaald was. Maar de echt belangrijke gebeurtenissen kwamen de mannen altijd vrij snel ter ore. In de derde week van juni, amper een jaar nadat Frankrijk was gecapituleerd, waren Hitlers troepen de Sovjet-Unie binnengevallen en hadden een front van twaalfhonderd kilometer lang, van de Baltische Zee tot aan de Zwarte Zee, bezet. Het Kremlin leek net zo geschokt door deze onverwachte wending als de mannen in Kamp Bánhida. Moskou bleek in de veronderstelling dat Duitsland zich aan het niet-aanvalsverdrag met de Sovjet-Unie zou houden. Maar volgens Mendel was Hitler al maandenlang bezig met de voorbereidingen voor deze aanval. Hoe had hij anders zulke massale aantallen soldaten, zo veel vliegtuigen en zo veel pantserdivisies bijeen kunnen krijgen? Nog geen week later hoorden Andras en Mendel van de kamppostmeester dat Sovjetvliegtuigen – of wat op het eerste gezicht Sovjetvliegtuigen leken maar wellicht gecamoufleerde Duitse vliegtuigen waren – de Hongaarse grensplaats Kassa hadden gebombardeerd. De boodschap was duidelijk: er zat niets anders op voor Hongarije dan militaire troepen naar Rusland te sturen. Als premier Bárdossy weigerde zou Hongarije al het teruggewonnen grondgebied weer aan Duitsland kwijtraken. Bárdossy, die zich lang tegen de deelname van Hongarije aan de oorlog had verzet, scheen het nu onvermijdelijk te vinden. En het duurde niet lang of de krantenkoppen schreeuwden dat Hongarije de oorlog aan de Sovjet-Unie had verklaard en dat er troepen op weg waren om zich bij de invasie van de asmogendheden te voegen. De mannen in Bánhida wisten wat dat inhield: voor elke Hongaarse eenheid die naar het front werd gestuurd, ging er een eenheid tewerkgestelden mee ter ondersteuning.

Niemand wist hoe lang de oorlog ging duren of wat de taak van de tewerkgestelden zou zijn. In het kampement circuleerde het gerucht dat ze als menselijk schild gebruikt zouden worden, of als eersten over de linie gestuurd om het vijandelijk vuur af te leiden. Maar in Bánhida bleef voorlopig alles bij het oude: de kolen kwamen uit de grond, de mannen laadden ze in de karretjes, de kolen werden in de elektriciteitscentrale verbrand en de zwavelrook kwam uit de schoorstenen. In juli, toen de modder was opgedroogd en de voorjaarsinsecten waren omgekomen van de dorst, werd de druk opgevoerd, alsof er meer brandstof nodig was om de motor van de oorlog te voeden. Het was zo ondraaglijk warm dat rond het middaguur de mannen al hun kleren uittrokken, op hun ondergoed na. Er waren geen bomen ter bescherming tegen de zon, geen zwempoel ter verkoeling van hun verbrande huid. Andras wist dat er even verderop koude frambozenlimonade te krijgen was, in een dorpje waar ze doorheen kwamen op weg naar het kamp, en op de warmste dagen overwoog hij soms zijn karretje te laten staan – maling aan de gevolgen! – en door te lopen naar het koele parasolwoud van een uitspanning. Langs het spoor zag hij steeds vaker waterachtige luchtspiegelingen en soms leek het hele kamp op een glinsterende zilverzwarte zee te drijven. Hoe lang was het geleden dat hij de echte zee had gezien, met zijn azuurblauwe golven en ijswitte schuimkoppen? Terwijl hij de kolenkarretjes voortduwde kon hij vlak achter het hek de zee zien liggen: de Middellandse Zee, een gedreven koperblauw, dat zich helemaal uitstrekte tot aan de ondenkbare kust van Afrika. Daar was Klara in haar zwarte zwempak en haar witte badmuts met de racestrepen, die haar voet in het schuim van de waterrand zette; Klara die tot aan haar dijen in het water ging, haar benen zigzaggend vertekend in het water. Klara op de houten duiktoren; Klara die een zweefduik à la Odette maakte.

Maar het volgende moment stond de voorman alweer naast Andras bevelen te brullen. De kolen moesten geschept, de karretjes moesten voortgeduwd, want er was ergens in het oosten een oorlog aan de gang.

Het ongelooflijkste nieuws in Andras' leven bereikte hem op een windstille, warme juliavond, een maand nadat Hongarije de oorlog had verklaard, in het doodse uurtje tussen werk en avondeten, op het trapje voor Barak 21. Met twee van zijn slapies, een slungelige rossige tweeling uit Sopron, was hij na het werk naar het postkantoor gegaan om hun brieven en pakjes op te halen. De mannen hadden overal blaren van de zon, hun ogen waren verblind door het felle zonlicht de hele dag; hun zweet had zich met het stof vermengd in een fijnkorrelig papje, dat op hun huid was verdroogd

tot een dun laagje craquelé. Zoals gewoonlijk stond er een eindeloze rij voor het postkantoor. De postmeester en zijn medewerkers
controleerden alle post, wat betekende dat elk pakje moest worden
opengemaakt en geïnspecteerd om eventuele etenswaren, sigaretten of geld eruit te halen voordat de begunstigde de rest meekreeg.
De Sopron-tweeling stond onder het wachten te grinniken om het
laatste nummer van *De Steekvlieg*. Andras was zo daas van de
hitte dat hij zich amper kon herinneren dat nummer te hebben
geïllustreerd. Hij trok de stop uit zijn veldfles en dronk de laatste
druppels water. Als ze nog veel langer in de rij moesten staan, had
hij geen tijd meer om zich voor het eten te wassen. Had hij Klara
gevraagd om scheerzeep op te sturen? Hij zag een stuk nieuwe
zeep voor zich, verpakt in wit waspapier en bedrukt met het plaatje van een meisje in een ouderwets badpak. Of misschien zou er
iets anders bij zitten, iets minder nuttigs maar net zo welkom:
een doosje viooltjespastilles, bijvoorbeeld, of een nieuwe foto van
Klara.

Toen ze eindelijk voor het loket stonden, stopte de postbeambte
twee identieke pakjes in de handen van de tweeling. Zoals gewoonlijk waren ze alle twee opengemaakt en gecontroleerd, en de
wikkels van vier chocoladerepen lagen als een kwelling los erbij in
het pakje. Waarschijnlijk was er die dag een overschot aan lekkernijen in de post, want in hun pakjes zaten nog wel twee dezelfde
blikken kaneelrugelach. Miku en Samu waren vrijgevige jongens
en ze bewonderden Andras om zijn aandeel in de totstandkoming
van *De Steekvlieg*. Ze wachtten totdat hij de dunne envelop van
Klara in ontvangst had genomen en onderweg naar de barak deelden ze hun lekkers met hem. Ondanks de troost van kaneel en
suiker voelde Andras zich toch een beetje teleurgesteld met zijn
eigen magere envelop. Zijn scheerzeep en vitamines en nog honderd andere dingen waren op. Zijn vrouw had best aan zijn behoeften kunnen denken. Ze had hem best een pakje kunnen sturen, ook al was het maar een kleintje. Terwijl de tweeling met hun
eigen pakketjes naar binnen verdween, ging hij op het trapje zitten en ritste met zijn zakmes de envelop open.

Aan de overkant van de binnenplaats zag Mendel Horovitz dat
Andras met een brief in zijn handen voor de barak zat. Hij stak
haastig het terrein over in de hoop dat hij zijn vriend nog even kon
spreken voordat ze zich voor het avondeten gingen wassen. Mendel was net op de bevoorradingspost geweest, waar hij van de be-

diende de schrijfmachine had mogen gebruiken; in nog geen drie kwartier was het hem gelukt alle zes de pagina's voor de nieuwe *Steekvlieg* te tikken. Hij dacht dat Andras dezelfde avond nog wel met de illustraties kon beginnen. Hij floot een wijsje uit *Tin Pan Alley*, de film die hij op verlof in Boedapest had gezien. Maar toen hij bij de barak was, bleef hij stokstijf staan en zweeg. Andras zat met de brief in zijn trillende hand en keek op naar Mendel.

'Wat is er, Parisi?' vroeg Mendel.

Andras kon niets uitbrengen; hij was bang dat hij nooit meer zou kunnen praten. Misschien had hij het niet goed begrepen. Maar hij keek nogmaals naar de brief en daar stonden de woorden in Klara's nette schuinschrift.

Ze was zwanger. Hij, Andras Lévi, ging vader worden.

Wat maakte het nog uit hoeveel ton kolen hij moest scheppen? Wat deed het ertoe hoe vaak het karretje van het wankele spoor kukelde, hoe vaak zijn blaren kapotgingen en bloedden, hoe erg de bewakers hem uitscholden? Wat gaf het dat hij honger en dorst had, dat hij weinig slaap kreeg en dat hij uren op de binnenplaats in het gelid moest staan? Wat kon hem zijn eigen lichaam nog schelen? Tachtig kilometer verderop, in Boedapest, was Klara die zijn kind droeg. Het enige wat ertoe deed was dat hij bleef leven tussen nu en de uitgerekende datum die ze in haar brief had genoemd: 29 december. Tegen die tijd zou zijn tweejarige diensttijd erop zitten. Wie weet was de oorlog dan voorbij, afhankelijk van de afloop van Hitlers militaire operatie in Rusland. Hoe het leven voor de joden in Hongarije er dan uit zou zien, was nog de vraag, maar als Horthy regent bleef dan zag het er niet zo somber uit. Of misschien konden ze naar Amerika emigreren, naar New York, die smerige, schitterende stad. Op de dag dat hij Klara's brief kreeg, tekende hij een kalender op de achterkant van een exemplaar van *De Steekvlieg*. Aan het einde van elke werkdag zette hij een kruisje in het vierkantje, en geleidelijk aan begonnen de dagen zich tot een lange reeks x'jes aaneen te rijgen. Er was druk briefverkeer tussen Boedapest en Bánhida: Klara gaf nog steeds les aan privé-leerlingen en zou doorgaan met lesgeven zolang ze in staat was zelf nog de danspassen voor te doen. Ze was aan het sparen voor een grotere huurwoning voor als Andras thuiskwam. Een vriend van haar moeder was eigenaar van een gebouw aan de Nefelejcs utca; de buurt was niet gewild, maar het gebouw was dicht bij de Benczúr utca en maar een paar straten van het stadspark. *Nefelejcs* was de naam van het kleine blauwe bosbloemetje met dat gele rondje om het hartje: vergeet-mij-nietje. Vergeten kon hij ook niet, geen moment; zijn leven leek op de rand van een onvoorstelbare verandering te balanceren.

In september gebeurde er een wonder: Andras kreeg drie dagen verlof. Er was geen speciale reden voor dat meevallertje, voor zover hij wist; in Bánhida werden verlofdagen willekeurig uitgedeeld tenzij er een sterfgeval in de familie was. Op donderdag hoorde hij dat hij verlof kreeg, op vrijdag ontving hij zijn papieren en op zaterdagochtend zat hij de in trein naar Boedapest. Het was een heldere dag, buiten was het zacht en je voelde de laatste gloeiende zomerwarmte. De hemel was stralend lichtblauw en hoe verder de trein van Bánhida kwam, hoe meer de zwavellucht werd verdreven door de zoete groene geur van gemaaid gras. Over de zandpaden langs het spoor zaten boeren op wagens volgeladen met hooi en maïs. De markten in Boedapest zouden vol liggen met pompoenen, appels en rodekool, paprika en peren, late druiven, aardappelen. Het was bijna niet te geloven dat zulke dingen nog steeds bestonden: dat ze er ook waren terwijl hij zich in leven moest houden met koffie, waterige soep en een paar honderd gram grof brood.

Klara stond op station Keleti op hem te wachten. Hij had nog nooit van zijn leven zo'n mooie vrouw gezien: ze had een roze jersey jurk aan die om de bolling van haar buik spande, en een elegant strak mutsje van kaneelbruine wol op. In weerwil van de huidige mode was haar haar niet kortgeknipt of gefriseerd; ze had het in een lage wrong in haar nek gedraaid. Hij sloeg zijn armen om haar heen, snoof de schemerige lucht van haar huid op. Hij was bang haar te pletten met zijn vurige omhelzing. Hij deed een stapje naar achteren en bestudeerde haar.

'Is het echt waar?' vroeg hij.

'Zoals je ziet.'

'Maar écht?'

'Dat zullen we over een paar maanden wel merken.' Ze pakte zijn arm en loodste hem het station uit in de richting van het Városliget. Hij kon nauwelijks geloven dat hij werkelijk met Klara op een septembermiddag aan het wandelen was, dat zijn gereedschap ver weg was in Bánhida, dat hij louter genoegens en rust in het vooruitzicht had. Toen ze bij de István út de hoek om sloegen werd het duidelijk dat ze op weg waren naar haar ouderlijk huis en hij bereidde zich alvast voor op de confrontatie met haar broer en schoonzuster en misschien ook met József, die een atelier in Boeda had gehuurd om te schilderen. De ontbrekende officiers-insignes op Andras' jas zouden verklaard moeten worden, zijn broodmagere lijf zou uit en te na besproken worden en ondertussen moest hij kijken naar de zelfvoldane, weldoorvoede gezichten van Klara's familieleden waardoor hij zich eens te meer bewust zou worden van het pijnlijke verschil tussen zijn situatie en die van hen. Maar toen ze bij de hoek van István en Nefelejcs waren, hield Klara stil voor de deur van een gebouw van grijze steen en haalde een sleutelring uit haar zak. Ze hield trots een krullerige sleutel omhoog.

'Waar zijn we?' vroeg Andras.

'Wacht maar af.'

De binnenplaats stond vol met binnenplaatsspullen: fietsen en varens in potten en rijen tomatenplanten in houten kisten. In het midden was een bemoste fontein met plompenblad en goudvissen; een meisje met donker haar zat op de rand en sleepte met haar hand door het water. Ze keek Andras en Klara met ernstige ogen aan, waarna ze haar hand aan haar rok afveegde en naar een van de woningen op de begane grond holde. Klara liep met Andras naar een buitentrap met een leuning versierd met ranken. Ze liepen drie trappen met lage treden op. Met een andere sleutel maakte ze een dubbele deur open en liet hem binnen in een appartement aan de straatkant. Het rook er naar gebraden kip en gebakken aardappelen. Naast de deur waren vier koperen jashaakjes en aan een ervan hing Andras' oude vilthoed en aan een andere Klara's grijze jas.

'Dit kan niet ons huis zijn,' zei Andras.

'Van wie anders?'

'Onmogelijk. Veel te mooi.'

'Je hebt het nog niet eens gezien. Wacht nog even met je oordeel. Misschien is niet alles naar je zin.'

Maar natuurlijk was wel alles naar zijn zin. Ze wist precies wat hij mooi vond. Er was een roodbetegelde keuken, een slaapkamer voor Andras en Klara, een piepklein kamertje dat dienst kon doen als kinderkamer, een eigen badkamer met een emaillen bad. Tegen de muren van de zitkamer stonden boekenkasten waarin Klara alvast wat nieuwe boeken over ballet, muziek en architectuur had neergezet. In een hoek stond een houten tekentafel, een verre

Hongaarse neef van de tafel die Andras in Parijs van Klara had gekregen. In een andere hoek stond een grammofoon op een krukje
met dunne poten. Aan de andere kant van kamer stond een lage
divan met ertegenover een ingelegd houten tafeltje. Twee leunstoelen met gestreepte ivoorwitte stof stonden aan weerszijden van de
hoge ramen die uitkeken op het gele appartementengebouw aan
de overkant.

'Het is een thuis,' zei hij. 'Je hebt een thuis voor ons gemaakt.'
En hij sloot haar in zijn armen.

Wat hij het liefst wilde tijdens zijn korte verlof was zijn zwangere
vrouw eens uitgebreid vertroetelen. Eerst stribbelde ze tegen en zei
dat er in Bánhida niemand was om voor hem te zorgen. Maar hij
voerde aan dat het voor hem een veel groter genot was om voor
haar te zorgen dan dat er voor hem werd gezorgd. En toen ze hun
gebraden kip en aardappels op hadden, mocht hij koffie voor haar
zetten en haar uit de krant voorlezen. Daarna liet hij het bad vollopen en waste haar met de grote gele spons. Haar zwangere lijf
vond hij een wonderbaarlijk iets. Onder haar bleke huid was een
roze bloem ontloken en haar haar leek dikker en glanzender. Hij
waste ook haar haar en drapeerde het over haar borsten. Haar
tepelhoven waren groter en donkerder, en tussen haar navel en
venusheuvel was een vaag bruinig streepje ontstaan, doorkruist
met het zilverachtige litteken van haar vorige zwangerschap. Haar
botten staken niet meer zo uit. Maar het opvallendst was de com-
plexe naar binnen gerichte blik die ze had gekregen – zo'n intens
mengsel van verdriet en verwachting dat het bijna een verademing
was als ze haar ogen dichtdeed. Terwijl ze achterover in bad lag,
met haar armen tegen het verkoelende email, werd hij getroffen
door het feit dat zijn leven in Bánhida tot de simpelste behoeften
en emoties was gereduceerd: de hoop op een stukje wortel in zijn
soep, de angst voor de woede van de voorman, het verlangen naar
nog een kwartiertje extra slaap. Maar Klara, die in Boedapest in
een geborgener omgeving had geleefd, stond open voor veel diepere
beschouwingen over het leven. Hij zag het proces voor zijn eigen
ogen zich voltrekken, terwijl hij haar met de gele spons waste.

'Waar denk je aan?' vroeg hij. 'Ik kan het niet raden.'

Ze deed haar ogen open en keek hem aan. 'Hoe vreemd het is,'
zei ze, 'om zwanger te zijn terwijl het oorlog is. Als Hitler heel
Europa in handen krijgt en misschien ook Rusland, wat moet er

dan van dit kind terechtkomen? We moeten onszelf niet wijsmaken dat Horthy ons voor onheil kan behoeden.'

'Vind je dat we moeten emigreren?'

Ze zuchtte. 'Ik heb er wel over gedacht. Ik heb ook al Elisabet geschreven. Maar zoals ik al verwachtte is het ondoenlijk nu. Het is heel lastig om nog een inreisvisum te krijgen. Maar stel dat het lukt, dan weet ik niet of ik wel weg wil. Onze families zijn hier. Ik kan het mijn moeder eigenlijk niet aandoen om op dit moment weg te gaan. En ik zie mezelf niet zo snel een nieuw leven in een vreemd land opbouwen.'

'En vergeet de reis niet,' zei hij strelend over haar natte schouders. 'Het is niet bepaald veilig om tijdens een oorlog de oceaan over te steken.'

Ze sloeg haar armen om haar knieën en zei: 'Het is niet alleen de oorlog die me zorgen baart. Ik heb allerlei twijfels.'

'Wat voor twijfels?'

'Over wat voor moeder ik voor dit kind zal zijn. Over hoe erg ik tegenover Elisabet tekort ben geschoten.'

'Je bent helemaal niet tekortgeschoten tegenover Elisabet. Het is een sterke mooie vrouw geworden. En de omstandigheden waren toen anders. Je was alleen en je was zelf nog maar een kind.'

'En nu ben ik praktisch een oude vrouw.'

'Wat een onzin, Klara!'

'Helemaal niet.' Ze keek peinzend naar haar knieën. 'Ik ben vierendertig, hoor. De vorige bevalling was een ramp. Volgens de verloskundig arts is mijn baarmoeder mogelijk beschadigd. Op de laatste afspraak is mijn moeder meegekomen en ik wou maar dat ze niet was mee geweest. Ze maakt zich nu doodongerust.'

'Waarom, Klara? Loopt de baby gevaar?' Hij pakte haar kin en dwong haar om hem aan te kijken. 'Loop jij gevaar?'

'Vrouwen baren elke dag kinderen,' zei ze met een geforceerd lachje.

'Wat zei de dokter?'

'Hij zegt dat er kans is op een complicatie. Hij wil dat ik in het ziekenhuis beval.'

'Natuurlijk ga je in het ziekenhuis bevallen,' zei Andras. 'Het maakt niet uit hoeveel het kost. We vinden wel een oplossing om het te betalen.'

'Mijn broer zal vast bijspringen.'

'Ik ga werk zoeken,' zei Andras. 'We komen heus wel aan het geld.'

'György geeft het ons met alle plezier,' zei Klara, 'net als jouw broers gedaan zouden hebben.'

Andras wilde geen ruzie, niet in de korte periode dat ze bij elkaar waren. 'Ik weet dat hij ons in geval van nood zal bijstaan,' zei hij. 'Laten we hopen dat het niet zover komt.'

'Mijn moeder wil dat ik weer op de Benczúr utca kom wonen,' zei Klara die haar natte haar in een streng draaide. 'Ze begrijpt niet waarom ik per se een eigen woning wil. Dat vindt ze een overbodige uitgave. En ze wil liever niet dat ik alleen ben. Stel dat er iets gebeurt? zegt ze. Alsof ik niet al die jaren in mijn eentje in Parijs heb gewoond.'

'Ze wil je nu natuurlijk extra beschermen,' zei Andras. 'Het was vast heel zwaar voor haar dat ze niet bij je kon zijn toen je in verwachting was van Elisabet.'

'Dat begrijp ik best. Maar ik ben geen kind van vijftien meer.'

'Misschien heeft ze wel gelijk. Als je risico loopt, is het dan niet beter dat je thuis bent?'

'Begin jij ook al, Andráska?'

'Ik kan het idee niet verdragen dat jij hier alleen bent.'

'Ik ben niet alleen. Ilana komt ongeveer elke dag langs. En mijn moeder woont zes minuten lopen hier vandaan. Maar ik kan niet meer bij haar wonen, en niet alleen omdat ik eraan ben gewend op mezelf te wonen. Stel dat een overheidsfunctionaris achter mijn ware identiteit komt? Als ik dan bij mijn ouders woon, zijn zij er ook direct bij betrokken.'

'Ach, Klara toch! Hoefde je je hoofd maar niet over zulke dingen te breken.'

'En dat geldt ook voor jou,' zei ze. Daarna stond ze op uit het bad en het water viel in een glinsterend gordijn van haar lichaam. Hij ging met zijn handen over de nieuwe rondingen van haar lichaam.

Toen hij die nacht de slaap niet kon vatten, sloop hij uit bed en ging naar de zitkamer, naar de nieuwe tekentafel die Klara voor hem had gekocht; hij streek over het gladde, harde oppervlak waar nog geen papier of tekengereedschap op lag. Er was een tijd dat hij troost in zijn werk had gevonden, ook al was het maar een zelfverzonnen opdracht; de gerichte concentratie die nodig was om een reeks dunne, ononderbroken zwarte lijnen te trekken verdreef zijn grootste zorgen, hoe kortstondig ook. Maar hij had zich nog niet eerder druk hoeven maken om het lot van zijn zwangere vrouw, zijn ongeboren kind of dat van de gehele westerse wereld. Hij kon nu in ieder geval geen enkel project bedenken om te doen; als het op de architectuur aankwam, was zijn geest even leeg en doelloos als de tekentafel voor hem. Wat hij de afgelopen twee jaar had gedaan, afgezien van bomen kappen, wegen aanleggen of kolenscheppen – namelijk krabbelen in schriften, poppetjes tekenen in de kantlijn van Mendels krantjes – had zijn handen bezig gehouden en er misschien ook wel voor gezorgd dat hij niet gek was geworden. Maar het had zijn gedachten ook steeds verder afgeleid van het feit dat hij ooit architectuurstudent was geweest. Zijn handen wisten al niet meer zo goed hoe je een kaarsrechte lijn moest tekenen, zijn geest was al niet meer zo goed in staat vraagstukken van vorm en functie op te lossen. Hoe ver weg leek het atelier op de École Spéciale waar hij samen met Polaner een atletiekbaan hangend aan het dak van een stadion had bedacht. Dat ze zo'n idee hadden verzonnen, was werkelijk onvoorstelbaar. Het leek een eeuwigheid geleden dat hij naar een bouwwerk had gekeken met een andere gedachte dan de hoop dat het dak niet zou lekken en het er niet zou tochten. Hij wist amper hoe de voorgevel van dit gebouw eruitzag.

Kon hij maar even met Tibor praten! Die zou wel weten wat Andras moest doen, hoe hij Klara kon beschermen en zijn leven geleidelijk aan terugwinnen. Maar Tibor zat driehonderd kilometer verderop in de Karpaten. Andras had geen idee wanneer ze weer samen om de tafel zouden zitten om hun nieuwe leven door te nemen of om in ieder geval troost te putten uit hun gedeelde onzekerheid.

Het bleek zijn jongste broer te zijn – wiens taak het was om juist voor problemen te zorgen in plaats van ze op te lossen – die tijdens Andras' verlof plotseling in Boedapest opdook. Mátyás was met de rest van zijn compagnie aangekomen op station Nyugati, waar de manschappen tijdelijk in de buurt waren gelegerd in afwachting van overplaatsing. Maar Mátyás had besloten in Boedapest even de bloemetjes buiten te zetten. De compagnieleider was een jonge, nonchalante officier die het goed vond dat zijn mannen af en toe extra verlof kochten. Mátyás, die met zijn werk als etaleur geld opzij had kunnen leggen, had een paar vrije dagen gekocht om een verkoopstertje op te zoeken dat hij tijdens zijn werk had leren kennen. Hij had geen idee dat Andras ook thuis was met verlof en het was dan ook volkomen toevallig dat Mátyás op maandagmiddag op het achterbalkon van de tram sprong en daar oog in oog stond met zijn broer. Hij was zo verbaasd dat hij er weer zou zijn afgevallen als Andras zijn arm niet had vastgepakt.

'Wat doe jij hier?' riep Mátyás uit. 'Je zou nu ergens in een mijn moeten zwoegen.'

'En wat zou jij nu eigenlijk moeten doen?'

'Bruggen aanleggen. Maar niet vandaag! Vandaag ga ik een meisje opzoeken dat Serafina heet.'

Een bejaarde vrouw met een omslagdoek keek hen misprijzend aan, alsof ze hadden moeten weten dat zo'n luid, opgetogen gesprek ongepast was op een tram. Maar Andras drukte Mátyás' hoofd tegen zijn eigen gezicht en zei tegen de vrouw: 'Het is mijn broer, ziet u wel? Mijn broer!'

'Jullie ouders waren zeker ezels,' zei de vrouw.

'Neemt u ons niet kwalijk, uwe hoogheid,' zei Mátyás. Hij tikte tegen zijn hoed en maakte vanaf de leuning van de tram een volmaakte flikflak en landde midden op straat. Het ging zo vlug dat de vrouw een gilletje slaakte. Stomverbaasd keken de passagiers toe hoe hij een tapdans op zijn gewone schoenen op de keien deed en daarna lichtvoetig op de stoep sprong, waar voetgangers verschrikt opzijgingen; hij maakte een dubbele pirouette, nam zijn hoed af en boog voor een jonge vrouw in een jas van blauwe keperstof. Iedereen die het had gezien juichte. Andras sprong van de tram en wachtte tot zijn broer het applaus in ontvangst had genomen.

'Nodeloze dwaasheid,' merkte Andras op toen het applaus was weggestorven.

'Dat zal ik op een vlag borduren en overal mee naartoe nemen.'

'Dat is een goed idee. Dan is iedereen van tevoren gewaarschuwd.'

'Waar ga jij met die boodschappentas vol aardappelen heen?' vroeg Mátyás.

'Naar mijn huis, waar mijn vrouw op me wacht.'

'Jóuw huis? Welk huis?'

'Nefelejcs utca 39, tweede verdieping, appartement B.'

'Sinds wanneer woon je daar? En hoe lang al?'

'Sinds gisteravond. En vanaf nu nog anderhalve dag, want ik moet weer terug naar Bánhida.'

Mátyás lachte. 'Dan ben ik je nog op de valreep tegengekomen.'

'Of ik jou. Waarom kom je niet bij ons eten vanavond?'

'Misschien heb ik iets anders te doen.'

'En als deze Serafina nou meteen doorheeft dat je een onbezonnen dwaas bent?'

'Dan kom ik direct naar jullie.' Mátyás zoende Andras op beide wangen en sprong op de volgende tram, die inmiddels naast hen stilstond.

Op weg naar huis had Andras een paar straten lang zelf de neiging om te tapdansen. Soms had hij mazzel in het leven: het onverwachte verlof en nu ook nog eens Mátyás. Maar zelfs deze aangename verrassing kon zijn gedachten niet afleiden van een nieuwe bron van zorgen. In de krant die hij die ochtend had gekocht stond een ernstig stemmend verslag van de gebeurtenissen in het oosten: Kiev was al door de Duitsers veroverd en Hitlers troepen waren Leningrad en Moskou tot op een paar honderd kilometer genaderd. Eerder die week had de Führer in een radiotoespraak de op handen zijnde overgave van de Sovjet-Unie afgekondigd. Andras was bang dat de Engelsen, die dapper standhielden in het Middellandse Zeegebied, nu de moed zouden verliezen; als hun verdediging uiteenviel zou Hitler heel Europa in handen krijgen. Hij dacht aan wat Rosen drie jaar eerder in De Blauwe Duif had gezegd: dat Hitler van de hele wereld een Duitsland wilde maken. Maar ook Rosen had niet kunnen bevroeden hoe waar zijn bewering zou worden. Als een inktvlek had Duits grondgebied zich over de kaart van Europa verspreid. En de bevolking van de veroverde landen was uit hun huizen verdreven, naar onbewoonbare gebieden gedeporteerd of zelfs in getto's opgesloten of naar werkkampen gestuurd. Hij wilde graag geloven dat Hongarije in deze vuurstorm een toevluchtsoord bleef; in Boedapest, ver weg van de hitte en stank van kamp Bánhida, was dat ook gemakkelijker te geloven. Maar als Rusland capituleerde, was geen enkel land in Europa nog veilig, vooral niet voor joden – en zeker Hongarije niet, waar de Pijlkruisers bij de laatste verkiezingen flinke winst hadden geboekt. En in deze verlammende onzekerheid zou het kindje van Andras en Klara geboren worden. Nu pas begreep hij hoe zijn eigen ouders zich gevoeld moesten hebben in de Grote Oorlog toen zijn moeder zwanger was, ook al waren de omstandigheden anders. Zijn vader was een Hongaars soldaat geweest, geen dwangarbeider, en er was geen krankzinnige Führer die droomde van een jodenloos Europa.

Thuis zaten Klara en Ilana aan de keukentafel en moesten lachen om iets vertrouwelijks; Klara hield Ilana's handen vast. Het was hem meteen al duidelijk geworden dat de band tussen hen tijdens zijn afwezigheid veel sterker was geworden. In haar brieven had Klara vaak gezegd dat ze zo blij was met Ilana's gezelschap en hij vond het fijn dat ze maar een paar straten bij elkaar vandaan woonden en elkaar geregeld opzochten. In Parijs was Klara vooral de vertrouwelinge en beschermster van Ilana geweest, maar nu was ze eerder een soort van oudere zus. Sinds Ilana in Boedapest woonde, zo had Klara hem verteld, was het een ritueel geworden om op maandag en donderdag samen naar de markt te gaan. Toen Tibor naar de Mukaszolgálat was vertrokken, had Klara erop toegezien dat Ilana niet vereenzaamde; ze kookten samen, zaten 's avonds in Klara's boeken te lezen of naar Ilana's grammofoonplaten te luisteren en 's zondags wandelden ze over de boulevards of in het park. Die avond was Ilana met heuglijk maar ook problematisch nieuws gekomen: ze was in verwachting. Toen Andras thuis was, vertelde ze het nog een keer in haar hakkelende Hongaars. Het was gebeurd tijdens het laatste verlof van Tibor. Als alles goed ging, zouden de kinderen twee maanden na elkaar worden geboren. Ze had Tibor een brief gestuurd en hij had teruggeschreven dat hij het goed maakte, dat zijn werkeenheid ver weg was van het gevaarlijke strijdgewoel in het oosten, dat het zomerse weer alles draaglijker maakte en dat het nieuws hem de gelukkigste man op aarde maakte.

Maar er was weinig ongecompliceerd geluk in de herfst van 1941. Andras zag het in de fijne rimpeltjes die zich in Ilana's voorhoofd hadden vastgezet. Hij wist wat deze zwangerschap na haar miskraam voor haar betekende. Ook als er geen oorlog was geweest, zou ze zich grote zorgen om de gezondheid van haar kindje hebben gemaakt. Het liefst had hij zijn armen om haar heen geslagen, maar dat was tegen de voorschriften. Het enige wat hij kon doen was haar feliciteren en zijn innige wens uitspreken dat alles goed zou gaan. Daarna vertelde hij dat hij toevallig Mátyás op de tram was tegengekomen.

'Ach,' zei Klara. 'Dan is het maar goed dat ik extra taartjes voor na het eten heb gekocht. Die jonge bok eet ons namelijk de oren van het hoofd.'

Klara zette net de taartjes in de zitkamer neer toen Mátyás binnenkwam. Hij gaf haar een kus op haar wang en pikte een roomsoes van het zilveren dienblad. Voor Ilana maakte hij een diepe buiging en nam zwierig zijn hoed af.

'Je afspraakje was zeker een succes,' zei Andras. 'Je wangen zijn vuurrood van de lippenstift.'

'Dat is geen lippenstift,' antwoordde Mátyás. 'Dat is de schand-vlek van verloren onschuld. Die Serafina is veel te werelds voor mij. Ik bloos nog steeds van wat ze tegen me zei bij het afscheid.'

'We zullen niet vragen wat dat was,' zei Klara.

'Ik vertel het jullie toch niet,' zei Mátyás met een knipoog. Hij nam de kamer en het meubilair op. 'Wat een huis,' zei hij. 'En dat is allemaal voor jullie tweetjes?'

'Voor ons drietjes binnenkort,' merkte Klara op.

'Natuurlijk. Dat was ik bijna vergeten. Andras wordt papa.'

'Net als Tibor,' zei Ilana.

'Allemachtig!' riep Mátyás. 'Echt waar? Jullie alle twee?'

'Echt waar,' zei Ilana en ze zwaaide plagend met haar vinger naar hem. 'Anya en Apa willen vast dat jij nu ook trouwt, dan is het plaatje compleet.'

'Geen haar op mijn hoofd,' zei Mátyás met alweer een knipoog. Hij maakte een paar snelle gesyncopeerde danspassen op het par-ket van de zitkamer, waarna hij net deed of hij over de sofa strui-kelde om weer op zijn benen naast het tafeltje neer te komen. 'Heb ik talent of niet?' vroeg hij en hij knielde met uitgestrekte armen voor Klara neer. 'Jij kan het weten, dansmeesteres.'

'Waar ik vandaan kom, noemden we dat geen dansen,' zei Klara glimlachend.

'En dit dan?' Mátyás kwam overeind en deed met zijn handen boven zijn hoofd een dubbele pirouette. Maar op het laatst verloor hij zijn evenwicht en moest de schoorsteenmantel vastgrijpen. Zo stond hij even uit te hijgen en met zijn hoofd te schudden alsof hij zich van een tollende geest moest bevrijden. Voor het eerst viel het Andras op hoe uitgeput en uitgehongerd hij eruitzag. Hij legde zijn hand op Mátyás' schouder en voerde hem naar een van de stoelen met de ivoorwitte gestreepte stof.

'Ga even rustig zitten,' zei Andras. 'Dat is goed tegen de duizelig-heid.'

'Staan mijn danskunsten je niet aan?'

'Nu even niet, broertje.'

Klara legde wat taartjes op een bord voor Mátyás en Andras schonk hem een glaasje slivovitsj in. Ze zaten een poosje samen te

praten alsof er geen zaken bestonden als oorlog of angst of werkkamp. Andras zorgde ervoor dat ieders bordje en koffiekopje gevuld bleef. Ilana bloosde van alle aandacht, sputterde dat het niet
hoorde dat ze bediend werd door de broer van haar echtgenoot.
Andras vond dat ze er nog nooit zo mooi had uitgezien. Haar huid
leek wel van binnenuit op te lichten, net als die van Klara. Haar
haar zat verborgen onder de doek die vrome getrouwde vrouwen
horen te dragen, maar de sjaal die ze had gekozen was van lila
zijde doorweven met zilverdraad. Als ze om Mátyás' grapjes lachte,
doorstroomden haar zwartbruine ogen met een alwetend licht. Het
was onvoorstelbaar dat dit hetzelfde meisje was dat bleek en
doodsbang in een ziekenhuisbed in Parijs had gelegen, haar lippen
wit van de pijn nadat ze uit de narcose was ontwaakt.

Toen ze hun koffie op hadden, gingen Andras en Mátyás een
wandeling maken in de milde septemberavond. Het stadspark was
maar een paar straten verderop. De Vajdahunyad-burcht werd
verlicht door gouden schijnwerpers. Op dit late uur wemelde het
nog van de wandelaars; in de donkere nissen van de burchtmuren
zag je mannen en vrouwen in gebrekkige beslotenheid tegen elkaar aan bewegen. Mátyás was weer wat ernstiger gestemd, nu ze
met z'n tweeën waren. Hij had zijn armen over elkaar geslagen
alsof hij het koud had in de warme wind. Hij leek door zijn verblijf
in de Munkaszolgálat hoekiger te zijn geworden; zijn trekken
waren harder en scherper. Zijn hoge voorhoofd en uitstekende
jukbeenderen, die hij van zijn moeder had, gaven hem iets strengs
dat in tegenspraak met zijn kwikzilverige natuur leek.

'Mijn broers hebben mooie vrouwen,' zei hij. 'Ik zou liegen als ik
zei dat ik niet jaloers was.'

'Nou, dat zou me ook zijn tegengevallen van je.'

'Ga je echt vader worden?'

'Het schijnt.'

Hij floot zachtjes. 'Vind je het spannend?'

'Doodeng.'

'Onzin. Je doet het vast geweldig. En Klara heeft het al een keer
meegemaakt.'

'Haar kind is niet tijdens een oorlog geboren,' zei Andras.

'Nee, maar ze had toen ook geen man.'

'Desondanks heeft ze zich prima gered. Ze had werk. Ze heeft
haar dochter grootgebracht. Misschien dat Elisabet een aardiger
meisje was geworden als ze in een ander soort gezin was opge-

groeid – als ze een broertje of zusje had gehad om mee te spelen en een vader die haar had verboden zo naar tegen haar moeder te doen. Maar het is een leuke vrouw geworden. Ik ben een waardeloze echtgenoot. Tot nu toe ben ik voornamelijk een blok aan Klara's been geweest.'

'Je werd opgeroepen,' zei Mátyás. 'Je moest het leger in. Je had weinig keus.'

'Ik heb mijn studie niet afgemaakt. Ik kan straks niet zomaar als architect gaan beginnen.'

'Pak je studie dan weer op.'

'Als ik nog word toegelaten. En dan is er nog de tijd en de kosten.'

'Wat jij nodig hebt,' zei Mátyás, 'is een goedbetaalde baan waarmee je niet al je tijd kwijt bent. Waarom ga je niet met mij samenwerken?'

'Wat, als tapdanser? Zie je ons al als duo optreden? De Wonderbaarlijke Gebroeders Lévi?'

'Nee, sukkel. We worden een etaleursduo. Het werk gaat twee keer zo snel als je het samen doet. Ik word de etaleur en jij mijn slaafje. We kunnen onze clientèle verdubbelen.'

'Ik weet niet of ik wel bevelen van je aan kan nemen,' zei Andras. 'Je gaat me natuurlijk afbeulen.'

'Hoe moet je dan aan je geld komen? Op straat zitten en karikaturen maken?'

'Ik zat te denken,' begon Andras, 'mijn oude vriend Mendel Horovitz heeft bij de *Avondpost* gewerkt voordat hij in het leger moest. Volgens hem hebben ze altijd opmakers en illustrators nodig. En het wordt redelijk betaald.'

'Ai. Maar dan word je andermans slaaf.'

'Als ik toch iemands slaaf moet zijn, dan liever in een branche waar ik ervaring heb.'

'Wat voor ervaring?'

'Nou, ik heb vroeger bij *Verleden en Toekomst* gewerkt. En dan heb je nog de krantjes die Mendel en ik hebben gemaakt, waarover ik je heb geschreven. Als ik had geweten dat ik je zou zien, had ik een nummer voor je meegenomen.'

'Aha,' zei Mátyás. 'Het etaleurswerk is zeker te min voor je. Zeker na je Parijse opleiding.' Hij plaagde Andras, maar in zijn ogen zag hij iets van wrevel. Andras herinnerde zich de vlammende brieven die Mátyás vanuit Debrecen had geschreven toen Andras in Parijs zat – de brieven waarin Mátyás zei dat hij ook zijn vleugels wilde uitslaan. Maar toen was de oorlog uitgebroken en moest Mátyás in Hongarije blijven. Hij had eerst als etaleur gewerkt en daarna was hij in de Munkaszolgálat tewerkgesteld. Tot zijn schande moest Andras bekennen dat hij een baan als etaleur beneden Mátyás' stand vond, dat het iets van commerciële slavernij had. Die denkbeelden waren hem ingegeven door zijn onverwachte successen in Parijs de laatste maanden; zijn docenten en werkbegeleiders die allemaal zo vriendelijk voor hem waren geweest hadden andere, hooggespannen verwachtingen bij hem losgemaakt. Maar dat was allemaal verleden tijd. Hij moest geld verdienen. Over een paar maanden zou hij vader zijn.

'Vergeef me,' zei Andras. 'Ik bedoelde niet dat jouw werk geen kunst is. Het is een hogere kunst dan kranten illustreren, dat is zeker.'

Mátyás trekken leken zich wat te verzachten en hij legde een hand op de arm van zijn broer. 'Het geeft niet,' zei hij. 'Ik zou mezelf ook te goed voor etaleren vinden, als Le Corbusier en Auguste Perret mijn kroegmaten waren.'

'Het waren mijn kroegmaten niet,' zei Andras.

'Ga nu niet bescheiden doen.'

'O, goed dan. We waren hartsvrienden. We zaten constant met z'n allen in de kroeg.' Hij viel stil en moest denken aan zijn echte vrienden, die over het westelijk halfrond waren verspreid. Die mannen waren ook zijn broers. Maar na dat ene verzoenende telegram had hij niets meer van Ben Yakov gehoord, noch van Polaner die bij het Vreemdelingenlegioen zat. Andras vroeg zich af wat er gebeurd was met de foto die genomen was toen Polaner en hij de Prix de l'Amphithéâtre hadden gewonnen. Het was een raar idee dat die nog ergens rondzwierf, een aandenken aan een verdwenen leven.

'Je kijkt somber, broer,' zei Mátyás. 'Moeten we wat wijn in je gieten?'

'Dat kan geen kwaad,' antwoordde Andras.

Dus gingen ze naar een café met uitzicht op het kunstmatige meer, dat 's winters een schaatsbaan werd, en gingen buiten aan een tafeltje zitten en bestelden een fles tokayer. Door de oorlog was de wijn duur geworden, maar Mátyás stond erop dat ze zich aan deze luxe te buiten gingen. Hij zou wel betalen, want hij hoefde geen vrouw of toekomstig kind te onderhouden. Hij beloofde dat Andras de volgende keer mocht betalen, als hij bij de krant werkte, al wisten ze geen van beiden wat de toekomst ging brengen en wanneer ze elkaar terug zouden zien.

'Zo, en wie is die Serafina?' vroeg Andras die door de amber-kleurige lens van zijn glas tokayer naar zijn broer keek. 'En wanneer mogen we haar ontmoeten?'

'Ze is naaister in een kledingzaak aan de Váci utca.'

'En?'

'Ik heb haar ontmoet toen ik bezig was een etalage in te richten. Ze had een witte, met kersen geborduurde jurk aan. Ik vroeg of ze die wilde uittrekken zodat ik hem in de etalage kon hangen.'

'Heb je haar zover gekregen dat ze haar jurk uittrok?'

'Snap je nu waarom het soms een aantrekkelijke baan is?'

'Is ze naakt achter haar naaimachine gaan zitten?'

'Helaas niet. De kleermaker had iets anders voor haar om aan te trekken.'

'Ach, wat jammer.'

'Ja, sindsdien voel ik een brandend verlangen. Daarom besloot ik haar het hof te maken. Ik wilde zien wat ik had gemist toen ze achter het gordijn van de paskamer stapte.'

'Je moet genoeg gezien hebben om nieuwsgierig te zijn.'

'Meer dan genoeg. Ze is mijn type. Ietsje langer dan ik. Zwart haar in een strak bobkapsel. En op haar wang een moedervlekje als een donkerbruin inktspatje.'

'Nou, ik verheug me al op de ontmoeting.'

Opnieuw verdween de vrolijke glinstering uit Mátyás' ogen; de vage kringen leken donkerder toen hij in zijn glas wijn keek. 'Ik moet morgen terug naar mijn compagnie,' zei hij. 'Er is een groot feest voor ons georganiseerd.'

'Een groot feest?'

'Ja, in Belgorod, in Rusland. De frontlinie.'

Andras voelde een enorme galmende dreun in zijn borst, alsof iemand met een ijzeren hamer op de klok van zijn ribbenkast sloeg. 'O, Mátyás. Nee.'

'Ja,' zei Mátyás. Hij keek grinnikend op, maar in zijn ogen stond angst te lezen. 'Dus het is maar goed dat we elkaar toevallig zijn tegengekomen.'

'Kun je geen overplaatsing aanvragen? Heb je dat al geprobeerd?'

'Daar moet je geld voor hebben, en ik heb alleen genoeg smeer-geld voor kleine dingen.'

'Hoeveel zou het kosten?'

'Ach, ik weet niet. Op dit moment een paar honderd. Misschien een paar duizend.'

Andras moest weer denken aan György Hász in zijn villa aan de Benczúr utca, waar hij hoogstwaarschijnlijk in een kasjmieren kamerjas bij de open haard een van de financiële kranten zat te lezen. Hij had zin om Hász ondersteboven te houden en hem net zo lang door elkaar te schudden totdat de gouden munten uit hem neerkletterden als uit een kapotgeslagen spaarpot. Hij zag niet in waarom de zoon van die kerel een schildersatelier had en het vooruitzicht op maandenlang lekker luieren, terwijl Mátyás Lévi, zoon van Geluksvogel Béla uit Konyár, naar het Oostfront werd gestuurd om zijn geluk te beproeven in de mijnenvelden. Hij, Andras, zou een dwaas zijn, erger nog, als hij zich door zijn trots liet weerhouden om György om hulp te vragen. Dit ging er niet om of Andras Klara en hun kind kon onderhouden, nee, het ging om het leven van Mátyás.

'Ik ga wel bij Hász langs,' zei Andras. 'Die hebben vast nog wel ergens een geldkist met kronen, of iets anders wat ze kunnen verkopen.'

Mátyás knikte. 'Ik neem aan dat József Hász niet naar het front hoeft.'

'Nee, dat klopt. József Hász heeft een leuk schildersatelier in Boeda.'

'Komt dat even goed uit,' zei Mátyás. 'De verwoesting van de westerse wereld is ongetwijfeld een boeiend thema.'

'Ja. Al moet ik vreemd genoeg bekennen dat ik nog geen zin heb gehad om te kijken hoe zijn schilderij vordert.'

'Dat is inderdaad vreemd.'

'Even serieus, ik geloof niet dat de oude Hász contant geld heeft klaarliggen. Volgens mij heeft hij net genoeg om het huis aan de Benczúr utca te behouden en de bontjassen van mevrouw en hun operaloge te betalen. Toen Józsefs tweede oproep kwam, hebben ze hun auto moeten verkopen.'

'Ze hebben in ieder geval de operaloge nog,' zei Mátyás. 'Muziek kan een grote troost zijn als anderen liggen te creperen.' Hij knipoogde tegen Andras, hief zijn glas en dronk het leeg.

De dag erop bracht Andras zijn broer naar station Nyugati en ging daarna bij György Hász langs. Hij wist dat Hász elke dag thuiskwam om met zijn vrouw en moeder te lunchen en dat hij na het eten een halfuur de krant las voordat hij terugging naar kantoor. Zelfs in onzekere tijden bleef hij een man van vaste gewoontes. Ondanks het feit dat hij een andere functie had gekregen, hield hij zich nog steeds aan de beschaafde werkuren die hij als bankdirecteur had gehad; de nieuwe bankdirecteur achtte zijn nut voor de bank nog te groot om hem die vrijheid te ontnemen. Zoals Andras had verwacht, trof hij zijn zwager in de bibliotheek van het huis aan de Benczúr utca, met zijn leesbril op en de krant opengeslagen in zijn handen. Toen de knecht Andras had aangekondigd, liet Hász de krant zakken en kwam overeind.

'Alles goed met Klara?' vroeg hij.

'Ja, prima,' zei Andras. 'Met ons alle twee gaat het goed.'

Hász ontspande zichtbaar en slaakte een diepe zucht. 'Vergeef me,' zei hij. 'Ik had je hier niet verwacht. Ik wist niet dat je thuis was.'

'Ik heb een paar dagen verlof. Morgen moet ik terug.'

'Ga toch zitten,' zei Hász. En tegen de man die Andras naar binnen had gebracht, zei hij: 'Zeg tegen Kati dat ze ons thee brengt.' Zwijgend liep de man de kamer uit en György Hász nam Andras aandachtig op. Andras had die dag besloten om zijn uniform van de Munkaszolgálat aan te doen, met de groene M op het borstzakje en de gerepareerde scheuren waar majoor Barna zijn insignes eraf had getrokken. Hász wierp een blik op het uniform, waarna hij zijn hand op zijn eigen das legde, een blauwzijden met een smalle ivoorwitte streep. 'Zo,' zei hij. 'Als mijn berekening klopt, zit je dienst er over drie maanden op.'

'Inderdaad,' zei Andras. 'En dan komt de baby.'

'En gaat het goed met je? Je ziet er goed uit.'

'Zo goed als onder de omstandigheden verwacht mag worden.'

Hász knikte, leunde achterover in zijn stoel en vlocht zijn vingers ineen over zijn vest. Behalve zijn blauwe das had hij een Italiaans overhemd van popeline aan en een pak van donkergrijze wol. Zijn handen waren zacht, de handen van iemand die altijd binnenshuis had gewerkt. Zijn nagels waren roze en glad. Maar hij keek Andras met zo'n oprechte, belangstellende bezorgdheid aan dat hij onmogelijk een hekel aan hem kon hebben. Toen de thee was binnengebracht, schonk hij voor Andras een kopje in en reikte hem dat over de tafel aan.

'Waarmee kan ik je van dienst zijn?' vroeg hij. 'Wat brengt je hier?'

'Mijn broer Mátyás wordt ingezet aan het Oostfront,' zei Andras. 'Vanmiddag is zijn compagnie naar Debrecen afgereisd om zich bij de rest van hun bataljon te voegen. Van daaruit gaan ze naar Belgorod.'

Hász zette zijn kopje neer en keek Andras aan. 'Belgorod,' zei hij. 'De mijnenvelden.'

'Ja. Ze maken de weg vrij voor het Hongaarse leger.'

'Maar wat kan ik doen?' vroeg Hász. 'Hoe kan ik hem helpen?'

'Ik weet dat jullie al heel veel voor ons hebben gedaan,' zei Andras. 'Jullie hebben voor Klara gezorgd toen ik weg was. Dat is de mooiste dienst die jullie me hadden kunnen bewijzen. Ik zou echt niet om nog meer vragen als het niet om een zaak van leven en dood ging, neem dat maar van me aan. Ik vroeg me alleen af of jullie misschien voor Mátyás hetzelfde kunnen doen als wat jullie voor József hebben gedaan. Hij hoeft niet eens vrijgesteld te worden, als hij maar wordt overgeplaatst naar een andere compagnie. Eentje niet zo dicht bij het strijdgewoel. Hij heeft nog elf maanden te gaan.'

György Hász trok een wenkbrauw op en leunde weer achterover in zijn stoel. 'Je wil dat ik hem vrijkoop,' zei hij.

'In ieder geval dat hij niet naar het front hoeft.'

'Ik snap het.' Hij vouwde zijn handen tot een spits en keek naar Andras aan de andere kant van het bureau.

'Ik weet dat de prijs niet voor iedereen hetzelfde is,' zei Andras. Hij zette zijn kopje op het schoteltje en draaide het voorzichtig om. 'Ik kan me indenken dat het voor mijn broer een stuk minder duur is dan voor jouw zoon. Ik heb de naam van de commandant van Mátyás' bataljon. Als we ervoor kunnen zorgen dat een bepaald bedrag via een onafhankelijke tussenpersoon – bijvoorbeeld via een notaris die jij kent – naar hem kan worden doorgesluisd, hoeven de gezaghebbende instanties niet eens te weten te komen dat onze families gerelateerd zijn. Ik bedoel dus dat Klara's veiligheid geen gevaar loopt. Ik weet zeker dat we mijn broer voor een bescheiden bedrag kunnen vrijkopen.'

Hász perste zijn lippen opeen en bracht het torentje van zijn handen naar zijn mond. Hij trommelde met zijn vingers en staarde in het vuur. Andras wachtte op zijn vonnis, alsof György een rechter was en Mátyás voor hem in de beklaagdenbank stond. Maar Mátyás stond natuurlijk niet voor hem; hij zat al in een trein op weg naar het Oostfront. Opeens vond hij het onnozel van zichzelf dat hij had gedacht dat György Hász de macht had om iets tegen te houden wat reeds in gang was gezet.

'Weet Klara dat je hier bent?' vroeg Hász.

'Nee,' antwoordde Andras. 'Al zou ze me het niet uit mijn hoofd hebben gepraat. Ze heeft er alle vertrouwen in dat jij ons zal bijstaan, wat de kwestie ook is. Ik ben degene die vaak te trots is om het te vragen.'

György hees zichzelf uit de leren leunstoel en liep naar het vuur om het op te poken. De milde warmte van de vorige dag was binnen één nacht weggeblazen; nu rammelde een stevige wind aan de vensters. Hij porde tussen de houtblokken en er steeg een vonkenregen op. Daarna legde hij de pook weg en richtte het woord tot Andras.

'Voordat ik verderga, moet ik mijn excuses aanbieden,' zei hij. 'Ik hoop dat je begrip zult hebben voor de besluiten die ik heb genomen.'

'Excuses aanbieden waarvoor?' vroeg Andras. 'Welke besluiten?'

'Ik ga al enige tijd gebukt onder vrij zware financiële en emotionele zorgen,' zei hij. 'De situatie van mijn zoon staat daar geheel los van en ik ben bang dat ze voorlopig nog niet voorbij zijn. Ik heb trouwens geen enkel idee wanneer ze voorbij zullen zijn. Ik heb er niet met jou over gesproken omdat ik wist dat je je dan zorgen zou maken, terwijl jij zelf bezig was met overleven. Maar ik zal het je nu vertellen. Wat je me vraagt, valt me erg zwaar, en ik kan je alleen maar antwoord geven als je van mijn situatie op de hoogte bent. Van onze situatie, liever gezegd.' Hij ging opnieuw tegenover Andras zitten en trok zijn stoel dichter bij de tafel. 'Het gaat om iemand die ons beiden dierbaar is,' zei hij. 'Ik heb het over Klara, uiteraard. Haar problemen. Wat er is gebeurd toen ze nog jong was.'

Andras kreeg het opeens koud over zijn hele lichaam. 'Wat bedoel je?'

'Kort nadat jij naar de Munkaszolgálat was vertrokken, is een vrouw naar de autoriteiten gestapt en heeft verklaard dat de Claire Morgenstern die onlangs het land binnen was gekomen dezelfde Klara Hász is die zeventien jaar eerder is gevlucht.'

De schok resoneerde in zijn oren. 'Wie?' vroeg hij op gebiedende toon. 'Welke vrouw?'

'Een zekere madame Novak, die onlangs zelf uit Parijs is teruggekeerd.'

'Madame Novak,' herhaalde Andras. Hij zag haar weer voor zich op de avond van het feestje van Marcelle Gérard, waar ze met ingehouden triomf in haar fluwelen gewaad en haar jasmijnparfum had rondgelopen – omdat ze wist dat ze op het punt stond een kloof te slaan van twaalfhonderd kilometer tussen haar man en de vrouw die hij liefhad, de vrouw die elf jaar lang zijn minnares was geweest.

'Dus je bent op de hoogte van de situatie en de reden waarom ze zoiets gedaan kan hebben.'

'Ik weet wat er in Parijs is gebeurd,' zei Andras. 'Ik weet dat ze reden heeft om Klara te haten – althans, reden hád.'

'Het is kennelijk een hardnekkige haat,' zei György.

'Volgens jou weten de autoriteiten ervan. Ze weten dat ze hier is en wie ze is. En volgens jou weten ze dat al maanden.'

'Helaas wel, ja. Ze hebben een enorm dossier over haar zaak aangelegd. Ze weten alles van haar vlucht uit Boedapest en wat ze sindsdien heeft gedaan. Ze weten dat ze met jou is getrouwd en ze weten alles over je familie – waar je ouders wonen, waar je vader werkt, wat je broers deden voordat ze het leger in moesten, waar ze nu zijn gestationeerd. Ik zie geen mogelijkheid, vrees ik, om voor je broer vrijstelling te krijgen tegen het normale tarief. Onze families zijn verweven met elkaar, en dat weten degenen die het in zulke aangelegenheden voor het zeggen hebben. Zelfs als de commandant van je broers bataljon bereid is een prijs te noemen – en ook dat is nog niet zeker, gezien het grote aantal rabiate antisemieten dat daar rondloopt – is de kans klein dat ik het geld op tafel kan leggen. Ik heb voor Klara namelijk ook een financiële regeling moeten treffen om haar vrijheid te behouden. De opperrechter die haar zaak behandelt is toevallig een oude kennis van me – en is toevallig ook op de hoogte van mijn financiële situatie vanwege het protest dat ik had ingediend na mijn ontslag als bankdirecteur. Toen de informatie over Klara bekend werd, was hij degene die een soort oplossing voorstelde – althans, bij ontstentenis van een andere uitweg zou je het een oplossing kunnen noemen. Een soort van ruilhandeltje, zoals hij het me uitlegde. Ik moest levenslang elke maand een percentage van mijn kapitaal afstaan en dan zou het ministerie van Justitie Klara met rust laten. Bovendien zouden ze er ook voor zorgen dat de vreemdelingendienst elk jaar haar verblijfsvergunning verlengt. Ze willen natuurlijk niet dat ze wordt uitgezet, nu ze haar weer in Hongarije hebben en van haar kunnen profiteren.'

Andras nam een grote hap lucht om het beklemde gevoel op zijn borst kwijt te raken. 'Dus dat heb je gedaan,' zei hij. 'Daar is het geld naartoe gegaan.'

'Helaas wel, ja.'

'En zij weet er niks van?'

'Nee. Ik wil graag dat zij zich veilig waant. Volgens mij is het beter om niets te zeggen tenzij de situatie zich beduidend verslechtert of verbetert. Ze zal me vast proberen tegen te houden als ze het weet. Op welke manier en met welke eventuele gevolgen, dat weet ik niet. Uiteraard is mijn vrouw op de hoogte van de overeenkomst – ik moest haar uitleggen waarom we zo'n groot deel van onze bezittingen van de hand hebben moeten doen – en zij vindt ook dat het beter is om Klara in het ongewisse te laten. Mijn moeder vindt van niet, maar tot nu toe heb ik haar van mijn standpunt kunnen overtuigen.'

'Maar hoe lang kan dit nog zo doorgaan?' vroeg Andras zich af. 'Ze plukken je helemaal kaal.'

'Dat lijkt hun bedoeling ook. Ik heb al een tweede hypotheek op ons huis moeten nemen en onlangs heb ik mijn vrouw gevraagd om een paar van haar sieraden weg te doen. We hebben de auto, de piano en een aantal kostbare schilderijen verkocht. Er zijn nog meer dingen die verkocht kunnen worden, maar de voorraad is niet oneindig. En terwijl mijn kapitaal geleidelijk aan slinkt, wordt het percentage steeds verder opgeschroefd – op die manier blijft het een lucratieve overeenkomst voor de rechter en zijn maatjes op het ministerie van Justitie. Ik ben bang dat we binnenkort het huis moeten verkopen en een flatje dichter bij het centrum moeten zoeken. Daar zie ik erg tegenop, want het betekent ook dat het steeds lastiger wordt om Klara de gang van zaken uit te leggen. We kunnen niet eeuwig de afkoopsom voor József als zo'n enorme kostenpost opvoeren. De kans is groot dat Klara's vrijheid steeds duurder wordt. Nu de overheid heeft ontdekt hoe ze ons kunnen kaalplukken, ben ik bang dat ze net zo lang doorgaan tot alles op is.'

'Maar de overheid is juist de schuldige! Sándor Goldstein werd doodgeschoten. Klara verkracht. Haar dochter is het bewijs. De overheid was verantwoordelijk. Zij zouden háár juist moeten betalen.'

'In een rechtvaardiger wereld hadden we haar onschuld misschien kunnen aantonen,' zei Hász. 'Maar mijn advocaten verzekeren me dat Klara's aantijging van verkrachting inmiddels niets meer waard is, vooral niet omdat ze zelf op de vlucht is geslagen voor justitie. Maar ook toen had ze al geen poot om op te staan. Haar situatie was van meet af aan uitzichtloos. Als ze was gebleven, hadden de bevoegde instanties alle smerige trucs uit de kast gehaald om haar schuld aan te tonen en die van henzelf te verdoezelen. Daarom hadden mijn vader en zijn raadsman besloten dat ze het beste het land kon verlaten, en dat ze haar ook niet meer terug konden halen. Mijn vader bleef het trouwens wel proberen. Tot aan zijn dood heeft hij de hoop gekoesterd dat ze terug kon komen.'

Andras stond op en liep naar het vuur, waar de houtblokken tot gloeiende kooltjes waren verteerd. Het leek of de warmte hem ook vanbinnen bereikte en een woede in hem deed ontvlammen. Hij draaide zich om en keek zijn zwager recht aan. 'Klara is dus al maanden in gevaar en jij hebt je mond gehouden,' zei hij. 'Je dacht dat ik die informatie niet aankon. Misschien dacht je dat ik niet wist dat Klara en Novak in Parijs iets hebben gehad. Misschien was je bang dat er hier in Boedapest iets tussen hen was gebeurd. Was je van plan om door te betalen totdat het probleem uit de wereld was? Wilde je het voor eeuwig voor me verzwijgen?'

De groeven op Hász' voorhoofd verdiepten zich weer. 'Je hebt het recht om kwaad te zijn,' zei hij. 'Ik heb je er inderdaad opzettelijk buitengelaten. Ik had het idee dat ik er niet van op aan kon dat je het niet aan haar zou vertellen. Je hebt een ongewone band met je vrouw. Het lijkt of jullie elkaar alles toevertrouwen. Maar ik hoop dat je ook begrip kunt hebben voor mijn positie. Ik wilde haar beschermen en ik zag niet in wat jullie er voor voordeel bij hadden als jullie het wisten. Ik dacht dat het alleen maar voor veel leed zou zorgen.'

'Ik had me liever zorgen gemaakt,' zei Andras. 'Ik had liever geleden dan opzettelijk buiten de problemen van mijn vrouw te worden gehouden.'

'Ik weet hoeveel Klara van je houdt,' zei György. 'Hadden wij elkaar maar eerst wat beter leren kennen voordat je werd opgeroepen voor het leger. Dan had je misschien mijn handelwijze begrepen.'

Andras kon alleen maar zwijgend knikken.

'Maar wat betreft Klara's trouw, ik kan je verzekeren dat ik op dat gebied nooit reden heb gehad aan haar te twijfelen. Voor zover ik weet ben jij de enige echte liefde in het leven van mijn zuster.

Ook tijdens jouw langdurige afwezigheid is er niemand anders geweest.' Hij pakte de pook en keek naar het vuur. Hij zuchtte zodat zijn schouders even omhooggingen. 'Als ik nog evenveel kapitaal en invloed had gehad als vroeger had ik wellicht iets voor je broer kunnen betekenen. Het leger bedingt steeds grotere afkoopsommen en gunsten. Maar ik zal zien of ik een bekende te spreken kan krijgen.'

'En Klara dan?' vroeg Andras. 'Hoe weten we zeker dat ze veilig is?'

'Tot nu toe wordt ze beschermd door de betalingen. We kunnen alleen maar hopen dat de autoriteiten hun belangstelling verliezen voordat mijn hele kapitaal erdoor is. Zolang de oorlog voortduurt, hebben ze belangrijker zaken aan hun hoofd. En het plan dat we eerst hadden bedacht, in 1920 bedoel ik, dat Klara Hongarije verlaat, is nu onuitvoerbaar, vooral in haar huidige toestand. Haar gangen worden nauwlettend in de gaten gehouden. Bovendien kun je inmiddels geen visa meer krijgen voor landen waar ze geen gevaar loopt. We moeten het zien vol te houden, dat is alles.'

'Klara is een slimme vrouw,' zei Andras. 'Misschien weet zij wel een oplossing voor dit probleem.'

'Ik heb grote bewondering voor mijn zusters slimheid,' zei Hász. 'Ze heeft zich kranig geweerd in bijzonder moeilijke omstandigheden. Maar ik wil niet ze gebukt gaat onder deze last. Ik wil dat ze zich zo lang mogelijk veilig voelt.'

'Ik ook,' zei Andras. 'Maar zoals je al opmerkte is het niet mijn gewoonte om dingen voor mijn vrouw te verzwijgen.'

'Je moet me beloven dat je er niets tegen haar over zegt. Ik vind het vervelend dat ik je in een positie manoeuvreer waarin je dingen moet achterhouden, maar ik vind dat ik geen keus heb.'

'Je bedoelt dat ík geen keus heb.'

'Begrijp me goed, Andras. We hebben al veel in Klara's veiligheid geïnvesteerd. Als je het nu gaat vertellen, is dat misschien allemaal vergeefs geweest.'

'Stel dat mijn vrouw nou niet wil dat haar familie failliet gaat?'

'Wat moeten we anders? Heb je liever dat ze zichzelf aangeeft? Of dat ze haar leven en dat van jullie kind riskeert door te proberen te vluchten?' Hij stond op en liep voor de haard heen en weer. 'Neem maar van mij aan dat ik het probleem van alle kanten heb bestudeerd. Ik zie geen andere optie. Ik vraag je met klem mijn besluit te respecteren, Andras. Ik heb ook heus wel enig inzicht in het karakter van Klara.'

Andras stemde toe, al voelde het nog steeds als verraad. Maar hij had gewoon geen keus; hij had geen eigen geld, geen belangrijke connecties, geen manier om zich tussen Klara en de wet te mengen. Bovendien moest hij de volgende ochtend terug naar Bánhida. En tijdens zijn afwezigheid liep Klara in ieder geval geen gevaar. Hij bedankte Hász voor zijn belofte om zijn best te doen voor Mátyás en ze namen met een handdruk en een ernstige blik afscheid, wat betekende dat ze als stoïcijnse Hongaren deze moeilijkheden zouden overwinnen. Maar toen Andras de voordeur van het huis op de Benczúr utca achter zich dichttrok, werd hij weer net zo hard getroffen door het nieuws. Hij had het gevoel of hij door een andere stad liep, een stad die al die tijd vlak achter de oude had gelegen; het gevoel voerde hem terug naar de toneeldecors van Forestier, de dubbelwandige bouwsels waarin het vreemde en angstaanjagende schuilging achter het bekende. In deze omgekeerde werkelijkheid werd het geheim van Klara's identiteit een geheim dat voor haar verborgen moest blijven in plaats van een geheim dat zij verborgen hield; en nu had Andras, die van het bedrog wist, toegestemd om de bedrieger van zijn vrouw te worden.

Hij dacht dat hij wat tot rust zou komen als hij op de Széchenyi-brug naar de rivier ging kijken. Hij moest even alles op een rijtje zetten voordat hij Klara onder ogen kwam. Hij vroeg zich af hoe lang hij al in de Munkaszolgálat zat voordat madame Novak had besloten naar de autoriteiten te stappen. Was het louter ingegeven door het onrecht dat haar in het verleden was aangedaan of was er onlangs nog iets gebeurd? Wat wist hij eigenlijk van de huidige verhouding tussen Klara en Novak? Was het mogelijk dat Andras, ondanks de verzekeringen van György, toch bedrogen was? Hij werd overvallen door een vlaag van misselijkheid en moest op de stoep gaan zitten om bij te komen. Een vuilnisbakkenhond kwam rond zijn voeten snuffelen; toen hij een hand naar de hond uitstak, deed het beest een stap naar achteren en rende weg. Andras stond op en trok zijn jas dichter om zich heen, wikkelde zijn sjaal strakker om zijn hals. Vanaf de Benczúr utca liep hij naar de Bajza utca, en van de Bajza naar het stuk van de Andrássy út met de bomen aan weerszijden. De voetgangers daar liepen ineengedoken tegen de gure wind en de tram klingelde als vanouds. Maar al lopend over de Andrássy út merkte hij dat hij steeds meer gespannen raakte en hij besefte dat het kwam omdat hij in de buurt was van het operagebouw, waar Zoltán Novak, voor zover Andras wist, nog steeds directeur was. Hij had Novak al twee jaar niet meer gezien, voor het laatst op het feestje van Marcelle. Hij vroeg zich af of de frustraties van die avond Novak tot een wrede, listige daad hadden aangezet: dat hij aan zijn vrouw over Klara's hachelijke situatie had verteld, dat hij Klara had verraden omdat hij wist dat Edith haar uit de weg wilde hebben. Andras bleef vlak voor het Operaház staan om te bedenken wat hij tegen Novak zou zeggen als hij nu naar binnen kon lopen en hem de kwestie voor de voeten gooien. Waarvan kon hij hem beschuldigen en in hoeverre zou Novak bekennen? De band tussen hun drieën, Novak, Klara en hemzelf, was zo verknoopt dat als je aan een van de draden trok de hele kluwen alleen maar meer verstrikt raakte. De kans bestond dat als hij daar nu naar binnenging hij er weer uitkwam met de wetenschap dat Klara hem had bedrogen, dat ze hem al maandenlang ontrouw was – dat zelfs het kind dat ze droeg niet van hem was. Maar was het niet erger om onwetend buiten te staan, erger om naar Bánhida terug te gaan zonder het te weten? De deuren van het Operaház stonden open om de frisse middaglucht binnen te laten; hij zag mannen en vrouwen in een rij voor de kassa staan. Hij haalde diep adem en ging naar binnen.

Hoeveel maanden was het geleden, vroeg hij zich, dat hij voor het laatst in een schouwburg was geweest? Dat was tijdens de laatste zomer in Parijs – met Klara was hij naar de generale repetitie van *La Fille Mal Gardée* geweest. Nu ging hij door een van de Romaanse deuren de muziekzaal in en liep over het tapijt van het gangpad. Het doek was opgehaald en op het toneel zag je een Italiaans dorpsplein met in het midden een witmarmeren fontein. De gebouwen eromheen waren van nepsteen van geelgeverfd karton en hadden groen-wit gestreepte luifels. Een timmerman stond over een trappetje gebogen dat toegang gaf tot een van de gebouwen; het geluid van zijn hamer in de holle zaal maakte bij Andras scherpe nostalgische gevoelens los. Kwam hij hier nu maar om een decor te installeren of om de koffietafel te dekken voor de acteurs en hun briefjes door te geven en hen op te halen als ze op moesten. Wachtte er maar een tafel vol onafgemaakte tekeningen op hem als hij thuiskwam en had hij maar binnenkort een deadline voor een studieproject.

Hij rende naar voren en klom het zijtrappetje naar het toneel op. De timmerman keek niet op van zijn werk. Achter de coulissen was een man, vast de rekwisiteur, bezig om rekwisieten op de bijbehorende planken te leggen; uit de decorbouwruimte klonk het janken van een elektrische zaag en de geur van pasgezaagd hout riep bij Andras een mengeling van herinneringen op. Hij moest denken aan zijn vaders houtzagerij, het Sarah-Bernhardt, het atelier van monsieur Forestier en het werkkamp in Subkarpatië. Hij liep verder door de gangetjes achter in het theater en toen een trap op naar de kleedkamers; achter de nette witgekalkte deuren, met de gedrukte naamkaartjes in de koperen houders, ging een enorme bende schuil van schminkdozen, besmeurde kamerjassen, hoeden met veren, geladderde kousen, stukgelezen draaiboeken, stoffige leunstoelen, kapotte spiegels en verwelkte boeketten. Misschien had een jonge Klara zich wel in een van deze kamers voor haar optreden verkleed. Hij herinnerde zich een foto uit die tijd: Klara als bosnimf, in een rokje van dorre bladeren en haar haar doorvlochten met takjes. Hij kon bijna haar sylfeachtige schim door de gang zien schieten, van de ene kamer naar de andere.

Hij liep de gang uit en ging nog een trap op; bovenaan bevond zich nog een rij kleedkamers. Aan het eind van de gang was een houten deur met een wit emaillen naamplaatje, hetzelfde dat Novak in het Sarah-Bernhardt in Parijs had gebruikt. Daar stonden de vertrouwde woorden in zwarte opdruk, alleen de gouden glans en krullen waren door de reis van Parijs naar Boedapest wat dof geworden: *Zoltán Novak, directeur*. Achter de deur klonk een zware hoest. Andras wilde aankloppen, maar liet zijn hand weer zakken. Nu hij er was, zonk de moed hem in de schoenen. Hij had geen idee wat hij tegen Zoltán Novak moest zeggen. Weer klonk er een zware hoest en nog eentje, dichterbij. De deur ging open en Andras stond oog in oog met Novak zelf. Hij zag er bleek, uitgeput uit, in zijn ogen brandde een koortsgloed; zijn snor hing slap en zijn pak slobberde om zijn lijf. Toen hij Andras zag staan, liet hij zijn schouders hangen.

'Lévi,' zei hij. 'Wat doe jij hier?'

'Dat weet ik niet,' antwoordde Andras. 'Ik geloof dat ik je even wil spreken.'

Novak keek Andras vorsend aan en nam zijn Munkaszolgálat-uniform en veranderde uiterlijk in zich op. Daarna zuchtte hij overdreven diep en sloeg zijn blik naar Andras op.

'Jij bent wel de laatste die ik hier voor mijn deur had verwacht,' zei hij, 'en om eerlijk te zijn ook de laatste persoon die ik hier zou willen zien. Maar goed, nu je er toch bent, moet je ook maar binnenkomen.'

Andras liep achter Novak aan naar diens schemerige heiligdom en bleef bij het grote bureau met het leren schrijfblad staan. Novak gebaarde naar een stoel. Andras deed zijn kepie af en ging zitten. Hij keek om zich heen naar de planken met libretti, de kasboeken, de foto's van gekostumeerde operasterren. Het was het kantoor van het Sarah-Bernhardt, maar dan in een kleinere, donkerder uitvoering.

'Zo,' zei Novak. 'Vertel me nu maar eens wat je hier brengt, Lévi.' Andras vouwde zijn legerkepie op en weer uit. 'Vanmiddag kreeg ik een bericht,' zei hij. 'Ik heb gehoord dat jouw vrouw aan de Hongaarse politie heeft verteld wie Klara werkelijk is.'

'Heb je dat pas vanmiddag gehoord?' riep Novak uit. 'Maar dat is al twee jaar geleden gebeurd.'

Andras voelde de vlammen uitslaan, maar hij hield zijn ogen strak op Novak gericht. 'György Hász heeft het al die tijd voor me verborgen gehouden. Ik ben vandaag naar hem toe gegaan om te vragen of hij misschien kon voorkomen dat mijn broer naar het front wordt gestuurd. Hij vertelde dat al zijn geld opgaat aan het ervoor zorgen dat Klara niet achter slot en grendel belandt.'

Novak liep naar een tafeltje in de hoek waar een karaf stond. Hij schonk zichzelf een glas in. Hij keek even achterom. Andras schudde zijn hoofd.

'Het is maar thee,' zei Novak. 'Ik kan geen alcohol meer verdragen.'

'Nee, dank je,' zei Andras.

Novak ging met zijn glas thee achter zijn bureau zitten. Hij zag bleek en afgetobd, maar zijn ogen sproeiden een hels vuur. Andras durfde niet eens naar de oorzaak daarvan te gissen. 'De overheid is heel bedreven in afpersen,' zei Novak.

'Dankzij Edith is Klara's leven in gevaar,' zei Andras. 'En op dit moment zit mijn broer in een trein naar Belgorod. Morgenochtend moet ik me melden bij mijn compagnie in Bánhida en verder kan ik niks doen.'

'Zo hebben we allemaal onze tragedies,' zei Novak. 'Jij hebt de jouwe. Ik de mijne.'

'Hoe kun je zoiets zeggen?' zei Andras. 'Het is nog wel je eigen vrouw die dit heeft aangericht. En het zou me niets verbazen als jij er de hand in hebt gehad.'

'Edith deed altijd precies wat ze zelf wilde,' zei Novak kortaf. 'Ze had via via gehoord dat Klara terug was in Boedapest. Dat ze met jou was getrouwd en dat jij het leger in was. Ik neem aan dat ze dacht dat ik weer toenadering tot Klara zou zoeken of Klara tot mij.' Die laatste woorden sprak hij met een bittere ironie uit. 'Edith wilde dat Klara haar verdiende loon kreeg. Ze dacht dat het een simpele handeling zou zijn, maar ze had er niet op gerekend dat het ministerie van Justitie zo graag smeergeld wilde zien. Toen ze hoorde van de overeenkomst die ze met je zwager hadden gesloten, werd ze woedend.'

'En nu? Hoe weet ik dat ze niet nog iets gaat doen, iets ergers?'

'Edith is dit voorjaar aan eierstokkanker overleden,' zei Novak. Hij keek Andras tartend aan, alsof hij hem uitdaagde om medelijden te tonen.

'Wat vreselijk,' zei Andras.

'Bespaar me je medeleven. Je vindt het alleen maar vreselijk, omdat je haar nu niet meer ter verantwoording kunt roepen. Maar ze is tijdens haar leven al genoeg gestraft. Ze had een gruwelijke dood. Mijn zoon en ik moesten toekijken hoe ze wegteerde. Hou dat maar voor ogen in het werkkamp, als je iets nodig hebt om je woede op te botvieren.'

Totaal overmand zat Andras aan zijn pet te frommelen, anders was hij zo van zijn stoel gegleden. Novak, die zag dat Andras sprakeloos was, leek wat tot bedaren te komen. 'Ik mis haar,' zei hij. 'Ze had een betere man verdiend. Misschien ben ik door mijn eigen schuldgevoel nu zo hard tegen jou.'

'Ik had beter niet kunnen komen,' zei Andras.

'Ik ben blij dat je er bent. Ik ben blij dat ik weet dat Klara in ieder geval veilig is. Ik heb alle berichten over haar proberen af te houden, maar ik ben blij dat ik dit tenminste weet.' Hij begon hard te hoesten en moest zijn ogen betten en een slokje thee nemen. 'Meer zal ik niet over haar te weten te komen, als dat ooit gebeurt. Ik vertrek namelijk over een maand. Ik heb ook een oproep gekregen.'

'Een oproep?'

'Voor het werkkamp.'

'Maar dat kan niet,' zei Andras. 'Je hebt niet de dienstplichtige leeftijd meer. Je hebt hier je werk in de opera. Je bent niet eens joods.'

'Voor hen joods genoeg,' zei Novak. 'Mijn moeder was joods. Als jongeman ben ik bekeerd, maar daar maalt niemand meer om. Ik had niet eens mijn baan mogen houden nadat de rassenwetten waren veranderd, maar een paar vrienden van me bij het ministerie van Cultuur hebben een oogje toegeknepen. Inmiddels zijn zij allemaal hun baan kwijt. En ik heb nog mijn positie in de gemeen-schap, dat is deel van het probleem. Zij willen me eigenlijk uit mijn functie ontheffen. Er schijnt een nieuw geheim quotum te zijn voor de arbeidsdivisies. Een bepaald percentage van de tewerkgestel-den moet uit zogenaamd prominente joden bestaan. Ik zal in voor-aanstaand gezelschap verkeren. Mijn collega van het concertge-bouw is voor hetzelfde bataljon opgeroepen en we hebben net gehoord dat de voormalige rector van de hogere technische school er ook bij zal zitten. Leeftijd is irrelevant. En helaas geldt dat ook voor lichamelijke geschiktheid voor het leger. De tuberculose die me in '37 hierheen heeft gebracht ben ik nooit helemaal kwijtge-raakt. Jij hebt de dienst zelf meegemaakt; je weet net zo goed als ik dat de kans dat ik eruit terugkeer heel klein is.'

'Ze geven je vast geen zwaar werk om te doen,' zei Andras. 'Ze geven je vast een kantoorbaantje.'

'Ach, Andras,' zei Novak met een licht verwijtende toon. 'We weten allebei dat dat niet waar is. Het gaat zoals het gaat.'

'En je zoon dan?' vroeg Andras.

'Ja, en mijn zoon?' zei Novak. 'Hoe moet het met hem?' Hij liet zijn stem wegsterven en ze zaten een tijdje zwijgend bij elkaar. Voor Andras geestesoog verscheen een beeld van zijn eigen kind, het jongetje of meisje dat met de beentjes over elkaar in Klara's buik zat – het kindje dat misschien nooit geboren zou worden, en als het wel geboren werd, misschien nooit ouder dan een dreumes zou worden en als het wel bleef leven, de wereld in vlammen zou zien opgaan. Novak, die Andras gadesloeg, scheen aan te voelen dat Andras er een bron van zorg bij had.

'Aha,' zei hij ten slotte. 'Je begrijpt het. Jij bent inmiddels ook vader.'

'Binnenkort,' zei Andras. 'Over een paar maanden.'

'En ben je dan klaar met het werkkamp?'

'Wie weet? Er kan nog van alles gebeuren.'

'Het komt wel goed,' zei Novak. 'Je gaat weer naar huis. Je zult bij Klara en het kind zijn. De overeenkomst van György met de au-toriteiten blijft vast gehandhaafd. Ze zijn namelijk niet op háár uit, maar op zijn geld. Als ze haar voor de rechtbank slepen, komt vooral hun eigen schuld aan het licht.'

Andras knikte omdat hij het wilde geloven. Hij was verbaasd dat hij zich ook werkelijk gerustgesteld voelde en vervolgens be-schaamd dat het Novak was die hem had gerustgesteld – Novak, die alles kwijt was behalve zijn jonge zoon. 'Wie zal er voor je zoon zorgen?' vroeg hij nogmaals.

'De ouders van Edith. En mijn zuster. Gelukkig zijn we op tijd teruggegaan naar Hongarije,' zei Novak. 'Als we in Frankrijk waren gebleven, zaten we nu misschien in een interneringskamp. En de jongen ook. Ze sparen de kinderen niet.'

'Allemachtig,' zei Andras en hij legde zijn hoofd in zijn handen. 'Wat gaat er met ons gebeuren? Met ons allemaal?'

Novak keek vanonder zijn grijzende wenkbrauwen naar hem op; alle woede was inmiddels uit zijn ogen verdwenen. 'Uiteindelijk maar één ding,' zei hij. 'Wie in het vuur zal omkomen en wie in het water. Wie door het zwaard en wie door de wilde beesten. Wie van honger en wie van dorst. Je kent het gebed, Andras.'

'Vergeef me,' zei Andras. 'Vergeef me dat ik heb gezegd dat je geen jood was.' Want dit was het vers uit de liturgie van Rosj Hasjana, het gebed waarin het einde van alles wordt voorzien. Binnenkort zou hij dit gebed zelf opzeggen, in het kamp in Bánhida samen met zijn maten.

'Ik ben een jood,' zei Novak. 'Daarom heb ik je in Parijs dat baantje gegeven. Jij was mijn broeder.'

'Het spijt me, Novak-úr,' zei Andras. 'Het spijt me. Ik heb je niet willen kwetsen. Je bent altijd erg aardig voor me geweest.'

'Het is niet jouw schuld,' zei Novak. 'Ik ben blij dat je bent gekomen. Nu kunnen we tenminste nog afscheid van elkaar nemen.'

Andras stond op en zette zijn kepie op. Novak stak zijn hand over het bureau uit en Andras schudde die. Het enige wat ze nog konden doen was afscheid nemen. Ze wisselden een paar woorden en daarna trok Andras de deur van het kantoor achter zich dicht.

30

Barna en de generaal

Die avond, toen hij terug was in zijn huis aan de Nefelejcs utca, zei hij niets tegen Klara over zijn bezoek aan haar broer; evenmin zei hij dat hij Novak had gesproken. Het enige wat hij zei was dat hij een lange wandeling door de stad had gemaakt om na te denken over wat hij moest gaan doen als zijn diensttijd erop zat. Hij wist dat ze zag dat hij met zijn gedachten elders was, maar ze vroeg niet naar de reden van zijn gespannenheid. Het feit dat hij de volgende dag terug moest naar Bánhida was waarschijnlijk al reden genoeg. Ze genoten een rustig avondmaal in de keuken, met hun stoelen dicht tegen elkaar aan de kleine tafel. Na het eten luisterden ze in de zitkamer naar Sibelius op de grammofoon en keken naar het brandende vuur in de haard. Andras had de flanellen kamerjas aan die hij van Klara had gekregen en een paar lamswollen sloffen. Een vrediger tafereel had hij zich niet kunnen voorstellen, maar over enkele dagen werden Klara en hij weer met hun eigen lot geconfronteerd. Hoe behaaglijker hij zich voelde, hoe tevredener en slaperiger Klara er tegen de sofakussens uitzag, hoe pijnlijker het was om zich voor te stellen wat de keerzijde was. György had gelijk, dacht hij, dat hij Klara de harde feiten wilde besparen. Haar rust was hem meer waard dan zijn eigen onoprechtheid, vond hij. Ze sprak met zo'n innerlijke kalmte over de veranderingen in haar zwangere lijf en hoe fijn het was dat ze daar met haar moeder over kon praten. Ze was lief voor Andras, warm en aanhankelijk. Ze wilde met hem vrijen en hij was blij met de afleiding. Maar toen ze in bed lagen – haar lichaam had een verrassende nieuwe harmonie gevonden – merkte hij dat hij haar niet aan kon kijken. Hij was bang dat ze voelde dat hij iets verborgen hield en dat ze wilde weten wat het was.

Toen hij weer in Bánhida was, hoefde hij daar tenminste geen angst meer voor te hebben. Nog nooit was hij zo blij geweest met het zware werk. Hij kon zijn geest bedwelmen met het eindeloze scheppen van de bruine kolen in de stoffige karretjes, het eindeloze trekken en duwen van de karretjes over het spoor. Hij kon zijn armen en benen verdoven met de verplichte avondgymnastiek, kon zich overgeven aan de eentonige corveetaken – het schoonmaken van de barakken, het klieven van brandhout, het wegslepen van het keukenafval – in de hoop dat hij aan het eind van de dag zo uitgeput was dat hij meteen in slaap viel, voordat in zijn hoofd de plunjezak met zorgen openging die hem tot in de levendigste details werden voorgespiegeld. Maar zelfs als hij deze grimmige stoet wist te vermijden, was hij aan de genade van zijn dromen overgeleverd. In de vaakst terugkerende droom zocht hij een stervende Ilana op in het ziekenhuis in een stad die niet Parijs was maar ook niet Boedapest; alleen was het Ilana niet maar Klara, en hij wist dat hij bloed aan haar moest geven, maar hij kon geen manier bedenken hoe hij zijn bloed uit zijn aderen in de hare moest krijgen. Hij stond met een scalpel in zijn hand naast haar bed en zij lag doodsbang en bleek op bed en hij bedacht dat hij eerst de scalpel in zijn eigen pols moest zetten en dan een oplossing verzinnen. Nachten achtereen werd hij in het donker wakker, met zijn hoestende en snurkende slapies om zich heen, en wist zeker dat Klara dood was en dat hij had verzuimd haar te redden. Zijn enige troost was dat deze diensttermijn op 15 december was afgelopen, twee weken voordat ze was uitgerekend. Hij wist dat het dwaas was om al zijn hoop op die ene datum te vestigen, aangezien de Munkaszolgálat de beloftes aan de dienstplichtigen vaak genoeg niet nakwam. Hij dwong zichzelf om te denken aan de wrange teleurstellingen die hij in zijn eerste dienstjaar te verduren had gehad. Maar deze datum was alles wat hij had en hij klampte zich eraan vast als aan een talisman. 15 december, 15 december. Hij fluisterde het onder het werk, alsof die dag door herhaling eerder zou komen.

Op een ochtend, waarop hij zich extreem somber voelde, ging hij voor het werk naar de gebedsdienst. Een stel mannen kwam elke dag bij zonsopgang samen in een lege loods; sommigen hadden kleine beduimelde gebedenboekjes bij zich en er was een miniatuur-Thora waarin ze op maandag, donderdag en op sabbat lazen. Onder zijn talliet merkte Andras dat hij niet met zijn gedachten bij de gebeden was, maar, zoals hem wel vaker overkwam tijdens een godsdienstige plechtigheid, bij zijn ouders. Hij had geschreven dat Klara zwanger was en zijn vader had teruggeschreven dat ze meteen naar Boedapest zouden afreizen. Andras moest het nog zien. Zijn ouders hadden een hekel aan reizen. Ze verfoeiden het lawaai en de kosten en de mensenmassa's, en ze hadden een hekel aan het gedrang overal in de stad. Maar een paar weken later waren ze Klara gaan opzoeken en waren drie dagen gebleven. Andras' moeder had beloofd om terug te komen voordat de baby was geboren en dat ze zo lang zou blijven als Klara haar nodig had.

Ze moet geweten hebben dat het een geruststelling voor Andras zou zijn. Ze was een kei in hem geruststellen, om hem een geborgen gevoel te geven; dat had ze al zonder mankeren sinds zijn kindertijd gedaan. Tijdens het stille Amida kwam een herinnering aan Konyár naar boven: voor zijn zesde verjaardag had hij een blikken opwindtreintje gekregen met rammelende wagonnetjes waarin kleine blikken beestjes achter tralies zaten. Je kon de wagonnetjes openmaken om de olifanten, leeuwen en beren eruit te halen, die je dan in een circuspiste, getrokken in het zand, kon laten optreden. Het speelgoedtreintje zat in een rode kartonnen doos en kwam uit Boedapest. Het ging het normale voorstellingsvermogen van speelgoed van een kind uit Konyár zo ver te boven dat Andras het mikpunt van nijd en afgunst onder zijn klasgenoten werd – vooral bij twee blonde jongetjes die hem op een middag uit school achternazaten en probeerden de trein af te pakken. Met de rode kartonnen doos tegen zijn borst holde hij naar de gestalte van zijn moeder, die hij al op het erf kon zien staan: ze was op het houten rek aan de rand van de boomgaard kleden aan het uitkloppen. Ze draaide zich om toen ze de naderende voetstappen van de jongens hoorde. Toen Andras nog geen drie meter bij haar vandaan was, struikelde hij over de wortel van een appelboom en viel languit. De rode doos vloog in een hoge boog uit zijn handen waarmee hij zijn val probeerde te breken. Met één sierlijke beweging liet zijn moeder de mattenklopper vallen en ving ze de doos op. De voeten van Andras' achtervolgers bleven staan. Andras tilde zijn hoofd op en zag dat zijn moeder de treindoos onder haar ene arm stopte en met de andere haar mattenklopper oppakte. Ze bewoog zich niet, ze stond alleen maar met de opgeheven mattenklopper in haar hand. Het was een dikke stok met een soort platte ronde mand aan het uiteinde. Ze zette één stap in de richting van de twee blonde jongetjes. Hoewel Andras wist dat zijn moeder een zachtaardige vrouw was – ze had haar zoons nog nooit geslagen – leek haar houding te suggereren dat ze bereid was om Andras' belagers een even harde aframmeling te geven als ze met de kleden had gedaan. Andras kwam overeind en zag nog net hoe de twee jongens de weg af renden, waarbij hun blote voeten stofwolken deden opstuiven. Zijn moeder gaf hem de rode doos en raadde hem aan de trein een poosje thuis te houden. Andras ging naar binnen met het gevoel dat zijn moeder een bovenmenselijk wezen was dat hem in geval van nood te hulp kwam snellen. Kort na dit voorval ging hij naar school in Debrecen, waar zijn moeder hem niet langer kon beschermen, en was dat gevoel weggeëbd. Maar hij was het nooit vergeten. Ook nu voelde hij weer de kracht van zijn moeder, alsof hij het opnieuw beleefde: de rode kartonnen doos van zijn leven vloog door de lucht en zijn moeder strekte haar armen uit om hem te vangen.

Als hij niet in beslag werd genomen door zijn gedachten aan Klara, dacht hij aan zijn broers. Het postdistributiekantoor was een bron van voortdurende angst. Elke keer dat hij er langsliep, was hij bang dat er een telegram op hem zou wachten met vreselijk nieuws over Mátyás. Sinds zijn overplaatsing naar het Oosten had hij niets meer van hem vernomen en de inspanningen van György om hem te helpen hadden weinig uitgehaald. György had een paar brieven aan hoge functionarissen bij de Munkaszolgálat gestuurd, maar te horen gekregen dat het oorlog was en niemand geïnteresseerd was in zo'n onbeduidend probleem. Als hij vrijstelling van dienst voor Mátyás wilde verkrijgen, kon hij beter de commandant van zijn bataljon in Belgorod benaderen. Bij navraag bleek Mátyás' bataljon klaar te zijn in Belgorod en het was inmiddels verder oostwaarts getrokken; het hoofdkwartier van het bataljon was nu in de buurt van Rostov aan de Don gelegen. György had de commandant met telegrammen bestookt, maar wekenlang niets gehoord. Totdat er een handgeschreven briefje van een bataljonssecretaris arriveerde, waarin stond dat Mátyás' compagnie in het witte niets van de Russische winter was verdwenen. Een paar weken daarvoor hadden ze nog via de telex hun locatie kunnen bepalen, maar inmiddels waren alle verbindingen verbroken en was het onmogelijk te zeggen waar ze zich precies bevonden.

Dit beeld zag Andras voor zich: zijn broer Mátyás ergens ver weg in de sneeuw, de band met het hoofdkwartier van zijn bataljon was doorgesneden en zijn compagnie doolde ergens door steeds ergere kou op weg naar steeds groter gevaar. Hoe kon Andras 's nachts in zijn veldbed liggen en elke ochtend brood eten terwijl zijn broer verdwaald was in de Oekraïne? Zou Mátyás denken dat Andras niet had geprobeerd hem te helpen of dat György Hász had geweigerd? Wie was verantwoordelijk voor de hachelijke situatie waarin Mátyás zich nu bevond? Was het Edith Hász, die Klara's geheim had doorgebriefd? Waren het Klara's vroegere belagers? Was het Andras zelf, die door zijn relatie met Klara de vrijheid van zijn broer haast onbetaalbaar had gemaakt? Was het Miklós Horthy, die zo graag de verloren Hongaarse gebieden terugwilde dat hij er een oorlog voor over had, of was het Hitler, wiens onbezonnenheid hem Rusland had ingejaagd? Hoeveel andere mannen, afgezien van Mátyás, waren er in die winter aan het creperen, hoeveel zouden er nog het leven laten voordat de oorlog voorbij was?

Het was een schrale troost om te weten dat Tibor in ieder geval ver van de frontlinie verwijderd was. Onregelmatig kwamen er brieven uit Transsylvanië, afhankelijk van de grillen van de legerpost. Soms gingen er drie weken voorbij zonder een bericht en dan kwam er opeens een stapeltje van vijf brieven, plus een prentbriefkaart de dag erop en vervolgens weer twee weken niks. Tijdens zijn periode in de Karpaten was de toon van Tibors brieven overgegaan van luchtige opgewektheid in verslagen eentonigheid: *Lieve Andras, de zoveelste dag bruggen aanleggen. Ik mis Ilana verschrikkelijk. Maak me constant zorgen. Volop ellende hier: vandaag heeft mijn ploegmaat Roszenzweig zijn arm gebroken. Een gecompliceerde open breuk. Ik heb hier natuurlijk geen spalken, gipsmateriaal of antibiotica. Moest de breuk zetten met een plank uit de vloer van de barak.* Of: *Vorige week acht mannen geveld door longontsteking. Drie overleden. Tot mijn intense verdriet! Als ik niet met de werkploeg eropuit was gestuurd, had ik ervoor kunnen zorgen dat ze niet waren uitgedroogd.* Nog een brief, die slechts bestond uit: *Lieve Andráska, ik kan niet slapen. Ilana is nu in haar eenentwintigste week. Vorige miskraam was in de tweeëntwintigste.* Andras had Tibor graag willen schrijven wat hij in Boedapest had gehoord, maar hij wilde Tibors angsten niet verergeren door zijn eigen angsten te uiten. Hij was niet de enige die in spanning zat; elke week kwamen er crèmekleurige enveloppen van de Benczúr utca met geruststellende woorden. De ene van György – *Geen nieuws, geen nieuwe dreigementen. Alles gaat zijn gangetje* – en de andere met het waszegel van Klara's moeder – *Lieve Andras, weet dat we allemaal aan je denken en hopen dat je gezond en wel zult terugkeren. Klara mist je heel erg, lieve jongen! En wat zal ze blij zijn als je weer thuis bent. De dokter vindt dat de zwangerschap voorspoedig verloopt.* Een keer had ze Andras een pakje gestuurd, waarvan de inhoud kennelijk zo aantrekkelijk was dat alleen nog haar briefje in de doos zat: *Andráska, hier zijn wat snoepjes voor je. Als je ze lekker vindt, zal ik er nog meer sturen.* Andras had de doos meegenomen naar de barak om aan Mendel te laten zien en die had gebruld van het lachen en geopperd dat ze het op een plank moesten zetten als symbool van het leven in Bánhida. Het was een troost dat Mendel er was; samen zouden ze hun diensttijd volmaken en samen zouden ze met dezelfde trein teruggaan naar Boedapest. Dat was althans hun plan. Elke dag vinkten ze de dag af op hun zelfgemaakte kalender terwijl het steeds kouder werd en de heuvels in de verte langzaam bruin kleurden.

Maar op 25 november, een saaie grijze dag die tegen de avond overging in een storm van confettisneeuw, lag er op het hoofdkantoor een telegram van György op Andras te wachten. Met trillende handen scheurde hij het open en las dat Klara de vorige avond was bevallen, vijf weken voor de uitgerekende datum. Ze hadden een zoon, maar hij was ernstig ziek. Andras moest direct naar huis komen.

Het bericht verlamde hem. De andere mannen probeerden zich langs hem naar de balie te wringen; bleef hij hier soms de hele dag staan? Hij vond de weg naar de uitgang en liep wankelend door de sneeuw. Die avond waren de lampen van het kamp vroeg ontstoken. Ze vormden een fonkelend halo boven de binnenplaats, die alleen door een stel fellere, hogere lampen aan weerszijden van de administratiegebouwen werd verlicht. Andras liep in de richting van die accolade van licht, alsof het een poort was waarachter misschien Boedapest lag. Hij had een zoon, maar die was ernstig ziek. Een jongen. Zijn jongen en die van Klara. Tachtig kilometer verderop. Twee uur met de trein.

De bewakers die gewoonlijk bij de deur stonden waren aan het eten. Andras kon ongehinderd naar binnen gaan. Hij liep langs kantoren met straalkacheltjes, telefoons en stencilmachines. Hij wist niet waar het kantoor van majoor Barna was, maar hij liep op zijn gevoel naar het hart van het gebouw door de bouwkundige krachtlijnen te volgen. Daar, waar hij het kantoor van de majoor zou hebben gemaakt als hij de architect was geweest, bevond zich inderdaad het kantoor. Maar de deur was op slot. Barna was ook gaan eten. Andras ging terug naar buiten de sneeuwstorm in. Iedereen wist waar de officiersmess was. Het was de enige plek van Bánhida waar de geur van echt eten vandaan kwam. Daar geen waterige soep met hard brood, maar kip, aardappels en champignonsoep, kalfspaprikás, gevulde kool, allemaal geserveerd met witbrood. Dienstplichtigen die opdracht hadden om kolen af te leveren of afval weg te halen uit de officiersmess moesten de heerlijke geuren van die gerechten lijdzaam ondergaan. De mess was verboden terrein voor de tewerkgestelden, alleen degenen die bedienden mochten naar binnen; er stonden soldaten met geweren op wacht. Maar Andras liep er onbevreesd heen. Hij had een zoon. De aanvankelijke vreugderoes was inmiddels vermengd met de lichamelijke behoefte om zijn kind te beschermen, om zijn eigen lichaam te werpen tussen zijn kind en alles wat het kwaad kon doen. En Klara; als hun kindje ernstig ziek was, had zij hem ook nodig. Gewapende bewakers waren onbelangrijk. Het enige wat telde was zo snel mogelijk wegkomen uit Bánhida.

De bewakers bij de deur waren geen bekenden; waarschijnlijk waren ze vers uit Boedapest. Dat was gunstig voor Andras. Hij liep naar de deur en richtte het woord tot de kleinste en stevigste van de twee, een man die eruitzag of de geuren van vlees en geroosterde paprika een kwelling voor hem waren.

'Telegram voor majoor Barna,' zei Andras en hij hield de blauwe envelop omhoog.

De bewaker nam Andras in de gloed van de elektrische verlichting op. Tussen hen in dwarrelde sneeuw. 'Waar is de adjudant?' vroeg hij.

'Die is ook aan het eten,' antwoordde Andras. 'Kovács van het verbindingskantoor heeft mij opdracht gegeven het persoonlijk te overhandigen.'

'Geef maar aan mij,' zei de bewaker. 'Ik zorg wel dat hij het krijgt.'

'Ik moest het persoonlijk afgeven en wachten op antwoord.'

De kleine stevige bewaker wierp een zijdelingse blik op zijn collega, een lompe jonge soldaat die wat stond te suffen. Hij wenkte Andras dichterbij en boog zijn hoofd naar hem toe. 'Wat wil je nou precies?' vroeg hij. 'Tewerkgestelden komen geen telegram aan de kampcommandant afgeven. Ik ben wel nieuw hier, maar niet gek.' Hij keek Andras strak aan en Andras' eerste ingeving was om hem de waarheid te zeggen.

'Mijn vrouw is net bevallen, vijf weken te vroeg,' zei hij. 'De baby is ziek. Ik moet naar huis. Ik wil bijzonder verlof aanvragen.' De bewaker lachte. 'Midden onder het eten? Je bent niet goed snik.'

'Het is dringend,' zei Andras. 'Ik moet direct naar huis.' De bewaker leek na te denken over een oplossing. Hij keek over zijn schouder de mess in en toen weer naar de lompe jonge soldaat. 'Hé, Mohács,' riep hij. 'Kun je het eventjes van me overnemen? Ik moet deze vent naar binnen begeleiden.'

De lompe man haalde zijn schouders op, bromde instemmend en verzonk meteen weer in zijn toestand van halfbewustzijn. 'Goed dan,' zei de soldaat. 'Kom mee. Ik moet je wel eerst fouilleren.'

Andras, die sprakeloos van dankbaarheid was, liep achter de soldaat het halletje in en liet zich fouilleren. Toen de bewaker had vastgesteld dat Andras geen wapen bij zich had, legde hij een hand op zijn arm en zei: 'Kom mee. Maar tegen niemand iets zeggen, begrepen?'

Andras knikte en ze gingen de lawaaierige eetzaal in. De lange tafels stonden in rijen opgesteld en de officiers zaten in volgorde van rang. Barna zat met zijn luitenants aan een tafel op een verhoging, uitkijkend over de rest. Naast hem zat een hooggeplaatste officier die Andras niet eerder had gezien, een gedrongen zilverharige man in een jasje dat glom van het goudgalon en behangen was met onderscheidingen. Hij had een smal staalgrijs baardje, ouderwets getrimd, en een goudgerande monocle. Hij zag eruit als een oude generaal uit de Grote Oorlog.

'Wie is dat?' vroeg Andras aan de bewaker.

'Geen idee,' antwoordde hij. 'Ze vertellen ons nooit iets. Maar zo te zien heb je een goede avond uitgekozen voor je debuut in het theaterrestaurant.' Hij bracht Andras naar een andere soldaat die bij de grote tafel op wacht stond en hij fluisterde iets in het oor van de soldaat. De soldaat knikte en liep naar een adjudant die aan een van de tafels voorin zat. Hij boog zich voorover naar de adjudant en zei iets, waarop de adjudant opkeek en een verbaasde, medelijdende blik op Andras wierp. Langzaam kwam hij van de bank af en liep naar de grote tafel, waar hij eerst majoor Barna de groet bracht en daarna het bericht herhaalde, steeds even omkijkend naar Andras. Barna's gezicht vertrok en zijn mond verstrakte zich tot een witte streep. Hij legde zijn vork en mes neer en stond op. De mannen vielen stil. De schitterende oude officier had een verwonderde blik in zijn ogen.

Barna maakte zich zo lang en breed mogelijk. 'Waar zit die Lévi?' vroeg hij.

Nog nooit had Andras zijn naam zo horen klinken, bijna als een scheldwoord. Hij probeerde zijn schouders recht te houden terwijl hij antwoordde: 'Hier ben ik, majoor.'

'Stap naar voren, Lévi,' beval de majoor.

Dit was de tweede keer dat Barna hem dat bevel gaf. Hij herinnerde zich nog goed wat er die eerste keer was gebeurd. Hij deed een paar stappen naar voren en sloeg zijn ogen neer.

'Kijk, generaal,' zei Barna tegen de gedecoreerde heer naast hem. 'Daarom kunnen we niet voorzichtig genoeg zijn met de vrijheden die we onze tewerkgestelden toestaan. Ziet u deze kakkerlak?' Hij wees naar Andras. 'Ik heb hem al eerder gestraft. De vorige keer waagde hij het me te beledigen. En nu staat hij hier alweer.'

'Wat was de eerste keer de aanleiding?' vroeg de generaal – met een licht spottende ondertoon, meende Andras, alsof hij het haast prettig vond te horen dat iemand Barna had beledigd.

Barna scheen die ondertoon echter niet op te merken. 'Hij was hier nog maar pas,' zei hij terwijl hij Andras dreigend aankeek. 'Dacht je dat ik dat niet meer wist, Lévi? Ik moest hem van zijn rang ontdoen.' Barna glimlachte naar de oude officier. 'Hij wilde zijn rang niet afstaan, daarom moest hij gestraft worden.'

'Waarom moest hij zijn rang afstaan?'

'Omdat hij zijn voorhuid had laten slingeren,' zei Barna.

De zaal barstte in lachen uit, maar de generaal keek fronsend naar zijn bord. Ook dat scheen Barna niet op te merken. 'Nu komt hij opnieuw met een belangrijk verzoek,' ging hij verder. 'Waarom kom je niet naar voren om je nader te verklaren, Lévi?'

Andras kwam naar voren. Hij weigerde om zich door Barna te laten koeioneren, al klopte het bloed oorverdovend in zijn slapen. Hij hield het telegram in zijn vuist. 'Verzoek om toestemming voor bijzonder familieverlof, majoor,' zei hij.

'Wat is er zo dringend?' vroeg Barna. 'Moet je vrouw soms geneukt worden?'

Weer gelach van de manschappen.

'Wees gerust, dat probleem lost zich vanzelf op,' zei Barna. 'Zonder mankeren.'

'Met uw permissie, majoor,' begon Andras weer terwijl zijn keel zich dichtsnoerde van woede.

'Wat heb je daar in je hand, Lévi? Adjudant, breng me dat stukje papier even.'

De adjudant liep naar Andras en nam het telegram van hem aan. Andras had nog nooit zo'n diepe vernedering of woede ervaren. Hij stond nog geen drie meter van Barna af; hij kon hem gemakkelijk wurgen. Die gedachte was een zekere troost terwijl hij keek hoe Barna het telegram doorlas. Barna trok zijn wenkbrauwen in gespeelde verbazing op.

'Wel heb je ooit!' zei hij tegen het gezelschap. 'Mevrouw Lévi heeft net een kind gekregen. Lévi is vader.'

Applaus van de mannen, plus gefluit en gejoel.

'Maar de baby is ernstig ziek. *Komst dringend gewenst.* Dat klinkt niet goed.'

Andras moest zich bedwingen om Barna niet aan te vliegen. Hij beet op zijn lip en richtte zijn blik strak op de vloer. Wat hij niet wilde, was tegen de muur gezet worden en de kogel krijgen.

'Tja, waarom zou ik je nu nog bijzonder verlof geven?' vroeg Barna. 'Als dat jochie echt zo ziek is, mag je naar huis als hij dood is.'

Een suizende stilte vulde Andras' oren, als een voorbijrazende trein. Barna keek de zaal rond, zijn handen lagen op de tafel; de mannen leken door te hebben dat ze verondersteld werden weer te lachen en her en der klonk ongemakkelijk gelach op.

'Ingerukt mars, Lévi,' beval Barna. 'Ik wil nu rustig mijn koffie drinken.'

Voordat iemand er erg in had, sloeg de oude generaal met zijn hand op tafel. 'Dit is een schande,' riep hij met een stem die schor van woede was en hij stond op. Hij richtte een dreigende blik, omlijst door borstelige wenkbrauwen, in de richting van Barna. 'Jíj bent een schande.'

Er verscheen een scheef lachje op Barna's gezicht, alsof het allemaal één grote grap was.

'Haal die grijns van je gezicht, majoor,' zei de generaal. 'En bied onmiddellijk je excuses aan deze dienstplichtige aan.'

Barna aarzelde even, knikte toen tegen de bewaker die Andras binnen had gebracht. 'Voer die hoop stront af.'

'Heb je me soms niet gehoord?' vroeg de generaal. 'Ik heb je bevolen je excuses aan te bieden.'

Barna's ogen schoten van Andras naar de generaal naar de officieren aan hun tafels. 'We zijn hier klaar mee, generaal,' zei hij met een ondertoon die Andras net kon horen.

'Jij bent nog niet klaar, majoor,' zei de generaal. 'Kom van dat podium af en bied je excuses aan deze man aan.'

'Pardon?'

'Je hebt gehoord wat ik zei.'

De mannen keken zwijgend toe. Barna bleef lange tijd roerloos staan en leek een innerlijke tweestrijd te voeren; zijn kleur verschoot van rood naar paars naar wit. De generaal stond met zijn armen over elkaar geslagen naast hem. Hij moest hem wel gehoorzamen. De oude man was onmiskenbaar zijn meerdere. Barna stapte van de verhoging en beende naar Andras. Hij bleef voor hem staan en stak met een grimas alsof hij een vies drankje doorslikte zijn hand uit. Maar Andras had nog niet de hand van Barna aangeraakt of Barna spoog hem in zijn gezicht en gaf hem een klap met de hand die Andras net had aangeraakt. Zonder nog een woord te zeggen liep de majoor langs de rijen tafels en verdween in de avond. Andras ging met zijn mouw over zijn gezicht, dat verdoofd was van de pijn.

De generaal stond nog op de verhoging en keek neer op de officieren in hun banken. Alles stond stil in de tijd: de dienstplichtigen die de officieren moesten bedienen waren met vuile borden in hun handen aan de kant van de zaal blijven staan; de kok rammelde niet meer met de pannen in de keuken; de officieren waren verstomd en hadden hun tinnen vorken en lepels naast hun bord gelegd.

'Wat hier zojuist is gebeurd, strekt het Koninklijke Hongaarse Leger tot schande,' zei de generaal. 'Toen ik bij het leger ging, was mijn eerste commandant een jood. Een dappere man die bij Lemberg voor zijn vaderland is gesneuveld. Wat Hongarije nu ook is, het is niet meer het land waarvoor hij met zijn leven heeft betaald.' Hij pakte het verfrommelde telegram op en gaf het aan Andras. Daarna gooide hij zijn servet op tafel en beval de jonge bewaker om Andras onmiddellijk naar zijn officiersvertrek te brengen.

Generaal Márton was in de grootste, gerieflijkste vertrekken in Bánhida ingekwartierd, wat inhield dat hij een slaapkamer en zitkamer had, als je het koude, niet-uitnodigende hok waarin Andras zich nu bevond een zitkamer kon noemen; er stond alleen een tafel met een asbak erop en twee harde houten stoelen die zo smal en recht waren dat je er niet langer dan een paar tellen op kon zitten. Elektrische lampen verspreidden een felle gloed. De haard was uit. In de kamer ernaast was een assistent bezig om de koffer van de generaal te pakken. Terwijl Andras bij de deur stond te wachten op wat de generaal hem te zeggen had, gaf de generaal opdracht om zijn auto te laten voorrijden.

'Ik blijf hier geen nacht langer meer,' zei hij tegen een angstig kijkende secretaris die om hem heen drentelde. 'Wat mij betreft is mijn inspectie van dit kamp afgerond. Zeg maar tegen majoor Barna dat ik weg ben.'

'Ja, generaal,' zei de secretaris.

'En ga naar mijn kantoor om het dossier van deze man te halen,' zei hij. 'En vlug een beetje.'

'Komt in orde, generaal,' zei de secretaris en hij liep haastig de deur uit.

De generaal wendde zich tot Andras. 'Vertel eens,' zei hij. 'Hoe lang moet je nog in dienst blijven?'

'Twee weken, generaal,' zei Andras.

'Twee weken. En beschouw je, in vergelijking met de tijd die je er al op hebt zitten, twee weken als een lange tijd?'

'In deze omstandigheden is het een eeuwigheid, generaal.'

'Wat zou je ervan vinden om deze hellepoel voorgoed achter je te laten?'

'Ik geloof niet dat ik u helemaal begrijp, generaal.'

'Ik ga ervoor zorgen dat je ontslagen wordt uit Bánhida,' zei de generaal. 'Je hebt hier lang genoeg gediend. Ik kan je niet garanderen dat je niet meer wordt opgeroepen, vooral niet omdat de situatie zo onzeker is. Maar ik kan er wel voor zorgen dat je vanavond nog in Boedapest bent. Je kunt met mij meerijden. Ik ga er zo direct heen. Ik was hierheen gestuurd om een grondige inspectie van Barna's kamp uit te voeren, omdat hij in aanmerking komt voor promotie, maar ik heb genoeg gezien.' Hij haalde een pakje sigaretten uit zijn borstzakje en schudde er eentje uit, maar legde de sigaret weer opzij alsof hem de moed ontbrak die op te steken. 'De brutaliteit van die man,' zei hij. 'Hij is niet eens geschikt om een ezel te mennen, laat staan een heel bataljon. De joden zijn niet het probleem, maar mannen als hij. Wie denk je dat ons in de ellende heeft gestort? Zowel in oorlog met Rusland als met Engeland? Waar gaat dat op uitlopen?'

Andras kon zich niet erg om deze vragen bekommeren. Er was nu een andere kwestie die op dat moment van nog groter belang was. 'Begrijp ik het goed, generaal?' vroeg hij. 'Ga ik vanavond nog terug naar Boedapest?'

De generaal knikte bruusk. 'Ga je spullen maar vast pakken. Over een halfuur vertrekken we.'

In de barak was er alom ongeloof, maar toen Andras het hele verhaal had verteld, steeg er een schor gejuich op. Mendel zoende Andras op beide wangen en beloofde zo snel mogelijk op de Nefelejcs utca langs te komen als hij terug was in Boedapest. Toen het halfuur voorbij was, liep iedereen naar buiten om te kijken naar de zwarte auto die kwam voorrijden en naar de chauffeur die Andras hielp om de plunjezak in de schuin aflopende kofferbak te tillen. Wanneer had iemand voor het laatst een van de tewerkgestelden geholpen om een zwaar voorwerp op te tillen? Wanneer had iemand van hen voor het laatst in een auto gezeten? De mannen stonden in groepjes voor de barakingang, de wind speelde met de revers van hun versleten jasjes, en Andras werd even overvallen door schuldgevoel. Hij ging voor Mendel staan en legde zijn hand op zijn arm.

'Ik wou dat je meekon,' zei hij.

'Nog maar twee weken,' zei Mendel.

'Hoe moet het nu met *De Steekvlieg*?'

Mendel glimlachte. 'Misschien is het tijd om de onderneming op te doeken. Bovendien zijn alle vliegen dood.'

'Tot over twee weken dan,' zei Andras en hij kneep even in Mendels schouder.

'Succes, Parisi.'

'Kom,' zei de chauffeur. 'De generaal wacht.'

Andras ging voorin zitten en deed het portier dicht. De motor brulde en ze reden in de richting van de officiersvertrekken. Daar aangekomen werd het duidelijk dat er opnieuw een woordenwisseling tussen Barna en de generaal had plaatsgevonden; Barna liep driftig heen en weer in de kamer van de generaal terwijl de generaal met zijn reistas naar buiten kwam. De chauffeur gooide de tas in de kofferbak en de generaal schoof zonder een woord te zeggen op de achterbank.

Voordat Andras goed en wel besefte dat hij echt wegging, dat hij nooit meer naar de zwavelstank van de kolenmijnen terug hoefde, was de auto door de poort gereden de weg op. De hele donkere rit lang hoorde je alleen het brommen van de motor en het zoeven van banden over sneeuw. De koplampen beschenen eindeloos neer-dwarrelende sneeuwvlokken en Andras werd teruggevoerd naar de nieuwjaarsdag dat Klara en hij naar het Square Barye waren ge-gaan om naar de zonsopgang boven de kille Seine te kijken. Op die januariochtend, zo lang geleden, had hij nooit kunnen bevroeden dat hij op een goede dag de vader van Klara's kind zou worden, dat hij op een goede dag in een limousine van het Hongaarse leger door het donker zou snellen op weg naar zijn pasgeboren zoon. Hij herinnerde zich het lied van Schubert dat Klara op een winter-avond voor hem afgespeeld had, *Der Erlkönig*, over een vader die 's nachts te paard naar huis rijdt met zijn zieke kind, terwijl de el-fenkoning hen op de hielen zit en het kind probeert te pakken. Hij herinnerde zich de radeloosheid van de vader, het zoontje dat langzaam naar zeker naar de dood gleed. In zijn gedachten had de achtervolging altijd plaats op een avond als deze. Zijn handen wer-den koud ondanks de warmte in de auto. Hij draaide zich om om te zien wat er achter hen lag. Het enige wat hij zag was de zacht snurkende generaal op de achterbank en door de kleine ovale ach-terruit een massa sneeuwvlokken die rood oplichtte in de achter-lichten.

Anderhalf uur later arriveerden ze bij het Gróf Apponyi Albert-ziekenhuis. Toen de auto tot stilstand kwam, werd de generaal wakker en schraapte zijn keel. Hij zette zijn kepie op en trok zijn jasje vol onderscheidingen recht.

'Goed dan,' zei hij. 'Laten we gaan.'

'U gaat toch zeker niet mee naar binnen?' vroeg Andras.

'Wie a zegt, moet ook b zeggen. Geef de chauffeur je adres, dan kan hij de spullen afgeven bij de conciërge.'

Andras gaf het adres door op de Nefelejcs utca. De chauffeur sprong de auto uit om het portier voor de generaal open te hou-den, en de generaal wachtte totdat Andras ook was uitgestapt. Hij draaide zich om en marcheerde met Andras naast zich het zieken-huis in.

Achter het bureau van de nachtwaker zat een man met smalle schouders en een ooglapje voor met zijn voeten op een metalen prullenbak een Hongaarse vertaling van *Mein Kampf* te lezen. Toen hij opkeek en de generaal zag aankomen, liet hij het boek vallen en sprong in de houding. Zijn goede oog schoot van Andras naar de generaal en terug; hij leek compleet verbijsterd bij het zien van deze gedecoreerde hoge officier van het Hongaarse leger in het gezelschap van een broodmagere, groezelige dienstplichtige. Stamelend vroeg hij waarmee hij de generaal van dienst kon zijn.

'Deze man wil zijn vrouw en zoon zien,' zei de generaal.

De nachtwaker keek even de gang af alsof hij van die kant hulp of opheldering verwachtte. De gang bleef leeg. De nachtwaker wrong zijn handen. 'Het bezoekuur is tussen vier en zes, meneer,' zei hij.

'Maar deze man komt nu op bezoek,' zei hij. 'Zijn achternaam is Lévi.'

De nachtwaker bladerde door een inschrijfboek op zijn bureau. 'Mevrouw Lévi ligt op de tweede verdieping,' zei hij. 'Kraamafdeling. Maar ik mag niemand naar boven laten. Dan word ik ontslagen.'

De generaal haalde een naamkaartje uit een leren etui. 'Als iemand moeilijk doet, zeg dan maar dat ze de zaak met mij moeten bespreken.'

'Ja, meneer,' zei de nachtwaker en hij leunde weer achterover in zijn stoel.

De generaal gaf ook een naamkaartje aan Andras. 'Als ik nog iets voor je kan doen, moet je me het laten weten.'

'Ik weet niet hoe ik u moet bedanken,' zei Andras.

'Wees een goede vader voor je zoon,' zei de generaal en hij legde een hand op Andras' schouder. 'Dat hij maar mag opgroeien in een redelijker tijdperk dan het onze.' Hij keek Andras nog even aan, waarna hij zich omdraaide en terug de sneeuw in liep. De deuren sloten zich achter hem met een koude tochtvlaag.

De nachtwaker staarde de generaal verbaasd na. 'Hoe ben je in godsnaam met hem bevriend geraakt?' vroeg hij aan Andras.

'Geluk, denk ik,' antwoordde Andras. 'Dat is een familietrekje.'

'Nou, ga dan maar,' zei de nachtwaker, die met een duim naar de trap achter hem wees. 'Als iemand vraagt wie je binnen heeft gelaten, was ik het niet.'

Andras rende de trap op naar de tweede verdieping en volgde de bordjes naar Klara's afdeling. In het halfduister van het ziekenhuis zag hij kersverse moeders liggen in een dubbele rij bedden met mandenwiegjes aan het voeteneinde. In sommige wiegjes lagen ingebakerde zuigelingen; andere baby's kregen de borst of soesden in hun moeders armen. Maar waar was Klara? Waar was haar bed en welke van deze kindjes was zijn zoon? Hij moest twee keer de rij afgaan voordat hij haar zag: Klara Lévi, zijn vrouw, bleek en met bezweet haar, haar mond opgezwollen en haar ogen omringd met donkere kringen. Ze was diep in slaap en werd verlicht door de gloed van een groene lampenkap. Met bonkend hart sloop hij dichterbij om te zien wat er in haar armen lag. Maar toen hij bij haar bed was, zag hij dat het een lege deken was, meer niet. En in het mandje aan haar voeteneinde lag ook niets.

Hij had het gevoel dat de grond zich voor hem opende. Dus hij was ondanks alles toch te laat gekomen. De wereld bood hem geen kans op geluk; zijn leven en dat van Klara waren verwoest. Hij sloeg zijn hand voor zijn mond, bang dat hij in luid huilen zou uitbarsten. Iemand legde een koele hand op zijn arm; hij draaide zich om en zag een verpleegster in een wit schort.

'Hoe bent u binnengekomen?' vroeg ze, meer verbaasd dan boos. 'Is dit uw vrouw?'

'Het kind,' vroeg hij fluisterend. 'Waar is hij?'

De verpleegster fronste haar wenkbrauwen. 'Bent u de vader?'

Andras knikte zwijgend.

De verpleegster gebaarde dat hij mee moest komen naar de gang en ging hem voor naar een felverlichte zaal die vol stond met aankleedtafels, babyweegschalen, katoenen luiers, zuigflessen en spenen. Bij de tafels stonden twee andere verpleegsters baby's te verschonen.

'Krisztina,' zei de verpleegster. 'Laat meneer Lévi zijn zoon eens zien.'

De verpleegster bij de luiertafel hield een klein roze kikkertje omhoog. Hij was helemaal bloot en hij had alleen een blauw katoenen mutsje op en witte sokjes aan en over zijn navel zat een verbandje. Terwijl Andras naar de baby keek, bracht hij zijn knuistje naar zijn geopende mond en stak zijn bloemblad van een tong uit.

'Grote goden,' riep Andras uit. 'Mijn zoon.'

'Twee kilo,' zei de verpleegster. 'Niet gek voor een te vroeg geboren baby. Hij heeft een lichte longontsteking, het arme dier, maar het gaat al beter met hem.'

'O, lieve hemel. Mag ik hem eens goed bekijken?'

'U mag hem wel vasthouden, hoor,' zei de zuster die Krisztina heette. Ze speldde de luier vast, wikkelde hem in een dekentje en legde hem in Andras' armen. Andras durfde niet eens adem te halen. De baby leek haast niets te wegen. Zijn oogjes waren dicht, zijn huid doorschijnend en op zijn hoofdje zat een krul donker haar. Dit was zijn zoon, zijn zoon. Hij was de vader van dit wezentje. Hij legde zijn wang op de bolling van het hoofdje.

'U kunt hem meenemen naar uw vrouw,' zei Krisztina. 'Zolang u hier toch midden in de nacht bent, kunt u zich net zo goed nuttig maken.'

Andras knikte, hij kon zich niet bewegen, geen woord uitbrengen. In zijn armen lag wat hij als zijn hele leven beschouwde. De baby trappelde, deed zijn mond open en slaakte een luide monotone kreet.

'Hij heeft honger,' zei de zuster. 'Breng hem maar snel naar haar toe.'

En zo gaf hij voor het eerst gehoor aan de behoefte van zijn zoon: hij liep met hem over de afdeling naar Klara's bed. Toen Klara het eerstvolgende kreetje van de baby hoorde, sloeg ze haar ogen open en hees zich omhoog op haar ellebogen. Andras boog zich over haar heen en legde hun zoon in haar armen.

'Andráska,' zei ze en haar ogen vulden zich met tranen. 'Droom ik?'

Hij bukte zich om haar te kussen. Hij beefde zo erg dat hij op het bed moest gaan zitten. Hij sloeg zijn armen om hen heen, om Klara en de baby, en drukte hen zo stevig tegen zich aan als hij durfde.

'Hoe is dit mogelijk?' zei ze. 'Hoe ben je hier gekomen?'

Hij maakte zich los zodat hij haar kon aankijken. 'Een generaal heeft me een lift in zijn auto gegeven.'

'Plaag me niet, schat! Ik heb net een keizersnee gehad.'

'Ik maak absoluut geen grapje. Ik vertel je het verhaal nog wel een keer.'

'Ik was doodsbang dat je iets was overkomen,' zei ze.

'Nu hoef je nergens bang meer voor te zijn,' zei hij en hij streelde haar klamme haar.

'Moet je dit jochie zien,' zei ze. 'Ons zoontje.' Ze trok de deken wat omlaag zodat hij het gezichtje, de gebalde vuistjes en de fijne polsjes kon zien.

'Onze zoon.' Hij schudde zijn hoofd, hij kon het nog steeds niet geloven. 'Ik heb hem gezien. Hij was in adamskostuum toen ik binnenkwam.'

De baby draaide zijn gezichtje naar Klara's borst en opende zijn mondje tegen haar nachthemd. Ze knoopte het hemd open en legde hem aan, terwijl ze zijn donsachtige haartjes streelde. 'Hij lijkt precies op jou,' zei ze en haar ogen vulden zich opnieuw met tranen.

'*Életem.*' *Mijn leven.* 'Vijf weken te vroeg! Je zult wel doodsangsten hebben uitgestaan.'

'Mijn moeder was bij me. Ze heeft me zelf naar het ziekenhuis gebracht. En nu ben jij er ook, al is het maar voor even!'

'Ik ben klaar in Bánhida,' zei hij. 'Mijn diensttijd zit erop.' Hij kon het zelf nauwelijks geloven, maar het was echt waar. Niets kon hem nog dwingen terug te gaan. 'Ik blijf thuis bij jou,' zei hij. En terwijl Klara en hij op het bed zaten in het Gróf Apponyi Albert-ziekenhuis en lachten en huilden boven het kleine donzige hoofdje van hun zoontje begon deze nieuwe werkelijkheid langzaam tot hem door te dringen.

31

Tamás Lévi

Ze vernoemden hun zoontje naar Klara's vader. De eerste weken van zijn leven bracht Andras in een soort mist door: eerst moest de baby vanwege zijn longontsteking tien dagen in het ziekenhuis blijven en viel hij af, ging hij bijna dood, en herstelde hij weer; toen was er de thuiskomst in het appartement aan de Nefelejcs utca, dat nauwelijks hun huis leek, zo vol was het met bloemen, cadeautjes en kraambezoek; dan was er Klara's moeder, die zich voortdurend behulpzaam toonde, maar niet tot praktische assistentie in staat bleek, aangezien haar eigen kinderen altijd door kindermeisjes waren verzorgd; en de moeder van Andras, die wel wist hoe je voor een baby zorgde, maar zich ook geroepen voelde Klara te laten zien wat de júiste manier was om een luier dicht te spelden of het kindje te laten boeren; en Ilana, inmiddels zeven maanden zwanger, die eindeloze Italiaanse maaltijden voor Andras, Klara en hun gasten bereidde; en Mendel Horovitz, die was vrijgekomen uit de Munkaszolgálat en nu tot in het holst van de nacht in de keuken wodka zat te drinken en Andras uitnodigde tot in de kleinste details de wederwaardigheden van het prille ouderschap te beschrijven; en dan niet te vergeten de gewone, onophoudelijke dagelijkse zorg voor een pasgeborene: elke twee uur een voeding, luiers verschonen, kort slapen met veel onderbrekingen en de ogenblikken van ongelovige blijdschap en bodemloze angst. Elke keer dat de baby begon te huilen, dacht Andras dat hij nooit meer zou ophouden, dat hij uitgeput zou raken van het huilen en weer ziek zou worden. Maar Klara, die al eerder een kind had grootgebracht, begreep dat hij huilde omdat hij eenvoudige behoeften had die zij gemakkelijk kon vaststellen en waar ze aan kon voldoen. De baby zou al snel ophouden met huilen en er zou een broze vrede over het huis neerdalen. Andras en Klara zaten samen naar het kindje te kijken, naar hun Tamás, en bewonderden zijn wenkbrauwen, die hij van haar had, zijn mondje, dat hij van zijn vader had en zijn kin met het kuiltje, die zo op de kin van Elisabet leek.

In die onwerkelijke dagen drong er weinig tot hem door, afgezien van de eb en vloed van Tamás' behoeften. De oorlog leek ver weg en weinig relevant, de Munkaszolgálat een boze droom. Maar op de avond van 7 december, de dag voor de *bris* van Tamás, kwam Andras' vader met het bericht dat de Japanners een Amerikaanse marinebasis in Hawaï hadden gebombardeerd, Pearl Harbor. De naam riep verstilde beelden op van een lichtgrijze hemel boven een uitgestrekte, parelmoerkleurige zee. Maar de Japanners hadden er een bloedbad aangericht. Ze hadden vier Amerikaanse marine-schepen en bijna tweehonderd vliegtuigen zwaar beschadigd of totaal verwoest, meer dan vierentwintighonderd man gedood en twaalfhonderd anderen verwond. Andras wist dat de Verenigde Staten Japan nu de oorlog zouden verklaren en daarmee de ring van oorlog rond de aarde zouden sluiten. En inderdaad: de oor-logsverklaring kwam de volgende ochtend, toen Tamás Lévi door de besnijdenis toetrad tot het Verbond. Drie dagen later verklaar-den Duitsland en Italië de Verenigde Staten de oorlog, en vervol-gens verklaarde Hongarije de westelijke geallieerden de oorlog.

Toen Andras die avond voor het slaapkamerraam naar het sper-vuur van stemmen op het Bethlen Gábor tér stond te luisteren, vroeg hij zich af wat deze nieuwe oorlogsverklaring voor zijn ge zinnetje zou betekenen, of voor zijn broers, zijn ouders en Mendel Horovitz. Misschien werd de stad wel gebombardeerd. Wat al schaars was, zou nog schaarser worden. Er zouden meer mannen worden gemobiliseerd, zowel voor het leger als voor de arbeidsin-zet. Hij had net tegen Klara gezegd dat hij nu voorgoed thuis was, maar hoe lang zou die vrijheid duren? Het interesseerde de KMOF ongetwijfeld niets dat hij nu net begon te herstellen na de zware maanden in de Munkaszolgálat. Ze zouden hem gebruiken zoals ze dat altijd hadden gedaan, als eenvoudig werktuig in een oorlog die tot doel had hem te vernietigen. Maar ze hadden hem nog niet te pakken, dacht hij – nog niet. Op dit moment was hij hier thuis in deze stille slaapkamer bij zijn slapende vrouw en kind. Hij kon werk gaan zoeken, Klara en het kindje gaan onderhouden. Dan kon hij ook György Hász eindelijk iets geven, een klein deel van de enorme som die hij elke maand betaalde om Klara uit handen van de politie te houden. Hij had gehoopt de hoofdredacteur van Men-del Horovitz bij de *Avondpost* te kunnen benaderen voor een baan als illustrator of opmaker, maar Mendel was sinds zijn oproep bij de krant weg, zijn baan was allang aan een ander gegeven en de hoofdredacteur was zelf ook ontslagen en opgeroepen voor de Munkaszolgálat. Sinds zijn terugkomst liep Mendel elke dag door de stad met zijn portfolio met knipsels. 's Middags was hij in Café Europa aan het Hunyadi tér te vinden achter een kop zwarte koffie, met een aantekenboekje open op tafel. Goed, Andras zou de volgende dag ook naar het Hunyadi tér gaan en Mendel een voorstel doen: ze konden naar Frigyes Eppler gaan, de vroegere hoofdredacteur van Andras bij *Verleden en Toekomst*, om zich samen aan te bieden voor een betrekking als schrijver en illustrator. Frigyes Eppler werkte tegenwoordig bij het *Hongaars-Joods Dagblad*. De burelen waren gevestigd aan de Wesselényi utca, een paar straten van Café Europa.

De volgende middag om drie uur liep Andras door de met verguldsel versierde deuren van het café naar binnen, waar hij Mendel aan zijn gewone tafeltje achter zijn eeuwige aantekenboekje aantrof. Hij ging tegenover hem zitten, bestelde zwarte koffie en legde zijn voorstel voor.

Mendel tuitte zijn v-vormige mond tot een driehoekje. 'Het moest natuurlijk weer het *Hongaars-Joods Dagblad* zijn,' zei hij.

'Wat is daar dan mis mee?'

'Heb je 't de laatste tijd nog gelezen?'

'Ik ben tegenwoordig vierentwintig uur per dag in dienst van Tamás en Klara Lévi.'

'Die krant serveert uitsluitend nog assimilationistische flauwekul. Blijkbaar moeten we op de christelijke aristocraten in de regering vertrouwen, dan komt alles goed. We moeten gewoon de vlag blijven groeten en het volkslied blijven zingen alsof de antijoodse wetten niet bestonden. In de eerste plaats Hongaar zijn en dan pas joods.'

'Zij vinden in elk geval dat we nodig zijn.'

'Maar hoe lang nog?' vroeg Mendel. 'Voor die krant kunnen we niet werken, Parisi. We moeten het bij een van de linkse vodjes proberen.'

'Daar ken ik niemand. En ik heb weinig tijd. Ik moet mijn zoon zien te onderhouden voordat ik weer word opgeroepen.'

'Hoe kom je erbij dat Eppler ons allebei zou willen aannemen?'

'Hij heeft oog voor goed werk. Als hij iets van jou leest, wil hij je meteen hebben.'

Mendel stootte een lachje uit. 'De joodse krant!' zei hij. 'Van alle kranten moet je me uitgerekend daarheen slepen om een baan voor me te regelen, hè.'

'Frigyes Eppler is niet conservatief, althans niet toen ik hem kende. *Verleden en Toekomst* was echt een zionistische onderneming. In elk nummer stond wel een romantiserend stuk over Palestina en het avontuur van emigratie. Misschien herinner je je nog het hoofdartikel van mei '36. Dat ging over een kampioen hardlopen die bij de Olympische Spelen niet voor Hongarije mocht uitkomen omdat hij joods was. Eppler was degene die dat stuk erdoor heeft gedrukt. Als hij nu bij de joodse krant werkt, wil hij daar de boel vast wat opschudden.'

'Doe me een lol,' zei Mendel. 'Nou ja, goed. We gaan met 'm praten.'

Hij sloeg zijn notitieboekje dicht, rekende af en ging met Andras mee naar de Wesselényi utca.

Op de redactieburelen troffen ze Frigyes Eppler achter de glazen wanden van het kantoortje in een hooglopende ruzie met de directeur aan; door de ruiten die op de redactie uitkeken, zagen ze de beide mannen een reeks nadrukkelijke gebaren in de lucht uithouwen. Sinds Andras zijn vroegere hoofdredacteur voor het laatst had gezien, was die helemaal kaal geworden; inmiddels droeg hij een bril met een hoornen montuur. Hij was forsgebouwd, met ronde schouders. Zijn overhemd had de neiging zich uit zijn broek los te maken en zijn das vertoonde vaak sporen van een haastige lunch. Hij leek altijd zijn hoed, zijn sleutels of zijn sigarettenkoker kwijt te zijn. Maar als redacteur ontging hem geen detail. *Verleden en Toekomst* had ieder jaar van Epplers hoofdredacteurschap internationale prijzen gewonnen. Zijn grootste triomf was de carrière van de jonge mannen en vrouwen die voor hem hadden gewerkt; Andras was slechts één van de journalisten, redacteuren en grafisch kunstenaars die hij met zijn kenmerkende generositeit had voortgeholpen. Hij had niet verwonderd gekeken toen Andras tot de École Spéciale was toegelaten. Zoals hij destijds tegen Andras zei, had hij zich altijd tot doel gesteld mensen in dienst te nemen die zouden opstappen omdat ze iets beters hadden gevonden voordat hij de kans kreeg hen te ontslaan.

Andras verstond niet waar de woordenwisseling met de directeur over ging, maar Eppler was duidelijk aan de verliezende hand. Zijn gebaren werden steeds breder en hij ging steeds luider praten naarmate de discussie vorderde; de directeur keek weliswaar triomfantelijk, maar schoof toch steeds dichter naar de deur van zijn eigen werkkamer toe, alsof hij van plan was te vluchten zodra zijn overwinning compleet was. Eindelijk vloog de deur open en de directeur liep de redactiezaal in. Hij riep zijn secretaresse een opdracht toe, sjokte de zaal door en ontsnapte naar de trap alsof hij bang was dat Eppler achter hem aan kwam. De woedende, verslagen Eppler stond alleen in zijn kamer en wreef met beide handen over zijn kale schedel. Andras zwaaide naar hem.

'Wat nu weer?' vroeg Eppler zonder Andras aan te kijken; toen herkende hij hem, slaakte een kreet en drukte zijn handen tegen zijn borst alsof zijn hart er anders uit zou vallen. 'Lévi!' riep hij. 'Andras Lévi! Wat kom jij hier in godsnaam doen?'

'Ik kom u opzoeken, Eppler-úr.'

'Hoe lang is dat niet geleden? Honderd jaar? Duizend? Maar dat gezicht zou ik overal herkennen. Waar verdoe jij tegenwoordig je tijd mee?'

'Eigenlijk nergens mee,' zei Andras. 'Dat is het probleem.'

'Ik hoop dat je geen werk komt zoeken. Ik heb je al heel lang geleden de wereld in gestuurd. Ben je nu nóg geen architect?'

Andras schudde zijn hoofd. 'Ik heb net twee jaar bij de Munkaszolgálat achter de rug. Die lange hier is een jeugdvriend van me die in dezelfde compagnie zat, Mendel Horovitz.'

Mendel maakte een lichte buiging en tikte aan zijn hoed, en Frigyes Eppler nam hem van hoofd tot voeten op. 'Horovitz,' zei hij, 'ik heb wel eens een foto van je gezien.'

'Mendel is Hongaars kampioen op de honderd meter sprint,' zei Andras.

'Ja! Was daar niet een schandaal over, een jaar of wat geleden?'

'Een schandaal?' Mendel grijnsde wrang. 'Was het maar waar.'

'Hij mocht in '36 niet bij het Hongaarse Olympische team,' zei Andras. 'Daar stond nog een stuk over in *Verleden en Toekomst*. Dat had uzelf opgesteld.'

'Maar natuurlijk! Dom van me. Jij bent dé Horovitz. Wat doe je tegenwoordig?'

'Ik zit in de journalistiek, vrees ik.'

'Nou ja – belachelijk! Dus jij komt hier ook als smekeling?'

'Parisi en ik zijn hier als team.'

'Bedoel je Lévi? Ach, natuurlijk, je noemt hem Parisi vanwege die periode aan de École Spéciale. Daar was ik verantwoordelijk voor. Niet dat hij me daar ooit voor zal prijzen. Hij zegt natuurlijk dat hij het aan zijn talent te danken had.'

'Hij is in elk geval geen slechte tekenaar. Ik had hem in dienst genomen voor mijn krant.'

'Welke krant?'

Uit zijn tas haalde Mendel een paar stukgelezen exemplaren van *De Steekvlieg*. 'Dit maakten we in het kamp in Bánhida. Hij is niet zo leuk als de krant die we volschreven toen we in Subkarpatië en Transsylvanië zaten, maar daarvoor werden we uit de compagnie getrapt. We moesten onze woorden inslikken. Twintig pagina's elk.'

Nu keek Frigyes Eppler plotseling ernstig; hij keek Andras en Mendel schuchter aan en ging toen aan zijn bureau zitten om in *De Steekvlieg* te bladeren. Hij las een poosje zwijgend door, keek Mendel aan en grinnikte zacht. 'Ik herken jouw werk,' zei hij tegen Mendel. 'Jij schreef die column voor de *Avondpost*. Een geslepen politiek instrument, vermomd als het geraaskal van een jonge nietsnut. Maar je was behoorlijk scherp, hè?'

Mendel glimlachte. 'Op mijn ergst.'

'Vertel eens,' zei Eppler zacht. 'Wat doe je hier eigenlijk? Deze krant vertegenwoordigt nu niet bepaald de allermodernste denkrichting.'

'Met alle respect, maar dat zouden wij ook aan ú kunnen vragen,' antwoordde Mendel.

Eppler masseerde zijn vaalbleke hoofdhuid. 'Een mens is nu eenmaal niet altijd waar hij het liefst zou zijn,' zei hij. 'Ik heb een tijdje bij de *Pesti Napló* gezeten, maar daar moesten mensen worden ontslagen. Je begrijpt wel wat ik bedoel,' zei hij met een ongelukkig lachje dat overging in gekuch; hij was een verstokte roker. 'Ik hoefde tenminste niet bij de Munkaszolgálat. Gelukkig stuurden ze me niet naar het oostfront om een voorbeeld te stellen. Hoe dan ook, het kwam er simpel gezegd op neer dat ik in leven moest zien te blijven – een oude gewoonte, zogezegd – dus toen er hier een baan beschikbaar kwam, nam ik die aan. Beter dan op straat zingen voor een aalmoes.'

'Dat zullen wij binnenkort moeten doen,' zei Mendel, 'tenzij we werk vinden.'

'Ik kan niet zeggen dat ik deze krant aanbeveel,' zei Eppler. 'Zoals jullie misschien al hadden begrepen, zijn de directie en ik het niet altijd eens. Ik word dan wel geacht de hoofdredacteur te zijn, maar zoals jullie hebben gezien dirigeert de directeur mij vaak.'

'Misschien kunt u iemand gebruiken die aan uw kant staat,' zei Andras.

'Als ik jou aannam, Lévi, dan zou dat niet zijn om mijn kant te versterken, maar om het werk af te krijgen, net als toen je pas van het gimnázium kwam.'

'Ik heb er sindsdien wel het een en ander bij geleerd.'

'Dat geloof ik graag. En je vriend lijkt me een interessante kerel. Horovitz, ik kan niet zeggen dat ik je op grond van die *Steekvlieg* zou hebben aangenomen, maar die columns van je volgde ik destijds wel.'

'Ik voel me gevleid.'

'Daar is geen aanleiding toe. Ik lees alle troep die in deze stad verschijnt. Dat beschouw ik als mijn taak.'

'Denkt u dat u iets voor ons kunt vinden?' vroeg Mendel. 'Ik wil niet graag bot zijn, maar soms moet dat. Lévi moet zijn zoontje onderhouden.'

'Een zoon! Goeie god. Als jij al een zoon hebt, Lévi, dan ben ik echt een oude man.' Hij zuchtte en hees zijn broek op. 'Ach, wat maakt het ook uit, jongens. Kom hier maar werken als jullie zo graag aan het werk willen. Ik verzin wel iets voor jullie.'

Die avond zat Andras thuis met zijn moeder en de baby aan de keukentafel terwijl Klara in de voorkamer op de divan lag te slapen. Zijn moeder haalde een speld uit het nachthemd dat ze aan het naaien was en stak hem in het grijsfluwelen speldenkussentje dat ze al gebruikte zolang Andras zich kon herinneren. Ze had haar oude naaidoos mee naar Boedapest genomen en Andras merkte tot zijn verrassing dat hij nog precies wist wat erin zat: het rafelige meetlint, het ronde blauwe blikje met de vele verschillende knoopjes, de schaar met de zwarte handgreep en de glimmende bladen, het raadselachtige radeerwieltje, de talloze klosjes zijde en katoen in alle kleuren. Haar minuscule overhandse steekjes waren nog even strak en nauwgezet als de steken die Andras' kraagjes hadden gesierd toen hij klein was. Toen ze klaar was met de zoom, hechtte ze af en beet ze de draad door.

'Toen je klein was, keek je altijd toe als ik zat te naaien,' zei ze.

'Dat weet ik nog. Ik vond het net toveren.'

Ze trok een wenkbrauw op. 'Als ik kon toveren, ging het een stuk sneller.'

'Haast is de vijand van de nauwgezetheid,' zei Andras. 'Dat zei mijn tekenleraar in Parijs altijd.'

Zijn moeder maakte een knoopje aan het einde van de draad en keek weer op. 'Wat is het lang geleden dat je op school zat, hè?' zei ze.

'Een eeuwigheid.'

'Als dit allemaal afgelopen is, kun je verder studeren.'

'Ja, dat zegt Apa ook. Maar ik weet nog niet hoe het verder zal gaan. Ik heb nu een vrouw en een zoon.'

'In elk geval fijn dat je nu een baan hebt,' zei zijn moeder. 'Verstandig van je om aan Eppler te denken.'

'Ja, dat is fijn,' zei Andras, maar het gaf hem niet zo'n fijn gevoel als hij had verwacht. Hij was weliswaar opgelucht dat hij nu geld kon verdienen, maar nu hij weer voor Eppler ging werken, leek het net alsof zijn tijd in Parijs nooit had plaatsgevonden. Hij wist wel dat dat nergens op sloeg; hij had Klara immers in Parijs ontmoet, en daar vlak voor hem op de tafel, in het rieten reiswiegje, sliep Tamás Lévi, het wonderbaarlijke bewijs van hun leven samen. Maar 's morgens op kantoor komen en van Eppler te horen krijgen wat hij die dag moest doen – dat deed hij toen hij negentien, twintig was. Dat leek een ontkenning van de mogelijkheid dat hij ooit zou afstuderen en het werk zou doen waar hij naar hunkerde. Alles leek samen te spannen om zijn verdere studie te verhinderen. Het Frankrijk van zijn studententijd bestond niet meer. Zijn vrienden waren overal verspreid. Zijn docenten waren gevlucht. Geen enkele hogeschool in Hongarije zou hem toelaten. In geen enkel vrij land was hij welkom. De oorlog werd elke dag erger. Hun leven was in gevaar. Hij vermoedde dat het niet lang zou duren voordat Boedapest werd gebombardeerd.

'Kijk me niet zo duister aan,' zei zijn moeder. 'De hele toestand is niet mijn schuld. Ik ben je moeder maar.'

De baby bewoog in zijn mandje. Hij draaide met zijn hoofdje tegen de dekentjes, vertrok zijn gezichtje tot een roze grimas en slaakte een kreet. Andras boog zich over het mandje en tilde hem eruit.

'Ik ga wel even met hem op de binnenplaats lopen,' zei hij.

'Je neemt hem toch niet mee naar buiten?' zei zijn moeder. 'Dan vat hij kou.'

'Hij mag Klara niet wakker maken. Ze moet al wekenlang elke nacht op.'

'Sla dan in vredesnaam een dekentje om hem heen. En doe een jas om je schouders. Hier, als jij hem even zo vasthoudt, zet ik hem zijn mutsje op. Doe het dekentje over zijn hoofd, dan blijft hij warm.'

Hij liet zichzelf en de baby door zijn moeder inpakken tegen de kou. 'Blijf niet te lang buiten,' zei ze, en ze klopte de kleine even op zijn ruggetje. 'Hij valt wel weer in slaap als je een paar minuten heen en weer loopt.'

Het was een opluchting om even uit de benauwde hitte in het appartement weg te zijn. Het was een heldere, koude nacht en er hing een bevroren maansikkeltje aan een onzichtbare draad aan de hemel; voorbij de nevel van de stadsverlichting kon hij in de verte de sterren onderscheiden, als ijskristallen in de lucht. De baby lag veilig tegen hem aan en werd weer rustig. Hij voelde het snelle rijzen en dalen van de ademhaling van zijn zoontje tegen zijn borst. Hij liep heen en weer over de binnenplaats en neuriede een wiegeliedje; hij drentelde om de fontein heen waar hij en Klara het kleine donkerharige meisje hadden gezien dat met haar hand in het water zat. Er lag nu een korst van ijs op het stenen bekken. Het veiligheidslampje van de binnenplaats verlichtte de diepte, en toen hij zich eroverheen boog, zag hij de vurige flitsen van de goudvissen onder het oppervlak. Daar, onder het ijs, ging hun flakkerende leventje gewoon door. Hij wilde weten hoe ze dat deden, hoe ze het vertragen van hun hartslag en het verkillen van hun bloed doorstonden, de hele lange, donkere winter door.

De advertenties in het *Hongaars-Joods Dagblad* hadden in Andras' ogen iets buitenaards. Als assistent-opmaker moest hij de keurige geïllustreerde vakjes in de marges naast de artikelen zetten; in de rechthoekige kadertjes met afbeeldingen van kleren, schoenen en zeep, parfum en dameshoeden, leek de oorlog niet te bestaan. Het was onmogelijk om de advertentie voor avondschoentjes van Spaans leer te verzoenen met de gedachte aan Mátyás die in de Oekraïne de winter buiten doorbracht en misschien niet eens goede laarzen of zelfs maar behoorlijke vodden aan zijn voeten had. Het was onmogelijk om de advertentie van de drogist te lezen waarin diens gepatenteerde kniebeugels werden geroemd en dan aan Tibor te denken, die de gecompliceerde breuk van een soldatenbeen moest spalken met een eind hout dat uit de vloer van de kazerne was losgetrokken. De tekenen van de oorlog – de afwezigheid van zijden kousen, de schaarste aan metaal, het verdwijnen van Amerikaanse en Engelse producten – waren eerder ontkenningen dan toevoegingen; de lege plekken waar de advertenties voor die artikelen zouden hebben gestaan, werden met andere beelden, andere verstrooiingen gevuld. De winkel in sportartikelen aan de Szerb utca was de enige die in zijn advertenties op de oorlog zinspeelde door iets aan te prijzen wat het Buitenpakket werd genoemd, een plunjezak met alles wat je voor een verblijf bij de Munkaszolgálat nodig kon hebben: een kampmok, kampeerbestek, een etensblik, een geïsoleerde veldfles, een dikke wollen deken, robuuste laarzen, een kampeermes, een waterdichte regenjas, een gaslamp en een verbanddoos. Er werd niet bij vermeld dat het pakket voor de Munkaszolgálat bedoeld was, maar waar kon een inwoner van Boedapest zoiets in januari anders voor nodig hebben?

Andras kon alleen maar met verbijstering kijken naar het starre, kortzichtige optimisme in de artikelen die de ruimte tussen de advertenties vulden. De krant werd geacht de spreekbuis van de joodse gemeenschap te zijn; hoe kon men dan in het hoofdartikel beweren dat de Hongaarse jood 'zowel in taal als in mentaliteit, cultuur en gevoel één was met de Hongaarse natie', terwijl de Hongaarse jood in werkelijkheid op het slagveld vooruit werd gestuurd om de mijnen op te ruimen opdat het Hongaarse leger er veilig overheen kon om zijn nazibondgenoten te steunen? Mendel had gelijk gehad over de inhoud van de krant. Voor zover die verslag deed van het nieuws, was dat slechts met één doel: voorkomen dat de Hongaarse joden in paniek raakten. In zijn tweede week bij de krant meldde die met genoegen dat admiraal Horthy de felst pro-Duitse leden van zijn staf had ontslagen – dat was toch wel een overduidelijk bewijs van de solidariteit van de Hongaarse overheid met de joden.

Maar het *Hongaars-Joods Dagblad* was niet de enige krant in de stad en de kleinere, onafhankelijke linksere bladen brachten nieuws dat meer te maken had met de wereld waarvan Andras tijdens de arbeidsinzet een glimp te zien had gekregen. Er waren berichten over een bloedbad dat in Kamenets-Podolsk was aangericht, kort nadat Hongarije zich met de oorlog tegen de Sovjet-Unie was gaan bemoeien; een van de kranten drukte een anoniem interview af met een lid van een Hongaars regiment van de genietroepen, een man die bij de massamoord aanwezig was geweest en sinds zijn terugkeer door schuldgevoelens werd verteerd. Nadat het Hongaarse Centrale Bureau voor Vreemdelingen de joden van twijfelachtige nationaliteit bijeen had gedreven, vertelde de man, werden die overgedragen aan de Duitse autoriteiten in Galicië, per vrachtwagen naar Kolomyya gebracht en vervolgens onder bewaking van ss-troepen en het genieregiment van de bron van het bericht te voet naar een stel bomkraters bij Kamenets-Podolsk gebracht. Daar werden ze allemaal doodgeschoten, samen met de oorspronkelijke joodse bevolking van Kamenets-Podolsk – alles bij elkaar drieëntwintigduizend joden. Het was de bedoeling Hongarije van buitenlandse joden te zuiveren, maar een groot aantal van de vermoorde joden waren Hongaren die hun identiteitspapieren niet snel genoeg hadden kunnen vinden. Dat zat de geïnterviewde Hongaar blijkbaar zo dwars: hij had in koelen bloede zijn landgenoten doodgeschoten. Het leek dus alsof de Hongaren toch een zekere solidariteit voor hun joodse broeders voelden, al ging die in dit geval blijkbaar niet diep genoeg om hen te beletten de trekker over te halen.

Toen, in de laatste week van februari, verscheen er in de *Stem des Volks* een verslag van nog een slachting onder joden, ditmaal in de Délvidék, de strook van Joegoslavië die Hitler tien maanden daarvoor aan Hongarije had teruggegeven. Een zekere generaal Feketehalmy-Czeydner had volgens de krant de executie van duizenden joden bevolen onder het mom van een aanval op Tito-partizanen. Vluchtelingen uit de regio kwamen geleidelijk terug naar Boedapest met gruwelverhalen over de moordpartij: de mensen waren naar de oever van de Donau gesleept, moesten zich in de ijzige kou uitkleden en in rijen van vier op de duikplank gaan staan, boven een groot wak dat met een kanon in het ijs was geschoten, en werden met machinegeweren het water in geknald. Toen Andras op een ochtend op kantoor kwam, trof hij zijn werkgever verstomd van afgrijzen in de redactieruimte aan, met de *Stem des Volks* open op het bureau voor hem. Hij gaf Andras de krant aan en ging naar zijn kamer zonder een woord te zeggen. Toen de directeur arriveerde, vond er weer een ruzie achter glas plaats, maar er verscheen geen woord over de slachting in het *Hongaars-Joods Dagblad*.

Later die week beviel Ilana Lévi in het Gróf Apponyi Albert-ziekenhuis van een zoontje. Drie dagen daarvoor was er een brief van Tibor gekomen: hij hoopte die woensdagavond te worden vrijgelaten uit zijn werkeenheid, dus hij had goede hoop op tijd voor de geboorte thuis te kunnen zijn. Maar de dag ging voorbij zonder dat ze iets van hem vernamen. De eerste avond dat Ilana weer thuis was, gingen Andras en Klara haar een sabbatsmaaltijd brengen. Ze was nog uitgeput van het bloedverlies, maar toch had ze erop gestaan zelf de tafel te dekken met de kandelaars die ze bij haar huwelijk van Béla en Flóra had gekregen en de Florentijnse borden die haar moeder haar naar Hongarije had meegegeven. Samen met Klara stak ze de kaarsen aan, Andras sprak de zegen uit over de wijn en ze gingen aan tafel zitten, elk met haar eigen slapende kind in haar armen. Er heerste een diepe, indringende rust in de kamer die van de architectuur zelf leek uit te gaan. Het appartement lag op de begane grond, drie smalle kamers die nog kleiner leken door de zware houten steunbalken. De openslaande deuren van de eetkamer keken uit op de binnenplaats, waar door toedoen van een fietsenmaker een waar kerkhof van roestige frames, sturen, spaken en stapels versteende kettingen was ontstaan. De licht besneeuwde collectie deed Andras aan een met lijken bezaaid slagveld denken. Hij betrapte zichzelf erop dat hij in het verflauwende, blauwachtige licht naar buiten zat te kijken en dat zijn blik tussen de schaduwen heen en weer gleed. Hij was degene die de gestalte door de ijsbloemen op het raam zag, een donkere, smalle gedaante die zich een weg baande tussen de fietsen door, als een geest die zijn gevallen kameraden kwam zoeken. Eerst dacht hij nog dat de schim een spookbeeld van zijn eigen angsten was; toen nam de gestalte een bekende vorm aan, een beeld van zijn verlangens. Hij aarzelde nog of hij Ilana's aandacht zou trekken, want hij dacht nog steeds dat hij het zich verbeeldde. Maar de gedaante liep naar het raam en keek naar het tafereel daar binnen – Andras aan het hoofd van de tafel met Klara aan zijn zijde en een zuigeling aan Klara's borst, Ilana met haar rug naar het raam en een arm om een pakketje in een dekentje geslagen – en de hand van de geest vloog naar zijn mond en zijn benen begaven het. Het was Tibor, thuisgekomen van zijn werkeenheid. Andras schoof zijn stoel naar achteren en rende naar de deur. In een flits was hij bij zijn broer op de binnenplaats, ze zaten samen in de sneeuw tussen de verminkte fietsen, en toen waren de vrouwen er ook en hield Tibor zijn vrouw en zijn zoon in zijn armen.

Tibor. Tibor.

Ze riepen zijn naam in een niet aflatende razernij, alsof ze zichzelf ervan moesten overtuigen dat hij het echt was, en ze namen hem mee naar binnen. Tibor was lijkbleek in het zwakke licht van de zitkamer. Zijn brilletje met het zilveren montuur was weg en zijn schedel schemerde als een scherp staketsel onder zijn huid. Zijn jas hing aan flarden, zijn broek was stijf van het ijs en het gedroogde bloed en zijn laarzen bestonden alleen nog uit rafels leer. Zijn soldatenpet was verdwenen. In plaats daarvan droeg hij een gevoerde motorpet waarvan één oorklep was weggerukt. Het blote oor was vuurrood van de kou. Tibor trok de pet van zijn hoofd en liet hem op de grond vallen. Zijn haar zag eruit alsof het een paar weken daarvoor met een botte schaar tot op de hoofdhuid was afgeknipt. De lucht van de Munkaszolgálat hing om hem heen, de stank van mannen die dicht op elkaar leven zonder genoeg water, zeep of tandpoeder, vermengd met de zwavelachtige geur van de rook van bruinkool en de stront-en-zaagselwalm van de veewagens.

'Laat me eens naar mijn jongen kijken,' zei hij; zijn stem was nauwelijks meer dan een gefluister, alsof hij in geen dagen gesproken had.

Ilana gaf hem de baby aan, gewikkeld in witte dekentjes. Tibor legde het kindje op de bank en knielde erbij neer. Hij maakte het dekentje los, nam het mutsje af dat het fijne, donkere haar van zijn zoon bedekte, trok hem het katoenen hemdje met de lange mouwen uit, en de broek en de sokjes, de luier; al die tijd lag de baby stil en met grote ogen te kijken, zijn handjes tot vuistjes gebald. Tibor raakte de uitgedroogde resten van de navelstreng aan. Hij nam de voetjes en de handjes in zijn handen. Hij legde zijn gezicht tegen de plooi van het halsje. De baby heette Ádám. Dat hadden Tibor en Ilana in hun brieven samen besloten. Hij zei de naam hardop, alsof hij zijn beeld van de baby en het echte naakte kindje op de bank dichter bij elkaar wilde brengen. Toen keek hij op naar Ilana.

'Ilana,' zei hij, 'het spijt me zo. Ik had op tijd thuis willen zijn.'

'Nee,' zei ze, en ze boog zich naar hem toe. 'Toe, niet huilen.'

Maar hij huilde wel. Niemand kon zijn tranen stelpen. Hij huilde, en ze kwamen allemaal bij hem op de grond zitten alsof ze samen in de rouw waren. Maar ze rouwden niet – toen niet; ze waren samen, alle zes, in een stad waar nog steeds geen getto's waren, die niet verbrand of gebombardeerd was. Ze zaten samen op de grond totdat Tibor niet meer huilde, totdat hij weer gewoon adem kon halen. Hij haalde diep en schor adem, keer op keer, eerst door zijn mond en toen langzaam door zijn neus. 'O god,' zei hij met een ontzette blik naar Andras. 'Ik stink. Help me even die kleren uit te trekken.' Hij begon aan de kraag van zijn voddige jas te trekken. 'Ik had de baby niet moeten aanraken voordat ik me gewassen had. Wat ben ik smerig!' Hij stond op en liep naar de keuken, met achterlating van een spoor van stijf geworden kleren. Ze hoorden de galm van de tinnen wastobbe op de tegels van de keukenvloer en het ruisen van het water in de gootsteen.

'Ik ga hem even helpen,' zei Ilana. 'Houd jij de baby vast?'

'Geef 'm maar aan mij,' zei Klara. Ze gaf Tamás aan Andras. Ze gingen samen op de bank zitten, Andras, Klara en de twee baby's, terwijl Ilana water opzette voor Tibors bad. Ondertussen at Tibor aan tafel, in zijn gescheurde onderhemd en zijn broek van de Munkaszolgálat. Toen kleedde Ilana hem verder uit en waste hem van top tot teen met een nieuw stuk zeep. Uit de keuken kwam een geur van amandelen naar binnen. Toen dat klaar was, trok ze hem een flanellen pyjama aan, en hij zweefde naar de slaapkamer alsof hij slaapwandelde. Andras volgde hem naar het bed en ging naast hem zitten, met Tamás in zijn armen. Klara kwam achter hem aan met het zoontje van Tibor. Ilana legde een paar verhitte, in hand doeken gewikkelde stenen tussen de lakens bij het voeteneind en trok het dekbed op tot zijn kin. Zo zaten ze allemaal bij hem op bed; ze konden nog steeds niet helemaal geloven dat hij er echt was.

Maar Tibor was er nog niet, althans nog niet helemaal; terwijl hij wegdommelde, maakte hij een angstig geluidje, alsof er een steen op zijn borst viel die de lucht uit zijn longen sloeg. Hij keek hen met wijd open ogen aan en zei: 'Neem me niet kwalijk.' Zijn ogen vielen weer dicht en hij dommelde weer in, maakte weer dat schrikgeluid – húh! – en schoot weer wakker. 'Neem me niet kwalijk,' zei hij weer; hij zakte weg, werd wakker en verontschuldigde zich. Zijn ogen vielen dicht, hij haalde adem, maakte zijn geluidje en schoot weer wakker, achternagezeten door iets wat hem aan de andere kant van de bewustzijnsgrens opwachtte. Ze bleven een heel uur bij hem zitten, totdat hij eindelijk in een diepere slaap wegzonk.

Tibors favoriete koffiehuis, Jókai, had plaatsgemaakt voor een kapperszaak met zes glimmende nieuwe stoelen en een stel kappers met snorren. Die ochtend beoefenden de kappers hun kunsten op de hoofden van twee jongens in soldatenuniform. Zo te zien waren ze nog maar net van de middelbare school af. Ze hadden identieke vooruitstekende kinnen en identieke hoge wenkbrauwen; hun voeten op de voetsteunen van de kappersstoel hadden identieke naar binnen gedraaide tenen. Ze waren duidelijk broers, misschien zelfs tweelingbroers. Andras keek Tibor even aan, die hem met zijn blik leek te vragen wat die twee broers eigenlijk dachten, dat ze naar die kapper gingen die het Jókai Káveház zo vlekkeloos had weggeschoren en door die steriele zwart-wit betegelde salon had vervangen. Er was geen sprake van dat Andras en Tibor zich daar lieten scheren. Die kapper was een verrader.

Ze gingen naar de Andrássy út, naar het kunstenaarscafé, een etablissement uit de belle époque met gietijzeren tafeltjes, lampen met amberkleurige kapjes en een vitrine vol taartjes. Andras stond erop een punt *Sachertorte* te bestellen, ondanks Tibors protest dat dat te duur en te zwaar was en dat hij er maar één hap van op zou kunnen.

'Je moet iets vets eten,' zei Andras. 'Iets met boter.'

Tibor glimlachte zwakjes. 'Je lijkt moeder wel.'

'Dan luister je tenminste.'

Weer dat lachje – een bleke, ingevroren versie van Tibors oude lach, alsof hij op sterk water in een museum had gestaan. Toen de taart kwam, sneed hij er met zijn vork een klein stukje af, dat hij op de rand van het schoteltje liet liggen.

'Je zult het nieuws uit de Délvidék inmiddels wel hebben gehoord,' zei Tibor.

Andras roerde in zijn koffie en legde het lepeltje neer. 'Ik heb een artikel in de krant gelezen en verschrikkelijke geruchten gehoord.'

Tibor knikte nauwelijks merkbaar. 'Daar was ik bij,' zei hij.

Andras keek op en ving de blik van zijn broer. Het was vreemd Tibor zonder bril te zien, die zijn ongewoon grote ogen altijd wat meer in proportie had gebracht met de rest van zijn gezicht. Zonder die bril zag hij er rauw en kwetsbaar uit. Het dieet van koolsoep, bruinbrood en koffie had hem tot zijn kale essentie teruggebracht; de essentie van Tibor, een gereduceerde Tibor, die misschien weer met het gewone leven kon worden gecombineerd tot de Tibor die Andras kende. Hij wist niet of hij wel wilde horen wat Tibor in de Délvidék had meegemaakt. Hij boog zich over zijn koffie om die blik niet te hoeven zien.

'Ik was daar anderhalve maand geleden,' begon Tibor, en toen vertelde hij het hele verhaal. Het was eind januari. Zijn Munkaszolgálat-compagnie was bij het Vijfde Legerkorps gevoegd; ze moesten slavenwerk doen voor een infanteriecompagnie in Szeged, pontons over de Tisza leggen zodat de compagnie het materieel naar de overkant kon brengen. Op een ochtend had de sergeant hen bijeen geroepen en meegedeeld dat ze greppels moesten graven. Ze werden in vrachtwagens geladen en naar een plaatsje gebracht dat Mošorin heette, vanwaar ze naar een veld moesten lopen. Daar kregen ze het bevel een greppel te graven. 'Ik herinner me nog de afmetingen,' zei Tibor. 'Twintig meter lang, tweeënhalve meter breed en twee meter diep. Het werk moest vóór donker klaar zijn.'

Aan het tafeltje naast het hunne zat een jonge vrouw met twee dochtertjes; ze keek lang naar Tibor en wendde haar blik toen af. Hij bevoelde het ornamentje aan het uiteinde van zijn vork en ging op zachtere toon verder.

'We groeven die greppel,' zei hij. 'We dachten dat het voor een veldslag was. Maar daar was het niet voor. Toen het donker was, werd er een groep mensen naar dat veld gebracht. Mannen en vrouwen. Honderddrieëntwintig mensen. Wij zaten bij die greppel onze soep op te eten.'

De jonge vrouw had zich een stukje omgedraaid. Ze was een jaar of dertig; ze zagen nu dat ze een davidsster aan een dun kettinkje om haar hals droeg. Ze keek naar haar kinderen, die samen een kop chocolademelk deelden en de laatste kruimeltjes van een stuk maanzaadstrudel opaten.

Toen Tibor verderging, fluisterde hij bijna. 'Er waren ook kinderen bij,' zei hij. 'Pubers. Sommige waren niet ouder dan een jaar of twaalf, dertien.'

'Zsuzsi, Anni,' zei de vrouw, 'gaan jullie vast wat taartjes voor oma uitzoeken?'

'Maar ik heb mijn chocola nog niet op,' zei het kleinste meisje.

'Tibor,' zei Andras. Hij legde een hand op de arm van zijn broer. 'Vertel straks maar verder.'

'Nee,' zei de vrouw zacht. Ze keek Andras aan. 'Het maakt niet uit.' Tegen de meisjes zei ze: 'Ga maar vast, ik kom zo.' Het grootste meisje trok haar jas aan en hielp het kleinste met haar mouwen. Toen liepen ze naar de vitrine met taartjes en keken ernaar, met hun vingertjes tegen het glas. De vrouw legde haar handen in haar schoot en keek naar haar lege theekopje.

'Ze zetten die mensen op een rij voor de greppel,' zei Tibor. 'Hongaren. Allemaal joden. Ze moesten zich helemaal uitkleden en een halfuur lang naakt in de vrieskou blijven wachten. Toen werden ze doodgeschoten,' zei hij. 'Zelfs de kinderen. Wij moesten ze begraven. Sommigen waren nog niet dood. De soldaten hielden ons onder schot terwijl we doorwerkten.'

Andras keek naar de vrouw naast hen, die haar hand voor haar mond had geslagen. Bij de vitrine stonden haar dochtertjes de voordelen van de verschillende taartjes te bespreken.

'Wie houdt ze tegen als ze dat ook met ons willen doen?' vroeg Tibor. 'We zijn hier niet veilig. Begrijp je?'

'Ja,' zei Andras. Natuurlijk waren ze hier niet veilig. Er ging geen minuut voorbij zonder dat hij daaraan dacht. En het gevaar was nog dieper doorgedrongen dan Tibor wist: Andras had hem nog steeds niets over de toestand met Klara en het ministerie van Justitie verteld.

'De dreiging is hier in ons land,' zei Tibor. 'We houden onszelf voor de gek als we geloven dat het wel los zal lopen zolang Horthy een Duitse bezetting kan tegenhouden. En de Pijlkruisers dan? En de vooroordelen van de gewone Hongaarse burger?'

'Wat moeten we doen, volgens jou?' vroeg Andras.

'Ik zal je iets zeggen,' zei Tibor. 'Ik wil uit Europa weg. Ik wil mijn vrouw en mijn zoon hier weg hebben. Als we blijven, wordt dat onze dood.'

'Hoe had je dat willen doen? De grenzen zijn gesloten. Een uitreisvisum is onmogelijk te krijgen. Niemand wil ons toelaten. En dan de kleintjes. Het zou al moeilijk genoeg zijn als we alleen waren.' Hij keek om zich heen; het leek al gevaarlijk om hier in het openbaar over te praten. 'We kunnen nu niet weg,' zei hij. 'Onmogelijk.'

De vrouw aan het andere tafeltje keek snel in de richting van Andras en Tibor en haar donkere ogen schoten tussen hen beiden heen en weer. Bij de vitrine hadden haar dochtertjes hun keus gemaakt; het oudste meisje draaide zich om en riep haar. Ze stond op, trok haar jas aan en zette haar hoed op. Toen ze door de smalle ruimte tussen de tafeltjes naar de kinderen toe liep, knikte ze

Andras en Tibor even toe. Pas toen zij en de meisjes door de geslepen glazen deuren naar buiten waren gegaan, zag Andras dat ze haar zakdoekje op tafel had laten liggen. Het was een fijn batisten zakdoekje met een kanten rand en een geborduurd monogram, een B. Andras pakte het op en zag een gevouwen papiertje, een afgescheurd tramkaartje waarop met potlood gekrabbeld stond: *misschien kan K u helpen.* En een adres in Angyaföld, vlak bij het eindpunt van de tramlijn.

'Moet je kijken,' zei Andras. Hij gaf het tramkaartje aan zijn broer.

Tibor moest zonder zijn bril lang naar de kleine lettertjes turen. 'Misschien kan K u helpen,' zei hij. 'Wie is K?'

Ze reden langs de appartementen in het centrum van Pest naar een industriewijk waar textiel- en machinefabrieken grauwe rook naar de grijze lucht bliezen. Er reden grommende legertrucks door de straten, volgeladen met stalen buizen en balken, betonnen afvoergoten, B-2-blokken en reusachtige ijzeren hoepels, als de ribben van een monster. Bij het eindpunt stapten ze uit; ze liepen langs het vroegere gekkenhuis, een wolwasserij en drie blokken huurkazernes, en bereikten een zijstraatje dat Frangcpán köz heette en waar een groepje boerenhuisjes de enige resten leken uit de tijd dat Angyaföld nog uit weiden en wijngaarden bestond; ze hoorden en roken de geiten die achter de huisjes werden gehouden. Nummer 18 was een vakwerkhuis met een schuin houten pannendak en afbladderende luiken. De verf op de raamkozijnen was afgesleten en de deur was gebutst, met rafelige randen. Winterse resten klimop vormden een onleesbare landkaart op de gevel. Toen Andras en Tibor door de tuin liepen, ging er naast het huis een hoge poort open om een groen karretje door te laten, getrokken door twee sterke witte bokken met omgebogen hoorns. De kar stond vol melkbussen en kratten kaas. Bij het hek stond een heel klein vrouwtje met een hazelaartakje in haar hand. Ze had een geborduurd schort voor en zware boerenlaarzen aan, en haar diepliggende ogen waren zo hard en glanzend als gepolijste stenen. Ze wierp Andras een blik toe die zo doordringend was dat hij hem achter in zijn hoofd voelde.

'Woont hier iemand wiens naam met een K begint?' vroeg hij.

'Met een K?' Ze moest wel een jaar of tachtig zijn geweest, maar ze stond kaarsrecht in de wind. 'Waarom wilt u dat weten?'

Andras keek naar het tramkaartje waarop de vrouw in het café het adres had geschreven. 'Dit is toch Frangepán köz 18?'

'Wat wilt u van K?'

'We zijn door een kennis gestuurd.'

'Wat voor kennis?'

'Een vrouw met twee kleine dochtertjes.'

'Jullie zijn joods,' zei de oude vrouw. Het was een vaststelling, geen vraag. Er veranderde iets in haar gezicht toen ze dat zei, de lijnen rond haar ogen verzachtten zich en haar schouders ontspanden zich bijna onzichtbaar.

'Dat klopt,' antwoordde Andras. 'We zijn joods.'

'En jullie zijn broers. Hij is de oudste.' Ze wees met het hazelaartakje naar Tibor.

Ze knikten allebei.

De vrouw liet haar stokje zakken en bestudeerde Tibor alsof ze onder zijn huid wilde kijken. 'Jij komt net terug van de Munkaszolgálat,' zei ze.

'Inderdaad.'

Ze greep in een band en haalde er een rond, in papier verpakt kaasje uit, dat ze hem in de hand drukte. Toen hij protesteerde, kreeg hij er nog een.

'K is mijn kleinzoon,' zei ze. 'Miklós Klein. Een goeie jongen, maar hij kan niet toveren. Ik kan niet beloven dat hij jullie kan helpen. Maar als jullie willen, mogen jullie wel met hem praten. Ga maar naar de deur. Mijn man laat jullie binnen.' Ze sloot de poort van het erf af en tikte de hamels met het takje op de rug; ze bogen hun witte koppen en trokken het karretje de straat op.

Zodra ze weg was, kwam er een groep geiten naar de poort om tegen Andras en Tibor te mekkeren. Ze leken een cadeautje te verwachten. Andras liet zien dat zijn zakken leeg waren, maar ze gingen niet weg. Ze wilden hun koppen tegen Andras' en Tibors handen aan duwen. De kleintjes wilden aan hun schoenen snuffelen. Achter op het erf was een stal omgebouwd tot geitenschuur, beschut en vol vers hooi. Vier geiten met dikke, glanzende vachten stonden uit een tinnen trog te eten.

'Je kunt het als geit slechter treffen,' zei Andras, 'zelfs hartje winter.'

'Je kunt hier beter geit dan mens zijn,' zei Tibor met een blik op de fabrieksschoorstenen verderop.

Maar Andras bedacht dat hij later best iets verder uit het cen-

trum zou willen wonen. Liever niet onder de rook van een textielfabriek, maar misschien ergens in een huis met een erf dat groot
genoeg was voor wat geiten, kippen en vruchtbomen. Hij zou wel
met een tekenblok en een gradenboog willen terugkomen om de
structuur van dit huis en de indeling van het erf te bestuderen.
Het was de eerste keer in maanden dat hij zin kreeg om een bouw-
tekening te maken. Terwijl hij achter zijn broer aan het pad af liep,
kreeg hij een wonderlijk gevoel in zijn borst, alsof er iets begon te
rijzen, alsof zijn longen vol gist zaten.

Toen Tibor aanklopte, zweefde er een stofwolk gele verf omlaag;
het leek wel stuifmeel. Binnen klonken schuifelende voetstappen;
de deur ging open en er verscheen een piepklein, verschrompeld
mannetje met grijs haar dat als twee vleugels van zijn hoofd af
stond. Hij had een wit onderhemd aan onder een kamerjas van
verwassen karmozijnrode wol. Van achter hem kwam er een vlaag
krasserige Bartók en een pannenkoekengeur op hen af.

'Mijnheer Klein?' vroeg Tibor.

'In persoon.'

'Woont Miklós Klein hier?'

'Wie bent u?'

'Wij zijn Tibor en Andras Lévi. We hebben gehoord dat we hem
moesten opzoeken. Uw vrouw zei dat hij thuis was.'

De man deed de deur wijder open en liet hen in een kleine, lichte kamer met een roodgeverfde cementen vloer. Op een tafel bij het
raam stonden ontbijtresten naast een keurig opgevouwen krant.
'Wacht hier maar even,' zei Klein senior. Hij liep een korte gang in
waar portretten van mannen en vrouwen in antiek uitziende kleren aan de muur hingen, de mannen in uniform, de vrouwen met
ingesnoerde taille, zoals in de vorige eeuw mode was. Aan het eind
van de gang ging een deur open en weer dicht. Aan de muur sloeg
een koekoeksklok; de koekoek kwam elf keer naar buiten. Op een
bijzettafeltje stond een verzameling foto's van een zes- à zevenjarig
jongetje met stralende ogen aan de hand van een mooie, donkerharige jonge vrouw en een melancholieke, intelligent ogende man;
er waren foto's van hen drieën op het strand, op de fiets, in een
park en voor een synagoge. De verzameling ademde de sfeer van
een altaar of een gedenkteken.

Na een paar minuten ging de deur aan het eind van de gang
open en Klein senior schuifelde naar hen toe. Hij wenkte. 'Hierheen,
alstublieft,' zei hij.

Andras volgde zijn broer de gang in, langs de portretten van de militairen en de ingesnoerde vrouwen. Bij de deur deed de oude man een stap opzij om hen door te laten. Vervolgens trok hij zich in de zitkamer terug.

De deur gaf toegang tot weer een andere wereld. Aan de ene kant lag het universum waar ze zojuist vandaan kwamen, waar het ontbijtservies op een houten tafel in een baan zonlicht stond, het gemekker van de geiten op het erf te horen was en een tiental foto's iets opriepen wat verdwenen leek; aan de andere kant, in deze kamer, leek het wel een spionagecentrum. De muren waren volgeplakt met kaarten van Europa en het Middellandse Zeegebied met spelden erop, ingewikkelde schema's en krantenknipsels en foto's van mannen en vrouwen die de droge grond bewerkten in een nederzetting in de woestijn. Op het bureau, dat tussen toren-hoge stapels officieel ogende documenten ingeklemd was, stonden een Hongaarse en een Hebreeuwse schrijfmachine. Een Orion-radio stond op een laag tafeltje te knetteren en te janken, en op een kwartet klokken daarnaast kon je zien hoe laat het was in Constanţa, Istanbul, Caïro en Jeruzalem. Overal in de kamer ston-den stapels papieren en dossiermappen die tot het middel reikten, ook op het bureau, het bed en elke centimeter van de vensterbank en de tafel. Te midden van dat alles stond een bleke jongeman met een trui met motgaatjes. Zijn korte zwarte haar leek wel een rafe-lige kroon en zijn ogen zagen rauw en rood, alsof hij verdriet had of te veel had gedronken. Hij leek ongeveer even oud als Andras en hij was onmiskenbaar het jongetje van de foto's, uitgegroeid tot een afgetobde jongeman. Hij trok de bureaustoel bij, zette een sta-pel mappen op de grond en ging tegenover de broers zitten.

'Het is afgelopen,' zei hij bij wijze van groet. 'Ik doe het niet meer.'

'We hadden gehoord dat u ons kon helpen,' zei Tibor.

'Van wie hebt u dat gehoord?'

'Een vrouw met twee dochtertjes. Voorletter B. Ze had me in een café met mijn broer horen praten.'

'Waarover?'

'Over de mogelijkheid Hongarije uit te komen,' zei Tibor. 'Op welke manier dan ook.'

'Om te beginnen,' zei Klein, die een dunne vinger naar Tibor uit-stak, 'moet u daar niet met uw broer over praten in een café, waar iedereen u kan horen. En verder zou ik die vrouw moeten wurgen,

wie het ook mag zijn, omdat ze u mijn adres heeft gegeven! Voorletter B? Twee dochtertjes?' Hij bracht zijn vingers naar zijn voorhoofd en leek na te denken. 'Bruner,' zei hij toen. 'Magdolna. Die
moet het wel zijn. Ik heb haar broer het land uit gekregen. Maar
dat is alweer twee jaar geleden.'

'Is dat uw werk, emigraties regelen?' vroeg Andras.

'Vroeger,' zei Klein. 'Nu niet meer.'

'Maar wat is dit dan allemaal?'

'Projecten die al lopen,' zei Klein. 'Maar ik neem geen nieuw
werk meer aan.'

'We moeten het land uit,' zei Tibor. 'Ik kom met terug uit de Délvidék. Daar vermoorden ze Hongaarse joden. Het zal niet lang
meer duren of wij zijn aan de beurt. We hebben begrepen dat u
ons kunt helpen.'

'U begrijpt het juist níet,' zei Klein. 'Het is onmogelijk geworden.
Kijk hier eens.' Hij pakte een knipsel uit een Roemeense krant. 'Dit
is een paar weken geleden gebeurd. Dit schip is in december uit
Constanţa vertrokken. De Struma. Zevenhonderdnegenenzestig
passagiers, allemaal Roemeense joden. Ze hadden hun verteld dat
ze in Turkije een Palestijns inreisvisum zouden krijgen. Maar dat
schip was een wrak. Letterlijk. De machines waren van de bodem
van de Donau opgehaald. En er waren helemaal geen inreisvisa.
Allemaal oplichterij. Misschien hadden ze vroeger wel zonder visum
het land in gemogen – de Britten lieten soms wel immigranten zonder papieren binnen. Maar nu niet meer! De Britten wilden het
schip niet toelaten. Ze wilden niemand opnemen, zelfs de kinderen
niet. Uiteindelijk is het door een boot van de Turkse kustwacht
naar de Zwarte Zee gesleept. Zonder brandstof, zonder water, zonder eten voor de passagiers. Daar hebben ze het laten liggen. Wat
dacht u dat er toen gebeurde? Getorpedeerd. Boem. Einde verhaal.
Ze denken dat de Sovjets het hebben gedaan.'

Andras en Tibor bleven zwijgend zitten en lieten het verhaal tot
zich doordringen. Zevenhonderdnegenenzestig levens – een schip
vol joodse mannen, vrouwen en kinderen. Een nachtelijke explosie – hoe zou dat hebben geklonken, hoe voelde dat voor iemand
in een kooi diep in het binnenste van het schip? De schok, het
dreunen, de plotselinge paniek. En toen het snel binnenstromen-
de donkere water.

'Maar die broer van Magdolna Bruner dan?' vroeg Tibor. 'Hoe
hebt u die het land uit gekregen?'

'Toen was het anders,' zei Klein. 'Ik smokkelde de mensen over de Donau het land uit op vrachtschepen en rivierboten. We hadden contacten in Palestina. We kregen hier hulp van het Bureau Palestina. Ik heb een heleboel mensen het land uit gekregen, honderdachtenzestig mensen. Als ik slim was geweest, was ik zelf ook gegaan. Maar mijn grootouders waren helemaal alleen. Zij konden zo'n reis niet maken en ik kon ze niet achterlaten. Ik dacht dat ik me hier nuttiger kon maken. Maar ik doe het niet meer, dus u kunt beter naar huis gaan.'

'Maar dat is een ramp voor Palestina, die toestand met die Struma,' zei Andras. 'Nu moeten ze de immigratiebeperking wel versoepelen.'

'Ik weet niet wat er gaat gebeuren,' zei Klein. 'Ze hebben nu een nieuwe minister van Koloniën, ene Cranborne. Die zou soepeler zijn. Maar ik weet niet of hij het ministerie van Buitenlandse Zaken kan overtuigen. En zelfs als dat hem lukt, zou het nu te gevaarlijk zijn.'

'Als het een kwestie van geld is, dan kunnen we wel iets regelen,' zei Tibor.

Andras wierp zijn broer een snelle blik toe. Waar had Tibor dat geld vandaan willen halen? Maar Tibor keek niet terug. Hij hield zijn ogen op Klein gericht, die met zijn handen door zijn elektrische haar streek en zich naar hen toe boog.

'Het gaat niet om het geld,' zei Klein. 'Het zou waanzin zijn om het nu te proberen.'

'Misschien is het helemáál waanzin om hier te blijven.'

'Voor joden is Boedapest nog steeds een van de veiligste plekken in Europa,' zei Klein.

'Boedapest ligt in de schaduw van Berlijn.'

Klein schoof zijn stoel naar achteren, stond op en begon over het kleine stukje lege vloer te ijsberen. 'Het gruwelijke is dat u gelijk hebt. We lijken wel gek dat we ons hier nog een beetje veilig voelen. Als u bij de arbeidsinzet hebt gezeten, weet u dat beter dan wie ook. Maar ik kan de verantwoording voor het leven van twee jonge mannen niet op me nemen. Niet nu.'

'Het gaat niet alleen om ons,' zei Tibor, 'maar ook om onze vrouwen. En twee baby's. En onze jongste broer, als die uit de Oekraïne terugkomt. En onze ouders in Debrecen. We moeten allemaal weg.'

'U bent krankzinnig!' zei Klein. 'Volslagen krankzinnig. Ik kan in een oorlogssituatie geen baby's over de Donau smokkelen. Ik kan geen verantwoording voor oudere ouders op me nemen. Ik weiger hierover te praten. Het spijt me. Jullie lijken me goeie kerels. Misschien komen we elkaar in betere tijden nog eens tegen, en dan drinken we samen een glas.' Hij liep naar de deur en hield hem open.

Tibor bleef zitten. Hij keek naar de stapels papier, de schrijfmachines, de radio, de meubels die inzakten onder de dossiers, alsof die hem een ander antwoord konden geven. Maar uiteindelijk was het Andras die iets zei.

'Shalhevet Rosen,' zei hij. 'Zegt die naam u iets?'

'Nee.'

'Ze probeert vanuit Palestina joden uit Europa weg te krijgen. Ze is getrouwd met een schoolvriend van me.'

'Nou, misschien kan zij iets voor u doen. Veel geluk.'

'Misschien hebt u wel eens met haar gecorrespondeerd.'

'Niet dat ik me herinner.'

'Misschien kan zij ons aan een visum helpen.'

'Een visum is niets,' zei Klein. 'U moet er eerst zien te komen.'

Tibor keek de kamer weer door. Toen wierp hij Klein een indringende blik toe. 'Dit is uw werk,' zei hij. 'Bedoelt u dat u er nu klaar mee bent?'

'Ik stuur niemand meer op een Struma het land uit,' zei Klein. 'Dat begrijpt u toch wel. En ik moet voor mijn grootouders zorgen. Als ik gepakt word en naar de gevangenis word gestuurd, zijn zij helemaal alleen.'

Bij de deur bleef Tibor even staan met zijn hoed in zijn hand. 'U bedenkt zich nog wel,' zei hij.

'Ik hoop het niet.'

'We zullen toch maar ons adres achterlaten.'

'Ik zeg toch dat dat geen zin heeft. Dag heren. Vaarwel. Adieu.' Hij liet hen in de halfdonkere gang en trok zich terug in zijn kamer. Hij deed de deur op slot.

In de zitkamer was de ontbijtboel afgeruimd, en Andras en Tibor zagen Klein senior met de krant op de divan zitten. Toen hij hun aanwezigheid opmerkte, liet hij zijn krant zakken en vroeg: 'En?'

'We gaan weer,' zei Tibor. 'Wilt u uw vrouw namens ons bedanken?' Hij hield een van de verpakte ronde geitenkaasjes omhoog.

'Een van haar lekkerste,' zei Klein senior. 'Ze moet een zwak voor u hebben gehad. Die geeft ze niet zomaar weg.'

'Ik heb er zelfs twee gekregen,' zei Tibor met een glimlach.

'Ah! Ik zou haast jaloers worden.'

'Misschien kan zij uw kleinzoon overhalen om ons te helpen. Ik vrees dat hij ons heeft weggestuurd en ons niet veel hoop geeft.'

'Miklós is aan stemmingen onderhevig,' zei Klein senior. 'Zijn werk is moeilijk. Hij verandert dagelijks van gedachten. Weet hij waar hij u kan bereiken?'

Tibor haalde een stompje potlood uit zijn borstzak en vroeg of grootvader Klein een papiertje voor hem had; het speet hem dat hij geen visitekaartje kon geven. Hij schreef zijn adres op het papiertje en legde het op de ontbijttafel.

'Hier,' zei Tibor, 'voor het geval dat hij zich bedenkt.'

Grootvader Klein maakte een instemmend geluidje. Vanaf het erf zorgden de stemmen van de geiten voor een pessimistisch contrapunt. De wind liet de luiken tegen de muren rammelen, een geluid dat Andras zich uit zijn prilste jeugd herinnerde. Hij kreeg het gevoel dat hij uit de tijd was gestapt – alsof hij en Tibor in een ander Boedapest terecht zouden komen als ze weer buiten stonden, een stad waarin de auto's waren vervangen door rijtuigen en de elektrische straatverlichting door gaslantaarns, de rokzoom van de vrouwen van de knie naar de enkel was gezakt, het metrostelsel verdwenen was en het oorlogsnieuws uit de *Pesti Napló* was gewist. De twintigste eeuw radicaal uit het weefsel van de tijd weggesneden, als door een goddelijke chirurg.

Maar toen ze de buitendeur opendeden, was alles er nog: de vrachtwagens die over de brede weg aan het eind van het straatje daverden, de hoge, rokende schoorstenen van de textielfabriek, de filmposters op de triplex schutting van de bouw. De broers liepen zwijgend terug naar de halte en stapten in een bijna lege tram die hen naar het centrum terugbracht. Ze reden langs de Kárpát utca met zijn machinewerkplaatsen, vervolgens de brug achter station Nyugati over en ten slotte naar de Andrássy út, waar ze uitstapten om naar huis te lopen. Maar bij de hoek van de Hársfa utca draaide Tibor zich om. Met zijn handen in zijn zakken liep hij de straat uit naar het grijze natuurstenen gebouw waar ze vroeger woonden, voordat Andras naar Parijs ging. Op de derde verdieping zagen ze hun ramen, nu donker en zonder gordijnen. Er stond een rij kapotte bloempotten op het balkon en er hing een leeg vogelvoederbakje aan de balustrade. Tibor keek omhoog, naar het balkon, en de wind blies zijn kraag omhoog.

'Kun je het me kwalijk nemen?' vroeg hij. 'Snap je waarom ik weg wil?'

'Ja,' zei Andras.

'Denk eens aan alles wat ik je in het café heb verteld. Dat is hier in Hongarije gebeurd. En bedenk dan eens wat er nu in Duitsland en Polen moet gebeuren. Ik heb onvoorstelbare dingen gehoord. De mensen worden uitgehongerd en in getto's bijeengedreven om dood te gaan. Ze worden met duizenden doodgeschoten. Horthy kan het niet eeuwig uitstellen. En de geallieerden geven niet om de joden, althans niet genoeg om er iets aan te doen. We moeten voor onszelf zorgen.'

'Maar wat heeft het voor zin als dat ons het leven kost?'

'Als we een visum hebben, zijn we althans enigszins beschermd. Schrijf jij Shalhevet. Vraag of haar organisatie iets kan doen.'

'Dat kan heel lang duren. Misschien doen die paar brieven er wel maanden over.'

'Dan moest je maar meteen beginnen,' zei Tibor.

32

Szentendre

Die middag vertelde hij Klara over het huis in de Frangepán köz, en over Klein in zijn kamer, omringd door bruine mappen met de dossiers van wel duizend aspirant-emigranten. Ze zaten in de zitkamer; Klara had de baby aan de borst en zijn vuistje opende en sloot zich in haar haar.

'Wat vind jij?' vroeg ze zacht. 'Moeten we proberen hier weg te komen?'

'Het lijkt krankzinnig, hè? Maar ik heb niet gezien wat Tibor heeft gezien.'

'En je ouders? En mijn moeder?'

'Ja,' zei hij, 'het lijkt een wanhoopsdaad. Misschien is dit wel niet het juiste moment. Als we nog wat wachten, is het straks misschien gunstiger. Maar misschien moet ik toch maar naar Shalhevet schrijven. Je weet nooit of ze iets voor ons kan doen.'

'Je kunt haar schrijven,' zei ze, 'maar als ze iets kon doen, dan had ze dat toch wel laten weten?' De baby draaide met zijn hoofdje en liet Klara's haar los. Ze legde hem aan de andere borst en bedekte zich met zijn dekentje.

'Ik heb Rosen geschreven toen ik bij de arbeidsinzet zat,' zei Andras. 'Hij wist dat ik toen niet weg had gekund, al had ik het gewild.'

'En nu hebben we de baby,' zei Klara.

Andras probeerde zich voor te stellen dat ze hun zoontje moest voeden in het ruim van een vrachtschip op de Donau, onder een dekzeil. Probeerde er eigenlijk wel eens iemand met een zuigeling het land uit te komen? Verdoofden ze hun kinderen dan met laudanum en moesten ze dan maar bidden dat ze niet gingen huilen? De baby trok het dekentje van Klara's borst weg en zij legde het er weer overheen.

'Dat hoeft toch niet,' zei Andras. 'Ik wil je best zien.'

Klara glimlachte. 'Bij mijn moeder thuis moest ik me altijd bedekken, het is een gewoonte geworden. Elza kon het niet aanzien. Ze vindt het onhygiënisch. Ze zou geschokt zijn als ze wist dat ik het doe waar jij bij bent.'

'Het is toch volkomen natuurlijk. En moet je hém zien. Lijkt hij niet gelukkig?'

De teentjes van de baby krulden en ontspanden zich weer. Hij zwaaide met een donkere lok van Klara's haar in zijn vuistje. Zijn blik zocht de hare en hij knipperde met zijn oogjes, en toen nog eens, langzamer, totdat ze dichtvielen. Dronken van de melk liet hij Klara's haar los en zijn beentjes hingen slap tegen haar arm. Zijn geopende handjes leken op zeesterren. Zijn mondje liet haar tepel los.

Klara keek Andras aan en hield zijn blik vast. 'En als júllie nu eens gingen?' zei ze. 'Jij en Tibor? Als jullie veilig aangekomen zijn, laten jullie ons overkomen als het kan. Dan hoeven jullie tenminste niet meer naar de Munkaszolgálat.'

'Geen sprake van,' zei hij. 'Ik ga nog liever dood dan dat ik jullie hier achterlaat.'

'Maar lief, wat dramatisch.'

'Dan maar dramatisch. Zo voel ik het.'

'Hier, neem je zoontje eens over. Mijn been slaapt.' Ze gaf het kind aan Andras en knoopte haar blouse dicht. Met een grimas van pijn stond ze op en liep de kamer door. 'Schrijf Shalhevet maar,' zei ze. 'Je weet nooit. Dan komen we er tenminste achter of we misschien iets anders kunnen overwegen. Anders blijft het bij speculeren.'

'Ik ga niet zonder jou.'

'Dat hoop ik niet,' zei ze, 'maar dit lijkt me niet het moment voor een groot besluit.'

'Wil je me niet de illusie laten dat ik nog iets te kiezen heb?'

'Het is ook een gevaarlijke tijd voor illusies,' zei ze; ze kwam weer naast hem op de bank zitten en legde haar hoofd op zijn schouder. Terwijl ze samen naar hun slapende zoon zaten te kijken, voelde Andras zich opnieuw schuldig: hij bood haar in feite de mogelijkheid in een illusie te leven – de illusie dat haar niets kon overkomen, dat het verleden veilig opgeborgen was in het verleden, dat haar vrees dat ze met haar terugkeer naar Hongarije haar familie in gevaar bracht, ongegrond was.

De illusie hield het hele voorjaar stand. Door een reorganisatie bij het ministerie van Justitie werden de afpersingsmechanismen vertraagd en ze hoefden het huis aan de Benczúr utca voorlopig niet op te geven. Andras werkte nog steeds als opmaker en illustrator en Mendel schreef artikelen in de redactiezaal vlakbij. Aanvankelijk leek het onwerkelijk om als legitieme werknemers hetzelfde te doen wat een paar maanden daarvoor nog een geheime, verboden bezigheid was geweest, maar dat gevoel maakte al snel plaats voor de gewone werkdruk van een reguliere baan. Toen Tibor weer gezond en op krachten was, vond hij ook werk. Hij werd operatieassistent in een joods ziekenhuis in de Erzsébetváros. In maart kwam er nieuws van Elisabet: Paul had dienst genomen bij de marine en zou eind april naar de Stille Zuidzee worden uitgezonden. Zijn ouders hadden berouw gekregen nadat hun zoon zich voor militaire dienst had aangemeld en na de geboorte, in de zomer daarvoor, van hun eerste kleinkind; ze waren helemaal tot inkeer gekomen en stonden erop dat Elisabet en de kleine Alvie bij hen in Connecticut kwamen wonen. Elisabet had een foto bijgesloten van de hele familie, gekleed voor een sledetocht, waarop zijzelf ook stond, in een donkere jas met capuchon en de dik ingepakte Alvie in haar armen; Paul stond naast hen met de touwen van een lange slee in zijn hand. Op een andere foto stond Alvie alleen, rechtop in een stoel, ingeklemd tussen kussens, gekleed in een fluwelen jasje en een korte broek. Het hoge ronde voorhoofd en het samengeknepen mondje had hij van Paul, maar die ijzige, harde, doordringende blik in de oogjes kon hij alleen maar van Elisabet hebben. Ze beloofde dat Pauls vader met zijn connecties bij de overheid zou spreken om te zien of Andras, Klara en de baby een inreisvisum konden krijgen.

Andras schreef aan Shalhevet en kreeg vier weken later antwoord. Ze beloofde dat ze met haar contacten bij de immigratiedienst zou spreken. Ze kon weliswaar niet voorzien hoe lang dat zou duren en hoe groot de kans op succes was, maar ze dacht wel dat ze goede argumenten in handen had om Andras en Tibor een visum te kunnen bezorgen. Zoals Andras ongetwijfeld wist, was het momenteel de eerste prioriteit van de immigratiedienst joden uit de door Duitsland bezette gebieden weg te halen. Misschien kon ze zelfs iets doen voor Andras' vriend de politieke journalist en hardloopkampioen; ook hij was een bijzondere jongeman van het soort dat de immigratiedienst graag hielp. En als Andras en Tibor naar Palestina mochten, kon hun gezin natuurlijk mee. Zonde dat ze niet allemaal vóór de oorlog samen geëmigreerd waren! Rosen miste zijn Parijse vrienden verschrikkelijk. Had Andras nog iets van Polaner of Ben Yakov gehoord? Rosen had overal geïnformeerd, maar vergeefs.

Andras zat op de rand van de fontein op de binnenplaats de brief te herlezen. Hij had niets meer van Polaner of Ben Yakov gehoord sinds de berichten tijdens zijn eerste tewerkstellingsperiode. Als Ben Yakov nog bij zijn ouders in Rouen was, leefde hij tegenwoordig dus in bezet gebied onder de hakenkruisvlag. En Polaner, die zo graag voor zijn tweede vaderland wilde vechten – waar zouden ze hem naartoe hebben gestuurd na zijn ontslag uit het Franse leger? Waar zou hij nu zijn? Welke ontberingen, welke vernederingen zouden hem ten deel zijn gevallen sinds de laatste keer dat Andras hem had gezien? Hoe moest Andras ooit te weten komen wat er van hem geworden was? Hij hield zijn hand in het koude water van de fontein die van zijn winterboei ontslagen was. Onder de oppervlakte schoten de visjes als ranke spookjes heen en weer. De vorige herfst hadden er munten op de bodem gelegen, muntjes van vijf en tien filler die op de blauwe tegels glinsterden. Na het ontdooien van het ijs moest iemand ze hebben weggehaald. Tegenwoordig zou niemand meer een munt in een fontein gooien. Niemand had meer tien filler over voor een wens.

In het donker van de kazernes in Subkarpatië, Transsylvanië en Bánhida had Andras zichzelf gedwongen de mogelijkheid onder ogen te zien dat Polaner dood was, dat hij doodgeslagen, uitgehongerd, ziek geworden of doodgeschoten was, maar hij had zichzelf nooit toegestaan te geloven dat hij ooit niet zou wéten wat hem was overkomen – niet zeker zou weten of hij moest zoeken, hopen of rouwen. Hij kon niet in het wilde weg rouwen. Dat ging tegen zijn aard in. Maar hij had bijna twee jaar niets meer van Polaner gehoord – Eli Polaner met zijn zachte stem, ergens in de duistere, explosieve doolhof van Europa verborgen. Hij durfde de gedachte niet helemaal te volgen naar de andere kant, waar het beeld van zijn broer Mátyás wachtte, een witte gedaante, waargenomen door de sluier van een sneeuwstorm. Mátyás, nog steeds onvindbaar. Sinds november geen nieuws van zijn Munkaszolgálat-compagnie. Het was inmiddels april. In de Oekraïne zou de winterse kou nu pas beginnen te verminderen. Binnenkort zou het mogelijk worden de doden van die winter te begraven.

Hij had Klara en de baby in huis achtergelaten en de rest van de post lag in een wanordelijke stapel op zijn bureau. Hij zou gaan kijken of hij iets voor haar kon doen; het werd alleen maar erger als hij op de rand van de fontein bleef zitten en zich van alles in het hoofd haalde waar hij niets van kon weten. Hij ging naar boven, deed de voordeur van hun appartement open en luisterde of hij het stemmetje van de baby hoorde. Er was een waas van stilte over de kamers neergedaald. De ketel op het fornuis zweeg. Het badwater van de baby werd koud in het badje, wachtend op vers warm water. De handdoek lag opgevouwen op de keukentafel met het schone jasje en broekje ernaast.

Andras hoorde een geluidje van de baby, een korte, tweetonige klacht; het geluid kwam uit de zitkamer. Hij liep erheen en zag Klara met het kindje op de divan zitten. Op het lage tafeltje lag een geopende brief. Ze keek Andras aan.

'Wat is er?' vroeg hij. 'Wat is er gebeurd?'

'Je wordt weer opgeroepen,' zei ze. 'Je wordt weer tewerkgesteld.'

Hij bekeek de brief, een klein rechthoekje dun wit papier met het stempel van de KMOF. Hij moest zich over twee dagen 's morgens bij het bureau van de Munkaszolgálat in Boedapest melden; hij werd bij een nieuw bataljon en een nieuwe compagnie ingedeeld voor een halfjaar dienst.

'Dit kan niet,' zei hij. 'Ik kan jou en de baby niet zomaar achterlaten.'

'Wat had je ertegen willen doen?'

'Ik heb nog steeds het kaartje van generaal Martón. Ik ga hem opzoeken. Misschien kan hij ons helpen.'

De baby bewoog onrustig in Klara's armen en maakte weer een protesterend geluidje.

'Kijk nou,' zei ze. 'Zo bloot als toen hij geboren werd. Ik ben zijn badje helemaal vergeten. Wat zal hij het koud hebben.' Ze stond op en liep naar de keuken; ze hield hem dicht tegen zich aan. Ze goot de ketel uit in het badje en roerde het warme water er met haar hand doorheen.

'Ik ga er morgen meteen naartoe,' zei Andras, 'om te kijken wat we kunnen doen.'

'Ja,' zei ze. Ze liet het kindje in de tobbe zakken. Ze ondersteunde het met haar arm en masseerde zeep in zijn fijne, pluizige bruine haar. 'Als dat helpt, zal ik mijn notaris in Parijs schrijven. Misschien wordt het tijd om het huis te verkopen.'

'Nee,' zei Andras, 'dat wil ik niet hebben.'

'En ik wil niet dat jij weer te werk wordt gesteld,' zei ze. Ze meed zijn blik, maar haar stem klonk zacht en vastberaden. 'Je weet toch hoe het er daar tegenwoordig aan toegaat. Ze sturen mannen vooruit om de mijnenvelden aan het front op te ruimen. En die mannen worden uitgehongerd.'

'Ik heb het twee jaar lang overleefd. Dat halve jaar hou ik ook nog wel vol.'

'Toen was het anders.'

'Als je het huis maar niet verkoopt.'

'Wat kan mij dat huis nou schelen?' riep ze uit. De baby keek haar geschrokken aan.

'Ik praat wel met Martón,' zei Andras. Hij legde een hand op haar schouder.

'En Shalhevet?' vroeg ze. 'Wat schrijft ze?'

'Ze kent mensen bij de Immigratiedienst. Ze zal proberen een inreisvisum voor ons te regelen.'

De baby schopte een boogje water in Klara's haar en ze lachte even, een triest lachje. 'Misschien moeten we bidden,' zei ze, en ze hield een hand voor haar ogen alsof ze het Sjema opzei. Hij wilde graag geloven dat er iemand vol afgrijzen en medelijden zag wat er gebeurde, iemand die alles kon veranderen als hij daartoe besloot. Maar diep vanbinnen voelde hij de zekerheid dat dat niet zo was. Hij geloofde in God, ja, de God van zijn vaderen, de God tot wie hij in Konyár, Debrecen, Parijs en de werkkampen had gebeden, maar die God, de Ene, was niet degene die tussenbeide kwam op de manier die ze op dat moment nodig hadden. Hij had het heelal ontworpen en voor de mens opengezet, en toen was de mens erin getrokken om er een leven op te bouwen. Maar God kon niet binnenkomen en in dat leven ingrijpen, net zomin als een architect het leven van de bewoners van een gebouw kon veranderen. De wereld was nu hun huis, dat ze op hun eigen manier gebruikten, ze leefden en stierven door hun eigen daden. Hij raakte Klara's hand aan en ze deed haar ogen weer open.

Generaal Martón had weliswaar veel macht, maar hij kon de oproep voor het werkkamp niet intrekken. Hij kon zelfs geen uitstel bewerkstelligen. Maar het was wel mogelijk te voorkomen dat hij naar het oostfront werd gestuurd, en hetzelfde werd bereikt voor Mendel Horovitz, die op hetzelfde moment was opgeroepen. Andras

en Mendel werden ingedeeld bij compagnie 79/6 van het Boedapester Arbeidsbataljon. De compagnie was tewerkgesteld op een
spoorwegemplacement dat zo dicht bij Boedapest lag dat de mannen die in de stad woonden, thuis konden slapen in plaats van in
de kazerne. Iedere morgen stond Andras om vier uur op, dronk
koffie in de donkere keuken bij het licht van het fornuis, nam zijn
rugzak over zijn schouder, pakte het etensblik dat Klara de vorige
avond voor hem had klaargezet en glipte de ochtendkou in om met
Mendel op pad te gaan. Ze liepen nu niet naar de burelen van het
Hongaars-Joods Dagblad, maar helemaal naar de rivier, de Széchenyibrug over, waar de stenen leeuwen op hun sokkel lagen en
de Roma-vrouwen met hun zwarte hoofd- en omslagdoeken sliepen met hun magere kinderen in hun armen. In dat blauwe uur
zweefde er een nevel boven de Donau, die kwam opzetten uit de
waterstromen die zich ineenvlochten. Soms gleed er een aak over,
die met zijn lage, platte romp de damp doorkliefde, en zagen ze een
schippersvrouw die koffiezette op een gloeiende vuurpot. Aan de
overkant namen ze de tram naar Óbuda, waar ze op de bus stapten die hen naar Szentendre bracht. De bus reed langs het water,
en ze zaten graag aan de kant waar ze de boten over de Donau
naar het zuiden konden zien varen. Vaak reisden ze zwijgend; ze
konden niet in het openbaar spreken over de dingen die hen bezighielden. Andras had inmiddels van Shalhevet vernomen dat de
immigratiedienst gunstig op haar eerste informatieverzoek had ge-
reageerd en dat de procedure sneller verliep dan verwacht. Er was
reden om te hopen dat ze halverwege de zomer hun papieren konden krijgen. Maar dan? Hij wist niet of hij moest durven hopen dat
Klein hen kon helpen, hij wist niet hoeveel de reis zou kosten, of
hoeveel visa Shalhevet kon krijgen. En hoewel het inmiddels volop
lente was, hadden ze nog steeds niets van Mátyás gehoord. György's
laatste naspeuringen hadden niets opgeleverd. Het leek onmogelijk om zelfs maar te overwegen het land uit te gaan terwijl zijn
broer nog in de Oekraïne werd vermist; misschien was hij dood of
door de Russen gevangengenomen. Maar nu het lente was, kon
Mátyás elke dag terugkomen. Het leek niet onredelijk te hopen dat
ze over drie tot zes maanden allemaal samen konden emigreren.
Misschien werkten Andras en zijn broers over een jaar wel in een
sinaasappelboomgaard in Palestina, misschien wel in zo'n kib-
boets die Rosen had beschreven, Degania of Ein Harod. Of misschien vochten ze dan voor de Britten – Mendel had gehoord dat

er een bataljon was dat uit leden van de Yishuv bestond, de joodse gemeenschap in Palestina.

Toen de bus in Szentendre aankwam, stapten ze uit, samen met de anderen – hun collega's die bij Óbuda, Rómaifürdo of Csillaghegy waren ingestapt – en liepen de achthonderd meter naar het emplacement. De eerste vrachtwagens kwamen om zeven uur aan. De chauffeurs rolden de dekzeilen op die over de dekenpakketten, kratten aardappels, rollen canvas of kratten munitie heen lagen – wat er die dag ook naar het front moest worden gebracht. Andras, Mendel en hun collega's moesten de vracht van de wagens naar de goederenwagons brengen die al met wijd open deuren in het ochtendlicht stonden te wachten. Als ze een wagon hadden volgeladen, gingen ze naar de volgende, en zo verder. Maar het werk was niet zo eenvoudig als het leek. De volle wagons werden nog niet meteen verzegeld; ze bleven open en werden naar een loods gereden om te worden geïnspecteerd. Dat hadden Andras en Mendel althans te horen gekregen toen de voorman ze hun instructies gaf: na het laden werden de wagons door een corps speciaal opgeleide soldaten geïnspecteerd. Als er iets ontbrak, werden de tewerkgestelden daarvoor verantwoordelijk gehouden en bestraft. Pas als alles was goedgekeurd, werden de treinen verzegeld en naar het front gestuurd.

De inspecteurs arriveerden en vertrokken in gesloten legertrucks. De soldaten reden de trucks rechtstreeks naar de inspectieloods en parkeerden naast de trein. Door de brede, rechthoekige deuren zag Andras de soldaten snel heen en weer lopen tussen de trein en de trucks. De inspecteurs deden geen moeite om iets te verbergen; ze hielden de operatie in de gaten met het zelfvertrouwen van de bevoorrechten die in de hiërarchie bovenaan stonden. Overjassen, dekens, aardappels, blikken bonen, geweren: elke dag verhuisde er een deel van de lading van de wagons naar de trucks. Als de soldaten met een wagon klaar waren, verzegelden de inspecteurs die en reed de trein een stukje door, zodat de soldaten de volgende wagon onder handen konden nemen. Alles moest snel, want de treinen moesten op tijd vertrekken; het spoorboekje hield geen rekening met de zwarte markt. Als de soldaten hun werk hadden gedaan, verklaarden de inspecteurs dat de lading compleet was en ondertekenden ze de formulieren. Vervolgens werden de treinen naar het front gestuurd. De gesloten trucks reden weer weg, de meegepikte artikelen vonden hun weg naar de zwarte markt en de inspecteurs deelden de opbrengst. Het was een goed geregelde, lucratieve gang van zaken. In de loods rookten de inspecteurs dure sigaren, vergeleken hun gouden zakhorloges en deden kaartspelletjes met stapels pengö als inzet. De bewakers kregen ongetwijfeld ook hun aandeel in de winst – tijdens de schaft stonden ze niet in de rij bij de kantine, maar dronken ze bier, roosterden hele slierten worstjes uit Debrecen, rookten Mirjam-sigaretten en lieten de tewerkgestelden tegen betaling hun nieuw uitziende laarzen poetsen.

Andras wist wat deze praktijken voor de soldaten en tewerkgestelden aan het front betekenden. Er zouden te weinig dekens zijn voor iedereen, en te weinig aardappelen voor de soep. Er zou altijd iemand zijn die geen nieuwe laarzen kreeg als zijn oude uit elkaar vielen. De tewerkgestelden zouden er het zwaarst onder lijden: zij moesten schuldbekentenissen voor honderden pengö tekenen om het allernodigste te kunnen kopen. Later, als de bewakers en officieren met verlof naar huis gingen, confronteerden ze de gezinnen van de tewerkgestelden met die schuldbekentenissen en dreigden ze dat de mannen zouden worden vermoord als de vrouwen of moeders niet betaalden. Maar de tewerkgestelden in Szentendre leken deze gang van zaken vanzelfsprekend te vinden. Wat hadden ze er trouwens tegen kunnen beginnen? Dag in dag uit laadden zij de treinen vol en haalden de soldaten ze weer leeg.

Alsof ze nog aan hun machteloosheid moesten worden herinnerd, kregen alle joodse tewerkgestelden nu de opdracht een speciale band om hun arm te dragen, een lelijke kanariegele ring van stof die ze aan hun mouw moesten schuiven. Klara moest de band op Andras' jas vastnaaien voordat hij zich meldde. Zelfs joden die allang tot het christendom waren overgegaan, moesten zo'n band dragen, al was die voor hen wit. De band was te allen tijde verplicht. Zelfs als het ongewoon heet was – begin mei was er zo'n week waarin het wel hoogzomer leek, de zon door de steenslag tussen de rails werd weerkaatst als door miljoenen spiegeltjes en de lucht zo vochtig was dat de tewerkgestelden hun met zweet doordrenkte hemd moesten uittrekken – moesten ze de band om hun blote arm dragen. Toen Andras het bevel kreeg de band van zijn uitgetrokken hemd te halen, keek hij de bewaker ongelovig aan.

'Als je je hemd uittrekt, ben je heus niet minder joods dan wanneer je het aanhoudt,' zei de man, en hij wachtte tot Andras de band weer om had voordat hij doorliep.

De commandant in Szentendre heette Varsádi. Hij kwam van het platteland en was een grote, niet overijverige kerel met een dikke buik en een gelijkmatig humeur. Zijn ergste ondeugden waren van de gemoedelijke soort: zijn pijp, zijn heupflesje en zijn voorliefde voor zoetigheid. Hij rookte voortdurend en had een vrolijke dronk. Het orde houden liet hij aan zijn ondergeschikten over, die minder coulant waren en zich niet zo makkelijk lieten afleiden door een blikje fijne Egyptische tabak of een rokerige whisky. Varsádi zelf zat graag beschut in zijn kantoor, dat op een kunstmatig heuveltje stond en over de rivier uitkeek; daar hield hij de werkzaamheden op zijn emplacement in de gaten en ontving hij bezoekende commandanten van andere compagnieën of genoot van zijn deel van de goederen die voor het front bestemd waren. Andras wist dat hij dankbaar moest zijn dat de commandant geen Barna of zelfs Kálozi was, maar toch was de aanblik van Varsádi met zijn voeten op een krat, zijn tevreden over elkaar geslagen armen en zijn pijp waaruit een lint van rook opsteeg, een heel eigen soort kwelling.

Aan het eind van hun eerste week begonnen Andras en Mendel te filosoferen over de krant die ze in Szentendre zouden kunnen maken – Het Kromme Spoor moest hij gaan heten. 'De mode in Szentendre,' improviseerde Mendel op een ochtend in de bus tegen Andras met een gebaar naar de band om zijn arm. 'De kleur geel, altijd populair in het voorjaar, is nu dé heersende modetint.' Andras lachte en Mendel pakte zijn aantekenboekje en begon te schrijven. *De smaakmakende jongemannen van de 79/6*^{de} *compagnie dragen een pikante botergele bies*, las hij even later voor. *Het nieuwste accessoire! De trendsetters hebben een tien centimeter brede band om de bovenarm, uitgevoerd in een Egyptische keperstof die voor alle gelegenheden geschikt is. Volgende week: onze modecorrespondent signaleert de nieuwste rage: naakte soldaten aan het oostfront.*
　'Niet gek,' zei Andras.
　'Het emplacement is een makkelijk doelwit. Ik snap niet dat ze daar nog geen krant hebben.'
　'Ik wel,' zei Andras. 'De anderen slapen half, lijkt het wel.'
　'Precies. Elke dag zien ze die oplichters van het leger brood stelen van de mannen aan het front, en dat nemen ze zomaar voor kennisgeving aan!'

'Alleen omdat zijzelf geen honger lijden.'

'We moeten ze wakker schudden,' zei Mendel. 'Ze een beetje kwaad zien te maken. Eerst maken we ze aan het lachen, op de gebruikelijke manier. En dan, later, smokkelen we er een stukje tussen over de toestand in de échte kampen. Vooral over de ellende als je geen eten of geen jas hebt. Misschien krijgen we ze zover dat ze het een beetje minder makkelijk maken. Als we trager inladen, hebben de soldaten minder tijd om spullen uit te laden. De treinen moeten immers hoe dan ook op tijd vertrekken.'

'Maar hoe wilde je dat doen zonder onze nek uit te steken?'

'Misschien hoeven we de krant niet voor Varsádi en de bewakers te verstoppen. Als het suikerlaagje zoet genoeg is, proeven ze de echte pil niet. We prijzen gewoon Szentendre de hemel in en vergelijken het met de hel waar we vandaan komen – dan horen beide partijen wat we ze willen laten horen.'

Dat vond Andras een goed idee, dus zo begon het. *Het Kromme Spoor* moest uitgebreider worden dan de vorige krantjes; doordat ze elke dag naar Boedapest terug konden, hadden ze een schrijfmachine, een tekentafel en andere benodigdheden tot hun beschikking. Tijdens de reis naar Szentendre en terug konden ze elke dag twee keer vergaderen. Ze zouden voorzichtig beginnen: de eerste nummers zouden alleen uit moppen bestaan. Het gebruikelijke nepnieuws, sport, mode en het weer, en een kunstbijlage, compleet met recensies. *Deze week komt het Ballet van Szentendre met 'Vrachttrein',* schreef Mendel in het eerste nummer. *Een briljante choreografie van Varsádi Varsádius, het enfant terrible van de dans in Boedapest. Het element van de herhaalde beweging wordt fraai geaccentueerd door de interessante verscheidenheid in bouw en leeftijd van de dansers.* Dan was er een nieuwe rubriek, 'Vraag het aan Hitler'. Op de tweede maandag dat ze in Szentendre werkten, liet Mendel Andras een getypt velletje zien:

BESTE HITLER: Kunt u uitleggen wat uw plannen zijn met betrekking tot de oorlog in het oosten? *Hartelijke groeten, Soldaat*
BESTE SOLDAAT: Wat een interessante vraag! Ik ben van plan een grote gehaktmolen in de omgeving van Leningrad op te stellen, die te vullen met jongemannen en dan zo snel mogelijk aan de slinger te draaien. *Allerhartelijkste groeten terug, Hitler*

BESTE HITLER: Hoe wilt u de Britse vloot in de Middellandse Zee aanpakken? *Met de meeste hoogachting, Popeye*
BESTE POPEYE: Om te beginnen: ik ben een fan van je! Je Amerikaanse afkomst zij je vergeven. Ik hoop dat je ons eens in het Reich komt opzoeken als deze ellende achter de rug is. Wat mijn plannen betreft: ik wil al mijn admiraals ontslaan totdat ik er een vind die bevelen aanneemt van een Führer die nooit gevaren heeft. *Met oprechte bewondering, Hitler*

BESTE HITLER: Hoe staat u tegenover Hongarije? *Geheel de uwe, M. Horthy*
BESTE HORTHY: Ik lig er liever bovenop dan dat ik ertegenover sta, en achterom kan ook heel spannend zijn. *Liefs, Hitler*

'We moeten eens met Frigyes Eppler gaan praten,' zei Andras toen hij het gelezen had. 'Misschien mogen we de krant op de persen van het *Dagblad* drukken. Dit is te mooi voor een stencilmachine.'

'Ik voel me gevleid, Parisi,' zei Mendel. 'Maar denk je heus dat hij dat goed vindt?'

'We kunnen het altijd vragen,' zei Andras. 'Dat beetje inkt en papier zal hij ons niet misgunnen.'

'Maak jij de illustraties,' zei Mendel, 'dat zal ongetwijfeld helpen.'

Andras bracht dus een slapeloze nacht aan de tekentafel door. Hij maakte een prachtige titel met de naam van de krant in gotische letters, geflankeerd door twee lege goederenwagons. Bij de moderubriek maakte hij een tekening van een jonge dandy in het uniform van de Munkaszolgálat met lichtgevende gele band. Bij de balletrecensie maakte hij een rij arbeiders, slank en dik, jong en oud, die met zichtbare moeite kratten munitie optilden. Voor de Hitler-rubriek leek ernst en gestrengheid de beste benadering: Andras maakte een gedetailleerd portret in potlood van de Führer na uit een oude *Pesti Napló*. Om vier uur werd Klara wakker om Tamás te voeden, die nog niet de hele nacht doorsliep. Toen ze hem weer in zijn bedje had gelegd, kwam ze de zitkamer in en drukte haar lichaam tegen Andras' rug aan.

'Waarom ben je nog op?' vroeg ze. 'Kom je niet in bed?'

'Bijna klaar. Ik kom zo.'

Ze boog zich over de tekentafel om te zien wat hij op het schuine blad had geplakt. '*Het Kromme Spoor*,' las ze. 'Wat is dat? Weer zo'n krant?'

'Onze beste tot nu toe.'

'Dat méén je niet, Andras! Ben je vergeten hoe het in Transsylvanië is afgelopen?'

'Nee,' zei hij, 'maar dit is niet Transsylvanië. Varsádi is geen Kálozi.'

'Varsádi, Kálozi, dat is toch één pot nat. Die kerels beschikken over jullie leven. Is het niet erg genoeg dat je weer opgeroepen bent? "Vraag het aan Hitler"?'

'In Szentendre is het heel anders,' zei hij. 'De hiërarchie is die naam nauwelijks waard. We geven de krant niet eens ondergronds uit.'

'Hoe had je het dan willen doen? Bied je Varsádi een abonnement aan?'

'Zodra het eerste nummer gedrukt is.'

Ze schudde haar hoofd. 'Dat kun je toch niet doen,' zei ze. 'Veel te gevaarlijk.'

'Ik ken de risico's,' zei hij. 'Misschien nog wel beter dan jij. Deze krant is niet alleen voor de grap, Klara. We willen de mannen laten nadenken over alles wat er in Szentendre gebeurt. We doen onze broeders aan het front dagelijks tekort. In mijn geval misschien zelfs letterlijk.'

'En waarom denk je dat Varsádi er niets op tegen heeft?'

'Hij is een levensgenieter, een domme, goeiige lobbes. In onze krant wordt hij geprezen om zijn leiderschap. Verder kijkt hij niet. Hij heeft maar één loyaliteit: zijn eigen pleziertjes. Het zou me verbazen als hij politieke opvattingen had.'

'En als je je nu vergist?'

'Dan houden we ermee op.' Hij stond op en sloeg zijn armen om haar heen, maar zij hield haar rug kaarsrecht en bleef hem aankijken.

'Ik kan de gedachte niet verdragen dat jou iets zou overkomen,' zei ze.

'Ik ben getrouwd en vader,' zei hij, en hij streek met zijn handpalm langs haar scherpe ruggengraat. 'Ik hou er onmiddellijk mee op als het gevaarlijk wordt.'

Toen begon Tamás weer te huilen en Klara maakte zich los om hem te gaan troosten. Andras ging door totdat het licht werd en zijn werk af was. Die ochtend was Klara stiller dan anders, maar ze maakte geen tegenwerpingen meer. Ze zou zijn redenen wel gaan begrijpen, dacht Andras, zelfs de redenen die hij niet hardop had uitgesproken – de meer persoonlijke, die te maken hadden met het verschil tussen het gevoel dat je een speelbal van het lot bent en het besef dat je dat tot op zekere hoogte zelf kunt bepalen.

Andras wist dat Eppler die avond, zaterdagavond, op de redactie zou zijn om de laatste hand aan de zondagseditie te leggen. Na het eten gingen hij en Mendel met hun werk naar de krant en deden hun verzoek. Ze wilden graag toestemming om elke week honderd exemplaren te zetten en te drukken. Ze zouden na werktijd komen en de verouderde handpers gebruiken die de krant voor noodgevallen had staan.

'Moet ik jullie het papier en de inkt cadeau doen?' vroeg Eppler.

'Beschouwt u dat maar als de bijdrage van het *Hongaars-Joods Dagblad* aan het welzijn van de dwangarbeiders,' zei Mendel.

'En míjn welzijn dan?' vroeg Eppler. 'De directeur jammert toch al voortdurend over de kosten. Wat zal hij wel niet zeggen als er opeens materiaal verdwijnt?'

'Zegt u dan maar dat het door de oorlogsschaarste komt.'

'We lijden nu al zo onder de oorlogsschaarste!'

'Doet u het dan voor Parisi,' zei Mendel. 'Op de stencilmachine blijft er niets van zijn tekeningen over.'

Eppler bekeek Andras' illustraties door het smalle halvemaantje van zijn hoornen bril. 'Die Hitler is niet slecht,' zei hij. 'Ik had je talenten beter moeten benutten toen je voor me werkte.'

'Dat kunt u later doen als ik weer voor u werk,' zei Andras.

'Als we hier *Het Kromme Spoor* mogen drukken, belooft Parisi u plechtig dat hij weer voor u komt werken als hij bij de Munkaszolgálat afzwaait,' zei Mendel.

'Ik had liever dat hij zijn studie afmaakte als hij daar afzwaaide.'

'Ik moet ook iets verdienen om die studie te betalen.'

Eppler haalde diep en hortend adem, pakte een grote zakdoek, veegde zijn voorhoofd af en keek op de klok aan de muur. 'Ik moet weer verder,' zei hij. 'Jullie mogen vijftig stuks van dat vodje drukken, meer niet. Op maandagavond. En pas op dat niemand het ziet.'

'We kussen uw hand, Eppler-úr,' zei Mendel. 'U bent een goed mens.'

'Ik ben een verbitterd, gedesillusioneerd mens,' zei Eppler.

'Maar ik vind het een prettig idee dat er ten minste van één van onze drukpersen een waar woord over onze huidige toestand zal rollen.'

Toen Andras en Mendel majoor Varsádi het eerste exemplaar van *Het Kromme Spoor* aanboden, deed hij hun het genoegen zo hard te lachen dat hij zijn zakdoek tevoorschijn moest halen om zijn ogen af te drogen. Hij prees hen omdat ze hun situatie luchtig konden opvatten en meende dat de anderen nog iets van hun houding konden leren. Door de juiste instelling kon men iedere last verlichten, zei hij, en hij wees naar hen met het brandende puntje van zijn sigaar om zijn woorden kracht bij te zetten. Die avond deelde Andras Klara mee dat ze toestemming hadden om *Het Kromme Spoor* uit te geven, en zij gaf hem schoorvoetend haar zegen. De volgende dag deelden hij en Mendel vijftig exemplaren van de eerste editie uit, die snel hun weg naar de andere dwangarbeiders vonden en met evenveel plezier werden gelezen als de eerste nummers van *De Sneeuwgans* en *De Steekvlieg*. Het duurde niet lang of Varsádi begon de andere Munkaszolgálat-officieren die in Szentendre kwamen lunchen, uit de krant voor te lezen; Andras en Mendel hoorden hun geschater opklinken op het kunstmatige heuveltje waar ze langdurig zaten te lunchen.

Iedereen in Szentendre wilde in de krant komen, zelfs de voormannen en bewakers die in vergelijking met Varsádi zo streng hadden geleken. Hun eigen voorman, Faragó, een kwikzilverachtige man die graag Amerikaanse revueliedjes floot, maar de gewoonte had zijn ondergeschikten te schoppen als hij driftig werd, begon onder het werk kameraadschappelijk tegen Andras en Mendel te knipogen. Om hem gunstig te stemmen en van het geschop af te zijn schreven ze een artikel met de titel 'De zangvogel van Szentendre', een muziekrecensie waarin ze zich lovend uitlieten over de virtuositeit waarmee hij ieder Broadway-liedje tot op de tweeëndertigste nauwkeurig kon reproduceren. In hun derde week in het werkkamp deed zich geheel onvoorzien een nieuw onderwerp voor: er arriveerde een grote, mysterieuze lading damesondergoed, die de mannen al voor de helft in de trein hadden geladen voordat iemand zich afvroeg wat de soldaten aan het front met honderdveertig gros Duitse bustehouders met beugel moesten. De inspecteurs, uitgelaten bij de gedachte aan de winst die de kledingstukken op de zwarte markt zouden opleveren, mobiliseerden drie ploegen dwangarbeiders om de Duitse bustehouders uit de trein in de gesloten trucks over te laden; die middag liep de schaft uit op een modeshow van de nieuwste ondersteunende lingerie uit het Reich. Dwangarbeiders en bewakers paradeerden rond in de bh's met de stugge cups en bleven even voor Andras staan, zodat hij hen kon vastleggen. De rest van de middag ging heen met een zwaardere klus – een zestal ladingen kleine munitie die in de treinen moesten worden gestouwd – maar Andras voelde de pijn in zijn rug of de splinters van de kratten in zijn handen nauwelijks. Hij dacht aan de modetekeningen die hij kon maken – *Berliner chic in Boedapest!* – en probeerde uit te rekenen hoe lang het nog zou duren voordat hij en Mendel de krant konden laten opschuiven in de richting die ze in gedachten hadden. De ladingen van de weken daarop bleken een ideale aanleiding. Drie dagen lang bestonden die uitsluitend uit medicijnen en verbandartikelen, alsof er in het oosten een enorme stroom bloed moest worden gestelpt. Terwijl de soldaten kratten morfine en hechtdraad naar de vrachtwagens voor de zwarte markt brachten, dacht Andras aan Tibors brieven uit zijn laatste werkkamp – *ik heb hier natuurlijk geen spalken, gipsmateriaal of antibiotica* – en bedacht een nieuwe rubriek. 'Klachten van het Front' moest die gaan heten, een reeks brieven van Munkaszolgálat-tewerkgestelden in diverse stadia van ziekte, verhongering en verzwakking, waarop een vertegenwoordiger van de KMOF antwoordde met vermaningen: ze moesten zich vermannen en accepteren dat een oorlog nu eenmaal met ontberingen gepaard gaat. Wie dachten die jammerende slappelingen wel dat ze waren? Wees een kerel, verdomme, en bedenk dat je dit voor de Hongaarse zaak manhaftig moet doorstaan. Andras opperde het idee die avond tegen Mendel in de bus en ze brachten de eerste aflevering van de serie de week daarna, in een klein kadertje op de achterpagina.

Tegen het eind van de maand had zich een bijna onmerkbare mentaliteitsverandering in de 79/6de compagnie voltrokken. Enkele mannen leken op een andere manier naar de dagelijkse gang van zaken in de inspectieloods te kijken. Ze stonden in kleine groepjes bij elkaar naar de soldaten te kijken die kratten levensmiddelen en kleding met het stempel van de KMOF uitlaadden. Ze volgden de tocht van de kratten van de trein naar de gesloten trucks, ze keken de trucks na als ze door de poort wegreden. Andras en Mendel, die dankzij hun rol als uitgevers van *Het Kromme*

Spoor een zekere status hadden verworven, begonnen naar de groepjes toe te gaan en met een aantal mannen te praten. Zachtjes wezen ze hen erop dat de soldaten maar heel weinig tijd hadden om de goederen weg te halen; met een paar kleine aanpassingen in het werk van de tewerkgestelden kon het afromen lang genoeg worden uitgesteld om wat extra verband, een paar extra kratten overjassen naar de mannen aan het front te kunnen sturen.

De week daarop was de 79/6de compagnie al begonnen de goederen iets langzamer in te laden, maar nauwelijks zichtbaar. De verandering voltrok zich zo geleidelijk, zo subtiel dat de voormannen er geen algemene tendens in herkenden. Maar Andras en Mendel zagen het wel. Ze zagen het met een soort stille triomf aan en vergeleken hun indrukken fluisterend in de bus. Alles leek erop te wijzen dat de kleine verandering plaatsvond waarop ze hadden gehoopt. Dat werd in hun gesprekken met de andere arbeiders bevestigd. Het was natuurlijk onmogelijk na te gaan of de verandering iets uitmaakte voor de mannen aan het front, maar het was tenminste iets: een kleine daad van protest, een kleine vertragende schakel in de reusachtige machinerie van de arbeidsinzet. Toen ze het de week daarop aan Frigyes Eppler van het *Dagblad* vertelden, sloeg hij hen op de schouder, bood hun een slok whisky uit de fles in zijn werkkamer aan en vond dat alle lof hemzelf toekwam.

Op zondag, als Andras vrij had, gingen hij en Klara in het huis aan de Benczúr utca lunchen, waar op een paar stukken na bijna alle meubels verdwenen waren. Als ze in de tuin aan een lange, met wit linnen gedekte tafel aten, had Andras het gevoel dat hij in een heel ander leven terechtgekomen was. Hij begreep niet hoe het mogelijk was dat hij de vorige dag nog zakken meel en kratten wapens in goederenwagons had staan laden en nu, op zondag, zoete tokayer dronk en snoekbaars uit het Balatonmeer met citroensaus at. Soms kwam József Hász langs bij die zondagse gezinsmaaltijden, vaak in gezelschap van zijn vriendinnetje, de slungelige dochter van een onroerendgoedmagnaat. Ze hadden als kind samen aan de oever van het Balatonmeer gespeeld, waar de zomerverblijven van beide families naast elkaar lagen. Ze zaten samen op een bankje in een hoekje van de tuin dunne donkere sigaretjes te roken, druk in gesprek met hun hoofden dicht bij elkaar. György Hász had een afschuw van roken. Hij zou József hebben weggestuurd om op straat te gaan roken als het meisje er niet bij was geweest. Nu deed hij alsof hij de sigaretten niet zag. Dat was een van de vele spelletjes die de middagen in de Benczúr utca zo ingewikkeld maakten. Soms viel het niet mee om het allemaal bij te houden, al dat doen-alsof. Er werd gedaan alsof Andras niet de hele week goederenwagons had geladen terwijl József in zijn atelier in Boeda stond te schilderen; er werd gedaan alsof Klara's langdurige ballingschap in Frankrijk nooit had plaatsgevonden, en alsof ze nu veilig was, en alsof de geleidelijke, maar onstuitbare verdwijning van de schilderijen, de prachtige kleden, de kunstvoorwerpen, de juwelen van mevrouw Hász junior en bijna al het personeel, de auto, de chauffeur, de piano en de vergulde pianokruk, de kostbare oude boeken en de meubels met inlegwerk niet plaatsvond om Klara uit handen van de politie te houden, maar om te voorkomen dat József voor de Munkaszolgálat werd opgeroepen.

József bevestigde zijn eigenwaan door te vinden dat hij al die opofferingen van zijn familie wel waard was. Zelf leefde hij onverminderd in weelde: zijn grote, lichte appartement in Boeda was een afspiegeling van zijn ouderlijk huis, met antieke kleden en meubels, kristal dat hij had meegenomen voordat het trage, gestage weglekken was begonnen. Andras had het appartement één keer gezien, een paar maanden na de geboorte van de baby, toen ze daar op een avond op bezoek waren geweest. József had hen onthaald op een maaltijd die hij bij Gundel, het vermaarde oude restaurant in het stadspark, had besteld; hij had de baby op zijn knie genomen terwijl Andras en Klara gebraden gevogelte met witte asperges en champignonpasteitjes aten. Hij had de vorm van de handjes en het hoofdje van zijn neefje bewonderd en verklaard dat hij precies op zijn moeder leek. Tegen Andras gedroeg hij zich luchtig en zorgeloos, al was het restje rancune nooit meer helemaal verdwenen sinds de keer dat Andras hem over zijn relatie met Klara vertelde. József had de gewoonte ieder spoor van ongemakkelijkheid met humor te maskeren; hij sprak Andras tegenwoordig bij elke gelegenheid aan met 'oom Andras'. Na het eten troonde hij Andras en Klara mee naar de kamer op het noorden die hij als atelier gebruikte; er stonden rijen grote doeken tegen de muren. Er waren zojuist vier oudere schilderijen van hem verkocht, zei hij; hij werkte tegenwoordig via een familieconnectie samen met Móric Papp, de kunsthandelaar aan de Váci utca die de Hongaarse elite van moderne kunst voorzag. Andras zag tot zijn leedwezen dat Józsefs werk sinds zijn Parijse studententijd aanmerkelijk beter was geworden. Zijn collages – netten van donkere kleuren over een achtergrond van fijngemalen zwart grind en stukjes van oude wegwijzers en stukken spoorrail – waren zelfs goed te noemen, misschien zelfs suggestief; ze riepen de onzekerheid, de angst op waarin Europa ondergedompeld was. Toen Andras hem complimenteerde, reageerde József als iemand die de lof ontvangt die hem toekomt. Het had Andras de grootste moeite gekost de hele avond beleefd te blijven.

Op die zondagmiddagen aan de Benczúr utca had József, als hij met zijn Zsófia bij het gezelschap aan tafel kwam zitten, het meestal over de saaiheid van Boedapest in de zomermaanden – aan het Balatonmeer was het veel prettiger, en als ze daar nu waren geweest, wat zouden ze dan nu aan het doen zijn? Dan begonnen Zsófia en hij jeugdherinneringen op te halen – aan de keer dat haar broer met hen in een lekke boot heel ver het meer op was gevaren, de keer dat ze misselijk waren geworden nadat ze onrijpe meloenen hadden gegeten, of de keer dat József op Zsófia's pony wilde rijden en in een braamstruik was afgeworpen – en dan lachte Zsófia, en mevrouw Hász senior, die zich alles nog wel herinnerde, knikte en glimlachte, en György en zijn vrouw keken elkaar even aan, want tenslotte had József zijn vrijstelling van de arbeidsinzet aan dat zomerhuis te danken.

Op een zondag in het begin van juni troffen ze Józsefs plaatsje onbezet. Andras was opgelucht bij het vooruitzicht van een middag zonder hem. Tibor en Ilana waren er al een poosje en Ilana speelde in het gras met de kleine Ádám terwijl Tibor in een rieten ligstoel naar de neergeslagen rand van Ilana's zonnehoed zat te kijken. Andras liet zich in een stoel naast zijn broer vallen. Het was een warme, onbewolkte dag, de zoveelste; het jonge gras was slap van droogte. De werkweek in Szentendre was ongewoon zwaar geweest en Andras had het alleen kunnen volhouden doordat hij wist dat hij die zondag in de lommerrijke tuin zou zitten en frambozensiroop met koel spuitwater zou drinken. Klara ging bij Ilana in het gras zitten met Tamás op schoot. De baby's gaapten elkaar aan, zoals gewoonlijk, alsof ze elke keer weer stomverbaasd waren bij de ontdekking dat er nóg een baby op de wereld was. Mevrouw Hász junior kwam naar buiten met een sifon, een klein kruikje robijnrode siroop en een stel glazen. Andras zuchtte, sloot zijn ogen en wachtte op het glas frambozenlimonade met prik dat op het lage tafeltje naast hem zou verschijnen.

'Waar is uw zoon?' vroeg Tibor aan Elza Hász.

'In de studeerkamer, met zijn vader.'

Andras hoorde de gespannen klank in haar stem, ontwaakte uit zijn lethargie en keek aandachtig terwijl ze de glazen ronddeelde. Ze was de afgelopen vijf jaar zichtbaar ouder geworden. Haar donkere haar was nog steeds modieus kortgeknipt, maar met grijs doorschoten; de flauwe rimpeltjes bij haar ogen waren dieper geworden. Ze was magerder geworden sinds de laatste keer dat hij haar had gezien – hij wist niet of dat door de zorgen kwam of doordat ze niet genoeg at. Hij vroeg zich enigszins zorgelijk af waar György en József het in de studeerkamer over hadden. Hij hoorde hun stemmen door het open raam – György sprak ernstig, laag en zacht, József hoger, verontwaardigd. Een paar minuten later stormde József door de porte-brisée over de terracotta terrastegels naar het gazon, waar zijn moeder in een lage tuinstoel zat. Hij keek haar zo woedend aan dat ze opstond.

'Zeg dat u hier niet mee hebt ingestemd,' snauwde hij.

'Daar gaan we het nu niet over hebben,' zei Elza Hász. Ze legde een hand op zijn arm.

'Waarom niet? Iedereen is er nu.'

Elza wierp haar echtgenoot, die ook naar buiten was gekomen en snel naar het grasveld toe liep, een panische blik toe. 'György!' zei ze. 'Zeg tegen hem dat we het hier nu niet over hebben.'

'József, hou hier onmiddellijk over op,' zei zijn vader zodra hij bij hen was.

'Jullie mogen dit huis niet verkopen. Het is mijn huis. Het is voor mij bestemd. Ik ben van plan hier ooit met mijn vrouw te gaan wonen.'

'Het huis verkopen?' vroeg Klara. 'Hoe bedoel je?'

'Vertel het maar, vader,' zei József.

György Hász keek zijn zoon koel en streng aan. 'Ga mee naar binnen,' zei hij.

'Nee.' Dat was mevrouw Hász senior, die haar handen stevig op de leuningen van haar rieten stoel had gelegd. 'Klara heeft er recht op te weten wat er aan de hand is. Het wordt tijd dat we het vertellen.'

Klara keek van József naar haar moeder en van haar naar György; ze probeerde te begrijpen wat er aan de hand was. 'Het huis is van jou, György,' zei ze. 'Als je erover denkt het te verkopen, heb je daar vast een goede reden voor. Maar is het echt zo? Wil je het verkopen?'

'Maak je geen zorgen, Klara,' zei György. 'Het is nog helemaal niet zeker. We kunnen het er vanavond na het eten wel over hebben als je wilt.'

'Nee,' zei de oude mevrouw Hász weer. 'We moeten het nú bespreken. Klara moet meebeslissen.'

'Maar er hoeft niets te worden beslist,' zei de jonge mevrouw Hász. 'We hebben geen keus. Er valt niets te bespreken.'

'Het is Lévi's schuld,' zei József. Hij keek Andras aan. 'Zonder hem zou dit allemaal niet gebeurd zijn. Hij heeft haar overgehaald terug naar Hongarije te gaan.'

Andras zag Klara's niet-begrijpende blikken en de woedende blik van József. Zijn hart bonkte in zijn keel. Hij stond op en keek József recht aan. 'Doe wat je vader zegt,' zei hij. 'Ga weer naar binnen.'

Józsefs mondhoeken krulden minachtend om. 'Je hoeft mij geen orders te geven, oom.'

Nu stond Tibor naast Andras; hij was woedend op József. 'Pas op je woorden,' zei hij.

'Waarom mag ik hem geen oom noemen? Dat is hij toch. Hij is met mijn tante getrouwd.' Hij spoog voor Andras' voeten.

Als Klara Andras niet bij zijn arm had gepakt, had hij József waarschijnlijk een klap verkocht. Hij stond op zijn tenen, met gebalde vuisten. Hij haatte József Hász. Dat besefte hij nu pas. Hij haatte alles wat hij was, alles waar hij voor stond. Hij voelde dat de broze, fragiele constructie van zijn leven wankelde, weg begon te glijden. Dat was Józsefs schuld. Andras wilde hem zijn haar uittrekken, het fijne katoenen hemd van zijn lijf scheuren.

'Zitten, allebei,' zei de oude mevrouw Hász. 'Het is hier veel te heet voor. Jullie zijn over je toeren.'

'Wie is er over zijn toeren?' schreeuwde József. 'Ik raak mijn ouderlijk huis kwijt, dat is alles. Moeder heeft gelijk, er valt niets te bespreken. Het ís al afgelopen en niemand heeft mij iets gevraagd. Jullie hebben me niets verteld. En erger nog: jullie hebben me voorgespiegeld dat het voor míj was dat we de meubels, de schilderijen en de auto moesten wegdoen en God mag weten hoeveel geld kwijt zijn! En al die tijd betaalden we voor háár fouten en voor die van haar man.'

'Waar héb je het over?' vroeg Klara. 'Wat heeft dit met Andras en mij te maken?'

'Hij heeft je mee terug genomen. Jíj bent meegegaan. Dat weten ze al bijna drie jaar. Dacht je dat je je eeuwig achter je Franse naam en je getrouwde naam kon verbergen? Wist je niet dat je de hele familie in gevaar bracht?'

'Leg eens uit wat hij bedoelt, György,' zei Klara tegen haar broer. Ze nam de baby op haar heup en ging dichter bij Andras staan.

De onthulling was niet meer te vermijden. Zo kort en duidelijk als hij kon zette György de situatie uiteen: madame Novak had Klara's ware identiteit aan het licht gebracht, György was op een gegeven moment benaderd en had voor een oplossing gezorgd; hij had gehoopt dat de gulzigheid van de autoriteiten ooit wel bevredigd zou zijn of dat ze de hele zaak beu zouden zijn voordat hij het huis moest verkopen, maar ze hadden volgehouden, totdat de familie zich in de huidige situatie bevond.

Klara was bleek geworden terwijl haar broer dat alles vertelde. Ze sloeg een hand voor haar mond en keek van György naar haar man. 'Andras,' zei ze toen György uitgesproken was, 'hoe lang weet je dit al?'

'Sinds afgelopen najaar,' antwoordde hij. Hij dwong zichzelf haar aan te kijken.

Ze deed een stap achteruit en ging in een rieten stoel zitten. 'O god,' zei ze. 'Dus je wist het en je hebt me niets verteld. Al die tijd.'

'Andras wilde het vertellen,' zei György, 'maar hij moest mij beloven dat hij zijn mond hield. Het leek me niet verstandig om je bang te maken, in jouw toestand.'

'En daar heb jij mee ingestemd?' vroeg ze aan Andras. 'Vond jij ook dat het niet verstandig was om me in mijn toestand bang te maken?'

'We hebben er nog ruzie over gehad,' zei György. 'Hij dacht dat je het waarschijnlijk liever wel wilde weten. Moeder vond ook dat je het moest weten. Maar Elza en ik waren het daar niet mee eens.'

Klara huilde nu van frustratie. Ze stond op en begon over het gras te ijsberen met de baby in haar armen. 'Dit is een ramp,' zei ze. 'Ik had misschien iets kunnen doen. We hadden een oplossing kunnen bedenken. Maar niemand heeft iets tegen me gezegd! Geen woord! Mijn man niet. Zelfs mijn eigen moeder niet!' Ze draaide zich om en ging naar binnen; Andras ging achter haar aan, maar voordat hij bij haar was, had ze haar katoenen jasje al gepakt en was ze door de zware voordeur de straat op gegaan, met Tamás op de arm. Andras deed de deur weer open en volgde haar over de stoep. Bijna rennend liep ze Benczúr uit in de richting van de Bajza utca, haar meloenkleurige jasje wapperde als een vlag achter haar aan. Het donkere haar van de baby glansde in de middagzon en zijn handje op haar rug had precies de vorm en de afmetingen van de speld met de zeester die ze in Zuid-Frankrijk had gedragen. Andras rende nu achter haar aan zoals hij toen ook had gedaan. Hij zou heel Europa door zijn gerend als het moest. Maar het verkeer op de hoek van de Bajza utca en het Városliget dwong haar te blijven staan, en ze keek naar de voorbijsnellende auto's en negeerde hem. Hij haalde haar in, pakte haar jasje, dat van haar schouder was gegleden en met een mouw over de grond sleepte. Toen hij het weer om haar heen sloeg, voelde hij dat ze trilde van woede.

'Snap je het dan niet?' vroeg hij. 'György had gelijk. Je zou jezelf en het kind in gevaar hebben gebracht.'

Het licht werd groen en ze stak in hetzelfde hoge tempo de straat over in de richting van de Nefelejcs utca. Hij liep vlak achter haar aan.

'Ik was bang dat je zou proberen het land uit te komen,' zei hij. 'Ik moest weer naar het werkkamp. Ik had niet mee gekund.'

'Laat me met rust,' zei ze. 'Ik wil niet met je praten.'

Hij versnelde zijn pas om haar bij te houden terwijl ze zich naar huis haastte. 'Ik heb respect voor György,' zei hij. 'Hij had me in vertrouwen genomen. Ik kon hem niet in de kou laten staan.'

'Ik wil het niet weten.'

'Je moet naar me luisteren, Klara. Je kunt niet zomaar weglopen.'

Ze draaide zich om en keek hem aan. De baby jengelde zachtjes tegen haar schouder. 'Jij hebt toegelaten dat ik mijn familie aan de bedelstaf bracht,' zei ze. 'Jij hebt dat besluit voor me genomen.'

'György heeft het besluit genomen,' zei Andras, 'en je moet je woorden met wat meer zorg kiezen. Je broer is niet aan de bedelstaf. Hij overleeft het wel als hij naar een achtkamerappartement op de begane grond in de Erzsébetváros moet verhuizen.'

'Maar het is mijn thúis,' zei ze, en ze begon weer te huilen. 'Het is mijn ouderlijk huis.'

'Ik ben het mijne ook kwijt, zoals je misschien nog weet,' zei Andras.

Ze draaide zich weer om en liep verder naar hun huis. Bij de voordeur zocht ze in haar tasje naar de sleutel. Hij pakte hem voor haar en deed de deur open. Binnen klonk het geklater van de fontein en de stemmen van de kinderen die aan het hinkelen waren. Ze rende de binnenplaats over en liep de trap op; de kinderen staakten hun spel en bleven staan met hun potscherf in de hand. Haar snelle stappen schalden spiraalsgewijs door het trappenhuis. Toen hij boven kwam, was zij al naar binnen. De voordeur stond open; in de gang trilde de lucht van de stilte. Ze had zich in de slaapkamer opgesloten. De baby huilde en Andras hoorde hoe ze hem probeerde te troosten, hun Tamás – ze praatte tegen hem, vroeg of hij honger had, of een natte luier, liep met hem heen en weer door de kamer. Andras ging naar de keuken en drukte zijn hoofd tegen de koele flank van de ijskast. Zijn instinct had hem ingegeven haar meteen de waarheid te vertellen. Waarom had hij die ingeving niet gevolgd?

Hij ging in de keuken zitten wachten tot ze de slaapkamer uit kwam. Hij wachtte en de schaduwen van de meubels werden langer op de keukenvloer en klommen tegen de muur op. Hij zette koffie en dronk die op. Hij probeerde de krant te lezen, maar kon zich niet concentreren. Hij wachtte, met zijn handen gevouwen op zijn dij, en toen hij het wachten moe werd, liep hij de gang in en bleef voor de slaapkamerdeur staan. Hij legde zijn hand op de deurkruk. Die gaf mee, en daar, aan de andere kant, was Klara. De baby was op hun bed in slaap gevallen met zijn handjes omhoog, alsof hij zich overgaf. Klara's ogen zagen rood en haar haar hing los om haar schouders. Ze zag er precies zo uit als Elisabet toen Andras haar in de Rue de Sévigné uit haar kamer probeerde te lokken. Ze hield een arm voor haar borst en haar hand tegen haar schouder, alsof ze daar pijn had. Haar voetstappen hadden urenlang op de vloer geklonken; al die tijd moest ze dus met de baby heen en weer hebben gelopen.

'Kom eens bij me zitten,' zei Andras. Hij pakte haar hand, trok haar mee naar de voorkamer, naar de divan, en ging samen met haar zitten zonder haar hand los te laten.

'Het spijt me,' zei hij. 'Ik had het je moeten vertellen.'

Ze keek naar zijn hand om de hare en wreef met de rug van haar vrije hand over haar ogen. 'Ik wilde geloven dat het voorbij was,' zei ze. 'We kwamen terug en begonnen een heel ander leven. Ik was niet bang meer. Althans niet meer voor dezelfde dingen als toen ik wegging.'

'Zo wilde ik het ook,' zei Andras. 'Ik wilde niet dat je bang was.'
'Je had me moeten vertrouwen, me laten doen wat juist was,' zei
ze. 'Ik zou ons kind nooit in gevaar hebben gebracht. Ik zou niet
hebben geprobeerd het land uit te vluchten terwijl jij in het werkkamp zat.'
'Maar wat zou je dan hebben gedaan? En wat moeten we nu?'
'We gaan weg,' zei ze. 'We gaan allemaal weg, voordat György
alles kwijt is. Misschien kan hij het huis niet houden, maar hij
is nog niet arm. Er kan nog heel wat gered worden. We gaan met
die Klein praten, jij en ik, we gaan hem vragen of hij ons vertrek
wil regelen. We moeten proberen in Palestina te komen. Van
daaruit is het misschien gemakkelijker om naar Amerika te
gaan.'
'Je zult het huis in Parijs kwijtraken.'
'Natuurlijk,' zei ze. 'Maar bedenk eens hoeveel mijn broer al is
kwijtgeraakt.'
'Maar hoe moeten we de chantage laten ophouden? Als jij het
land uit bent, proberen ze hem dan niet te dwingen te vertellen
waar je bent?'
'Hij moet ook mee. Hij moet verkopen wat hij nog heeft en zo
snel mogelijk het land uit zien te komen.'
'En je moeder dan? En mijn ouders? En Mátyás? We kunnen
niet weg als we niet weten wat er van hem geworden is. Daar hebben we het over gehad, Klara. Dat kan niet.'
'We nemen onze ouders mee. We regelen ook de overtocht voor
Mátyás, als hij op tijd terug is.'
'En als hij niet op tijd terug is?'
'Dan spreken we met Klein af dat hij achter ons aan komt als
hij terug is.'
'Luister nu eens. Er zijn honderden mensen omgekomen terwijl
ze probeerden in Palestina te komen.'
'Ja, dat begrijp ik. Maar we moeten het proberen. Als we hier
blijven, pakken ze de familie alles af. Misschien blijft het dan niet
eens meer bij geld.'
Andras zweeg een hele tijd. 'Je weet hoe Tibor erover denkt,' zei
hij toen. 'Hij had al veel eerder gewild dat we weggingen.'
'En wat vind jij?'
'Ik weet het niet. Ik weet het niet.'
Haar borst rees en daalde onder de losse blouse. 'Je moet be-
grijpen,' zei ze, 'dat ik hier niet kan blijven en toelaten dat wij of

mijn familie zo worden behandeld. Dat kon ik toen niet. En dat kan ik nu ook niet.'

Dat begreep hij. Dat had hij natuurlijk altijd geweten. Zo was ze nu eenmaal. Daarom had György haar ook niets verteld. Ze moesten het land uit. Ze zouden het huis in Parijs verkopen; ze zouden naar Klein gaan en hem smeken nog één keer een uittocht te regelen. Die nacht zouden ze aan hun plan beginnen. Maar nu viel er niets meer te zeggen. Hij pakte haar hand weer en ze keek hem aan, en hij wist ook dat ze begreep waarom hij de waarheid al die maanden voor haar had verzwegen.

33

Naar het oosten

De weken daarna deed hij zijn best om niet aan de Struma te denken. Hij deed zijn best om niet aan de bedrogen passagiers op dat wrak te denken, slecht toegerust voor de reis en met onvoldoende proviand. Hij deed zijn best om niet aan hun eigen reis over de Donau te denken, aan de voortdurende angst voor ontdekking, aan zijn vrouw en zoontje zonder eten of water; hij wilde niet aan zijn broer en zijn ouders denken die in Europa moesten achterblijven. Hij wilde alleen denken aan de noodzaak het land uit te komen en aan de middelen die daarvoor nodig waren. Hij telegrafeerde Rosen om hem op de hoogte te brengen van de veranderde situatie, die hun vertrek nu dringend maakte. Twee weken later kwam er antwoord per luchtpost: Shalhevet was erin geslaagd zes noodvisa te bemachtigen – zes! – genoeg voor Andras, Klara, Tibor, Ilana en de beide kinderen. Als ze eenmaal in Palestina waren, schreef hij, zou het gemakkelijker zijn visa voor de anderen te regelen – voor Mendel Horovitz, die heel waardevol zou zijn voor de Yishuv, en voor György, Elza, Andras' ouders en de rest van de familie. Er was geen tijd om het te vieren, er moest nog te veel gebeuren. Klara moest haar advocaat in Parijs schrijven dat hij de verkoop van het huis moest versnellen. Andras moest zijn ouders schrijven wat er aan de hand was en hoe dat kwam. En ze moesten naar Klein.

Klara had bedacht dat ze samen moesten gaan, met hun zessen. Ze dacht dat hij eerder genegen zou zijn hen te helpen als hij alle mensen te zien kreeg die hij zou redden. Ze besloten op een zondagmiddag te gaan; ze trokken hun netste kleren aan en legden de baby's in hun kinderwagen. Klara en Ilana liepen voorop. Hun zomerhoeden bogen zich als twee bloemkelken naar elkaar toe. Andras en Tibor volgden. Ze zagen eruit als een doodgewone Hongaarse familie die op zondagmiddag een wandelingetje maakte. Niemand zag dat er iemand ontbrak, een broer die in de Oekraïne werd vermist. Niemand zou denken dat ze een clandestiene vlucht uit Europa gingen regelen. In Klara's tasje zat een telegram van haar advocaat, waarin hij meedeelde dat het huis in de Rue de Sévigné negentigduizend franc waard was en dat de opbrengst van de verkoop kon worden overgemaakt via contacten in Wenen die op hun beurt contacten in Boedapest hadden; dat zou lastig zijn, maar niet onmogelijk. Klara's naam zou nergens worden vermeld; de eigendom van het gebouw was officieel aan de niet-joodse advocaat zelf overgedragen, want in bezet Frankrijk mochten joden geen onroerend goed bezitten. Er moesten natuurlijk allerlei mensen worden betaald, maar als de verkoop naar wens verliep, zou er nog zo'n zeventigduizend franc overblijven. Niemand die Klara die zondagmiddag door de Váci út zag lopen met haar smalle, rechte rug en haar beheerste gezicht in de lichtblauwe schaduw van haar hoed, zou denken dat ze twee dagen geleden zo ongelukkig was geweest toen ze 's avonds een telegram aan haar advocaat opstelde om hem opdracht te geven het huis te verkopen. Het was al een hele tijd geleden dat zij en Andras nog dachten dat ze op een dag terug zouden gaan naar Parijs om hun oude leven weer op te pakken. Maar het appartement en de studio waren echt, ze waren nog steeds van haar, haar territorium in de stad waar ze zeventien jaar had gewoond. Door dat bezit had het onmogelijke mogelijk geleken: daardoor konden ze geloven dat alles nog eens zou veranderen, dat ze misschien ooit terug konden. Het besluit het huis te verkopen had iets definitiefs. Ze gaven die bron van hoop op om een wanhoopsreis te financieren die misschien op niets zou uitlopen, naar een land dat hun volkomen vreemd was – een belegerde woestijn die door de Britten werd bestuurd. Maar ze hadden hun besluit genomen. Ze gingen het proberen. Daarom had Klara haar advocaat opdracht gegeven haar de opbrengst van de verkoop via zijn contacten in Wenen en Boedapest te doen toekomen.

Bij het huis in de Frangepán köz, waar de tijd had stilgestaan en zelfs het zonlicht dat door de hoge wolken heen scheen antiek leek, stonden de melkgeiten op het erf te blaten en aan een stapel zoetgeurend hooi te trekken. Tamás, die nu zeven maanden was, keek er gefascineerd naar. Hij keek Klara aan alsof hij wilde vragen of dat allemaal wel in de haak was. Toen hij zag dat ze lachte, keek hij weer naar de geiten en wees ernaar.

'Onze zoons zijn stadskinderen,' zei Tibor. 'Ik had op zijn leeftijd wel duizend geiten gezien.'

'Misschien zullen ze niet lang meer stadskinderen blijven,' zei Klara.

Ze lieten de geiten voor wat ze waren en liepen over het bestrate pad naar de deur. Tibor klopte aan en de grootmoeder van Klein deed open. Haar witte haar ging schuil onder een hoofddoek en ze droeg een schort met rood borduurwerk over haar jurk. Uit de keuken kwam de geur van gevulde koolbladeren op hen af. Andras was uitgeput na een week hard werken en kreeg plotseling een verschrikkelijke honger. Kleins grootmoeder liet hen in de lichte zitkamer, waar Klein senior in een leunstoel zat, met zijn voeten in een teiltje. Hij had dezelfde verwassen rode kamerjas aan als op de dag dat Andras en Tibor bij hem op bezoek waren en zijn haar stond nog steeds als een stel vleugels van zijn hoofd af, alsof dat hoofd ieder moment het luchtruim kon kiezen. Langs zijn benen steeg een naar thee geurende damp op. Hij stak een hand op bij wijze van groet.

'Mijn man heeft last van likdoorns,' zei zijn vrouw. 'Anders zou hij wel opstaan om u welkom te heten.'

'Welkom,' zei de oude man met een hoffelijke kleine buiging. 'Gaat u zitten.'

Mevrouw Klein liep de gang met de portretten in om haar kleinzoon te halen. Ondanks de uitnodiging van de oude Klein ging niemand zitten. Ze bleven dicht bij elkaar staan wachten en keken naar de oude meubels en de vele foto's. Andras zag dat Klara's blik over de beelden van het gezinnetje gleed – het jongetje dat waarschijnlijk Klein was, de mooie, mysterieuze vrouw, de man met de trieste ogen – en weer kreeg hij het gevoel dat dit huis gebukt ging onder een verlies van lang geleden. Klara moet het ook hebben gevoeld; ze trok Tamás dichter tegen zich aan en streek met haar duim over zijn mondje alsof ze een onzichtbaar spoortje melk wegveegde.

Klein liep achter zijn grootmoeder aan de gang door en de zitkamer in. Zij verdween in de keuken en hij kwam naar hen toe, met zijn ogen knipperend tegen het middaglicht. Andras vroeg zich af hoe lang hij al niet uit dat hol vol dossiers, kaarten en radio's weg was geweest. Hij had donkere kringen om zijn ogen en zijn haar was stug en lang niet gewassen. Hij had een katoenen onderhemd en een met inkt bevlekte broek aan. Hij liep op blote voeten. Hij moest zich nodig scheren. Hij nam het groepje op en schudde zijn hoofd.

'Nee,' zei hij. 'Geen sprake van. Geen schijn van kans.'

'Ik zet thee, dan kunnen jullie praten,' riep zijn grootmoeder uit de keuken.

'Geen thee,' riep hij terug. 'Er wordt niet gepraat. Ze gaan weg. Begrijpen jullie?' Maar ze hoorden in de keuken een kast open en weer dicht gaan en water in een holle metalen theepot klateren.

Klein hief zijn handen ten hemel.

'Wees eens wat beleefder,' zei de oude Klein tegen zijn kleinzoon. 'Ze zijn dat hele eind hiernaartoe gekomen.'

'Wat u wilt is onmogelijk,' zei Klein tegen Andras en Tibor. 'Onmogelijk en verboden. Het kan u op gevangenisstraf komen te staan, het kan u uw leven kosten.'

'Daar hebben we aan gedacht,' zei Klara op een toon die hem dwong haar aan te kijken. 'Maar we willen het toch.'

'Onmogelijk!' herhaalde hij.

'Maar dit is toch uw werk,' zei Andras. 'U hebt het al eerder gedaan. En we kunnen u betalen. We hebben geld, althans, dat hebben we binnenkort.'

'U moet zachter praten,' zei Klein. 'De ramen staan open. Je weet maar nooit wie er meeluistert.'

'Onze situatie is onhoudbaar geworden,' zei Andras, zachter nu. 'U moet voor vervoer zorgen, en later willen we de rest van de familie laten overkomen.'

Klein ging op de bank zitten en ondersteunde zijn hoofd met zijn handen. 'Vraag het maar aan iemand anders,' zei hij.

'Waarom zouden ze iemand anders vragen?' wierp zijn grootvader tegen. 'Jij bent de beste.'

Klein maakte een wanhopig keelgeluidje. Zijn grootmoeder was klaar in de keuken en duwde een theewagentje de kamer in. Ze parkeerde het naast de bank en schonk een stel oeroude Herendkopjes vol.

'Als jij ze niet helpt, gaan ze écht op zoek naar iemand anders,' zei ze op zacht verwijtende toon. Ze hield haar hoofd schuin, hield even op met schenken en bestudeerde Klara alsof de geheimen van de toekomst op haar gestippelde jurk te lezen waren. 'Dan gaan ze naar Pál Behrenbohm en die stuurt ze weg. Dan gaan ze naar Szászon. Dan gaan ze naar Blum. En als dat ook niet lukt, gaan ze naar János Speitzer. En jij weet net zo goed als ik wat er dan gebeurt.' Ze deelde de kopjes rond, bood suiker en melk aan en schonk toen een kop thee voor zichzelf in.

Klein keek van zijn grootmoeder naar Andras en Klara, Tibor en Ilana en de kinderen. Hij veegde zijn handen af aan zijn hemd. Hij moest het in zijn eentje tegen hen allemaal opnemen. Hij hief zijn handen, verslagen. 'Dan moet u het zelf maar weten,' zei hij.

'Gaat u toch zitten, drink uw thee op,' zei zijn grootmoeder. 'En Miklós, doe alsjeblieft niet zo luguber.'

Ze gingen om de tafel zitten en dronken de vreemde, rokerige thee. Die smaakte naar houtvuurtjes en deed Andras aan de herfst denken. Op gedempte toon bespraken ze de details: Klein zou voor vervoer over de Donau zorgen, hij had een vriend met een aak, en de gezinnen zouden zich schuilhouden in twee vernuftig gebouwde compartimenten in het ruim; ze moesten melk met iets verdovends klaarmaken, zodat de kinderen niet gingen huilen, en ze moesten genoeg eten voor twee weken meenemen, want in oorlogstijd kon een reisje dat normaal maar een paar dagen duurde veel meer tijd kosten. Klein moest naar schepen vanuit Roemenië informeren en uitzoeken waar en hoe ze daar aan boord konden komen. Misschien duurden de voorbereidingen een á twee maanden, als alles goed ging. Hij, Klein, was geen oplichter zoals János Speitzer. Hij zou geen onveilige boot uitkiezen of hen zonder voldoende proviand op weg sturen zodat ze tegen woekerprijzen eten van zijn vrienden moesten bijkopen. Hij zou hen niet aan een bemanning toevertrouwen die hun spullen zou stelen of hen niet aan wal wilde laten gaan als ze naar de dokter moesten. Hij deed ook geen valse beloften over hun veiligheid of over een behouden aankomst. Alles kon ieder moment mislopen. Dat moesten ze goed begrijpen.

Toen Klein uitgesproken was, leunde hij achterover en begon door zijn hemd heen zijn borst te krabben. 'Zo gaat het in zijn werk,' besloot hij. 'Een zware, riskante reis. Geen garanties.'

Klara schoof naar voren en zette haar kopje op het lage tafeltje neer. 'Geen garanties,' herhaalde ze. 'Maar we hebben tenminste een kans.'

'Daar ga ik niet over speculeren,' zei Klein, 'maar als u nog steeds van mijn diensten gebruik wilt maken, dan ben ik bereid het te doen.'

Ze wisselden een blik – Andras en Klara, Tibor en Ilana. Ze waren bereid. Hier hadden ze op gehoopt. 'Zeker, graag,' zei Tibor. 'We zijn bereid ieder risico te nemen.'

De mannen gaven elkaar een hand en spraken af elkaar over

een week weer te ontmoeten. Klein maakte een buiging voor de vrouwen en trok zich terug in de gang, waar ze zijn kamerdeur open en weer dicht hoorden gaan. Andras stelde zich voor dat hij een nieuwe bruine map uit een doos haalde en hun achternaam op het etiket schreef. Bij die gedachte raakte hij opeens in paniek. Stapels van die mappen, op het bed, op de tafel, op het bureau. Wat was er van al die mensen geworden? Hoeveel van hen hadden Palestina bereikt?

De volgende avond ging Klara naar haar broer om vergiffenis te vragen. Ze liep met Andras naar het huis aan de Benczúr utca, met de kinderwagen. In György's studeerkamer nam Klara de handen van haar broer in de hare en vroeg hem haar te vergeven, te begrijpen hoe verbijsterd ze was geweest en in te zien dat ze op dat moment niet in staat was geweest hem dankbaar te zijn voor alles wat hij voor haar had gedaan. Ze vond het verschrikkelijk dat hij al zo'n groot deel van zijn bezit was kwijtgeraakt. Ze had opdracht gegeven haar huis in Parijs te verkopen, zei ze, en zodra ze over het geld kon beschikken, zou ze hem zoveel mogelijk terugbetalen.

'Je bent me niets verschuldigd,' zei György. 'Wat van mij is, is ook van jou. Het meeste wat ik bezat, was trouwens afkomstig uit vaders erfenis. En we schieten er momenteel niets mee op als je mij geld geeft. Die afpersers zullen er al snel de hand op weten te leggen.'

'Maar wat kan ik doen?' vroeg ze, bijna in tranen. 'Hoe kan ik je schadeloos stellen?'

'Door me te vergeven dat ik buiten jouw medeweten namens jou heb gehandeld. En misschien kun je je man ook overhalen me te vergeven dat ik hem onder druk heb gezet om dit alles voor jou geheim te houden.'

'Natuurlijk,' zei Klara, en Andras zei dat hij hem ook vergaf. Ze waren het er allemaal over eens dat György het voor Klara's bestwil had gedaan, en György sprak de hoop uit dat zijn zoon Klara en Andras ook vergiffenis zou vragen. Maar toen hij dat zei, trilde zijn stem.

'Wat is er?' vroeg Klara. 'Wat is er aan de hand?'

'Hij is weer opgeroepen,' zei György. 'En deze keer is er niets aan te doen. We kunnen hem niet meer helpen. We hebben een percentage van de opbrengst van het huis aangeboden, maar ze willen geen geld. Ze willen jongens zoals József als voorbeeld stellen.'

'O György,' zei Klara.

Andras was sprakeloos. Hij kon zich József niet bij de Munkaszolgálat voorstellen; dat leek hem even ondenkbaar als de kans dat hij Miklós Horthy in persoon in de bus van Óbuda naar Szentendre zou tegenkomen met een etensblik in zijn hand en een voddige jas aan zijn lijf. In eerste instantie voelde hij alleen voldoening. Waarom zou József niet tewerkgesteld hoeven worden terwijl hij, Andras, al twee jaar tewerkstelling achter de rug had en nog steeds in dienst was? Maar toen hij het gekwelde gezicht van György zag, kwam hij weer tot zichzelf. Wat József verder ook mocht zijn, hij was György's kind.

'Ik heb mijn zoon niet erg goed opgevoed,' zei György. Hij keek uit het raam. 'Ik heb hem altijd zijn zin gegeven en alles bij hem weggehouden wat hem pijn of verdriet kon doen. Maar ik heb hem te veel gegeven. Ik heb hem te veel beschermd. Hij is ervan overtuigd geraakt dat alles hem op een presenteerblaadje moet worden aangeboden. Hij heeft al die tijd in Boeda in weelde geleefd terwijl anderen in zijn plaats tewerkgesteld werden. Nu zal hij net als ieder ander op eigen kracht en door eigen slimheid moeten zien te overleven. Ik hoop maar dat hij daarvan genoeg bezit.'

'Misschien kan hij dicht bij huis te werk worden gesteld,' zei Andras.

'Dat is niet aan hem om te beslissen,' zei György. 'Ze delen hem in waar zij willen.'

'Ik kan generaal Mártón schrijven.'

'Je bent József niets verschuldigd,' zei György.

'Hij heeft me in Parijs geholpen. Meer dan eens.'

György knikte langzaam. 'Hij kan heel genereus zijn als hij wil.'

'Andras zal de generaal schrijven,' zei Klara. 'En later kan József misschien naar Palestina komen, bij ons.'

'Naar Palestina?' vroeg György. 'Jullie gaan toch niet naar Palestina?'

'Ja,' zei Klara, 'we moeten wel.'

'Maar lieverd, daar kun je helemaal niet komen.'

Klara vertelde over Klein. György's gezicht werd steeds ernstiger terwijl ze vertelde.

'Maar begrijp je het dan niet?' vroeg hij. 'Daarom heb ik het ministerie van Justitie betaald. Daarom heb ik de schilderijen en de kleden en de meubels verkocht. Daarom verkoop ik het huis! Om te voorkomen dat je zo'n krankzinnig risico moet nemen!'

'Het zou zinloos zijn om weg te gooien wat we nog bezitten,' zei Klara.

György richtte zich tot Andras. 'Zeg alsjeblieft dat je niet met die wilde plannen akkoord gaat.'

'Mijn broer is getuige geweest van de slachting in de Délvidék. Hij gelooft dat zoiets hier ook kan gebeuren, en nog erger.'

György zonk achterover in zijn stoel, lijkbleek. Buiten klonken de trommels en het koper van een militaire kapel, die waarschijnlijk langs de Andrássy út naar het Heldenplein marcheerde. 'En wij dan?' vroeg hij zwak. 'Hoe moet het dan met ons als ze crachter komen dat jullie weg zijn? Bij wie komen ze dan verhaal halen? Wie krijgt de schuld van jullie verdwijning?'

'Jullie moeten bij ons in Palestina komen,' zei Klara.

Hij schudde zijn hoofd. 'Onmogelijk. Ik ben te oud om een nieuw leven op te bouwen.'

'Wat had je anders willen doen?' vroeg ze. 'Ze hebben je je positie, je vermogen en je huis afgenomen. En nu nemen ze je ook je zoon af.'

'Je zit te dagdromen,' zei hij.

'Praat er toch met Elza over. Straks word jij ook nog opgeroepen. Dan blijven Elza en moeder helemaal alleen achter.'

Hij raakte zijn vloeiblad met zijn duimen aan. Er lag een stapel papieren voor hem, een dikke stapel glanzende vellen. 'Zie je dit?' vroeg hij en hij duwde de papieren naar haar toe. 'Dat zijn de overdrachtspapieren van het huis voor de nieuwe eigenaar.'

'Wie is het?' vroeg Klara.

'De zoon van de minister van Justitie. Zijn vrouw heeft net hun zesde kind gekregen, zeggen ze.'

'God sta ons bij,' zei Klara. 'Dus het huis wordt een puinhoop.'

'Waar gaan jullie dan wonen?' vroeg Andras.

'Ik heb iets gevonden in een gebouw aan het begin van de Andrássy út – heel riant eigenlijk, althans vroeger. Volgens deze papieren mogen we de resterende meubels meenemen.' Hij maakte een armgebaar naar de leeggehaalde kamer.

'Ga nou met Elza praten,' zei Klara.

'Zes kinderen in dit huis,' zei hij. Hij zuchtte. 'Wat een ramp.'

Generaal Martón was heel meelevend, maar hij kon weinig doen: hij kon József alleen een plaatsje in de 79/6de bezorgen. Toen Andras dat vernam, kreeg hij het gevoel dat hij persoonlijk gestraft werd. Dit was de vergelding voor de voldoening die hij had gevoeld toen hij hoorde dat József was opgeroepen. Nu stond József iedere morgen bij de bushalte in Óbuda; hij leek wel een officier met dat veel te schone uniform en die ongehavende pet. Hij werd in dezelfde ploeg ingedeeld als Andras en Mendel en moest wagons laden, net als alle andere tewerkgestelden. De eerste week keek hij telkens woedend naar Andras alsof het allemaal zíjn schuld was, alsof Andras persoonlijk verantwoordelijk was voor de blaren op Józsefs handen en voeten, de pijn in zijn rug en zijn vervellende, verbrande huid. Hij werd door de voorman uitgescholden vanwege zijn slapheid en traagheid; toen hij protesteerde, schopte Faragó hem tegen de grond en spuugde in zijn gezicht. Daarna werkte hij zwijgend door.

Juni maakte plaats voor juli en er kwam een eind aan het droge weer. Elke middag barstte de hemel open en stortte de zoet smakende regen neer over de eeuwige monotonie van Szentendre. De gele bakstenen van de gebouwen op het emplacement kleurden donker beige. In de heuvels aan de overkant van de rivier zwiepten de bomen, die eerder onbeweeglijk in het stof hadden gestaan, met hun takken en hun bladeren schudden heen en weer in de wind. Onkruid en wilde bloemen schoten op tussen de rails, en op een ochtend daalde er een plaag van kleine kikkertjes op Szentendre neer. Niemand begreep waar ze vandaan kwamen, maar ze zaten overal; ze waren selderiegroen en zo groot als munten, en ze sprongen als gekken in de richting van de rivier. De tewerkgestelden moesten ze twee dagen lang vloekend ontwijken en toen waren ze plotseling weer verdwenen, even raadselachtig als ze gekomen waren. Als kind had Andras dit een verrukkelijk jaargetijde gevonden; hij kon dan altijd in de molenvliet zwemmen, zondoorstoofde aardbeitjes eten, vers van de struik, zich in het hoge, koele gras verstoppen en naar de snelle, drukke mieren kijken. Nu was er alleen het trage zwoegen op het emplacement en het vooruitzicht op de ontsnapping. 's Avonds, als hij een paar uur thuis kon zijn, hield hij zijn slapende zoontje in zijn armen terwijl Klara hem passages van Bialik, Brenner of Herzl voorlas, beschrijvingen van Palestina en de wonderbaarlijke transformatie die de kolonisten daar teweegbrachten. In gedachten zag hij zijn gezin daar al, overgeplant tussen de sinaasappelbomen en de bijenkasten, met de zee als een glinsterend bronzen schild in de verte; zijn jongen werd groot en lang in de zilte lucht. Hij probeerde niet te veel stil te staan bij de onvermijdelijke ontberingen van de reis. Hij had wel meer doorstaan, en Klara ook. Zelfs zijn ouders, voor wie de verhuizing naar Debrecen de belangrijkste geografische verplaatsing van hun hele gehuwde leven was, hadden zich bereid verklaard de reis te wagen als dat mogelijk was, als ze een visum konden krijgen; ze weigerden zich door een continent en een zee van hun kinderen en kleinkinderen te laten scheiden.

Toen de droge tijd afgelopen was, begon de reis gestalte aan te nemen. Klein had een schipper, een zekere Szabó, bereid gevonden hen naar de Roemeense grens te brengen, vanwaar een andere schipper, Ivanescu, hen naar Constanţa zou varen; vervolgens was er op naam van de familie Gedalya passage geboekt aan boord van de Trasnet, een vroegere vissersschuit die tot vluchtelingensmokkelschip was omgebouwd. Ze moesten rekening houden met een overvol schip, honger, hitte, dorst, zeeziekte en dagenlang oponthoud in Turkse havens waar ze niet van boord konden, en ze moesten alleen het allernodigste meenemen. Ze moesten blij zijn dat ze in de zomer reisden, als de zee kalm was. Ze zouden door de Bosporus varen, langs Istanbul, over de Zee van Marmara en de Egeïsche Zee en dan de Middellandse Zee, en als ze de patrouilleboten en de onderzeeërs konden ontwijken, waren ze drie dagen later in Haifa. Als alles goed ging, zou de hele reis twee weken duren. Ze vertrokken op 2 augustus.

Klara had een ouderwetse houten wandkalender met een lijster op een kersentak erop geschilderd. Achter de drie kleine raampjes stonden de dag, de datum en de maand; iedere ochtend draaide Andras het wieltje door voordat hij naar Szentendre ging. Hij draaide de maand juli de onweersachtige dagen door, van een enkel cijfertje tot twee cijfers waarvan het voorste een één was, terwijl de voorbereidingen voor de reis gestaag vorderden. Ze verzamelden kleren, schoenen, hoofddeksels, pakten koffers in en weer uit en probeerden hun bezittingen er zo compact mogelijk in te krijgen. Op zondagmiddag liepen ze samen door de stad en laadden hun hoofd vol met beelden die ze wilden onthouden: de groene nevel van koele lucht boven de rivier bij het Margarethaeiland; de zoemende drukte van de auto's die over de Széchenyibrug reden, de geur van versgemaaid gras en warm gezwaveld bronwater in het Városliget, het droge betonnen bekken van de schaatsvijver, de lange grijze Donau-oever waar Andras in een vorig leven met zijn broer had gelopen toen ze pas van het gimnázium af waren en op een kamer aan de Hársfa utca woonden. Daar was de synagoge waar hij en Klara getrouwd waren, het ziekenhuis waar hun zoon geboren was, de kleine, lichte zaal waar Klara haar particuliere leerlingen les had gegeven. En hun eigen appartement aan de Nefelejcs utca, het eerste huis waar ze samen hadden gewoond. Er waren ook plekken waar ze geen afscheid van wilden nemen: het huis aan de Benczúr utca, dat nu leeg stond te wachten op de zoon van de minister van Justitie, de Opera met de galmende gangen en de steeg waar datgene was gebeurd wat lang geleden gebeurd was.

Op een zondag twee weken voor 2 augustus ging Andras alleen naar Klein. Het pakket visa uit Palestina was aangekomen. Dat was het enige wat ze nog nodig hadden om het dossier te voltooien, dat stapeltje knisperende witte papieren met het zegel van het Britse ministerie van Binnenlandse Zaken en het stempel met de davidsster van de Yishuv. Klein zou er facsimile's van maken en die bewaren voor het geval dat de originelen in het ongerede raakten. Grootvader Klein was op het erf de geiten aan het voeren. Hij tikte aan zijn pet.

'Jullie gaan nu snel weg,' zei hij.

'Nog veertien dagen.'

'Ik wist wel dat de jongen voor jullie zou zorgen.'

'Hij lijkt er talent voor te hebben.'

'Ja, zo is onze jongen. Precies zijn vader, altijd plannen maken, altijd met zijn apparaatjes in de weer, altijd reuring. Zijn vader was uitvinder, een man die iedereen nu zou kennen als hij was blijven leven.' Hij vertelde dat de ouders van Klein aan de influenza waren bezweken toen Klein nog een jongetje in korte broek was; zij waren de man en de vrouw op de foto, zoals Andras al dacht. Een ander kind zou zoiets nooit te boven zijn gekomen, zei de oude Klein, maar dan kende je Miklós niet. Hij haalde altijd de hoogste cijfers, vooral in sociale wetenschappen, en nu was hij zelf ook een soort uitvinder geworden – iemand die mogelijkheden wist te scheppen die er anders nooit waren geweest.

'Wat een geluk dat we hem hebben gevonden,' zei Andras.

'Moge het geluk u blijven vergezellen,' zei de grootvader. Hij spuugde drie keer op de grond en klopte op de houten latei van de geitenstal. 'En dat uw reis naar Palestina maar bijzonder saai mag zijn.'

Andras tikte aan zijn hoed en liep over het bestrate pad naar de voordeur. De grootmoeder van Klein zat in de voorkamer in een leunstoel met een borduurraam op schoot. Ze had met gouddraad in piepkleine kruissteekjes een challe en het woord *sabbat* in Hebreeuwse letters geborduurd.

'Voor jullie tafel in het heilige land,' zei ze.

'Dat kunnen we niet aannemen,' zei Andras, 'dat is veel te mooi.' Hij dacht aan de koffers die ze keer op keer hadden ingepakt en waar werkelijk niets meer bij kon.

Maar de grootmoeder van Klein ontging niets. 'Uw vrouw kan het in de voering van haar zomerjas naaien,' zei ze. 'Er zit iets in verborgen wat geluk brengt.'

'Waar?'

Ze wees twee minuscule Hebreeuwse lettertjes aan op het uiteinde van de challe. 'Achttien. *Chai.* Leven.'

Andras knikte haar dankbaar toe. 'Wat lief van u,' zei hij. 'U hebt ons zó geholpen.'

'Onze jongen verwacht u in zijn kamer. Ga maar naar hem toe.'

In zijn met papieren volgestouwde hol zat Klein op zijn bed, met wild haar en bloot bovenlijf; er lag een uit elkaar gehaalde radio op de deken. De eerste keer dat Andras hem zag, was hij al verfomfaaid en onwelriekend geweest, maar nu hij een maand aan hun ontsnapping had gewerkt, leek hij in een prehistorische staat terug te vallen. Hij had een verwaarloosde zwarte baard. Andras kon zich niet heugen dat hij hem voor het laatst met een overhemd had gezien. De lucht die hij verspreidde, deed aan die in de barakken in Subkarpatië denken. Als er geen raam had opengestaan waardoor het briesje de bovenste papieren op de stapels in beweging bracht, had niemand het lang in die kamer hebben kunnen uithouden. Toch was er een plekje op het bureau uitgeruimd waarop een nieuwe opengeslagen map lag met aan de ene kant een vastgeniete gecodeerde routebeschrijving en aan de andere kant een dik pak instructies. Op het etiket stond hun codenaam, Gedalya. En in Andras' hand de laatste schakel, de stapel papieren die de puzzel compleet maakte, het legale element in hun illegale vlucht. Voordat ze deze reis ondernamen, had hij geen voorstelling gehad van het byzantijnse doolhof tussen emigratie en immigratie. Klein stak een schroevendraaiertje tussen zijn broekriem en keek Andras met opgetrokken wenkbrauwen aan. Andras legde de papieren op zijn schoot.

'Die zijn echt,' zei Klein nadat hij de reliëfletters van het Britse zegel had bevoeld. Hij keek Andras aan over de donkere wallen onder zijn ogen. 'Dan bent u klaar om te vertrekken.'

'We hebben het nog niet over de betaling gehad.'

'Jawel.' Klein pakte de map en haalde er een blaadje uit dat hij uit een grootboek had gescheurd, een rij cijfertjes in zijn dunne, naar links hellende handschrift. De kosten van de valse papieren voor het geval ze werden gepakt. De vergoeding voor de schippers en de kapiteins van de vissersschuit, hun aandeel in de benzine voor de reis, de kosten van levensmiddelen en water, extra geld voor steekpenningen, havenbelasting, extra verzekeringen omdat er de laatste tijd zo veel schepen in de Middellandse Zee werden getorpedeerd. Alles moest onderweg persoonlijk worden overhandigd. 'Dat hebben we toch allemaal besproken,' zei hij.

'Ik bedoel uw vergoeding,' zei Andras. 'Daar hebben we het nog niet over gehad.'

Klein keek hem verontwaardigd aan. 'U beledigt me.'

'Helemaal niet.'

'Zie ik eruit alsof ik iets nodig heb?'

'Een overhemd,' zei Andras. 'Een bad. Misschien een nieuwe radio.'

'Ik neem geen geld van u aan.'

'Maar dat is belachelijk.'

'Zo is het nu eenmaal.'

'Misschien wilt u niets voor uzelf. Maar neemt u het dan aan voor uw grootouders.'

'Die hebben alles wat ze nodig hebben.'

'Doe niet zo raar,' zei Andras. 'We kunnen u tweeduizend geven. Bedenk eens wat u daarmee kunt doen.'

'Tweeduizend, vijfduizend, honderdduizend, dat interesseert me niet! Dit is geen betaald werk, begrijpt u? Als u wilde betalen, dan had u naar Behrenbohm of Speitzer moeten gaan. Mijn diensten zijn niet te koop.'

'Als u geen geld wilt, wat wilt u dan?'

Klein haalde zijn schouders op. 'Ik wil dat dit goed gaat. En dan wil ik het voor iemand anders doen, en daarna voor weer iemand anders, totdat ze er een eind aan maken.'

'Dat zei u niet toen we elkaar voor het eerst spraken.'

'Na de Struma was ik bang geworden,' zei Klein. 'Maar nu ben ik niet bang meer.'

'Waarom niet?'

Hij haalde weer zijn schouders op. 'Alles is erger geworden. Die verlammende angst leek opeens een luxe.'

'En als u zelf nu weg zou willen? Die vriendin van ons kan u aan een visum helpen.'

'Dat weet ik. Dat doet me plezier. Ik zal het onthouden.'

'U zult het onthouden? Meer niet?'

Hij knikte Andras toe en haalde de schroevendraaier weer tussen zijn riem vandaan. 'Maar neem me niet kwalijk, ik heb vandaag nog meer te doen. Wij zijn klaar, tenzij u bericht van me krijgt. Over twee weken vertrekt u.' Hij boog zich over de radio heen en begon een schroefje los te draaien dat een koperen draadje op zijn plaats hield.

'Dus dat was het dan?' vroeg Andras.

'Dat was het dan,' zei Klein. 'Ik ben niet sentimenteel. Als u een lang afscheid wilt, moet u bij mijn grootmoeder zijn.'

Maar zijn grootmoeder was in haar stoel in slaap gevallen. Ze had het kleed met de challe af; ze had het in vloeipapier verpakt, had de namen van Andras en Klara op een kaartje geschreven en dat met een speld op het vloeipapier geprikt. Andras boog zich naar haar toe en fluisterde een bedankje in haar oor, maar ze werd niet wakker. Op het erf leverden de geiten hun commentaar. Uit de kamer van Klein klonk een zacht gevloek, gevolgd door het gekletter van een stuk gereedschap. Andras nam het pakje onder zijn arm en liep geruisloos naar buiten.

Toen was het een week voor hun vertrek. Andras en Mendel maakten het laatste geïllustreerde nummer van *Het Kromme Spoor*, al moest Mendel Andras beloven dat hij met de krant doorging totdat ook hij zijn visum had. In het nummer stond een verzonnen interview met een Hongaarse pornoster, een kruiswoordpuzzel waarin de omcirkelde letters de naam van hun eigen majoor Károly Varsádi vormden en een optimistisch economisch artikel met de titel 'Analyse van de zwarte markt', waarin alles op een eindeloze reeks lucratieve ladingen wees. In de vaste rubriek 'Vraag het aan Hitler' stond die week maar één brief:

BESTE HITLER: Wanneer komt er een eind aan deze hittegolf? *Vriendelijke groet, Zonnesteek*
BESTE ZONNESTEEK: Als ik het zeg, en geen minuut eerder! *Heil mij! Hitler*

Halverwege de week kwamen Andras' ouders naar Boedapest om hun kinderen en kleinkinderen nog één keer te zien voordat ze weggingen. Ze gingen bij de familie Hász eten in het nieuwe huis, een appartement met hoge plafonds met afbrokkelend sierstucwerk en een parketvloer in het visgraatpatroon dat *point de Hongrie* werd genoemd. Het was inmiddels bijna vijf jaar geleden, bedacht Andras, dat hij aan de École Spéciale over parket had geleerd; vijf jaar sinds hij had moeten leren welke houtsoorten zich het best voor een bepaald patroon leenden, vijf jaar sinds hij al die patronen in zijn schetsboek had nagetekend. Nu was hij in dit appartement met zijn terneergeslagen ouders, zijn felle, prachtige vrouw en zijn zoontje, en stond hij op het punt heel Europa vaarwel te zeggen. De architectuur van dit appartement herinnerde hem alleen nog maar aan alles wat hij achterliet.

Zijn broer arriveerde met Ilana en de slapende baby in Ilana's armen. Ze gingen dicht tegen elkaar aan op de divan zitten; József zat ernaast op een verguld stoeltje en stak een sigaret van zijn moeder op. Andras' vader las in een piepklein psalmenboekje en zette een streepje bij een paar verzen die zijn zoons op reis moesten herlezen. De oude mevrouw Hász converseerde met de moeder van Andras, die had gehoord dat haar zuster een tak van de familie van mevrouw Hász bleek te kennen die nog in Kaba woonde, niet ver van Konyár. György kwam van zijn werk; zijn overhemd was nat van het zweet. Hij kuste de moeder van Andras en gaf Béla een hand. Elza Hász vroeg of iedereen in de eetkamer wilde gaan zitten.

De kamer was versierd alsof het feest was. Er stonden hoge kaarsen in zilveren kandelaars, boeketjes rozen in blauwglazen kommen, karaffen donkerrode wijn, goudgerande borden met een vogeltjespatroon erop. Andras' vader sprak de zegen uit over het brood en dezelfde grimmige huisknecht als altijd diende op. Aanvankelijk gingen de tafelgesprekken over koetjes en kalfjes: de fluctuerende houtprijzen, de almanak die een vroege herfst voorspelde, de schandalige verhouding van een parlementslid en een voormalige ster van de zwijgende film. Maar al snel kwamen ze op de oorlog. In de ochtendbladen stond dat er die zomer al een miljoen ton aan Brits-Amerikaanse schepen door Duitse U-boten was getorpedeerd, alleen al in jullie zevenhonderdduizend ton. Het nieuws uit Rusland was al niet beter: het Hongaarse Tweede Leger rukte na de bloedige veldslag bij Voronezj van begin juli nu in het kielzog van het Duitse Zesde Leger op naar Stalingrad. Het Hongaarse Tweede Leger had al een zware tol moeten betalen voor de steun aan zijn bondgenoot. György had gelezen dat het leger meer dan negenhonderd officieren en twintigduizend soldaten had verloren. Niemand zei wat iedereen dacht: dat er vijftigduizend tewerkgestelden aan het Tweede Leger verbonden waren, bijna allemaal joods, en als het Hongaarse Tweede Leger zulke zware verliezen had geleden, zou het de tewerkgestelden ongetwijfeld nog veel slechter zijn vergaan. Buiten op straat klonk de vertrouwde gouden klank van de trambel als een uitroepteken. Het geluid was kenmerkend voor Boedapest, een geluid dat werd versterkt en weerkaatst door de muren van de gebouwen langs de straten. Andras moest zijns ondanks terugdenken aan dat andere vertrek, vijf jaar geleden, voor de reis die hem van Boedapest naar Parijs en naar Klara zou voeren. De reis die nu in het verschiet lag, was wanhopiger, maar merkwaardig genoeg toch minder angstaanjagend: tussen hem en de vrees voor het onbekende lag nu de troost van de aanwezigheid van Klara en Tibor. En aan het eind van de reis wachtten Rosen en Shalhevet, het vooruitzicht op het zware werk dat hij wilde doen, en de belofte van een nieuw soort vrijheid. Mendel Horovitz kwam misschien al over een paar maanden en Andras' ouders wellicht kort daarna. In Palestina zou zijn zoon nooit een gele band om zijn mouw hoeven dragen of bang voor zijn buren hoeven zijn. Misschien kon hijzelf daar zijn opleiding tot architect afmaken. Hij voelde onwillekeurig een soort medelijden met József Hász, die hier in Boedapest moest blijven om helemaal alleen in compagnie 79/6 van de Munkaszolgálat voort te zwoegen.

'Jij zou ook mee moeten gaan naar Palestina, Hász,' zei hij. Na de reis naar het Midden-Oosten zou Andras bereisder zijn dan József, stelde hij met een zekere voldoening vast.

'Dat zou je niet willen,' zei József vlak. 'Ik ben hopeloos reisgezelschap. Ik word zeeziek. Ik klaag aan één stuk door. En dat is nog maar het begin. Want in Palestina ben ik ook al niets waard. Ik kan geen bomen planten en geen huizen bouwen. Bovendien kan mijn moeder me niet missen, hè moeder?'

Mevrouw Hász keek eerst naar Andras' moeder en toen naar haar bord. 'Misschien bedenk je je nog wel,' zei ze, 'misschien wil je wel mee als wij gaan.'

'Moeder, alstublieft,' zei József. 'Hoe lang wilt u dat spelletje nog volhouden? U gaat heus niet naar Palestina. U wilt al niet eens in een bootje op het Balatonmeer.'

'Het is geen spelletje,' zei zijn moeder. 'Je vader en ik zijn van plan te gaan zodra we een visum hebben. Hier kunnen we in elk geval niet blijven.'

'Grootmoeder,' zei József, 'zegt ú dan tegen mama dat ze niet zo gek moet doen.'

'Dat was ik niet van plan,' zei de oude mevrouw Hász. 'Ik wil er zelf ook heen. Ik heb altijd het heilige land al eens willen zien.'

'Zien, ja. Maar daarom hoeft u er nog niet te gaan wónen. Wij zijn Hongaren, geen bedoeïenen uit de woestijn.'

'Voordat we Hongaren waren, leefde ons volk in stamverband,' zei Tibor. 'Vergeet dat niet.'

'Pardon, dokter,' zei József. Hij noemde Tibor graag 'dokter', zoals hij Andras 'oom' noemde. 'En dáárvoor waren we jagers en verzamelaars in Afrika. Dus misschien moeten we het heilige land maar helemaal overslaan en meteen naar donker Congo gaan.'

'József,' zei György.

'Duizendmaal pardon, vader. U wilt vast liever dat ik mijn mond houd. Maar het valt niet mee om de enige in het gesticht te zijn die niet gek is.'

Béla ging verzitten in het tere stoeltje; hij voelde het jasje van zijn pak trekken bij de schouders. Hij had de jonge Hász het liefste beetgepakt en door elkaar gerammeld. Hij begreep niet hoe de jongen zo makkelijk durfde te doen over alles wat Andras, Tibor en hun vrouwen en kinderen boven het hoofd hing. Als een zoon van Béla zo had durven praten, zou hij zijn opgestaan om hem eens flink de waarheid te zeggen, zelfs in het bijzijn van de gasten. Maar de kinderen die hij en Flóra hadden opgevoed, zouden zoiets niet in hun hoofd halen. Flóra legde een hand op zijn arm alsof ze begreep wat hij dacht, en dat verbaasde hem niet. Het was voor iedereen duidelijk dat die jongen onuitstaanbaar was. Klara's moeder had hem tenminste streng toegesproken. Béla keek naar die ernstige vrouw met haar grijze ogen tegenover hem, die haar dochter al eerder had verloren en hervonden en nu zo stoïcijns bleef bij het vooruitzicht dat ze haar weer zou kwijtraken. Zij hadden goede kinderen opgevoed, die vrouw en Béla en Flóra zelf. Hij verbaasde zich niet meer over het huwelijk van Andras en Klara, hij wist nu dat zij uit hetzelfde hout gesneden waren, al was het meisje dan in weelde opgegroeid. Daar zat ze, volkomen kalm, met de baby in haar armen, alsof ze een vakantiereisje ging maken in plaats van een tocht over die gevaarlijke rivier en een zee die vergeven was van de torpedo's. Hij wilde die sereniteit, die stralende rust, goed in zich opnemen; daar wilde hij de komende dagen en weken aan kunnen terugdenken.

Die week, hun laatste in Boedapest, was tot dan toe de heetste van die zomer. Donderdag was het zelfs om zes uur 's morgens al verstikkend heet in de bus; het was het soort weer dat Andras' moeder *gombás-idö* noemde – grocizaam wccr voor paddenstoelen. Er stond een klamvochtige wind boven de Donau. De vogels fladderden door de doordrenkte, onrustige lucht en de witte onderkanten van de boomblaadjes aan de overkant van de rivier flitsten heen en weer. Die hele week leken de superieuren in Szentendre uit hun doen. De voorlieden, die de subtiele vertraging bij het laden aanvankelijk niet hadden opgemerkt, begonnen de tewerkgestelden nu genadeloos op te jagen. Een prikkelbare stemming verspreidde zich als een epidemie door het werkkamp. In het administratiegebouwtje ontstonden hooglopende ruzies tussen majoor Varsádi en de inspecteurs van de zwarte markt, met als gevolg dat Varsádi zijn ondergeschikten onthaalde op uitvallen die geheel tegen zijn aard leken in te gaan; de ondergeschikten vielen op hun beurt uit tegen dc bcwakcrs cn voorlicden, die de tewerkgestelden dan weer uitvlocktcn, schopten en met bundels paktouw over rug en benen striemden.

Die ochtend zou er voor werktijd een inspectie plaatsvinden. De tewerkgestelden hadden opdracht gekregen ervoor te zorgen dat hun uniform en hun gereedschap er tiptop uitzagen. Om zeven uur moesten de mannen zich naast het spoor in de houding opstellen; het wachten leek eindeloos te duren. Het begon te regenen; een spervuur van dikke, harde druppels doordrenkte hun kleren. Het duurde en duurde maar; de bewakers liepen langs de rijen heen en weer, net zo verveeld als hun pupillen.

'Zonde van de tijd,' zei József. 'Ze kunnen ons net zo gocd naar huis sturen.'

'Zo is dat,' zei Mendel. 'Snij ons maar los.'

'Stilte daar!' riep een bewaker.

Andras hield het lage gebouwtje in de gaten waar Varsádi zijn hoofdkwartier had. Door het beslagen raam zag hij dat de commandant de hoorn van de telefoon tegen zijn oor hield. Andras wiegde heen en weer van zijn hakken naar zijn tenen; hij bestudeerde het patroon van de regendruppels op de rug van de man voor hem. In gedachten nam hij nog eens door wat hij de komende dagen allemaal moest doen: de laatste dingen inpakken, de lijst kleren en andere benodigdheden controleren, koffers goed afsluiten, dan die nacht het appartement aan de Nefelejcs utca afsluiten en naar het huis van Tibor gaan, vervolgens naar de afgesproken plek ten noorden van de Erzsébetbrug waar de aak lag te wachten, dan dicht op elkaar in de donkere, vochtige onderduikcabine in het ruim gaan zitten terwijl de aak koers zette naar de middenstroom. In zijn gedachten was hij daar al, diep in het ruim van de aak op de Donau; hij ging er zo in op dat hij het gerommel van de vrachtwagens op de weg niet meteen hoorde. Hij voelde het gedreun in zijn buik en dacht: gaat het nu alweer onweren? Maar het gerommel hield aan en werd steeds luider, en toen hij eindelijk opkeek, zag hij zes legertrucks met Hongaarse soldaten aankomen. Ze reden het hek door en het kamp in; onder hun banden wolkte het laatste droge stof van de steeds vochtiger wordende weg op. Op het kale stuk tussen het spoor en het officiersgebouwtje bleven ze staan. Achterin zaten de soldaten met de bajonet op het geweer. Andras zag de lemmeten glanzen in het olijfgroene licht dat door de canvas overkapping sijpelde. Toen de trucks stilstonden, sprongen de soldaten op het modderige grind met hun wapen losjes langs de zij. De officieren uit de voorste truck liepen het lage gebouwtje in en trokken de deur achter zich dicht.

De tewerkgestelden keken naar de soldaten. Het waren er minstens vijftig. Terwijl hun officieren binnen zaten, zetten de soldaten hun geweer tegen de trucks en staken een sigaret op. Eentje haalde een spel kaarten tevoorschijn en begon te delen voor een spelletje poker. Een ander groepje verzamelde zich rond iemand met een krant; één soldaat las de koppen voor.

'Wat gebeurt hier?' fluisterde de man die naast Andras stond, een lange, kale kerel die de bijnaam 'Ivoren Toren' had gekregen. Hij was hoogleraar geschiedenis aan de universiteit van Boedapest geweest en was net als Zoltán Novak opgeroepen om het vereiste quotum aan joodse intellectuelen vol te maken. Hij was hier pas en had nog niet geleerd de mysteriën en contradicties van de Munkaszolgálat zonder protest te accepteren.

'Geen idee,' zei Andras, 'maar daar komen we wel achter.'

'Stilte!' schreeuwde de bewaker weer.

Het wachten duurde voort. Een paar bewakers drentelden naar de soldaten toe om nieuws en sigaretten uit te wisselen. Sommigen leken elkaar al te kennen. Ze klopten elkaar op de schouder en gaven elkaar een hand. Er ging een halfuur voorbij zonder dat er iemand uit het hoofdkwartier naar buiten kwam. Eindelijk gaf de kapitein van de bewakers de tewerkgestelden het bevel 'plaats rust'. Ze mochten eten of roken als ze wilden. Andras en Mendel gingen op een vochtige biels zitten en maakten hun etensblik open, en József haalde een smalle leren sigarettenkoker tevoorschijn en stak een sigaret op.

Even later ging de deur van het lage gebouwtje open en kwamen de officieren naar buiten – de legerofficieren in hun gestreken uniform met de koperen knopen voorop en daarachter de bekende Munkaszolgálat-officieren die al sinds het begin van hun diensttijd in Szentendre het bevel over hen voerden. Varsádi's eerste luitenant blies op een fluitje en gaf de tewerkgestelden het bevel in de houding te gaan staan. Even ontstond er verwarring terwijl de mannen hun etensblik wegstaken. Toen schreeuwde de sergeant zijn bevelen: de mannen moesten naar de bevoorradingstrucks om de goederen zo snel mogelijk in de wagons te laden.

Als de soldaten er niet waren geweest met hun bajonetten die hemelwaarts priemden alsof ze die in de onderbuik van de lage wolken wilden steken, had het een doodgewone middag in Szentendre geleken. De 79/6de compagnie sjouwde munitiekratten over hetzelfde stuk grind dat ze al duizenden keren waren overgestoken. De bewakers hielden de mannen weliswaar meer in de gaten en de officieren schreeuwden hun bevelen harder dan anders, maar dat leek alleen een gevolg van de stemming die al de hele week bij de superieuren heerste. Faragó, hun voorman, floot geen wijsje, maar riep alleen met zijn ijle tenor *siessetek!* en vroeg zich hardop af waarom hij zulke slakken, zulke schildpadden onder zich had.

Halverwege, toen er nog vijf trucks vol goederen stonden die nog moesten worden overgeladen, kwam er een adjudant van Varsádi naar de ploeg van Andras toe om Faragó apart te nemen. Na een paar minuten riep Faragó Andras en Mendel bij zich. De commandant wilde hen spreken, ze moesten naar het kantoor.

Mendel en Andras wisselden een blik: *niets aan de hand, geen paniek.*

'Zei hij nog waar het over ging, meneer?' vroeg Mendel, al kon het maar over één ding gaan, al kon er maar één reden zijn waarom de commandant hen wilde spreken.

'Dat merken jullie wel,' zei Faragó. En tegen de adjudant: 'Breng ze wel na afloop zo snel mogelijk terug, ik heb ze hier nodig.'

De jonge adjudant ging hen voor naar het gebouwtje. In de wachtkamer stond een groepje gewapende soldaten in de houding met het geweer aan de schouder. Ze keken even naar Andras en Mendel, maar verder bleven ze roerloos staan, als standbeelden. Een ordonnans liet Andras en Mendel binnen en deed de deur achter hen dicht, en toen stonden ze helemaal alleen tegenover de bevelhebber. Ondanks de hitte zag Varsádi's overhemd er fris uit en zijn smalle ogen keken hen over het kleine leesbrilletje aan. Zoals Andras al had verwacht, lagen op het bureau de complete afleveringen van Het Kromme Spoor.

'Tja,' zei Varsádi. Hij klopte het stapeltje in vorm. 'Ik zal het kort houden. Jullie weten ongetwijfeld dat ik jullie wel mag, met jullie krantje. De manschappen moeten er erg om lachen. Maar ik vrees dat het niet... eh... opportuun is om het nu te laten circuleren.'

Dat bracht Andras even in verwarring. Hij had gedacht dat het gesprek zou gaan over het verzet waartoe hij en Mendel hadden opgeroepen; het gejaag en de omslag in de houding van de voorlieden wezen daarop. Maar Varsádi beschuldigde hen niet van het verspreiden van subversieve teksten. Hij leek alleen maar te willen dat ze met de krant ophielden.

'Circuleren kun je het eigenlijk niet noemen,' zei Mendel. 'Het wordt alleen in de 79/6de gelezen.'

'Jullie maken van elk nummer vijftig exemplaren,' zei Varsádi. 'Die nemen de mensen mee naar huis. Soms verspreiden ze die dan in de stad. En dan is er de kwestie van het drukken, de zetplaten en de originelen. Het ziet er professioneel uit. Jullie stencilen het dus niet thuis.'

Andras en Mendel wisselden een heel snelle blik en Mendel zei: 'We vernietigen de platen elke week. De exemplaren die u ziet, zijn de enige die er zijn.'

'Ik heb begrepen dat jullie allebei tot voor kort bij het Hongaars-Joods Dagblad werkten. Als we daar eens informeerden of rondkeken, zouden we dan niet toevallig stuiten op...?'

'U kunt zoeken waar u wilt,' zei Mendel, 'er valt niets te ontdekken.'

Andras keek met droomachtige afstandelijkheid toe terwijl de

commandant zijn bureaula opentrok, een kleine revolver tevoorschijn haalde en die losjes in zijn hand nam. Het wapen leek flu-
weelzwart met zijn opwippende loop. 'Het is volkomen duidelijk,'
zei Varsádi. 'Van elk nummer vijftig exemplaren. Een vergelijking
met weinig onbekenden. Ik moet de originelen en de drukplaten
hebben. Ik moet weten waar ze zijn.'

'We hebben ze vernietigd...' begon Mendel weer, maar zijn blik
flitste naar de revolver.

'Je liegt,' zei Varsádi zakelijk. 'en dat terwijl ik zo coulant ben
geweest. Daar houd ik niet van.' Hij liet de trommel van de revolver draaien en zijn duim gleed over de vergrendeling. 'Ik moet de
waarheid weten. Dan kunnen jullie gaan. Jullie hebben dat krantje bij het *Hongaars-Joods Dagblad* gedrukt. Liggen de originelen
daar? Ik vraag het maar, heren, want ik kan maar één andere plek
bedenken die ik zou kunnen doorzoeken: jullie huis. En ik laat jullie gezin liever met rust.' De woorden bleven tussen hen in hangen
terwijl Varsádi zijn duim over de revolver liet glijden.

Andras zag het voor zich: het appartement aan de Nefelejcs
utca overhoop gehaald, alle boeken en papieren op de grond ge-
smeten, alle kasten leeggehaald, de divan opengesneden, het behang afgescheurd, de vloer opengebroken. Alle voorbereidingen
voor de reis naar Palestina aan officiële blikken blootgesteld. En
Klara, in een hoekje weggedoken of bij de armen vastgehouden
– hoe? door wie? – terwijl de baby huilde. Hij keek Mendel weer
aan en begreep dat Mendel hetzelfde zag en zijn besluit al had genomen. Als Andras de waarheid niet vertelde, zou Mendel het
doen. En inderdaad, daar begon hij al.

'De originelen zijn bij het *Dagblad*,' zei hij. 'Van alle nummers
één, in een archiefkast in de kamer van de hoofdredacteur. U hoeft
geen gezinnen lastig te vallen. We nemen nooit iets mee naar huis.'

'Goed,' zei Varsádi. Hij legde de revolver weer in de la. 'Meer hoef
ik momenteel niet te weten. Jullie kunnen gaan,' besloot hij met
een handgebaar naar de deur.

Ze liepen alsof ze door een stroperige vloeistof moesten waden.
Ze keken elkaar niet aan. Ze hadden Frigyes Eppler gecompromit-
teerd – zijn persoon en zijn positie – dat beseften ze allebei. De gevolgen, de prijs die Eppler hiervoor zou moeten betalen, waren niet
te voorspellen. Buiten zagen ze dat de hele compagnie naar het
exercitieterrein was verplaatst, waar de mannen nu ongemakkelijk in de houding stonden. Andras nam zijn plaats in de rij in en

József wierp hem een onbewimpeld nieuwsgierige blik toe. Maar er was geen tijd om hem in te lichten; het zag ernaar uit dat de aangekondigde inspectie eindelijk zou plaatsvinden. De soldaten die die ochtend waren aangekomen, hadden zich langs het terrein verspreid en de officieren die bij Varsádi hadden gezeten, stonden nu voor de manschappen. Toen Andras naar het grind aan de andere kant van het terrein keek, zag hij dat daar ook soldaten in formatie stonden opgesteld. Voor het hoofdkwartier van Varsádi stonden soldaten. Langs het spoor achter hen nog meer soldaten. Ineens begreep hij het: de $79/6^{de}$ was omsingeld, werd bijeengedreven. De soldaten die eerder met de bewakers hadden staan roken en lachen, stonden nu in de houding met de hand aan het geweer en hun blik strak gericht op die gevaarlijke militaire afstand waarop je onmogelijk een medemens kon herkennen.

Varsádi kwam uit het gebouwtje, kaarsrecht; zijn onderscheidingen glinsterden in de middagzon. 'Opstellen!' riep hij. 'Marscolonne.'

Andras dwong zichzelf tot kalmte. Ze waren een halfuur van Boedapest. Dit was de Délvidék niet. Waarschijnlijk wilde Varsádi hen alleen bang maken, laten zien wie hier de baas was, zijn eerdere souplesse goedmaken. Op zijn bevel marcheerde de $79/6^{de}$ het exercitieterrein af, langs het spoor naar de zuidelijke ingang van het emplacement. De soldaten marcheerden dicht tegen het blok tewerkgestelden aan. Aan het eind van de rij goederenwagons hielden ze halt.

Achter aan de trein waren drie lege wagons aangekoppeld met het embleem van de Munkaszolgálat erop. Voor de kleine, hoge ruitjes waren ijzeren tralies aangebracht. De deuren stonden verwachtingsvol open. Helemaal vooraan, voor de zojuist ingeladen wagons, braakte de locomotief bruine rook uit.

'Geeft acht!' riep Varsádi. 'Er zijn nieuwe orders. Jullie zijn elders nodig. Jullie vertrekken onmiddellijk. De opdracht is geheim. Meer kunnen we niet meedelen.'

Er klonk een storm van ongelovig protest, een plotseling kabaal. 'Stilte!' schreeuwde de commandant. 'Stilte! Onmiddellijk!' Hij pakte zijn pistool en schoot in de lucht. De mannen vielen stil.

'Majoor,' zei József. Hij stond een meter van Andras af, zo dichtbij dat Andras een adertje bij zijn slaap zag kloppen. 'Volgens mij staat er in het handboek van de KMOF dat het een week van tevoren moet worden aangekondigd als we worden overgeplaatst. En als ik zo vrij mag zijn – we hebben ook niets bij ons.'

Majoor Varsádi beende op József af met zijn pistool in de hand. Hij pakte het bij de loop en sloeg József twee keer met de kolf in het gezicht. Er spatte een felrood, stotterend fonteintje bloed op Andras' uniform.

'Wees verstandig en hou je mond,' zei Varsádi. 'Waar jullie heen gaan, word je wel voor minder doodgeschoten.'

De majoor gaf een nieuw bevel; de soldaten sloten de rijen om de tewerkgestelden heen en dreven hen naar de wagons. Andras liep tussen Mendel en József ingeklemd. Achter hen drongen de anderen op. Ze werden onontkoombaar de opengesperde muil van de wagon in gedreven. Door het enkele hoge raampje zag Andras de soldaten die de wagons omsingelden; de dof glanzende bajonetten tekenden zich af tegen de gemarmerde lucht. Er werden steeds meer mannen naar binnen geduwd, totdat zelfs de lucht uit mensen leek te bestaan. Andras ademde nat canvas in, en haarolie, en zweet, de geur van een ochtend werk, gekruid met een vleug paniek. Zijn hart bonkte in zijn borst en zijn keel leek dichtgesnoerd door de angst. Klara was nu thuis de laatste benodigdheden aan het inpakken. Over een uur zou ze op de klok beginnen te kijken. Hij moest die trein uit. Hij zou zeggen dat hij ziek was, hij zou iemand omkopen. Hij drong en perste zich weer naar de deur, maar voordat hij het rechthoekje licht bereikte, werd het startsein gegeven. De deuren gleden ratelend dicht, het werd donker, er klonk een geluid van kettingen tegen metaal, de onmiskenbare klik van een hangslot.

De stoomfluit van de locomotief slaakte onverschillig zijn kreet. Door de houten vloeren, door de zolen van zijn werkschoenen en de botten in zijn benen, trilde een diep, mechanisch gedreun, de eerste, knarsende stoot beweging. De mannen vielen tegen elkaar aan, tegen Andras aan; ze leken zwaar genoeg om zijn hart in zijn lijf tot stilstand te dwingen. Toen vond de trein zijn ritme en voerde hij hen de noordelijke uitgang van het emplacement van Szentendre door, naar een bestemming die ze geen van allen kenden.

V

Door vuur

34

Turka

Na een paar dagen en nachten in de trein, nadat hij zich schor had geschreeuwd en alle hoop op ontsnapping had moeten laten varen, leek er een soort verdoving over hem te komen. Hij stond samen met Mendel uren achtereen bij het kleine, hoge raampje naar de wereld te kijken die als een catalogus van onmogelijkheden voorbijtrok. Die motor daar – die suggereerde een snelle ontsnapping. Die weg – de vrijheid om die te volgen, naar huis, naar Klara. Die postauto – die zou haar een brief kunnen brengen. Uit de richting van het licht maakte hij op dat ze naar het noordoosten gingen. Dat zou hij hoe dan ook wel hebben begrepen, want ze klommen. Ze reden door Gyöngyös en Füzesabony naar het noordelijk gelegen hoogland; af en toe vertraagde de trein tot een slakkengang en soms bleef hij uren stilstaan. Elke keer dat hij stilhield, dacht Andras dat ze nu misschien bij het nieuwe werkkamp waren. De tweede nacht moesten ze inderdaad de trein uit; ze werden een leeg pakhuis in gedreven waar vroeger de rode wijn van de streek werd opgeslagen, Egri Bikavér, stierenbloed. Er hing een zoete geur van eikenhouten wijnvaten in de lucht en de aangestampte aarde van de vloer vertoonde flauwe paarse kringen. Twee legerkoks maakten een dunne koolsoep klaar, die ze met hompen hard zwart brood opaten; de gewone Munkaszolgálat-maaltijd. Ze moesten in de rij staan om zich bij een kraantje in een hoek van het pakhuis te wassen. Ze mochten niet met elkaar praten, ze mochten zelfs niet even naar buiten om te pissen: dat moesten ze in een ton doen. De deur van het pakhuis was afgesloten en het gebouw werd door soldaten bewaakt. De volgende ochtend moesten ze de trein weer in, die verder naar het oosten reed.

Dat was de derde dag. Hij had de volgende ochtend aan boord gemoeten voor de reis naar Palestina. Wat zou Klara nu doen? Hij wist dat er geen hoop was dat ze zonder hem zou vertrekken. Wat zou ze twee dagen geleden hebben gedacht, toen het steeds later werd en hij almaar niet thuiskwam? Hij stelde zich voor hoe ze over de koffers gebogen had gestaan, de spulletjes voor de baby had ingepakt en telkens op de klok op de ladekast had gekeken; hij stelde zich haar lichte bezorgdheid voor toen zijn gebruikelijke tijd van thuiskomen voorbijging – zou hij nog even een borrel met Mendel zijn gaan drinken om afscheid te nemen, liep hij nog een laatste keer door de vertrouwde straten? Het eten dat ze had klaargemaakt, stond in de keuken koud te worden. Ze had Tamás naar bed gebracht en haar bezorgdheid sloeg om in angst toen het acht uur werd, en negen uur, en toen tien.

Wat zou ze hebben gedacht? Dat hij in de gevangenis was gegooid, of doodgeschoten? Zou de arbeidsdienst haar hebben ingelicht, zou ze inmiddels iets weten? Waarschijnlijk niet. En Varsádi en zijn bedreiging? Zou hij zich hebben tevredengesteld met de originelen van *Het Kromme Spoor* die zijn mannen in Epplers kamer hadden aangetroffen of zou hij ook het appartement hebben laten doorzoeken?

In de trein werd voortdurend gespeculeerd over hun uiteindelijke bestemming, over wat hun aan het eind van de reis te wachten stond. De meesten waren het erover eens dat er waarschijnlijk een vergissing in het spel was. Aan het eind van de maand hadden ze naar Esztergom in het noordwesten zullen gaan, naar een ander spoorwegemplacement. De orders waren waarschijnlijk door elkaar gehaald. Daar zouden ze op kantoor wel snel achter komen, en dan werden ze weer op een trein naar het westen gezet. Maar dat verklaarde niet waarom er soldaten naar Szentendre waren gestuurd om de mannen de trein in te drijven, of waarom het allemaal zo overhaast was gegaan. De Ivoren Toren, de hoogleraar geschiedenis, had een andere theorie: volgens hem werden ze naar het oosten gestuurd omdat ze allemaal getuige waren geweest van een misdrijf, het geleidelijke, systematische wegsluizen van miljoenen pengö naar de zwarte markt. De regering had een campagne op touw gezet om verduistering door militairen met wortel en tak uit te roeien, zei de Ivoren Toren. Diefstal van goederen voor het front werd als hoogverraad beschouwd en daar stond de doodstraf op. De commandanten van de arbeidsdienst, de hoofdschuldigen, waren in paniek geraakt. Ze konden er niet op vertrouwen dat de joodse tewerkgestelden zouden verklaren dat de officieren, die hen tenslotte dagelijks hadden vernederd, onschuldig waren, en daarom moesten ze in allerijl worden weggewerkt, misschien zelfs naar het oostfront worden gestuurd.

József was doodsbang, dat zag Andras. Hij deed zijn mond nauwelijks open. Hij hield zich afzijdig van alles en raakte af en toe voorzichtig de plek op zijn gezicht aan waar Varsádi hem had geslagen. Voor zover Andras zag, sliep hij niet, maar zat hij de hele nacht de paar spullen in zijn rugzak te sorteren en weer in te pakken. Hij maakte geen grappen. Hij at niet van de Munkaszolgálat-maaltijden, maar nam alleen kleine hapjes van het stuk challe dat hij nog overhad van de laatste lunch die hij naar Szentendre had meegebracht. Aanvankelijk had hij ook geweigerd de beerton in de hoek van de wagon te gebruiken, en toen hij dat noodgedwongen uiteindelijk toch had gedaan, ging hij weer terug naar zijn plaats met een gezicht alsof hij definitief verslagen was.

De dag ging weer over in de nacht en de trein reed door. Ze stopten nergens om levensmiddelen of water in te nemen. De hitte was ondraaglijk. De mannen konden niet gaan liggen; daar was geen plaats voor. Ze konden alleen om beurten op de grond gaan zitten of voor het raampje gaan staan. Dat laatste betekende een ogenblik van verlichting, want dan konden ze frisse lucht inademen, maar op de vierde dag viel de stank niet meer te negeren, net zomin als de schroeiende dorst die hen in zijn greep kreeg, zodat Andras zich afvroeg of het niet gewoon de bedoeling was dat ze allemaal in de trein van de dorst omkwamen. Door de uitdroging raakte hij in een soort trance, en hij begon te begrijpen dat het zijn schuld was dat al deze mannen in een trein naar het oosten gevangen werden gehouden. Met *Het Kromme Spoor*, hoe ironisch het blaadje ook was, hadden ze in feite de rol van Szentendre bij de zwartemarktactiviteiten gedocumenteerd; mocht er nog een tewerkgestelde zo naïef of blind zijn geweest dat hij de situatie niet doorhad, dan was hij er nu door hen wel op gewezen, en iedereen kon de buitenwereld vertellen wat er in Szentendre gebeurde. Klara had gelijk gehad, hij had een krankzinnig, onnodig risico genomen. Het krantje was weliswaar slechts een klein boompje in een woud van belastend bewijs, maar toch – het stond er. Varsádi vond het kennelijk belangrijk genoeg om Andras en Mendel bij zich te roepen, belangrijk genoeg om hen met een revolver te bedreigen. Zou Varsádi van een gemoedelijke drinkebroer zijn veranderd in een man die bereid was een hele compagnie naar het front te sturen om zijn eigen hachje te redden als er niet elke week vijftig exemplaren van het blaadje onder de manschappen – en misschien wel in de hele stad – hadden gecirculeerd?

Die middag stond Andras voor het raampje terwijl de trein door een onweersbui de rotsachtige heuvels in klom. Achter een gordijn van regen doemde een enorm zwart blok op: de ruïne van een middeleeuws fort, een oud kasteel dat de afgebrokkelde tanden van zijn donjon de lucht in priemde. Andras stootte Mendel aan, zodat die ook kon kijken. Hij voelde een beklemming op zijn borst, hij had het gevoel dat hij dit lang geleden al eens had gedroomd. Alles leek vertrouwd: het geratel van de wielen over de rails, het zwakke, gefilterde licht in de wagon, de stand van de opeengepakte mannenlijven, de zwarte, rafelige contouren van het kasteel. Hij kreeg een metalige smaak in zijn mond en zijn huid begon te prikken; het gevoel dat hem overviel was nauw verwant met schaamte. Hoe had hij kunnen geloven dat hij, Klara, Tamás, Tibor, Ilana en Ádám om deze tijd diep verborgen in het ruim van een aak over de Donau naar Roemenië zouden varen en daar aan boord van een schip zouden gaan dat hen naar Palestina zou brengen? Hoe had hij kunnen geloven dat ze veilig over die van onderzeeërs vergeven zee ongedeerd in Haifa zouden aankomen en in een nederzetting aan een nieuw leven zouden beginnen, dat ze hun ouders zouden laten overkomen en dat hijzelf zou meewerken aan de opbouw van een nieuw joods vaderland? Hij had zelfs geloofd dat Mátyás levend en wel uit het werkkamp zou terugkeren en weldra bij hen in Palestina zou zijn. Maar dat kasteel op die berg, die nevel, die trein – ergens had hij altijd geweten dat het hierop zou uitlopen. Ergens had hij geweten dat ze nooit samen uit Boedapest zouden wegkomen, dat ze Hongarije niet uit konden en nooit de Middellandse Zee zouden oversteken. Hij vroeg zich af of Klara dat ook altijd al geweten had. En als dat zo was, hoe was het mogelijk dat ze elkaar nooit uit die droom hadden gewekt?

Eindelijk begreep hij dat hij al jaren dat vermogen tot blinde hoop had moeten cultiveren. Het was een tweede natuur geworden, zo vanzelfsprekend als ademhalen. Die blinde hoop had hem van Konyár naar Boedapest gevoerd, en van daar naar Parijs, van zijn eenzame, koude kamertje in de Rue des Écoles naar de benauwde warmte van de Rue de Sévigné, van de wanhopig makende Karpatenwinter naar de Vergeet-mij-nietjesstraat in de Erzsébetváros. Dat was het onvermijdelijke bijproduct van de liefde, het heldere, krachtige distillaat van het vaderschap. Daardoor had hij

ook niet te lang of te diep nagedacht over het mogelijke lot van Polaner, Ben Yakov of zijn jongste broertje. Daardoor had hij niet stilgestaan bij de mogelijke gevolgen van het uitbrengen van een
krant als *Het Kromme Spoor*. Daardoor had hij zich niet voorgesteld dat hij op transport kon worden gesteld naar het oosten,
naar het heetst van de strijd. Maar hier stond hij dus samen met
Mendel Horovitz naar het kasteel te kijken dat langzaam in de
mist verdween.

Intussen reed de trein maar door; ze klommen voortdurend en
kwamen in ijlere, drogere lucht. De verschrikkelijke hitte nam af
en er woei een dennenlucht door het hoge raampje naar binnen.
De mannen waren stil, uitgedroogd, flauw van honger en slaapgebrek. Ze zaten en stonden bij toerbeurt. Ze zweefden tussen
waken en slapen, hun benen volgden de bewegingen van de trein,
hun voeten werden gevoelloos van het trillen van de wielen op het
eindeloze spoor. Toen de trein op de vijfde dag bij een station stilhield, kon Andras maar aan één ding denken: hoe heerlijk het zou
zijn zich op de grond uit te strekken en te slapen. Buiten klonk het
geratel van de deur, die van het hangslot werd ontdaan en open-
geschoven. Er kwam een golf frisse lucht de stinkende wagon binnen en de mannen werden het perron op gedreven. Door de dikke
mist van uitputting heen las Andras wat er op het bord stond.
TYPKA. Een klikje aan de voorkant van het gehemelte, getuite lippen: *ka*, het Hongaarse verkleinwoord. Er ging een schok van opluchting door hem heen: ze waren dus niet aan het oostfront. Ze
waren nog binnen de eigen landsgrenzen.

TYPKA. Hij besefte pas dat hij het hardop had gezegd toen de Ivoren Toren, die naast hem stond, zijn hoofd schudde en hem ver-
beterde. 'Turka,' zei hij. 'Het zijn cyrillische letters.'

En dat klopte, want ze waren in de Oekraïne.

Het kamp waar ze moesten slapen, was een week daarvoor gebombardeerd. Er waren honderdzeventig mensen omgekomen en de
barakken waren met de grond gelijk gemaakt. De overlevenden
hadden enorme massagraven voor hun dode kameraden moeten
graven; de omgewoelde aarde was door de regen van die week in-
gezakt. De vorige compagnie had alleen de beenderen van de
doden achtergelaten, geen teken, geen gereedschap, niets waar de
mannen van de 79/6de iets aan konden hebben. Andras en de anderen moesten in de modder op het exercitieterrein liggen en wer-

den de volgende dag een halve kilometer verderop in het hoofd-gebouw en de bijgebouwen van een leeg joods weeshuis geïnstalleerd.

De muren van het weeshuis bestonden uit Russische sintel-blokken en de kalk op de muren was groen van de schimmel. Binnen was alles in kindermaat uitgevoerd. De bedden waren veel te klein; je kon er alleen in slapen als je je knieën tot je borst optrok. Er was wel stromend water, wat een wonder mocht heten, maar de wastafels waren zo laag dat je zowat op de grond moest knielen om je gezicht te kunnen wassen. In de eetzaal stonden kleine bankjes en lage tafels en in de gangen waren de modderige glijsporen en voetafdrukken van de kinderen nog te zien. Verder ontbrak ieder spoor van de vroegere bewoners. Alle kleren, schoenen, boeken en lepels waren weggehaald, alsof de kinderen nooit hadden bestaan.

De nieuwe commandant was een forsgebouwde, zwartharige Hongaar wiens gezicht door een opvallend, gezwollen litteken in tweeën werd gedeeld. Dat litteken liep in een boog van het midden van zijn voorhoofd via het rechteroog naar het puntje van zijn kin, miste de neus op een haar na en verdeelde de lippen in vier onge-lijke delen. Door het ontbrekende ooglid lag er altijd een uitdruk-king van ongelovig afgrijzen op het gezicht, alsof de man de schok van de verwonding nooit te boven was gekomen. De commandant heette Kozma. Hij kwam uit Györ. Hij had een grijze wolfshond, die hij beurtelings schopte en aaide, en een luitenant die Horvath heette en die hij aan dezelfde behandeling onderwierp. Op de eer-ste ochtend in het weeshuis riep Kozma de compagnie op het exer-citieterrein bijeen en liet hen in hoog tempo vijf kilometer over de weg naar een nat veld marcheren waar het gras ongelijkmatig groeide op een greppel die lang geleden was dichtgegooid. Daar waren de kinderen uit het weeshuis opgesteld en doodgeschoten, deelde de nieuwe commandant hun mee, en hetzelfde lot wachtte hun ook als het Hongaarse leger hen niet meer kon gebruiken. Hun identiteitsplaatjes zouden misschien worden teruggestuurd, maar zijzelf nooit; ze waren smeriger dan varkens, lager dan wor-men en in feite al zo goed als dood. Maar eerst zouden ze worden toegevoegd aan de vijfhonderd tewerkgestelden die een nieuwe weg van Turka naar Stryj moesten aanleggen. De oude weg werd altijd overstroomd als de rivier de Stryj buiten zijn oevers trad. De nieu-we weg moest hoger komen te liggen. De operatie werd enigszins gehinderd door mijnenvelden; soms zouden de tewerkgestelden die eerst moeten opruimen voordat het werk verder kon. De weg moest klaar zijn voordat het weer begon te sneeuwen. Daarna moesten ze ervoor zorgen dat hij open bleef. De betaalmeester, Orbán, zou het loon bijhouden. Tolnay, de gezondheidsofficier, zou hen behandelen in geval van ziekte. Simulanten hoefden niet op clementie te rekenen. Tolnay had strikte orders om alles te doen wat in zijn macht lag om verzuim te voorkomen. Ze moesten de bewakers en officieren te allen tijde gehoorzamen; oproerkraaiers zouden worden bestraft, deserteurs gefusilleerd.

Toen Kozma uitgesproken was, liet hij zijn hakken klakken, draaide zich verrassend snel om voor zo'n zware man en deed een stap opzij, zodat zijn luitenant de compagnie kon toespreken. Luitenant Horvath zag eruit alsof hij inklapbaar was; zijn lichaam en gezicht leken ingevouwen tot een smallere versie van een gewoon mens. Op zijn neus wiebelde een bril. Hij haalde een velletje papier uit zijn borstzak. Na donker geen elektrisch licht, deelde hij met zijn ijle, monotone stem mee, er mochten geen brieven worden geschreven, er was geen kampwinkel waar ze hun levensmiddelen konden aanvullen, als hun uniformen versleten waren of kapotgingen, werd er geen vervangende kleding verstrekt, groepsvorming of omgang met de bewakers was verboden, net als zakmessen, roken, het bezit van waardevolle voorwerpen, het doen van inkopen bij plaatselijke winkels of het drijven van handel met de boeren. Hun familie zou binnenkort van hun overplaatsing op de hoogte worden gebracht, maar er mocht geen enkel verkeer plaatsvinden tussen de 79/6de en de buitenwereld – geen pakjes, geen brieven, geen telegrammen. Met het oog op de veiligheid moesten ze altijd hun band dragen. Zonder deze identificatie kon men voor de vijand worden aangezien en worden neergeschoten.

Horvath stelde hen met veel geschreeuw in vijf rijen op, die weer naar de weg werden afgemarcheerd; ze moesten direct aan het werk. De weg was bedekt met een laag diepe, zuigende modder. Naarmate het lichter werd, zag Andras dat ze zich in een breed rivierdal bevonden, tussen twee dicht met naaldbomen begroeide heuvelrijen. In de verte rezen de grijze toppen van de Karpaten als een rij ongelijke tanden omhoog. Tegen de bergflanken hingen wolken waaruit de mist het dal in lekte. De Stryj, gezwollen door de regen, stroomde snel tussen de steile bruine oevers. Al snel voelde Andras in zijn rug en dijen hoe steil de weg omhoog liep. De waslijst aan verboden maalde de hele tijd door zijn hoofd: na donker geen elektrisch licht, geen brieven, geen postverkeer. Onmogelijk Klara iets te laten weten. Onmogelijk om erachter te komen hoe het met haar ging, of met Tibor, Ilana en Ádám, of met Mátyás, als er al iets over Mátyás bekend was. Tijdens de vorige periodes van tewerkstelling hadden Klara's brieven hem op de been gehouden, had de noodzaak haar te schrijven 'met mij gaat het goed' ervoor gezorgd dat het ook werkelijk betrekkelijk goed met hem ging. Hoe kon hij overleven als hij niet kon communiceren, vooral nu, na alles wat er was gebeurd? Hij moest een manier vinden om haar een bericht te sturen, wat de gevolgen ook waren. Hij zou iemand omkopen, schuldbekentenissen tekenen als het moest. Hij zou brieven schrijven en zijn brieven zouden haar bereiken. Te midden van alle onzekerheid was hij daar in elk geval van overtuigd.

Het werk was tien kilometer verderop; ze kregen houwelen en schoppen uitgereikt en werden in twintig groepen van zes man verdeeld. Elke groep telde twee sjouwers met kruiwagens en vier man met schoppen. Ze zagen al honderden van die groepjes aarde in kruiwagens scheppen en daarmee wegrijden, zodat er een vlakke bedding ontstond waarop grind en asfalt kon worden gelegd. Een lint geëgaliseerde grond strekte zich helemaal tot Turka uit; een spoor van rode landmetersmerktekens markeerde de groene uitgestrektheid tussen hun werkplek en Skhidnytsya. Er liepen opzichters tussen de groepjes heen en weer die de tewerkgestelden met dunne stokken op hun rug en benen sloegen.

Ze werkten vijf uur achtereen, zonder pauze. Om twaalf uur kregen ze honderd gram brood dat zo gruizig was dat het wel uit zaagsel leek te bestaan, en een lepel waterige bietensoep. Daarna werkten ze weer door tot de avondschemering; in het donker marcheerden ze naar huis. In het weeshuis gaf de kok iedereen een kopje uienbouillon. Vervolgens moesten ze op de binnenplaats drie uur op appèl staan voordat Kozma ze naar hun kinderbedjes stuurde. Zo zag hun nieuwe leven er voortaan uit.

Andras had een bovenbed bij het raam en Mendel lag naast hem, boven de Ivoren Toren. József had het bed onder Andras. De eerste week in het weeshuis hoorde Andras József urenlang op de harde houten latjes draaien en woelen. De vijfde nacht kreeg hij zin om hem te wurgen. Hij wilde alleen maar slapen en vergeten waar hij was en waarom. Maar dat maakte József onmogelijk. Hij lag te draaien, heen en weer te schuiven en dan weer te draaien, uren achtereen.

'Hou op!' fluisterde Andras fel. 'Ga slapen.'

'Val dood,' fluisterde József terug.

'Val zelf dood.'

'Ik ben al bijna dood,' zei József. 'Ik overleef dit niet. Dat weet ik.'

'Dood gaan we uiteindelijk allemaal,' deelde Mendel vanuit het buurbed mee.

'Ik heb een zwak gestel en een driftig temperament,' zei József. 'Ik doe domme dingen. Straks geef ik nog een gewapende bewaker een grote mond.'

'Je zit nu al twee maanden bij de Munkaszolgálat en je leeft nog steeds,' zei Andras.

'Dit is Szentendre niet,' antwoordde József.

'Beschouw het maar als een soort Szentendre, maar dan met minder eten en een minder fraaie commandant.'

'Verdomme, Lévi, luister je dan niet? Ik heb hulp nodig.'

'Kan het wat stiller?' riep iemand.

Andras klauterde omlaag en ging op de rand van Józsefs bed zitten. Hij vond Józsefs ogen in het donker. 'Wat is er?' fluisterde hij. 'Wat wil je?'

'Ik wil niet voor mijn dertigste al sterven,' fluisterde József terug en zijn stem brak, als die van een kind. Hij veegde met zijn hand langs zijn neus. 'Ik ben hier niet op voorbereid. Ik heb de afgelopen vijf jaar alleen maar gegeten, gedronken, geneukt en geschilderd. Ik overleef dit werkkamp niet.'

'Jawel. Je bent jong en gezond. Het went wel.'

Een tijdje luisterden ze zwijgend naar het ademen van de anderen. Vijftig slapende, ademende mannen: het leek wel een groot strijkersensemble met snaarloze violen, altviolen en cello's, een eindeloos ruisen van paardenhaar op hout, af en toe onderbroken door een niezende houtblazer of hoestend koper – en dan ging de snaarloze muziek weer door, een voortdurend zuchten in het donker.

'Is dat alles?' vroeg József ten slotte. 'Weet je niets beters?'

'Het is de waarheid,' zei Andras. 'Ik heb geen fut voor positieve praatjes.'

'Ik hoef ook geen positieve praatjes,' fluisterde József. 'Ik wil alleen weten hoe ik dit overleef. Jij doet dit al drie jaar. Heb je geen tips?'

'Om te beginnen moet je geen subversieve krantjes maken,' zei Andras. 'Dan loop je het risico dat je commandant een revolver uit zijn bureaula haalt en je onder schot neemt.'

'Heeft-ie dat dan gedaan?' vroeg József. 'Wat wilde hij van je?'

'Onze zetplaten en originelen. Hij dreigde met huiszoeking als we die niet gaven.'

'O god. Wat heb je gezegd?'

'De waarheid. De originelen liggen bij onze hoofdredacteur bij het *Hongaars-Joods Dagblad.* Daar lagen ze althans. Varsádi zal ze inmiddels wel hebben.'

József slaakte een diepe zucht. 'Dat moet een beroerde dag zijn geweest voor die hoofdredacteur.'

'Ja. Ik was er ziek van. Maar wat moesten we anders? We konden Varsádi's mensen moeilijk naar de Nefelejcs utca sturen.'

'Goed,' fluisterde József. 'Ik zal geen subversieve krantjes maken. Wat nog meer?'

Andras vertelde József alles wat hij wist: hou je gedeisd. Probeer onzichtbaar te worden. Maak geen vijanden onder je lotgenoten. Doe nooit bijdehand tegen de bewakers. Eet wat je krijgt, hoe smerig het ook is, en bewaar altijd iets voor later. Probeer zo schoon mogelijk te blijven. Hou je voeten droog. Zorg goed voor je kleren. Probeer te ontdekken welke bewakers een beetje meelevend zijn. Hou je zoveel mogelijk aan de regels, en als je je er niet aan houdt, zorg dan dat je niet gepakt wordt. Vergeet nooit hoe het thuis was. En vergeet nooit dat hier ooit een eind aan komt.

Hij zweeg en dacht aan de andere lijst die Mendel en hij lang geleden hadden opgesteld, de tien geboden van de Munkaszolgálat. Was het pas drie jaar geleden dat hij naar Karpato-Roethenië was uitgezonden? Volgens welke tijdrekening kwam er ooit een eind aan de dwangarbeid? Plotseling kon hij het niet meer opbrengen om erover te praten of eraan te denken. 'Ik moet nu slapen,' zei hij.

'Goed,' zei József. 'Maar dit wil ik nog zeggen: bedankt.'

'Hou je kop nou,' fluisterde Mendel uit het buurbed.

'Graag gedaan,' zei Andras. 'En nu slapen.'

Andras klom weer in zijn bovenbed en trok de deken om zich heen. József was nu stil; het draaien en woelen was bedaard. Maar Andras lag wakker en luisterde naar de ademhaling van de anderen. Hij herinnerde zich zulke stille nachten uit het begin van zijn dagen als tewerkgestelde. Al snel zou niemand meer rustig slapen;

er zou altijd wel iemand liggen te hoesten of te kreunen, of er rende iemand naar de latrine, en dan kwam de kwelling van de luizen en de doffe, weeë pijn van de honger. En middernachtelijke appels, als Kozma dat in zijn hoofd kreeg. De Munkaszolgálat leek wel een chronische ziekte, dacht hij – soms werden de symptomen minder, maar ze kwamen altijd terug. Toen hij pas in Transsylvanië werkte, voelde hij precies wat József nu voelde – de ongelooflijke onrechtvaardigheid van dit alles. Dit kón toch niet, dit gebeurde niet met hem en Klara, niet met zíjn hoofd, niet met zíjn lichaam, die solide, betrouwbare machine. Hij kon niet geloven dat alles wat in Parijs zo groot en dringend was – alles wat belangrijk leek, zijn studie, alle projecten, alle ogenblikken met Klara, alle geheimen, alle zorgen over geld, school, werk of eten – weggeslagen was, van zijn context ontdaan, onzinnig, klein, onmogelijk, samengebald in een ruimte die te klein was om in te overleven. Maar als hij nu naar het werk marcheerde, in de aarde spitte, het armzalige eten naar binnen werkte en door de modder naar huis slofte, was hij niet verontwaardigd meer – hij voelde nauwelijks nog iets. Hij was gewoon een dier op de aarde, een van de vele miljarden. Het feit dat hij een gelukkige jeugd in Konyár had gehad, naar school was geweest, had leren tekenen, naar Parijs was gegaan, verliefd was geworden, had gestudeerd en gewerkt, een zoon had gekregen – dat alles vormde geen enkele garantie voor de toekomst, het was louter een kwestie van geluk. Dat alles was geen beloning, net zomin als de Munkaszolgálat een straf was; hij kon er geen enkele aanspraak op toekomstig geluk of betere omstandigheden aan ontlenen. Overal ter wereld werd geleden. In deze oorlog waren al honderdduizenden omgekomen en misschien zou hij hier in Turka omkomen. Hij vermoedde dat die kans groot was. De paar dingen die hij zelf in de hand had waren te verwaarlozen; hij was een piepklein deeltje, een menselijk stofje, verdwaald in het oosten van Europa. Hij wist dat er een tijd zou komen, misschien wel heel binnenkort, dat het hemzelf moeite zou kosten zich aan de regels te houden die hij József zojuist had ingeprent.

Hij moest aan Klara denken, hield hij zichzelf voor. Hij moest aan Tamás denken. En aan zijn ouders, aan Tibor en aan Mátyás. Hij moest doen alsof het niet hopeloos was, hij moest zichzelf voor de gek houden om in leven te blijven. Hij moest met open ogen in de val van de liefde trappen.

Aan het eind van zijn tweede week in Turka trapte de assistent van de landmeter op een landmijn. Het gebeurde helemaal voor aan de nieuwe weg, een paar kilometer van de plek waar Andras werkte, maar het nieuws verspreidde zich snel onder de manschappen. De assistent was een van hen geweest, een tewerkgestelde. Hij moest de landmeter helpen bij het plannen van de weg door een Russisch mijnenveld. Eigenlijk had dat al maanden geleden door een andere compagnie moeten zijn opgeruimd, maar die compagnie had waarschijnlijk erg veel haast gehad. De assistent was op de mijn getrapt bij het opstellen van de theodoliet. Hij was op slag dood geweest.

De landmeter was ook een tewerkgestelde, een ingenieur uit Szeged. Andras had hem wel zien langskomen op weg naar zijn werk. Het was een kleine, bleke man met een bril zonder randen en een borstelige grijze snor; zijn uniformjasje was net zo versleten als dat van alle anderen en hij had lappen om zijn laarzen gewikkeld om te voorkomen dat ze uit elkaar vielen. Maar omdat zijn functie zo belangrijk voor het leger was, droeg hij een officieel uitziende pet en een insigne op de zak van zijn overjas. Hij mocht naar het stadje om inkopen te doen en hij mocht roken. En hij werd altijd gevraagd om te tolken: hij sprak Pools, Russisch en zelfs een beetje Oekraïens, hij kon in hun eigen taal met de Galicische boeren praten. Zijn assistent, een slanke jongen met donkere ogen die hooguit twintig was, volgde hem altijd als een stille schaduw. Toen de jongen dood was, scheurde de landmeter zijn mouw en wreef hij as op zijn hoofd. Hij sjouwde met zijn instrumenten met een gezicht waarop een verbijsterde wanhoop te lezen stond. De jongen was als een zoon voor hem, zei iedereen; later vernam Andras dat hij de zoon van de beste vriend van de landmeter was, ook uit Szeged.

De maand augustus verstreek en het werd duidelijk dat de landmeter snel een nieuwe assistent moest kiezen. Hij was te oud om alle instrumenten alleen te dragen; hij had een hulp nodig als de weg vóór november tot aan Skhidnytsya uitgemeten moest zijn, want dan kwamen de Duitse inspecteurs. De landmeter begon her en der bij de groepjes te informeren: wie wist iets van wiskunde? Had er misschien iemand bouwkunde gestudeerd? Was er hier een technisch tekenaar of een architect? Bij het schaften zagen ze hem lijsten met namen en beroepen bestuderen op zoek naar iemand die hij kon gebruiken.

Op een ochtend, toen Andras, Mendel en de anderen van hun groepje een stuk gescheurd asfalt aan het wegbreken waren, kwam de landmeter achter majoor Kozma aanschuifelen. Bij Andras' groepje bleven ze staan, en de majoor wees met zijn duim naar Andras.

'Die daar,' zei hij. 'Lévi, Andras. Je zou het niet zeggen, maar hij schijnt te hebben doorgeleerd.'

De landmeter keek op zijn lijst. 'Je hebt bouwkunde gestudeerd,' zei hij.

Andras haalde zijn schouders op. Het leek hem nu zo onwerkelijk.

'Hoe lang?'

'Twee jaar. Architectuur met één module bouwkunde.'

'Goed,' zei de landmeter met een zucht. 'Dat moet genoeg zijn.'

Mendel, die had meegeluisterd, kwam dichter bij Andras staan. Hij keek de landmeter strak aan en zei: 'Hij wil die baan niet.'

Meteen schoot de hand van majoor Kozma naar de rijzweep die tussen zijn broekriem zat. Hij kneep zijn goede oog dicht en keek Mendel aan. 'Vraagt iemand jou wat, kakkerlak?'

Even aarzelde Mendel, maar toen ging hij door alsof hij van de majoor niets te vrezen had. 'Het is gevaarlijk werk, majoor. Lévi is getrouwd en vader. Neemt u liever iemand die minder te verliezen heeft.'

Het litteken van de majoor werd rood. Hij sloeg Mendel met de rijzweep in zijn gezicht. 'Jij hoeft me niet te vertellen hoe ik mijn compagnie moet leiden, kakkerlak,' zei hij. En tegen Andras: 'Laat je werkbrief zien, Lévi.'

Andras gehoorzaamde.

Kozma haalde een stuk vetkrijt uit zijn zak en maakte een aantekening op de papieren met de strekking dat Andras met onmiddellijke ingang onder de bevelen van de landmeter ressorteerde. Terwijl hij daarmee bezig was, haalde Andras een verfrommelde zakdoek tevoorschijn en gaf die aan Mendel, die een bloedende striem op zijn wang had. Mendel drukte de zakdoek ertegenaan. De landmeter keek toe en leek te begrijpen dat ze vrienden waren. Hij schraapte zijn keel en richtte zich tot Kozma.

'Ik heb een idee,' zei hij, 'met uw welnemen, majoor.'

'Wat nu weer?'

'Mag ik die andere er ook bij?' Hij wees met zijn duim naar Mendel. 'Hij is groot en sterk. Hij kan de instrumenten dragen. En als er iets gevaarlijks moet worden gedaan, kan híj het doen. Ik zou niet graag weer een goede assistent kwijtraken.'

Kozma tuitte zijn verminkte lippen. 'Wil je ze allebei?'

'Het is maar een idee, majoor.'

'Je bent een hebberige jood, Szolomon.'

'De weg moet worden uitgemeten. Met twee assistenten zal dat sneller gaan.'

Inmiddels was er nog een officier bij het groepje komen staan, de algemeen opzichter, een reservist-kolonel van de Koninklijke Hongaarse Genietroepen. Hij wilde weten waarom er niet werd doorgewerkt.

'Szolomon wil deze twee als assistent hebben.'

'Meld ze dan af en neem ze mee. Dat getreuzel kunnen we hier niet hebben.'

Zo werden Andras en Mendel de nieuwe landmetersassistenten, als erfgenamen van de baan van de omgekomen jongen.

Overdag hielden ze zich bezig met het uitmeten van het traject tussen Turka en Yavora, tussen Yavora en Novyi Kropyvnyk en tussen Novyi Kropyvnyk en Skhidnytsya. Ze werden ingewijd in de mysteriën van de theodoliet, de landmeterskijker; de landmeter leerde ze hoe die met behulp van schietlood en waterpas op het statief moest worden opgesteld. Hij leerde ze hoe de kijker precies op het geografische noorden werd gericht en hoe de horizontale en verticale lijnen werden geijkt. Hij leerde ze het landschap in geometrische termen te zien: vlakken die andere vlakken in scherpe of stompe hoeken sneden, bewijsbaar, berekenbaar en nuchter. Die scherpgetande bergtoppen waren gewoon driedimensionale veelvlakken en de Stryj was alleen maar een gedraaide halve cilinder die van de grens van de provincie Lvivska naar de diepere, langere geul van de Dniester liep. Maar ze konden het land onmogelijk uitsluitend geometrisch bekijken: overal zagen ze sporen van de oorlog die om erkenning schreeuwden. Boerderijen waren platgebrand, sommige door de oprukkende Duitsers, andere door de zich terugtrekkende Russen. De oogst verrotte op de akkers. In de stadjes waren alle joodse bedrijven verwoest en geplunderd; ze stonden nu leeg. Nergens was een joodse man, vrouw of kind te bekennen. De Polen waren ook verdwenen. De Oekraïners die er nog wel waren, staarden met doffe ogen voor zich uit alsof ze zo veel verschrikkelijks hadden aanschouwd dat ze het gordijn voor hun ziel hadden dichtgetrokken. Het zomergras schoot weliswaar nog steeds hoog op en er zaten al zure bosbessen aan de struiken langs de weg, maar het land zelf leek zo dood als een stuk afgeschoten wild dat in het bos lag weg te rotten. Nu probeerden de Duitsers er nieuwe organen in te stoppen en het weer tot kruipen te dwingen. Een nieuw hart, nieuw bloed, een nieuwe lever, nieuwe darmen – en een nieuw zenuwcentrum: Hitlers hoofdkwartier in Vinnitsa. Deze weg was een ader. Daardoor moesten soldaten, dwangarbeiders, munitie en levensmiddelen naar het front worden gepompt.

De landmeter was intelligent; hij besefte dat zijn theodoliet ook buiten zijn vakgebied zijn nut kon hebben. Al snel na zijn aankomst in de Oekraïne had hij gemerkt dat er een grote overredingskracht van uitging. Als ze bij een welvarend ogende boerderij of herberg kwamen, stelde hij hem in het zicht van de eigenaars op, en dan kwam er doorgaans iemand naar buiten om te vragen wat hij aan het doen was, en dan zei hij dat de weg over hun grond en misschien wel dwars door hun huis zou worden aangelegd. Dan werd er onderhandeld: konden ze hem misschien overhalen om de weg ietsje meer naar het oosten te laten aanleggen, een stukje verder weg? Dat kon, voor een bescheiden vergoeding. Op die manier kwam hij aan brood, kaas, verse eieren, zomervruchten, oude jassen, dekens, kaarsen. Bijna iedere avond kwamen Andras en Mendel terug met eten en spullen om in het weeshuis uit te delen.

De landmeter had ook waardevolle contacten, onder wie een vriend bij de Koninklijke Hongaarse Officiersopleiding in Turka – een officier die vroeger in Szeged een bekend acteur was geweest. Deze Pál Erdö had opdracht een uitvoering van het beroemde soldatendrama *De Tataren in Hongarije* van Károly Kisfaludy op de planken te brengen. Toen hij de landmeter in de stad tegenkwam, klaagde hij dat het zo moeilijk en zo belachelijk was een toneelproductie op touw te zetten terwijl je een stel jongemannen op een oorlog moest voorbereiden. De landmeter begon hem te bepraten: hij kon het stuk aangrijpen om goed te doen – hij zou bijvoorbeeld kunnen vragen of de tewerkgestelden hem mochten helpen. Zij hadden er misschien baat bij 's avonds een paar uur in betrekkelijke rust en veiligheid in de aula van de school door te brengen. Hij vermeldde vooral Andras' ervaring als decorontwerper en Mendels literaire kwaliteiten. Kapitein Erdö, een ouderwetse liberaal, wilde graag alles doen wat in zijn vermogen lag om het lot van de dwangarbeiders te verlichten en vroeg behalve Andras en Mendel ook nog zes anderen uit de 79/6ᵈᵉ, onder wie József Hász de kunstschilder, en een kleermaker, een timmerman en een elektricien. Het groepje marcheerde drie avonden per week rechtstreeks van het werk naar de officiersopleiding, waar ze meewerkten aan een klein soldatendrama in het grotere. Bij wijze van betaling kregen ze extra soep uit de keuken van de school.

De dagen dat de landmeter hen niet nodig had – als hij op kantoor berekeningen moest maken, topografische kaarten corrigeren en rapporten schrijven – werkten Andras en Mendel met de anderen mee aan de weg. Op die dagen liet Kozma hen betalen voor hun baan bij de landmeter en de avonden op de officiersopleiding. Hij gaf hun zonder mankeren het zwaarste werk. Als daar gereedschap voor nodig was, pakte hij dat af, zodat ze het met hun blote handen moesten doen, die ze met lappen beschermden. Als hun eenheid heipalen moest vervoeren om de bermen aan weerskanten van de weg mee te versterken, moest er een bewaker op de palen zitten terwijl Andras en Mendel ze naar hun bestemming droegen. Als ze kruiwagens vol zand moesten wegbrengen, haalde hij de wielen eraf, zodat ze de wagentjes door de modder moesten slepen. Ze betaalden de prijs zonder een woord te zeggen. Ze wisten dat hun baan bij de landmeter en hun werk op de school hun behoud kon betekenen als het echt koud werd.

Andras en Mendel hadden het natuurlijk nooit meer over een nieuw krantje voor de 79/6ᵈᵉ compagnie; zelfs al hadden ze er tijd voor gehad, dan nog hadden ze onmogelijk meer kunnen geloven dat zoiets veilig was. *Het Kromme Spoor* kwam maar één keer ter sprake. Dat was op een regenachtige dinsdag, begin september, toen ze met de landmeter aan het werk waren; ze moesten de koers bepalen van de weg naar een brug die zou worden herbouwd. Szolomon had hen in een lege koeienstal achtergelaten en was zelf met een boer gaan praten wiens varkensstallen te dicht bij de toekomstige weg lagen. Buiten viel de motregen gestaag. Binnen zaten Andras en Mendel op omgekeerde melkemmers het bruine brood met zachte kaas op te eten dat de landmeter die ochtend voor hen had weten te bemachtigen.

'Niet slecht voor een Munkaszolgálat-lunch,' merkte Mendel op.

'Kon slechter.'

'Maar melk en honing is het niet.' De gewone cynische uitdrukking was van Mendels gezicht verdwenen. 'Ik denk er elke dag aan,' zei hij. 'Jij had nu in Palestina kunnen zitten. Maar dankzij mij maak je een rondreis door de mooie landelijke Oekraïne.' Hun oude grapje uit de tijd van *De Sneeuwgans*.

'Dankzij jou?' protesteerde Andras. 'Doe niet zo belachelijk.'

'Zo belachelijk is het niet,' zei Mendel, en de voelsprieten van zijn wenkbrauwen kropen dichter naar elkaar toe. '*De Sneeuwgans* was mijn idee. *De Steekvlieg* ook. *Het Kromme Spoor* kwam daar haast vanzelfsprekend uit voort. Het eerste artikel was van mij. En ik had voorgesteld om onze krant te gebruiken om de mensen kwaad te maken, zodat ze langzamer gingen werken.'

'Wat heeft dát er nou mee te maken?'

'Ik moet er steeds aan denken, Andras. Misschien kwam Varsádi onder verdenking te staan doordat wij de treinen ophielden. Misschien hebben we alles nét genoeg vertraagd om ze te alarmeren.'

'Als die treinen te laat waren, dan kwam dat doordat de mensen aan de top te hebberig waren om ze op tijd door te laten rijden. Dat is jouw schuld toch niet.'

'Je kunt het verband tussen het een en het ander niet ontkennen.'

'Het is niet jouw schuld dat we hier zitten. Misschien was het je nog niet opgevallen, maar het is oorlog.'

'Toch geloof ik dat wij misschien het laatste duwtje hebben gegeven. Eerlijk gezegd lig ik er 's nachts wakker van. Ik heb het gevoel dat het allemaal door ons komt.'

Hetzelfde idee was ook bij Andras opgekomen, in de trein en nog vaak daarna. Maar nu Mendel de gedachte hardop uitsprak, leek er een nieuw soort wanhoop uit te spreken, een hunkering die Andras nu pas begreep. Mendel Horovitz hield zich vast aan het idee dat hij tenminste nog een klein beetje greep op zijn eigen lot en dat van Andras had, al ging dat ten koste van een gruwelijk, brandend schuldgevoel. Dat hij zelf de hand had gehad in de gebeurtenissen waardoor ze waren opgetild en aan het oostfront neergesmakt. Natuurlijk, dacht Andras. Natuurlijk. Waarom zou iemand niet volhouden dat hij schuldig was, waarom zou iemand er niet naar hunkeren verantwoordelijk te worden gehouden voor zijn eigen rampspoed, als het alternatief betekende dat hij niets meer dan een willoos stofje was?

Andras wist inmiddels dat alle commandanten bij de Munkaszolgálat hun eigen neuroses en frustraties hadden. Je kon in een werkkamp overleven door uit te zoeken waardoor een bepaalde commandant buiten zichzelf raakte, zodat je je gedrag kon aanpassen en zijn toorn kon vermijden. Maar de razernij van Kozma was onvoorspelbaar en barstte soms bij de kleinste aanleiding los; zijn stemming sloeg bij het minste of geringste om en de wortels van zijn neuroses waren in duisternis gehuld. Waarom was hij zo wreed tegen luitenant Horvath? Waarom schopte hij zijn grijze wolfshond? Hoe kwam hij aan het litteken dat zijn gezicht in tweeën deelde? Niemand wist het, zelfs de bewakers niet. Als Kozma's woede eenmaal was gewekt, was er geen ontkomen aan. Die woede was niet voorbehouden aan mannen zoals Andras en Mendel, die bijzondere voorrechten genoten. Iedere vorm van zwakte trok Kozma's aandacht. Iemand die tekenen van vermoeidheid vertoonde, werd geslagen of aan folteringen onderworpen: in de houding staan met volle emmers water in zijn uitgestrekte handen, eindeloze gymnastiekoefeningen na een lange werkdag, buiten slapen als het regende. Halverwege september vielen de eerste doden, ook al was het nog zacht weer en deed Tolnay, de hospik, zijn best. Een van de oudere mannen liep een longontsteking op die hem noodlottig werd, een ander bezweek onder het werk aan een hartstilstand. Er waren aanvallen van dysenterie, waar soms iemand aan doodging. Verwondingen werden vaak niet behandeld, zodat het kleinste sneetje tot bloedvergiftiging of amputatie kon leiden. Tolnay bracht vaak alarmerende rapporten uit, maar je moest wel zowat doodgaan voordat Kozma je naar de ziekenboeg in het dorp stuurde.

De nachten in het weeshuis kenden vaak onvoorspelbare verschrikkingen. Soms maakte Kozma iedereen om twee uur 's nachts wakker om tot zonsopgang op appèl te staan; als er dan iemand in slaap viel of door zijn knieën zakte, werd hij door de bewakers in elkaar geslagen. Soms, als Kozma en Horvath met de andere officieren in de mess zaten te drinken, werden er vier tewerkgestelden opgeroepen voor een gruwelijk spelletje: twee mannen moesten op de schouders van de andere twee gaan zitten en proberen elkaar tegen de grond te werken. Als het er niet fel genoeg aan toe ging, sloeg Kozma hen met zijn rijzweep. Ze mochten pas ophouden als een van de mannen bewusteloos was geslagen.

Maar de wreedste en meest frequente marteling was het intrekken van rantsoenen. Kozma leek te zwelgen in de wetenschap dat zijn mannen honger leden en hij de enige was die daar iets aan kon doen; hij vond het heerlijk dat ze aan zijn genade waren overgeleverd en snakten naar datgene wat hij hun als enige kon geven. Zonder het eten dat Andras en Mendel stiekem meebrachten zou de 79/6de al snel zijn verhongerd. De jongere mannen rammelden toch al voortdurend van de honger. Zelfs een volledig rantsoen zou niet genoeg zijn geweest om de energie aan te vullen die ze door het werk kwijtraakten. Ze begrepen niet hoe de andere dwangarbeiders in Turka de honger maandenlang hadden doorstaan – hoe waren die in leven gebleven? Overdag vroegen ze hun lotgenoten hoe zij aan de hongerdood ontkwamen, en ze ontdekten al snel dat er in het dorp een levendige zwarte markt bloeide waar je alles kon krijgen als je iets te bieden had. Het was wel bitter ironisch dat een compagnie die hierheen was overgeplaatst vanwege de zwartemarktactiviteiten van hun superieuren nu op diezelfde zwarte markt aangewezen was om te overleven – maar er was nu eenmaal geen alternatief.

Op een avond legden de mannen van de 79/6de op de slaapzaal wat bezittingen – twee horloges, wat papiergeld, een zilveren aansteker, een zakmes met een ingelegd ebbenhouten heft – bij elkaar en overlegden ze fluisterend wie de tocht naar het dorp moest wagen. De gevaren waren bekend. Hoe vaak had Horvath niet gezegd dat dwangarbeiders die er in hun eentje op uit gingen, neergeschoten zouden worden? De Ivoren Toren trad op als moderator en zette de criteria uiteen: iedereen die ziek of boven de veertig en onder de twintig was, viel af, net als iedereen die die week aan Kozma's gruwelijke spelletje had moeten meedoen of de nacht in de kou op de binnenplaats had doorgebracht. Getrouwde mannen en jonge vaders eveneens. Ze keken de kring rond: wie bleef er over?

'Ik,' zei Mendel. 'Wie nog meer?'

'Ik,' zei Goldfarb, een stoere kerel met een dikke bos rood haar en een neus die eruitzag alsof hij al sinds zijn vroegste jeugd in een eindeloze reeks vechtpartijen was platgeslagen. Hij was banketbakker geweest in het Zesde District in Boedapest en iedereen mocht hem.

'Verder niemand?' vroeg de Ivoren Toren.

Andras wist nog wel iemand die in aanmerking kwam: József Hász. Maar József sloop naar de deur en leek van plan er stilletjes tussenuit te knijpen. Net voordat hij bij de uitgang was, vroeg de Ivoren Toren: 'En jij, Hász?'

'Ik geloof dat ik koorts heb,' zei József.

De mannen van de 79/6de, die Józsefs gejammer al hadden moeten aanhoren sinds hij drie maanden geleden was opgeroepen, hadden weinig compassie met hem. Ze trokken hem weer naar binnen en zetten hem midden in de kring. Er viel een gespannen stilte en József begreep ongetwijfeld al snel dat niemand het erg zou vinden als hij zijn leven voor de anderen in de waagschaal stelde. Het was al te vaak gebeurd dat hij met zijn werkschuwheid Kozma's toorn over de hele groep had afgeroepen. Hij leek te krimpen en trok zijn schouders op.

'Ik ben niet goed in sluipen,' zei hij. 'Ik val veel te veel op.'

'Jij mag ook wel eens iets doen,' zei Zilber, de elektricien die ook bij de officiersopleiding werkte. 'Horovitz klaagt nooit en hij zorgt nu al weken voor extra eten.'

'Waarom zou hij ook klagen?' vroeg József. 'Hij mag lekker met Szolomon wandelen terwijl wij met asfalt sjouwen.'

'Je weet vast nog wel wat er met Szolomons vorige assistent is gebeurd,' zei de elektricien. 'Ik zou die baan niet willen, al kreeg ik er een eigen kamer en een stel boerenmeiden met zúlke tieten bij cadeau.'

Een aantal mannen verklaarde zich gaarne bereid Mendels baan onder dergelijke omstandigheden over te nemen. Mendel verzekerde hun dat er van zulke secundaire arbeidsvoorwaarden geen sprake was. Maar József Hász lachte niet mee. Hij keek de kring rond en leek in paniek te raken toen hij geen enkele bondgenoot kon ontwaren. Andras zag het en voelde een steek van medelijden – en ook een zekere ongepaste voldoening, dat kon hij niet ontkennen. Zo leerde Hász weer eens dat hij niet aan de krachten ontkwam waaraan het leven van normale stervelingen onderhevig was. Hier in dit Oekraïense weeshuis kon het niemand iets schelen wie zijn vader was of wat hij allemaal bezat en was niemand onder de indruk van zijn knappe donkere uiterlijk of zijn scheve glimlach. Deze mensen hadden honger en wilden alleen maar dat er iemand naar het dorp ging om eten te halen, en hij voldeed aan alle eisen. Hij zou dadelijk moeten zwichten.

Maar József Hász werd niet graag in een hoek gedreven. Op een koele, redelijke toon die zijn paniek moest maskeren begon hij: 'Onvoorstelbaar dat jullie mij kiezen in plaats van Horovitz.'

'Hoezo?' vroeg de elektricien.

'Jullie hebben het aan hem te danken dat jullie hier zitten.'

Zilber lachte en de anderen ook. 'Ja hoor. Hij heeft ons zelf de trein in geduwd!' zei Zilber. 'Die hele oorlog is zijn schuld.'

'Nee, maar hij heeft wél dat krantje uitgebracht waar al die artikelen over de zwarte markt in stonden. Door hem wist Varsádi dat wij begrepen wat er aan de hand was.'

Andras kon zijn oren niet geloven. Er viel een gespannen stilte, gevolgd door heftige onderlinge discussie. De Ivoren Toren riep hen tot de orde. 'Rustig allemaal,' fluisterde hij. 'Als de bewakers ons horen, houdt alles op.'

'Snappen jullie het dan niet?' vroeg József. In het halfdonker keek hij de kring rond. 'Zonder dat krantje was Varsádi niet zo in paniek geraakt.' Hij keek Andras even aan, maar zei niets over diens rol als illustrator. Waarschijnlijk was dat zijn dank voor Andras' goede raad.

'Doe niet zo belachelijk,' zei de elektricien. 'We zijn niet op transport gesteld vanwege *Het Kromme Spoor*. We deden allemaal aan die actie mee voor de stakkers in de kampen waar wij nu zelf ook zitten. Misschien werd Varsádi dáárom wel zo bang om te worden betrapt.' Maar er begonnen een paar mannen te fluisteren en naar Mendel en toen naar Andras te kijken. Mendel sloeg beschaamd zijn ogen neer. József zei alleen wat hijzelf al voelde.

József bespeurde een omslag in de stemming en maakte daar gebruik van. 'Op de dag dat we op transport werden gesteld – weten jullie wat er toen gebeurde?' vroeg hij. 'Toen liet Varsádi Horovitz op kantoor komen. Waarvoor dacht je? Niet om onze collega met zijn journalistieke talent te complimenteren, denk ik.'

'Zo is het wel genoeg, Hász,' zei Andras. Hij deed een stap in zijn richting.

'Wat is er, oom?' vroeg József. Hij keek dreigend terug. 'Ik vertel alleen wat ik van jou heb gehoord.'

'Waarvoor was het dan?' vroeg een van de anderen.

'Volgens Lévi hier wilde hij alle originelen en zetplaten van *Het Kromme Spoor*. Hij was zo wanhopig dat hij een revolver op de beide heren richtte. En we begrijpen waarschijnlijk allemaal wel waarom Horovitz de hoofdredacteur van het *Hongaars-Joods Dagblad* heeft verraden bij wie hij de krant mocht drukken. Hoe dan ook, een halfuur later werden we de trein in gejaagd.'

Iedereen keek nu naar Mendel, die met geen woord ontkende wat József zei. Andras wilde József het liefst aanvliegen en tegen de grond slaan; het enige wat hem tegenhield was de gedachte dat de bewakers dan zouden binnenkomen.

'Mannen, luister,' zei de Ivoren Toren. 'Dit gaat niet over *Het*

Kromme Spoor en dit is geen rechtszaak. We zitten hier niet om vast te stellen wiens schuld het is dat we hier zitten. We hebben honger en we kunnen aan eten komen als er iemand bereid is dat te gaan halen. Misschien hadden we beter strootjes kunnen trekken.'

Er klonk gemor en iedereen schudde het hoofd: ze wilden de zaak niet meer aan het toeval overlaten.

'Ik ga wel alleen naar het dorp,' zei Mendel. Hij keek de Ivoren Toren strak aan. 'Ik ben snel. Als ik alleen ga, ben ik zó weer terug.'

De Ivoren Toren protesteerde. Ze waren met hun vijftigen en ze hadden allemaal honger; ze hoopten dat ze op de zwarte markt zoveel konden krijgen dat één man het niet allemaal kon dragen.

De anderen keken naar Goldfarb, naar József Hász en ten slotte naar Andras. Iedereen beschouwde Andras en Mendel als een team, ze deden alles samen. Er leek een verwachtingsvolle stemming in de schemerige slaapzaal te ontstaan. Andras keek Mendel aan en stond al op het punt zich aan te bieden, maar Mendel schudde bijna onzichtbaar even met zijn hoofd. *Poot stijf houden.*

Er viel een lange stilte. József had zijn armen over elkaar geslagen. Hij vertrouwde erop dat zijn woorden de gewenste uitwerking hadden gehad. Uiteindelijk stond Goldfarb op. 'Ik ga wel,' zei hij. 'Het zal wel niet de laatste keer zijn. Volgende keer sturen we Lévi en Hász, of wie we op dat moment dan ook de schuld willen geven.'

De 79/6de haalde opgelucht adem. Er was een besluit gevallen: Horovitz en Goldfarb zouden gaan. Er was veel tijd verspild, het werd al laat, ze moesten meteen weg. Mendel en zijn reisgenoot stopten de bijeengebrachte schatten in hun broekzak, pakten zich goed in tegen de kou en slopen het donker in. En de 79/6de kroop in bed om te wachten – behalve Andras Lévi en József Hász, die op gedempte toon in de latrine ruzie stonden te maken. Voordat József zijn bed in kon kruipen, had Andras hem bij zijn kraag gegrepen en hem naar de toiletruimte met de kleine kastjes en de kinderwastafeltjes gesleurd. Hij duwde József tegen de muur en draaide zijn kraag om totdat hij naar adem hapte.

'Hou op,' hijgde József. 'Laat me los.'

'Ik laat je los als ík dat wil, egoïstisch onderkruipsel!'

'Ik heb niets gezegd wat niet waar was,' zei József. Hij wrikte Andras' hand los. 'Jij en Horovitz hebben dat vod geschreven. Jij bent net zo schuldig als hij. Dat had ik ook nog kunnen zeggen, maar dat heb ik niet gedaan.'

'En wat wil je nou? Dat ik je bedank? Moet ik je smerige hand soms kussen?'

'Dat moet jij weten. Van mij mag je doodvallen, oom.'

'Je had gelijk,' zei Andras. 'Jij bent niet geschikt voor een werkkamp. Het wordt je dood – en hopelijk een beetje snel.'

'Dat weet ik zo net nog niet,' zei József. Hij lachte zijn scheve lachje. 'Tenslotte ben ik nu hier in plaats van buiten in het bos.'

Eindelijk deed Andras wat hij al maanden had willen doen: hij haalde uit en gaf József een vuistslag in zijn gezicht, zo hard dat hij tegen de vlakte ging. József zakte op zijn knieën op de betonnen vloer met zijn hand tegen zijn kaak en spuugde bloed in het metalen afvoerputje. Andras wreef zijn pijnlijke knokkels. Hij verwachtte de vertrouwde golf van berouw die zijn haat voor József altijd temperde, maar die bleef uit. Hij voelde alleen honger, uitputting en een onbedaarlijke zin om József nog een dreun te verkopen, even hard als de eerste. Hij beheerste zich met enige moeite, liet József op de vloer achter en ging naar zijn bed om op Mendel te wachten.

Het was ruim vijf kilometer door het donkere bos naar het dorp; Andras schatte dat ze er een uur over zouden doen. Dan moesten ze hun contactpersoon nog opzoeken en met hem onderhandelen, en ze moesten de patrouilles ontlopen, want die zouden hen zonder pardon neerschieten. Als ze hun contactpersoon konden vinden, en als die bereid was te onderhandelen, en als hij iets had wat de moeite waard was, kon het nog wel een uur duren voordat ze aan de terugtocht konden beginnen; misschien waren ze pas vlak voor het ochtendappel weer terug. Hij lag wakker en stelde zich voor hoe die twee door het bos liepen, Mendel snel met zijn lange benen, Goldfarb half rennend om hem bij te houden. Het was een heldere nacht, zo koud dat hun adem in wolkjes in de lucht zou blijven hangen. De maan scheen en er stonden sterren aan de hemel; zelfs in het bos zou het vrij licht zijn. De wind zou de dode bladeren laten opwarrelen, zodat hun spoor werd uitgewist. Mendel en Goldfarb zouden de lichtjes van het dorp in de verte zien en tussen de bomen door op die amberkleurige gloed af koersen. Misschien waren ze inmiddels halverwege.

Maar toen hoorde hij een furieus geblaf in het bos rond het weeshuis. Dat geluid kende hij; ze kenden het allemaal. Dat was de humeurige hond van Kozma, de grijze wolfshond die ze allemaal haatten – wat geheel wederzijds was. Er klonk geschreeuw.

De mannen vielen half uit bed en renden naar het raam. Er zwaaiden onrustige zoeklichten door het bos, er knapten takken; het onverstaanbare geschreeuw kwam dichterbij en verdichtte zich tot Hongaars gevloek. Worstelende donkere schaduwen kwamen naar het licht toe, werden heel even zichtbaar en verdwenen weer voordat ze iemand konden herkennen. Mannengestalten naderden de muur rond het weeshuis en gingen door de poort naar binnen. Vijf minuten later schreeuwde Kozma zelf dat iedereen de slaapzaal uit moest komen en op de binnenplaats op appèl moesten gaan staan.

Ze stommelden blootshoofds en zonder jas de kou in. De maan scheen zo fel dat het wel dag leek; de schaduwen van de mannen vielen scherp tegen de bakstenen muren van de binnenplaats. In de noordwestelijke hoek was ook commotie ontstaan: bewakers, een grommende hond, kreten van pijn. Kozma beval de mannen in de houding te gaan staan en hem aan te kijken. Hij klom op een schoolbankje om iedereen goed te kunnen zien. Andras en József stonden bijna vooraan. Het was koud op de binnenplaats en de wind sneed als een schaats in Andras' nek. Kozma blafte een bevel en er kwamen twee bewakers uit de hoek met László Goldfarb en Mendel Horovitz tussen zich in. Ze zaten allebei onder de bloedende schrammen alsof ze in een doornstruik waren gevallen. De linkerpijp van Goldfarbs broek was onder de knie afgescheurd. In het harde maanlicht zagen ze tandafdrukken van de hond op zijn scheenbeen. Mendel hield een arm tegen zijn borst. Zijn bebloede gezicht was vertrokken tot een grimas van pijn en er zat een kleine dierenklem om zijn rechtervoet. De stalen tanden waren dwars door zijn laars gedrongen.

'Kijk eens wat Erzsi vannacht in het bos heeft gevonden,' zei Kozma. Hij klopte de hond zo ruw op zijn rug dat hij even jankte. 'Luitenant Horvath was zo vriendelijk even te gaan kijken wat er aan de hand was en trof deze twee fraaie exemplaren in een rioolbuis aan. Dat hadden we niet in onze konijnenval verwacht, hè Erzsi?' Hij boende de rug van de hond met zijn gehandschoende hand. Toen beval hij Mendel en Goldfarb om zich helemaal uit te kleden.

Toen Goldfarb een protesterend geluid liet horen, legde luitenant Horvath hem met een klap van de kolf van zijn pistool het zwijgen op. De mannen trokken met moeite hun kleren uit terwijl Horvath voortdurend tegen hen schreeuwde; Mendel kreeg zijn rechterbroekspijp niet om zijn laars met de klem heen en bleef met zijn broek om zijn enkels staan totdat Horvath de broek met zijn mes lossneed. De beide mannen stonden naakt, rillend en ineengedoken tegen de muur gedrukt en hielden hun handen voor hun kruis. Goldfarb keek zijn kameraden in een soort verbijsterde verdoving aan, alsof de rijen dwangarbeiders een onbegrijpelijk toneelstuk waren waar hij voor straf naar moest kijken. Mendels blik kruiste die van Andras één smartelijk ogenblik lang en hij knipoogde. Andras begreep wel dat het geruststellend bedoeld was, maar vanbinnen kromp hij ineen van ellende: die naakte, bloedende man was *Mendel Horovitz*, zijn jeugdvriend en collega, geen sluw in elkaar gezette Munkaszolgálat-schijnvertoning om hen te kwellen. Kozma gaf een bewaker het bevel de mannen met hun eigen hemd te blinddoeken. Andras kende die bewaker inmiddels wel; het was een leerling-loodgieter, Lukás, die hen altijd naar de officiersopleiding bracht en hun stiekem sigaretten gaf als hij de kans kreeg. Ook hij keek ongelovig en bang. Maar hij blinddoekte de mannen zoals hem was opgedragen. Goldfarb schoof zijn vingers onder de blinddoek om hem wat losser te maken. Andras kon niet naar Mendels gebogen hoofd en bevende armen kijken. Hij sloeg zijn ogen neer en keek naar Mendels voeten, maar daar zat die klem waarvan de tanden door de laars drongen. Goldfarb had geen schoenen aan; hij had zijn ene voet op de andere gezet om ze te warmen. De stille binnenplaats zoemde van de ademhaling van de mannen.

Een hele tijd gebeurde er niets – zo lang dat Andras al begon te geloven dat de vernederende, naakte vertoning in de kou de hele straf was. Zo meteen zouden Mendel en Goldfarb zich wel weer mogen aankleden om zich bij Tolnay, de hospik, te melden en hun verwondingen te laten verzorgen. Maar toen gebeurde er iets wat Andras niet meteen begreep: er marcheerde een rij van vijf bewakers naar de lege plek die de manschappen van de 79/6de van de rillende mannen bij de muur scheidde. De bewakers vulden de ruimte bijna beschermend, alsof ze de naakte Mendel en Goldfarb aan de blikken van hun kameraden wilden onttrekken. Kozma blafte een bevel en de bewakers brachten hun geweer naar de schouder en richtten op de geblinddoekte mannen. Er klonk een ongelovig gemompel en in Andras' borst laaide een wild, woedend protest op. Toen het geklik van geweren die werden doorgeladen.

En één enkel woord van Kozma: *vuur.*

Er galmde een explosie van kruit over de binnenplaats. Het la-

waai werd door de stenen muren weerkaatst en de lucht in geslingerd. Achter de optrekkende rook waren Mendel Horovitz en
László Goldfarb tegen de muur in elkaar gezakt.

Andras drukte zijn vuisten tegen zijn ogen. Het geknal leek in
zijn hoofd eindeloos door te gaan. De mannen die daarnet nog op
appèl hadden gestaan, zaten nu op de grond met hun knieën opgetrokken tegen de borst, stil en krijtwit. Ze rilden niet meer, ze
zaten volkomen roerloos met hun hoofden dicht bij elkaar als in
geluidloos overleg.

'Deserteurs,' zei Kozma toen de kruitdampen opgetrokken waren. 'Dieven. Hun zakken zaten vol mooie spullen. Jullie zijn nu
dus gewaarschuwd: volg hun voorbeeld niet. Desertie is verraad.
Daarop staat de doodstraf.' Hij stapte van het schoolbankje af,
draaide zich om en marcheerde het weeshuis weer in met zijn
hond vlak achter zich en luitenant Horvath in zijn kielzog.

Zodra de deur weer dicht was, rende Andras naar de muur,
naar Mendel. Hij knielde naast hem neer en voelde aan zijn hals,
aan zijn borst. Geen enkel teken van leven, niets. Doodse stilte op
de binnenplaats. Zelfs de bewakers verroerden zich niet. Toen liep
de Ivoren Toren naar László Goldfarb toe en boog zich over hem
heen. Niemand hield hem tegen. Hij kwam weer overeind en zei
zachtjes iets tegen de bewaker die Lukás heette. Toen hij uitgesproken was, knikte Lukás en liep hij naar de hoek van de binnenplaats. Hij haalde een sleutelring van zijn riem en maakte de houten schuur open waar de scheppen stonden. De Ivoren Toren
pakte een schep, liep naar de muur en begon daar een gat te graven. Andras keek ernaar alsof het een nachtmerrie was; toen zag
hij dat anderen de Ivoren Toren bij zijn onbegrijpelijke taak te
hulp kwamen. József bleef roerloos, zwijgend en met open mond
staan kijken totdat iemand hem een duw in zijn rug gaf; toen
pakte hij ook een schop en begon te graven. Iemand anders moet
Andras overeind hebben geholpen, want hij merkte dat hij naar de
schuur strompelde, de schop aanpakte die Lukás hem aanreikte
en naast József voorover boog. Als in een droom richtte hij het
blad van de schep schuin op de grond en ramde hem er met al zijn
kracht in. De aarde was hard en vast aangestampt; de schok
schoot door het blad en de steel recht zijn botten in. Binnensmonds begon hij een reeks Hebreeuwse woorden te mompelen:
Want Hij is het, die u redt van de strik des vogelvangers, van de ver-
derfelijke pest. Met zijn vlerken beschermt Hij u, en onder zijn vleu-

gelen vindt gij een toevlucht; zijn trouw is schild en pantser. Gij hebt niet te vrezen voor de verschrikking van de nacht, voor de pijl, die des daags vliegt; voor de pest, die in het duister rondwaart, voor het verderf, dat op de middag vernielt. Geen onheil zal u treffen, en geen plaag zal uw tent naderen; want Hij zal aangaande u zijn engelen gebieden, dat zij u behoeden op al uw wegen; op de handen zullen zij u dragen, opdat gij uw voet niet aan een steen stoot. Hij wist dat de tekst uit psalm 91 kwam, de psalm die werd gereciteerd als er een dode ten grave werd gedragen. Hij besefte dat hij een graf aan het graven was. Maar hij kon nict geloven dat het ontzielde lichaam bij de muur van Mendel Horovitz was, hij kon niet geloven dat de man van wie hij al zijn hele leven hield, vermoord was. Die verbijsterende waarheid kon hij niet bevatten. Hij kreeg geen lucht, hij kon niet denken. In zijn hoofd klonken psalm 91, het flitsen en kraken van de schoten en het geluid van de schoppen in de koude aarde.

35

De Tataren in Hongarije

Bij zonsopgang werden de mannen begraven. Er was geen tijd om sjivve te zitten of zelfs om de lijken te wassen. Kozma vond het al heel vriendelijk van zichzelf dat hij de $79/6^{de}$ gelegenheid had gegeven de gevallen kameraden te begraven. Bij wijze van compensatie hield hij de rest van de week hun soeprantsoen in. De dagen verstreken in een geschokte stilte, een trillend ongeloof. Het was al verschrikkelijk genoeg te moeten aanzien dat oudere mannen zich dood moesten werken of aan ziekte bezweken, maar jonge mannen die werden doodgeschoten – dat was een heel ander verhaal. József Hász leek nog het meest geschokt van allemaal, alsof hij nu pas voor het eerst besefte dat zijn daden, zijn wilshandelingen, rampzalige gevolgen voor een ander konden hebben. Na de eerste week, waarin hij weinig at en nog minder sliep, verbijsterde hij de hele compagnie door zich in Mendels plaats als tweede landmetersassistent aan te bieden. Die baan werd inmiddels als vervloekt beschouwd, niemand anders wilde hem hebben. Maar voor József leek het een soort boetedoening. Bij hun tochten met de landmeter gedroeg hij zich als Andras' bediende. Als er gereedschap moest worden gedragen, nam hij dat op zich. Hij verzamelde hout, maakte vuur om op te koken en gaf zijn deel van het eten dat de landmeter meebracht aan de anderen. De landmeter, die had gehoord wat er met Mendel Horovitz en László Goldfarb was gebeurd, aanvaardde Józsefs dienstbaarheid ernstig en stilzwijgend. Deze gebeurtenis was de zoveelste in een lange reeks Munkaszolgálat-gruwelen en de tweede fase van de emotionele foltering van deze onervaren jongeman. Maar Andras, twintig jaar jonger dan de landmeter, was nog in staat zich door menselijk egoïsme en wreedheid te laten verbijsteren en weigerde József te vergeven of zelfs maar naar hem te kijken. Elke keer dat hij in Andras' blikveld kwam, ontrolde zich weer hetzelfde lint van gedachten in Andras' hoofd. Waarom Mendel en niet József? Waarom was

József die nacht niet in het bos geweest, waarom was Józsefs voet niet in die klem terechtgekomen? Waarom konden ze niet alsnog van plaats wisselen? Waarom was József niet onherroepelijk verdwenen? Andras dacht dat hij frustratie en zinloosheid kende, dat hij vertrouwd was met verdriet. Maar wat hij nu voelde was scherper dan al zijn frustratie, al zijn verdriet tot dan toe. Dit leek niet alleen met Mendel te maken te hebben, maar ook met Andras zelf; dit was niet alleen afgrijzen vanwege Mendels dood, het onontkoombare feit dat Mendel er niet meer was, maar ook het besef dat Andras en de hele 79/6de de volgende kring van de hel waren ingegaan, dat hun leven voor hun bevelhebbers geen enkele waarde had, dat Andras zijn vrouw en zijn zoon waarschijnlijk nooit meer zou zien. Ook dat had József op zijn geweten, hij had Andras in die gevaarlijke staat van wanhoop gebracht. Andras merkte dat hij daar inmiddels weliswaar in berustte, maar toch nog steeds ten prooi was aan een verzengende woede op József, want ook die berusting was zijn schuld. Als ze met de landmeter op pad waren en bij een mijnenveld kwamen, betrapte hij zichzelf op de hoop József in een oorverdovende explosie de lucht in te zien vliegen. Dat leek zijn verdiende loon. Al twee keer dat jaar – een keer in Boedapest en een keer hier in de Oekraïne – had József hem op een verschrikkelijke manier verraden. Het feit dat József door banden des bloeds met Klara was verbonden, met degene die Andras boven alles liefhad, maakte de kwelling nog erger; als hij József uit Klara's geheugen en uit dat van de hele familie Hász had kunnen wissen, zou hij dat onmiddellijk hebben gedaan. Maar József weigerde koppig zich te laten uitwissen. Hij weigerde op een landmijn te trappen. Hij hing de hele tijd aan de rand van Andras' blikveld rond als een herinnering aan het feit dat de verschrikkelijke gebeurtenissen geen illusie waren, dat er niets meer aan te doen was.

De avonden bij de officiersopleiding brachten geen soelaas. Andras en József moesten ook daar samenwerken, Andras als decorontwerper en József als artistiek directeur. Het stuk, *De Tataren in Hongarije*, was overbekend: Andras had het op de dorpsschool in Konyár uitentreuren bestudeerd. De strenge meester had het verhaal er bij de kinderen ingestampt: voordat Kisfaludy toneelschrijver werd, was hij soldaat geweest ten tijde van de napoleontische oorlogen. Toen hij terugkeerde van het slagveld, wilde hij zijn herinneringen vastleggen in een toneelstuk, maar de recente oorlogen leken daarvoor te vers; daarom richtte hij zich op het verre verleden. Andras had in de hoogste klas een lang opstel over Kisfaludy geschreven. En nu moest hij hier de decors ontwerpen voor de opvoering van *De Tataren in Hongarije* op een officiersopleiding in de Oekraïne, midden in een wereldoorlog, en degene met wie hij moest samenwerken was tot op zekere hoogte verantwoordelijk voor de dood van Mendel Horovitz. Maar hij kreeg geen tijd om lang bij die onwerkelijke toestand stil te staan. Kapitein Erdö, de regisseur, werkte onder grote druk. Binnenkort zou de minister van Defensie op bezoek komen en de première van het stuk was te zijner ere.

Begin oktober stonden Andras en József op een donderdagavond in de houding in de holle aula van de school terwijl Erdö hun werk bekeek. De kapitein was een grote, forse, breedgeschouderde man met een kransje kortgeknipt grijzend haar. Hij droeg een sikje en een monocle, maar door zijn eeuwige zelfspot leken die eerder een grap, een toneelvermomming: hij vond zichzelf belachelijk en wilde iedereen daarvan laten meegenieten. Terwijl hij de plannen bekritiseerde, sprak hij alsof hij niet één, maar drie of vier verschillende mensen was. Konden ze niet in plaats van die geschilderde bomen een paar echte op het toneel zetten om een woud te suggereren? Of was dat niet praktisch? Heel erg onpraktisch zelfs? Echte bomen? Wie had er nu tijd of zin om echte bomen uit te graven? Maar was het niet belangrijk om een zekere mate van realisme na te streven? Natuurlijk. Echte bomen dus, echte bomen. En voor het kamp zouden ze echte tenten kunnen gebruiken. Ja, dat was een goed idee. Er waren hier tenslotte genoeg tenten, dus dat hoefde niets te kosten. Die levensgrote grot werd dus van kippengaas en papier-maché gemaakt – kon die misschien uit twee delen bestaan? Dan was hij gemakkelijker te verplaatsen. Natuurlijk kon dat als hij goed in elkaar zat, daarvoor had hij József en Andras tenslotte aangenomen, nietwaar? Alles moest professioneel worden ontworpen en uitgevoerd. Hij had geen groot budget, maar de school wilde een goede indruk op de nieuwe minister maken. Hij droeg Andras en József op een lijst van benodigdheden op te stellen: hout, kippengaas, krantenpapier, canvas, alles wat ze moesten hebben. Toen boog hij zich dichter naar hen toe en ging op een heel andere toon verder.

'Luister eens, jongens,' zei hij. 'Ik heb van Szolomon gehoord wat er bij jullie in het kamp allemaal gebeurt. Die Kozma is een zwijn. Het is verschrikkelijk. Laat me weten wat ik voor jullie kan doen. Zeg het maar. Hebben jullie levensmiddelen nodig? Kleren? Hebben jullie wel genoeg dekens?'

Andras wist niet waar hij moest beginnen. Wat hadden ze nodig? Alles. Morfine, penicilline, verband, levensmiddelen, dekens, jassen, schoenen, jaeger ondergoed, broeken en een week rust. 'Verbandmiddelen,' bracht hij uit. 'Het maakt niet uit wat. En vitaminetabletten. Dekens. We zijn overal blij mee.'

Maar József dacht aan iets anders. 'U kunt toch brieven versturen?' vroeg hij. 'U kunt onze familie laten weten dat we in veiligheid zijn.'

Erdö knikte langzaam.

'En u kunt ook post voor ons ontvangen als die ter attentie van u wordt verstuurd.'

'Ja, dat kan. Maar het is gevaarlijk. Wat jij voorstelt is natuurlijk tegen de regels en alles wordt gecensureerd. Dat moet jullie familie heel goed begrijpen. Eén verkeerde brief kan ons allemaal in gevaar brengen.'

'Dat maken we ze wel duidelijk,' zei József. 'Kunt u voor pen en inkt zorgen? En voor papier?'

'Natuurlijk. Dat is niet zo moeilijk.'

'Als we de brieven morgen meebrengen, kunt u ze dan de volgende dag versturen?'

Erdö knikte nog eens, streng en somber. 'Dat kan, jongens,' zei hij, 'dat zal ik doen.'

Toen Lukás de bewaker Andras, József en de anderen die aan de productie meewerkten die avond terugbracht naar het weeshuis, moest Andras met tegenzin toegeven dat het een goed idee van József was. Het duizelde hem bij de gedachte aan alles wat hij Klara die avond zou kunnen schrijven. *Je weet inmiddels waarom ik de dag voor ons vertrek niet thuiskwam; de hele compagnie is ontvoerd en op transport gesteld naar de Oekraïne. Sinds onze aankomst worden we uitgehongerd en mishandeld, we moeten ons doodwerken en anders laten ze ons wel doodgaan aan een ziekte, of we worden gewoon vermoord. Mendel Horovitz is dood. Hij is naakt en geblinddoekt voor het vuurpeloton gestorven, mede dankzij jouw neef. Zelf weet ik nauwelijks of ik nog leef of dood ben.* Dat kon hij natuurlijk allemaal niet opschrijven; dat zou nooit door de censuur heen komen. Maar hij kon Klara wel smeken naar Palestina te gaan – dat kon hij wel in een soort code in zijn brief zetten, hoe omzichtig ook. Hij durfde zelfs te hopen dat ze al in Palestina wás – dat Elza Hász zijn brief zou beantwoorden met de mededeling dat Klara met Tibor, Ilana en Ádám de Donau was afgezakt, de Zwarte Zee was overgestoken en door de Bosporus naar Haifa was gevaren zoals ze van plan waren, en dat ze in Palestina was aangekomen, waar zij en Tamás tenminste betrekkelijk veilig waren voor de oorlog. Als hij had geweten dat hij naar de Oekraïne werd overgeplaatst, zou hij haar hebben gesmeekt te vertrekken. Hij zou haar hebben gevraagd het leven van Tamás en van haarzelf af te wegen tegen het zijne, dan zou ze wel hebben ingezien wat haar te doen stond. Maar hij had niet met haar kunnen praten. Hij was gedeporteerd, en vanwege de onzekere situatie had ze misschien besloten niet te gaan – zo was haar liefde voor hem misschien een valstrik geworden, maar dan niet van het soort dat haar in leven hield.

Lieve K, schreef hij die avond. *Je neef en ik groeten je vanuit de stad T. Ik hoop dat deze brief je niet in Boedapest bereikt en dat je al naar buiten bent. Als je je reis hebt uitgesteld, wacht dan alsjeblieft niet meer op mij. Als de gelegenheid zich voordoet, moet je meteen vertrekken. Ik maak het goed, maar het zou nog beter met me gaan als ik er zeker van kon zijn dat je onze plannen doorzet.* En toen het verschrikkelijke nieuws: *Ik moet je meedelen dat onze vriend M.H. zich vorige maand gedwongen heeft gezien naar Lachaise te vertrekken.* Een toespeling op de begraafplaats Père Lachaise in Parijs. Zou ze het begrijpen? *Hoe ik me voel, kun je je wel voorstellen. Ik mis jou en Tamás verschrikkelijk en denk dag en nacht aan jullie. Zal zo spoedig mogelijk opnieuw schrijven. Veel liefs van je A.*

Hij vouwde de brief op en verstopte hem in zijn binnenzak; de volgende dag overhandigde hij hem aan Erdö. Het was onmogelijk te voorspellen of, en hoe, hij Klara zou bereiken, maar de gedachte dat dat misschien ooit zou gebeuren schonk hem voor het eerst sinds tijden een beetje troost.

Andras was misschien in eerste instantie verrast toen zijn decorbouwers, een stel jonge officieren in opleiding, zich vol respect aan zijn leiding onderwierpen, maar die verbazing sleet al snel. Na een paar weken leek het de gewoonste zaak van de wereld dat hij als een soort voorman tussen hen door liep en controleerde of ze zijn ontwerpen wel goed uitvoerden. Ze gingen vrij informeel met elkaar om en waren zich nauwelijks van hun onderlinge verschillen bewust. De officieren in opleiding en de tewerkgestelden noemden elkaar bij de voornaam, al snel zelfs met de verkleiningsuitgang: Sanyi, Józska, Bandi. Ze mochten niet samen in de officiersmess eten, maar de decorbouwers gingen vaak tegen etenstijd naar de achterdeur van de keuken om voor iedereen een bord te halen. Dan aten ze allemaal samen in kleermakerszit op het toneel tussen de halfvoltooide decorstukken en achterdoeken. Andras en József waren nog steeds in een woordeloze strijd verwikkeld, maar kwamen aan en kregen het werk af. Ze wachtten op antwoord op hun brieven en hoopten elke keer dat Erdö binnenkwam dat hij hen in zijn kamer zou roepen en een gevlekte envelop uit zijn borstzak zou halen. Maar de weken sleepten zich voort zonder dat ze iets hoorden. Erdö zei dat ze geduld moesten oefenen; de post was notoir traag en de buitenlandse post was nog trager.

Naarmate de première van *De Tataren in Hongarije* dichterbij kwam zonder dat ze antwoord hadden gekregen, werd Andras half gek van de zorgen. Hij was er inmiddels van overtuigd dat Klara, György en Elza gearresteerd waren en in de gevangenis zaten en dat Tamás onder de hoede van vreemden was achtergelaten. Klara zou worden berecht en ter dood veroordeeld. En hij zat hier vast in de Oekraïne, waar hij niets, niets kon doen, en na de laatste uitvoering van het stuk zou hij Erdö nooit meer zien en was de kans om naar huis te schrijven of berichten te ontvangen voorgoed verkeken.

Op 29 oktober kwam de nieuwe Hongaarse minister van Defensie in Turka aan. Er zou een officiële optocht door het dorp plaatsvinden. Alle compagnieën uit de omgeving moesten daarbij aanwezig zijn. Die ochtend liet majoor Kozma de mannen van de 79/6de naar het dorpsplein marcheren, waar ze in de houding aan de westkant werden opgesteld. Ze hadden opdracht gekregen zich te wassen en hun kapotte uniformen te verstellen voor het inspectiebezoek van generaal Vilmos Nagy; naald en draad werden verstrekt en er werd stof voor opzetstukken uitgedeeld. Ze hadden erg hun best gedaan, maar toch zagen ze eruit als vogelverschrikkers. Door het werk aan de weg waren hun jasjes en uniformbroeken tot op de draad versleten. Bij de Oekraïense voddenboeren hadden ze zwart wat afgedankte burgerkleding op de kop kunnen tikken, maar de versleten uniformen konden ze niet vervangen; het leger verstrekte geen uniformen voor tewerkgestelden meer. Tijdens het werk op de officiersopleiding was het Andras pas goed opgevallen hoe zijn uniform eruitzag. Naast de frisse, gesteven kaki uniformen van de jonge officieren leken zijn jasje en broek elke dag meer op een zwerverskostuum.

Aan het hoofd van de compagnie frisgeboende cadetten aan de overkant van het plein zag Andras Erdö's kaarsrechte gestalte met de knipogende monocle. Zijn knopen blikkerden in het ochtendlicht alsof ze van goud waren. Voor hem was dit alles één grote voorstelling. Hij was tevreden over het werk van Andras en József. Toen ze hem kort voor de generale repetitie de voltooide decors en achterdoeken lieten zien, was hij zo enthousiast dat er een adertje in zijn linkeroog was gesprongen. Afgezien van een paar vergeten regels tekst was de generale vlekkeloos verlopen, en zelfs de laatste schoonheidsfoutjes waren weggepoetst, zodat alles nu blonk van militaire perfectie. De decors, de kostuums, zelfs het schitterende gordijn van rood met goud beschilderd canvas, alles wachtte op de komst van de generaal. Die avond zou het stuk in première gaan.

De stoet werd voorafgegaan door de militaire kapel van de cadetten: een paar dodelijk ernstige trompetters, een flegmatieke trombonist, een dikke fluitist, een slagwerker met een rooie kop. Daarachter reden twee pantservoertuigen met de Hongaarse vlag, gevolgd door een rij marechaussees op motoren, en ten slotte generaal Vilmos Nagybaczoni Nagy zelf in een open auto, een glanzende zwarte Lada met witte banden. De generaal was jonger dan Andras had verwacht, hij werd nog niet eens grijs; een man in de kracht van zijn leven. Zijn uniform stond stijf van de decoraties in alle kleuren en maten, waaronder ook het turquoise met gouden kruis van de hoogste onderscheiding van de Hongaarse strijdkrachten voor heldenmoed op het slagveld. Naast hem zat een jongere man in een minder indrukwekkend uniform, kennelijk een adjudant of secretaris. De generaal keek telkens opzij en fluisterde iets in het oor van de jonge officier, die dan verwoed op zijn stenoblok begon te krabbelen. De generaal leek vooral op de dwangarbeiders te letten. Andras durfde hem niet rechtstreeks aan te kijken, maar hij voelde dat Nagy's blik in het voorbijgaan over hem heen gleed. De generaal boog zich naar de adjudant toe en de jongeman maakte aantekeningen. Toen de stoet het plein rondgereden was, stapte de militaire kapel opzij en scheurden de auto's weg in de richting van de academie.

Bij hun aankomst in de zaal voor de laatste voorbereidingen zagen Andras en József dat er grote verwarring was ontstaan. Alle decors waren opzijgeschoven om plaats te maken voor de hoofdofficier van de academie die een welkomsttoespraak zou houden, en daarbij waren twee achterdoeken gescheurd en was het papier-maché van de grot aan één kant ingedeukt. Erdö ijsbeerde paniekerig heen en weer en verklaarde luidkeels dat de herstelwerkzaamheden nooit op tijd klaar zouden zijn, terwijl Andras, József en de anderen koortsachtig bezig waren om alles in orde te maken. Andras lapte de grot op met bruin papier en een emmer pleister, József repareerde een Romeinse ruïne met een rol canvas plakband. Tegen de tijd dat het diner afgelopen was, zag alles er weer piekfijn uit. De acteurs kwamen hun Tataarse en Magyaarse kostuums aantrekken en hun stemoefeningen doen. Ze stapten gewichtig heen en weer tussen de coulissen en repeteerden hun tekst even serieus en uitgestreken als de acteurs in het Sarah-Bernhardt.

Om halfnegen kwamen de cadetten de zaal in. Hun gespannen luidruchtigheid had iets feestelijks, er klonk een aanzwellend, verwachtingsvol geroezemoes. Andras zocht een donker hoekje tussen de coulissen op om de toespraken en de voorstelling te kunnen volgen. Hij ving een glimp op van het martiale gefonkel op het jasje van de generaal toen die door het middenpad kwam aanbenen en op de eerste rij ging zitten. De hoofdofficier van de school beklom het podium voor zijn toespraak, een retorische pas de deux van eerbied en bombast, kracht bijgezet met gebaren die Andras herkende van Hitler in de filmjournaals in de bioscoop: het hameren met de vuist op de lessenaar, de opgestoken wijsvinger, de dirigerende hand. Het gebulder van de hoofdofficier kwam hem op zes seconden plichtsgetrouw applaus van de cadetten te staan. Maar toen generaal Nagy het podium besteeg, stond iedereen op en juichte. Hij had hen uitverkoren, hun de eer waardig gekeurd hun school op zijn reis naar het oosten als eerste te bezoeken; hiervandaan zou hij rechtstreeks doorrijden naar Hitlers hoofdkwartier in Vinnitsa. Hij hief een hand om hen te bedanken, en iedereen ging weer zitten om zijn toespraak af te wachten.

'Soldaten,' begon hij. 'Jonge mannen. Ik zal geen lange toespraak houden. Ik hoef u niet te vertellen dat oorlog iets verschrikkelijks is. U bent ver van huis, en voordat u terugkeert, zult u nog veel verder weggaan. Maar u bent allen dapper.' Vilmos Nagy had niets van de zwier of de dramatiek van de hoofdofficier; hij sprak met de ronde klinkers van een boer uit Hajdú en omklemde het spreekgestoelte met zijn grote rode handen. 'Ik zal het maar zonder omhaal zeggen,' ging hij verder, 'de Sovjets zijn sterker dan we dachten. Jullie zijn hier omdat we Rusland dit voorjaar niet hebben kunnen innemen. Een groot aantal van jullie kameraden is al gesneuveld. Jullie worden opgeleid om nog meer mannen in de strijd voor te gaan. Maar jullie zijn Hongaren, jongens. Jullie hebben al duizend jaar strijd doorstaan. Geen vijand kan aan jullie tippen. Geen tegenstander kan jullie verslaan. Jullie hebben de Tataren bij Pest verslagen. Jullie hebben tachtigduizend Turken bij Eger in de pan gehakt. Jullie waren de beste krijgers en de beste leiders.'

Er barstte een wild gejuich los onder de cadetten; de generaal wachtte tot het weer rustig werd. 'Vergeet niet,' vervolgde hij toen, 'dat jullie voor Hongarije vechten. Voor Hongarije en voor niemand anders. De Duitsers zijn dan wel onze bondgenoten, maar niet onze meesters. Hun manier is niet onze manier. Wij Hongaren zijn geen Arisch volk. De Duitsers beschouwen ons als een achterlijk land. Wij hebben barbaars bloed en wilde ideeën. Wij weigeren het totalitarisme te omarmen. Wij deporteren onze joden en zigeuners niet. Wij hechten aan onze wonderlijke taal. Wij vechten om te winnen, niet om te sterven.'

Weer gejuich in de zaal, maar ditmaal lichtelijk aarzelend. De jonge cadetten hadden geleerd het Duitse gezag kritiekloos te vereren en met onvoorwaardelijk respect over de grote, belangrijke, almachtige bondgenoot te spreken.

'Vergeet niet wat er deze zomer aan de oevers van de Don is gebeurd,' zei Nagy. 'De tien divisies van onze generaal Jány hadden zich over de honderd kilometer tussen Voronezj en Pavlovsk verspreid. *Generalfeldmarschall* Von Weichs verwachtte dat we de Russen met niets dan die tien lichte divisies op de oostelijke oever konden tegenhouden. Maar jullie weten wat er gebeurde: onze tanks waren machteloos tegenover de T-34's van de Sovjets. Zij hadden sterkere wapens. Onze toeleveringsketens lieten ons in de steek. Onze mannen vielen. Jány trok zijn divisies terug in een verdedigingspositie. Hij doorzag de situatie en nam een besluit dat duizenden het leven heeft gered. En daarom wilden Von Weichs en generaal Halder ons van lafheid betichten! Misschien hadden ze ons bewonderd als we veertig-, zestigduizend mannen hadden opgeofferd in plaats van twintigduizend, zoals nu. Misschien hadden ze liever gezien dat we ons barbaarse bloed tot de laatste druppel hadden vergoten.' Hij zweeg en liet zijn blik over de rijen zwijgende mannen gaan; hij leek hen één voor één in het donker aan te kijken. 'Duitsland is onze bondgenoot. Iedere Duitse overwinning maakt ons sterker. Maar geloof nooit dat Duitsland een ander doel heeft dan het behoud van het Reich. Óns doel is het behoud van Hongarije – en daarmee bedoel ik niet alleen onze soevereiniteit en ons grondgebied, maar ook het leven van onze jonge mannen.'

Er heerste nu een geboeide stilte. Niemand applaudisseerde; iedereen wachtte totdat Nagy verderging. Ze kregen de waarheid zo zelden te horen, dacht Andras, dat ze met stomheid geslagen waren.

'Jullie leren hier om intelligent te vechten en onze verliezen tot een minimum te beperken,' vervolgde Nagy. 'We willen dat jullie levend terugkomen. We hebben jullie ook nog nodig als de oorlog afgelopen is.' Hij liet een stilte vallen en slaakte een diepe zucht; zijn handen trilden nu, alsof de toespraak hem had uitgeput. Hij keek opzij, naar de coulissen, waar Andras in het donker stond te luisteren. Hij liet zijn blik even op Andras rusten en keek toen weer naar de cadetten in de zaal. 'Nog één ding,' zei hij. 'Toon respect voor de tewerkgestelden. Zij verrichten zware arbeid voor jullie. Zij zijn jullie broeders in deze oorlog. Er zijn officieren die hen als beesten behandelen, maar dat zal niet zo blijven. Probeer een goed mens te zijn, bedoel ik. Respecteer ieder die dat verdient.' Hij boog het hoofd alsof hij nadacht en haalde toen zijn schouders op. 'Dat was het,' besloot hij. 'Jullie zijn prachtige, dappere kerels, allemaal. Ik dank jullie voor jullie werk.'

Onder een ontnuchterd, verbijsterd applaus stapte hij van het spreekgestoelte. Niemand leek precies te weten wat hij van deze nieuwe minister van Defensie moest vinden; hij had dingen gezegd die klonken alsof ze niet in het openbaar mochten worden uitgesproken en al helemaal niet op een officiersopleiding. Maar ze kregen geen gelegenheid om te reageren. Het toneelstuk ging beginnen. De Hongaren verzamelden zich voor het eerste bedrijf en de tewerkgestelden sleepten de Romeinse ruïne naar zijn plaats en lieten het achterdoek met de blauwe lucht boven de moskleurige heuvels van Boeda zakken. Toen ze het doek ophaalden, baadde het toneel in het licht, dat op de krijgshaftig ogende Hongaren in hun beschilderde wapenrusting scheen. De Hongaarse leider trok zijn zwaard en stak het omhoog. Net toen hij zijn eerste woorden zou gaan spreken, barstte de lucht om hen heen in een luid gejammer uit. De aula weergalmde van een beurtelings rijzende en dalende jammerklacht. Andras kende dat geluid wel: luchtalarm. Ze hadden oefeningen gedaan, hier en in het weeshuis. Maar voor deze avond was geen protocol voorzien en het luchtalarm hoorde ook niet bij het stuk. Dit was echt. Ze werden gebombardeerd.

Het publiek sprong op en begon naar de uitgangen te dringen. Een groepje officieren omstuwde generaal Nagy, die in het gedrang zijn pet verloor. Hij greep naar zijn blote hoofd en keek om zich heen terwijl zijn staf hem naar een zijdeur bracht. De acteurs vluchtten van het toneel af, lieten hun bordkartonnen wapens vallen en verdrongen elkaar op weg naar de trap achter in de zaal. Andras, József en de andere tewerkgestelden volgden de acteurs de trap af naar de schuilkelder onder het gebouw. Die schuilkelder was een bijenkorf van betonnen compartimenten die door lage gangen met elkaar in verbinding stonden. De mannen renden een donkere ruimte in achter een bocht in de gang; achter hen aan stroomden nog meer cadetten naar binnen. Hoog boven hun hoofd jankten de sirenes.

Toen de eerste bommen insloegen, trilde de schuilkelder alsof de maan uit de hemel was gevallen en vlak boven hen op de aarde neerstortte. Er regende stof uit het plafond op hen neer en de lichtpeertjes in hun ijzeren kooitjes flakkerden. Een paar mannen vloekten. Anderen sloten hun ogen alsof ze baden. József vroeg een cadet om een sigaret en stak die op.

'Maak uit,' fluisterde Andras. 'Als er een gaslek is, worden we allemaal opgeblazen.'

'Als ik dood moet, wil ik roken,' zei József.

Andras schudde zijn hoofd. Naast hem blies József een dikke, weelderige rookwolk door zijn neusgaten alsof hij van plan was zich niet te laten opjagen. Maar bij de volgende dreunende inslag werd hij tegen Andras aangeslingerd en de sigaret viel op de grond. Er ging een reeks trillende schokken als kleine aardbevinkjes door de fundering van het gebouw; dit was het luchtafweergeschut van de artillerie, niet ver van de aula. Boven hoorden ze glas versplinteren en er klonken zwakke kreten door de muren van de schuilkelder.

'Geeft acht!' beval een van de officieren. Iedereen sprong in de houding. Dat vereiste nogal wat concentratie in het flakkerende donker; ze bleven zo staan totdat de volgende lading bommen insloeg. De fundering trilde weer en Andras dacht aan het gewicht van het gebouw boven hun hoofd: de zware balken, de vloeren, de muren, de tonnen sintelblokken en metselwerk, de dakspanten, het staketsel en de duizenden tegels. Hij bedacht wat er zou gebeuren als dat allemaal op de architectuur van zijn lichaam zou neerkomen. Tere huid, tere spieren, tere botten, de vernuftige organen, de ingewikkeld gerangschikte cellen – alles wat Tibor een heel mensenleven geleden in Parijs in Klara's anatomieboek had aangewezen. Opeens kreeg hij geen lucht meer. De volgende inslag deed de ruimte kantelen en er verscheen een barst in het plafond.

Toen werd het stil. De mannen stonden zwijgend te wachten. Het luchtafweergeschut was waarschijnlijk getroffen of de schutters wachtten de volgende reeks vliegtuigen af. Dat was nog het ergste – dat je niet wist wanneer de volgende lading kwam. Józsefs lippen bewogen in een gefluisterd gebed. Andras boog zich naar hem toe en vroeg zich af welke psalm, welk gebed zo'n serene uitdrukking op Józsefs gezicht kon brengen; toen de woorden zich aaneenregen tot een verstaanbare versregel, moest hij bijna hardop lachen. Het was een liedje van Cole Porter dat József vaak op feesten op zijn platenspeler had gedraaid. *I'm with you once more under the stars / And down by the shore an orchestra's playing / And even the palms seem to be swaying / When they begin the beguine.* De stilte werd verscheurd door een nieuw staccato van het luchtafweergeschut, gevolgd door een ratelende reeks inslagen alsof er een trio bommen tegelijk was neergekomen. De mannen vielen op hun knieën en het licht ging uit. József maakte een dierlijk paniekgeluid. Zo zou het dus gaan, dacht Andras: hier vond de vergelding plaats, in deze crypte onder de aula van de militaire academie. Het leek wel een sprookje, waar de vervulling van egoïstische wensen een wrede keerzijde kreeg: József zou omkomen, maar Andras ook. Terwijl de bommen bleven vallen, legde József zijn voorhoofd tegen Andras' schouder en zei: 'Het spijt me, het spijt me zo.' De sigarettenlucht in zijn haar was de geur van de avonden in Parijs. Zonder erbij te denken legde Andras heel even een hand op Józsefs hoofd.

Toen ging plotseling het licht weer aan. De mannen stonden op.

Ze klopten hun uniform af en deden net alsof ze daarnet niet in elkaars armen hadden gelegen met hun gezicht tegen elkaars schouder, biddend, huilend en om vergiffenis vragend. Ze keken om zich heen alsof ze wilden bevestigen dat ze geen van allen echt bang waren geweest. De aarde was stilgevallen, het bombardement was afgelopen. Boven was het doodstil.

'Goed, mannen,' zei de officier die 'Geeft acht' had geroepen. 'Wacht op het teken dat alles veilig is.'

Het duurde lang voordat het signaal klonk. Toen het eindelijk kwam, ontstond er gedrang in de gangen, een menigte mannen die op zachte, geschokte toon met elkaar praatten. Niemand wist wat ze boven zouden aantreffen. Andras dacht aan het werkkamp waar ze naartoe waren gebracht toen ze in Turka aankwamen – het massagraf, de natte, ingezakte aarde als een doordrenkte deken. Hij en József sloten zich aan bij de rij mannen die terugliep naar de trap. De lucht in de schuilkelder leek leeggezogen, van alle zuurstof ontdaan.

Onder aan de trap was het een enorm gedrang. Toen Andras er ook naartoe schuifelde, botste er iemand tegen hem aan, die iets in zijn hand drukte. Het was Erdö, zonder monocle en met een rood, nat gezicht. 'Ik had er helemaal niet meer aan gedacht,' zei hij in Andras' oor. 'Ik werd helemaal in beslag genomen door het toneelstuk. Ik had wel dood kunnen gaan zonder dat ik hem je had gegeven, of jij had dood kunnen gaan zonder hem te hebben gekregen.'

Andras keek wat hij hem in de hand had gestopt. Het was een vel papier dat in een zakdoek gevouwen zat.

Hij kon niet meer wachten. Hij moest kijken. Hij sloeg een hoekje van de zakdoek om en daar was Klara's handschrift op een dunne blauwe envelop. Zijn hart sloeg een slag over.

'Zorg dat niemand hem ziet,' zei Erdö, en Andras gehoorzaamde.

In het weeshuis wilde hij alleen zijn – een plekje voor zichzelf hebben om Klara's brief te lezen. Maar de mannen van de 79/6de ontvingen hem en de anderen met een spervuur van vragen. Wat was er gebeurd? Hadden ze de vliegtuigen gezien? Was er iemand geraakt? Waren ze gewond? Wat betekende zo'n luchtaanval zo ver van het front? De bewakers hadden in Kozma's kamer naar de radio geluisterd, maar natuurlijk hadden ze hun niets verteld; het bombardement had zo lang geduurd dat ze dachten dat iedereen in de academie inmiddels wel dood moest zijn. Er waren wel dodelijke slachtoffers. Dat was zo. Toen ze de zaal uit kwamen – of wat daarvan over was, drie muren – waren ze meegesleurd door een menigte die naar een van de schuilkelders rende die was ingestort met de cadetten er nog in. Drie uur lang hadden de tewerkgestelden en de soldaten met schoppen en houwelen, touwen en jeeps gewerkt om al het beton en het hout weg te ruimen waaronder de mannen gevangenzaten. Zeventien waren er op slag dood geweest. Er waren tientallen gewonden. Elders waren ook gewonden gevallen: de eetzaal was ingestort voordat alle koks en bordenwassers de schuilkelder konden bereiken en er waren elf doden gevallen. Men nam algemeen aan dat het bombardement met de aanwezigheid van generaal Vilmos Nagy te maken had; de NKVD had waarschijnlijk ontdekt dat hij daar zou zijn en had de Russische luchtmacht gewaarschuwd. Maar generaal Nagy had het bombardement overleefd. Hij had persoonlijk leiding gegeven aan de reddingsoperatie bij de ingestorte schuilkelder, tot verdriet van zijn jonge adjudant, die naar de rossige wolkenlucht stond te kijken alsof er ieder moment een nieuwe lading Russische Yak-is uit kon komen vallen.

Al die tijd zat Klara's brief in Andras' zak, maar hij durfde hem niet te lezen. Nu kon hij eindelijk in zijn bed klimmen om te proberen in het donker haar handschrift te ontcijferen. József leek al net zo op hete kolen te zitten als Andras zelf; hij zat in kleermakerszit op het onderste bed te wachten totdat Andras iets zei. Andras sneed voorzichtig met zijn scheermes de envelop open en ging toen zo zitten dat hij bij het maanlicht kon lezen. Hij haalde de brief uit de envelop en vouwde hem met trillende handen open.

Boedapest, 15 oktober

Lieve A,
Stel je mijn opluchting, en die van je broer, voor toen we je brief ontvingen! We hebben allemaal besloten ons reisje uit te stellen totdat je weer thuis bent. Tamás maakt het goed en met mij gaat het naar omstandigheden ook niet slecht. Je ouders zijn gezond. Doe mijn neef de groeten van me. Ook zijn ouders maken het goed. Wat je bericht over het vertrek van M.H. naar Lachaise be-

*treft, ik hoop dat ik je verkeerd begrepen heb. Schrijf alsjeblieft
snel weer.*

Als altijd,

Je K.

'We hebben allemaal besloten ons reisje uit te stellen'. Precies zoals hij had gevreesd dus, maar dan erger. Niet alleen Klara, maar Tibor en Ilana ook. Natuurlijk zou hij hetzelfde hebben gedaan, hij zou Ilana en Ádám nooit drie dagen na Tibors verdwijning alleen in Boedapest hebben achtergelaten, maar toch was het triest, om razend van te worden. Met één pennenstreek had het Hongaarse leger de hele familie Lévi aan de ketting gelegd. Alleen omdat er een clandestien handeltje in legerlaarzen, blikken vlees, munitie en jeepbanden veilig gesteld moest worden, zaten zij nu vast in een werelddeel waar de overheid vastbesloten leek alle joden van de aardbodem weg te vagen. De gruwelijke waarheid drukte op zijn middenrif en maakte het onmogelijk normaal adem te halen. Hij hield de brief omlaag, zodat József hem kon pakken, en die slaakte een onderdrukte kreet van ontzetting – József, die de reis naar Palestina juist altijd zo'n krankzinnig idee had gevonden. Maar nu, na drie maanden in de Oekraïne, na alles wat ze hadden meegemaakt en wat ze bij de militaire academie hadden gezien, begreep hij wat het betekende om je kwetsbaar te voelen, je eigen sterfelijkheid te proeven. Hij begreep wat het voor Klara, Tamás, Tibor, Ilana en Ádám moest betekenen om in Hongarije vast te zitten terwijl de oorlog aan alle kanten oprukte. Hij moest ook hebben begrepen wat zijn eigen deportatie voor zijn ouders betekende; hij moet de waarheid hebben gevoeld die schuilging achter dat ene regeltje *Ook zijn ouders maken het goed.*

Maar nu hadden ze tenminste die brief, dat bewijs dat het leven thuis gewoon doorging. Andras hoorde Klara's stem die de gecodeerde zinnetjes voorlas en even leek het alsof ze bij hem was, opgerold tegen hem aan in zijn belachelijk kleine bed. Haar warme huid onder haar strakke jurk. Het warme zwarte oerwoud van haar haar. Haar mond die een reeks spionnenwoorden vormde en die als koele glazen kraaltjes in zijn oor liet druppelen. *We hebben besloten ons reisje uit te stellen.* Het scheelde weinig of hij gaf hardop antwoord en vertelde haar alles wat er was gebeurd. Toen was de illusie verdwenen en lag hij weer alleen in zijn bed. Hij draaide zich om en staarde naar de koude, modderige binnenplaats, waar de voetstappen van zijn kameraden de voetafdrukjes van de kinderen allang hadden weggevaagd. In het maanlicht kon hij de twee heuveltjes onderscheiden waar Mendel en Goldfarb onder begraven lagen, en daarachter de hoge bakstenen muur, en daarboven de boomtoppen, en daarachter, nog verder weg, de sterren tegen de blauwzwarte leegte van de lucht.

36

Een vuur in de sneeuw

De dag na de luchtaanval werd het werk aan de snelweg tussen Turka en Skhidnytsya tijdelijk stilgelegd. Alle Hongaarse arbeids-eenheden in de omgeving werden naar de academie gestuurd om de schade te herstellen. De platgegooide gebouwen moesten wor-den herbouwd en de gebombardeerde wegen gerepareerd. Gene-raal Vilmos Nagy was er nog steeds; hij kon pas naar het hoofd-kwartier van Hitler in Vinnitsa als het weer veilig was om te reizen. Majoor Kozma, die door Nagy's aanwezigheid tot grote ijver werd aangespoord, maar nog niet op de hoogte was van diens oncon-ventionele politieke opvattingen, nam de gelegenheid te baat om tot vermaak van de generaal een arbeidscircus op touw te zetten. De kapotte bakstenen en het versplinterde hout van de officiers-mess moesten officieel met paard en wagen worden weggebracht, maar er waren meer wagens dan paarden, want ook de stallen hadden onder het bombardement te lijden gehad. Daarom zette Kozma zijn mannen maar tussen de disselbomen. Andras, József en nog zes andere dwangarbeiders werden in het leren tuig ge-gespt en moesten ladingen puin van de vernielde eetzaal naar het exercitieterrein trekken, dat in een opslagplaats voor bouwmateri-aal was veranderd. Het was maar ongeveer driehonderd meter, maar de karren waren altijd overvol. De mannen liepen alsof ze door een meer van uithardend cement moesten waden. Als ze van uitputting door hun knieën zakten, klommen de bewakers van de bok om ze met de zweep te geven. Een groepje cadetten was opge-houden met werken om te kijken. Ze riepen boe als de mannen op hun knieën vielen en juichten als Andras, József en de anderen weer moeizaam overeind kwamen en de kar een paar meter dich-ter bij het terrein wisten te krijgen.

Halverwege de ochtend bereikte het nieuws over het drukbe-sprokene spektakel Nagy zelf. Hij negeerde de protesten van zijn jonge adjudant, liep de bunker uit waar hij was ondergebracht en marcheerde over het exercitieterrein naar de ruïne van de eetzaal. Met zijn duimen tussen zijn broekriem bleef hij naar de dwangarbeiders staan kijken die het puin in de kar schepten en die wegtrokken. De generaal liep van de kar naar de dissels en streek met zijn hand langs de leren riemen van het tuig. Kozma kwam snel aanlopen en ging dicht bij de generaal staan. Hij richtte zich in zijn volle lengte op en salueerde.

De generaal beantwoordde zijn groet niet. 'Waarom worden die mannen in het paardentuig gegespt?' vroeg hij aan Kozma.

'Het zijn de beste paarden die we hebben,' antwoordde Kozma. Hij knipoogde met zijn goede oog.

De generaal zette zijn bril af. Hij poetste hem langdurig met zijn zakdoek, zette hem weer op en keek Kozma kil aan. 'Maak uw mannen los,' zei hij toen. 'Allemaal.'

Kozma keek teleurgesteld, maar wenkte toch een bewaker.

'Nee,' zei de generaal, 'u doet het zelf.'

Bij die woorden ging er een schok door de rij aangespannen mannen, een huivering die Andras door de leren riemen heen in zijn borst en schouders voelde.

'Nu meteen, majoor,' zei Nagy. 'Ik herhaal mijn bevelen niet graag.'

Nu moest Kozma wel naar de mannen toe lopen om de leren riemen bij allemaal één voor één met zijn zakmes los te snijden, waarbij hij dichter bij hen moest komen dan hij ooit was geweest – zo dichtbij dat hij hun lichaamsgeur rook, dacht Andras, zo dichtbij dat hij gevaar liep besmet te raken met hun chronische hoest en hun luizen. De handen van de majoor trilden terwijl hij met de ingewikkelde riemen stond te schutteren. Het duurde wel een kwartier voordat hij hen alle acht los had. De cadetten die hadden staan kijken, waren inmiddels verdwenen.

'Laat uw bewakers een lading kruiwagens uit het magazijn halen,' beval de generaal. Tegen de mannen zei hij: 'En jullie rusten hier uit totdat de kruiwagens er zijn. Daarna kunnen jullie het puin met de kruiwagens ruimen.' Hij zag erop toe dat de voormannen hen in hun groepjes opnamen terwijl ze op de kruiwagens wachtten. Kozma stond zwijgend naast de generaal met zijn handen te wringen alsof hij de huid eraf wilde stropen. De generaal leek te zijn vergeten dat hij in levensgevaar was, dat de NKVD wist dat hij in het kamp was. Hij sloeg geen acht op de dringende verzoeken van zijn adjudant om weer naar de bunker te gaan. Tussen de middag liepen Nagy en zijn adjudant met de mannen mee naar de tent die de functie van de eetzaal had overgenomen om opdracht te geven iedereen tweehonderd gram brood en tien gram margarine extra te verstrekken. Hij liet zijn adjudant een bank naar de plek slepen waar de tewerkgestelden zaten te eten en at met hen mee; hij vroeg naar hun leven voor de oorlog en hun plannen voor de tijd daarna. Aanvankelijk gaven ze aarzelend antwoord, want ze wisten niet of ze deze bewindsman met zijn gedecoreerde uniform wel konden vertrouwen, maar het duurde niet lang of ze durfden vrijuit te praten. Andras zei niets; hij bleef aan de zijlijn staan toekijken en was zich ervan bewust dat hij iets bijzonders meemaakte.

Na de maaltijd gaf de generaal opdracht de mannen van de 79/6de te ontluizen, hen in bad te stoppen en hun schone uniformen uit het magazijn van de militaire academie te verstrekken. Ze moesten in de ziekenboeg een medisch onderzoek ondergaan en hun verwondingen en aandoeningen moesten worden behandeld. Vervolgens moesten ze lichter werk krijgen totdat ze waren hersteld. Ze waren duidelijk te zwak en te ziek om zware arbeid te verrichten. De rest van de dag moesten ze in de vochtige hitte van de keukentent aardappels schillen en uien snijden voor de avondmaaltijd van de officieren.

Tegen etenstijd kregen ze weer een extra rantsoen: tweehonderd gram brood en tien gram margarine boven op de normale hoeveelheid. Een officier die ze niet kenden, een grote, beerachtige kerel die zich voorstelde als majoor Bálint, deelde mee dat het rantsoen permanent verhoogd werd en dat de generaal had verordonneerd dat de samenstelling van de maaltijden moest worden verbeterd. Voorlopig zouden ze in de veldkeuken werken in plaats van aan de weg. En er werd nog een verandering doorgevoerd: Bálint werd hun nieuwe commandant. Majoor Kozma had vanaf nu niets meer met de 79/6de te maken, en ook niet met een andere Munkaszolgálat-compagnie zolang generaal Nagy daar nog iets over te zeggen had, of het moest de compagnie zijn waarin hijzelf dwangarbeid moest verrichten.

Sinds hun aankomst in Turka was het niet voorgekomen dat er 's avonds in de slaapzaal een stemming heerste die bij benadering feestelijk kon worden genoemd. Zelfs als ze de Hoge Feestdagen in ere hielden, hadden ze dat somber en plichtsgetrouw gedaan, zich bewust van de grote afstand tussen henzelf en degenen die ze liefhadden. Rond de tijd waarop Kozma hen vaak buiten op appèl liet staan totdat ze er letterlijk bij neervielen, zaten ze nu beneden in een van de schoollokalen te kaarten, onzinliedjes te zingen en het nieuws voor te lezen uit stukken krant die ze van de academie hadden meegenomen. De Sovjets, zo las de Ivoren Toren voor, boden nog steeds weerstand aan de nazi's bij Stalingrad, waar het beleg zijn elfde week in ging; in de straten van de stad en in de noordelijke voorsteden werd hevig gevochten, hetgeen aanleiding gaf tot het vermoeden dat de nazi's daar nog steeds vast zouden zitten als de Russische winter inviel. 'Laat ze maar doodvriezen!' riep de Ivoren Toren, en hij kroonde zichzelf met een admiraals- steek die Andras van de advertentiepagina had gevouwen. Hij pakte Andras bij zijn arm en danste een boerendans met hem. 'We zijn vrij, mijn liefjes, vrij,' zong hij, en hij liet Andras door het lo- kaal rondwervelen. Maar vrij waren ze natuurlijk niet; Lukás en de andere bewakers stonden nog steeds bij de deur, en iedereen die zonder begeleiding buiten rondliep, kon nog altijd worden neerge- schoten. Maar ze waren wel van majoor Kozma verlost. En alsof dat nog niet heerlijk genoeg was, waren ze ook nog schoon en vrij van luizen. Generaal Nagy had zelfs hun matrassen en dekens naar buiten laten slepen om ze te verbranden en had onmiddellijk voor nieuw beddengoed gezorgd.

Die nacht schreef Andras op zijn zoetgeurende, met vers hooi gevulde nieuwe matras aan Klara: *Lieve K, er heeft hier een ver- rassende omslag plaatsgevonden. Onze omstandigheden in T zijn aanzienlijk verbeterd. We maken het goed en hebben zojuist nieu- we uniformen en beter werk gekregen. Maak je over ons geen zor- gen. Mocht zich een gelegenheid voordoen om het reisje alsnog te maken, dan moet je die aangrijpen. Ik kom zo snel mogelijk naar je toe. Helaas moet ik bevestigen wat je al over M.H. meende te heb- ben begrepen. Doe mijn hartelijke groeten aan mijn broer en Ilana. Geef Tamás een kusje van me. Als altijd, je toegewijde A.*

De volgende dag schepte hij tussen de middag de borden van de cadetten en hun superieuren vol en wachtte hij ongeduldig op Erdö. Toen die eindelijk verscheen – grimmig, zonder monocle en nog steeds in de rouw vanwege *De Tataren in Hongarije* en ook om de andere verliezen in het kamp – schoof Andras hem de brief toe onder het metalen bord. Zonder een knipoog of een ander teken dat hij het begrepen had, liep Erdö door, en Andras zag even iets wits: Erdö stak de brief in zijn zak. Zolang er nog postverkeer tussen de Oekraïne en Hongarije mogelijk was, zou Klara weten dat Andras het goed maakte en hoopte hij dat ze naar Palestina zou gaan als ze de kans kreeg.

Het reorganisatieplan van Generaal Nagy voor de 79/6de ging door tot half november. De zieken werden in de ziekenboeg behandeld, degenen die konden werken kwamen aan door het verhoogde rantsoen. Het werk in de keuken hielp ook. De koks hielden alles goed in de gaten, maar ze konden toch vaak een verdwaalde wortel of aardappel buitmaken of een extra lepel soep eten. Andras miste weliswaar de lange wandelingen met de landmeter, maar Szolomon kwam elke week op de officiersopleiding langs. Hij had altijd nieuws over de oorlog, en als hij kon, stopte hij Andras en József een Oekraïense lekkernij of wat warme kleren toe. Op een koude middag toen Andras József het papier van een pakketje opgerolde noedels, *holoesjki* – oortjes – af zag scheuren, kreeg hij plotseling het gevoel dat hij zichzelf in zijn Parijse tijd, toen hij altijd uitgehongerd was, een maanzaadkoek zag uitpakken die de oude mevrouw Hász hem had gestuurd. En wat waren ze nu, hij en József? Twee uitgehongerde mannen aan de rafelrand van een land in oorlog, overgeleverd aan de genade van krachten waar ze geen greep op hadden. Alle barrières die hen tot dan toe hadden gescheiden, alle uiterlijke standsverschillen die in Parijs zo belangrijk hadden geleken, waren nu zo arbitrair dat het absurd aandeed. Toen József hem de holoesjki voorhield, nam hij er een en zei *köszönöm*. József keek hem verwonderd en opgelucht aan, wat Andras pas begreep toen het tot hem doordrong dat dit het eerste vriendelijke woord was dat hij sinds Mendels dood tegen József had gezegd. Vreemd, dacht Andras, dat een oorlog ertoe kon leiden dat je onwillekeurig iemand vergiffenis schonk die dat niet verdiende, of iemand doodschoot die je niet haatte. Dat zou het verdovende effect van de extreme omstandigheden wel zijn, dacht hij, het bittere gif dat ze hier met elke hap van hun soeprantsoen en hun zanderige brood binnenkregen.

Later die week zagen de mannen bij het wakker worden dat de binnenplaats van het weeshuis in een grijswitte sneeuwnevel was veranderd. De wolken leken hun hele lading in één keer te willen lossen en de vlokken snelden in klonten zo groot als kastanjes naar de aarde. De winter die ze hadden gevreesd, was onmiskenbaar ingevallen; de temperatuur was in één nacht twintig graden gedaald. Bij het appèl woei de sneeuw in hun mond, oren en neusgaten. De vlokken baanden zich een weg naar binnen in jassen en sjaals, kropen door de oogjes in hun laarzen. Majoor Bálint nam zijn plaats in voor zijn troepen en deelde mee dat de mannen tot zijn spijt van hun taken in de academie ontheven waren om sneeuw te ruimen. De bewakers maakten de schuur open en deelden het gereedschap uit: dezelfde spitse schoppen die ze voor het werk aan de weg gebruikten, geen scheppen met een recht blad die voor dit werk geschikt zouden zijn – en begeleidden hen naar het dorp, waar ze met hun winterse werkzaamheden moesten beginnen.

Die middag trof Szolomon Andras en József tussen de sneeuwruimers. Hij deelde hun mee dat hij naar het landmetersbureau in Voronezj was overgeplaatst en die middag op de trein stapte. Hij wenste hun het allerbeste voor de winter, zegende hen en stopte hun zakken vol met lekkernijen die ze heel lang niet hadden gezien – blikjes vlees en sardines, potten zure haring, zakjes walnoten, stevige roggekoeken. Toen liep hun zwijgzame mentor en beschermer zonder verder afscheid snel door en verdween in een gordijn van sneeuw.

De hele week bleef de temperatuur dieper onder het nulpunt dalen. Andras' rug brandde van het sneeuwruimen en zijn handen schrijnden van de verse blaren. Dit was zwaarder dan alles wat hij tot dusver bij de Munkaszolgálat had moeten doen: dag in dag uit sneeuwruimen terwijl het steeds kouder werd. Maar hij kon de moed niet opgeven zolang de kans bestond dat er een brief uit Boedapest kwam. Elke keer dat ze bij de academie moesten ruimen, keken ze uit naar kapitein Erdö; als die een brief voor hen had, wist hij altijd wel een manier te bedenken om die in hun jaszak te smokkelen. Begin december kwam er een brief van György Hász: het familievermogen was nog verder geslonken en György, Elza en mevrouw Hász senior hadden zich genoodzaakt gezien het appartement met de hoge kamers aan de Andrássy út te verruilen voor een kamer bij Klara. Maar ze konden gerust zijn, met K was alles goed. Iedereen was gezond. De jongens moesten alleen aan hun eigen welzijn denken.

Klara meldde in haar volgende brief dat Tibor weer voor de Munkaszolgálat was opgeroepen en naar het oostfront was gestuurd. Ilana en Ádám waren inmiddels ook bij de familie aan de

Nefelejcs utca ingetrokken. Ze leefden inmiddels alle zeven van het geld dat voor de reis bedoeld was; Klara's advocaat stuurde elke maand een bedragje. Andras probeerde zich de situatie voor te stellen: de lichte kamers van hun appartement overvol met alles wat de familie Hász uit de Andrássy út had meegebracht – de resterende kleden, kasten en bric-à-brac uit hun vroegere vorstelijke onderkomen – en Elza Hász als een treurduif in peignoir met ingevouwen vleugels, Klara en Ilana die hun best deden de kinderen in al die drukte schoon en rustig te houden en genoeg te eten te geven, Klara's moeder stoïcijns en stil in een hoekje, en dat alles te midden van een aanhoudende lucht van aardappels en paprika in het vlakke, blonde Boedapester winterlicht dat onverschillig door de hoge ramen naar binnen viel. Ze schreef niets over Mátyás, aan wie Andras voortdurend moest denken nu de sneeuwstormen de heuvels en velden van de Oekraïne geselden.

Midden december kwam er een briefje van Józsefs moeder: György was met hoge koorts en een brandende pijn op de borst in het ziekenhuis opgenomen. Hij bleek een ontsteking aan het pericardium, het hartzakje, te hebben. De dokter wilde hem colchicine geven en pericardiocentese verrichten en hem drie weken op de hartafdeling houden. De kosten van die ramp, bijna vijfduizend pengö, dreigde hen dakloos te maken en Klara deed haar uiterste best om via haar advocaat aan extra geld te komen.

József was die hele dag stil en terneergeslagen. Die nacht ging hij niet op de gebruikelijke tijd naar bed. Hij stond voor het raam naar de besneeuwde diepte van de binnenplaats te staren met een paardendeken bij wijze van kamerjas om zich heen.

Andras draaide zich naar hem toe en steunde op een elleboog. 'Wat is er?' vroeg hij. 'Iets met je vader?'

József knikte. 'Hij vindt het vreselijk om ziek te zijn,' zei hij. 'Hij wil niemand tot last zijn. Hij vindt het al ellendig als hij een dag niet kan werken.' Hij trok de deken dichter om zich heen en keek naar buiten. 'Ondertussen heb ik mijn hele leven lang niets nuttigs gedaan. Niets waar iemand iets aan had, mijn ouders al helemaal niet. Nooit een baan gehad. Zelfs nooit verliefd geweest. En er heeft ook nooit iemand van mij gehouden. Al die meisjes in Parijs niet en ook niemand in Boedapest. Zelfs Zsófia niet, terwijl ze toch een kind van me verwachtte.'

'Is Zsófia zwanger?' vroeg Andras.

'Niet meer. Vorig jaar, in de lente. Ze heeft het laten weghalen.

Ze wilde het niet, net zomin als ik – zo weinig gaf ze om me.' Hij haalde diep adem. 'Waarschijnlijk interesseert het je nauwelijks, Andras. Maar het valt niet mee om jezelf opeens in zo'n genadeloos licht te zien. Je begrijpt vast wel wat ik bedoel.'

Andras zei dat hij dat wel meende te begrijpen.

'Ik weet dat je geen hoge pet op hebt van mijn schilderijen,' zei József. 'Dat zag ik wel toen je vorig jaar bij me op bezoek was, die keer met Klara en de baby.'

'Integendeel. Ik vond je nieuwe werk juist goed. Dat heb ik ook tegen Klara gezegd.'

'Als ik mijn kunsthandelaar in Boedapest nu eens probeerde te schrijven?' opperde József. Hij keek Andras aan. 'Als ik hem opdracht gaf iets te verkopen? Ik beschouwde mijn recentste werk nog niet als voltooid, maar misschien denkt een kunstverzamelaar daar anders over. Misschien kan Papp eens kijken wat hij voor die negen grote doeken kan krijgen.'

'Wil je je onvoltooide werk verkopen?'

'Ik zou niet weten wat ik anders moest doen,' zei József. Hij draaide zich om. Heel even leken de boog van zijn voorhoofd en zijn donkere lokken op die van Klara, en Andras voelde ondanks alles een golf van genegenheid. Hij ging weer op zijn rug liggen en staarde naar het donkere plafond.

'De doeken die ik heb gezien waren goed,' zei hij toen. 'Ze zagen er niet onvoltooid uit. Je zou er een flink bedrag voor kunnen krijgen. Maar misschien is het niet nodig dat je ze verkoopt. Klara kan het geld misschien via Wenen laten overmaken.'

'En dan?' zei József. 'Dacht je nu heus dat ze dat geld volgende maand niet weer voor iets anders nodig hebben? Als er nu eens een van de kinderen ziek wordt, of mijn grootmoeder? En als het nu dringend is, als ze niet kunnen wachten totdat Klara haar advocaat kan bereiken?' De vraag bleef lang tussen hen in de lucht hangen; ze dachten allebei na over die angstaanjagende mogelijkheid.

'Ja, wat moet ik zeggen?' antwoordde Andras. 'Het lijkt me een uitstekend idee. Als ik werk had dat ik kon verkopen, zou ik het ook doen.'

'Geef me je pen maar,' zei József. 'Ik ga aan mijn moeder schrijven. En dan aan Papp.'

Andras tastte in zijn plunjezak naar zijn pen en het laatste kostbare potje Oost-Indische inkt dat hij nog over had van het werk aan de decors. Met de vensterbank als bureau en de maan als lamp begon József te schrijven. Maar toen begon hij weer te praten, in het donker.

'Ik heb mijn vader nooit iets gegeven,' zei hij. 'Helemaal niets.'

'Hij zal wel begrijpen wat het voor je betekent om die schilderijen te verkopen.'

'Maar als hij nu doodgaat voordat mijn moeder de brief krijgt?'

'Dan weet zij in elk geval wat je voor hem wilde doen,' zei Andras. 'En Klara ook.'

De volgende ochtend gingen ze sneeuwruimen, en de dag daarna ook, en de dag daarop kwamen ze kapitein Erdö tegen, die met zijn leerlingen langsmarcheerde, en József slaagde erin hem de brieven toe te stoppen. Toen was het weer elke dag sneeuwruimen geblazen – tot 20 december, toen majoor Bálint meedeelde dat ze hun spullen moesten pakken en het weeshuis van onder tot boven moesten schoonmaken; hun eenheid vertrok de volgende dag naar het oosten.

Hoe ze het weeshuis ook hadden gehaat, hoe verschrikkelijk ze de kleine bedjes ook hadden gevonden, hoe ze ook hadden gevloekt als ze zich op de ijskoude winterochtenden hadden moeten bukken om zich aan de kleine wastafeltjes te wassen, hoe gruwelijk het ook was dat er op dit terrein mensen waren gedood – eerst, voor hun komst, de moord op de kinderen, en later de executie van Mendel Horovitz en László Goldfarb – hoe ze er ook naar hadden gehunkerd uit deze vertrekken weg te kunnen, waar ze uitgehongerd, mishandeld en vernederd waren, toch voelden ze een wonderlijke weerstand bij de gedachte dat ze hun weeshuis aan een andere compagnie, een groep onbekenden moesten overlaten. De 79/6de had de zorg voor de graven van hun doden op zich genomen en stenen van de weg op de heuveltjes gelegd. De tewerkgestelden hadden de grond en de stenen schoongehouden, de kleinere stenen boven op de grotere gelegd en zo de mannen geëerd die waren doodgeschoten of aan ziekte of te zwaar werk waren bezweken. Ze waren ook de hoeders van de nagedachtenis van de joodse weesjes van Turka geworden, de mannen van de 79/6de waren de enigen die de kleine voetafdrukken in de gangen en op de binnenplaats hadden gezien. Ze hadden aan de verlaten tafeltjes van de kinderen gegeten en zich de cyrillische letters ingeprent die de kinderen in de klaslokalen in hun tafeltjes hadden gekrast, ze waren 's nachts door dezelfde bedwantsen gebeten en hadden hun tenen aan dezelfde bedjes gestoten als de kinderen. Nu moesten ze hen weer achterlaten, de kinderen die al drie keer in de steek waren gelaten: de eerste keer door hun ouders, de tweede keer door de overheid en ten slotte door het leven zelf. Maar de mannen van de 79/6de, althans degenen die de winter overleefden, zouden vanaf nu iedere augustusmaand kaddisj zeggen voor de joodse weesjes van Turka.

Ze trokken te voet naar het oosten, naar het gevaar. Het land zag er overal net zo uit als in de omgeving van Turka: besneeuwde heuvels, zware naaldbomen, witte velden met de papierachtige resten van de maïsoogst, groepjes koeien die cumuluswolken adem de vrieslucht in bliezen. De plaatsjes onderweg bestonden uit een paar boerderijen in de beschutting van de bergen. De wind woei door de jassen van de mannen en ging in hun botten zitten. Ze moesten in stallen bij de werkpaarden of in boerenhuizen op de grond slapen en deden de hele nacht geen oog dicht uit angst voor de boeren, die op hun beurt geen oog dicht deden omdat ze bang waren voor hén. Soms was er helemaal geen stal of boerendorp en moesten ze in de vrieskou onder de blote hemel slapen. 's Nachts vroor het twintig graden. De mannen maakten altijd vuur, maar een vuur was ook gevaarlijk: je kon erdoor gehypnotiseerd raken, zodat je niet meer bewoog, of het leidde je af van de zware taak in leven te blijven. Als je er tijdens je wacht bij in slaap viel en je door de warmte liet verleiden je deken los te laten, kon het uitgaan, zodat je aan de kou werd blootgesteld. Op een ochtend trof Andras de Ivoren Toren zo aan, met zijn armen om zijn knieën en zijn grote hoofd naar voren gebogen, ogenschijnlijk in slaap. Voor hem lag de dode zwarte ring waar het vuur in de sneeuw was uitgegaan, en over zijn schouders lag een laagje ijs en rijp. Andras legde een hand tegen de hals van de Ivoren Toren, maar de huid was even koud en hard als de grond. Ze moesten zijn lichaam drie dagen meesjouwen voordat ze een stukje grond vonden waar de aarde zacht genoeg was om hem te kunnen ontvangen. Die grond lag naast een stal, waar de grond door de warmte van de paarden niet helemaal bevroren was. Ze begroeven de Ivoren Toren in het holst van de nacht en krasten zijn naam en sterfdatum in de stalmuur. Weer reciteerden ze psalm 91. Die kenden ze inmiddels uit hun hoofd.

De kou vergezelde hen dag en nacht. Zelfs in de stallen en in de boerderijen konden ze niet meer warm worden. Ze maakten klungelige wanten van de voering van hun overjas, maar die waren te dun en bij de naden sijpelde de kou er doorheen. Hun voeten bevroren in hun gebarsten laarzen. Ze scheurden paardendekens aan repen en wikkelden die om hun voeten, net als de Oekraïense boeren. Hun rantsoenen bevatten niet het soort voedsel waar je warm van bleef, al deed majoor Bálint zijn best hun alles te geven wat generaal Nagy had bevolen. Af en toe kregen de boeren medelijden en gaven ze hun iets extra's: een lepel ganzenvet om op hun brood te smeren, een mergpijp, jam. Andras dacht aan de landmeter en hoopte dat hij ook genoeg te eten had, dat het leger in Voronezj goed voor hem zorgde.

Overdag schepten ze sneeuw van de weg, maar die viel sneller dan zij konden scheppen. Hun rug werd krom van het werken en ze kregen kloven in hun handen van de schoppen. Achter hen aan kwamen de legertrucks, jeeps, artillerie, manschappen, tanks, vliegtuigonderdelen en munitie over de half sneeuwvrij gemaakte weg. Soms kwam er een Duitse inspecteur die hen op appèl liet staan en hen in zijn taal vol schrapende medeklinkers en half verstikte klinkers uitschold. Het nieuws vond zijn weg naar hen toe als asdeeltjes van een vuur: in Stalingrad sleepte het beleg zich voort en vonden iedere week tienduizenden de dood, bij Voronezj vocht een restje van het Hongaarse Tweede Leger voor zijn leven, belaagd door de veel sterkere Russische strijdkrachten. De mannen van de 79/6de schuifelden al sneeuwruimend steeds dichter naar dat slagveld toe, al leek het nog eindeloos ver weg. Soms schepten ze de hele nacht door terwijl de noordelijke hemel een stroom lichtende verwensingen op hen afvuurde. De mannen dachten aan hun vrouwen en vriendinnen die in Boedapest in hun warme bed lagen met hun gladde blote benen, hun slapende borsten in het winterse donker en hun handen, gevouwen en geparfumeerd als liefdesbrieven. Ze herhaalden de namen van die verre vrouwen in hun hoofd en het verlangen verflauwde nooit, al werden de namen uiteindelijk abstracties en al vroegen ze zich soms af of die vrouwen wel echt bestonden, of je wel kon beweren dat ze bestonden als dat bestaan zich zo ver weg afspeelde, achter de granieten grijns van de Karpaten, aan de andere kant van de uitgestrekte koude vlakten in de Hongaarse winter. *Klara* was de klank van een schep op de bevroren sneeuw, het schrapen van het blad over de bevroren grond. Andras hield zichzelf voor dat als hij die weg maar schoon kreeg, als hij de weg maar vrij kon maken zodat de trucks naar het oostfront konden snellen, de oorlog daar vanzelf naartoe zou stromen en zich daar tot een grote plas zou verzamelen, ver van Hongarije en van Klara en Tamás.

Maar halverwege januari ging er iets mis. Het verkeer, dat tot dan toe grotendeels de kant van Rusland op was gegaan, veranderde ineens van richting. Eerst waren het maar een paar trucks met levensmiddelen, een paar compagnieën soldaten in jeeps. Maar na een tijdje werd het een gestage stroom mannen, voertuigen en wapens. Toen, tegen het eind van de maand, werd het een kolkende stroom, rood van het bloed. Er waren ambulances van het Rode Kruis bij, vol doden en gruwelijk verminkte gewonden, slachtoffers van de slag die sinds augustus 1942 vijf maanden lang om Stalingrad had gewoed. Op een avond bereikte hun het bericht dat het Hongaarse Tweede Leger en de duizenden tewerkgestelden die daarbij hoorden, bij Voronezj een verpletterende, verschrikkelijke nederlaag hadden geleden. Andras hoorde het net op het moment dat hij zijn broodrantsoen met het kleine likje margarine in ontvangst nam. Hoe uitgehongerd hij ook was, hij gaf zijn brood aan József en ging in een hoekje van de stal zitten waar ze die nacht waren ingekwartierd. Ze deelden de ruimte met een twintigtal schapen met zwarte koppen en een dikke, lange wintervacht. Ze scharrelden naar het hoekje toe waar Andras zich had teruggetrokken, gingen met hun stoffige lijven in het hooi liggen, stootten hun beverige geblaat uit en besnuffelden elkaar met hun zwartfluwelen neuzen. Andras dacht niet alleen aan Szolomon de landmeter, maar ook aan Mátyás, die ooit aan het Hongaarse Tweede Leger was toegevoegd. Als hij de vorige winter had overleefd, was hij misschien een van de vijftigduizend mannen geweest die bij Voronezj gelegerd waren. Andras stelde zich voor hoe zijn ouders eindelijk het gevreesde nieuws vernamen, zijn moeder in de keuken van het appartement in Debrecen met het telegram in haar hand, zijn vader slap als een lege handschoen in zijn stoel. Andras was pas veertien maanden vader, maar hij begreep wat het moest betekenen om een zoon te verliezen. Hij dacht aan Tamás, aan zijn vertrouwde krullende haar, zijn snel kloppende hartje, het opgevouwen landschap dat zijn lijfje was. Toen legde hij zijn gezicht op zijn knieën en zag Mátyás in Boedapest met zijn fladderende blauwe hemd op de tramrails staan.

Hij slikte de ruwe bol rafelig touw door die zich in zijn keel had genesteld en veegde met zijn mouw over zijn ogen. Hij ging niet rouwen, zei hij bij zichzelf. Niet zolang hij het niet zeker wist.

De rivier van bloed stroomde door en het duurde niet lang of Andras, József en de rest van de 79/6de werden erdoor meegevoerd naar het westen, terug naar Hongarije. Er kwamen resten van andere dwangarbeiderscompagnieën aan, nachtmerrieachtig uitgemergeld. De 79/6de, die steeds zijn rantsoenen had gekregen, bracht elke avond eten naar die mannen, die op sterven na dood waren, door hun commandant in de steek waren gelaten en niets meer te doen hadden, behalve naar huis vluchten. Van hen hoorden ze nog meer over de gebeurtenissen bij Stalingrad – de bombardementen die de hele stad in puin hadden gelegd, de gebouwen die waren veranderd in een woud van kapotte baksteen en resten beton, het ingesloten Duitse Zesde Leger in het stadscentrum, de commandant, generaal Paulus, die zich in een kelder had verstopt terwijl om hem heen de veldslag woedde, het neerschieten van de weinige bevoorradingsvliegtuigen die de Luftwaffe nog kon sturen, en toen het Sovjetleger dat binnenstormde om de bocht in de Don over te nemen en het Duitse Vierde Leger tegen te houden dat het omsingelde Zesde Leger te hulp kwam. Niemand wist hoeveel doden er waren gevallen. Tweehonderdduizend? Vijfhonderdduizend? Een miljoen? Niemand wist hoeveel mensen er nog stervende waren, van de kou, van de honger of aan hun verwondingen, midden in de winter op de donkere, kale steppe. Men beweerde dat de Russen de overgebleven Hongaarse soldaten over de vlakte achterna zaten. Hoewel hij zelf bang en op de vlucht was, voelde Andras toch een wreed soort voldoening. Het Duitse Zesde Leger had de olievelden bij Grozny dus niet ingenomen, ze hadden de stad die Stalins naam droeg, niet ingenomen. Die nederlaag kon tot nieuwe nederlagen leiden. In het kielzog van de ene mislukking kwam misschien de volgende. Het was gruwelijk om daar blij om te zijn, dat besefte Andras heel goed – het lot van de Hongaarse soldaten en dwangarbeiders was met dat van de Wehrmacht verbonden. Bovendien waren het allemaal mensen, wat hun nationaliteit ook was. Maar Duitsland moest verslagen worden. En als dat kon worden bewerkstelligd zonder de soevereiniteit van Hongarije aan te tasten, dan hoefden de Hongaarse joden misschien nooit onder een naziregime te leven.

De chaotische terugtocht naar Hongarije leidde soms tot een vreemde samenloop van omstandigheden, tot grillige spelingen van het lot, teweeggebracht door de samenkomst van tientallen compagnieën. Ze kwamen voortdurend mannen tegen die ze nog kenden uit hun verre vooroorlogse leven. Op een avond deelden ze hun onderkomen met een groep mannen uit Debrecen, onder wie een paar oud-klasgenoten van Tibor. Een andere keer troffen ze een groep uit Konyár zelf, onder wie de zoon van de bakker, de oudere broer van Orsolya Korcsolya. Op een derde avond deelde Andras zijn hoekje van een graanschuur die als ziekenboeg was ingericht met de directeur van het *Hongaars-Joods Dagblad*, de collega en tegenstander van Frigyes Eppler. Hij herkende hem nauwelijks, zo uitgeteerd was hij door de honger en de kou, het leek wel alsof alleen het staketsel nog over was dat onder zijn vroegere zelf had gezeten. Niemand zou gedacht hebben dat die uitgehongerde man met zijn stokjes van armen en zijn van koorts schitterende ogen ooit een strijdlustige directeur met een jasje van Ierse tweed was geweest.

De directeur had nieuws over Frigyes Eppler, die zijn baan was kwijtgeraakt toen de militaire politie een map met belastende documenten in zijn kamer had gevonden, papieren waarvan men beweerde dat ze verband hielden met een zwartemarktoperatie in Szentendre, hoe ongelooflijk dat ook mocht klinken. Niet lang daarna was Eppler opgeroepen voor de Munkaszolgálat en sindsdien had niemand meer iets van hem gehoord, althans niet voor zover zijn vroegere directeur wist. Hijzelf was een paar weken later bij een andere compagnie ingedeeld. Nu hoorde hij bij een groep zieken en gewonden die door hun commandant in de graanschuur was achtergelaten om te verhongeren of aan de koorts te bezwijken. Majoor Bálint had de 79/6de opdracht gegeven de zieken te verzorgen, hen van voedsel en water te voorzien en het vuile provisorische verband van de gewonden te vervangen. Terwijl Andras voor de directeur zorgde, vernam hij ook het lot van een ander lid van hun compagnie, een man die zo veel ellende had doorstaan dat hij door de anderen Job werd genoemd. Die man, zo vertelde de directeur, was getrouwd geweest met een beeldschone vrouw, een actrice, met wie hij een kind had; men beweerde dat hij in Parijs had gewoond, waar hij in het centrum een beroemd theater had. Voor de oorlog had hij zich gedwongen gezien naar Boedapest terug te keren, waar hij een tijdje directeur van de Opera was geweest. In Boedapest was zijn vrouw ziek geworden en overleden. Kort daarop werd de man, die al aan tuberculose leed, voor de arbeidsinzet opgeroepen – ongetwijfeld om een voorbeeld te stellen – en bij de compagnie ingedeeld waar de directeur later ook bij zou komen. In de herfst van vorig jaar waren ze naar een tussenpost van de Koninklijke Hongaarse Veldgendarmerie in Staryy Oskol overgebracht, waar ze werden ondervraagd, geslagen en van alles beroofd wat ze bij zich hadden. De Veldgendarmerie wist wie die belangrijke man was, die voormalige theatercoryfee; hij moest voor de anderen gaan staan en werd met geweerkolven geslagen, en toen haalden ze een telegram tevoorschijn waarin stond dat de zoon van de man aan de mazelen was gestorven. Dat telegram was door de tante van de jongen aan een familielid in Szeged verzonden, in Boedapest onderschept en helemaal naar Staryy Oskol doorgestuurd, speciaal om de man te kwellen. Die zei dat ze hem dan ook maar moesten doden, maar ze lieten hem bij de rest van het bataljon achter en de volgende dag werden ze allemaal weer naar het oosten gestuurd.

'Maar hoe is het hem verder vergaan?' vroeg Andras, die met zijn handen op zijn knieën in de holle ogen van de directeur keek. 'Is hij in Voronezj omgekomen?'

'Dat is nu juist het tragische,' zei de directeur. 'Hij ging niet dood, al deed hij nog zo zijn best. Hij bood zich aan als vrijwilliger om landmijnen op te ruimen. Hij liep de vuurlinie in als hij de kans kreeg. Maar hij overleefde het allemaal. Zelfs de tuberculose kreeg hem er niet onder.'

'Hoe ging het met hem toen u hem voor het laatst zag? En waar was dat?'

'Hij ligt daar in die hoek, waar jouw kameraad nu zit.'

Andras keek om. József zat op zijn knieën bij een man die op een stapel graanzakken lag; hij gaf hem te drinken. De man wendde zijn hoofd af, en ondanks de sporen van ziekte, honger en uitputting herkende Andras Zoltán Novak.

'Maar die ken ik,' zei hij tegen de directeur.

'Natuurlijk. Wie niet? Hij was heel bekend.'

'Persoonlijk, bedoel ik.'

'Ga hem dan gedag zeggen.' Hij legde een hand tegen Andras' borst en gaf hem een duwtje. Het gebaar was een zwak aftreksel van zijn oude energie en felheid.

Andras liep naar József en de man op de meelzakken toe. Hij ving Józsefs blik en wenkte hem mee naar een andere hoek.

'Dat is Zoltán Novak,' fluisterde hij.

József trok zijn wenkbrauwen op en keek even naar de man. 'Novak?' vroeg hij. 'Weet je dat zeker?'

Andras knikte.

'God sta me bij,' zei József. 'Hij is bijna dood.'

Maar de man tilde zijn hoofd op en keek naar Andras en József. 'Ik kom zo,' zei József.

'Water,' zei Novak. Zijn stem was een hees gefluister in zijn keel.

'Ik ga wel,' zei Andras.

'Waarom?'

'Hij kent me.'

'Ik betwijfel of hij daar veel rustiger van zal worden,' zei József.

Maar Andras knielde bij Novak neer, die zich met gesloten ogen een klein stukje overeind hees. Zijn ademhaling klonk schurend, alsof er iemand over de tanden van een kam streek.

'Geef me water,' herhaalde hij.

Andras pakte zijn veldfles en Novak dronk. Toen hij klaar was, schraapte hij zijn keel en keek Andras aan. Zijn gezicht leek langzaam warm te worden, de huid bij zijn ogen werd een beetje rood. Hij steunde op zijn ellebogen.

'Lévi,' zei hij. Hij schudde zijn hoofd. Hij maakte drie snelle raspende geluidjes; het viel moeilijk uit te maken of hij lachte of ontsteld was. De inspanning leek hem te veel te worden. Hij liet zich weer achterover zakken en sloot zijn ogen. Het duurde lang voordat hij weer iets zei, en toen kwamen de woorden langzaam en moeilijk. 'Lévi,' zei hij. 'Dan ben ik dus eindelijk dood, goddank. Ik ben in het Gehenna. En jij bent er ook, dus hopelijk ben jij ook dood.'

'Nee,' zei Andras, 'we leven allebei, we zijn in de Oekraïne.'

Novak deed zijn ogen weer open. Er lag iets zachts in zijn blik, een ingewikkeld soort medelijden, dat zich wel tot hemzelf uitstrekte, maar niet alleen hemzelf gold; het leek hen allemaal te omvatten, Andras en József en de directeur van de krant en de andere zieken en stervenden en de dwangarbeiders die hun water brachten en hun wonden verzorgden.

'Je ziet hoe het met me gesteld is,' zei Novak. 'Misschien geeft het je een zekere voldoening me zo te zien.'

'Natuurlijk niet, Novak-úr. Zegt u maar wat ik voor u kan doen.'

'Ik wil maar één ding,' zei Novak, 'Maar dat kan ik je niet vragen, dan maak ik een moordenaar van je.' Hij glimlachte zwakjes en zweeg om weer op adem te komen. Hij hoestte pijnlijk en draaide zich op zijn zij. 'Ik wil al maanden dood. Maar ik blijk nogal sterk te zijn. Geweldig, hè? En ik ben te laf om er zelf een eind aan te maken.'

'Hebt u honger?' vroeg Andras. 'Ik heb brood in mijn plunjezak.'

'Denk je dat ik brood wil?'

Andras wendde zijn blik af.

'Die andere is haar neef, hè?' zei Novak. 'Hij lijkt op haar.'

'Maar zij is wel heel wat knapper,' antwoordde Andras.

Novak lachte hoestend. 'Daar heb je gelijk in,' zei hij. Hij schudde zijn hoofd. 'Andras Lévi. Ik had gehoopt dat ik je na die dag in de Opera nooit meer zou zien.'

'Ik ga wel weg als u dat liever hebt.'

Novak schudde weer zijn hoofd en Andras wachtte tot hij nog iets ging zeggen. Maar het praten had hem uitgeput en hij viel in een ondiepe slaap, met zijn mond open. Andras bleef bij hem zitten terwijl hij moeizaam ademhaalde. Buiten stak de wind op tot een sneeuwstorm. Andras legde zijn hoofd op zijn armen en viel in slaap, en toen hij weer wakker werd, was het donker in de schuur. Niemand had kaarsen en degenen die nog over een zaklantaarn beschikten, hadden al maanden geen batterijen meer. De geluiden en de lucht van de zieken sloten hem in als een dikke sluier. Novak was klaarwakker en keek hem gespannen aan; hij ademde moeilijker dan eerst. Elke ademhaling klonk alsof hij van ongeschikt materiaal en met kapot gereedschap een ingewikkelde contraptie probeerde te bouwen, en elke keer dat hij uitademde, stortte het lelijke, onevenwichtige bouwsel weer in. Hij zei weer iets, maar zo zacht dat Andras zich naar hem toe moest buigen om hem te verstaan.

'Het is goed,' zei hij. 'Alles is nu goed.'

Het was niet duidelijk wie hij gerust wilde stellen, Andras, zichzelf of hen allebei; het leek haast alsof hij tegen iemand sprak die er niet was, al keek hij in het donker naar Andras. Toen zweeg hij, en al snel viel hij weer in slaap. Andras bleef de hele nacht bij hem terwijl hij wakker werd en weer insliep, en de volgende dag gaf hij zijn broodrantsoen aan Novak. Die kon het niet droog opeten, maar Andras verkruimelde het en vermengde het met gesmolten sneeuw. Zo ging het drie dagen door: Novak zakte weg en werd weer wakker, Andras gaf hem kleine hapjes brood met water, en toen klaarde het op en was de sneeuw zo ver gesmolten dat de

79/6de weer verder kon, naar de grens. Toen Bálint meedeelde dat ze de volgende ochtend vertrokken, was Andras' opluchting vermengd met spijt. Hij vroeg of hij de majoor even mocht spreken; ze konden de zieken niet zomaar achterlaten, dan gingen ze dood. 'Hoe had je ze mee willen nemen?' vroeg Bálint streng maar niet onvriendelijk. 'We hebben geen ambulances. We hebben niets waar we brancards van kunnen maken. En we kunnen ook niet hier blijven.'

'We kunnen iets improviseren, majoor.'

Bálint schudde zijn ruige hoofd. 'Die mannen kunnen beter binnen blijven. Over een paar dagen komt het medische korps. Zij kunnen degenen meenemen die verplaatst kunnen worden.'

'Maar de anderen zijn tegen die tijd al dood,' wierp Andras tegen.

'Die kunnen we niet redden door ze door de kou en de sneeuw mee te slepen, Lévi.'

'Een van die mannen heeft mijn leven gered toen ik in Parijs studeerde. Ik kan hem niet in de steek laten.'

'Luister nu eens,' zei Bálint en hij keek Andras met zijn grote modderbruine ogen aan. 'Ik heb een zoon en een dochter thuis. Die anderen hebben ook een gezin, althans de meesten. We zijn nog jong. We moeten levend thuis zien te komen. Volgens dat principe geef ik leiding aan deze compagnie, de hele terugtocht lang. We zijn nog honderd kilometer van de grens, dat is minstens vijf dagen lopen. Als we die zieken meenemen, houden we de hele compagnie op. Dat kan ons het leven kosten.'

'Laat mij dan bij hem blijven, majoor.'

'Dat is niet mijn opdracht.'

'Alstublieft.'

'Nee!' zei Bálint. Hij werd kwaad. 'Jij gaat mee. Ik houd je onder schot als het moet.'

Maar uiteindelijk hoefde het niet tot een krachtmeting te komen. Zoltán Novak, die echtgenoot, vader en directeur van het Théâtre Sarah-Bernhardt en het Boedapester Operaház was geweest, de man die Klara Morgenstern elf jaar lang had liefgehad en ongetwijfeld nog steeds in zekere zin liefhad, viel die nacht in slaap en werd niet meer wakker.

37

Een ontsnapping

Tegen de tijd dat zijn trein in Boedapest aankwam, stond de for-
sythia in bloei. Verder was alles nog grijs of vaal geelgroen; er
zaten weliswaar zwellende knoppen aan een paar bomen langs de
buitenste ringweg, maar afgezien daarvan zag de stad er na het
smelten van de sneeuw nog steeds nat en rauw uit. Het jaar 1943
voelde nog onwerkelijk aan. In de laatste fase van de thuisreis was
hij zijn tijdsbesef helemaal kwijtgeraakt. Maar hij wist wel welke
dag het was: 25 maart, zeven maanden en drie weken nadat hij op
transport was gesteld naar de Oekraïne. Klara kwam hem op station Keleti van de trein halen. Hij viel bijna flauw toen hij haar op
het perron zag staan met een kind naast zich – dat ook stond! Zijn
zoon, Tamás, met een jas tot zijn knietjes en stevige jongens-
schoenen. Tamás, bijna anderhalf jaar oud, Tamás, die nog een
baby was toen Andras hem voor het laatst zag. Er was een zorge-
lijke rimpel in Klara's voorhoofd verschenen, maar verder was ze
niet veranderd: haar donkere haar zat in een losse lage wrong en
haar dierbare sleutelbeenderen tekenden zich af boven de halslijn
van haar grijze jurk. Ze probeerde haar ontsteltenis niet te verbergen toen ze Andras zag. Ze sloeg een hand voor haar mond en
haar ogen schoten vol tranen. Hij wist wel hoe hij eruitzag: als iemand die heel dicht bij de dood was geweest. Bij het ontluizen was
hij kaalgeschoren en zijn kleren, of wat daarvan over was, hingen
los om zijn lijf. Zijn handen waren kromgegroeid en gekloofd en er
liepen drie witte littekens over zijn wang waar hij zich had gesneden aan het kapotgeschoten glas van een stalraam. Toen ze hem
in haar armen nam, merkte hij hoe voorzichtig ze met hem was,
alsof haar omhelzing hem pijn zou kunnen doen. József was niet
bij de hereniging aanwezig, hij lag in het militair hospitaal in Debrecen om te herstellen. Bij het oversteken van de grens was hij
aan zijn knie gewond geraakt en nu was het bindweefsel ontstoken. Over een week of twee zou hij ook komen. In een postkantoor

bij het hospitaal had Andras Klara een telegram gestuurd om zijn thuiskomst aan te kondigen. Lief. Lief. Ze hadden wel de hele avond zo kunnen blijven staan, dat woordje tegen elkaar zeggen, elkaar aankijken, elkaars handen kussen en elkaars gezicht aanraken, maar Tamás protesteerde en wilde worden opgetild. Andras nam hem op de arm en keek naar het ronde gezichtje met de nieuwsgierige wenkbrauwen en de grote expressieve ogen.

'Apa,' zei Klara tegen het jongetje en ze wees naar Andras. Maar Tamás draaide zich om en stak zijn armpjes naar Klara uit; hij was bang voor die vreemde man.

Andras bukte zich en maakte zijn plunjezak open. Daarin zat de rode rubberen bal die hij voor drie filler bij een straatventer in Debrecen had gekocht. Er stond een witte ster op beide polen en om het midden liep een band van groene verf. Tamás stak zijn handjes naar de bal uit, maar Andras gooide hem omhoog en ving hem op tussen zijn schouderbladen, een kunstje dat hij van een klasgenoot in Konyár had geleerd. Hij plukte de bal van zijn rug en boog naar Tamás, die met open mond kraaide van het lachen.

'Nog keer,' zei hij.

Dat waren de eerste woordjes die Andras hem hoorde zeggen. Het kunstje was de tweede en derde keer nog net zo leuk. Toen gaf Andras de bal aan Tamás, die hem verrukt vasthield terwijl Klara hem door de Erzsébetváros naar huis droeg. Andras liep naast haar met een arm om haar middel. Hij had ditmaal niet het gevoel dat hem de vorige keer had bevangen toen hij van de Munkaszolgálat thuiskwam, de zekerheid dat hij onmogelijk zijn gewone leven in Boedapest kon hervatten na alles wat hij had meegemaakt, dat na de geestelijke en lichamelijke kwellingen die hij had doorstaan de hele wereld onvermijdelijk meeveranderd moest zijn. De ongelovigheid van toen had plaatsgemaakt voor een zekere dofheid. De rust die hij nu voelde was bijna angstaanjagend. Het ontegenzeglijke bewijs dat hij ouder was geworden.

Onderweg naar huis bracht Klara hem van het laatste nieuws op de hoogte: de opbrengst van Józsefs schilderijen had het mogelijk gemaakt dat György in het ziekenhuis kon herstellen; Klara's moeder had die winter longontsteking gehad, maar kon nu weer elke ochtend naar de markt om groenten en brood te kopen; Ilana had Hongaars geleerd en bleek wonderen te kunnen doen met hun rantsoenen; Elza Hász, die vóór die winter nog geen ei kon koken, had kippensoep en aardappelpaprikás leren klaarmaken. Er was ook nieuws van Elisabet: ze had weer een kind gekregen, een dochtertje. Ze woonde nog steeds op het landgoed van de familie in Connecticut en Paul was bij de marine, maar als hij terugkwam wilden ze naar een grotere flat in New York verhuizen. Over de mogelijkheid naar de Verenigde Staten te emigreren werd met geen woord gesproken. Alle andere ontsnappingsmogelijkheden waren in rook opgegaan. Op een hoek bleven ze even staan en Klara vertelde fluisterend dat Klein gearresteerd was omdat hij bij illegale emigraties bemiddelde. Hij zat al sinds november in de gevangenis in afwachting van zijn berechting. Ze was een paar keer bij zijn grootouders op bezoek geweest, maar die leken in goeden doen. Ze woonden nog steeds met hun kleine kudde geiten in het oeroude huisje in de Frangepán köz; misschien vond de overheid hen te oud om te vervolgen. De namen van Kleins cliënten – degenen die al geëmigreerd waren en die er nog mee bezig waren of het overwogen – gingen schuil in een labyrint van codes, maar het was de vraag hoe lang de politie erover zou doen om die te kraken.

'En jouw ouders?' vroeg ze. 'Maken die het goed?'

'Ja,' zei Andras, 'maar ze maken zich verschrikkelijke zorgen over Mátyás. Ze hebben helemaal niets meer van hem gehoord. Ze waren ook niet blij dat ik er zo uitzag. Ik heb ze nog niet de helft verteld van wat er allemaal gebeurd is.'

'Tibor wil je dolgraag zien,' zei ze. 'Als Ilana hem niet met van alles had bedreigd, was hij meegegaan naar het station. Maar hij moet rusten van de dokter.'

'Hoe gaat het met hem? Hoe ziet hij eruit?'

Klara zuchtte. 'Mager. Uitgeput. Stil. Soms lijkt het alsof hij gruwelijke dingen in de lucht ziet. Sinds hij terug is, zit hij aan één stuk door met Ádám in zijn armen. Dat kind is nu zo aan hem gehecht dat Ilana nauwelijks de kans krijgt om hem te voeden.'

'En jij?' Hij streek over haar haar, over haar wang. 'Klárika.'

Ze stak hem haar gezicht toe en kuste hem, midden op straat, met hun kind in haar armen.

'Je brieven,' zei ze. 'Als ik die niet had gehad...'

'Ze zullen wel niet altijd een troost zijn geweest.'

Ze kreeg weer tranen in haar ogen. 'Ik wilde zo graag geloven dat ik verkeerd had begrepen wat je over Mendel schreef. Ik heb die brief telkens opnieuw gelezen, ik hoopte dat ik me vergiste. Maar het is waar, hè?'

'Ja, lief, het is waar.'

'Binnenkort moet je me alles vertellen,' zei ze en ze pakte zijn hand.

Ze liepen samen door tot ze bij de voordeur waren. Hij keek omhoog, naar het raam waarvan hij wist dat het van hun slaapkamer was; ze had er een bloembak met vroege krokusjes neergezet.

'Ik moet je nog iets vertellen,' zei ze, zo ernstig dat hij even zeker wist dat er iemand overleden was. 'Er is nog iemand bij ons komen wonen. Iemand die een heel verre reis achter de rug heeft.'

'Wie dan?'

'Ga maar mee naar boven,' zei ze, 'dan zie je het vanzelf.'

Hij volgde haar de binnenplaats op en zijn hart ging sneller kloppen. Hij wist niet of hij wel tegen zo'n verrassing opgewassen was. Eigenlijk wilde hij het liefst een paar dagen op de rand van de fontein zitten om tot zichzelf te komen. Toen ze de open trap op klommen, zag hij de goudvissen in de groene diepte heen en weer flitsen.

Nu stonden ze bij hun eigen voordeur, die openging. Daar stond Tibor, bleek en afgetobd; achter de brillenglazen in hun zilveren montuur stonden zijn ogen vol tranen. Hij sloeg zijn armen om zijn broer heen en zo bleven ze samen in de gang staan. Andras rook Tibors flauwe geur van zeep, talg en schone katoen en wilde zich niet verroeren, niets zeggen. Maar Tibor nam hem mee naar de zitkamer, waar de familie hem opwachtte. Daar stond zijn neefje Ádám naast zijn moeder Ilana, die een geborduurde doek over haar haar droeg, en daar was György Hász, ouder en grijzer, en Elza Hász, streng in haar katoenen werkjurk, en Klara's moeder, die nog kleiner was geworden; haar diepliggende ogen waren nog even helder als altijd. Achter hen stond iemand op van de divan, een bleke man met een ovaal gezicht en een donkere trui die van Andras was geweest. Hij hield een verfrommelde zakdoek in zijn hand.

Even duizelde het Andras. Hij moest zich aan de divan vasthouden en er sloeg een schokgolf door hem heen.

Eli Polaner.

'Dat kan niet,' zei Andras. Hij keek van Klara naar zijn broer, van hem naar Ilana, en toen weer naar Polaner zelf. 'Is het echt waar?' vroeg hij in het Frans.

'Ja,' zei de vertrouwde, zo lang gemiste stem van Polaner.

Het was de nachtmerrieachtige versie van een sprookje, een gruwelijk verhaal over weer heel andere verschrikkingen dan hij in de
Oekraïne had meegemaakt. Hij wilde bijna dat hij niet hoefde te
weten wat Polaner was overkomen in het concentratiekamp bij
Compiègne waar hij was geïnterneerd nadat hij in 1940 uit het
Vreemdelingenlegioen was ontslagen – hij was geslagen, uitgehongerd en half dood naar Buchenwald gedeporteerd, waar hij twee
jaar dwangarbeid had moeten verrichten en seksueel misbruikt
was; zijn nummer stond op zijn arm getatoeëerd en op zijn borst
droeg hij een omgekeerde roze driehoek over de rechte gele. Polaners homoseksualiteit was geheim gebleven totdat een van zijn
lotgenoten in ruil voor een baantje als kapo de bewakers een lijst
namen had gegeven. Daarna stond Polaner helemaal onder aan de
hiërarchie in het kamp en moest hij een embleem dragen dat hem
tot doelwit van de bewakers maakte en de andere gevangenen op
afstand hield. Hij moest in de steengroeve werken, waar hij veertien uur per dag zakken steenslag moest versjouwen. Als hij daarmee klaar was, moest hij de latrines in zijn blok schoonmaken –
om hem eraan te herinneren dat hij hier nog minder was dan
stront, dat hij de bediende van de stront was, zei het blokhoofd.
Soms werd hij met een paar anderen 's avonds laat naar een ach-
teringang van het officiersgebouw gebracht om daar te worden
vastgebonden en verkracht, eerst door een van de officieren en
daarna door de secretarissen en de oppasser.

Op een avond werden ze bij wijze van geheim cadeautje aangeboden aan een hoge ambtenaar van de economisch-administratieve dienst van de ss, die het kamp bezocht, een hooggeplaatste con-
centratiekampinspecteur van wie bekend was dat hij van het
gezelschap van jongemannen hield. Maar de voorkeuren van de
functionaris lagen een beetje anders dan men had aangenomen:
hij hield van jongemannen, maar hij was geen verkrachter. Hij liet
de gevangenen losmaken, in bad stoppen, scheren en in burger-
kleren steken. Hij wilde met hen praten, als gelijken op een feest.
Hij liet hen in zijn privévertrekken op de divan plaatsnemen om
samen taartjes te eten en thee te drinken, terwijl zij al drie jaar op
waterige soep en beschimmeld brood leefden. De inspecteur was
gecharmeerd van Polaners Frans en zijn kennis van moderne
kunst en architectuur. Hij bleek Vom Rath te hebben gekend en
zelfs een soort politiek mentor voor hem te zijn geweest. Aan het
eind van de avond besloot hij Polaner in zijn persoonlijke staf op

te nemen. Hij nam Polaner mee naar zijn appartement in een ander kamp honderd kilometer daarvandaan en schreef hem in als een soort bediende voor het vuile werk, iemand die kolen sjouwde en schoenen poetste, maar in werkelijkheid werd Polaner als patiënt behandeld; hij moest in bed blijven en werd door het huispersoneel van de inspecteur verpleegd.

Na twee maanden was Polaner hersteld en onderging zijn identiteit onder de handen van de inspecteur een soort alchemistische bewerking. Hij liet een valse verklaring opstellen waarin stond dat Eli Polaner, een jonge jood die aan zijn staf was toegevoegd, meningitis had opgelopen en overleden was; vervolgens kreeg Polaner valse papieren op naam van Teobald Kreizel, lid van de NSDAP en tweede secretaris op het hoofdkantoor van de economisch-administratieve dienst. Polaner werd gekleed als een lid van de staf van de inspecteur en zo gingen ze naar Berlijn, waar de inspecteur Polaner in een aardig, licht flatje aan de Behrenstrasse installeerde. Hij liet vijftigduizend reichsmark in contanten bij hem achter en beloofde dat hij zo snel mogelijk zou terugkomen met boeken, tijdschriften, tekenspullen, grammofoonplaten, luxehapjes van de zwarte markt en alles wat Polaner maar wilde. Maar Polaner wilde alleen maar bericht van zijn ouders en zijn zusjes, van wie hij niets meer had gehoord nadat hij zich bij het Vreemdelingenlegioen had aangemeld.

De hooggeplaatste ambtenaar kwam zo vaak hij kon en bracht de beloofde tekenbenodigdheden, grammofoonplaten en lekkernijen mee, maar met nieuws over Polaners familie was hij minder snel. Polaner wachtte, waagde zich zelden buiten en dacht vrijwel uitsluitend aan de mogelijkheid dat hij weldra zou horen wat er van zijn ouders en zijn zusjes geworden was. Hij koesterde de hoop dat ze kans hadden gezien om te emigreren, dat ze er ondanks alles in geslaagd waren een ver, gastvrij land te bereiken, Argentinië, Australië of Amerika, of dat de inspecteur hen anders misschien uit de hel kon bevrijden waar ze in terechtgekomen waren en hen in neutraal, veilig gebied met elkaar kon herenigen. Die hoop was niet helemaal ongegrond, want de inspecteur had zijn positie wel vaker gebruikt om zijn minnaars en protegés te helpen. Die hulp eiste echter zijn tol in het halve jaar dat Polaner aan de Behrenstrasse woonde. Er kwamen onregelmatigheden aan het licht die de aandacht van zijn superieuren trokken en er werd een onderzoek naar de inspecteur ingesteld. Hij vreesde het ergste voor zijn positie en voor Polaners leven en besloot dat hij zo snel mogelijk het land uit moest. Hij beloofde hem een visum waarmee hij naar alle gebieden onder de jurisdictie van het Reich kon reizen. Maar wat moest Polaner beginnen? Waar moest hij heen? Hij had nog steeds niets van zijn ouders gehoord, hoe kon hij zijn reisbestemming kiezen?

Later die week, de eerste week van januari 1943, leverden de naspeuringen van de inspecteur naar het lot van de familie Polaner eindelijk iets op. Polaners ouders en zusjes waren in een werkkamp bij Plaszow omgekomen – zijn ouders in februari 1941 en zijn zusjes acht en tien maanden later. De nazi's hadden hun huis en hun textielfabriek in Krakau gevorderd. Hij had niets of niemand meer.

De avond dat Polaner dat vernam, had hij het pistool uit zijn nachtkastje gehaald – de inspecteur stond erop dat hij een wapen had, voor zijn veiligheid – en was hij in zijn nachtgoed in de ijzige wind op zijn balkon gaan staan. Hij drukte de loop tegen zijn slaap en leunde over de balustrade. Beneden lag de sneeuw als een dekbed op de grond, zei hij tegen Andras – mollig, donzig, blauwwit; hij stelde zich voor dat hij in die schone witheid zou vallen en onder een laag verse sneeuw zou verdwijnen. Het pistool in zijn hand was een Walther P-38, het dienstwapen van de ss-officier, een halfautomatisch wapen met een volle clip in het magazijn. Hij laadde door, haakte zijn vinger in de kromming van de trekker en stelde zich voor hoe de kogel de vernuftige architectuur van zijn schedel zou verbrijzelen. Hij telde tot drie en dan zou hij afdrukken: *eyns, tsvey, dray.* Maar toen hij die Jiddische getallen in gedachten hoorde, kreeg hij een helder moment. Als hij nu zelfmoord pleegde met dit pistool, deze Walther P-38, omdat de nazi's zijn ouders en zusjes hadden vermoord, dan vermoordden de nazi's in feite ook hem, dan was het hun schuld als het Jiddisch in zijn hoofd verstomde. Dan waren ze erin geslaagd zijn hele familie uit te roeien. Hij haalde zijn vinger weer van de trekker, ontgrendelde het magazijn weer en haalde de kogel uit de kamer. Niet Polaner zelf, maar de kogel viel drie verdiepingen naar beneden en verzonk in het dekbed van sneeuw.

Dat hele voorjaar wachtten ze op bericht van Mátyás. Toen ze seideravond vierden, stond Andras' moeder erop ook voor hem te dekken; toen ze de deur openzetten om de profeet Elia welkom te heten, vroegen ze daarmee ook om Mátyás' thuiskomst. In de tijd dat hij in de Oekraïne had gezeten, leken zijn ouders veel ouder te zijn geworden. Het haar van zijn vader was van grijs tot wit verkleurd. Zijn moeder was krom gaan lopen. Ze leek wel als een verdroogde grashalm in haar vest weg te kruipen. Zelfs Tamás en Ádám konden haar niet opvrolijken: ze verlangde niet naar haar kleinkinderen, maar naar haar zoekgeraakte jongen.

Polaner, die wist wat het betekende om op bericht te moeten wachten, zweeg over zijn smart. Hij had het nooit over zijn ouders of zijn zusjes, alsof hij de tragedie die Andras' familie vreesde, over hen af kon roepen door iets over zijn eigen verlies te zeggen. Hij stond erop elke middag helemaal alleen naar de Dohánysynagoge te gaan om kaddisj te zeggen. Volgens de traditie moest hij dat een jaar lang doen. Maar naarmate er meer nieuws uit Polen binnendruppelde, begon het ernaar uit te zien dat niemand vrijgesteld was van rouw, dat geen rouwperiode ooit nog lang genoeg kon zijn. In april hadden de joden in het getto van Warschau zich gewapenderhand verzet tegen de deportatie van de laatste zestigduizend inwoners; niemand had gedacht dat ze langer dan een paar dagen zouden standhouden, maar de vechters van het getto hielden het vier weken vol. In de *Pesti Napló* stonden foto's van vrouwen die molotovcocktails naar Duitse tanks gooiden en mannen van de Waffen-SS en de Poolse politie die gebouwen in brand staken. De veldslag duurde tot midden mei en liep uit op de ontruiming van het getto, zoals iedereen van tevoren al wist: de joodse strijders werden afgeslacht en de overlevenden weggevoerd. De volgende dag meldde de *Pesti Napló* dat er volgens schattingen van de Poolse regering in ballingschap anderhalf miljoen Poolse joden in de oorlog waren omgekomen. Andras, die alle artikelen en radioprogramma's over de opstand voor Polaner had vertaald, kon dat getal niet over zijn lippen krijgen, kon dat verbijsterende cijfer niet meedelen aan een vriend die toch al in de rouw was. Anderhalf miljoen joodse mannen, vrouwen en kinderen – zoiets was toch niet te bevatten? Andras wist dat de Dohánysynagoge drieduizend plaatsen telde. Om plaats te bieden aan anderhalf miljoen mensen zou dat gebouw dus compleet met zijn koepels en bogen, zijn Moorse interieur, zijn balkon, zijn donkerbruine houten banken en zijn vergulde ark met *vijfhonderd* moeten worden vermenigvuldigd. En dan moest je je voorstellen dat al die vijfhonderd synagoges helemaal vol zaten, je moest je al die mannen, vrouwen en kinderen daarbinnen één voor één voorstellen als unieke, onvervangbare persoonlijkheden, zoals hij zich Mendel Horovitz, de Ivoren Toren of zijn broer Mátyás voorstelde, elk met hun eigen verlangens en angsten, allemaal met een moeder, een vader, een geboorteplaats, een bed, een eerste liefde, een baaierd aan herinneringen en geheimen, een huid, een hart, een eindeloos gecompliceerd brein... en dan moest je je voorstellen dat ze allemaal dood waren, voorgoed verdwenen. Hoe kon een mens zoiets bevatten? Van zulke gedachten kon je krankzinnig worden. En hij, Andras, hij leefde nog en er waren mensen van hem afhankelijk, hij kon zich niet veroorloven gek te worden, dus dwong hij zich om er niet over na te denken.

Hij stortte zich daarom helemaal in het werk dat elke dag gedaan moest worden. Het kleine appartement, dat al overvol was geweest toen de mannen nog in de Munkaszolgálat zaten, was veel te klein nu ze weer thuis waren. Tibor en Ilana huurden een flat in het gebouw naast het hunne. József trok bij zijn ouders in, die in datzelfde gebouw ook een appartementje hadden gehuurd. Polaner bleef bij Andras en Klara en deelde een kamer met Tamás. Voor al die huizen moest huur worden betaald. Andras ging weer als illustrator en opmaker werken, niet meer bij het *Hongaars-Joods Dagblad*, maar bij de *Avondpost*, de vroegere werkgever van Mendel, waar de nieuwe mobilisatie grote gaten in de gelederen van de tekenaars had geslagen. Hij wist zijn hoofdredacteur over te halen Polaner ook aan te nemen nadat hij had uitgelegd dat die altijd het echte talent achter hun samenwerking bij de architectenopleiding was geweest. Tibor vond een betrekking als operatieassistent in een militair hospitaal waar nog steeds gewonden van Voronezj werden behandeld. József, die nog nooit iets voor zijn brood had hoeven doen, zette een advertentie in de *Avondpost* en werd huisschilder, wat goedbetaald werk bleek te zijn. En Klara gaf particuliere balletlessen in de studio aan de Király utca. Weinig ouders konden zich tegenwoordig het lesgeld permitteren, maar ze liet hen naar draagkracht betalen. Zo verdienden ze samen de kost voor elf mensen.

In juli, toen de legers van Eisenhower Rome bombardeerden, stond Boedapest nog steeds in zijn ongelooflijke zomerse pracht aan de oever van de Donau en leken de schitterende oude paleizen en hotels onverwoestbaar. De Sovjetbombardementen in september vorig jaar hadden de krullerige, vergulde bouwsels niet geraakt, de geallieerden waren dat voorjaar niet komen opdagen en de vliegtuigen van het Rode Leger waren niet teruggekomen. Nu openden de dahlia's hun knoppen als gesloten vuisten in het Városliget waar Andras, Tibor, József en Polaner die zondagmiddag al wandelend speculeerden hoe lang het nog zou duren voordat Duitsland capituleerde en de oorlog eindelijk afgelopen zou zijn. Mussolini was al gevallen en het fascisme in Italië was op sterven na dood. Aan het oostfront werd Duitsland met steeds meer en steeds ergere problemen geconfronteerd: de aanval op het Sovjetfort bij Koersk was op een ramp uitgelopen en de verliezen bij Orel en Kharkov hadden niet lang op zich laten wachten. Zelfs Tibor, die nog maar een jaar geleden had gewaarschuwd voor onverantwoord optimisme, sprak de hoop uit dat de oorlog misschien afgelopen zou zijn voordat hij, Andras of József weer voor de Munkaszolgálat werd opgeroepen en dat de Hongaarse krijgsgevangenen binnenkort terug zouden komen.

De Hongaarse joden hadden geluk gehad, wist Andras. In de Munkaszolgálat waren er weliswaar duizenden omgekomen, maar geen anderhalf miljoen. De rest van de joodse bevolking had de oorlog ongeschonden doorstaan. Tienduizenden waren hun baan kwijt en bijna iedereen had moeite om aan de kost te komen, maar als jood kon je tenminste een bedrijf of een appartement bezitten en naar de synagoge gaan om voor de doden te bidden. Meer dan anderhalf jaar lang was premier Kállay erin geslaagd Hitlers eisen omtrent strengere maatregelen tegen de joden van Hongarije te ontwijken; zijn regering vervolgde nu zelfs de misdrijven die eerder in de oorlog waren gepleegd. Hij had een onderzoek naar de massamoorden in de Délvidék ingesteld en had gezworen dat de schuldigen streng zouden worden bestraft, zoals ze verdienden. En voordat generaal Vilmos Nagybaczoni Nagy aftrad als minister van Defensie had hij de officieren die een hoofdrol speelden bij de zwarte markt in legergoederen in staat van beschuldiging gesteld.

Maar Andras was sceptisch geworden, niet alleen door de wijze lessen van Tibor, maar ook door de gebeurtenissen van het afgelopen jaar; ondanks de hoopvolle berichten kon hij zijn onheilspellende voorgevoel niet afschudden. En er gebeurde van alles wat zijn scepsis versterkte. In de krantenberichten over de zwartemarktprocessen werd steeds meer duidelijk dat de verdachte officieren, áls ze al werden veroordeeld, een heel lichte straf zouden krijgen. En Hitler, wiens Wehrmacht die zomer zo kwetsbaar had geleken, had de geallieerden ten zuiden van Rome tegengehouden en de Duitse zuidgrens beveiligd. In Rusland rukten zijn troepen nog steeds op tegen het Rode Leger, alsof een totale nederlaag ondenkbaar was.

En over Mátyás hadden ze nog steeds niets gehoord; hij was nu tweeëntwintig maanden vermist. Hoe kon iemand nog geloven dat hij in leven was? Maar Tibor bleef het hardnekkig geloven, en hun vader wilde er weliswaar niets over zeggen, maar Andras wist dat hij het ook geloofde. Zolang iemand er nog in geloofde, konden ze zich geen van allen overgeven aan de schrale troost van de rouw.

De laatste onrechtvaardigheid van dat jaar gold de familie Hász en de afpersingspraktijken waardoor het familievermogen tot bijna niets was gereduceerd. Toen György's maandelijkse betalingen tot een paar honderd pengö waren geslonken, besloten de afpersers dat de opbrengst het risico niet meer waard was. De regering-Kállay leek vastbesloten de overheid in al haar geledingen van corruptie te zuiveren en er waren al zeventien functionarissen van het ministerie van Justitie in staat van beschuldiging gesteld vanwege financiële malversaties, dus degenen die György afpersten vreesden dat zij als volgenden aan de beurt zouden zijn. Op 25 oktober riepen ze György op voor een middernachtelijke bespreking in de kelders van het ministerie van Justitie. Die nacht waakten Andras en Klara samen met Klara's moeder, Elza en József in de kleine, donkere voorkamer van het appartement van de familie Hász. József rookte een heel pakje Mirjam-sigaretten op en Elza zat met een mand verstelgoed naast zich om de tot voor kort onbekende sporen van de armoede op hun kleren uit te wissen. De oude mevrouw Hász las gedichten van Radnóti voor, de jonge joodse dichter die Tibor zo bewonderde en over wiens lot in de Munkaszolgálat niets bekend was. Klara zat met haar handen tussen haar knieën naast Andras, alsof zijzelf werd berecht. Als haar broer iets overkwam, zou ze zichzelf daarvoor verantwoordelijk houden, wist Andras.

Om kwart voor drie hoorden ze de sleutel in het slot. Daar was György, ademloos en onder het roet, maar ongedeerd. Hij trok zijn jasje uit, hing het over de leuning van de bank, streek zijn lichte goudkleurige das glad en haalde een hand door zijn met zilvergrijs doorschoten haar. Hij ging in een stoel zitten en dronk het glas pruimenbrandewijn leeg dat zijn vrouw hem aanbood. Toen zette hij het lege glas op het lage tafeltje en keek Klara aan, die naast hem zat.

'Het is afgelopen,' zei hij, en hij legde zijn hand op de hare. 'Je kunt weer ademhalen.'

'Wat is afgelopen?' vroeg hun moeder. 'Wat is er gebeurd?'

Alle documenten waren vernietigd, deelde hij mee. De afpersers waren met György naar zijn kantoor gegaan, waar hij alle bewijsstukken van de ongeoorloofde betrekkingen met de familie Hász moest verzamelen – alle brieven, telegrammen en betalingsbewijzen, alle verkooppapieren en bankstortingen – en in de vuilverbrandingsinstallatie van het gebouw gooien, zodat de familie Hász nooit meer een proces tegen het ministerie kon aanspannen. Als tegenprestatie kreeg hij nieuwe papieren voor Klara waarin het staatsburgerschap dat ze als jong meisje was kwijtgeraakt weer werd hersteld. Toen gooiden ze de map met alle bewijzen van Klara's zogenaamde misdrijf – de foto's van de plaats van de moord en de slachtoffers, de verklaring van de verkrachter waarin Klara's identiteit werd onthuld, de verklaringen waarin Klara in verband werd gebracht met de zionistische organisatie Gesher Zahav, de politierapporten over Klara's verdwijning en de verklaring van Edith Novak over Klara's terugkeer naar Hongarije – ook in de verbrandingsoven.

'Heb je echt zelf gezien dat ze dat allemaal verbrandden?' vroeg Klara. 'Het dossier, de foto's, alles?'

'Ja, alles,' zei György.

'Hoe weet je dat ze geen kopieën hebben?' vroeg József. 'Hoe weet je dat ze geen andere documenten meer hebben?'

'Dat zou natuurlijk kunnen, maar het lijkt me niet waarschijnlijk. Vergeet niet dat alles wat ze zouden hebben achtergehouden, vooral bewijs tegen henzelf zou zijn. Daarom wilden ze die papieren ook zo graag vernietigd zien.'

'Maar alle bewijzen waren altijd al tegen hen!' zei József. Hij stond op. 'Dat heeft ze vroeger nooit dwarsgezeten.'

'Ze waren echt bang,' zei Hász. 'Ze hadden ze niet goed verstopt. En de regering staat niet aan hun kant. Ze hebben al zeventien collega's ontslagen zien worden, er zitten er een paar in de gevangenis of in een werkkamp, en dat allemaal voor minder erge vergrijpen dan het onrecht dat ze ons hebben aangedaan.'

'En jij hebt alles vernietigd?' vroeg József. 'Echt alles? Heb je niet één kopie achtergehouden? Niets waar we later iets mee kunnen beginnen?'

György keek zijn zoon lang en indringend aan. 'Ze hielden een pistool tegen mijn hoofd terwijl ik de dossiermappen leeghaalde,' zei hij. 'Ik had graag kunnen zeggen dat ik nog ergens een duplicaat had, maar het was al gevaarlijk genoeg om déze papieren te bewaren. Hoe dan ook, het is voorbij. Ze kunnen de zaak tegen Klara niet heropenen. Ik heb de papieren zelf zien branden.'

József stond naast de stoel van zijn vader, met gebalde vuisten. Hij leek op het punt te staan zijn vader bij zijn schouders te pakken en hem door elkaar te schudden. Zijn blik schoot naar zijn grootmoeder, naar zijn moeder; toen keek hij naar Andras. Tussen hen lag een geschiedenis die zo verschrikkelijk was dat de frustratie van het ogenblik in een heel ander daglicht kwam te staan – als zij elkaar aankeken, werden ze eraan herinnerd wat het betekende op het nippertje van de dood te worden gered. Hij ging weer zitten en richtte zich tot zijn vader.

'Goddank is het voorbij,' zei hij. 'En goddank hebben ze je niet vermoord.'

Die nacht in hun slaapkamer lagen Andras en Klara wakker in het donker, zij in zijn armen. Hoe vaak had hij zich de afgelopen vier jaar niet voorgesteld dat ze gearresteerd, mishandeld en gevangengezet zou worden en dat hij niets voor haar kon doen? Hij kon haast niet geloven dat die altijd aanwezige dreiging nu verdwenen was. Klara zelf lag zwijgend en met droge ogen tegen hem aan; hij wist hoe ze gebukt ging onder de prijs van haar vrijheid. Haar terugkeer naar Hongarije, een risico dat ze voor hem had genomen, had haar familie geruïneerd. Ze was nu vrij, maar haar vrijheid zou nooit zo ver gaan dat ze openlijk om gerechtigheid kon vragen of teruggave van het familiebezit kon eisen. Haar zwijgen was niet tegen hem gericht, dat begreep hij wel, maar toch lag die stilte tussen hen. Was hij ooit zo intiem met haar geweest als getrouwde mensen eigenlijk hoorden te zijn? Dat vroeg hij zich af. Van de achtenveertig maanden dat ze getrouwd waren, had hij er maar twaalf thuis doorgebracht. Om die gedwongen scheiding te overleven, hadden ze een zekere afstand van elkaar moeten nemen. Elke keer dat hij thuis was, ook nu, was er de angst dat hij weer zou worden opgeroepen; die was er altijd, al deden ze nog zo hun best die te negeren. Wat er in de rest van Europa gebeurde, wat ook hen zou kunnen treffen, was een schaduw als van donkere vleugels, die over alle intimiteit heen viel.

Maar nu lagen ze samen in hun bed, althans voorlopig buiten gevaar. Ze leefden nog en hij hield van haar. Het was waanzin om haar nu op afstand te houden. Dat was wel het laatste wat hij wilde. Hij raakte haar blote schouder aan, en toen haar gezicht, hij streek een donkere lok van haar voorhoofd en zij kroop dichter tegen hem aan. Ze moesten aan Polaner denken, die aan de andere kant van de muur sliep – aan zijn verlies en zijn eenzaamheid – dus ze beminden elkaar zo geluidloos mogelijk, hoe veel moeite dat ook kostte. Ze hadden geen voorzorgsmaatregelen tegen een nieuwe zwangerschap genomen, al wilden ze er geen van beiden aan denken wat het zou betekenen als zij in verwachting zou zijn en de Russen vielen Hongarije binnen. Terwijl ze langzaam wegdommelden, beschreef hij fluisterend het huisje dat hij na de oorlog aan de Donau zou bouwen, het huis dat hij voor zich had gezien toen hij voor het eerst in Angyaföld was, een wit gestuukt huis met een pannendak, een tuin die groot genoeg was voor een paar melkgeiten, een broodoven, een lommerrijke patio, een pergola met druivenranken. Klara viel eindelijk in slaap, maar Andras lag klaarwakker naast haar en kon nog steeds geen rust vinden. Weer bouwde hij een denkbeeldig huis, dacht hij, een in een lange rij van denkbeeldige huizen die hij al had gebouwd sinds ze samen waren. In gedachten bladerde hij door de hoge stapel imaginaire blauwdrukken van een leven dat ze nog niet hadden geleefd en misschien wel nooit zouden leven.

Als het mooi weer was, zorgden Andras en Klara ervoor dat ze op zaterdag een paar uur alleen op het Margaretha-eiland konden gaan wandelen terwijl Polaner in het park met Tamás speelde. Tijdens die wandelingen praatten ze over de dingen die Andras in zijn korte, gecensureerde brieven uit de Oekraïne niet had kunnen schrijven: de redenen voor hun deportatie en de rol die *Het Kromme Spoor* daar wellicht bij had gespeeld, de omstandigheden van Mendels dood, de lange strijd met József die daarop gevolgd was en de vreemde gebeurtenissen op de terugtocht. Wat het eerste betrof was Andras vooral bang dat Klara zou vinden dat hij verantwoordelijk was voor alles wat er was gebeurd, dat het zijn schuld was dat de familie niet had kunnen ontsnappen. Ze had hem tenslotte gewaarschuwd en dat was hij nooit vergeten. Maar ze verzekerde hem uitdrukkelijk dat niemand hem ergens voor verantwoordelijk hield. Zulke gedachten waren een symptoom van het verlies van perspectief door de Munkaszolgálat en de oorlog. De reis naar Palestina had gemakkelijk op een ramp kunnen uitlopen. Misschien was zijn deportatie zelfs wel hun redding geweest. Nu hij terug was, kon ze dankbaar zijn dat de ongewisse reis hun bespaard was gebleven. Wat het tweede betrof was ze diep bedroefd, en Andras werd er weer aan herinnerd dat ook zij indirect bij de dood van hun beste vriend en bondgenoot aanwezig was geweest en op haar manier getuige was geweest van de zinloze moord op iemand die haar al sinds haar prilste jeugd dierbaar was. En over het derde kon ze alleen zeggen dat ze begreep hoeveel moeite het Andras moest hebben gekost om József niet iets verschrikkelijks aan te doen. Maar József was ingrijpend veranderd sinds zijn tijd met Andras in de Oekraïne, vond ze. Hij leek een ander mens, misschien was hij wel eindelijk volwassen geworden.

Om redenen die Andras moeilijk onder woorden kon brengen, was de dood van Zoltán Novak het moeilijkste onderwerp. Pas na maanden kon hij Klara tijdens een zaterdagse wandeling vertellen dat hij Novak in zijn laatste dagen had bijgestaan en dat hij hem persoonlijk had begraven. Ze had al voor Andras' terugkeer in de krant gelezen dat Novak dood was en ze had om hem gerouwd, maar toen ze dit hoorde, moest ze opnieuw huilen. Ze vroeg of Andras haar alles wilde vertellen: hoe hij Novak gevonden had, wat ze tegen elkaar hadden gezegd, hoe hij gestorven was. Toen hij uitgesproken was – hij had alles zo voorzichtig mogelijk geformuleerd en veel pijnlijke details weggelaten – moest Klara hem ook iets bekennen: zij en Novak hadden wel een stuk of tien brieven gewisseld in de lange maanden dat hij weg was.

Ze waren bij de ruïne van een franciscaner kerkje halverwege de oostelijke kant van het eiland blijven staan: stenen die eruitzagen alsof ze uit de aarde waren opgerezen, een roosvenster zonder glas, gotische ramen zonder puntboog. Het was december, maar ongewoon zacht voor de tijd van het jaar; in de schaduw van de ruïne stond een bankje waar een man en een vrouw te biecht konden gaan, ook al waren ze joods en al hadden ze geen biechtvader, afgezien van elkaar.

'Hoe verstuurde hij die brieven?' vroeg Andras.

'Hij gaf ze mee aan officieren die op verlof gingen.'

'En jij schreef terug.'

Ze vouwde haar natte zakdoek op en keek naar het lege roosvenster. 'Hij was zo alleen, hij had niemand meer. Zelfs zijn zoontje was toen al dood.'

'Jouw brieven zullen wel een troost voor hem zijn geweest,' zei Andras met enige moeite. Hij volgde haar blik naar de ruïne. In een van de blaadjes van het roosvenster had een vogel zijn nest gebouwd; dat nest was inmiddels allang verlaten en de droge grassprietjes die eruit staken, fladderden in de wind.

'Ik heb geprobeerd hem geen valse hoop te geven,' zei Klara. 'Hij kende de beperktheid van mijn gevoelens voor hem.'

Andras moest haar wel geloven. De man die hij in die schuur in de Oekraïne had gezien, had niet de illusie dat er ergens iemand was die een geheime liefde voor hem koesterde. Degene die hij daar had gezien, was alles kwijtgeraakt wat belangrijk was, had moeten aanzien dat alles wat hij op aarde tot stand had gebracht teniet was gedaan. 'Ik misgun hem jouw brieven niet,' zei Andras. 'Ik kan je niets kwalijk nemen wat je hem misschien geschreven hebt. Hij is altijd goed voor je geweest. Voor ons allebei.'

Klara legde een hand op Andras' knie. 'Hij heeft nooit spijt gehad van iets wat hij voor jou heeft gedaan,' zei ze. 'Hij schreef dat hij je in het Operaház nog gesproken had. Hij schreef dat je veel aardiger tegen hem was dan hij had verwacht. Als ik dan toch met iemand moest trouwen, dan was hij blij dat jij die iemand was, schreef hij.'

Andras legde zijn hand op de hare en keek weer naar het rillende vogelnest in het roosvenster. Hij had tekeningen van die kerk gezien toen die nog overeind stond: de gotische lijnen waren sierlijk, maar niet opmerkelijk, niet mooier dan die van duizenden andere gotische kapelletjes. Pas als ruïne had het gebouw iets bijzonders gekregen. Het prachtige metselwerk van de achtermuur was blootgelegd, de voorste muur was verweerd tot een soort brokkelige trap en de randen van de stenen waren tot een fluweelzachte rondheid afgesleten. Het roosvenster was fraaier zonder glas; het skelet was door de wind schoon geschuurd en door de zon gebleekt. Het nest met de losse sprieten was een toevallige, maar bijzonder gelukkige toevoeging: het was niet door mensenhanden aangebracht en kon ook niet door mensenhanden worden verwijderd. Daarin had die verbrokkelde kapel veel gemeen met de liefde, dacht hij – juist door de tand des tijds had hij aan betekenis gewonnen en daardoor werd hij geperfectioneerd.

De melancholiekste momenten van dat jaar waren de uren die hij alleen met Tibor doorbracht. Waar ze ook liepen en wat ze ook deden – of ze nu aan hun gebruikelijke tafeltje in het kunstenaars- café zaten, over de paden van het Városliget wandelden of op de Széchenyibrug naar het kolkende water keken – altijd als ze sa- men waren, werd Andras zich er schrijnend van bewust dat ze waren overgeleverd aan krachten waar ze geen enkele invloed op hadden. De Donau, die ooit de magische weg had geleken waar- over ze uit Hongarije konden ontsnappen, was weer een gewone rivier geworden, Klein zat in de gevangenis, hun visum was verlo- pen en de Trasnet was alleen nog maar de herinnering aan een naam. Vroeger had de wil van Tibor Andras een onoverwinnelijke kracht geleken. Zijn broer had een haast bovennatuurlijk talent om het onmogelijke mogelijk te maken. Maar hun ontsnapping was niet doorgegaan, en nu hadden ze geen geheim plan meer waarmee ze hun angsten het hoofd konden bieden. Tibor was ver- anderd; hij had drie jaar in de Munkaszolgálat gezeten en had daar net als Andras harde lessen geleerd. Sinds zijn terugkeer van het oostfront leek hij een zware last te dragen – het gewicht van tientallen mensen, dood en levend, alle zieken en gewonden die hij in de werkkampen en in het ziekenhuis in Boedapest te verzorgen had gekregen. Zijn verhalen eindigden vaak met de woorden 'we konden hem niet meer redden'. Hij vertelde gedetailleerd over bloedingen die niet te stelpen waren, aanvallen van dysenterie die de mensen haast binnenstebuiten keerden en longontstekingen waarbij ribben braken, zodat de slachtoffers stikten.

En het werden er steeds meer, zelfs in Boedapest, ver van de frontlinie. Op een avond kwam Tibor naar de krant om te vragen of Andras iets eerder weg kon; er was een patiënt van Tibor, een jonge man, een paar uur geleden op de operatietafel doodgegaan en Tibor had een borrel nodig. Andras nam zijn broer mee naar een bar waar ze altijd graag kwamen, de Trambel, een pijpenla met amberkleurig licht. Daar vertelde Tibor bij een glas Aquin- cumbier het hele verhaal: de jongen was maanden geleden in de slag bij Voronezj gewond geraakt, er zaten granaatscherven in zijn beide longen en hij kon niet goed meer ademhalen. Bij de gevaar- lijke operatie om de scherven te verwijderen werd de longslagader geraakt, en zo was de jongen doodgebloed. Tibor zat in de wacht- kamer toen de chirurg, de getalenteerde, alom gerespecteerde Keresztes, het aan de ouders kwam vertellen. Tibor had gejammer verwacht, luid geweeklaag, totale instorting, maar de moeder was opgestaan en had bedaard uitgelegd dat haar zoon onmogelijk dood kon zijn. Ze liet Keresztes de trui zien die ze zojuist voor de jongen had gebreid van wol die was ondergedompeld in de bron van Szentgotthárd waar het gezicht van de Heilige Maagd drie keer was verschenen. Ze had net de laatste steek afgehecht toen de chirurg binnenkwam. Ze moest die trui over haar zoon heen leggen. Hij was niet dood, hij was alleen in een diepe slaap onder de hoede van de Heilige Maagd. Toen Keresztes begon uit te leggen waaraan de jongen was gestorven en uiteenzette dat het onmogelijk meer in orde kon komen, dreigde de vader dat hij de chirurg met zijn eigen scalpel de strot zou afsnijden als de moeder niet mocht doen wat ze wilde. De chirurg had maar toegegeven om van het gedoe af te zijn, hij was met de ouders naar de uitslaapkamer gelopen waar hun zoon lag en had hen daar onder Tibors hoede achtergelaten. De moeder had de trui over het dikke verband op de borst van de jongen gelegd en was de rozenkrans gaan bidden. Maar de Heilige Maagd wekte haar zoon niet tot leven. Hij bleef roerloos liggen, en tegen de tijd dat ze aan het eind van haar bidsnoer was, leek de waarheid tot haar door te dringen. Haar jongen was dood, hij was in Boedapest gestorven nadat hij de slag bij Voronezj had overleefd en niets of niemand kon hem weer terugbrengen. Toen er een verpleegster binnenkwam om het lichaam weg te halen zodat de volgende patiënt hier na zijn operatie kon bijkomen, vroeg Tibor of de ouders niet bij hun zoon mochten blijven zolang ze wilden. Maar de verpleegster stond erop dat de kamer werd vrijgemaakt, want de nieuwe patiënt kwam over een kwartier uit de operatiekamer. De ouders begrepen dat ze geen keus hadden en schuifelden naar de deur. Op de drempel gaf de moeder de trui aan Tibor. Hij moest hem maar nemen, zei ze, want haar zoon had er niets meer aan.

Tibor maakte zijn leren tas open en haalde de trui eruit, een trui van grijs breigaren in kleine, regelmatige steekjes. Hij legde hem op zijn knieën en streek hem glad. 'En weet je wat het ergste was?' zei hij. 'Toen Keresztes dat kamertje uit liep, keek hij me even aan en sloeg hij zijn ogen ten hemel. *Wat een idioten, die godsdienstfanatici.* En ik weet zeker dat die moeder dat gezien heeft.' Hij legde zijn kin op zijn hand en keek Andras aan met een uitdrukking waar zo veel pijn in lag dat het Andras' keel dichtkneep. 'Het allerergste was nog wel dat ik op dat moment met Keresztes meevoelde. Ik had woedend op hem moeten zijn dat hij op zo'n moment zo'n gezicht tegen me trok, maar ik dacht alleen: grote god, hoe lang gaat dit duren? Hoe krijgen we die mensen hier weg?'

Andras kon alleen maar begrijpend knikken. Hij wist wel dat Tibor geen bevestiging nodig had dat hij een goed mens was, dat hij ook wel wist dat zijn sympathie onder andere omstandigheden bij de ouders zou hebben gelegen in plaats van bij de uitgeputte chirurg – hij en zijn broer begrepen elkaars gedachten, elkaars innerlijk leven ook zonder woorden. Het was genoeg dat hij het verhaal aanhoorde. Ze dronken zwijgend van hun bier. Eindelijk zei Tibor weer iets.

'Op weg naar buiten kreeg ik trouwens goed nieuws. Een van de verpleegsters had het op de radio gehoord. De generaals van het bloedbad in de Délvidék, Feketehalmy-Czeydner en de anderen, gaan maandag de gevangenis in. Feketehalmy-Czeydner heeft vijftien jaar gekregen en de anderen niet veel minder, geloof ik. Van mij mogen ze daar wegrotten.'

Andras kon het niet over zijn hart verkrijgen zijn broer het vervolg van dat verhaal te vertellen, dat hij net had gehoord toen Tibor hem kwam halen: Feketehalmy-Czeydner en de drie andere veroordeelde officieren waren nog diezelfde dag naar Wenen gevlucht, waar ze in een beroemd bierlokaal met zes officieren van de Gestapo aan tafel waren gesignaleerd. De Weense correspondent van de *Avondpost* had van dichtbij gezien dat ze kalfsworstjes met paprika aten en op de gezondheid van de Opperbevelhebber van het Reich dronken. Er werd beweerd dat de Führer zelf de officieren politiek asiel had aangeboden. Maar dat zou Tibor al snel genoeg in de krant lezen. Gun hem nog maar even rust, als je het tenminste zo kunt noemen, dacht hij.

'Dat ze maar lang mogen rotten,' zei hij, en hij hief zijn glas.

38

Bezetting

In maart 1944, niet lang nadat Klara had ontdckt dat ze weer zwanger was, meldden de kranten dat Horthy op Schloss Klessheim was ontboden voor een bespreking met Hitler. De nieuwe minister van Defensie, Lajos Csatay, die Vilmos Nagy was opgevolgd, ging mee, net als Ferenc Szombathelyi, de chef van de Generale Staf. Premier Kállay verklaarde in de krant dat de Hongaarse natie reden had om optimistisch gestemd te zijn: Hitler wilde het over de terugtrekking van de Hongaarse troepen van het oostfront hebben. Tibor opperde dat dit misschien betekende dat Mátyás nu eindelijk naar huis kwam.

Op de avond van de Klessheimconferentie zaten Andras en József in The Pineapple Club, het clandestiene cabaret in de buurt van het Vörösmarty tér waar Mátyás ooit op de witte vleugel had gedanst. Die vleugel stond er nog steeds; hij werd nu bcspccld door Berta Türk, een revueartieste van de oude stempel met een wild kapsel dat aan een Beardley-versie van Medusa deed denken. József had kaartjes voor de voorstelling gekregen bij wijze van betaling voor een schilderklus. Berta Türk was zijn tieneridool geweest en hij kon de verleiding niet weerstaan haar te gaan zien; hij stond erop dat Andras meeging. Hij had Andras een zijden smokingjasje geleend en droeg zelf een smoking die hij vijf jaar geleden in Parijs had gekocht. Voor madame Türk had hij een bos rode kasrozen gekocht die hem een half weekloon moest hebben gekost. Ze zaten vlak bij het podium en dronken het speciale drankje van de club, een rumcocktail met kokos die in hoge glazen werd geserveerd. Berta zong haar geestige dubbelzinnigheden met een rauw-zoete stem en liet haar wenkbrauwen op en neer gaan als een gangsterliefje in een tekenfilm. Andras vond het grappig dat József als adolescent dit wonderlijke object voor zijn jeugdige adoratie had uitverkoren in plaats van een of andere kille, stemloze ster van het witte doek. Maar Berta's grapjes deden hem weinig;

hij dacht aan Mátyás en voelde zijn aanwezigheid overal in de zaal – hij tapdanste een jazzy ritme bij de bar, hij hing tegen de vleugel aan of hij liet de vonken van het podium spatten in de stijl van Fred Astaire. In de pauze ging hij naar buiten voor wat frisse lucht. De nacht was koel en vochtig en de straten waren vol mensen die op zoek waren naar een verzetje. Een trio geparfumeerde jongedames liep vlak voor hem langs met klikkende hakken en zwierende avondmantels; uit de jazzclub aan de overkant woeien de klanken van 'Bei mir bist du schön' tussen de fluwelen gordijnen bij de ingang door. Andras keek omhoog naar de versierde dakrand van het gebouw en naar de lucht met de eivormige maan en de wolkenflarden die onleesbare regels tekst over het lichtende oppervlak trokken. De maan leek zo dichtbij dat hij hem bijna kon pakken.

'Hebt u een vuurtje?' vroeg een man.

Andras knipperde de maan weg en schudde zijn hoofd. De man, een donkerharige jonge soldaat in het uniform van het Hongaarse leger, vroeg een voorbijganger om een lucifer en stak daarmee de sigaretten van zijn kameraad en hemzelf aan.

'Het is echt waar,' zei de kameraad. 'Als Markus zegt dat er een bezetting komt, dan komt er een bezetting.'

'Je neef is een fascist. Hij zou niets liever willen dan een Duitse bezetting. Maar hij weet niet waar hij het over heeft. Horthy en Hitler zijn op dit eigenste moment aan het onderhandelen.'

'Precies! Het is een afleidingsmanoeuvre.'

En zo had iedereen wel een theorie. Alle mannen die levend van het oostfront waren teruggekeerd, dachten dat ze wisten hoe de oorlog zich verder zou ontwikkelen, zowel op grote als op kleine schaal. Alle theorieën leken even plausibel of onwaarschijnlijk als de rest en alle amateurstrategen waren er heilig van overtuigd dat alleen zij orde in de chaos van de oorlog zouden kunnen scheppen. Andras, Tibor, József en Polaner maakten zich er ook schuldig aan. Ze hadden allemaal hun eigen theorieën en ze geloofden allemaal dat de anderen er niets van begrepen. Andras vroeg zich af hoe lang ze nog door konden gaan met het bedenken van rationele argumenten terwijl de oorlog inmiddels niets rationeels meer had. Hoe lang zou het duren voordat ze allemaal stilvielen? Misschien waren de Duitsers op dit moment wel bezig Hongarije te bezetten – alles was mogelijk, alles. Misschien sprong Mátyás op dit eigenste ogenblik wel uit een goederenwagon op station Keleti, nam hij zijn plunjezak op zijn schouder en zette hij koers naar de Nefelejcs utca.

Door een nevel van rum met kokossmaak slenterde Andras weer naar binnen, naar hun tafeltje bij het podium, waar József inmiddels de aandacht van madame Türk had weten te trekken en haar complimenteerde. Ze nam afscheid, want ze had een dringend bericht gekregen en moest onmiddellijk vertrekken. Ze liet toe dat József haar een handkus gaf, stak een van zijn rozen achter haar oor en zwierde weg over het podium.

'Wat was dat voor bericht?' vroeg Andras toen ze weg was.

'Geen flauw idee,' zei József, nog helemaal verzaligd van de ontmoeting. Hij stond erop nog een glas te bestellen voordat ze vertrokken en stelde voor een taxi te nemen. Maar toen Andras hem voorrekende wat ze die avond al hadden uitgegeven, gaf József toe dat ze beter naar de halte aan de Vámház körút konden lopen. Daar stond al een luidruchtig gezelschap op de tram te wachten.

Inmiddels leek iedereen dezelfde geruchten te hebben vernomen: er was een troepentransport van de ss, vijfhonderd tot duizend man, op een station in de buurt van de hoofdstad aangekomen; ze marcheerden naar het oosten en zouden al snel bij de stadsgrenzen zijn. Gemotoriseerde Duitse pantserdivisies zouden van alle kanten oprukken naar de Hongaarse grens en de vliegvelden van Ferihegy en Debrecen waren al bezet. Toen de tram kwam, deelde de kaartjesverkoopster luidkeels mee dat ze de eerste Duitse soldaat die het in zijn hoofd haalde in háár tram te stappen, in zijn gezicht zou spugen en zou zeggen dat hij naar de hel kon lopen. Er steeg een gejuich op. Iemand hief 'Isten, áldd meg a Magyart' aan, iedereen viel in, en zo reden ze onder het zingen van het Hongaarse volkslied door de Vámház körút.

Andras en József hoorden het zwijgend aan. Als de geruchten waar waren, als er inderdaad een Duitse bezetting op til was, zou de regering-Kállay de volgende dag niet meer bestaan; Andras kon zich moeiteloos voorstellen wat voor regime ervoor in de plaats zou komen. Hij en de rest van de wereld zagen nu al zes jaar wat de effecten van een Duitse bezetting waren. Maar waarom zouden ze het land nú bezetten? Duitsland had de oorlog al zo goed als verloren. Dat wist iedereen. Hitlers legers werden op alle fronten in de pan gehakt. Waar moest hij de troepen voor zo'n bezetting vandaan halen? Het Hongaarse leger zou zich niet zomaar onder Duits bevel schikken. Er kwam misschien gewapend verzet, het patriottisme zou weer oplaaien. De generaals van de Honvédség zouden zich niet zonder slag of stoot overgeven nu Hitler aan het oostfront zo veel Hongaarse levens had weggegooid.

Ze kwamen bij hun halte en Andras en József stapten uit. Ze keken de straat af alsof ze naar een teken van de Wehrmacht speurden, maar het leek een doodgewone zaterdagavond. Er scheurden taxi's met feestvierders over de boulevard en op de trottoirs liepen mensen in avondkleding.

'Moeten we dit geloven?' vroeg Andras. 'Moet ik dit nu aan Klara vertellen?'

'Als het waar is, zal het leger zich verdedigen.'

'Ja, dat dacht ik ook. Maar dan nog, hoe lang houden ze dat vol?'

József pakte zijn sigarettenkoker en toen die leeg bleek, haalde hij een plat zilveren heupflesje uit zijn borstzak. Hij nam een lange teug en hield het Andras voor.

Andras schudde zijn hoofd. 'Ik heb al genoeg gedronken,' zei hij, en hij zette koers naar huis. Ze liepen over de Wesselényi utca naar de Nefelejcs utca, sloegen de hoek om, zeiden elkaar bij de voordeur somber welterusten en spraken af elkaar de volgende ochtend weer te zien.

Boven, in het donkere appartement, was Tamás bij Klara in bed gekropen, met zijn rug tegen haar buik. Toen Andras erbij kroop, draaide Tamás zich om, priemde zijn achterwerkje in Andras' maag en legde zijn warme voetjes tegen Andras' dij. Klara zuchtte in haar slaap. Hij sloeg zijn arm om hen allebei heen en lag daarna nog uren klaarwakker naar hun ademhaling te luisteren.

De volgende ochtend om zeven uur werden ze wakker van gebonk op de deur: daar stond József, zonder jas of hoed en met bloed op zijn hemdsmouwen. Zijn vader was zojuist door de Gestapo gearresteerd. Direct daarna was Klara's moeder flauwgevallen en met haar hoofd op het haardrooster terechtgekomen. Elza was de instorting nabij. Andras moest meteen Tibor halen en Klara moest vast met József meegaan.

In de verwarring die daarop volgde hield Klara vol dat het onmogelijk de Gestapo kon zijn, dat József zich vergiste. Terwijl Andras zijn laarzen aantrok, moest hij haar vertellen dat het inderdaad de Gestapo kon zijn, want de vorige avond had hij overal in de stad geruchten over een Duitse bezetting gehoord. Toen rende hij naar het huis van Tibor en ging Klara met József mee naar de familie Hász. Een kwartier later stonden ze allemaal om het bed van de oude mevrouw Hász, die inmiddels weer was bijgekomen en vertelde wat er voor haar val was gebeurd. Om halfzeven waren er twee Gestapo-agenten gekomen die György in zijn nachtgoed uit zijn bed hadden gesleurd, in het Duits van alles tegen hem hadden geschreeuwd en hem toen in een gepantserde auto hadden meegenomen. Op dat moment had ze haar evenwicht verloren en was ze gevallen. Ze bracht een hand naar haar hoofd, waar een verbandgaasje de schaafwond van het haardrooster bedekte.

'Waarom György?' vroeg ze. 'Waarom zouden ze hem hebben meegenomen? Wat heeft hij gedaan?'

Niemand kon haar vragen beantwoorden. De volgende paar uur kwamen er berichten over nog meer arrestaties: een vroegere collega van György bij de bank, de joodse onderdirecteur van een beursmakelaarskantoor, een prominente linkse schrijver die niet joods was, maar wel een verbitterd anti-Duits pamflet had geschreven, drie van de naaste adviseurs van Miklós Kállay en een progressieve parlementariër, Endre Bajcsy-Zsilinszky, die de Gestapo met getrokken pistool had opgewacht en pas na een vuurgevecht, waarbij hij gewond raakte, kon worden weggesleept. Die avond waagde József het erop: hij ging informeren bij de gevangenis aan de Margrit körút waar politieke gevangenen werden vastgehouden, maar daar zeiden ze alleen dat zijn vader door de Duitsers in verzekerde bewaring was gesteld en pas zou worden vrijgelaten als was bewezen dat hij geen gevaar voor de bezetting vormde.

Dat was zondag. Maandag kregen alle joodse burgers van Boedapest bevel hun radio en telefoon in te leveren – 'vrijwillig' was het woord dat de nazi's gebruikten – bij het ministerie van Defensie aan het Szabadság tér. Woensdag kwam het decreet dat alle joden die een auto of fiets bezaten, die ten behoeve van de oorlog aan de regering moesten verkopen – 'verkopen' was het woord dat de nazi's gebruikten, al kwam er geen geld bij te pas; de nazi's gaven alleen bonnen, die al snel waardeloos bleken. Die vrijdag hingen er in de hele stad aanplakbiljetten waarop de joden werd meegedeeld dat ze vanaf 5 april een gele ster moesten dragen. Kort daarna ging het gerucht dat de vooraanstaande joden die gearresteerd waren, binnenkort naar werkkampen in Duitsland zouden worden gedeporteerd. Klara ging naar de bank om hun laatste spaartegoed op te nemen in de hoop dat ze iemand kon omkopen om György vrij te laten, maar ze kreeg maar duizend pengö mee, want alle joodse tegoeden waren bevroren. De volgende dag kwam van Duitse zijde het bevel dat alle joden hun juwelen en hun goud moesten inleveren. Klara, haar moeder en Elza gaven alleen een paar goedkope sieraden, verborgen hun trouwring en hun verlovingsring in een kussensloop onder in de meelbak en stopten de rest in fluwelen zakjes waar József mee naar de gevangenis aan de Margrit körút ging om de vrijlating van zijn vader af te smeken. De bewakers pakten hem de juwelen af, sloegen hem bont en blauw en smeten hem op straat.

Op 20 april raakte Tibor zijn baan in het ziekenhuis kwijt. Andras en Polaner werden bij de *Avondpost* ontslagen en kregen te horen dat ze bij geen enkele andere krant in Boedapest zouden worden aangenomen. József, die zwart werkte, bleef huizen schilderen, maar kreeg wel steeds minder klanten. In de eerste week van mei hingen er bordjes voor de ramen van winkels, restaurants, cafés, bioscopen en badhuizen waarop stond dat joden niet welkom waren. Toen Andras op een middag met Tamás terugkwam uit het park, bleef hij op de stoep tegenover hun buurtbakker abrupt stilstaan. In de etalage hing een bord dat bijna identiek was aan het bord dat hij zeven jaar daarvoor bij de bakker in Stuttgart had gezien. Maar dit bord was in het Hongaars, zijn eigen moedertaal, en in zijn eigen straat, de straat waar hij met zijn vrouw en zoontje woonde. Het duizelde hem en hij moest met Tamás op de stoeprand gaan zitten. Hij staarde naar de overkant, naar de verlichte etalage. Verder zag alles er normaal uit: het meisje met haar witte mutsje, de glanzende broden en taartjes in de vitrine, de naam van de bakkerij in gouden krulletters. Tamás wees en zei de naam van de koekjes die hij lekker vond, *mákos keksz.* Andras moest hem vertellen dat hij die dag geen mákos keksz kreeg. Er was zoveel verboden, en zo snel. Zelfs op straat lopen was al gevaarlijk. Er was een avondklok voor joden ingesteld; iedereen die na vijf uur nog buiten liep, kon worden gearresteerd of neergeschoten. Andras haalde het vestzakhorloge van zijn vader tevoorschijn, dat hem inmiddels zo vertrouwd was als zijn eigen lichaam. Tien voor vijf. Hij stond op, nam zijn zoontje op de arm en ging naar huis, waar Klara hem bij de deur opwachtte met zijn oproep in haar hand.

39

Vaarwel

Deze keer gingen ze samen, Andras, Józscf en Tibor; Polaner was vrijgesteld dankzij zijn valse papieren en zijn doktersattest. De dwangarbeidersbataljons waren opnieuw ingedeeld. Er waren driehonderdvijfenzcstig nieuwe compagnieën toegevoegd. Omdat Andras, József en Tibor in hetzelfde district woonden, waren ze allemaal bij de 55/10de compagnie ingedeeld. Het vertrek leek wel een begrafenis waarbij de doden, de drie jongemannen, massa's grafgiften meekregen naar de andere wereld. Zo veel eten als ze dragen konden. Warme kleren, Wollen dekens. Vitaminepillen en rollen verband. En in Tibors plunjezak zaten ook medicijnen die hij in het ziekenhuis achterover had gedrukt. Hij had de oproep al zien aankomen en voelde zich niet bezwaard toen hij ampullen met antibiotica en morfine, pakjes hechtdraad, steriele naalden, scharen en klemmen meenam; een pakket gereedschap waarvan hij hoopte dat hij het niet hoefde te gebruiken.

Klara was niet meegegaan naar het station. Andras had die ochtend thuis afscheid van haar genomen, in hun slaapkamer aan de Nefelejcs utca. De eerste negen weken van haar zwangerschap waren goed verlopen, maar in de tiende week kreeg ze een verschrikkelijke last van ochtendmisselijkheid, die al om drie uur begon en bijna tot de middag aanhield. Die ochtend had ze urenlang gebraakt; Andras was bij haar gebleven terwijl ze over de toiletpot gebogen stond te kokhalzen totdat de tranen over haar wangen stroomden. Ze smeekte hem naar bed te gaan om nog wat te slapen voor de zware reis, maar dat wilde hij niet, hij zou voor niets ter wereld van haar zijde zijn geweken. Om zes uur brak ze. Ze trilde van uitputting en huilde tot ze geen stem meer had. Het was ondraaglijk fluisterde ze, onmogelijk dat Andras de ene dag nog gezond en wel bij haar was en de volgende dag weer werd weggehaald, terug naar de hel waar hij dat voorjaar vandaan was gekomen. Teruggegeven en weer afgenomen. Teruggegeven en weer afgenomen. Terwijl haar al zo veel dierbaars was afgenomen. Hij kon zich niet heugen dat ze had gezegd dat ze bang was, dat ze haar troosteloosheid zo duidelijk had uitgesproken. Zelfs op de ergste momenten in Parijs had ze altijd iets achtergehouden; ze hield altijd iets voor hem verborgen, een essentieel deel van haar wezen dat ze moest bewaken om de ellende van haar jeugd, de eerste tijd van haar moederschap en haar eenzame jonge volwassenheid te kunnen doorstaan. En na hun huwelijk maakten hun omstandigheden ook een zekere terughoudendheid noodzakelijk. Maar nu, in de kwetsbaarheid van haar zwangerschap, nu Andras dadelijk weer wegging en Hongarije in handen van de nazi's was, had ze de kracht niet meer om haar reserve te verdedigen.

Ze huilde en huilde maar door, ontroostbaar en zonder erom te geven wie het hoorde; terwijl hij haar in zijn armen wiegde, kreeg hij het gevoel dat hij toekeek terwijl zij om hem rouwde – dat hij al dood was en haar verdriet moest aanzien. Hij streelde haar vochtige haar en zei telkens haar naam, daar op de vloer van de badkamer; hij had het vreemde gevoel dat ze nu eindelijk pas echt getrouwd waren, alsof alles wat daarvoor was gebeurd alleen de voorbereiding was voor deze diepere, pijnlijkere band. Hij kuste haar op haar slaap, haar jukbeen, het natte randje van haar oor. En toen huilde hij ook bij de gedachte dat hij haar alleen moest achterlaten in het vooruitzicht van alles wat er nog ging gebeuren.

Toen het licht begon te worden, vlak voordat hij zich moest aankleden, legde hij haar in bed en kroop naast haar. 'Ik ga niet,' zei hij. 'Ze zullen me bij je weg moeten sleuren.'

'Ik red het wel,' zei ze moeilijk. 'Mijn moeder is bij me. En Ilana en Elza. En Polaner.'

'Zeg tegen mijn zoon dat zijn vader van hem houdt,' zei Andras. 'Elke avond.' Hij pakte het vestzakhorloge van zijn vader van het nachtkastje en drukte het in Klara's hand. 'En geef hem dit, als de tijd gekomen is.'

'Nee,' zei ze, 'niet doen. Je moet het hem zelf geven.' En ze stopte het weer in zijn hand. En toen werd het ochtend, toen moest hij weg.

Weer de goederenwagons. Weer de duisternis en de volte. Daar was József, onvermijdelijk naast hem, en Tibor, zijn broer, met zijn geur die even vertrouwd was als hun kinderbed. Ditmaal gingen ze in de richting van Debrecen, alsof ze naar het verleden gingen. An-

dras wist precies wat er buiten te zien was: de heuvels die weg-
smolten tot platteland, de akkers, de boerderijen. Maar nu werden
de velden door dwangarbeiders bewerkt, áls ze al werden bewerkt,
want de boeren en hun zonen waren naar het front. De geduldige
paarden schrokken van de onbekende stemmen van de voerlieden.
De honden blaften tegen de vreemden en wenden nooit aan hun
geur. De vrouwen keken argwanend naar de arbeiders en hielden
hun dochters binnen. Maglód, Tápiogyörgy, Ujszász, die dorpen
van één straat waar op het station nog bloembakken met geraniums voor de ramen stonden – alle niet-joodse mannen die de
leeftijd hadden om te worden opgeroepen zaten in het leger en de
joodse mannen van dezelfde leeftijd zaten in werkkampen, en de
resterende joodse inwoners zouden weldra worden weggehaald.
Het bijeendrijven en de deportaties waren al begonnen – deportaties, terwijl Horthy had gezworen dat die niet zouden plaatsvinden. Döme Szótay was nu premier en hij deed wat de Duitsers zeiden. Concentreer de joden uit kleinere plaatsen in getto's in de
grotere steden. Tel ze zorgvuldig. Maak lijsten. Zeg tegen ze dat ze
nodig zijn voor een groot project in het oosten, houd ze de belofte
van herhuisvesting voor, van een beter leven elders. Zeg dat ze één
koffer moeten inpakken. Breng ze naar het spoorwegemplacement, duw ze in treinen. De treinen vertrokken dagelijks naar het
westen, kwamen leeg terug en werden weer gevuld; een onuit-
sprekelijke angst maakte zich meester van degenen die achterbleven en afwachtten. De enkeling die al in zo'n Duits kamp was geweest en dat had overleefd, zoals Polaner, wist dat er geen sprake
van herhuisvesting was. Die kende het werkelijke doel van die
kampen, die wist wat dat grote project inhield. Die vertelde zijn
verhaal en werd niet geloofd.

Voor Andras, Tibor en József nam het reisje naar Debrecen dat
normaal vier uur duurde, nu drie hele dagen in beslag. De trein
stopte in kleine plaatsjes; soms hoorden ze dat er nieuwe goederenwagons werden aangekoppeld en dat er nog meer dwangarbeiders in de ketel van de grote oorlogsmachine werden gestort. Geen
voedsel of water, behalve wat ze bij zich hadden. Alleen een ton
achter in de wagon om hun behoeften op te doen. Lang voordat ze
het station van Debrecen binnenreden, herkende Andras het patroon van de wissels waardoor hij wist waar ze waren. In het halfdonker ontmoette hij de blik van Tibor en hield die vast. Andras
wist dat hij aan hun ouders dacht, die al zo vaak een afscheid had-

den moeten doorstaan, al een zoon kwijt waren en nu hun beide overgebleven zoons weer naar het front zagen vertrekken. Twee weken daarvoor waren Béla en Flóra in een getto opgesloten waar toevallig ook hun huis aan de Simonffy utca onder viel. Geen mogelijkheid, geen tijd, om afscheid te nemen. Nu waren Andras en Tibor op het station van Debrecen, wat nog geen kwartier lopen daarvandaan zou zijn als ze uit de trein hadden gekund, als ze door de stad hadden kunnen lopen zonder neergeschoten te worden.

De trein bleef de hele nacht in Debrecen staan. Het was te donker om op het vestzakhorloge te kijken, om vast te stellen hoe laat het was, hoe lang het nog duurde voordat het weer licht werd. Ze konden er onmogelijk achter komen of ze die dag weer weggingen of nog langer in de stinkende duisternis moesten blijven wachten terwijl er nieuwe wagons werden aangekoppeld en meer mannen werden ingeladen. Ze konden om beurten zitten, dommelden weg en werden weer wakker. En toen, in het stilste uur van de nacht, hoorden ze voetstappen in het grind bij hun wagon. Niet de zware stappen van de bewakers, maar voorzichtige voetstappen, en toen een zacht klopje op de wand van de wagon.

'Fredi Paszternak?'

'Geza Mohr?'

'Semyon Kovács?'

Niemand gaf antwoord. Iedereen was inmiddels wakker en hield zijn adem in van angst. Als die zoekers betrapt werden, zouden ze worden doodgeschoten. Dat wist iedereen.

De voetstappen gingen weer verder. Er kwamen nog meer zoekers. Rubin Gold? György Törönyi? Een gestage stroom namen. Uit een wagon vlakbij klonken zachte, opgewonden stemmen: iemand had degene gevonden die hij zocht. En toen, in de volgende golf zoekers: Andras Lévi? Tibor Lévi?

Andras en Tibor haastten zich naar de zijkant van hun wagon en riepen op gedempte toon hun ouders: Anyu, Apu. De verkleinwoordjes die ze sinds hun kinderjaren niet meer hadden gebruikt. Andras en Tibor werden onder deze extreme omstandigheden weer kinderen door de onmogelijke nabijheid van Flóra, hun moeder en Béla, hun vader, die ze konden horen maar niet aanraken. In de wagon gingen de mannen opzij om ze de ruimte te geven, een klein beetje privacy in die volgepakte ruimte.

'Andi! Tibi!' Dat was hun moeders stem, radeloos van pijn en opluchting.

'Hoe komen jullie hier?' vroeg Tibor.

'Jullie vader heeft een agent omgekocht,' zei hun moeder. 'We hebben zelfs een officieel escorte.'

'Gaat het, jongens?' Dat was hun vader weer, met een vraag waarop hij het antwoord al wist en waarop Andras en Tibor alleen met een leugen konden antwoorden. 'Weten jullie waar jullie naartoe gaan?'

Dat wisten ze niet.

Er was niet veel tijd om te praten. Niet veel tijd waarin Béla en Flóra konden doen waar ze voor gekomen waren. Er verscheen een pakje voor de tralies van het hoge raampje, aan een metalen haak met bruin touw eromheen. Het pakket was te groot, het kon er niet door, dus ze moesten het weer laten zakken, het openma ken en de inhoud in kleine porties doorgeven. Twee wollen truien. Twee sjaals. Stevig ingepakt eten. Een stapeltje geld: tweeduizend pengö. Hoe hadden ze dat opgespaard? Hoe hadden ze het verborgen gehouden? Ze hadden ook nog twee paar stevige laarzen, maar die konden niet mee, die kregen ze onmogelijk tussen de tralies door.

Toen weer de stem van hun vader, die een gebed uitsprak voor de reis.

Flóra en Béla haastten zich door de donkere straten naar huis, elk met een paar stevige laarzen in de hand. Achter hen, met een hand op hun schouders alsof ze onder arrest stonden, liep de omgekochte agent, die vroeger bij Béla op de schaakclub had gezeten en er nu voor had gezorgd dat ze naar buiten konden glippen door een kelder die onder twee gebouwen door liep waarvan het ene in het getto stond en het andere erbuiten. Anderen waren ook langs die weg naar buiten geglipt en weer veilig teruggekomen, al waren er ook een paar niet teruggekomen; van hen was nooit meer iets vernomen. Ze waren helemaal aan de genade van de agent overgeleverd, met wie Béla wel eens had geschaakt en een paar biertjes gedronken. Maar ze waren niet erg bang voor alles wat er mis kon gaan, ze waren nauwelijks bang dat ze aan een minder meelevende medewerker van de politie van Debrecen werden overgedragen. Ze hadden immers het eten, de truien en het geld gebracht, een paar woorden met hun jongens gewisseld en hen gezegend, dus wat maakte het allemaal nog uit? Het zou zonde zijn geweest als ze met hun pakjes waren betrapt, maar ze hadden geluk gehad, de straten waren bijna leeg geweest toen ze het getto uit kwamen. Béla's bronnen, een voorman bij het spoor die hij al heel lang kende en Rudolf de barman, waren allebei betrouwbaar gebleken. De trein stond precies waar hij moest staan en de bewakers hadden met het bier van Rudolf een drinkgelag aangericht. Rudolf herinnerde zich Andras nog wel van zijn bezoek aan het bierlokaal op de avond dat hij ruzie met zijn vader had gehad over Klara. Wat een luxe, dacht Béla, als je de tijd en de energie had om ruzie te maken. Hij had bewondering voor de manier waarop zijn zoon zijn keuze verdedigde. En hij had gelijk gehad: Klara was een goede vrouw voor hem – net zo goed als Flóra voor Geluksvogel Béla, leek het. Ja, hij had geluk, zelfs nu. Flóra liep naast hem met de hand van de agent op haar schouder – zijn vrouw, de moeder van zijn zonen, die in het holst van de nacht haar leven voor hen waagde, ondanks zijn protesten; ze wilde hem niet alleen laten gaan.

Eindelijk leverde de agent hen op de binnenplaats af die toegang gaf tot de kelder. Ouderwets en ongerijmd beleefd hield hij de deur voor hen open, en zij gingen de tunnel naar hun ingesloten leven weer in. Al snel waren ze in hun eigen gebouw; ze liepen de trap op naar hun appartement en kleedden zich in het donker uit zonder een woord te zeggen. Ze konden nog een paar uur slapen voordat ze weer op moesten voor de nauwkeurig omschreven bezigheden van de dag. In bed trok Flóra de sprei op tot haar kin en slaakte een zucht. Er viel niets meer te zeggen, niets meer te doen. Hun jongens, hun kleintjes. Het kleine drietal, zoals ze hen altijd noemden. Het kleine drietal, op drift over het continent als houten bootjes op zee. Flóra draaide zich om en legde haar hoofd op Béla's schouder, en hij streelde haar lange zilveren haar.

Nog een paar weken zouden ze dit bed delen terwijl de joden van Hajdú in Debrecen bijeen werden gedreven. Dan, op een late juniochtend, als de Oost-Indische kers op de veranda triomfantelijk openbloeide en de witte geiten op de binnenplaats blaatten, zouden ze de trap af lopen, allebei met een koffer, en met hun buurtgenoten door de poorten van het getto naar buiten gaan, de vertrouwde stadsstraten door, helemaal naar de steenovens van Serly ten westen van de stad, waar ze in een trein zouden worden gedreven die precies leek op die waarin hun zoons naar hun onbekende bestemming waren gebracht. Die trein zou naar het westen rijden, langs de stations met de geraniums voor de ramen en dan dwars door Boedapest. Dan zou hij afslaan naar het noorden en doorrijden, steeds verder naar het noorden, totdat de deuren in Auschwitz opengingen.

De trein van Andras, Tibor en József reed naar het oosten, tot vlak bij de grens. Daar, in een Karpato-Roetheens plaatsje dat nog twee keer van naam zou veranderen, eerst toen het weer in Tsjecho-Slowaakse handen overging en nog eens toen het in de Sovjet-Unie werd opgenomen, werden ze door gewapende bewakers naar een kamp drie kilometer van de rivier de Tisza gebracht. Daar moesten ze hout op schuiten laden die het via Hongarije naar Oostenrijk zouden brengen. Ze werden ondergebracht in een barak zonder ramen met vijf rijen stapelbedden, drie boven elkaar; buiten, langs de muur van het gebouw, was een rij open wasbakken. Die avond dronken ze koffie die geen koffie was, aten soep die geen soep was en kregen honderd gram zanderig brood dat ze op aanraden van Tibor voor de volgende dag bewaarden. Het was 5 juni, een zachte avond die naar regen en jong gras geurde. Het front had de nabijgelegen grens nog niet bereikt. Na het eten mochten ze buiten zitten, waar een man die een viool bij zich had zigeunerliedjes speelde en een ander zong. Andras kon niet weten dat later diezelfde avond een vloot van de geallieerden voor de Normandische kust zou aankomen, waar duizenden soldaten door een regen van kogels aan land zouden gaan. Dat zouden ze pas maanden later vernemen. En al hadden ze het wel geweten, dan hadden ze nog niet durven hopen dat de invasie van de geallieerden een ploeg Hongaarse dwangarbeiders van de verschrikkingen van de Duitse bezetter zou redden of ervoor zou zorgen dat die ene bocht van de Tisza niet werd gebombardeerd terwijl zij de schuiten aan het laden waren. Zelfs al hadden ze van de invasie geweten, dan hadden ze allang niet meer gedacht dat je de ene reeks gebeurtenissen van de andere kon afleiden, dat er overzichtelijke oorzakelijke verbanden konden bestaan tussen een strand in Vierville-sur-Mer en een werkkamp in Karpato-Roethenië. Ze kenden hun eigen situatie, ze wisten waar ze dankbaar voor moesten zijn. Toen Andras die nacht op zijn houten brits ging liggen, met Tibor boven zich en József onder zich, dacht hij alleen: vandaag zijn we tenminste samen. Vandaag leven we.

40

Nachtmerrie

Wat hem uiteindelijk nog het meest verbaasde, was niet de enorme omvang van het geheel – die was onmogelijk te bevatten: honderdduizenden doden alleen al in Hongarije en miljoenen in heel Europa – maar juist de martelende kleinheid, de speldenpunt waarop ieder leven balanceerde. De balans kon door de kleinste oorzaak doorslaan: de luis die tyfus overbracht, het bodempje water dat nog in een veldfles zat, het stof van de broodkruimeltjes in je zak. Op 10 januari, in de koude, chaotische dageraad van het jaar 1945, lag Andras op de vloer van een goederenwagon in een Hongaars quarantainekamp een paar kilometer van de Oostenrijkse grens. De dichtstbij gelegen stad was Sopron met zijn beroemde Geitenkerk. Een vage jeugdherinnering – een kunstgeschiedenisles, een witharige leraar met een snor als een stel duivenvleugels, een afbeelding van de gebeeldhouwde stenen kansel waar Ferdinand III tot koning van Hongarije was gekroond. Volgens de legende had een geit daar een oeroude schat blootgelegd; de schat was weer begraven toen de kerk werd gebouwd, als eerbetoon aan de Maagd Maria. Er lag dus ergens op die heuvel, onder de kerk waarvan hij de zwartgeblakerde toren kon zien, een schat uit de Oudheid weg te rotten, en hier, in het quarantainekamp, lagen drieduizend mannen dood te gaan aan tyfus. Andras steeg op in een duizelingwekkende spiraal van koorts en zijn gedachten dansten in carnavalskostuum voor hem uit. Hij herinnerde zich vaag dat iemand had gezegd dat ze van geluk mochten spreken dat ze hier lagen. Degenen die niet waren besmet, waren naar werkkampen in Oostenrijk getransporteerd.

Sommige feiten kon hij nog wel bevatten. Die zekerheden telde hij alsof het knikkers in een zak waren, bolletjes geroerd bloed- of zeekleurig glas. Hun bocht in de Tisza was wél gebombardeerd. Het gebeurde op een ongewoon warme nacht tegen het eind van oktober, bijna vijf maanden na hun aankomst in het kamp. Hij herinnerde zich dat hij met Tibor en József in het donker weggedoken zat en dat de muren schudden toen de schokgolven door de aarde kwamen aanrollen; het leek een wonder dat de barak niet was ingestort. In een andere barak, die wel instortte, waren drieëndertig mannen omgekomen. Zes schippers en een halve compagnie Hongaarse soldaten die die nacht aan de oever waren ingekwartierd, waren om het leven gekomen. De $55/10^{de}$ of wat daarvan over was, was naar het westen gevlucht om het oprukkende Sovjetleger voor te blijven. Wekenlang hadden de bewakers de gevangenen van de ene stad naar de andere gedreven en hen ondergebracht in boerenhutten en schuren of in het open veld, terwijl de oorlog voortraasde, altijd een paar kilometer bij hen vandaan. Hongarije was inmiddels in handen van de Pijlkruisers. De Duitsers vonden Horthy te lastig; onder druk van de geallieerden had hij de deportaties van joden stopgezet en op 11 oktober had hij in het geheim over een vredesakkoord met het Kremlin onderhandeld. Toen hij een paar dagen later de wapenstilstand afkondigde, had Hitler hem tot aftreden gedwongen en hem met zijn gezin naar Duitsland verbannen. De wapenstilstand werd ongeldig verklaard. Ferenc Szálasi, de leider van de Pijlkruisers, werd premier. Het nieuws bereikte de dwangarbeiders in de vorm van een stel nieuwe regels: van nu af aan moesten ze niet als dwangarbeiders, maar als krijgsgevangenen worden behandeld.

Dat wist Andras allemaal nog heel gedetailleerd. Zijn verwarring gold de gebeurtenissen tussen dat moment en het heden. Door de mist van zijn koorts probeerde hij zich aldoor te herinneren wat er toch met Tibor was gebeurd. Hij wist nog wel dat hij een paar weken of maanden geleden samen met Tibor en József op de vlucht was, dat ze in de zon over een weg ten westen van Trebišov liepen, achtervolgd door het gebulder van Russische tanks en Russisch geschut. Ze waren van hun compagnie gescheiden geraakt; József was ziek en kon het tempo niet bijhouden. Duitse jeeps en pantservoertuigen schoten voorbij. Achter hen naderde een aardbeving: de Russen in hun rijdende forten met daverend geschut. Ze liepen zo hard ze konden, totdat József tegen een Duits pantservoertuig aan struikelde. Hij werd in een greppel geslingerd en zijn been lag in een hoek die... in de duisternis van zijn koorts tastte Andras naar het woord – *onrealistisch* leek. Een onrealistische hoek; die kwam in het echte leven niet voor. Zo boog een been niet ten opzichte van het lichaam. Toen Andras bij hem was, lag József met wijd open ogen snel en oppervlakkig te ademen; hij leek in een vreemde, opgetogen trance te verkeren, alsof hij opeens gelijk had gekregen in een kwestie waar hij jarenlang vruchteloos mee bezig was geweest. Tibor boog zich over hem heen en legde voorzichtig een hand op het been, en József stootte een onvergetelijk geluid uit: een snerpende, drietonige gil die de hemel leek te splijten. Tibor keek Andras wanhopig aan: hij had geen morfine meer, zijn voorraadje uit Boedapest was uitgeput. Bijna direct daarop, zo leek het, was er een olijfkleurig busje verschenen met wapperende Oostenrijkse Wehrmachtvlaggen voorop en een rood kruis op de zijkant. Snel rukte Andras de gele band van zijn mouw en ook van die van Tibor en József; nu waren ze gewoon drie mannen in een greppel, zonder identiteit. De Oostenrijkse hospikken kwamen naar hen toe, vonden dat ze alle drie onmiddellijk moesten worden behandeld en brachten hen naar het busje. Al snel reden ze in een ongelooflijk tempo over de weg – nog steeds op de vlucht voor de Russen, dacht Andras. Toen barstte er opeens een oorverdovend lawaai los, een schitterende explosie. Het canvas van het busje werd weggescheurd, de bodem werd een dak en een wiel trok een boog over het achterdoek van wolken. Een schok. Een bonkende stilte. Ergens dichtbij riep József om zijn vader, merkwaardig genoeg. Tibor stond ongedeerd tussen de uitgedroogde maïsstengels en klopte de sneeuw van zijn mouwen. Andras lag in een voor van de akker naar de lucht te staren met een wilde wit oplaaiende pijn in zijn zij; er strekte zich een onmogelijk hoog, oneindig, melkachtig blauw boven hem uit. In zijn herinnering was er een wolk die de vorm van het Panthéon aannam: een suggestie van pilaren en een koepel. Toen verdwenen het melkblauw en de koepel in een alles omhullende duisternis.

Later, toen hij zijn ogen opendeed, zag hij een visioen zo verblindend dat hij zeker wist dat hij dood was. Sneeuwwitte muren, een sneeuwwit bed, sneeuwwitte gordijnen, en achter het raam een sneeuwwitte lucht. Langzaam drong tot hem door dat hij in een ziekenhuisbed lag onder het verpletterende gewicht van een dunne katoenen deken. Een arts met een Joegoslavische naam, Dobek, haalde het verband van Andras' zij en onderzocht de rode, getande wond die van zijn onderste rib tot vlak boven zijn navel liep. Bij die aanblik werd Andras zo misselijk dat hij in paniek om zich heen keek of hij ergens een ondersteek zag, en daarbij maakte hij een beweging die een snerpende pijn in de wond veroorzaakte.

De dokter drukte hem op het hart vooral niet te bewegen. Andras begreep hem, al werd de vermaning uitgesproken in een taal die hij niet kende. Hij zonk achterover en viel in een droomloze slaap. Toen hij wakker werd, zat Tibor op de stoel naast zijn bed; zijn bril was nog heel, zijn haar was schoon, zijn gezicht was gewassen en hij had de vodden uit het werkkamp voor een katoenen pyjama verruild. Hij legde Andras uit dat hij gewond was geraakt, het ambulancebusje was op een mijn gereden. Hij had een spoedoperatie ondergaan. Zijn milt was beschadigd en zijn dunne darm was bij het ileum doorgesneden, maar alles was weer gerepareerd en hij herstelde goed. Waar waren ze? In Kassa, in Slowakije, in het Sint-Elisabeth, een katholiek ziekenhuis, waar ze door Slowaakse nonnen werden verzorgd. En waar was József? Die lag in een andere zaal; zijn been was versplinterd en hij had een ingewikkelde operatie moeten ondergaan.

Ze bleven eindeloos in het Slowaakse ziekenhuis, hij en József; hij met zijn verschrikkelijke verwonding en József met zijn gecompliceerde beenbreuk, terwijl vlakbij de oorlog woedde. Tibor kwam en ging. Hij hielp de nonnen en de artsen, werkte met hen samen, assisteerde bij operaties en onderzocht nieuwe patiënten. Hij was uitgeput en werd grimmig van de aanblik van al die lichamen die door kogels en bommen waren verwoest, maar hij was ook kalm en doelbewust, want hij oefende zijn beroep uit. De Russen rukten op, zei hij tegen Andras, langzaam maar zeker. Als het ziekenhuis de gevechten doorstond, waren ze misschien binnenkort allemaal in veiligheid.

Maar toen kwamen de nazi's, die het ziekenhuis ontruimden. 'Evacueren' was het woord dat ze gebruikten, al betekende dat niet voor iedereen hetzelfde. In het ziekenhuis waar niemand naar de afkomst van de patiënten vroeg en geen onderscheid werd gemaakt tussen jood en christen, werden de joden nu van de anderen gescheiden en in een gang bijeengedreven. Andras en Tibor namen József met zijn onhandige gipsbeen tussen zich in, en zo werden ze met hun drieën naar een trein gebracht en in een goederenwagon geduwd. Weer reden ze naar het onbekende, ditmaal naar het zuidwesten, naar Hongarije.

Ze reden bijna een week door het land. Tibor probeerde op te maken waar ze waren uit het geschreeuw als de trein stilstond of uit het weinige wat hij door het kleine raampje in de vergrendelde deur kon zien. Ze waren bij Alsózsolca, en toen bij Mezőkövesd, en toen bij Hatvan; even was er de wilde hoop dat ze naar het zuiden gingen, naar Boedapest, maar de trein reed door naar Vác. Bij Esztergom volgden ze een tijdje de grens en reden ze een hele tijd langs de dichtgevroren Donau, en toen kwamen ze door Komárom, Györ en Kapuvár bij de westelijke grens. Tibor zorgde de hele tijd voor Andras en József, die heel langzaam herstelden. Als Andras op de grond braakte, maakte Tibor hem schoon, en als József naar de ton achter in de wagon moest, ondersteunde en hielp Tibor hem. Hij zorgde ook voor de andere patiënten, die vaak te ziek waren om te begrijpen dat ze van geluk mochten spreken dat hij er was. Maar hij kon weinig doen. Er was geen eten, geen water, geen schoon verband en geen medicijn. 's Nachts lag Tibor naast Andras om hem warm te houden en fluisterde hij in zijn oor om te voorkomen dat ze allebei gek werden. *Ik zal je een verhaaltje vertellen*, zei hij, alsof Andras de zoon was die hij had moeten achterlaten. *Er was eens een man die met de dieren kon praten. En hij zei... En toen zeiden de dieren...* Andras kreeg een ondraaglijke, diepe jeuk over zijn hele lichaam, zelfs in de wond. Luizen. Een paar dagen later strekte de koorts zijn tentakels naar hem uit.

Toen de trein stilstond, hadden ze de rand van het land bereikt. Weer werden ze in twee groepen opgesplitst: degenen die de grens over mochten en degenen die dat niet mochten. Degenen die tyfus hadden, mochten niet naar de overkant. Zij zouden naar een quarantainekamp aan de grens worden gebracht.

'Luister goed, Andras,' had Tibor voor de selectie gezegd. 'Ik ga doen alsof ik ziek ben. Ik laat me niet over de grens sturen. Ik blijf bij jou in het quarantainekamp. Begrijp je me?'

'Nee, Tibor. Als je hier blijft, word jij ook ziek.' Hij dacht aan Mátyás, aan diens ziekte, lang geleden, en aan zijn eigen radeloze nacht in de boomgaard.

'En als ik meega?'

'Jij kunt iets nuttigs. Daar is behoefte aan. Ze laten je wel in leven.'

'Het kan ze niets schelen wat ik kan. Ik blijf hier, bij jou en József en de anderen.'

'Nee, Tibor.'

'Jawel.'

De goederenwagons werden de barakken van het quarantainekamp. Ze werden op het station op een zijspoor gerangeerd, eindeloze rijen wagons vol doden en stervenden. Elke dag werden de doden uit de wagons gehesen en tussen de rails in een rij op de bevroren grond gelegd; in dit jaargetijde konden ze niet worden begraven. Andras lag op de grond van de wagon met steeds hogere koorts en zweefde een paar centimeter boven zijn dode kameraden. Hij had in geen maanden iets van Klara gehoord en had haar ook geen bericht kunnen sturen. Hun tweede kind was waarschijnlijk al geboren, of niet. Tamás was nu bijna twee. Misschien waren ze gedeporteerd, misschien niet. Hij zweefde het bewustzijn in en uit, wetend en dan weer niet wetend, denkend en dan weer niet tot denken in staat, en zijn broer sloop het quarantainekamp uit en liep naar Sopron voor levensmiddelen, medicijnen en nieuws. Elke dag kwam Tibor terug met het weinige dat hij had weten te bemachtigen; hij sloot vriendschap met een apotheker die hem kleine hoeveelheden antibiotica, aspirine en morfine gaf en een radio had waarop hij de BBC kon ontvangen. Boedapest werd al sinds begin november ernstig bedreigd. De Sovjettanks naderden vanuit het zuidwesten. Hitler had gezworen dat hij hen zou tegenhouden, koste wat kost. De wegen waren afgesloten. Er dreigden ernstige tekorten aan levensmiddelen en brandstof. De hoofdstad begon al te verhongeren. Dat verschrikkelijke nieuws wilde Tibor voor geen prijs aan Andras meedelen, maar Andras hoorde hem bij de wagon met iemand anders praten; de koorts had zijn gehoor aangescherpt en hij verstond alles, woord voor woord.

Hij begreep ook dat hij en József op sterven lagen. *Flecktyphus*, hoorde hij telkens, en *dizentéria*. Toen Tibor op een dag uit de stad terugkwam, trof hij Andras en József aan met een kom bonen, ze hadden de helft al bijna op. Hij las ze de les en gooide de bonen de wagon uit. Zijn jullie gek geworden? Bij dysenterie is niets zo gevaarlijk als halfrauwe bonen. Je kon er dood aan gaan, maar in het quarantainekamp was niets anders te eten. Tibor voerde Andras en József het kookvocht van de bonen, soms met stukjes brood erbij. Een keer was er brood met een lik jam die vaag naar benzine rook. Tibor legde het uit: bij zijn hongertochten was hij langs een boerderij gekomen waarop een vliegtuig was neergestort, en op het erf had hij een aardewerken pot met jam gevonden. Waar was die pot dan nu? vroegen ze. Die lag aan scherven. Tibor had de jam twintig kilometer lang in zijn hand meegedragen.

József werd beter van het eten dat Tibor meebracht, maar Andras' koorts werd erger. De dysenterie hield huis in zijn lichaam en holde het uit. Het skelet van de werkelijkheid begon uiteen te vallen, het bindweefsel liet los van de botten.

Een alomtegenwoordige, walgelijke lucht waarvan hij wist dat het zijn eigen geur was.

Koud.

Tibor huilde.

Tibor zei tegen iemand – tegen József? – dat het bijna afgelopen was met Andras.

Tibor knielde naast hem neer en herinnerde hem eraan dat Tamás vandaag jarig was.

Een vast besluit om die dag niet dood te gaan, niet op de verjaardag van zijn zoon.

Een sliertje kracht dat in zijn verscheurde binnenste de kop opstak.

Toen, de volgende morgen, ontstond er commotie in het quarantainekamp. Een megafoon. Een mededeling: iedereen die kon werken, werd naar Mürzzuschlag in Oostenrijk gebracht. Soldaten doorzochten de wagons en sleurden de levenden het felle, koude licht in. Een man in nazi-uniform sleepte Andras naar buiten en smeet hem op de rails. Waar was Tibor? Waar was József? Andras lag met zijn wang op de ijskoude rail, het metaal brandde tegen zijn wang en hij was te zwak om op te staan, hij staarde naar het berijpte grind en naar de mannenvoeten om hem heen. Ergens dichtbij klonk het geluid van scheppen in de aarde: ze waren aan het graven. Het leek wel uren door te gaan. Hij begreep wat het was. Eindelijk werden de doden begraven. En hij lag te wachten tot hij ook begraven werd. Hij was dood, hij was de grens overgestoken. Hij had het niet eens gemerkt. Het verbaasde hem dat het zo eenvoudig kon zijn. Er was geen 'levend' of 'dood', er was alleen deze eindeloze nachtmerrie, en als de aarde hem had bedekt, zou hij nog steeds die kou en die pijn voelen en eeuwig stikken. Even later werd hij bij zijn polsen en enkels gepakt en door de lucht gegooid. Een ogenblik lichtheid en toen de val. Een dreun die hij in al zijn gewrichten en in zijn kapotte darmen voelde. Stank. Lijken onder hem. Muren van aarde om hem heen. Een schep aarde in zijn gezicht. De aarde smaakte als iets uit zijn prille jeugd. Hij veegde de aarde telkens weg, maar er kwam steeds meer. De man met de schep, een energieke zwarte gedaante naast het graf, was een berg aarde aan het wegwerken. Toen, zo te zien zonder aanleiding, hield hij op. Toen was hij weg, het werk was vergeten. En daar lag Andras, niet dood en niet levend.

Een nacht in een open graf met aarde als deken.

De volgende ochtend werd hij er weer uit gesleurd.

Weer die wagon. En nu.

Nu.

Naast hem stond een kom bonen. Hij had een schreeuwende honger, maar hij bracht de kom naar zijn mond en dronk voorzichtig van het kookvocht. Na die slok voelde hij zijn darmen verkrampen, en toen was er iets warms daar beneden.

Er ging weer een dag voorbij en het werd weer donker. Nog een nacht. Iemand – Tibor? – goot water in zijn mond; hij stikte bijna, slikte. Toen het weer licht werd, kroop hij de wagon uit om aan zijn eigen stank te ontkomen. Hij voelde zich opeens helderder in zijn hoofd. Hij bleef even op zijn knieën liggen en stak zijn hand in zijn jaszak, waar hij zijn brood bewaarde toen er nog brood was. De binnenkant voelde zanderig aan: kruimels. Hij hees zich naar een plasje waar de sneeuw in de zon gesmolten was. Hij hield de kruimels in zijn ene hand. Met de andere schepte hij water uit de plas. Hij maakte een koud papje, bracht zijn hand naar zijn mond, at. Zijn eerste vaste voedsel in twintig dagen, al wist hij dat niet.

Later werd hij in de wagon wakker. József Hász boog zich over hem heen en spoorde hem aan te gaan zitten. 'Kom, probeer het nou,' zei József. Hij hees hem onder de oksels overeind.

Andras zat. Hij had het gevoel dat hij door zwarte golven werd overspoeld. Toen gebeurde er een wonder: ze trokken weg. Dit was de vertrouwde goederenwagon. En dat was József, die naast hem geknield zat en hem met twee handen in de rug ondersteunde.

'Nu moet je opstaan,' zei József.

'Waarom?'

'Zo meteen komt er iemand mensen halen om te werken. Iedereen die niet kan werken, wordt doodgeschoten.'

Hij wist dat hij niet voor dat werk zou worden uitgekozen. Hij kon zijn hoofd nauwelijks overeind houden. Toen wist hij het weer: 'Tibor?'

József schudde zijn hoofd. 'Alleen ik.'

'Waar is mijn broer, József? *Waar is mijn broer?*'

'Ze hebben iedereen nodig die kan werken,' zei József. 'Iedereen die kan staan, nemen ze mee.'

'Wie?'

'De Duitsers.'

'Hebben ze Tibor meegenomen?'

'Dat weet ik niet, Andráska,' zei József. Zijn stem brak. 'Ik weet niet waar hij is. Ik heb hem al in geen dagen gezien.'

Buiten riep een Duitse stem dat iedereen in de houding moest gaan staan.

'Nu moeten we lopen,' zei József.

De tranen sprongen Andras in de ogen. Nu sterven, na alles wat er was gebeurd. Maar József pakte hem onder zijn oksels en hees hem overeind. Andras viel tegen hem aan. József wankelde en jankte van de pijn: zijn versplinterde been was uit het gips, maar het was nog maar half geheeld. Toch ondersteunde hij Andras met een hand in zijn rug en duwde hem naar de deur van de wagon. Schoof hem open. Hielp Andras het afstapje af, op de koude, kale grond van het emplacement. Dunne naalden van pijn schoten door Andras' voeten omhoog naar zijn benen. In zijn zij, langs de operatiewond, een dof oranje vuur.

Er stond een naziofficier voor een rij dwangarbeiders. Hij inspecteerde de vuile, gescheurde jassen en broeken, de met lappen omwikkelde voeten. Andras en József waren barrevoets.

De officier schraapte zijn keel. 'Iedereen die wil werken, doet een stap naar voren.'

Iedereen deed een stap naar voren. József trok Andras mee, maar zijn benen begaven het. Andras viel op handen en knieën op de grond. De officier kwam naar hem toe en knielde bij hem neer. Hij legde een hand in Andras' nek en stak zijn andere hand in zijn jaszak. Andras verwachtte de loop van een pistool, een knal, een explosie van licht. Tot zijn schande voelde hij dat zijn blaas leegliep.

De officier had een zakdoek uit zijn zak gehaald. Hij veegde Andras' voorhoofd af en hielp hem overeind.

'Ik wil werken,' zei Andras. Hij was erin geslaagd het in het Duits te zeggen: *Ich möchte arbeiten.*

'Jij kunt toch niet werken?' zei de officier. 'Je kunt niet eens lopen.'

Andras keek de man aan. Hij leek bijna net zo uitgehongerd en haveloos als de dwangarbeiders; zijn leeftijd was onmogelijk te raden. Op zijn slappe, verweerde wangen had hij kleurloze baardstoppels. Er zat een klein ovaal litteken op zijn kaak. Daar wreef hij met zijn duim overheen terwijl hij Andras peinzend aankeek. 'Er komt zo meteen een truck,' zei hij toen. 'Jij gaat met ons mee.'

'Waar gaan we heen?' waagde Andras. *Wohin gehen wir?*

'Naar Oostenrijk. Naar een werkkamp. Daar is een dokter die je kan helpen.'

Alle woorden leken een gruwelijke bijbetekenis te hebben. Oostenrijk. Werkkamp. Dokter. Helpen. Andras steunde op Józsefs arm, hees zich op zijn blote voeten overeind en dwong zich de nazi in de ogen te kijken. De nazi hield zijn blik vast, draaide zich toen snel om en marcheerde weg tussen de rijen wagons. Uitgeput leunde Andras tegen József aan totdat de truck kwam. De nazi-officier verscheen naast de truck met een paar laarzen in zijn hand. Hij hielp Andras en József de laadbak in en legde de laarzen op Andras' schoot.

'Heil Hitler,' zei hij. Hij salueerde en de truck reed weg.

Honderd keer had het afgelopen kunnen zijn. Het had afgelopen kunnen zijn toen de truck bij het werkkamp aankwam en de mannen werden geïnspecteerd – als de inspecteur geen joodse kapo was geweest die medelijden met Andras en József kreeg: hij deelde hen in bij een werkbrigade en stuurde ze niet naar de ziekenboeg, ook al konden ze nauwelijks lopen. Het had ook afgelopen kunnen zijn toen hun ploeg van honderd man de dagproductie niet haalde: ze moesten vijftig pallets bakstenen in de vrachtwagens laden en hadden er maar negenenveertig ingeladen. Voor straf kozen de bewakers twee mannen, een grijze apotheker uit Boedapest en een schoenmaker uit Kaposcár, en executeerden hen achter de steenfabriek. Het had opnieuw afgelopen kunnen zijn toen er geen eten meer in het kamp was, ware het niet dat Andras en József bij het graven van een latrine in de grond op vier aardewerken potten waren gestuit: ganzenvet, een begraven schat uit de tijd dat er hier een boerderij was en de boerin de schrale tijden al had zien aankomen. En het had voor iedereen afgelopen kunnen zijn als de dwangarbeiders de tijd hadden gehad om hun werk te voltooien: een enorm crematorium waarin ze zouden worden verbrand als ze vergast of doodgeschoten waren. Maar het was niet afgelopen. Op 1 april, toen de uitgemergelde, uitgeputte mannen stonden te wachten totdat ze van het appèl naar de steenfabriek werden gebracht, stootte József Andras aan en wees hij naar een rij auto's die hard over de weg achter het prikkeldraad kwamen aanrijden. 'Zie je dat?' vroeg hij. 'Ik denk niet dat we vandaag gaan werken.' Andras keek op. 'Hoezo?'

'Kijk eens.' Hij wees naar de bocht van de weg die naar het oosten afboog. Er hobbelde een verwarde stoet Duitse en Hongaarse pantservoertuigen over de onverharde weg; sommige reden door de berm om in te halen, andere kwamen in de diepe modder vast te zitten of slipten en belandden in de sloot. Daarachter kwam een eindeloze rij rankere, snellere tanks hun kant op: Russische T-34's van het soort dat hij ook in de Oekraïne en in Subkarpatië had gezien. Dat verklaarde waarom hun voorman nog steeds niet was verschenen, hoewel het al halfacht was: de Russen waren er eindelijk en de Duitsers en Hongaren renden voor hun leven. Op dat moment klonk door de luidsprekers het bevel dat iedereen terug naar de barakken moest om alle bezittingen op te halen en dan bij de poort op nieuwe orders moest wachten. Maar József ging op de grond zitten en sloeg zijn benen over elkaar.

'Ik ga niet,' zei hij, 'ik verzet geen stap meer. Als de Russen komen, blijf ik hier gewoon wachten.'

Op het bericht volgde een juichkreet van de anderen; sommigen gooiden hun pet in de lucht en ze bleven op het appelterrein staan kijken naar de nazibewakers en de voormannen, die het kamp ontvluchtten, sommigen te voet, anderen in jeeps of trucks. Niemand leek meer acht te slaan op de paar mannen die gehoorzaam met hun spullen bij de poort stonden. De luidspreker zweeg; iedereen die bevelen had kunnen uitdelen was weg. Sommige dwangarbeiders verstopten zich in de barakken, maar Andras en József en een heleboel anderen klommen op een lage heuvel en keken naar de veldslag die zich in de omliggende velden voltrok. Een bataljon Duitse tanks was omgekeerd en reed de Russen tegemoet, en het geschut blafte en gromde urenlang door. De hele dag en een groot deel van de nacht keken ze toe en moedigden ze het Rode Leger aan. In het donker lichtte de oostelijke hemel op van de schoten; ergens achter dat pioenrode licht lag de Hongaarse grens, en daarachter liep de weg naar Boedapest.

Toen het weer licht werd, arriveerde er een detachement Russen om het kamp over te nemen. De soldaten droegen grijze uniformjasjes en bemodderde blauwe broeken; hun laarzen waren merkwaardig ongeschonden en hun leren riemen waren glimmend gepoetst. Voor de poort hielden ze stil en de kapitein riep iets in het Russisch door een megafoon. De mannen van het kamp hadden op dit moment gewacht. Van de cementzakken hadden ze witte vlaggen gemaakt, die ze aan dunne lindetakken hadden vastgemaakt. Een groep Russisch sprekende gevangenen, Karpaten uit een Slowaaks grensplaatsje, liepen de Russen met opgestoken takken tegemoet. Absurd, dacht Andras – die uitgemergelde, door leed getekende mannen met de vlag van de overgave, alsof iemand hen voor hun kwelgeesten had kunnen aanzien. De Russen hadden een hele lading grof zwart brood meegebracht, dat ze onder de mannen uitdeelden. Ze forceerden het slot van het magazijn waar de levensmiddelen van de officieren lagen opgeslagen; toen ze zoveel hadden gepakt als er in hun kar kon, beduidden ze de gevangenen dat ze maar moesten nemen wat ze wilden. De mannen liepen door het magazijn alsof het een museum uit lang vervlogen tijden was. De stellingen stonden vol met luxeartikelen die ze in geen maanden hadden gezien: blikken worstjes, peren en erwtjes, ranke doosjes sigaretten, stapels batterijen en zeep. Ze verpakten alles in lappen canvas of lege cementzakken in de hoop het onderweg naar huis te kunnen verkopen of ruilen. Toen brachten de Russen de mannen te voet naar een doorgangskamp dertig kilometer verderop, aan de Hongaarse grens, waar ze drie weken in smerige, overvolle barakken bivakkeerden voordat ze hun papieren kregen en werden vrijgelaten. Ze zaten tweehonderdvijftien kilometer van Boedapest. De enige manier om daar te komen was te voet.

Ze vertrouwden niemand, reisden 's nachts, ontweken de laatste vluchtende nazi's, die iedere jood zouden neerschieten die ze tegenkwamen, en ook de Russische bevrijders, die naar men beweerde je papieren konden afpakken en je zonder aanleiding naar een werkkamp in Siberië sturen. Door Józsefs been vorderden ze maar langzaam; hij kon niet meer dan tien kilometer lopen, daarna werd de pijn ondraaglijk. Vanuit het oosten bereikten hen over de glooiende heuvels van Transdanubië verschrikkelijke berichten: Boedapest zou helemaal aan puin zijn gebombardeerd. Er waren honderdduizenden gedeporteerd. Een hongerwinter. Het deel van Andras' bewustzijn dat altijd met Klara in verbinding had gestaan, was verschrompeld tot een harde knoop, een litteken. Hij stond zichzelf niet toe aan iets anders te denken dan aan de noodzakelijke bezigheden van het moment; hij moest overleven en dat slokte al zijn aandacht op. Hij mocht niet terugdenken aan de eerste weken van dat jaar, aan januari 1945, die grijsblauwe poel van ellende. De operatiewond was tot een bobbelige roze naad geheeld en de beschadigde milt en de gescheurde darm hadden hun onzichtbare werk hervat. Hij wilde niet aan zijn ouders denken, of aan Mátyás, hij wilde niet aan Tibor denken, die ergens achter de Oostenrijkse grens was verdwenen. Met József aan zijn zij sliep hij in vernielde schuren of in het zoetgeurende donker van een hooiberg en werd wakker uit nachtmerries waarin hij levend begraven werd. 's Nachts liepen ze door het dichte struikgewas naast de hoofdweg die naar Boedapest leidde. Op een avond klopten ze aan de achterdeur van een groot landhuis om Duitse sigaretten en batterijen voor eieren en brood te ruilen en hoorden daar van de keukenmeid dat de Russische tanks Berlijn hadden ingenomen. Ze wees hun een plekje waar ze zich bij een open raam in een seringenbosje konden verstoppen om naar het nieuws op de radio te luisteren. Tussen de bloemen luisterden ze naar een omroeper van de BBC die de gebeurtenissen in de Duitse hoofdstad beschreef. Voor Andras waren de Engelse woorden een brij van scherpe klinkers en snelle medeklinkers, maar József kende de taal. De Russen, zo vertaalde hij, hadden de Reichstag omsingeld waar Hitler zich zou hebben verschanst; niemand wist wat er daarbinnen gebeurde.

Een paar dagen later sliepen ze onder een beschimmeld zeil in een boothuis aan het Balatonmeer en werden gewekt door klokgelui. Alle klokken in het stadje, Siófok, luidden onheilspellend, alsof er iets verschrikkelijks aan de hand was. Andras en József renden naar buiten en zagen dat alle inwoners de straat op waren gegaan en in een verbijsterde processie naar het centrum liepen. Ze volgden de menigte naar het grote plein, waar de burgemeester – een uitgehongerde grootvader in een slecht passend Russisch uniformjasje – het bordes van het stadhuis beklom en meedeelde dat de oorlog in Europa voorbij was. Hitler was dood. Duitsland had in Reims de onvoorwaardelijke overgave getekend. Te middernacht zou het staakt-het-vuren ingaan.

Even was de menigte doodstil: toen barstte er een gejuich los. De mensen gooiden hun hoeden en petten in de lucht. Even leek het er niet toe te doen dat Hongarije aan de verliezende kant had gestaan en dat de stralende hoofdstad aan de Donau aan puin lag, dat het land in handen van de Sovjet-Unie was gevallen, dat de mensen niets te eten hadden, dat de gevangenen nog niet terug waren en dat de doden nooit meer terug zouden komen. De oorlog was afgelopen, dat was het enige wat telde. Andras en József sloegen hun armen om elkaar heen en huilden.

De bomen in de heuvels van Boeda werden alweer groen, ongevoelig voor de doden en de rouwenden. De bloeiende lindebomen en platanen kwamen Andras bijna obsceen voor, ongepast, als meisjes in doorschijnende zomerjurkjes bij een begrafenis. Hij en József liepen door de verwoeste straten ten oosten van Várhegy; boven bleven ze zwijgend staan om over de stad uit te kijken. De prachtige bruggen over de Donau – de Margaretabrug, de Kettingbrug, de Elisabethbrug, al die bruggen waarvan Andras elke centimeter kende – lagen aan puin, hun stalen kabels en betonnen pijlers leken weggesmolten in de snelstromende zandkleurige rivier. Het koninklijk paleis was gebombardeerd en zag eruit als een enorme afgebrokkelde kam, het haarsieraad van een Romeinse dame, opgegraven in een stad uit de Oudheid. De hotels aan de overkant van de rivier waren ruïnes; ze leken smekend op de oever te zijn neergeknield.

Geschokt, met stomheid geslagen, zonder elkaar aan te kijken, strompelden Andras en József door de straten van de oude stad naar de brugloze rivier. Ze moesten naar de overkant, want als hun nog iets wachtte, dan was het daar, tussen de resten van Pest. Bij het Ybl Miklós tér, het plein dat naar de architect van het Operaház was genoemd, was een aanlegplaats waar een rij schippers op passagiers wachtten die naar de overkant wilden. Ze betaalden hun laatste zes pakjes sigaretten en een tiental grote batterijen voor de overtocht. De veerman, een jongen met een rood gezicht en een strohoed, zag er opvallend weldoorvoed uit. Terwijl de boot naar de andere oever voer, had Andras het gevoel dat er een hand door zijn longen woelde; zijn middenrif was zo verkrampt en pijnlijk dat hij bijna geen adem kon halen. De smalle, lekkende roeiboot dobberde onvast stroomafwaarts en dreigde twee keer te kapseizen voordat ze misselijk en trillend in Pest aan land konden. Ze klauterden op het natte zand onder de kade, waar het water aan hun schoenen likte. Toen beklommen ze de stenen trap en keken naar een corridor van verwoeste gebouwen. Aan beide kanten stonden nog een paar gebouwen overeind; bij een paar was zelfs het gekleurde tegelmozaïek met de barokke bloem- en bladpatronen nog intact. Maar de weg naar het centrum voerde Andras en József door een museum van verwoesting: eindeloze stapels stenen, versplinterde balken, kapotte tegels en verbrokkeld beton. De doden waren allang weggehaald, maar er stonden kruisen op elke straathoek. Te midden van dat alles vertoonden zich ook tekenen van normaal leven die al die rampspoed leken te negeren: een frisse etalage met deegwaren in de gebruikelijke vormen, een rode fiets tegen een bordesje; in de verte klonk het onwaarschijnlijke geluid van een trambel. Verderop stak het skelet van een Duits vliegtuig uit de bovenste verdieping van een gebouw. Er was een stuk van een verbrande vleugel op de grond gevallen; het roest aan de randen deed vermoeden dat het daar al maanden lag. Een hond snuffelde aan de zwartgeblakerde stalen ribben van de vleugel en sjokte weer verder.

Ze liepen samen in de richting van de Nefelejcs utca, naar het gebouw waar hun familie had gewoond – het gebouw waar József afscheid van zijn moeder en grootmoeder had genomen, waar Tibor en Ilana na Andras' terugkeer naartoe waren verhuisd, waar Andras en Klara de nacht voor zijn vertrek samen op de badkamervloer hadden doorgebracht. Ze sloegen de hoek van de Thökölu út om en liepen langs de vertrouwde groentewinkel waar nu geen groente meer lag, en de vertrouwde snoepwinkel die geen snoep meer had. Op de hoek van de Nefelejcs utca en de István út lag een berg puin, kalk, steen, hout, bakstenen en tegels. Aan de overkant, waar Józsefs ouders en grootmoeder en Tibor en Ilana hadden gewoond, was niets meer. Zelfs geen ruïne. Andras stond er wezenloos naar te kijken.

Later zou hij zeggen: 'En toen verloor ik mijn hoofd.' Beter kon hij het gevoel niet omschrijven: zijn hoofd raakte los van zijn lichaam en was net als de geëvacueerde kinderen van Europa ergens heen gestuurd waar het saai, ver weg en veilig was. Zijn lichaam zakte op straat door de knieën. Hij wilde zijn kleren scheuren, maar merkte dat hij zich niet kon verroeren. Hij wilde niet naar József luisteren, wilde de mogelijkheid niet overwegen dat zijn vrouw en kind, of kinderen, het gebouw al uit waren toen het werd verwoest. Hij zag niets of niemand meer. Voorbijgangers liepen om hem heen terwijl hij op zijn knieën op de stoep zat.

Zo bleef hij een uur zitten, of twee uur, of vijf. József ging op een omgevallen sintelblok zitten wachten. Andras was zich zijn aanwezigheid bewust alsof hij een landlijn was, een kabel die hem tegen zijn wil met de restanten van de wereld verbond. Zijn ogen staarden naar de ruïne van het gebouw en vulden zich met tranen, liepen over en vulden zich opnieuw. Toen hoorde hij een bekend geluid door de nevel van zijn verdoofde zintuigen heen: kleine hoefjes op de grond, twee rinkelende belletjes. Het geluid kwam dichterbij totdat het voor hem stilviel. Hij keek op.

Het was de grootmoeder van Klein met haar pasgeschilderde witte bokkenwagen.

'Grote god,' zei ze en ze keek hem verbijsterd aan. 'Andras? Andras Lévi?'

Hij pakte haar hand en kuste die. 'U kent me nog,' zei hij. 'Goddank. Weet u iets over mijn vrouw? Klara Lévi? Herinnert u zich haar ook nog?'

'Sta op,' zei ze. 'Kom mee naar mijn huis.'

Het oude huisje in de Frangepán köz stond nog waar het altijd had gestaan, in een nevel van stof die in het stroperige namiddaglicht hing. Op het erf snuffelden vier piepkleine geitjes aan een emmer broodkorsten. Andras rende over het betegelde pad naar de deur, die open stond, als om de wind binnen te laten. In de kamer, op de bank waar Andras bij zijn eerste bezoek had gewacht tot Klein hem kon ontvangen, lag zijn vrouw, Klara Lévi, levend, slapend. Aan de andere kant lag zijn zoon, Tamás, ook slapend, met zijn mond open. Andras knielde bij hen neer alsof hij wilde bidden. De huid van Tamás was roze van de slaap, er lag een blos op zijn voorhoofd en zijn ogen bewogen achter zijn gesloten oogleden. Klara leek verder weg, ze ademde nauwelijks, haar huid lag als een wit, glanzend laagje over haar zacht kloppende leven heen. Haar haar was losgeraakt en lag als een gedraaid touw over haar schouder. Ze lag met haar arm om een slapende baby in een wit dekentje heen en het handje van de baby lag als een ster open op Klara's half ontblote borst.

Mijn poolster, dacht Andras. Mijn noorden.

Klara bewoog, deed haar ogen open, keek naar de baby en glimlachte. Toen werd ze zich bewust van nog een aanwezigheid in de kamer, een onbekende gestalte. Instinctief trok ze haar blouse over haar borst om de vochtige blanke huid te bedekken.

Ze sloeg haar ogen op naar Andras en knipperde, alsof ze een dode zag. Ze drukte haar duim en wijsvinger tegen haar ogen en keek nog eens.

Andras.

Klara.

Ze jammerden elkaars naam uit in die oude kamer, in die stof-storm van antiek zonlicht; hun jongetje, hun zoon, schrok wakker en begon in paniek te huilen; hij kon blijdschap en verdriet niet van elkaar onderscheiden. En misschien waren blijdschap en ver-driet in dat ogenblik ook wel hetzelfde, een vloed die de borst vulde en de keel opende: dit heb ik zonder jou overleefd, dit hebben we verloren, dit is er nog, hiermee moeten we nu leven. De baby liet een hoog, vochtig stemmetje horen. Ze waren samen, Klara en Andras en Tamás en het kleine meisje van wie haar vader nog niet wist hoe ze heette.

41

De doden

Klara had het beleg van Boedapest overleefd in een vrouwen-
opvanghuis aan het Szabadság tér dat onder bescherming van het
Internationale Rode Kruis stond. De geallieerden bombardeerden
het niet en de Duitsers hadden er weinig belangstelling voor. De
bewoners, jonge moeders en kleine kinderen, waren voor hen niet
interessant. Klara was er begin december naartoe gegaan, een
paar weken nadat de Russen de zuidoostgrens van de hoofdstad
hadden bereikt. Horthy was inmiddels afgezet, de Pijlkruisers
waren aan de macht en er waren zeventigduizend joden uit Boedapest gedeporteerd. Degenen die aan deportatie waren ontkomen, hadden twee keer moeten verhuizen; eerst van hun eigen
huis naar een gebouw met een gele ster ergens in de stad waar de
appartementen alleen voor joden waren, en toen naar een piepklein getto in het Zevende District bij de Hoofdsynagoge.

Tijdens de eerste overplaatsingsgolf hadden Klara, Ilana, de
kinderen, Klara's moeder en Elza Hász allemaal woonruimte aan
de Balzac utca in het Zesde District toegewezen gekregen. Polaner
ging mee. De minuscule mevrouw Klein, de grootmoeder van Miklós
Klein, had hun haar bokkenwagen geleend voor de verhuizing.
Klara had haar bij haar laatste wanhoopsbezoek aan de gevangenis aan de Margit körút ontmoet, waar György waarschijnlijk zat;
mevrouw Klein kwam naar Miklós informeren. Ze kregen die dag
geen nieuws over de beide mannen, maar terwijl ze samen langs
de oever van de Donau liepen en elkaar in hun angst en verdriet
een beetje probeerden op te beuren, kwam het gesprek op de praktische problemen van de naderende verhuizing. Op de dag dat
Klara uit de Nefelejcs utca moest vertrekken, werd ze 's morgens
wakker van een klopje op de deur. Daar stond de grootmoeder van
Miklós Klein in haar boerenrok en haar zwarte laarzen. Ze zei dat
haar bokkenwagen klaarstond op de binnenplaats. Klara ging
naar het balkon en zag de kar beneden op de binnenplaats bij de

fontein staan; de twee witte bokken snuffelden aan het water. De grootmoeder van Miklós Klein bleek in een gebouw bij Klara in de buurt te zijn gehuisvest en had al meegenomen wat zij en haar man uit hun huisje in Angyaföld hadden kunnen redden. Ze hadden zeven geiten meegenomen naar het centrum: de twee bokken, twee melkgeiten en drie kleintjes. Klara mocht die middag wel komen kijken, zei mevrouw Klein; ze had de geiten in een koetshuis achter het joodse gebouw aan de Csanády utca verstopt.

Zelfs nu ze de bokkenwagen mochten gebruiken, moesten ze bijna alles achterlaten. Ze kregen maar één kamer in een vierkamerappartement met een gedeelde badkamer, in de andere kamers woonden twee andere gezinnen. Klara, Ilana, de kinderen, de beide dames Hász en Polaner, die zijn geladen geweer bij zich had, waren met zijn zevenen te voet de stad doorgelopen, te midden van duizenden andere joodse gezinnen die hun bezittingen in een kruiwagen hadden geladen, op hun rug meedroegen of op een kar gezet waarvan ze het paard aan de teugel meevoerden. Ze deden vier uur over het tochtje van twee kilometer. Toen ze hun spullen naar boven brachten, ontdekten ze dat er al een ander gezin in hun kamer zat. Niemand kon ergens anders heen, dus ze moesten de kamer delen. Dat was het begin van vijf maanden in het appartement aan de Balzac utca. Al snel leek het alsof Klara al haar hele leven tussen haar moeder en haar kind op een strozak op de grond had geslapen, altijd een badkamer met zestien anderen had moeten delen en haar schoonzuster bij het wakker worden altijd al had horen huilen. De oude mevrouw Klein kwam elke paar dagen langs met geitenmelk voor de kinderen en Klara. Ze drukte Klara op het hart goed voor zichzelf te zorgen met het oog op het kindje in haar buik. Maar Klara's zwangerschap leek een gruwelijke ironie, een parodie op een belofte. Toen ze op een dag in de rij stond voor brood, had ze twee oude vrouwen over haar horen zeggen: *Moet je die arme zwangere jodin zien. Zonde dat ze geen toekomst meer heeft.* Alsof ze er niet bij stond, alsof ze hen niet kon verstaan.

Maar het was waar: de kansen op een toekomst na de oorlog leken met de dag te slinken. Ze leefden voortdurend in angst voor deportatie en hoorden berichten uit andere steden over duizenden mensen die in gesloten goederenwagons werden weggevoerd. In de hoofdstad was het al erg genoeg: talloze politie-invallen in joodse huizen, de bezittingen van overgeplaatste gezinnen die werden gestolen, mensen die werden gearresteerd, louter en alleen omdat ze thuis waren op het moment dat de politie kwam. Soms leek er even aanleiding tot hoop, een reden om aan te nemen dat er binnenkort een eind aan deze nachtmerrie zou komen: in juli liet Horthy alle deportaties van joden uit Hongarije stopzetten. De joden van Boedapest dachten dat ze gered waren. Klara ving op straat geruchten op over besprekingen met de geallieerden, plannen voor een wapenstilstand. Toen, in oktober, deelde Horthy mee dat Hongarije een afzonderlijk vredesverdrag met de Sovjet-Unie had gesloten. Een paar uur lang werd er op straat wild feestgevierd. Mannen rukten de gele sterren boven de ingang van de huizen van de muur, vrouwen scheurden de gele sterren van de jassen van hun kinderen af. Maar toen kwam die verschrikkelijke, dubbele slag: de staatsgreep van de Pijlkruisers en Szálasi's installatie als premier. De deportaties werden hervat, ditmaal in Boedapest: tienduizenden mannen en vrouwen werden van huis gehaald en te voet naar de steenfabrieken in Óbuda en vandaar naar Oostenrijk gebracht. Er kwam ook een Pijlkruiser aan hun deur. Klara en Ilana werden alleen vrijgesteld omdat hun mannen al bij de Munkaszolgálat in actieve dienst waren.

Ondertussen kwam de frontlinie steeds dichterbij. Hitler, die koste wat kost wilde voorkomen dat de Russen Wenen bereikten, had besloten hen bij Boedapest zo lang mogelijk tegen te houden; de winter naderde en de Duitse en Hongaarse legers zetten zich schrap voor een strijd waarvan iedereen allang wist dat die zinloos was. Het Rode Leger omsingelde de stad en trok de strop steeds verder dicht. De luchtaanvallen dreven de doodsbange burgers elke nacht de schuilkelders in. Soms had Klara het gevoel dat ze in de schuilkelder woonden, dat ze hun hele leven bijeengescholen in het donker zaten. Soms wilde ze bijna dat de dreunende explosie die ze keer op keer in gedachten had beleefd nu maar eindelijk kwam, die verpletterende duisternis waarop niets meer volgde. Maar op een ochtend kwam de oude mevrouw Klein niet alleen geitenmelk brengen, maar ook een sprankje hoop: een paar vrouwen met kinderen in haar appartementengebouw waren overgeplaatst naar een opvanghuis van het Internationale Rode Kruis aan het Szabadság tér in het centrum. Daar moesten Klara en Ilana ook zo snel mogelijk heen, ze moesten een plaats aanvragen voordat het vol zat. Met een beetje geluk kon Klara daar bevallen. Bij het Rode Kruis kon ze vast gemakkelijker medische hulp krijgen als het nodig was.

De volgende dag kregen de joden te horen dat ze eind november opnieuw moesten verhuizen, ditmaal naar het getto in het Zevende District. Er was dus geen tijd te verliezen. Nog diezelfde middag gingen Klara en Ilana bij het hoofdkantoor van het Rode Kruis aan de Vadács utca informeren, en mevrouw Klein had gelijk gehad: er was inderdaad een opvanghuis voor vrouwen met kleine kinderen aan het Szabadság tér. Klara en Ilana kregen formulieren waarmee ze nog die dag met de kinderen konden worden opgenomen. Ze gingen naar huis, pakten hun laatste geld en kostbaarheden, luiers, kleren, lakens en dekens in, propten alles in de kinderwagens van Tamás en Ádám en trokken de jongetjes hun warmste kleren aan. Toen nam Klara voor het laatst afscheid van haar moeder en Elza – al wist ze nog niet dat het de laatste keer zou zijn. Haar moeder drukte Klara haar eigen trouwring en verlovingsring in de hand.

'Niet sentimenteel worden,' zei haar moeder met een vaste, rustige blik in Klara's ogen. 'Ruil ze gerust voor brood als het moet.' Ze had Klara aangespoord de ringen aan haar vinger te schuiven, en daarna had ze haar een bruuske zoen gegeven, zoals vroeger als ze 's morgens naar school ging, en toen was ze naar binnen gegaan om het weinige in te pakken wat ze kon meenemen naar het getto.

Polaner had aangeboden met Klara en Ilana mee te gaan; het opvanghuis lag veertien straten van hun appartement. In zijn zak zat de Walther P-38 die hij van de officier had gekregen die hem zijn vrijgeleide naar Hongarije had bezorgd, en in zijn armen droeg hij Tamás, die in de afgelopen onrustige maanden onafscheidelijk van hem was geworden. Bij de deur van het opvanghuis van het Rode Kruis aan de Perczel Mó utca maakte Tamás zo'n verschrikkelijk kabaal bij het vooruitzicht dat hij van Polaner zou worden gescheiden dat de directrice zei dat Polaner wel een nachtje mocht blijven, zodat de vrouwen en kinderen dan gemakkelijker konden wennen. De directrice was de moeder van een meisje dat een paar jaar geleden balletles van Klara had gehad. Ze was aan roodvonk gestorven; Klara was erg op haar gesteld geweest. De moeder wilde doen wat in haar vermogen lag om Klara te helpen. Polaner was dankbaar voor haar vriendelijkheid en legde uit dat hij dankzij zijn valse papieren en zijn identiteitskaart van de Nationaalsocialistische Partij misschien iets voor de vrouwen en kinderen in het opvanghuis kon doen: hij had een zekere mate van bewegingsvrijheid

in de stad, althans totdat de Russen kwamen. De volgende ochtend had hij een lijst opgesteld van de vele zaken die het tehuis
nodig had. Melk voor de kleintjes stond bovenaan. Het eerste geschenk dat hij meebracht waren dus de bokken, de geiten en twee
van de drie kleine geitjes die in het koetshuis achter het gebouw
aan de Csanády utca hadden gewoond. Mevrouw Klein had ze aan
Polaners zorgen toevertrouwd toen zij en haar man die ochtend
naar het getto in het Zevende District vertrokken. Het laatste kleine geitje hadden ze meegenomen.

Het tehuis van het Rode Kruis was op de eerste verdieping van
een gebouw gehuisvest, in drie kantoren waar vroeger een verze-
keringsmaatschappij had gezeten. Moeders die in bontjas en op
handgemaakte schoenen waren gekomen, zaten nu op bureau-
stoelen of op de grond hun kind te voeden, net als degenen wier
voeten bij aankomst in krantenpapier gewikkeld waren. Dag en
nacht vulden de vrouwen de vertrekken met dringend gepraat, ge-
snik en soms ook zacht gelach. Ze troostten de kleintjes met liedjes en probeerden de peuters met spelletjes en geïmproviseerd
speelgoed af te leiden. Pillendoosjes met steentjes erin werden
rammelaars, vuile lappen werden poppen met staartjes in hun
haar. De moeders wasten om beurten de luiers in een linnen-
kamertje op de begane grond, de enige plek waar stromend water
was. Toen de ramen door de bombardementen versplinterd waren
en het binnen zo koud werd dat de pasgewassen luiers bevroren,
wikkelden ze 's nachts de luiers om zich heen om ze met hun li-
chaamswarmte te drogen. Soms wel tien keer per dag renden ze
naar de schuilkelder onder het gebouw en kropen daar bij elkaar
terwijl de bommen om het Szabadság tér heen vielen.

Polaner was onvermoeibaar voor de vrouwen en kinderen in de
weer. Hij regelde lappen om luiers van te maken, stal de eigen win-
terkleren van de vrouwen terug uit de appartementen die ze hadden moeten achterlaten. 's Avonds negeerde hij de avondklok om
voer voor de geiten te halen uit verlaten stallen en van de vuilnis-
belten die op straat waren ontstaan. Bij die tochten door de buurt
ontdekte hij het clandestiene joodse ziekenhuis aan de Zichy Jenö
utca, een paar straten verderop, waar een Armeense arts, Ara
Jerezian, veertig joodse artsen en hun gezinnen bijeen had gebracht. Boven de ingang wapperde de Pijlkruisersvlag en Jerezian
droeg het officiële uniform van de Pijlkruisers. Hij had zijn lidmaat-
schap jaren geleden opgezegd uit protest tegen het anti-joodse

programma van die partij, maar was weer lid geworden toen hij bedacht dat hij misschien van binnenuit iets voor de joden kon doen. Onder voorwendsel dat hij een ziekenhuis voor gewonde Pijlkruisers wilde opzetten had hij de joodse artsen en hun gezinnen bijeengebracht en een voorraad levensmiddelen en medicijnen aangelegd. Nu behandelden de artsen in de benauwde ruimten die als ziekenhuis waren ingericht de gruwelijke verwondingen van de slachtoffers van het beleg. Polaner bracht zieke vrouwen en kinderen uit het tehuis naar dat ziekenhuis en nam ze mee terug als ze weer beter waren. Als dank gaf hij de hongerige kinderen van de dokters het beetje geitenmelk dat ze konden missen.

In de hele stad gingen nu mensen dood van de honger. De eerste weken van december had het tehuis van het Rode Kruis nog soep gekregen, die met een kar uit een keuken aan de andere kant van het Szabadság tér moest worden gehaald. Toen de soep op was, waren er sojabonen en aardappelen in hun eigen kookvocht, en toen alleen nog sojabonen. Ten slotte was er niets meer, behalve de melk die de geiten van hun karige rantsoen konden aanmaken. De vrouwen van het tehuis brachten hun juwelen bij elkaar en gaven ze aan Polaner om voor eten te ruilen; Klara liet de trouwring en de verlovingsring van haar moeder bij de rest in het zakje glijden. Maar Polaner kwam met lege handen terug. De juwelen waren niets waard; er wás gewoon geen eten. Zelfs stromend water was er niet meer; ze hadden alleen nog de sneeuw op de binnenplaats, die ze lieten smelten. De vrouwen werden ziek van honger en dorst en er kwam ook tekort aan melk. Eerst huilden de kinderen nog, maar toen januari aanbrak waren ze te daarvoor te zwak geworden. Eén voor één werden ze stil en hun ademhaling werd steeds flauwer. Toen deed Polaner wat de oude mevrouw Klein hem had opgedragen. Die zachtmoedige zoon van een textielfabrikant, die tengere jongeman die zo vaardig was met de pen en de gradenboog, schoot de geiten en hun kleintjes dood met zijn Walther P-38 en gaf ze aan een van de inwoonsters, een slagersvrouw die met Polaners mes overweg kon.

Een week later, op 8 januari, begonnen Klara's weeën. Ilana stond erop dat ze naar het ziekenhuis aan de Zichy Jenö utca werd gebracht: na twee keizersneden kon ze niet in het tehuis blijven om gewoon te bevallen. Ilana zelf zou voor Tamás zorgen. Ze kuste Klara en verzekerde haar dat alles goed kwam. Toen aanvaardden Klara en Polaner de moeizame tocht door een netwerk van rokerige steegjes naar het ziekenhuis van Ara Jerezian. De gevechten kwamen steeds dichterbij en in de gangen van het ziekenhuis lagen soldaten met verschrikkelijke verwondingen; op bedden langs de muren lagen huilende, zwetende en hijgende mannen en de vloeren waren glibberig van het bloed. De artsen hadden nauwelijks tijd om naar een gezonde vrouw met weeën te kijken, wat haar voorgeschiedenis op dat gebied ook was. Klara en Polaner moesten drie uur in een provisorisch keukentje wachten, totdat een reeks heftige weeën haar op handen en knieën op de grond dwong. Uiteindelijk smeekte Polaner Ara Jerezian zelf om hulp, en die nam Klara mee naar zijn spreekkamer en legde een matras voor haar op de grond. Polaner bracht haar water, bette haar voorhoofd en verschoonde de doordrenkte lakens. Toen duidelijk werd dat het een stuitligging was en dat het zonder keizersnede niet ging, bracht dokter Jerezian haar naar een geïmproviseerde operatiekamer – drie metalen tafels met alleen het licht dat door de hoge ramen naar binnen kwam – en gaf haar morfine, terwijl de onverschrokken Polaner zijn blik afwendde. Toen Klara bijkwam, hoorde ze dat ze een dochtertje had gekregen, dat ze Április noemde in de hoop dat ze de lente zou halen. En Polaner merkte op dat de baby op haar vader leek.

Klara bleef vijf dagen in de spreekkamer van Jerezian. Polaner bracht haar al het eten dat hij in het ziekenhuis kon bemachtigen. Hij verzorgde haar operatiewond, legde verkoelende natte doeken op haar voorhoofd en hield de baby vast als zij sliep. De baby was bij de geboorte heel klein geweest, maar door Klara's melk kwam ze snel aan. Toen ze haar uiteindelijk op een brancard van het Rode Kruis naar het tehuis terugbrachten, lag Tamás stil en met een glazige blik in de armen van de directrice. Waar was Ilana? vroegen ze. Waar was zijn tante, die voor hem zou zorgen? De directrice keek hen even zwijgend en met trillende lippen aan en vertelde toen wat er gebeurd was.

Op 12 januari was Ádám Lévi aan de koorts bezweken. Gek van verdriet was zijn moeder de straat op gerend, waar ze door een Russische granaat werd getroffen.

De gevechten in Pest gingen nog zes dagen door. Het Russische leger naderde nu het centrum en leek zich op het Szabadság tér te concentreren; het gebouw trilde dag en nacht van het artillerievuur. Klara, in shock van angst en verdriet, zat met de baby weg-

gedoken in de schuilkelder terwijl Tamás zich aan Polaner vast-
klemde. Ze zou sterven zonder haar man te hebben weergezien, en
als hij nog leefde, wie moest hem dan vertellen dat zij en de kinderen dood waren? Misschien kwam hij zelfs wel nooit te weten
dat hij een dochtertje had gekregen. *Zonde dat ze geen toekomst
meer heeft.* Wat voor toekomst was er hierna nog denkbaar? Die
avond waagde Polaner zich buiten om water te halen bij een kraan
aan de overkant van de straat en kwam terug met het bericht dat
station Nyugati in brand stond en de Hongaarse soldaten naar de
bruggen over de Donau vluchtten. En die helse vuurgloed langs de
rivier kwam van de grote hotels, die in lichtelaaie stonden. De
vlammen verzwolgen de koepel en de toren van het parlementsgebouw. Burgers renden met hun honden, hun bagage en hun
kinderen naar de rivier, maar de bruggen werden gebombardeerd.
Nergens was meer voedsel te vinden. Toen Klara dat laatste hoorde, begreep ze dat ze haar kinderen zou zien sterven. Later die
nacht, toen ze in een lichte, onrustige slaap viel, droomde ze dat
ze de kinderen haar eigen rechterhand te eten gaf; ze voelde geen
pijn, ze was alleen opgelucht dat ze die slimme oplossing had bedacht.

Toen ze de volgende ochtend wakker werd, was het ongewoon
stil. In plaats van gedaver heerste er overal een galmende stilte.
Alleen af en toe klonken er een paar schoten door de lucht en van
de westelijke oever van de Donau, waar nog gevochten werd,
kwam de zwakke echo van de oorlog. Maar de slag om Pest was
voorbij. Alle bruggen waren verwoest; de Russen hadden de stad
in handen. De laatste nazi's waren krijgsgevangen gemaakt of verscholen zich angstig in de gebouwen waar anderen zich vroeger
angstig voor hen verscholen. In het tehuis wachtten de vrouwen
op een teken waaruit ze konden opmaken wat ze nu moesten
doen. Ze waren flauw van honger en dorst en ziek van verdriet; het
gebouw had het bombardement van die nacht weliswaar doorstaan, maar er waren weer twee baby's gestorven. De kinderen die
nog leefden, waren die dag nog stiller dan anders, alsof ze voelden
dat er iets veranderd was. Die middag kwamen de bewoners het
gebouw uit en stonden in het lage, gele licht op het Szabadság tér.
Wat ze zagen, leek wel een beeld uit een bioscoopjournaal, of een
droom: de Amerikaanse vlag wapperde fier boven de ambassade
met de gesloten luiken. Op de stoep van de ambassade lagen twee
dode Pijlkruisers in uniform; hun jassen waren aan de voorkant

doorzeefd met kogels. Een paar mannen van de Russische militaire politie stonden op de hoek van het plein naar de rokende koepel van het parlementsgebouw te kijken. De directrice van het tehuis liep naar hen toe en liet zich op haar knieën vallen; ze verstonden niet wat ze zei, maar boden haar hun veldfles aan.

Toen de Russen de volgende ochtend nog niet met hulpgoederen waren gekomen, maakten de bewoonsters van het tehuis zich gereed om te vertrekken. Klara en Polaner legden extra dekentjes in de kinderwagens en stopten hun overgebleven bezittingen erin. Tamás zetten ze in de lege wagen van Ádám. Hij had de afgelopen week niets te eten gehad, alleen het restje van Klara's melk. In de andere wagen legden ze de baby. Klara was blind van uitputting en kon nauwelijks lopen. Ze baanden zich een weg door de puinhopen zonder te weten waar ze heen gingen. Ze manoeuvreerden de wagens om neergestorte vliegtuigen, dode paarden, ontplofte Duitse tanks, omgevallen schoorstenen, vuilnishopen en dode soldaten en vrouwen heen. Op de hoek van de Király utca en de Kazinczy utca stond een groep Russische soldaten puin in een vrachtwagen te scheppen. De leider, een officier met lintjes op de borst, hield Klara en Polaner aan en sprak hen op luide, eisende toon in het Russisch toe. Ze begrepen dat hij hun papieren wilde zien, maar als Polaner de zijne tevoorschijn haalde, zou hij worden gearresteerd of neergeschoten. Hij antwoordde in het Hongaars dat Klara zijn vrouw was en dat ze met de kinderen naar huis gingen. De officier keek lang naar de broodmagere, hologige Klara en Polaner en wierp een blik in de kinderwagens met de stille kinderen. Toen haalde hij een foto uit zijn zak; er stond een vrouw met een rond gezicht op, die een kind met een rond gezichtje op schoot hield. Terwijl Klara de foto vasthield, liep de militair naar de cabine van de vrachtwagen en haalde een canvas plunjezak tevoorschijn. Hij knielde neer en pakte er een bobbelige papieren zak uit waar stenen in leken te zitten. Hij greep in de zak en gaf Klara een handvol verschrompelde hazelnoten. Een tweede handvol ging naar Polaner.

Op die twee handjes noten zou Klara haar beide kinderen een week lang voeden.

Omdat ze nergens anders heen konden, gingen ze naar het getto, dat de dag daarvoor door de Russen was bevrijd. Daar, bij de poort van de Hoofdsynagoge aan de Dohány utca, troffen ze de oude mevrouw Klein met de enige geit die ze tijdens het beleg in leven had kunnen houden. Grootvader Klein, die minuscule oude man met de stralende ogen en het haar dat als twee vleugels van zijn hoofd af stond, was in de eerste week van januari aan een beroerte overleden. Ze hadden hem op de binnenplaats van de synagoge gelegd, waar al honderden joodse doden op hun begrafenis lagen te wachten.

En mijn moeder? had Klara gevraagd. En de vrouw van mijn broer?

Met dezelfde van verdriet verstikte stem deelde grootmoeder Klein mee dat Elza Hász en Klara's moeder samen met veertig anderen op de binnenplaats van een gebouw aan de Wesselényi utca waren doodgeschoten. Ze zei het met neergeslagen ogen terwijl ze de kop van het laatste geitje streelde, de enig overgeblevene van de kudde die het leven van dertig vrouwen en kinderen op het Szabadság tér had gered.

Op de binnenplaats van de synagoge op het Bethlen Gábor tér, waar de overlevenden uit de concentratiekampen zich bij terugkomst moesten melden, smeekten degenen die in Boedapest waren achtergebleven de overlevenden om een bericht over degenen die niet teruggekomen waren. Klara ging er iedere dag naartoe. Ze vreesde het antwoord op haar vragen, maar toch stelde ze ze telkens weer. Op een dag sprak ze een man die in Duitsland samen met haar broer in een kamp had gezeten; ze hadden samen in een wapenfabriek gewerkt. De man nam haar mee de synagoge in, ging met haar op een bank zitten, nam haar handen in de zijne en deelde haar mee dat haar broer dood was. Hij was op oudejaarsdag samen met vijfentwintig anderen gefusilleerd.

Een week lang zat ze sjivve in het huisje in de Frangepán köz; voor zover ze wist was ze de enige van de familie die nog leefde. Toen ging ze weer naar de synagoge in de hoop iets over Andras te vernemen. Ze had echter iets gehoord wat hij nu meteen moest weten. Er was een vrouw uit Debrecen op het Bethlen Gábor tér geweest die haar kinderen zocht. Ze had zelf ook in een kamp gezeten, in Oświęcim, in Polen. Daar had ze Andras' ouders op een perron gezien voordat zijzelf in een groep werd ingedeeld van mensen die gezond genoeg waren om te werken. Van de andere groep, de oude mensen, de zieken en de heel jongen, was niets meer vernomen.

Toen Klara hem dat vertelde, begon Andras te trillen van stil verdriet. József zat naast hem, in shock, met holle ogen. Op één dag, in dit vreemde huisje vol foto's van lang geleden gestorven mensen, hadden ze allebei te horen gekregen dat ze wees waren.

Nog maanden na Andras' thuiskomst gingen ze elke dag naar de synagoge op het Bethlen Gábor tér. Overal in Oostenrijk, Duitsland, Joegoslavië en de Oekraïne werden Hongaarse joden opgegraven en voor zover mogelijk aan de hand van hun papieren of identiteitsplaatjes geïdentificeerd. Het waren er duizenden. Elke dag hing er een eindeloze lijst namen aan de buitenmuur van het gebouw. Abraham. Almasy. Arany. Banki. Bohm. Braun. Breuer. Budai. Csato. Czitrom. Daniel. Diamant. Einstein. Eisenberger. Engel. Fischer. Goldman. Goldner. Goldstein. Hart. Hauszmann. Heller. Hirsch. Honig. Horovitz. Idesz. Janos. Jaskiseri. Kemeny. Kepecs. Kertesz. Klein. Kovacs. Langer. Lazar. Lindenfeld. Markovitz. Marton. Nussbaum. Ocsai. Paley. Pollak. Rona. Rosenthal. Roth. Rubiczek. Rubin. Schoenfeld. Sebestyen. Sebok. Steiner. Szanto. Toronyi. Ungar. Vadas. Vamos. Vertes. Vida. Weisz. Wolf. Zeller. Zindler. Zucker. Een alfabet van verlies, een catalogus van verdriet. Bijna iedere keer dat ze er waren, zagen ze iemand die zojuist had vernomen dat een van zijn dierbaren dood was. Soms werd het nieuws in stilte ontvangen en werd alleen de huid rondom de mond wit of begonnen de handen die de hoed vasthielden, plotseling te trillen. Anderen gilden, protesteerden, huilden. Ze gingen elke dag, maanden achter elkaar, zo lang dat ze bijna waren vergeten wat ze zochten; na een tijd leek het alsof ze alleen naar die lijsten kwamen kijken en een nieuwe kaddisj uit hun hoofd probeerden te leren die alleen uit namen bestond.

Toen, op een middag begin augustus, acht uur voordat de Enola Gay over Hiroshima vloog en acht dagen voor het eind van de Tweede Wereldoorlog, stonden ze naar de nieuwe dodenlijst te kijken en sloeg Klara opeens haar hand voor haar mond. Haar schouders schoten omhoog. Even vroeg Andras zich alleen af wie ze nog verloren kon hebben; het kwam niet bij hem op dat haar reactie iets met hem te maken had. Toch moet hij onbewust hebben gevoeld wat er aan de hand was, want toen hij zelf naar de lijst keek, merkte hij dat de namen maar niet scherp wilden worden.

Klara pakte trillend zijn arm vast. 'O Andras,' zei ze. 'Tibor. O god.'

Hij maakte zich los; hij wilde het niet begrijpen. Hij keek weer naar de lijst, maar die leek niets te betekenen. De mensen stapten al opzij, uit respect voor hun verdriet, zoals ze altijd deden als iemand zijn doden op de lijst had gezien. Hij deed een stap naar voren en raakte de lijst aan waar de K leegbloedde in de L. Katz, Adolf. Kovály, Sarah. László, Béla. Lebowitz, Kati. Lévi, Tibor.

Dat kon zijn Tibor niet zijn. Hij zei het hardop: dat is hij niet. Dat is iemand anders. Niet onze Tibor. Niet onze Tibor. Een vergissing. Hij drong door de menigte heen naar de deur van de synagoge, naar de trap naar de administratie, waar ongetwijfeld een verklaring te vinden was. Hij maakte de vrouw bij de balie aan het schrikken door te bulderen dat hij de chef moest spreken. Ze liet hem in een kamertje, waar hij – ongelooflijk – moest wachten. Daar vond Klara hem; haar ogen waren rood en hij dacht: *belachelijk. Niet onze Tibor.* In de kamer van de chef zat hij in een oude leren stoel terwijl de man door een stapel bruine enveloppen bladerde. Hij gaf Andras een envelop waar de naam LÉVI op stond. In de envelop zaten een kort getypt briefje en een metalen identiteitsmedaillon met een verbogen slotje. Toen Andras het medaillon openmaakte, zat het papiertje er nog in. Tibors naam, geboorteplaats, geboortedatum, lengte, kleur ogen, gewicht, de naam van zijn commandant, zijn huisadres en zijn Munkaszolgálat-nummer. *Jullie identiteitsplaatjes gaan misschien naar huis, maar jullie nooit meer.* In het briefje stond dat het identiteitsplaatje op Tibors lichaam in een massagraf in Hidegség bij de Oostenrijkse grens was gevonden.

Die nacht sloot Andras zich op in de slaapkamer in het nieuwe appartement waar hij met Klara, Polaner en de kinderen woonde. Hij ging op de grond zitten, huilde hardop en sloeg met zijn hoofd tegen de koude rode tegels. Hij kwam die kamer niet meer uit, besloot hij, hij bleef hier zitten totdat hij oud was en de aarde de jaren om hem heen wegbrandde.

In de loop van de nacht kwamen Klara en Polaner binnen om hem naar bed te brengen. Hij was zich er vaag van bewust dat Klara zijn overhemd losknoopte en dat Polaner hem een schoon hemd aantrok; door een dikke mist zag hij dat Klara bij de wastafel haar gezicht waste en toen naar hem toe kwam om bij hem in bed te stappen. De arm die ze om hem heen sloeg was warm en levend, en daaronder was hij dood. Hij kon zich niet verroeren om haar aan te raken, hij kon niet op haar woorden reageren. Leeg, uitgeput lag hij wakker en luisterde naar het vertrouwde ritme van haar ademhaling terwijl ze sliep. Hij zag Tibor weer zoals hij die laatste weken was geweest, in die nachtmerrie in Sopron: Tibor die naar de stad ging om eten te halen. Tibor die de kom bonen van Andras en József weggooide. Tibor die Andras' voorhoofd waste met een koude natte lap. Tibor die zijn eigen jas over hem heen legde. Tibor die dertig kilometer had gelopen met een klodder aardbeienjam in zijn hand. Tibor die hem eraan herinnerde dat Tamás jarig was. Toen dacht hij aan Tibor in Boedapest, aan zijn donkere ogen achter het zilveren brilletje. Tibor in Parijs, op de grond in Andras' kamer, ziek van liefde voor Ilana. Tibor die in een septembermaand in een vorig leven Andras' koffers naar het station Keleti had gesleept. Tibor in de opera, de avond voor Andras' vertrek. Tibor die een matras de trap naar zijn kamertje aan de Hársfa utca op sleepte. Tibor op school met een opengeslagen biologieboek voor zich. Tibor als slungelige jongen, die Andras door de boomgaard achterna zat en tegen de grond werkte. Tibor die Andras uit de molenvliet haalde. Tibor die zich over de kleine Andras op de keukenvloer heen boog en een lepeltje zoete melk in zijn mond goot.

Hij draaide zich om, trok Klara tegen zich aan en huilde, huilde eindeloos in de vochtige wolk van haar haar.

Op de joodse begraafplaats buiten de stad werd een begrafenisplechtigheid gehouden: de resten van Tibor en honderden anderen werden herbegraven – een heel veld van open graven en wel duizend rouwenden. Daarna zat hij voor de tweede keer dat jaar een weeklang sjivve. Hij en Klara brandden een kaars, aten hardgekookte eieren, zaten zwijgend op de grond en ontvingen een stroom bezoekers. Zoals de traditie eiste, schoor Andras zich dertig dagen niet. Hij verstopte zich achter zijn baard, verschoonde zich niet en waste zich alleen als Klara erop aandrong. Hij moest werken; hij wist dat hij zich niet kon permitteren zijn nieuwe baan als sloper van gebombardeerde gebouwen kwijt te raken. Maar hij deed zijn werk zonder iets tegen de andere mannen te zeggen, zonder de huizen die hij moest leeghalen werkelijk te zien en zonder aan de mensen te denken die er hadden gewoond. Na het werk zat hij in de voorkamer van het nieuwe appartement aan de Poszonyi út of in een donker hoekje in de slaapkamer, soms met een van de kinderen op schoot; hij streelde het hoofdje van de baby of luisterde naar Tamás die vertelde wat hij die ochtend allemaal in het park had beleefd. Hij at weinig, kon zich niet op de krant of een boek concentreren en wilde niet met József en Polaner gaan wandelen. Hij zei iedere dag kaddisj. Hij had het gevoel dat hij zo eeuwig door kon leven, dat zijn verdriet een dagvullende bezigheid kon zijn. Klara, die zich vanwege haar moederschap niet kon laten meeslepen door het allesverterende verdriet om de dood van haar moeder, György en Elza, begreep het en liet hem begaan, en Polaner, wiens eigen smart even diep was, wist dat zelfs deze afgrond een bodem had en dat Andras die weldra zou bereiken.

Hij had niet kunnen vermoeden hoe, of wanneer. Het gebeurde op een zondag, precies een maand na de begrafenis, de dag dat Andras zich voor het eerst weer mocht scheren. Ze zaten aan het ontbijt, gerstepap met geitenmelk; er heerste nog voedselschaarste en nu het kouder begon te worden, vroegen ze zich af of ze de oorlog alleen hadden overleefd om daarna alsnog aan de gevolgen te bezwijken. Klara gaf haar pap aan de kinderen. Andras kon niet eten en gaf haar zijn portie. József en Polaner hadden de krant tussen zich uitgespreid en Polaner las een artikel voor over de problemen die de communistische partij ondervond bij het leden werven voor de komende verkiezingen.

Toen er op de deur werd geklopt, stond Andras op. Hij trok zijn kamerjas dichter om zich heen, want het was een koude ochtend. Hij liep de gang in en deed de deur open. Er stond een jongeman met een rood gezicht en een rugzak op de drempel. Hij droeg een Russische legerpet. Hij haalde een brief uit zijn zak.

'Deze moest ik aan Andras of Tibor Lévi afgeven,' zei hij.

'Van wie?' vroeg Andras. Versuft, afstandelijk, merkte hij toch hoe vreemd het was de naam van zijn broer uit de mond van die soldaat te horen. *Tibor Lévi.* Alsof hij er nog was.

'Van Mátyás Lévi,' zei de man. 'Ik heb samen met hem in een krijgsgevangenenkamp in Siberië gezeten.'

Juist, dacht Andras. Dit was dus de laatste. Mátyás was dood en dit was zijn laatste brief. Hij voelde zich zo ver van ieder gevoel verwijderd, zo onmachtig om nog pijn, hoop of liefde te voelen, dat hij de brief zonder aarzelen aanpakte. Hij maakte hem open terwijl de jongeman wachtte en alle anderen hem aankeken in afwachting van het bericht. En toen las hij dat zijn broer Mátyás leefde en dinsdag thuis zou komen.

In de winter van 1942, een maand nadat hij naar de Oekraïne was gestuurd, was Mátyás Lévi door de Russen gevangengenomen en

samen met de rest van zijn compagnie naar een mijn in Siberië gebracht. De mijn lag in de omgeving van Kolyma, begrensd door de
Poolzee in het noorden en de Zee van Ochotsk in het zuiden. Met
de Trans-Siberiëlijn waren ze helemaal naar het oosten gereden,
naar Vladivostok, en vervolgens op het slavenschip de Dekabrist
overgevaren. Er zaten tweeduizend gevangenen in het kamp, Duitsers, Oekraïners, Hongaren, Serviërs, Polen en Franse nazisym-
pathisanten, en ook Russische misdadigers, politieke dissidenten,
schrijvers, componisten en beeldend kunstenaars. Ze werden met
knuppels, scheppen en houwelen geslagen. Hij was door luizen,
vliegen en bedwantsen gebeten. Hij was bijna doodgevroren. Hij
had zeventien uur per dag gewerkt bij een temperatuur van vijftig
graden onder nul en op een dagrantsoen van tweehonderd gram
brood, hij was wegens ongehoorzaamheid in een isoleercel gegooid, was bijna aan dysenterie bezweken, had het respect van de
bewakers en officieren verdiend door grote communistische affi-
ches te schilderen om aan de muur van de barak te hangen, was
tot officieel propagandaontwerper en sneeuwbeeldhouwer be-
noemd (hij had een paar drie meter hoge borstbeelden van Lenin
en Stalin gemaakt voor de paradeplaats), had Russisch geleerd en
zijn diensten als tolk aangeboden, was opgeroepen om Hongaarse
nazi's te verhoren, had honderd Pijlkruisers zien berechten, ver-
oordelen en soms ook gefusilleerd zien worden, was door een
geheim groepje Hongaarse Pijlkruisers aangevallen, waarbij ze
allebei zijn benen hadden gebroken, had zes maanden in de ziekenboeg gelegen en had eindelijk op een ochtend te horen gekregen dat zijn tijd in het kamp erop zat, en toen hij vroeg waar hij
dat aan te danken had, werd hem meegedeeld dat zijn status en
die van 520 andere gevangenen officieel was veranderd van joodse Hongaar in Hongaarse jood, en dat dit kamp niet tot doel had
joden vast te houden, zeker niet na alles wat de nazi's hun hadden aangedaan.

Maar na alles wat hem in die drie ijskoude jaren was overkomen, was hij toch niet voorbereid geweest op de toestand die hij
thuis aantrof. Hij was niet voorbereid op de mededeling dat er
vierhonderdduizend Hongaarse joden naar de vernietigingskam-
pen in Polen waren gestuurd, niet voorbereid op de gebombardeerde ruïnes en de zes verwoeste bruggen van Boedapest. Ook niet
voorbereid op het bericht dat zijn beide ouders en zijn broer,
schoonzuster en neefje allemaal dood waren. Mátyás was een ma-

gere man geworden met harde ogen en een korte donkere baard. Hij zat tegenover Andras op de divan en hoorde hem zwijgend aan; alleen aan het trillen van zijn kaak zag zijn broer dat hij het had begrepen. Hij stond op en streek zijn broek glad, alsof hij nieuwe orders had gekregen en klaar was om zijn plannen aan te passen en weer aan het werk te gaan. Toen leek er onder de huid van zijn gezicht iets te veranderen, alsof zijn gezichtsspieren het nieuws nu pas over de langeafstandsverbinding doorkregen. Hij zakte door zijn knieën en zijn gezicht werd plotseling vertrokken van verdriet. 'Niet waar!' riep hij, en hij maaide met zijn armen om zich heen alsof hij door een zwerm vogels werd aangevallen. En dat was ook zo, dacht Andras, dat bericht was een zwerm kraaien met zwarte, naar as stinkende vleugels.

Hij knielde naast zijn broer op de grond en sloeg zijn armen om hem heen, hield hem tegen zich aan terwijl Mátyás het uitjammerde. Hij zei zijn naam, alsof hij hem eraan wilde herinneren dat hij, Mátyás, het had overleefd, hoe onwaarschijnlijk dat ook leek. Hij liet hem pas los toen Mátyás hem wegduwde en de onbekende kamer in keek; toen zijn blik weer op Andras rustte, stonden zijn ogen helder, maar vol wanhoop. Is het echt waar? leek hij te vragen, al zei hij geen woord. Eerlijk zeggen. Is het echt waar?

Andras beantwoordde zijn blik en hield die vast. Ze hoefden niets te zeggen. Hij sloeg zijn arm weer om Mátyás' schouder en trok hem tegen zich aan terwijl hij huilde.

Andras bleef die nacht bij hem zitten, en ook de volgende nacht en de nacht daarna. Andras drong erop aan dat hij iets at. Hij verschoonde het vochtige beddengoed op de divan waar Mátyás sliep. En terwijl hij daarmee bezig was, voelde hij langzaam de mist optrekken die hem sinds het bericht van Tibors dood omhulde. Hij was de afgelopen maand bijna vergeten dat hij een mens was, hij was het ademhalen, eten, slapen en praten bijna verleerd. Hij had zich laten gaan, al hadden Klara en de kinderen de oorlog en het beleg overleefd en al was Polaner iedere dag bij hem. Op de derde dag na Mátyás' terugkeer, toen Mátyás sliep en hij en Klara zich in hun slaapkamer hadden teruggetrokken, pakte Andras haar hand en smeekte om vergiffenis.

'Er valt niets te vergeven, dat weet je toch,' zei ze.

'Ik had plechtig beloofd voor je te zorgen. Ik wil weer een man voor je worden.'

'Dat ben je altijd geweest,' zei ze.

Hij boog zich naar haar toe en kuste haar; ze leefde, zijn Klara, en ze lag in zijn armen. Moeder van mijn kinderen, dacht hij met een hand op haar buik. Bron van vreugde. En hij zag haar weer voor zich met die oranjerode dahlia achter haar oor, hij wist weer hoe haar huid in bad aanvoelde, en hoe het was om haar aan te kijken en te weten dat ze allebei hetzelfde dachten. En voor het eerst sinds hij Tibors naam op de lijst op het Bethlen Gábor tér had gezien kon hij weer geloven dat het misschien mogelijk was om ook na dit verschrikkelijke jaar verder te leven, dat hij naar Klara's gezicht zou kunnen kijken waarvan hij alle vlakjes en welvingen beter kende dan welk landschap ook, en iets als vrede ervaren. En hij leidde haar naar hun bed en beminde haar alsof het de eerste keer was.

42

Een naam

Het was een frisse, heldere ochtend, een van de eerste van december. Uit het raam van hun appartement aan de Pozsonyi út zag Andras een rij schoolkinderen die naar het Szent Istvánpark gingen – grijswollen jasjes, rode sjaals, zwarte laarsjes die een visgraatpatroon van voetafdrukken in de sneeuw achterlieten. Voorbij het park lag de gemarmerde Donau. In de verte zag hij de witte punt van het Margaretha-eiland, waar Tamás en Április 's zomers bij het Palatinus-strandje gingen zwemmen. Toen hij het afgelopen voorjaar met hen door het park wandelde en hun had verteld dat dat zwembad vroeger een tijd lang voor joodse zwemmers gesloten was geweest, had Április hem met opgetrokken wenkbrauwen aangekeken.

'Ik snap niet wat joods zijn met zwemmen te maken heeft,' zei ze.

'Ik ook niet,' zei Andras, en hij legde een hand in haar nek, op het slotje van haar gouden kettinkje. Maar Tamás had met zijn handen om de spijlen door het hek het zwembad opgenomen, zich omgedraaid en zijn vader aangekeken. Hij wist inmiddels wat er in de oorlog met zijn familie was gebeurd, met zijn ooms en zijn grootouders. Hij was met zijn vader naar Konyár en Debrecen geweest om te zien waar Andras als kind had gewoond en waar Andras' ouders woonden; hij had zijn vader een steen op de drempel van het huis in Konyár zien leggen alsof dat een graf was.

'Hier ga ik trainen voor de Olympische Spelen,' zei hij. 'Ik ga een nieuw wereldrecord vestigen.'

'Ik ook,' zei Április. 'Vrije slag én rugslag.'

'Ik twijfel er geen moment aan,' zei Andras.

Dat was voordat de ontsnapping echt mogelijk leek, voordat de kinderen zich gingen voorstellen dat hun toekomst zich aan de overkant van de Atlantische Oceaan zou afspelen. Het zou nu niet lang meer duren – er hoefden alleen nog wat details te worden afgehandeld, waaronder het bezoek dat Andras die ochtend aan het ministerie van Binnenlandse Zaken moest brengen. Tamás wilde met Andras, Klara en Mátyás mee toen ze de nieuwe identiteitskaarten gingen ophalen. De vorige avond was hij met een ernstig gezicht en over elkaar geslagen armen in de zitkamer voor Andras gaan staan. Hij had zijn huiswerk voor de komende twee dagen al af, deelde hij mee. Hij zou niets missen als hij meeging.

'Je moet naar school,' zei Andras. Hij stond op en sloeg een arm om Tamás' schouders. 'Je wilt in Amerika toch niet achter zijn op school?'

'Daar hoef ik niet bang voor te zijn,' antwoordde Tamás. 'Dat gebeurt heus niet als ik één middagje wegblijf. Ze hebben daar elke week de hele zaterdag en zondag vrij.'

'Ik leg je nieuwe papieren wel op je bureau,' zei Andras. 'Dan heb je ze meteen als je uit school komt.'

Tamás keek even naar Klara, die aan haar schrijftafel bij het raam zat, maar die schudde haar hoofd en zei: 'Je hebt je vader gehoord.'

Schouderophalend, zuchtend, mopperend dat het niet eerlijk was, gaf Tamás zich gewonnen. Hij slenterde de gang in, naar zijn kamer. 'Alsof ik achter zou raken,' hoorden ze hem nog zeggen voordat hij zijn deur dichttrok.

Klara keek Andras aan en kon haar lachen haast niet houden. 'Hij is allang volwassen, hè?' zei ze. 'Hoe moet dat straks in Amerika, bij die kinderen met hun *banana splits* en hun rock-'n-roll?'

'Dan gaat hij banana splits eten en naar rock-'n-roll luisteren,' voorspelde Andras, wat niet ver bezijden de waarheid zou blijken.

Andras en Mátyás hadden die dag vrij genomen om naar het ministerie van Binnenlandse Zaken te gaan. Ze werkten bij de *Hongaarse Natie*, een communistische krant van het tweede garnituur, waar ze aan het hoofd van de afdeling opmaak en vormgeving stonden. De vorige avond hadden ze tot laat doorgewerkt; ze moesten wintertekeningen van leerlingen van het gimnázium beoordelen voor een wedstrijd. Op de winnende tekening was een schaatswedstrijd te zien, want sport was een veilig onderwerp. Volgens de officiële regels werden tekeningen die naar Kerstmis verwezen automatisch gediskwalificeerd. Die feestdag hoorde bij het 'oude' Hongarije, althans officieel. De mensen vierden natuurlijk nog altijd kerst en daar rekenden Andras, Mátyás, Klara, Tamás en Április ook op. Over een paar weken, op kerstavond, zouden ze op de trein naar Sopron stappen en van daar tien kilometer door de sneeuw lopen naar een plek waar ze ongezien de Oostenrijkse grens konden oversteken. Ze vertrouwden erop dat de grenspatrouille op dat moment wodka zat te drinken en in hun warme kantoor naar kerstliedjes luisterde. In Oostenrijk zouden ze per trein naar Wenen gaan, waar Polaner al sinds november woonde. Vandaar wilden ze eerst naar Salzburg en vervolgens naar Marseille. Als alles goed ging, zouden ze op 10 januari aan boord gaan van een passagiersschip naar New York, waar József Hász een flat voor hen had geregeld.

Maar eerst moesten ze de naamsverandering en de nieuwe identiteitspapieren in orde maken. Ze hadden acht weken daarvoor, in oktober, de aanvraag al ingediend, maar die was vertraagd, net als alle andere overheidszaken, door de verwarring rond de mislukte revolutie van dat najaar. Zelfs nu, minder dan een maand nadat die was neergeslagen, kon Andras nog haast niet geloven dat dat alles werkelijk was gebeurd – dat het publieke debat van het Petőfi-genootschap, een groepje intellectuelen in Boedapest, tot enorme studentendemonstraties had geleid, dat de studenten en hun sympathisanten Ernö Gerö, de stroman van Moskou, hadden afgezet en de hervormingsgezinde Imre Nagy als premier hadden geïnstalleerd; dat ze het twintig meter hoge standbeeld van Stalin bij het Heldenplein hadden neergehaald en Hongaarse vlaggen in zijn lege laarzen hadden geplant. De demonstranten hadden vrije verkiezingen, een meerpartijenstelsel en een vrije pers geëist. Ze wilden dat Hongarije uit het Warschaupact stapte, en ze wilden vooral dat het Rode Leger naar huis ging. Ze wilden weer Hongaren zijn, zelfs na alles wat dat in de oorlog had betekend. Aanvankelijk had Chroesjtsjov toegegeven. Hij had Nagy als eerste minister erkend en begon de bezettingstroepen terug te trekken. In de laatste dagen van oktober leek de Hongaarse Revolutie even de snelste, schoonste, meest succesvolle revolutie van de hele Europese geschiedenis. Toen kwam Polaner op een middag thuis met het gerucht dat zich steeds meer Sovjettanks aan de Roemeense en Roetheense grens verzamelden. Die avond in het café in Erzsébetváros waar Andras en Polaner naartoe waren gegaan om joodse kunstenaars en schrijvers tot diep in de nacht te horen debatteren, gingen de meest verhitte discussies over de vraag of de westerse landen Hongarije te hulp zouden komen. Radio Vrij Europa had velen doen geloven van wel, maar anderen beweerden dat geen westers land het tegen het Sovjet-machtsblok zou durven opnemen. De cynici kregen gelijk. Frankrijk en Engeland werden totaal in beslag genomen door de Suez-crisis en keken nauwelijks naar Centraal Europa, in Amerika waren binnenkort presidentsverkiezingen en had men nergens anders aandacht voor.

Meer dan vijfentwintighonderd mensen kwamen om het leven en negentienduizend raakten gewond toen de tanks en vliegtuigen van Chroesjtsjov de opstand neersloegen. Imre Nagy had zijn toevlucht in de ambassade van Joegoslavië gezocht en werd gevangengenomen zodra hij naar buiten kwam. Binnen een paar dagen was alles afgelopen. In de weken daarop vluchtten bijna tweehonderdduizend mensen naar het westen, onder wie Polaner, wiens foto in een van de vele kranten had gestaan die in die twee weken van vrijheid als paddenstoelen uit de grond waren opgeschoten. Op de foto hielp hij een jonge vrouw die op het Heldenplein in haar been was geschoten; ze bleek een van de leidsters van de studentenbeweging te zijn en vanaf dat moment werd Polaner als revolutionair aangemerkt. Er deden gruwelijke verhalen de ronde over folteringen in het cellenblok van de geheime politie op Andrássy út 60; Polaner wilde liever niet controleren of ze op waarheid berustten en besloot de grens over te gaan. Tot zijn geluk en dat van de tweehonderdduizend andere vluchtelingen had het kortstondige conflict ertoe geleid dat het IJzeren Gordijn zo lek als een mandje was. Veel grenswachten waren opgeroepen om de troepen te versterken in de steden in het binnenland waar onlusten waren uitgebroken.

Ook die ongeregeldheden waren allang de kop ingedrukt, maar de grenzen waren nog steeds minder hermetisch afgesloten dan in de tijd daarvoor. Ze hadden besloten Polaner te volgen. Hoe lang wachtten ze nu al niet op een kans om weg te komen? In Hongarije hadden ze geen toekomst; dat hadden ze al voor de revolutie geweten en dat werd nu des te duidelijker. József Hász, die zelf al vijf jaar geleden naar New York was ontsnapt, had al zijn overredingskracht gebruikt om duidelijk te maken dat ze gek zouden zijn als ze bleven. Hij had een flat voor hen geregeld en beloofd hen te helpen werk te vinden. Tamás en Április waren groot genoeg om te voet de grens over te gaan en kerstavond was het ideale moment. Eindelijk besloten ze het er dus op te wagen. Dat hadden ze in zeer bedekte termen aan József, Elisabet en Paul geschreven. En nu begon Elisabet aan de andere kant van de oceaan de flat in orde te maken, te meubileren en te voorzien van alles wat ze nodig zouden hebben. Andras wilde niet aan de flat zelf denken; het koesteren van gedetailleerde toekomstvisioenen had tot dusver geen geluk gebracht. Maar hij en Klara vertelden de kinderen wel over de middelbare scholen waar ze heen zouden gaan, de bioscopen met hun hoge roze neonreclames, de winkels met schappen vol vruchten uit de hele wereld. Daar schreef Elisabet nu al jaren over en dat alles had in hun gedachten mythologische proporties aangenomen.

Wat Andras ook haast ongelooflijk voorkwam was het idee dat hijzelf nu eindelijk zijn architectuurstudie zou kunnen afmaken. Dat hadden hij en Polaner afgesproken, en Mátyás had gezegd dat hij ook mee zou doen. De afgelopen elf jaar hadden Andras en Polaner, uitgeput als ze waren door hun baan overdag, hun uiterste best gedaan om bij te houden wat ze op de École Spéciale hadden geleerd. Ze hadden elkaar oefeningen opgegeven en elkaar uitgedaagd architecturale problemen op te lossen. Ze hadden zelfs een paar avondcolleges gevolgd, maar de saaiheid van de Sovjetarchitectuur was zo ontmoedigend dat ze er al snel geen zin meer in hadden. New York bood andere vooruitzichten. Ze wisten niets over de opleidingen daar, maar József schreef dat er talloze mogelijkheden waren. Hij en Polaner hadden hun afspraak op de avond van Polaners vertrek met een glas tokayer bezegeld.

'Een stel ouwe mannen tussen al die jongens,' had Andras gezegd. 'Ik zie het al voor me.'

'We zijn niet oud,' antwoordde Polaner, 'we zijn nog niet eens veertig.'

'Ben je soms vergeten hoe het was? Ik weet niet of ik dat wel volhoud.'

'Waar ben je bang voor?' vroeg Polaner. 'Dat je een bloedneus krijgt?'

'Dat weet ik wel zeker. En dat is dan nog maar het begin.'

'Op het begin dan maar,' had Polaner gezegd, en twee uur later was hij in de ongewisse nacht verdwenen met alleen een rugzak en een groenmetalen koker vol tekeningen.

Nu, op deze heldere decembermorgen, stond Klara naast Andras voor het raam en volgde zijn blik naar het park en de rivier. Sinds de oorlog gaf ze geen les meer en wijdde ze zich aan de choreografie. De Russen vonden het prachtig dat ze bij een Rus had gestudeerd en de taal sprak; het feit dat haar leermeester een Witrus was geweest die in 1917 uit Sint-Petersburg was gevlucht zagen ze voor het gemak maar even over het hoofd. Ze kreeg een vaste baan bij het Hongaars Nationaal Ballet en in de staatskrant werd de kracht en de weerbarstigheid van haar werk geprezen. *K. Lévi is een choreografe in de ware Russische traditie*, schreef de dansrecensent, en Klara, die al jaren met haar gezin een vlucht naar de Verenigde Staten voorbereidde, zat met de krant aan de keukentafel en schaterde.

'Het is tijd,' zei ze nu. 'Mátyás staat vast al te wachten.'

Andras hielp haar in haar grijze jas en drapeerde een kaneelkleurige sjaal om haar hals. 'Je bent nog net zo mooi als altijd,' zei hij en hij streelde over haar mouw. 'In Parijs had je een rode hoed. Die krijg je in Amerika ook weer.'

'"Als altijd"!' zei ze. 'Is het zover? Ben ik nu oud?'

'Leeftijdloos,' zei hij. 'Tijdloos.'

Ze troffen Mátyás op de hoek van de Pozsonyi út en de Szent István körút. Hij had voor de gelegenheid een roze anjer in zijn knoopsgat gestoken, een gebaar dat aan de jonge Mátyás deed denken. Hij was gehard en vermagerd uit Siberië teruggekomen, een volwassen man met een fel, agressief licht in zijn ogen. Hij had nooit meer gedanst en wilde nooit meer een hoge hoed en een rokkostuum aan. Zijn vreugdevolle neiging tot fysieke expressie was in Siberië weggesleept. Maar nu, op de dag van de naamsverandering, droeg hij een roze anjer.

Klara drukte Andras' arm toen ze de Perczel Mór utca overstaken. 'Ik heb de camera meegenomen,' zei ze. 'Voel je je een beetje fotogeniek?'

'Als altijd,' zei Andras, die weinig dingen erger vond dan foto's van zichzelf. Maar Mátyás trok de anjer in zijn knoopsgat recht en poseerde voor een straatlantaarn.

'Nu nog niet,' zei Klara. 'Pas als we de papieren hebben.'

Ze kwamen bij het grijze, monolithische gebouw waar het ministerie van Binnenlandse Zaken gevestigd was – Andras herinnerde zich dat het was gebouwd op de plek waar het achttiende-eeuwse paleis van een beroemde courtisane had gestaan. Het paleis was tijdens het beleg in 1944 verwoest, maar een iep die op oude gravures van het gebouw te zien is, stond nog steeds achter een laag ijzeren hekje. Andras raakte de stam aan alsof die geluk bracht en probeerde zich voor te stellen hoe het zou zijn om in een stad te wonen waar hij niet overal schimmen van verdwenen gebouwen en mensen zou zien, waar alles wat nu bestond voor hem het enige zou zijn wat er was. Toen beklommen ze de trappen en gingen de holle spelonk van glas en beton in. Ze moesten een uur wachten terwijl de man die over naamsverandering ging, eindeloze stapels papieren doorbladerde die allemaal drie stempels moesten krijgen en door ongrijpbare functionarissen moesten worden getekend voordat ze geldig waren. Maar eindelijk werd hun naam afgeroepen – hun oude naam, voor de laatste keer – en kregen ze de papieren in handen: nieuwe identiteitskaarten, werkvergunningen en verblijfsvergunningen. Papieren die ze binnenkort niet meer nodig zouden hebben, hoopte Andras. Maar nu leek het belangrijk dat de nieuwe naam in de Hongaarse archieven en registers werd vastgelegd, officieel werd.

Buiten was de hoge blauwe lucht metaalachtig grijs geworden, en ze kwamen in een wolk van neerdwarrelende sneeuw terecht. Klara liep snel de stoeptreden af en bracht de camera in gereedheid terwijl Andras en Mátyás poseerden met de nieuwe papieren in de hand. Andras had niet verwacht dat hij tranen in zijn ogen zou krijgen bij de aanblik van die kaarten en documenten, maar hij merkte dat hij huilde. Eindelijk was het werkelijk geworden: dit gedenkteken, dit merkteken dat ze hun hele verdere leven met zich zouden meedragen en aan hun kinderen en kindskinderen zouden doorgeven.

'Hou op,' zei Mátyás, die zelf ook met zijn mouw over zijn ogen wreef. 'Je verandert er niets mee.'

Hij had natuurlijk gelijk. Wat gebeurd was, kon niet meer worden teruggedraaid – niet door verdriet of door de tijd, door de herinnering of door vergelding. Wat ze wél konden doen, was hier weggaan, en dat gingen ze over een paar weken doen. Ze konden de oceaan oversteken en in een stad gaan wonen waar Április misschien kon opgroeien zonder de ernst die haar broer tekende, zonder het gevoel van tragiek dat hier in de lucht leek te hangen als het bruine stof van vette kolen. En Andras werd weer student – weliswaar niet meer de jongen die met een koffer en een studiebeurs in Parijs was aangekomen, maar wel een man die wat meer over de schoonheid en de lelijkheid van de wereld wist. En Klara zou bij hem zijn – Klara die nu voor hen stond met wapperend donker haar, haar gezicht verborgen achter het glazen oog van de camera in haar hand. Hij sloeg een arm om zijn broer heen en zei:

'Klaar.' Zij telde tot drie, in het Engels, wat in de schaduw van het ministerie van Binnenlandse Zaken nogal gedurfd was. En zo legde ze hen vast, de twee mannen op de trappen: Andras en Mátyás Tibor.

Epiloog

Als er in de lente 's middags geen voetbaltraining was, spijbelde ze van de laatste les – muziek, schoolorkest – en nam ze lijn zes *uptown*, naar het gebouw van haar grootvader. Zo noemde ze het in gedachten, zijn gebouw, al woonde hij er niet en was het ook niet zijn eigendom. Het was een gebouw van vier verdiepingen dat haaks op de straat stond; de voorgevel bestond uit honderden kleine rechthoekjes van glas met stalen kozijntjes die heftig en asymmetrisch omhoog leken te schieten als een exploderend kamerscherm. In het onregelmatige vierhoekje aarde tussen het gebouw en de stoep stonden ranke berken. Op de marmeren latei boven de deur stond AMOS MUSEUM OF CONTEMPORARY ART en de naam van haar grootvader stond in de hoeksteen gebeiteld, boven het woord ARCHITECT. Het gebouw bood onderdak aan een kleine collectie schilderijen, beeldhouwwerken en foto's die ze al duizend keer had gezien. Op de binnenplaats was een café waar ze altijd zwarte koffie bestelde. Ze was dertien en vond dat ze al bijna een vrouw was. Ze zat graag aan een tafeltje brieven aan haar broer in Brown te schrijven, of aan haar vriendinnen van het kamp in de Berkshires. Ze kon daar urenlang zitten, bijna tot etenstijd, en dan trok ze een sprintje om de exprestrein te halen in de hoop dat ze thuis was voordat haar ouders van hun werk kwamen.

Haar grootouders woonden niet in de stad. Ze woonden op het platteland, vlak bij haar oudoom en een paar kilometer van het huis van de man die ze oom noemde, maar die in werkelijkheid een vriend van haar grootvader was. Soms ging ze in het weekend naar hen toe. Haar grootvader had een grote schuur die hij tot studio had omgebouwd, met hoge ramen waardoor het noorderlicht naar binnen viel. Daar werkten ze allemaal nog steeds, haar grootvader, haar oudoom en haar oom die niet haar oom was, al waren ze oud genoeg om met pensioen te gaan. Zij mocht aan de schuine tekentafels zitten en hun met inkt bevlekte spullen gebruiken. Ze tekende graag schuine ingangen, gebroken daklijnen en gebogen façades. Ze gaven haar boeken over architecten die ze gekend hadden, Le Corbusier en Pingusson. Ze leerden haar de Latijnse namen van verschillende soorten bogen en deden haar voor hoe je de tekenmal en de stokpasser gebruikt. Ze leerden haar de enkelvoudige romeinse letters die ze voor hun bouwtekeningen gebruikten.

Ze hadden de oorlog overleefd. Af en toe dook die oorlog op in hun gesprekken: *in de oorlog...* en dan kwam er een verhaal over de honger, of over de kou, of over de lange periodes dat ze elkaar niet hadden gezien. Natuurlijk had ze die oorlog wel op school gehad – wie er waren omgekomen, wie er door wie was doodgemaakt en waarom – al stond er in de boeken weinig over Hongarije. Van het kijken naar haar grootmoeder leerde ze heel andere dingen over de oorlog, want die bewaarde plastic zakjes en glazen potjes en had altijd flessen water in huis voor als er een ramp gebeurde, bakte taarten en cakes met de helft van de hoeveelheid boter en suiker die het recept voorschreef en begon soms zomaar opeens te huilen. En ze leerde erover van haar vader, die destijds nog maar een peuter was, maar zich nog wel herinnerde dat hij met zijn moeder door de puinhopen had gelopen.

Er waren ook flarden van duisterder verhalen. Ze wist niet hoe ze die kende; ze dacht wel eens dat ze door haar huid naar binnen waren gesijpeld, als medicijn of gif. Iets over werkkampen. Over mensen die krantenpapier moesten eten. Over een ziekte die je van luizen kreeg. Zelfs als ze niet aan die halfbegrepen verhalen dacht, deden ze hun werk in haar hoofd. Een paar weken geleden had ze een droom gehad waaruit ze gillend van angst wakker werd. Ze stond met haar ouders in een pyjama van zakkenstof in een koude kamer met zwarte muren. Haar grootmoeder zat huilend op haar knieën in een hoek. Haar grootvader stond voor hen, broodmager en ongeschoren. Er kwam een Duitse bewaker uit het donker, die hem dwong om op een verhoogde transportband te klimmen, zo'n ding waar je op het vliegveld je koffer op zet. De bewaker deed boeien om zijn enkels en polsen en liep toen naar een houten hendel naast de transportband en duwde die naar voren. Geknars van tandwielen, ijzer op ijzer. De transportband kwam in beweging. Haar grootvader verdween om een hoek in een rechthoek van licht, en daarachter klonk een oorverdovende klap die betekende dat hij dood was.

Op dat moment werd ze wakker van haar eigen gegil.

Haar ouders waren naar haar kamer gerend. *Wat is er? Wat is er?*

Dat willen jullie niet weten.

Nu zat ze op de binnenplaats met haar schrijfblok en haar bittere koffie, voor het eerst sinds die droom. Het was een diepblauwe middag, de zon viel schuin op de binnenplaats op een manier die haar aan de noordelijke bossen en het kamp deed denken. Maar ze kon die transportband en die oorverdovende klap niet vergeten. Ze kon zich niet op de brief aan haar broer concentreren. Ze kon haar koffie niet opdrinken, zelfs niet diep ademhalen. Ze hield zichzelf voor dat haar grootvader niet dood was. Haar grootmoeder was ook niet dood, of haar oudoom en de oom die geen oom was – niemand was dood. Zelfs haar vader had het overleefd, en zijn zusje, haar tante Április, die midden in die ellende geboren was.

Maar er was ook een andere oudoom, en die was wel dood. Hij had een vrouw gehad en een zoon die nu ongeveer even oud als haar vader zou zijn geweest. Zij waren allemaal in de oorlog omgekomen. Haar grootouders hadden het bijna nooit over hen, en als ze het toch over hen hadden, gingen ze zachter praten. Alles wat ze nog van die oudoom hadden, was een foto waarop hij twintig was. Een knappe jongen met een krachtige kin, dik donker haar en een bril met een zilveren montuur. Hij zag er niet uit als iemand die verwachtte dat hij dood zou gaan. Hij zag eruit alsof hij later een oude man met wit haar zou worden, net als zijn broers.

Maar nu was er alleen nog die foto. En hun achternaam, ter nagedachtenis aan hem.

Ze wilde het hele verhaal horen: hoe die broer als jongen was geweest, waar hij op school goed in was, wat hij later wilde gaan doen, waar hij had gewoond, van wie hij had gehouden, hoe hij was gestorven. Als háár broer doodging, zou ze haar kleindochter alles over hem vertellen. Als die kleindochter daarnaar vroeg.

Misschien was dat het probleem: dat ze er niet naar gevraagd had. Of misschien konden ze er nog steeds niet over praten. Maar ze zou het vragen als ze weer bij hen was. Het leek haar goed als ze het haar nu vertelden; ze was al dertien. Geen kind meer. Oud genoeg om het te weten.

ELK GEVAL

't Kon gebeuren.
Moest gebeuren.
Gebeurde eerder. Later.
Dichterbij. Verder weg.
Gebeurde een ander.

Je werd gered, omdat je de eerste was.
Je werd gered, omdat je de laatste was.
Omdat je alleen was. Er mensen waren.
Omdat links. Rechts.
Omdat het regende. Er schaduw was.
Omdat de zon toen scheen.

Gelukkig was daar een bos.
Gelukkig waren daar geen bomen.
Gelukkig was er een stang, haak, balk, rem,
stijl, bocht, een millimeter, seconde.
Gelukkig dreef er een strohalm voorbij.

Doordat, aangezien, toch, ondanks.
Wat was er gebeurd, als de hand, de voet,
een stap, een haar
van de ongelukkige samenloop...

Dus je bent er? Recht uit het nog net afgewende ogenblik?
Er zat één maas in het net en jij kroop erdoor?
Ik kan mijn verbazing niet op, kan mijn zwijgen niet op.
Luister,
hoe snel je hart in me klopt.

Woord van dank

Iedereen die deze roman tot stand heeft helpen brengen dank ik uit de grond van mijn hart. De National Endowment for the Arts, de MacDowell Colony, de Corporation of Yaddo, de Rona Jaffe Foundation en het Dorothy and Lewis B. Cullman Center for Scholars and Writers bij de New York Public Library hebben mij ongelooflijk veel tijd en vrijheid gegund. Het United States Holocaust Memorial Museum, het Mémorial de la Shoah in Parijs, de bibliotheek van de École Spéciale d'Architecture, het Holocaustmuseum en het Joods Museum in Boedapest hebben me toegang gegeven tot voorwerpen en documenten die me geholpen hebben om het verhaal tastbaar te maken. Zsuzsa Toronyi van het Joods Archief in Boedapest heeft de Munkaszolgálat-kranten voor me ontsloten en Gábor Nagy heeft ze met veel subtiliteit en kunde vertaald. Emeritus hoogleraar Randolph Braham van de City University of New York heeft zijn hele werkzame leven onderzoek gedaan naar de Hongaarse Holocaust. Zijn *The Politics of Genocide* was voor mij een onmisbare bron van informatie; op een winterse dag in februari heeft hij mij geholpen antwoorden te vinden op mijn vragen over geografische kwesties en Hongaarse militaire rangen. Via het USC Shoah Foundation Institute for Visual History and Education kreeg ik toegang tot vele uren op video opgenomen interviews. Van Killian O'Sullivan kreeg ik gedetailleerd bouwkundig advies. Professor Brian Porter van de University of Michigan heeft me inzicht gegeven in de politiek en de geschiedenis van het Midden-Europa van de twintigste eeuw. Kenneth Turan was mijn vraagbaak voor het Jiddisch. Alice Hudson van de New York Public Library heeft voor mij kaarten opgediept van Boedapest en Parijs ten tijde van de Tweede Wereldoorlog. Professor Edgar Rosenberg van Cornell University heeft me attent gemaakt op *The Day the Holocaust Began: The Odyssey of Herschel Grynszpan* van Gerald Schwab.

Jordan Pavlin van uitgeverij Knopf dank ik voor zijn eindeloos geduld, zijn steun en zijn uiterst secure en fijngevoelige redactiewerk. Kimberly Witherspoon heeft dit project vanaf het begin gesteund. Sonny Metha schonk me zijn vertrouwen. Mary Mount redigeerde het boek vanuit Europees perspectief. Kate Norris, mijn persklaarmaakster, heeft enorm veel werk verzet. Leslie Levine bleef onder al mijn vragen altijd kalm en vriendelijk.

Michael Chabon en Ayelet Waldman hebben meegelezen en waren onvoorstelbaar genereus met hun adviezen en hun vriendschappelijke steun. Brian Seibert dank ik voor zijn redactieadviezen, zijn kennis van de balletwereld en zijn moed als de mijne me in de schoenen zonk. Daniel Orringer was een onuitputtelijke bron van medische kennis en Amy Orringer een geweldige reisgenoot en een onverschrokken, begripvolle vroege lezeres. Carl en Linda Orringer hebben me gesteund met hun liefde en hun onwankelbaar geloof in dit project. Tom Tibor stuurde me zijn zorgvuldig gedocumenteerde verslag van onze familiegeschiedenis. Judy Brodt maakte me deelgenoot van haar kennis van het joodse religieuze leven en haar eigen herinneringen. Tibor Schenk vertelde me wat hij tijdens de oorlog in Bór had meegemaakt en maakte me attent op Munkaszolgálat-websites. Christa Parravani liep samen met mij een ruïne binnen om foto's te maken.

Bovenal dankt dit boek zijn bestaan aan mijn grootouders Andrew en Irene Tibor en aan mijn oudoom en -tante Alfred en Susan Tibor. Ik dank jullie uit de grond van mijn hart voor jullie geduld, vertrouwen en ruimhartigheid. Mijn oom Alfred dank ik voor het beantwoorden van mijn vragen, voor het vertellen van de familieverhalen en voor het nauwkeurig doorlezen van het boek. Een speciaal woord van dank voor mijn grootmoeder Anyu: je las en redigeerde met de kunstzinnigheid van een dichter, met de nauwgezetheid van een kleermaakster en met de gevoeligheid van een moeder. Het inzicht dat jij me verschaft hebt, had niemand anders me kunnen geven.

Mijn man Ryan Harty heeft dit boek eindeloos vaak doorgenomen, waarbij ik kon profiteren van zijn scherpe redactionele inzicht, zijn grote begrip van de personages en zijn onfeilbare gevoel voor taal. In elke fase heeft hij me het gevoel gegeven dat het mogelijk en belangrijk was om het boek af te maken. Ik kan hem er niet dankbaar genoeg voor zijn.

Inhoud